ORBIS PROVINCIARUM

Herausgegeben von Tilmann Bechert, Rudolf Fellmann,
Margot Klee und Annette Nünnerich-Asmus

Unter Mitarbeit von Michel Reddé und Michael A. Speidel

SONDERBÄNDE DER ANTIKEN WELT

Zaberns Bildbände zur Archäologie

VERLAG PHILIPP VON ZABERN · GEGRÜNDET 1785 · MAINZ

TILMANN BECHERT

Die Provinzen
des Römischen Reiches

EINFÜHRUNG UND ÜBERBLICK

VERLAG PHILIPP VON ZABERN · MAINZ AM RHEIN

IV, 222 Seiten mit 170 Farb-, 63 Schwarzweiß- und 30 Strichabbildungen

Umschlag vorn: Julier-Grabmal, St. Rémy (Glanum).

Vorsatz vorn: Karte des Römischen Reiches in der Mitte des 2. Jhs. n. Chr.

Vorsatz hinten: Karte des Römischen Reiches zu Beginn des 4. Jhs. n. Chr.

Umschlag hinten: Von einem Eroten bevölkerte Ranke auf einem Mosaik in Piazza Armerina/Sizilien.

Die Deutsche Bibliothek – CIP Einheitsaufnahme

Bechert, Tilmann:
Die Provinzen des Römischen Reiches : Einführung und Überblick /
Tilmann Bechert. - Mainz am Rhein : von Zabern, 1999
(Antike Welt ; Sonderb.) (Orbis Provinciarum) (Zaberns Bildbände zur Archäologie)
ISBN 3-8053-2399-9

© 1999 bei Verlag Philipp von Zabern, Mainz am Rhein
ISBN 3-8053-2399-9
Lithos: PubliCom, Heusenstamm
Redaktion: Annette Nünnerich-Asmus, Verlag Philipp von Zabern, Mainz
Satz: Tina Heuser, Verlag Philipp von Zabern, Mainz
Gestaltung: Tilmann Bechert
Printed in Germany by Philipp von Zabern
Printed on fade resistant and archival quality paper (PH 7 neutral) · tcf

Inhaltsverzeichnis

Editorial

Das Fachgebiet ‹Archäologie der römischen Provinzen› hat sich kontinuierlich in den letzten Jahrzehnten als eigenständige Fachrichtung herausgebildet. Von seiner zunehmenden Bedeutung innerhalb der unter dem Begriff ‹Klassische Altertumswissenschaften› zusammengefaßten historischen Disziplinen zeugt die Tatsache, daß inzwischen an einigen deutschen Universitäten eigene Lehrstühle für dieses Fach eingerichtet worden sind. Wie der Name sagt, widmet sich das Fach ‹Archäologie der römischen Provinzen› vorrangig der Erforschung der römischen Provinzen. Das Territorium, das einst von Rom aus regiert wurde, gehört heute zu 23 west- und osteuropäischen, fünf vorderasiatischen und fünf nordafrikanischen Staaten. Es reichte von Schottland im Norden bis an den Rand der Sahara im Süden und umfaßt im Nordosten das Gebiet der Karpaten und der Donaumündung, im äußersten Osten den Euphrat ebenso wie die Atlantikküste im Westen.

In den klassischen Fachrichtungen der Altertumswissenschaften, besonders in den Bereichen der Klassischen Archäologie und der Alten Geschichte, hat man sich lange schwer getan mit der Erkenntnis, daß archäologische Funde nicht nur geschichtliche Ereignisse illustrieren. Gerade in der Archäologie klassischer Prägung beschäftigte man sich lange ausschließlich mit den Kunstwerken der Architektur, Malerei oder Bildnisplastik und schenkte den Hinterlassenschaften des täglichen Lebens wie beispielsweise der schlichten Gebrauchskeramik kaum Beachtung. Neue Wege beschritt erstmals MICHAEL ROSTOVTZEFF (1870–1952), der bei seinen Arbeiten das gesamte archäologische Fundmaterial auswertete; ihm ist ANDREAS ALFÖLDI gefolgt. Unter den Althistorikern ist besonders HERMANN BENGTSON (1906–1989) zu nennen. Von ihm stammt außer der Feststellung, daß kaum eine andere Wissenschaft so viel zur Ausweitung des historischen Horizontes auf dem Gebiet der Alten Geschichte beigetragen habe wie gerade die Archäologie, auch das folgende Zitat: «Wer aber in das Wesen der Alten Welt eindringen will, wird sich nicht mit den Schriftquellen, so wichtig sie auch sein mögen, begnügen können:

Eindrucksvoller, als jede Schilderung der antiken Historiker und Dichter es zu tun vermag, erzählen die Amphitheater, die Thermen, die Aquädukte, Landstraßen und Limites von der einstigen Größe des Imperium Romanum» (Einführung in die Alte Geschichte S. 128).

Jede der römischen Provinzen durchläuft eine eigenständige Entwicklung, was auf verschiedene Lebensgewohnheiten, den unterschiedlichen Kulturkreis und die wirtschaftliche Entwicklung zurückzuführen ist. An der Erforschung von Geschichte und Kultur der einzelnen Gebiete wird in weit voneinander entfernten Ländern von Forschern der unterschiedlichsten Disziplinen gearbeitet. Je nach der Ausrichtung stehen dabei historische, archäologische, numismatische oder epigraphische Fragen im Vordergrund. Um die dabei gewonnenen Erkenntnisse thematisch zu ordnen und sie inhaltlich auszuwerten, ist es notwendig, von Zeit zu Zeit innezuhalten, um den Forschungsstand vergleichend darzustellen und zu neuen Problemstellungen zu finden.

Zusammenfassende und allgemein verständliche Einzeldarstellungen zur Geschichte und Kultur der römischen Provinzen fehlen bis jetzt weitgehend. Das Ziel eines solchen Überblicks muß es sein, die verschiedenen Quellengattungen wie Epigraphik, Numismatik und materielle Hinterlassenschaften so zusammenzubringen, daß ein anschauliches, allgemein verständliches Bild vom Alltag der damals lebenden Menschen entsteht.

Aus diesen Überlegungen heraus ist die Idee zur Schriftenreihe ORBIS PROVINCIARUM entstanden, die in lockerer Folge die verschiedenen Provinzen des Römischen Reiches vorstellen will. Im Vordergrund steht dabei das materielle Erbe der römischen Zeit, wie es sich in den ehemaligen Provinzen des Imperium auf ganz unterschiedliche Weise bis heute erhalten hat oder von der Archäologie wieder sichtbar gemacht werden konnte. Eine reiche Bebilderung soll den aktuellen Forschungsstand zusätzlich umfassend dokumentieren und schwer zugängliche Altfunde oder aktuelle Neufunde besonders berücksichtigen.

Die Reihe ORBIS PROVINCIARUM

richtet sich dabei sowohl an Fachkollegen aller historischen Disziplinen, die für ihre eigene Arbeit auf eine möglichst aktuelle Übersicht zurückgreifen möchten. Ebenso sollen aber auch die interessierten Laien angesprochen werden, die sich dem kulturellen Erbe der Vergangenheit verpflichtet wissen und es auch in Zukunft bewahren wollen. Im Mittelpunkt werden daher bei jeder Einzeldarstellung nicht so sehr der historische Ablauf oder politische und militärische Ereignisse stehen, sondern die Schilderung des Lebens und des Alltags der Menschen in römischer Zeit, so wie sich diese nach unseren heutigen Erkenntnissen vor allem auch aus der materiellen Hinterlassenschaft rekonstruieren lassen.

In einer Zeit, in der ein rasch expandierender Medienmarkt die alteingesessenen Buchverlage vor unerwartete Probleme stellt, bedeutet es sicher ein Wagnis, eine neue Schriftenreihe wie ORBIS PROVINCIARUM in das Verlagsprogramm aufzunehmen. Um so größerer Dank gebührt dem Leiter des Verlages Philipp von Zabern, Franz Rutzen, der sich selbst dem Erbe der Antike zutiefst verpflichtet fühlt, daß er die Idee zu dieser Serie aufgegriffen hat und sie in die Tat umsetzte.

Die Herausgeber

TILMANN BECHERT
RUDOLF FELLMANN
MARGOT KLEE
ANNETTE NÜNNERICH-ASMUS

Vorwort und Dank

Was auch verändert werden mag, der Erde Umrisse bleiben, und die Grundfesten und Trümmer der unsterblichen Städte und ihrer Denkmale.

BARTHOLD GEORG NIEBUHR (1776–1831)

Es ist heute kaum mehr möglich, sich mit Geschichte zu befassen, ohne die Archäologie zu bemühen, und für die längste Zeit des Existierens von Menschen ist Geschichte überhaupt nicht faßbar.

R. E. MORTIMER WHEELER (1890–1976)

Die Archäologie stellt wieder her, was die Geschichte zerstört hat.

NACH FRIEDRICH DÜRRENMATT (1921–1990)

Inhalt und Wesen der Welt der römischen Provinzen erschließen sich nicht allein aus schriftlichen Quellen, deren Zahl bis auf gelegentliche Neufunde von Inschriften immer begrenzt bleiben wird. Demgegenüber wächst seit jeher das durch die Archäologie zutage geförderte ‹materielle› Quellenmaterial, das seine wissenschaftliche Bedeutung insbesondere von der Erforschung der Lebensumstände und -zusammenhänge der römischen Kaiserzeit herleitet. Der ständige Zuwachs an Wissen erfolgt hierbei in einem Maße, daß es selbst dem Fachspezialisten schwer fällt, die Übersicht zu behalten. Die inhaltliche Aussagekraft beider Quellengattungen ist unterschiedlich, doch begründet dies keine Rangabfolge zugunsten der schriftlichen Überlieferung. Beide Quellengruppen stehen vielmehr gleichberechtigt nebeneinander, dienen derselben wissenschaftlichen Zielsetzung und ergeben erst in der Synthese ein zusammenhängendes Bild der römischen Provinzwelt, wie es am meisterlichsten bislang der Althistoriker M. ROSTOVTZEFF (1870–1952) in seinen Werken entworfen und dargestellt hat.

Ausgehend von dieser Grundüberlegung wendet sich diese Einführung zunächst einmal an Studierende der Altertumswissenschaften, die sich sowohl mit dem materiellen Erbe der römischen

Vergangenheit Deutschlands als auch anderer ehemals römischer Gebiete rund um das Mittelmeer beschäftigen. Sie ist jedoch in ihrer Darstellungsweise und Ausstattung darüber hinaus für jeden gedacht, der sich mit dem Fach ‹Geschichte und Kultur der römischen Provinzen›, seinen Fragestellungen, Methoden und Erkenntnismöglichkeiten näher befassen möchte und die Erwartung hat, anhand

Abb. 1 Limeskongreß 1964 in Arnoldshain/Taunus (D). ERIC BIRLEY und ALADAR RADNÓTI im Gespräch. Vgl. auch Abb. 239.

1

einführender und zusammenfassender Texte sowie thematisch geordneter Literatur zu allen Bereichen römischen Lebens, zu denen die Archäologie etwas beizutragen weiß, eine erste Orientierung und einen Überblick zu erhalten.

Eine Einführung in dieses Fach, die die schriftliche und archäologische Überlieferung gleichermaßen berücksichtigt, gab es bisher nicht. Die sog. Provinzialrömische Archäologie war lange Zeit ein ‹Fach zwischen den Fächern› und wurde von ihren Nachbardisziplinen eher ‹stiefmütterlich› behandelt. So schließt etwa die ‹Einführung in die Archäologie› von H. G. Niemeyer entsprechend ihrer Zielsetzung den gesamten Mittelmeerraum in den Grenzen des Römischen Reiches ein (ebd. 8 f.). Andererseits beschränkt sich dieser Band in den behandelten Beispielen und seiner Literaturauswahl inhaltlich im wesentlichen auf die Betrachtung der künstlerischen Hinterlassenschaft der ‹Klassischen Antike› und vertritt damit in erster Linie die Belange des Faches, das nach althergebrachter Wissenschaftstradition bis heute als ‹Klassische Archäologie› bezeichnet wird. Ähnlich verfährt – von anderer Seite her – der Althistoriker K. Christ, der dem Fach lediglich die Rolle einer ‹Hilfswissenschaft› zubilligt und sie als «Provinzialarchäologie im engeren Sinne» charakterisiert (siehe hier 10 f.).

Vom Grundsatz her geht es bei der sog. Provinzialrömischen Archäologie in erster Linie um die Erforschung von G e s c h i c h t e . Es sind dabei nicht so sehr die großen historischen Linien und Entwicklungen, denen sich dieses Fach widmet und die seit jeher eine Domäne der ‹Alten Geschichte› sind. Aber es handelt sich bei diesem Fach eben auch nicht um reine ‹Bodenforschung› (im Sinne von K. Christ), vielmehr um das Bemühen, historische Erkenntnisse nicht nur aus schriftlichen Quellen zu gewinnen, sondern hierzu das gesamte Spektrum archäologischen Quellenmaterials zu nutzen. Daß es hierbei vor allem um die Erforschung des römischen Alltags geht, ergibt sich aus dem Charakter des Fundmaterials, das in seiner Mehrheit eben nicht nur aus schriftlichen Zeugnissen oder – bezogen auf die ‹Klassische Archäologie› – aus Werken und Fragmenten der Bildenden Kunst besteht, sondern im Regelfall aus Unmengen von Tonscherben und vielfältigen anderen ‹Bruchstücken› des menschlichen Alltagslebens.

So gesehen sind die Begriffe ‹Geschichte› – als wissenschaftliche Zielsetzung – und ‹Archäologie› – als wichtigste begleitende Methode – nicht als Gegensätze zu begreifen oder als Synonyme unterschiedlicher wissenschaftlicher Fachdisziplinen. Sie stehen vielmehr in ständiger Wechselbeziehung zueinander, gehören inhaltlich eng zusammen und geben dem Fach ‹Geschichte und Kultur der römischen Provinzen› erst jene Spannungsbreite, die ihm auf Grund seiner umfassenden Thematik und seines Anspruchs, ‹Archäologie eines Weltreichs› zu sein, zugestanden werden muß.

Im Rahmen einer Einführung kann die Bedeutung dieses Faches mit seinen vielfältigen Aspekten lediglich umrissen werden. Wichtig erscheint aus der Sicht des Autors vor allem die Aufarbeitung und Bereitstellung dessen, was man in Anlehnung an einen älteren Buchtitel als ‹Handwerkszeug des Provinzialrömers› bezeichnen könnte. Insgesamt will dieses Buch Einblicke vermitteln in eine Teildisziplin der ‹Klassischen Altertumswissenschaft›, die jene Jahrhunderte zum Gegenstand hat, in denen es in einem weder vorher noch später wieder erreichten Maße gelungen ist, den gesamten Mittelmeerraum zu einer politischen, wirtschaftlichen und kulturellen Einheit zusammen zu fügen und unter dem Schirm der *pax Romana* einen bunten Vielvölkerstaat in eine *natio* zu verwandeln, in der sich der aus *Tarsus* in Kilikien gebürtige Paulus ebenso als *cives Romanus* fühlte wie der Germane Flavus, der Bruder des Arminius, der Syrer Sedebdas, der am Niederrhein seinen Militärdienst versah, der Alexandriner Horus, der im römischen Köln heimisch wurde, oder der Maure Lusius Quietus, der unter Traianus (98 – 117) einer der gefürchtetsten Generäle Roms war.

Zu danken habe ich vielen Kolleginnen und Kollegen im In- und Ausland, die bereit waren, Teile des Manuskripts zu lesen, mich mit wertvollen Hinweisen und Anregungen unterstützten und bereitwillig meine Bildwünsche erfüllten. Im einzelnen gilt mein Dank L. Bakker (Augsburg), G. Bauchhenss (Bonn), H. Becker (München), J. H. F. Bloemers (Amsterdam), O. Braasch (Landshut), D. Breeze (Edinburgh), H. van Enckevort (Nijmegen), D. van Endert (München), R. Fellmann (Basel), M. Filgis (Stuttgart), Ch. Fleer (Freiburg i. Br.), Th. Fischer (Köln), A. R. Furger (Augst), J. Garbsch (München), W. Gaitzsch (Titz), N. Gudea (Cluj), W. S. Hanson (Glasgow), H. G. Horn (Wesseling), W. Irlinger (München), S. Jilek (Wien), W. Jobst (Bad Deutsch Altenburg), G. Kabakčieva (Sofia), M. Klee (Saalburg), M. Korfmann (Tübingen), J.-S. Kühlborn (Münster), E. Künzl (Mainz), H.-P. Kuhnen (Trier), P. León (Córdoba), C. Marques (Córdoba), J. Mertens (Wezembeek), S. Neu (Köln), H. U. Nuber (Freiburg i. Br.), I. Paar (†), T. A. S. M. Panhuysen (Maastricht), D. Paunier (Lausanne), G. Piccotini (Klagenfurt), D. Planck (Stuttgart), M. R.-Alföldi (Frankfurt/Main), J. Rajtar (Nitra), M. Reddé (Paris), J. Remesal (Barcelona), G. Rupprecht (Mainz), H. J. Schalles (Xanten), E. Schallmayer (Saalburg), A. Schaub (Augsburg), S. von Schnurbein (Frankfurt/Main), S. Seiler (Köln), S. Sommer von Bülow (Frankfurt/ Main), S. Soproni (†), H. Ubl (Wien), A. Vanderhoeven (Tongeren), Zs. Visy (Pécs), J. Wagner (Tübingen), E. Weber (Wien), G. Weber (Kempten), W. J. H. Willems (Amersfoort), A. Wilmott (Portsmouth) und N. Zieling (Xanten).

Mein ganz persönlicher Dank richtet sich an den Verleger Franz Rutzen, der für die Vorstellungen und Ideen des Autors immer ein offenes Ohr hatte und die Umsetzung des Manuskripts mit freundschaftlichem Interesse und viel Sympathie begleitet hat.

Des weiteren sei auch den Mitarbeiterinnen und Mitarbeitern des Verlages Philipp von Zabern für ihre Offenheit und Hilfsbereitschaft gedankt, insbesondere Annette Nünnerich-Asmus, Tina Heuser und Stephan Pelgen.

Ich widme den Einführungsband der neuen Schriftenreihe ‹Orbis Provinciarum› meinen akademischen Lehrern an der Johann-Wolfgang-Goethe-Universität zu Frankfurt/Main, die mir für meine spezielle Fachausrichtung die letztlich entscheidenden Anstöße gaben: dem Althistoriker Konrad Kraft (1920–1970), dem klassischen Archäologen Gerhard Kleiner (1908–1978) und meinem ‹Doktorvater› Aladar Radnóti (1913–72) – Professor für ‹Geschichte und Kultur der römischen Provinzen›.

Tilmann Bechert,
Duisburg-Buchholz, Ende Januar 1998

Abb. 2 Ammaedara/Haidra (TUN). Grabstein für den Veteranen M. Mevius Campesis der leg(io) III Aug(usta) an der Straße nach Karthago in situ. Ende des 1. Jhs.

Archäologie eines Weltreichs

Die sog. Provinzialrömische Archäologie

Archäologie ist die Wissenschaft, von der zu wissen sich nicht lohnt.

THEODOR MOMMSEN (1817–1903)

Für mich ist Archäologie nicht eine Illustrationsquelle für geschriebene Texte, sondern eine unabhängige Quelle historischer Information, nicht weniger wertvoll und wichtig, manchmal wichtiger als die schriftliche Überlieferung. Wir müssen es lernen und lernen es zusehends, Geschichte mit Hilfe der Archäologie zu schreiben.

MICHAEL IWANOWITSCH ROSTOVTZEFF (1870–1952)

Im ganzen hat kaum eine andere Wissenschaft so viel zur Ausweitung des historischen Horizontes auf dem Gebiet der Alten Geschichte beigetragen wie gerade die Archäologie.

HERMANN BENGTSON (1909–89)

Das Fach ‹Geschichte und Kultur der römischen Provinzen›, verkürzt ‹Provinzialrömische Archäologie› genannt, das man jedoch mit guten Gründen auch als ‹Archäologie und Geschichte der römischen Provinzen› oder ‹Archäologie der römischen Kaiserzeit› bezeichnen kann, untersucht mit Hilfe unterschiedlicher Methoden und Quellengattungen die reiche materielle Hinterlassenschaft in den ehemaligen Provinzen des Römischen Reiches. Sie tut dies auf dem Boden eines sehr umfangreichen Gebietes, das im Norden bis Schottland, im Westen bis an die portugiesische Atlantikküste, im Süden bis an den Rand der Sahara und im Osten bis an den Euphrat reichte. Damit umfaßte der *orbis Romanus* in der Zeit seiner größten Ausdehnung ein Gebiet, auf dem heutzutage nicht weniger als 23 west- und osteuropäische, fünf vorderorientalische und fünf nordafrikanische Staaten liegen.

Verstanden als Teil der ‹Klassischen Altertumswissenschaft›, folgt das Fach der Grunderkenntnis, wonach Archäologie im modernen Sinne nichts anderes ist als ‹konservierte Geschichte›, die es gilt, durch Ausgrabungen wieder sichtbar zu machen, wissenschaftlich zu deuten und einzuordnen, in Schrift und Bild bekannt zu machen und damit als kulturelles Allgemeingut für die Gegenwart zurückzugewinnen. Dies bedeutet in der Praxis,

daß sich der ‹Provinzialrömer› nicht wie mancher Spezialist auf Teilaspekte der römischen Archäologie zurückzieht und sein Augenmerk im wesentlichen auf heute noch sichtbare oder wieder ans Tageslicht gelangte Denkmäler richtet, die zwar manches über bestimmte historische Ereignisse, künstlerische oder religiöse Zusammenhänge oder Entwicklungen aussagen können, nicht aber (oder nur unvollkommen) etwa das Alltagsleben der römischen Zeit widerspiegeln. So gesehen ist für den Archäologen dieser Fachrichtung alles von Interesse, was ihm hilft, vergangenes oder zerstörtes Leben aus Überresten und Fragmenten zu rekonstruieren, auch wenn diese in ihrem trümmerhaften Zustand kaum mehr als ‹Denkmäler› (wie die ‹Klassische Archäologie› diesen Begriff versteht) angesprochen werden können.

Nicht nur Scherben sammeln

Archäologie ist diesem Verständnis nach weder als reine Kunstwissenschaft noch als «Technik zum Sammeln von Beweisstücken alter Kulturen» (W. W. TAYLOR) zu begreifen, vielmehr als Wissenschaft vom Menschen im weitesten Sinne, viel weiter gefaßt, als etwa Anthropologen ihr Fach verstehen, das sich im engeren Sinne mit dem Menschen und seiner Herkunft beschäftigt. Archäologie in diesem Sinne sammelt nicht Scherben, um damit stereotyp die Seiten wissenschaftlicher Kataloge zu füllen, sie legt nicht Hausgrundrisse frei, deckt Gräber auf oder untersucht Knochenreste von Mensch und Tier, nur um Einzelfakten aneinander zu reihen. Sie tut dies auch, weil es ein wesentliches Element ihrer Arbeit ist (gleichsam eine Art ‹Grammatik›, derer sie sich bedient), doch sie bleibt an diesem Punkt nicht stehen, sondern versucht in ihren Fragestellungen immer aufs neue, zu den Menschen vorzudringen, die das Überlieferte oder Wiedergefundene erdacht, geschaffen, geformt und mit Geist erfüllt haben und das heute oft genug nur noch in unscheinbaren Fragmenten aus dem Boden geborgen werden kann.

Selbstverständlich bedient sich der ‹Provinzialrömer› auch der schriftlichen

2

Quellen, wo immer sich dazu die Möglichkeit bietet. Allerdings geben die überlieferten Werke eines Caesar, Plinius, Tacitus oder Cassius Dio, die auf dem Hintergrund antiker Bibliotheksbestände nur noch als kümmerliche Überreste einer ehedem sehr viel reicheren Geschichtsliteratur angesehen werden müssen, für die römische Provinzialgeschichte nur sehr wenig her. Als wesentlich ergiebiger können dagegen die mehr als 200 000 lateinischen und griechischen Inschriften gelten, da sie als Primärquellen viele Teilaspekte zum Leben und Denken in römischer Zeit überliefern und ihre Zahl zudem durch Ausgrabungen und zufällige Entdeckungen ständig weiterwächst. Gleichwohl gilt, daß, wer heutzutage das Fach ‹Geschichte und Kultur der römischen Provinzen› an einem wissenschaftlichen Institut oder Museum betreibt, neue Quellen und historische Dokumente hinzugewinnen muß, um den vielfältigen Fragen, die man heute an die Vergangenheit stellt, angemessen gerecht zu werden.

Diese neu zu erschließenden Geschichtsdokumente stammen in der Hauptsache aus Grabungen, sind also archäologischer Natur und werden insgesamt als ‹Bodenfunde› bezeichnet (vgl. z. B. Abb. 42). Trotz ihrer Bruchstückhaftigkeit (man denke allein an die Unmengen von Tonscherben, die bei Siedlungsgrabungen mitunter bis zu 90% des Fundgutes ausmachen) können originale

3

Bodenurkunden dieser Art zu oft sehr weitreichenden Rückschlüssen und Erkenntnissen führen, die den Bereich der Wirtschafts- und Sozialgeschichte ebenso betreffen wie die Geschichte des römischen Alltagslebens. Zusammenfassend läßt sich sagen, daß das Fach, soweit es sich nicht mit Werken der Bildenden Kunst befaßt, im wesentlichen historisch orientiert ist und überwiegend mit den Methoden der Archäologie versucht, die Geschichte und Kultur der Provinzen des Römischen Reiches so umfassend wie möglich zu dokumentieren und für die Gegenwart wieder sichtbar zu machen. Leicht verkürzt ließe sich sagen: Der ‹Provinzialrömer› versteht sich vom Ansatz her als Althistoriker, der methodisch in der Hauptsache wie ein Archäologe arbeitet.

Eine deutsche Erfindung

Als selbständiges wissenschaftliches Fachgebiet ist die ‹Geschichte und Kultur der römischen Provinzen› im wesentlichen eine deutsche Erfindung. Das Fach ist einerseits aus der Abgrenzung gegenüber der ‹Ur- und Frühgeschichte›

entstanden, die sich in der Hauptsache mit den schriftlosen Kulturen vor- und nachchristlicher Zeit beschäftigt, sowie der ‹Klassischen Archäologie› andererseits, die zwar längst nicht mehr ausschließlich «antike Kunstgeschichte» ist, wie sie noch A. FURTWÄNGLER (1908) definierte, in der man sich jedoch nach wie vor zu griechischer Bildnisplastik, Vasenmalerei und Tempelarchitektur weit stärker hingezogen fühlt als zu den Überresten römischer Nutzbauten, handwerklicher Erzeugnisse oder der großen Masse unscheinbarer Keramik- oder anderer Kleinfunde, die auf jeder römischen Grabung das Gros des Fundmaterials ausmachen. Nirgendwo sonst in Europa, Nordafrika oder im Vorderen Orient betreibt man diese Spezialdisziplin als eigenes Fach, das im Grunde einen wesentlichen Teil der ‹Römischen Archäologie› bildet, die wiederum nicht von der ‹Klassischen Archäologie› zu trennen ist.

Wahrscheinlich wäre es zu dieser speziellen Wissenschaftstradition in Deutschland gar nicht gekommen, würden bedeutsame Überreste römischer Monumentalbauten an mehr Plätzen als nur in Trier, Köln oder Regensburg

(Abb. 188) heute noch aufrecht stehen und nicht wie in Xanten, selbst ihrer Grundmauern beraubt, im Boden oder wie in Mainz oder Augsburg unter meterhohen Schuttschichten späterer Jahrhunderte begraben liegen. So kam es, daß nicht Klassische Archäologen, sondern Althistoriker und Vorgeschichtler die ersten waren, die sich um die römische Vergangenheit Deutschlands kümmerten. In *Ephesos* zumindest, wo österreichische Archäologen seit mehr als hundert Jahren tätig sind, in *Italica*, nahe Sevilla, dem algerischen *Thamugadi*/Timgad oder in *Aquincum*, dem heutigen Budapest, bezeichnet sich kein Wissenschaftler, der vor Ort römische Altertümer ausgräbt, als ‹provinzialrömischer› Archäologe, obwohl strenggenommen jede Untersuchung auf dem Gebiet des ehemaligen Römischen Reiches – mit Ausnahme Italiens – ‹Archäologie auf provinzialrömischem Boden› ist.

Auch wenn die enge Verflechtung von ‹provinzialrömischer› und ‹römischer› Archäologie heutzutage unbestritten ist und vor allem seitens des Deutschen Archäologenverbandes mehrfach die verständliche Forderung erhoben wurde, der römischen Archäologie in den Universitätslehrplänen insgesamt mehr Gewicht zu geben, ist eigentlich in dieser Hinsicht seit Jahren nur wenig geschehen, auch wenn es inzwischen klassisch-archäologische Lehrstätten gibt, die auch ‹provinzialrömische› Themen in ihr Angebot aufgenommen haben. Dabei ist es für die Gesamtsituation dieses Lehrfaches bezeichnend, daß gerade die lange Zeit einzigen Ausbildungsstätten in Frankfurt a. M., Freiburg i. Br. und München, die als einzige über selbständige Abteilungen verfügten, inhaltlich und administrativ nicht mit der Klassischen Archäologie, sondern mit den Fächern Alte Geschichte (Frankfurt und Freiburg) bzw. Vor- und Frühgeschichte (München) verbunden sind. Erst vor wenigen Jahren ist mit Köln eine weitere Ausbildungsstätte hinzugekommen und das Fach dort erstmals der Klassischen Archäologie zugeordnet worden.

Daß eine derartige Zuweisung des Faches sinnvoll ist, lehrt der Blick nach Österreich. Dort spricht niemand in engerem Sinne von ‹provinzialrömischer› Archäologie, die in Graz, Innsbruck, Salzburg und Wien fest in die ‹klassisch-archäologische› Ausbildung integriert ist, was deutlich auch darin zum Ausdruck kommt, daß alle vier Universitäten Lehrgrabungen anbieten und zur Pflicht machen, die fast ausnahmslos ‹provinzialrömischer› Natur sind. Daß die archäologische Feldarbeit als Teil der wissenschaftlichen Ausbildung anzusehen ist, war dagegen an deutschen Universitätsinstituten noch vor einigen Jahren eher die Ausnahme. Zwar wird heute in der Römischen Archäologie die Teilnahme an Ausgrabungen im In- und Ausland als erwünscht angesehen, doch zählen diese immer noch nicht an allen deutschen Universitäten zum eigentlichen Lehrangebot. Erst allmählich setzt sich die Erkenntnis durch, wie fließend die Übergänge zwischen Archäologie und (Kunst-)Geschichte einerseits sind, andererseits wie eng verzahnt die Tätigkeiten der mehr praktisch orientierten Archäologen und der vorwiegend theoretisch ausgerichteten Historiker, Kunstwissenschaftler und Philologen.

Abb. 3 Colonia Augusta Treverorum/ Trier (D). Sog. Porta Nigra, das Nordtor der römischen Stadt, von der Stadtseite her gesehen. Erbaut Ende des 2. Jhs.

Abb. 4 Colonia Ulpia Traiana/Xanten (D). Konturen des Süd-Ost-Turmes der Stadtbefestigung des beginnenden 2. Jhs. mit vollständig ausgebrochenem Mauerwerk. Heute steht an dieser Stelle ein vollständig rekonstruierter Eckturm der römischen Stadtbefestigung. Vgl. Abb. 64.

Archäologie und Geschichte

Die unterschiedliche Anbindung des Faches ‹Geschichte und Kultur der römischen Provinzen› an deutschen Universitäten mal bei der Alten Geschichte, mal bei der Vor- und Frühgeschichte und viel zu selten bei der Klassischen Archäologie macht deutlich, daß die inhaltlichen und methodischen Schwerpunkte in der Lehrausübung dieses Faches verschieden gesetzt werden können, je nachdem, ob mehr die ‹Archäologie› oder ‹Geschichte› im Vordergrund der wissenschaftlichen Betrachtung steht. Dies kann im Einzelfall dazu führen, daß man als Interessierter dieser Fachrichtung ‹provinzialrömische› Lehrangebote an ein und derselben Universität bei den Prähistorikern ebenso findet wie bei den Klassischen Archäologen oder Althistorikern. Generell wird man sagen können, daß dort, wo ‹provinzialrömische› Themen in das althistorische Lehrprogramm eingebunden sind und das Fach nicht als eigene Abteilung organisiert ist, zusammenfassende Darstellungen und die Auswertung vorwiegend schriftlicher Quellen im Vordergrund stehen, während dort, wo das Fach Teil des Studiums der Vor- und Frühgeschichte ist, die Beschäftigung mit archäologischen Materialien den Vorrang hat. An der in Deutschland gebotenen Vielfalt ist aber auch ablesbar, daß dieses Fach eine ganze Palette unterschiedlicher Themenbereiche und Fragestellungen in sich vereinigt, die es – je nachdem, worauf nach Ausbildung, Neigung oder Erfordernissen der wissenschaftliche Akzent gesetzt wird – mit allen drei genannten Nachbardisziplinen der Altertumskunde gemeinsam hat.

Im Grunde verbindet das Lehrfach ‹Geschichte und Kultur der römischen Provinzen› mehrere Spezialbereiche der Klassischen Altertumswissenschaft zu einer Einheit. In seiner historischen Zielsetzung fühlt es sich der Alten Ge-

schichte verpflichtet und hat von dorther auch den wissenschaftlichen Umgang mit der schriftlichen Überlieferung übernommen, vor allem, was die Auswertung epigraphischer und numismatischer Quellen betrifft. Mit der Vor- und Frühgeschichte hat das Fach die archäologische Methode gemeinsam, die das Ausgraben ebenso einschließt wie die Behandlung und Auswertung des Fundmaterials und die Dokumentation archäologischer Bodenbefunde. Die Klassische Archäologie nach ihrem heutigen Verständnis hat in dieser Hinsicht viel von der Prähistorie gelernt. Mit ihr ist das Fach durch den gemeinsamen Inhalt verbunden, die Erforschung des römischen Kulturerbes in den Provinzen des ehemaligen Weltreichs rund um das Mittelmeer, wozu ein unscheinbarer Hausgrundriß, die Abfallgrube eines Töpfers oder der Inhalt einer Kastelllatrine ebenso gehören wie die monumentalen Überreste römischer Stadtarchitektur oder die Marmorstatuen hochherziger Stifter, die ihre Vaterstadt in Nordafrika, Hispanien, Pannonien, Kleinasien oder Syrien mit einem Bibliotheksbau, einer

Abb. 5   Dea Roma et provinciae pacatae.
a   Augustus (27 v. Chr.–14 n. Chr.). AEGYPT(o) CAPTA. Münzrückseite mit der Darstellung eines Krokodils, das die Eroberung Ägyptens symbolisiert (RIC 21).
b   Augustus (27 v. Chr.–14 n. Chr.). ARMENIA CAPTA. Die Siegesgöttin Victoria ringt den armenischen Stier nieder (RIC 42).
c   Nero (54–68). Roma mit Siegeskranz und Prunkschwert, auf den Waffen ihrer besiegten Gegner sitzend (RIC 224).
d   Vespasianus (69–79). IVDAEA CAPTA. Zur Linken der triumphierende Titus, rechts die gefesselte Iudaea, trauernd unter einer Palme hockend (RIC 427).
e   Domitianus (81–96). Die besiegte Germania, trauernd auf einem Schild sitzend, darunter ein zerbrochener Speer (RIC 124).
f   Traianus (98–117). Der Kaiser zu Pferd, die Lanze gegen einen Daker gerichtet, der waffenlos am Boden liegt. Geprägt ca. 107/111 in Rom (RIC 543).
g   Traianus (98–117). DAC(ia) CAP(ta). Gefesselter Daker mit Mütze, Umhang und Hose, auf einem Haufen dakischer Waffen hockend (RIC 96).
h   Traianus (98–117). ARAB(ia) ADQ(uisita). Arabia in langem Gewand, in der Rechten einen Zweig haltend, in der Linken wohl ein Bündel Gewürzstangen, links dahinter ein Kamel. Geprägt 105/111 in Rom (RIC 466).
i   Marcus Aurelius (161–180). DE GERM(anis). Münzrückseite mit der Darstellung eines tropaeum als Zeichen des Triumphes über Markomannen, Quaden und andere germanische Völkerschaften. Geprägt 175/76 in Rom (RIC 337).

Brunnenanlage oder einem neuen Theater schmückten.

Der zeitliche Rahmen

Historisch gesehen beginnt die ‹Geschichte der römischen Provinzen› in dem Augenblick, in dem Rom sich anschickt, seinen Herrschaftsanspruch über die Grenzen Italiens hinaus auszudehnen.* Am Ende der langjährigen Auseinandersetzungen mit der See- und Handelsmacht Karthago, die bis 241 v. Chr. den Westen des Mittelmeerraumes weitgehend unangefochten beherrscht hatte, waren die Inseln *Sicilia* (nach 241 v. Chr.), *Sardinia* und *Corsica* (beide spätestens 227 v. Chr.), *Gallia cisalpina* (um 220 v. Chr.) sowie mit *Hispania citerior*, später (*Hispania*) *Tarraconensis*, und *Hispania ulterior*, später (*Hispania*) *Baetica* (beide nach 206 v. Chr.), der größte Teil der Iberischen Halbinsel zu römischen Provinzen geworden. Mit dem Eingreifen Roms im griechischen Osten und in Nordafrika kamen die Provinzen *Macedonia, Epirus* (beide 148 v. Chr.), *Achaea* (146 v. Chr.), *Africa* (146 v. Chr.) und *Asia minor* (129 v. Chr.) dazu, womit fast der gesamte Ägäisraum römisch wurde und die mehr als hundertjährige Auseinandersetzung mit Karthago ihr endgültiges Ende fand. Um eine Landverbindung zwischen Italien und Hispanien herzustellen und nachhaltig zu sichern, entstand 121 v. Chr. die Provinz *Gallia Narbonensis*. Im 1. Jh. v. Chr. kamen neben *Cilicia* (80/79 v. Chr.) erst *Cyrenae* (74 v. Chr.) und dann *Creta* hinzu, die seit 67 v. Chr. eine gemeinsame Provinz bildeten, während Pompeius zur gleichen Zeit den Osten des Reiches neu ordnete und neben *Syria* (64 v. Chr.) auch *Pontus et Bithynia* (74/64 v. Chr.) hinzufügte, das – wie zuvor schon das Reich von Pergamon – testamentarisch an Rom fiel. Es folgte die Besetzung der Insel *Cyprus* (58 v. Chr.), die Eroberung der *Gallia transalpina* (50 v. Chr.), die allerdings erst 27 v. Chr. eine dauerhafte Provinzordnung erhielt, sowie die Neuordnung der Provinz *Africa*, die 46 v. Chr. um das Kernland der numidischen Könige erweitert wurde und seitdem *Africa nova*, später dann *Africa proconsularis*, hieß. Die letzte Eroberung des republikanischen Rom war *Aegyptus* (30 v. Chr.), das nach der Schlacht bei Actium dem römischen Herrschaftsbereich einverleibt wird.

Im Jahre 27 v. Chr. nimmt Augustus eine Neuordnung der inzwischen achtzehn Provinzen vor. Zehn davon, die bis auf *Africa nova* keine Legionstruppen

haben, unterstehen künftig dem Senat, während der Kaiser sieben Provinzen, die ohne Ausnahme im Grenzbereich liegen, in seine Obhut nimmt und das reiche Ägypten als ‹Kronkolonie› verwalten läßt. Durch kriegerisches Eingreifen wie durch diplomatisches Geschick gelingt es Augustus, Gallien neu zu ordnen (Einrichtung der *Tres Galliae: Aquitania, Belgica* und *Lugdunensis*) und dem Reich die Provinzen *Lusitania* (27 v. Chr.), *Galatia* (25 v. Chr.), *Dalmatia* und *Pannonia* (beide um 9 n. Chr.) anzugliedern. Unter seinem Nachfolger Tiberius kommt im Osten *Cappadocia* (17 n. Chr.) hinzu, während für *Raetia* nach wie vor nicht sicher gesagt werden kann, ob dieses Gebiet in tiberischer oder erst in claudischer Zeit Provinz wurde. Erst unter Claudius verstärkt sich wieder der römische Expansionswille. Im Jahre 40 – noch unter Caligula – wird der bisherige Klientelstaat *Mauretania* besetzt und sein Gebiet bis 42 n. Chr. auf die beiden Provinzen *Mauretania Caesariensis* und *Tingitana* verteilt. Ein Jahr später beginnt die Eroberung von *Britannia*, nachdem bereits Caesar versucht hatte, im Süden der Insel Fuß zu fassen. Gleichzeitig werden das bis dahin noch weitgehend unabhängige Gebiet Lykiens als Provinz *Lycia et Pamphylia* und wenig später auch *Moesia* (44/45 n. Chr.) und *Thracia* (45 n. Chr.) zu römischen Provinzen gemacht. Auch *Raetia* und *Noricum*, dazu die Bergregionen *Alpes Graiae et Poeninae* und *Alpes Maritimae*, erhalten spätestens in dieser Zeit ihren endgültigen Status als Provinzen, die *Alpes Cottiae* sogar erst in neronischer Zeit. Unter Vespasianus wird *Iudaea* (72 n. Chr.) dem Reich endgültig angegliedert, desgleichen die Landschaft Kommagene, die zu *Cappadocia* kommt, während es Domitianus vorbehalten bleibt, um 85 n. Chr. die Grenzprovinzen *Germania inferior* und *superior* zu schaffen, bis dahin Militärbezirke, die zwar schon seit Jahrzehnten in römischer Hand sind, jedoch erst jetzt ihren Provinzialstatus erhalten. Seine größte Ausdehnung erfährt das Reich schließlich unter Traianus, der nicht nur *Arabia* (106) und *Dacia* (106/107) annektiert bzw. erobert, sondern die römische Herrschaft zeitweise über den Euphrat hinaus ausdehnt und dort für wenige Jahre die Provinzen *Armenia* (114 n. Chr.), *Mesopotamia* (115 n. Chr.) und *Assyria* (116

* Im Einzelfall ist der Beginn einer Provinzialära nicht immer mit Sicherheit bestimmbar. Grundsätzlich wird deshalb, wo möglich, der Zeitpunkt als Beginn angesehen, zu dem der erste Statthalter nachweisbar ist oder ein erobertes Gebiet seine endgültige administrative Form erhielt.

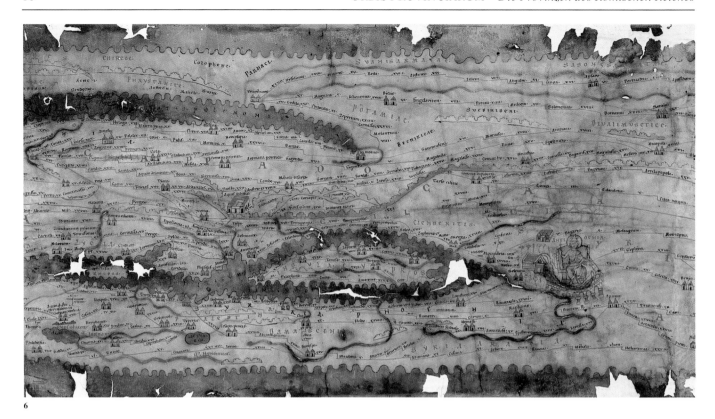

6

n. Chr.) einrichtet, die allerdings sein Nachfolger Hadrianus (117–138) sofort wieder aufgibt. Zu dieser Zeit ist die Zahl der Provinzen des Reiches auf mehr als vierzig angewachsen.

Zum frühen Mittelalter hin ist die zeitliche Grenze des Fachgebietes ungleich schwerer zu ziehen. Zwar erfuhr das Reich in der Spätantike außer in Mesopotamien keine wesentliche Gebietserweiterung mehr, dennoch wuchs die Zahl der Provinzen durch Aufteilung und Zerstückelung im Innern, so daß sie sich unter Constantinus I. (306–337) schließlich fast verdreifacht hatte. Das politische Ende kam im Westen früher als im Osten. Markante Daten, die das Zuendegehen der römischen Kultur im Westen bezeichnen, sind die Jahre 395 und 401/02, als Theodosius I. das Reich in zwei Hälften teilte und Stilicho die letzten römischen Truppen von der Rheinfront abzog, weiterhin die endgültige Einnahme so wichtiger städtischer Zentren wie Köln, Trier und Paris durch die Franken und schließlich das Ende des Weströmischen Reiches (476) sowie die Errichtung eines starken und unabhängigen Frankenstaates unter Chlodovech, der 486 Syagrius, den letzten römischen Heerführer in Gallien, bei Soissons entscheidend besiegte.

Demgegenüber erwies sich der oströmische Reichsteil, der als Reich von Byzanz bis zur Eroberung Konstantinopels durch die Osmanen im Jahre 1453 Bestand hatte, als wesentlich lebensfähiger. Als zeitlicher Einschnitt gilt hier die Zeit des Kaisers Iustinianus I. (527–565), dem es im Kampf gegen Perser, Slawen, Awaren und Germanen noch einmal gelang, die alte Einheit zwischen Ost und West – wenigstens zum Teil – wiederherzustellen und große Teile des alten *imperium Romanum* zurückzugewinnen, die allerdings in der Folgezeit bald wieder verlorengingen. Das Jahr 638 schließlich bildet hier gleichsam den Schlußpunkt, als mit der verlorenen Schlacht am Yarmuk fast der gesamte Osten an die Araber fiel und sich Herakleios I. (610–641) im wesentlichen auf sein kleinasiatisches und griechisches Kernland zurückziehen mußte, nachdem auch die Donaulinie längst gefallen war und sich auf dem nördlichen Balkan Slawen und Awaren niedergelassen hatten.

Eine zusammenfassende Darstellung zur ‹Geschichte und Kultur der römischen Provinzen› gibt es bisher nicht. Im *Handbuch der Altertumswissenschaft VI* (W. SCHIERING, *Zur Geschichte der Archäologie,* in: U. HAUSMANN (Hg.), *Allgemeine Grundlagen der Archäologie* (1969) 11ff.) wird dieses Fachgebiet kurz gestreift, seine Zugehörigkeit zur Klassischen Archäologie jedoch ausdrücklich betont (ebd. 158f.). In Vorbereitung befindet sich das mehrbändige Werk *Römische und Allgemeine Kulturgeschichte* von H. VON PETRIKOVITS. Am ausführlichsten hat sich bislang K. CHRIST mit der römischen ‹Provinzialgeschichte› befaßt: DERS., *Römische Geschichte. Einführung, Quellenkunde, Bibliographie* ⁴(1990) 223ff. Er knüpft darin an den 5. Band der *Römischen Geschichte* von TH. MOMMSEN von 1885 an, in dem erstmals versucht wurde, auf der Grundlage aller bis dahin bekannten schriftlichen (nicht archäologischen!) Quellen eine Geschichte der römischen Provinzen der ersten drei nachchristlichen Jahrhunderte zu schreiben. Allerdings möchte man CHRIST nicht folgen, wenn er die «Bodenforschung» generell als «Provinzialarchäologie im engeren Sinne» bezeichnet (ebd. 224)** und damit einen künstlichen Gegensatz zwischen Althistorikern und Archäologen aufbaut, den es nach heutigem Wissenschaftsverständnis in dieser Form nicht mehr geben sollte. Er folgt im übrigen auch darin MOMMSEN, dem zwar die deutsche Limesforschung entscheidende Anstöße verdankt, der aber auch das bissige Wort geprägt haben soll, Archäologie sei die Wissenschaft, von der zu wissen sich nicht lohne.

Ganz anders dagegen M. I. ROSTOVTZEFF (1870–1952), der in seinem 1926 erschienenen Werk *Social and Economic History of the Roman Empire* (dtsch. 1931) als erster Althistoriker eine Vielzahl archäologischer Befunde und Erkenntnisse verarbeitete und damit erstmals auf die generelle Bedeutung der Archäologie hinwies, ohne deren Hilfe es nicht möglich sei, überhaupt über Geschichte zu schreiben: K. CHRIST, *Von Gibbon zu Rostovtzeff. Leben und Werk führender Althistoriker der Neuzeit* (1972) 334ff.

In seiner Nachfolge hat sich die Erkenntnis von der engen Verflechtung zwischen Archäologie und Geschichtswissenschaft immer deutlicher durchgesetzt, wie die Ausführungen namhafter Gelehrter zeigen. Vgl. u. a. H. G. NIEMEYER, *Methodik der Archäologie* (1974) passim; F. G. MAIER, *Archäologie und Geschichte,* in: *Forschung und Information. Schriftenreihe der Rias-Funkuniversität* Bd. 21 (1977) 18ff.; H. BENGTSON, *Einführung in die Alte Geschichte* ⁸(1993) 124 ff. – Lehrreich ist auch die Einleitung von G. CH. PICARD über Selbstverständnis und Arbeitsweise eines ‹provinzialrömischen› Archäologen: DERS., *Nordafrika und die Römer* (1962) 7ff.

Um eine Standortbestimmung des Faches hat man sich vor allem beim Deutschen Archäologenverband (DArV) bemüht. Vgl. E. KÜNZL, Geschick oder Ungeschick eines Begriffes: die sogenannte provinzialrömische Archäologie, Mitteilungen des DArV 13/2, 1982, 22ff. Folgerichtig nennt sich der seit dieser Zeit bestehende Arbeitskreis vor allem jüngerer Archäologen, die sich hierzulande mit der

** Die Verwendung des Begriffs ‹Provinzialarchäologie› ist allein schon deshalb unglücklich, weil er etwa in den Niederlanden oder in Belgien eine ganz andere Bedeutung hat und dort generell die Tätigkeit von Archäologen bezeichnet, die eine Provinz ihres Landes betreuen und sich gerade nicht ausschließlich mit römischer Archäologie beschäftigen.

römischen Vergangenheit beschäftigen, ‹Arbeitsgemeinschaft für römische Archäologie in Deutschland›. In wie geringem Maße allerdings die Geschichte und Kultur der römischen Provinzen inzwischen Teil der klassisch-archäologischen Ausbildung geworden ist, läßt sich unschwer den Studienordnungen und -plänen deutscher Universitäten entnehmen, die W. MARTINI zusammengestellt und kommentiert hat (Schriften des DArV III, ²1984). – Zur Ausübung des Faches generell: H. U. NUBER, Provinzialrömische Archäologie an deutschen Universitäten, in: Festschrift G. Ulbert (1995) 397ff.

Interdisziplinäre Zusammenarbeit

Von der engen Verflechtung des Faches mit den Nachbardisziplinen Alte Geschichte, Klassische Archäologie und Vor- und Frühgeschichte ist bereits gesprochen worden. Zu nennen ist auch die Altphilologie, soweit es um die Interpretation literarischer Texte geht, die sich auf die Geschichte oder das Alltagsleben einzelner römischer Provinzen oder Plätze beziehen – im lateinischen Westen ebenso wie im griechischsprachigen Osten. Einen besonderen Rang nehmen dabei die Hilfswissenschaften der Altertumskunde ein, zu denen neben der Papyrologie vor allem die beiden Spezialfächer Epigraphik und Numismatik gehören, die sich an manchen Universitäten bereits zu eigenen Fachdisziplinen entwickelt haben. Gegenstand dieser Teilwissenschaften sind zum einen die Papyrusfunde aus Ägypten und den angrenzenden Gebieten des Vorderen Orients, zum anderen die inzwischen weit über 200 000 lateinischen und griechischen Inschriften, die man zwischen *Olisipo*/Lissabon (P) und Baku (AZ) am Kaspischen Meer, dem Antoninuswall in Schottland und den Kastellen am Nordrand der Libyschen Wüste gefunden hat, sowie die kaum mehr zählbaren Editionen kaiserzeitlicher Münzstätten und ‹reichsfreier› Städte, vor allem im Osten des Reiches.

Daneben gibt es eine ganze Reihe von Spezialdisziplinen vor allem naturwissenschaftlicher Art, ohne deren Mithilfe und Zusammenarbeit die Archäologie ihrer umfassenden Aufgabenstellung als ‹Wissenschaft vom antiken Menschen und seiner Gesellschaft› nicht gerecht werden könnte. Zu diesen Spezialisten gehören Anthropologen und Osteologen, die menschliche Knochenreste auf Alter, Geschlecht, Krankheiten oder Unfälle hin untersuchen und damit wichtige soziologische Daten liefern, ebenso wie Zoologen oder Züchtungsbiologen, die Auskunft geben können über Fragen, welche Haustiere gehalten wurden, welches Fleisch man als Nahrung bevorzugte und ob die Jagd für die Versorgung der Bevölkerung eine Rolle spielte. Von ähnlicher Wichtigkeit sind Paläobotaniker, die in der Lage sind, aus verkohlten Pflanzenresten die Flora einer ganzen Landschaft wiedererstehen zu lassen oder nachzuweisen, welche Gewürz-, Salat- und Gemüsepflanzen die Römer aus ihrer mediterranen Heimat nach Germanien oder Britannien mitbrachten und heimisch machten. Auch Metallurgen und Mineralogen gehören dazu, unentbehrlich sind auch Geologen, Bodenkundler, Chemiker, Ärzte, Architekten und Ingenieure, Spezialisten für den Bergbau, für die Kalk- und Steingewinnung, die Untersuchung römischer Wasserleitungen oder die Rekonstruktion römerzeitlicher Flußschiffe oder Hebekräne. Nicht mehr wegzudenken aus der modernen Archäologie sind die Luftphotographen, die ganze Landschaften und Siedlungskammern aus der Vogelschau erkunden, Dendrochronologen, die mit der Auszählung und Bestimmung der Jahresringe von Eichenhölzern frappierend exakte Zeitdaten liefern, sowie Geophysiker, die mit ihren Messungen des elektrischen Bodenwiderstandes oder magnetischen Erdfeldes imstande sind, unter der Erdoberfläche liegende Bebauungs- und Siedlungsüberreste aufzuspüren und als Computer-Plot sichtbar zu machen (s. S. 13 ff.). Ohne Übertreibung läßt sich sagen, daß es wahrscheinlich kaum eine andere Wissenschaft gibt, für die interdisziplinäre Zusammenarbeit so sehr zum täglichen Alltag gehört, wie gerade die Archäologie, die überdies wie keine andere Disziplin Geistes- und Naturwissenschaften miteinander verbindet, was sinngemäß auch für den engeren Fachbereich der ‹Geschichte und Kultur der römischen Provinzen› gilt.

Zur Einführung können herangezogen werden: H. BLANCK, *Einführung in das Privatleben der Griechen und Römer* ²(1996); K. CHRIST, *Römische Geschichte. Einführung, Quellenkunde, Bibliographie* ⁵(1994); DERS., *Antike Numismatik. Einführung und Bibliographie* ³(1991); E. GERSBACH, *Ausgrabung heute. Methoden und Techniken der Feldgrabung* ³(1998); H. KLOFT, *Die Wirtschaft der griechisch-römischen Welt. Eine Einführung* (1992); E. MEYER, *Einführung in die lateinische Epigraphik* ³(1991); H. G. NIEMEYER, *Einführung in die Archäologie* ⁴(1995); H. SCHNEIDER, *Einführung in die antike Technikgeschichte* (1992). AAVV., *Instrumenta Inscripta Latina. Das römi-*

sche Leben im Spiegel der Kleininschriften (1991); H. BENGTSON, *Grundriß der römischen Geschichte mit Quellenkunde* Bd. l. *Republik und Kaiserzeit bis 284 n. Chr.* ³(1982); DERS., *Einführung in die Alte Geschichte* ⁸(1993); L. DE BLOIS/R. J. VAN DER SPEK, *Einführung in die Alte Welt* (1994); K. CHRIST, *Die Römer. Eine Einführung in ihre Geschichte und Zivilisation* ³(1994); M. CLAUSS, *Einführung in die Alte Geschichte* (1993); H. FREIS (Hg.), *Historische Inschriften zur römischen Kaiserzeit* ²(1994); R. GÖBL, *Antike Numismatik*, 2 Bde. (1978); K. GREENE, *Archaeology. An introduction* (1990); L. KEPPIE, *Understanding Roman inscriptions* (1991); F. A. MAIER, *Neue Wege in die alte Welt. Methoden der modernen Archäologie* (1974); R. MUTH, *Einführung in die griechische und römische Religion* (1988); H. G. NIEMEYER, *Methodik der Archäologie* (1974); M. R.-ALFÖLDI, *Antike Numismatik*, 2 Bde. (1978); U. SCHILLINGER-HÄFELE, *Lateinische Inschriften. Quellen für die Geschichte des römischen Reiches*, Limesmuseum Aalen 28 (1982); DIES., *Consules – Augusti – Caesares. Datierung von römischen Inschriften und Münzen*, ebd. 37 (1986); L. SCHUMACHER, *Römische Inschriften* (1988); G. WALSER, *Römische Inschriftkunst* ²(1993).

R. H. BARROW, *Die Römer* ²(1960); H. BELLEN, *Grundzüge der römischen Geschichte 2: Die Kaiserzeit* (1998); TH. BLAGG/M. MILLETT, *The early Roman Empire in the west* (1990); J. BOARDMAN/J. GRIFFIN/O. MURRAY (eds.), *The Oxford History of the Classical World: The Roman World* (1988); *CAH = The Cambridge Ancient History* X–XII (1934–39); *The Cambridge Ancient History* X ²(1996) bes. 434 ff.; V. CHAPOT, *The Roman world* (1928); K. CHRIST, *Das römische Weltreich* ³(1980); DERS., *Geschichte der römischen Kaiserzeit* (1988); T. CORNELL/J. MATTHEWS, *Weltatlas der alten Kulturen: Rom* (1982) bes. 118 ff.; B. W. CUNLIFFE, *Rom und sein Weltreich* (1987); W. DAHLHEIM, *Geschichte der römischen Kaiserzeit* ²(1988); A. DEMANDT, *Die Spätantike. Römische Geschichte von Diocletian bis Justinian 284–565 n. Chr.* (1989); H. GESCHE, *Rom – Welteroberer und Weltorganisator* (1981); A. HEUSS, *Römische Geschichte* ⁴(1976); A. H. M. JONES, *The later Roman Empire*, 3 Bde. (1964); S. JOHNSON, *Rome and its Empire* (1989); U. KAHRSTEDT, *Kulturgeschichte der römischen Kaiserzeit* ²(1958) bes. 99 ff.; TH. KRAUS (Hg.), *Das römische Weltreich* (1967); H. KÄHLER, *Rom und seine Welt*, 2 Bde. (1958–60); DERS., *Rom und sein Imperium* (1962); G. MANN/A. HEUSS (Hg.), *Rom. Die römische Welt* (1963); G. A. MANSUELLI, *Roma ed il mondo romano*, 2 Bde. (1981); J.-P. MARTIN, *Les provinces romaines d'Europe centrale et occidentale* (1990); F. MILLAR, *The Roman Empire and its neighbours* ²(1981); TH. MOMMSEN, *Römische Geschichte* V. *Die Provinzen von Caesar bis Diokletian* ¹¹(1933); H.-P. L'ORANGE, *Das Römische Reich. Von Augustus bis zu Konstantin dem Großen* (1995); G. CH. PICARD, *Imperium Romanum* (1965); I. A. RICHMOND, *The archaeology of the Roman Empire* (1957); M. I. ROSTOVTZEFF, *Gesellschaft und Wirtschaft im römischen Kaiserreich*, 2 Bde. (1931); N. ROYMANS, *From the sword to the plough* (1996); W. SEYFARTH, *Römische Geschichte. Kaiserzeit*, 2 Bde. (1974); C. G. STARR, *The Roman Empire 27 B.C.–A.D. 476. A study in survival* (1982); J. WACHER (ed.), *The Roman World*, 2 Bde. (1987); R. E. M. WHEELER, *The archaeology of the Roman provinces and beyond* (1948).

C. ANDRESEN u. a. (Hg.), *Lexikon der Alten Welt* (1965; ND 1994); M. I. FINLEY (ed.), *Atlas of Classical Archaeology* (1977). Deutsche Ausgabe: DERS., *Atlas der Klassischen Archäologie* (1979); A. H. M. VAN DER HEYDEN (Hg.), *Bildatlas der klassischen Welt* (1960); D. KIENAST, *Römische Kaisertabelle. Grundzüge einer römischen Kaiserchronologie* (1989); H. PLETICHA/O. SCHÖNBERGER, *Die Römer* (1977); R. STILWELL/W. L. MACDONALD/M. H. MCALLISTER (eds.), *The Princeton Encyclopedia of Classical Sites* (1976); E. WEBER (Hg.), *Tabula Peutingeriana. Codex Vindobonensis 324 mit Kommentar* (1976); K.-W. WEEBER, *Alltag im Alten Rom. Ein Lexikon* (1995); K. ZIEGLER/W. SONTHEIMER/H. GÄRTNER (Hg.), *Der Kleine Pauly. Lexikon der Antike*, 5 Bde. (1964–75).

Abb. 6   Sog. Tabula Peutingeriana. Ausschnitt der römischen Straßenkarte mit dem Ostteil des Schwarzen Meeres, dem östlichen Kleinasien, den Inseln Rhodos und Cyprus sowie großen Teilen von Syria und Iudaea. Abschrift des 12.–13. Jhs. eines Originals, das seine letzte Redaktion in der ersten Hälfte des 5. Jhs. erfahren hat. Wien, Österreichische Nationalbibliothek. Vgl. auch Abb. 130 u. 139.

7

8

9

Das Handwerkszeug des Archäologen

Methoden und Techniken

There is no right way of digging, but there are many wrong ways.

R. E. MORTIMER WHEELER (1890–1976)

Man kann in der Erde lesen wie in einem Buch, doch anders als die Seiten eines Buches können die Spuren im Erdreich immer nur einmal gelesen werden.

ARCHÄOLOGISCHE SPRUCHWEISHEIT

Es ist heutzutage selten geworden, daß ein Archäologe das durchführen kann, was man als wissenschaftliche Forschungsgrabung oder – leicht sarkastisch – als ‹Lustgrabung› bezeichnet. In aller Regel sind es Not- und Rettungsgrabungen, die schon seit Jahrzehnten den archäologischen Alltag bestimmen. Dies gilt vor allem für die Bereiche großer Städte, ob man nun archäologisch in London, Bordeaux oder Córdoba, Trier, Köln, Augsburg oder Wien, Budapest, Thessaloniki, Ankara oder Alexandria tätig ist. Allein im Rheinland fallen nach inoffizieller Schätzung pro Jahr mehrere Hundert archäologische Fundstellen der ‹tiefgreifenden› Tätigkeit von Baggern, Planierraupen oder Tiefscharpflügen zum Opfer, ohne je gesichtet und festgehalten zu werden. ‹Momentaufnahmen geschichtlichen Lebens› gehen so für immer verloren. Zwar ist das öffentliche Bewußtsein für die Sicherung und Erhaltung archäologischer Substanz und damit allgemein der Sinn für Geschichte spürbar gewachsen, doch hat gleichzeitig die Zerstörung von Bodendenkmälern im Zuge von Bau- und Abbaumaßnahmen

Abb. 7 Italica/Santiponce bei Sevilla (E). Restaurator beim ‹Einbetten› der Randzone eines Bodenmosaiks. Zustand 1998.

Abb. 8 Velký Harcas, Komárno (SK). Römische Lager im nördlichen Vorfeld der Legionsfestung Brigetio/Szöny-Komáron(H). Zeit der Markomannenkriege (167–180).

Abb. 9 Maastricht (NL). Ausgrabung Plankstraat 1983. Ost-West-Profil mit römischen Siedlungsschichten des 1.–5. Jhs., die von einem spätmittelalterlichen Brunnen durchstoßen werden.

Abb. 10 Langenau, Alb-Donau-Kreis (D). Grundriß des Haupthauses eines römischen Landgutes im Getreidefeld (Juni 1982).

ein Ausmaß angenommen, das die Gefahr eines ‹archäologischen Kahlschlags› immer größer werden läßt. Nur allzu treffend hat der Althistoriker F. G. MAIER diesen ‹Raubbau an der Geschichte› charakterisiert, als er es geradezu als Ironie des Schicksals beschrieb, daß diese Entwicklung in dem Moment ein bedrohliches Ausmaß angenommen habe, in dem die Archäologie ihre Sprache dank neuer Verfahren besser und genauer lesen gelernt habe.

Prospektion

Schon früh hat man nach Auswegen aus dieser Situation gesucht und begonnen, Methoden zu entwickeln und anzuwenden, um dieser Entwicklung wirksam zu begegnen. Das Hauptmittel, das die Archäologie seitdem mit Erfolg einsetzt, ist die Prospektion (‹Vorausschau›, im Sinne von ‹Vorsorge›). Gemeint ist die praktische Anwendung aller Methoden und Techniken, die geeignet sind, einen geschichtlichen Platz vor Beginn einer Überbauung bzw. Ausgrabung zu erkunden und sich – zumindest in Umrissen – ein Bild von dem zu verschaffen, was der Boden an archäologischen Relikten enthält. Hierzu gehören einmal die intensive Begehung eines Gebietes und seine Erkundung durch Bohrungen und Sondagen, die zum Ziel haben, alle Fundpunkte zu kartieren und eine Fundverteilungskarte des betreffenden Gebietes zu erstellen, zum anderen das Erfassen von Fundplätzen aus der Luft und die Anwendung geophysikalischer Methoden wie das Messen des elektrischen Magnetfeldes der Erde oder des Bodenwiderstandes.

Von dem britischen Archäologen O. G. S. CRAWFORD stammt das Wort vom «Palimpsest einer Landschaft». Er verglich dabei die Erdoberfläche mit einer Pergamenthandschrift des Mittelalters, die «immer wieder abgekratzt» und neu beschrieben wurde. In ganz ähnlicher Weise haben die zahlreichen Eingriffe von Menschenhand deutliche Spuren in der Erde hinterlassen, die durch geeignete Methoden wieder ‹lesbar› gemacht werden können. Die klassische Methode der Geländebegehung muß sich hier mit der Ansicht der Erdoberfläche begnügen.

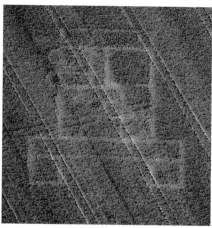

10

Doch auch sie führt bei systematischer Erfassung aller Daten und phantasievoller Kombination aller Gegebenheiten oft zu überraschend aussichtsreichen Ergebnissen. Allerdings – seit man weiß, daß sich die veröffentlichten Ergebnisse derartiger Untersuchungen als willkommene Informationsquelle für Raubgräber und Hobby-Sammler eignen, denkt man zurückhaltender über Sinn und Zweck derartiger Kompendien. In jedem Fall bieten sie eine ausgezeichnete Grundlage, um Bodendenkmäler, soweit sie im Oberflächenbereich heute noch nachweisbar sind, gesetzlich schützen zu lassen.

Klassische Beispiele dieser sog. Landesaufnahme sind die Begehungen ganzer Kreise und Regionen: H. CÜPPERS, *Archäologische Funde im Landkreis Bernkastel* (1966); F. GESCHWENDT, *Kreis Geldern* (1960); H. HINZ, *Kreis Bergheim* (1969); G. LOEWE, *Kreis Kempen-Krefeld* (1971) – Zu einem Teil dieses Gebietes jetzt: C. BRIDGER, *Die römerzeitliche Besiedlung der Kempener Lehmplatte, BJ* 194, 1994, 61 ff. – Ein anderes Beispiel systematischer Erkundung eines vor- und frühgeschichtlichen Siedlungsraumes bietet die ‹Archäologische Karte der Stadt und die Landkreise Heidelberg und Mannheim›: *Badische Fundberichte,* Sonderheft 10 (1967). – Auf der Basis modernster Prospektionsmethoden ist das niederländische ‹rivierengebied› erforscht worden: W. A. VAN ES, *Das niederländische Flußgebiet von der Römerzeit bis ins Mittelalter, Ber. RGK* 58, 1977 Beiheft; W. J. H. WILLEMS, *Romans and Batavians. A regional study in the Dutch eastern river area* (1986). – Zusammenfassend: B. J. GROENEWOUDT, *Prospectie, waardering en selectie van archeologische vindplaatsen* (1994); F. G. MAIER, *Neue Wege in die alte Welt. Methoden der modernen Archäologie* (1977) bes. 60 ff.– Zur archäologischen Denkmalpflege allgemein: H. G HORN/H. KIER/J. KUNOW/B. TRIER (Hg.), *Was ist ein Bodendenkmal? Archäologie und Recht* (1993); H. KOSCHIK (Hg.), *Aspekte europäischer Bodendenkmalpflege, Materialien zur Bodendenkmalpflege im Rheinland* 3 (1994); DERS. (Hg.),

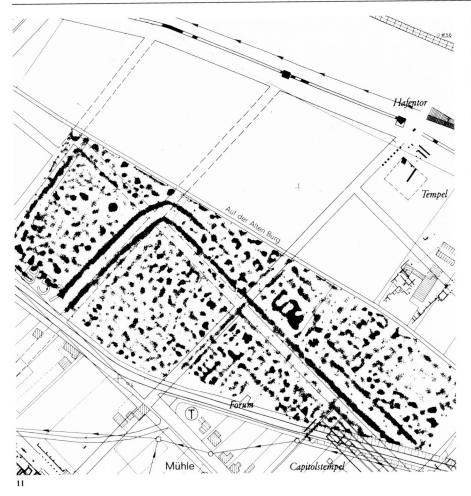

11

Situation und Perspektiven archäologischer Denkmalpflege in Brandenburg und Nordrhein-Westfalen, ebd. 4 (1995); DERS. (Hg.), Archäologie in den Braunkohlenrevieren Mitteleuropas, ebd. 6 (1996); DERS. (Hg.), Kiesgewinnung und archäologische Denkmalpflege, ebd. 8 (1997); DERS./ W. J. H. WILLEMS (Hg.), Spurensicherung. Archäologische Denkmalpflege in der Euregio Maas-Rhein (1992); D. PLANCK (Hg.), Archäologie in Baden-Württemberg (1994).

Luftbildarchäologie

Die bisher wohl wirksamste Vorsorgemaßnahme ist die Flugprospektion, die aus der militärischen Luftaufklärung entstand und von O. G. S. CRAWFORD 1922 als ‹Hilfswissenschaft der Archäologie› begründet wurde. Dieser war als Pilot des Ersten Weltkrieges der erste, der erkannte, daß mit Luftaufnahmen mehr zu gewinnen war als nur ein Blick aus der Vogelschau. Heutzutage ist die Lufterkundung ganzer Landschaftsräume aus der Archäologie nicht mehr wegzudenken. Unzählige Befliegungen haben z. B. in Nordrhein-Westfalen, dem Bundesland mit der größten Besiedlungsdichte und dem höchsten Gefährdungsgrad der dortigen Bodendenkmäler, eine Luftbildkartei entstehen lassen, die es den Archäologen des Landes wesentlich erleichtert, ihre Arbeit rechtzeitig und an der richtigen Stelle zu beginnen, wenn

ein Bodendenkmal durch Baumaßnahmen akut gefährdet ist. Inzwischen hat man längst auch in anderen Bundesländern und europäischen Staaten den Wert ‹archäologischer Luftaufklärung› erkannt und die hierfür notwendigen fachlichen und institutionellen Voraussetzungen geschaffen. Vor allem läßt sich auf dieser Grundlage Bodendenkmalpflege auch vom Schreibtisch aus betreiben, wenn es gilt, Investoren, Planer und Behörden davon zu überzeugen, daß, wenn eine dauerhafte Unterschutzstellung nicht realisierbar ist, erst ausgegraben und dokumentiert werden muß, ehe mit dem Bau von Straßen, Gebäuden, Leitungsgräben oder Tiefgaragen begonnen werden kann. Viele wichtige Erkenntnisse zur Archäologie und Geschichte der römischen Provinzen sind in den letzten Jahrzehnten so erst möglich geworden.

In der Luftbildarchäologie werden Schatten-, Boden- und Bewuchsmerkmale unterschieden. Handelt es sich um leichte Aufwölbungen oder Eintiefungen im Gelände, die bei schräg stehendem Sonnenlicht Schatten werfen, spricht man von Schattenmerkmalen. Besteht der Boden aus verschiedenfarbigen Erdschichten, die durch menschliche Eingriffe durcheinandergeraten sind, entstehen Veränderungen an der Erdoberfläche, die als farbliche Unterschiede aus

der Luft erkennbar sind. Man nennt sie Bodenmerkmale, besonders helle Böden eignen sich hierfür. Weitaus am häufigsten sind Bewuchsmerkmale, die sich am deutlichsten in Getreidefeldern zeigen. Hier wirken sich die Bodenveränderungen, die der Mensch verursacht hat, auf Höhe und Dichte der Getreidehalme aus. Kiesbedeckte Straßen, Mauerfundamente oder steinerne Fußböden hemmen den Pflanzenwuchs, die Halme wachsen kürzer, werden früher reif und zeichnen sich für kurze Zeit als gelbe Konturen im Getreidefeld ab, das ansonsten noch grün ist (Abb. 10). Über eingeebneten Gräben dagegen, humushaltigen Gruben oder Pfostensetzungen wachsen die Getreidehalme dichter und höher. Sie können mit ihren Wurzeln tiefer greifen und bleiben länger grün in einem Feld, dessen Gelbfärbung bereits eingesetzt hat. Bodendenkmäler dieser Gattung heben sich dann als dunkelgrüne Konturen vom übrigen Bewuchs ab.

Zu den klassischen Publikationen auf diesem Gebiet zählen u.a.: J. BARADEZ, *Fossatum Africae. Vue aérienne de l'organisation romaine dans le Sud-Algérie* (1949); O. G. S. CRAWFORD, *Air survey and archaeology* (1928); DERS., *Wessex from the air* (1928); DERS., *Air-photography for archaeologists* (1929); DERS., *Luftbildaufnahmen von archäologischen Bodendenkmälern in England, Luftbild und Luftbildmessung* 16, 1938, 9 ff.; A. POIDEBARD, *La trace de Rome dans le désert de Syrie. Le limes de Trajan à la conquête arabe, Recherches aériennes* 1925–32 (1934); C. SCHUCHHARDT, *Die sogenannten Trajanswälle in der Dobrudscha, Abh. d. Preuß. Akad. d. Wiss.* 1918 Nr. 12.; TH. WIEGAND, *Sinai, Wiss. Veröff. d. Dtsch.-Türk. Denkmalschutzkommandos* 1 (1920).
Zur Entwicklung der Luftbildforschung seit Beginn der 1960er Jahre: R. AGACHE, *La campagne à l'époque romaine dans les grandes pleines du Nord de la France d'après les photographies aériennes*, in: *ANRW* II 4 (1975) 658 ff.; DERS., *Aerial Reconnaissance in Northern France*, in: *Aerial Reconnaissance for Archeology, CBA Research Report* 12 (1975) 70 ff.; O. BRAASCH, *Luftbildarchäologie in Süddeutschland. Spuren aus römischer Zeit, Limesmuseum Aalen* 30 (1983) mit ausführl. Bibl. 126 ff.; R. CHRISTLEIN/O. BRAASCH, *Das unterirdische Bayern. 7000 Jahre Geschichte und Archäologie im Luftbild* (1982); S. S. FRERE/J. K. S. ST.-JOSEPH, *Roman Britain from the air* (1983); D. L. KENNEDY/D. RILEY, *Rome's desert frontier from the air* (1990); I. KUZMA, *Luftbildarchäologie in der Slowakei* (1995); F. PICCARRETA, *Manuale di fotografia aerea. Uso archeologico* (1987); D. PLANCK/O. BRAASCH/ J. OEXLE/H. SCHLICHTHERLE (Hg.), *Unterirdisches Baden-Württemberg. 250 000 Jahre Geschichte und Archäologie im Luftbild* (1994); J. K. S. ST.-JOSEPH, *Air reconnaissance in northern France, Antiquity* 36, 1962, 279 ff.; I. SCOLLAR, *Archäologie aus der Luft. Arbeitsergebnisse der Flugjahre 1960 und 1961 im Rheinland* (1965); DERS., *Neue Methoden der archäologischen Prospektion* (1970); W. SÖLTER (Hg.), *Das römische Germanien aus der Luft* (1982) – Das Wesentliche zusammenfassend: F. G. MAIER, *Neue Wege in die alte Welt. Methoden der modernen Archäologie* (1977) 67 ff.

Geophysikalische Methoden

Ausgezeichnete Ergebnisse liefern schon seit vielen Jahren auch geophysikalische

Methoden, bei deren Anwendung man sich die elektrischen bzw. magnetischen Eigenschaften des Bodens durch Messungen zunutze macht. Auch diese Techniken gehen von der Grunderkenntnis aus, daß menschliche Eingriffe in den Boden Veränderungen im Bereich der oberen Erdschichten hervorrufen, die grundsätzlich meßbar sind. Ähnlich wie auf dem Gebiet der Flugprospektion gingen auch hier die entscheidenden Entwicklungen in Deutschland nach 1950 auf die Arbeiten von I. SCOLLAR zurück, der zunächst mit der weniger komplizierten Methode der elektrischen Widerstandsmessung experimentierte. Sie beruht auf der Erkenntnis, daß die Meßwerte über einem verborgenen Mauerfundament ansteigen, daß sie dagegen über einem eingefüllten Graben stark abfallen; die hierbei erzielten Daten lassen sich graphisch in Kurven darstellen. Es hat sich jedoch gezeigt, daß diese Methode aus verschiedenen Gründen nur beschränkt einsetzbar ist. Vor allem erwies es sich als hinderlich, daß die Messungen dann die besten Werte zeigten, wenn das Getreide noch auf den Feldern stand.

Erfolgreicher, aber wesentlich komplizierter ist dagegen die Durchführung von Messungen des magnetischen Erdfeldes über einem heute nicht mehr sichtbaren Bodendenkmal. Zu diesem Zweck wurde früher ein abgestecktes Terrain systematisch Meter für Meter mit einer Sonde abgegangen, während dieser Vorgang heute vollständig automatisiert ist. Die hierbei ermittelten Magnetwerte werden von einem eigens für diesen Zweck konstruierten und später weiterentwickelten Computer aufgenommen und ausgewertet. Das Ergebnis sind ‹computer-plots›, die graphisch sichtbar machen, welche Erdpartien stärker, welche weniger stark magnetisch reagieren. Grundsätzlich gilt, daß humusverfüllte Gräben deutlich erhöhte magnetische Werte ergeben, daß hingegen die Werte oberhalb von Mauerfundamenten stark abfallen, d. h. feinteilige und humushaltige Böden weisen eine höhere Magnetstärke auf als alle übrigen Böden. Allerdings ist diese Meßmethode nur auf größeren Flächen an-

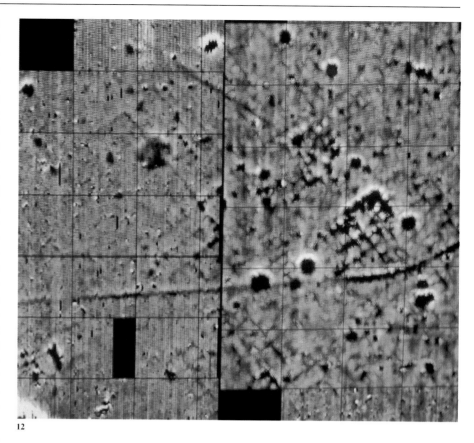
12

Abb. 11 Colonia Ulpia Traiana/Xanten (D). Doppelgraben im Zentrum der römischen Stadt als Ergebnis von Magnetometermessungen. Nach C. B. RÜGER.

Abb. 12 Marktbreit, Ldkrs. Kitzingen (D). Ausschnitt des Magnetogramms als Digitalbild mit dem Graben des sog. Innenlagers und der zentralen Bebauung des nachfolgenden Legionslagers.

wendbar, die nicht durch zusätzliche Magnetträger wie Hochspannungsleitungen oder Drahtzäune beeinträchtigt sind.

Mit Magnetometermessungen in ihrer klassischen Form sind z. B. im ehemaligen Stadtgebiet von *Traiana*/Xanten hervorragende Ergebnisse erzielt worden. Über Jahre hat man hier große Flächen des alten Stadtareals untersucht und auf der Grundlage von weit mehr als 100 000 Magnetfeldwerten den Verlauf von Straßen, Mauern und Gräben sowie die Lage einzelner Bauten ermitteln oder bestätigen können. Darüber hinaus gelang mit dieser Technik die überraschende Entdeckung eines Doppelgrabensystems, das in spätrömischer Zeit die Stadt umgab, nachdem sie auf weniger als ein Viertel ihrer ursprünglichen Grundfläche reduziert worden war. Das Computerbild – eingepaßt in den Plan der römischen Stadt – zeigt Straßenzüge sowie einen Ausschnitt des Forums im Zentrum der Stadt, die in das 2. Jh. n. Chr. datiert sind. Diese werden von zwei breiten Gräben überlagert, von denen der äußere in einer dritten Phase teilweise verfüllt und überbaut worden ist. Spätere Grabungen in diesem Bereich haben diese Periodenabfolge bestätigt.

In der Zwischenzeit ist die magnetometrische Meßmethode entscheidend verbessert worden. An die Stelle des von I. SCOLLAR weiterentwickelten Protonen-Magnetometers ist das wesentlich empfindlichere Cäsium-Magnetometer getre-

ten, mit dessen Hilfe sich archäologische Strukturen, darunter selbst kleinere Konglomerate römischer Dachziegel oder Scherben, bis zu einer Tiefe von 6 m nachweisen und im Digitalbild sichtbar machen lassen. Eines der wohl wichtigsten Versuchsfelder für den Einsatz des Cäsium-Magnetometers ist das Gebiet des erst vor gut einem Jahrzehnt im Luftbild erkannten Legionslagers auf dem Kapellenberg oberhalb von Marktbreit (Ldkr. Kitzingen), wo bis 1992 das gesamte ehemalige Lagerareal von mehr als 37 ha im Halbmeterraster vermessen wurde und weit über eine Million Meßpunkte ausgewertet worden sind. Gleichzeitig ist gerade Marktbreit ein kennzeichnendes Beispiel für den engen Methodenverbund zwischen der Luftbildarchäologie, der magnetometrischen Prospektion und hieraus resultierender, gezielt angesetzter archäologischer Untersuchungen.

Grundlegend hierzu: I. SCOLLAR, *Neue Methoden der archäologischen Prospektion* (1970) 19 ff.; DERS., *Wissenschaftliche Methoden bei der Prospektion archäologischer Fundstätten,* in: *Ausgrabungen in Deutschland* ²(1975) 158 ff. – Neuerdings: H. BECKER (Hg.), *Archäologische Prospektion. Luftarchäologie und Geophysik (1996).*
Zu den Untersuchungen in Xanten: C. B. RÜGER, *Die spätrömische Großfestung in der Colonia Ulpia Traiana, BJ* 179, 1979, 499 ff.; DERS., in: H. G. HORN (Hg.), *Die Römer in Nordrhein-Westfalen* (1987) 638 ff.
Zu den Forschungen in Marktbreit: L. WAMSER, *Marktbreit, ein augusteisches Truppenlager am Maindreieck,* in: R. ASSKAMP/S. BERKE (Red.), *Die römische Okkupation nördlich der Alpen zur Zeit des Augustus* (1991) 109 ff.; M. PIETSCH/D. TIMPE/

13

L. WAMSER, *Das augusteische Truppenlager Marktbreit. Bisherige archäologische und historische Erwägungen, Ber. RGK* 72, 1991, 263 ff.; M. PIETSCH, *Abschließende Untersuchungen im augusteischen Legionslager Marktbreit: die zentralen Verwaltungsgebäude,* ebd. 73, 1992, 93ff.; DERS., *Die Zentralgebäude des augusteischen Legionslagers von Marktbreit und die Principia von Haltern, Germania* 71, 1993, 355 ff.

Ausgrabungen

Trotz aller ‹vorausschauenden› Erkenntnismöglichkeiten, die der Archäologie heutzutage zur Verfügung stehen, erweisen sich Ausgrabungen in vielen Fällen als unabdingbar. Nur auf diese Weise kann der Archäologe sein Hauptquellenmaterial, aus dem er schöpft, kontinuierlich erweitern. Zwar zeichnen sich die Grundrisse römischer Landgüter, Militärbauten oder Grabanlagen aus der Luft oft überraschend detailliert ab, doch sagen sie nur wenig über die Abfolge oder Datierung von Bauperioden aus – Fragen also, die allein durch die archäologische Freilegung eines solchen Platzes geklärt werden können. Dabei ist heutzutage angesichts der Fülle von Bodendenkmälern, die bekannt und gesetzlich geschützt, aber durch Baumaßnahmen gefährdet sind, immer aufs neue die verantwortungsvolle Entscheidung zu treffen, wie umfassend ein Bodendenkmal ausgegraben und dokumentiert werden kann. Nur selten läßt sich alles untersuchen, was der Boden an Geschichte birgt. Hierzu fehlen oft die finanziellen Mittel, nicht so sehr die nötigen Fachkräfte. So kommt man nicht umhin, Forschungsschwerpunkte zu setzen, durch-

aus nicht immer in dem guten Gefühl, alles getan zu haben, was wünschenswert gewesen wäre.

Schaut man zurück, wird deutlich, daß das Ausgraben in den zurückliegenden Jahrzehnten manche Wandlung erfahren hat. ‹Grabungsbilder› wie das des Xantener Archivars PH. HOUBEN stimmen heute eher nachdenklich. Andererseits läßt sich bei aller Unvollkommenheit und Bedenkenlosigkeit, mit der man früher zu Werke ging, auch etwas ahnen vom Forschergeist und Enthusiasmus, der die Menschen damals erfüllte. Auch als der Einfluß archäologischer Laien schwand und die Führung archäologischer Unternehmungen mehr und mehr auf wissenschaftlich geschultes Personal überging, blieb viel noch von jener Faszination erhalten, die der Beschäftigung mit der Frühgeschichte des Menschen und seiner Umwelt eigen ist. Die stolze Haltung des Ausgräbers H. DRAGENDORFF, festgehalten in einer Aufnahme des Jahres 1904 in Haltern, spiegelt noch etwas wider vom Selbstbewußtsein früherer Forschergenerationen.

Heutzutage sind ‹Familienphotos› dieser Art in wissenschaftlichen Publikationen kaum noch denkbar. Daran wird deutlich, daß sich der archäologische Alltag und damit auch der Stil archäologischer Untersuchungen grundsätzlich gewandelt haben. Archäologische Tätigkeit ist heute insgesamt sachlicher geworden, nüchterner, sicher aber auch leidenschaftsloser. Grub man früher nach fast rein wissenschaftlichen Gesichtspunkten und ging dabei in bemerkenswert kleinen Schritten vor, ohne wesentliche Ein-

schränkungen durch eilige Bautermine und unzureichende Finanzmittel, so bestimmt heute der Typ der permanenten Rettungsgrabung – oft verbunden mit der Abdeckung großer Flächen, die innerhalb kürzester Zeit untersucht werden müssen – das Bild der Bodendenkmalpflege in ihrer täglichen Praxis. Dies führt in vielen Fällen dazu, daß Archäologen fast das ganze Jahr über im Gelände tätig und allenfalls in der Lage sind, am Ende eines Jahres kurze Grabungsberichte zu verfassen, d. h., die erforderliche und sehr zeitaufwendige Auswertung der Grabungsbefunde und des oft umfangreichen Fundmaterials muß unterbleiben, wird im besten Falle aufgeschoben oder kann nur oberflächlich vorgenommen werden. Erst schwindende finanzielle Ressourcen haben in dieser Situation, die die römische Archäologie ebenso betrifft wie alle anderen archäologischen Sparten, einen gewissen Wandel eintreten lassen.

Technik und Durchführung römischer Grabungen in Deutschland oder anderen Gebieten des ehemaligen Römischen Reiches unterscheiden sich methodisch nur unwesentlich von den Feldforschungen anderer archäologischer Fächer. Nach wie vor lesenswert, wenn auch methodisch nicht mehr auf dem letzten Stand und z. T. sehr persönlich gehalten: R. E. M. WHEELER, *Archaeology from the earth* (1954). Deutsche Fassung: DERS., *Moderne Archäologie* (1960). – Weiter sind zu nennen: J. BIEL/D. KLONK (Hg.), *Handbuch der Grabungstechnik.* Im Auftrag des Verbandes der Landesarchäologen in der Bundesrepublik Deutschland sowie der Arbeitsgemeinschaft der Restauratoren (erscheint seit 1994); J. BRADFORD, *Ancient landscapes. Studies in Field Archaeology* (1957); O. G. S. CRAWFORD, *Archaeology in the field* (1953); E. GERSBACH, *Ausgrabung heute. Methoden und Techniken der Feldgrabung* [3](1998); K. GREENE, *Archaeology. An introduction* (1990); F. G. MAIER, *Neue Wege in die alte Welt* (1977) bes. 124 ff.; C. RENFREW/P. BAHN, *Archaeology. Theories, methods and practice* (1991); G. TH. SCHWARZ, *Archäologen an der Arbeit. Neue Wege zur Erforschung der Antike* (1965); DERS., *Archäologische Feldmethode* (1967).
Erwähnt werden soll auch die Unterwasserarchäologie mit ihren speziellen Methoden, deren Interessen in Deutschland durch die Deutsche Gesellschaft zur Förderung der Unterwasserarchäologie e.V. vertreten werden: AAVV., *Unterwasserarchäologie. Ein neuer Forschungszweig* (1973); G. F. BASS, *Archäologie unter Wasser* [2](1967); CH. BÖRKER (Red.), *In Poseidons Reich. Archäologie unter Wasser* (1995); P. A. GIANFROTTA/P. POMEY, *Archeologia subacquea. Storia, tecniche, scoperte e relitti* (1981); A. J. PARKER, *Ancient shipwrecks of the Mediterranean and the Roman provinces* (1992).

Datierungsfragen

Die entscheidenden Fragen, die Archäologen immer wieder zu lösen haben, sind die der Zeitstellung und Periodisierung eines Fundplatzes. Von besonderer Bedeutung sind deshalb Spezialdisziplinen, die der Archäologie bei der Lösung dieser Fragen behilflich sein können. Hier ist in erster Linie die Methode der Jahrringchronologie oder Dendrochronologie zu nennen, die es Spezialisten möglich macht, das Fällungsjahr eines Eichenpfahls exakt zu bestimmen. Man geht bei der Anwendung dieser Methode davon aus, daß Bäume, die unter gleichen klimatischen Bedingungen wachsen, auch gleiche oder sehr ähnliche Wachstumskurven aufweisen. Die einzelnen Jahresringe, die ein Stamm bildet, kann man auszählen, die Abstände zueinander messen und die ermittelten Daten in einer Kurve graphisch darstellen. Die Übereinstimmungen der Wuchskurven sind bei Eichenhölzern derselben Zeit und Gegend oft frappierend. Durch zahlreiche Überlappungen – die Dendrochronologen nennen es ‹Überbrückungsverfahren› – ist es gelungen, sich von Eichenhölzern der Neuzeit über Balken mittelalterlicher Fachwerkhäuser, Hölzer der Aachener Kaiserpfalz und römerzeitliche Brückenbalken aus Köln und Trier bis in die Hallstattzeit zurückzutasten (E. HOLLSTEIN).

Eine solche Jahrringchronologie gibt es vorerst nur für Eichenholz, das zu allen Zeiten wegen seiner Härte bevorzugt zum Bauen verwendet wurde. Andere Hölzer wie Buche oder Tanne lassen sich zeitlich noch nicht so weit zurückverfolgen. Mit der sog. Westdeutschen Eichenchronologie kann heutzutage das Fällungsjahr von Eichenholz exakt bestimmt werden, das in dem weiten Gebiet zwischen Xanten und Braunschweig im Norden, Manching bei Ingolstadt im Südosten, der Nordschweiz bis zum Genfer See und der westlichen Linie zwischen den Argonnen und der Seinequelle gewachsen ist und anschließend geschlagen und verbaut wurde. Wichtig ist in jedem Fall, daß ausreichend viele Jahresringe – mindestens 70 müssen es sein – ausgezählt und gemessen werden können und nach Möglichkeit die sog. Waldkante erhalten ist, d. h. der letzte Jahresring, der sich bildete, bevor der Baum gefällt wurde.

Die Ergebnisse, die mit dieser Methode erzielt werden können, sind erstaunlich präzise. Zweifellos hat die

Möglichkeit, auf direktem Wege zu exakten Datierungen zu kommen, für Archäologen und Historiker etwas ungemein Verlockendes. Als ‹hieb- und stichfest› können Dendro-Daten allerdings erst dann gelten, wenn sie auch auf anderem methodischem Wege gestützt werden können. Ein gutes Beispiel bietet die Datierung des frührömischen Legionslagers in Bergkamen-Oberaden (Kr. Unna), das die Römer während ihrer germanischen Offensive unter Drusus für kurze Zeit besetzt hielten. Das schon seit langem auf Grund der Kombination historischer Nachrichten mit der Aussage der im Lager gefundenen Münzen erschlossene Baudatum von 11 v. Chr. ist inzwischen durch die dendrochronologische Untersuchung von Pfostenresten der einstigen Lagerbefestigung bestätigt worden. Andere, bisher für absolut sicher gehaltene Daten mußten dagegen revidiert werden. So hat man lange geglaubt, das Baudatum der Köln-Deutzer Rheinbrücke genau zu kennen. Grundlage war eine im Jahre 310 gehaltene Lobrede, aus der hervorzugehen schien, daß Constantinus I. (306–337) die Brücke erbaut habe. Es lag deshalb nahe, den Zeitpunkt der Rede mit dem Baujahr gleichzusetzen, doch wurde hierbei übersehen, daß der Lobredner lediglich davon spricht, die Brücke sei in diesem Jahr begonnen worden. Inzwischen gibt es für acht der ursprünglich wohl mehr als 1500 Fundamentpfähle der Brücke mit dem Jahr 336 ein sicheres dendrochronologisches Datum, d. h., die Bauarbeiten an diesem ‹Jahrhundertwerk› der konstantinischen Epoche dürften sich mehr als drei Jahrzehnte in die Länge gezogen haben.

14

Die entscheidenden Arbeiten auf diesem Gebiet sind von E. HOLLSTEIN geleistet worden: DERS., *Jahrringchronologien aus vorrömischer und römischer Zeit, Germania* 47, 1967, 60 ff.; DERS., *Mitteleuropäische Eichenchronologie* (1980). – Weiter sind zu nennen: D. BAATZ, *Bemerkungen zur Jahrringchronologie der römischen Zeit, Germania* 55, 1977, 173 ff.; B. BECKER, *Fällungsdaten römischer Bauhölzer anhand einer 2350jährigen süddeutschen Eichen-Jahrringchronologie, Fundber. BW* 6, 1981, 369 ff. – Zu den Holzfunden aus Oberaden: B. SCHMIDT, *Jahrringanalytische Untersuchungen an Eichenfunden aus den Grabungen in Oberaden,* in: J.-S. KÜHLBORN u.a., *Das Römerla-*

Abb. 13 ‹Ausgrabungen› des Xantener Archivars PH. HOUBEN (1767–1855) im südlichen Bereich der römischen Stadt Traiana.

Abb. 14 Der Althistoriker und Archäologe H. DRAGENDORFF über einem Grabenquerschnitt in Haltern. Ausgrabung 1904.

Abb. 15 Bergkamen-Oberaden, Legionslager. Standpfosten der Holz-Erde-Mauer von 11 v. Chr. in situ. Ausgrabung 1980.

15

16

ger in Oberaden III (1992) 217 ff. – Zur konstantinischen Rheinbrücke zuletzt: S. NEU, *Die römische
Rheinbrücke, FVFD* 38 (1980) 147 ff.

Typologie und Chronologie

Meist jedoch müssen die Fragen der
Chronologie auf andere Weise beantwortet werden. Hierbei bedient sich die römische Archäologie einer kombinierten
Methode, die darauf ausgerichtet ist, die
Erkenntnisse, die auf Grund typologi-
scher Vergleiche erzielt werden, mit historischen Daten zu verbinden, die sich
mittels literarischer Notizen und auf der
Basis von Münz- und Inschriftfunden gewinnen lassen. Dabei hängt dieses Datie-
rungssystem genaugenommen nur an
ganz wenigen, wirklich sicheren historischen Daten.

Das Jahr 11 v. Chr., in dem Oberaden
errichtet wurde, gehört ganz sicher in
diesen Zusammenhang, zumal sich in
diesem Fall die historische Nachricht des
Cassius Dio (54, 33) vom «Lager am Zusammenfluß von *Lupia* und *Elison*» mit
der Aussage der Münzen und eindeutigen
‹Dendro-Daten› in Einklang bringen läßt.
Auch die Enddaten der Lager Haltern

und Delbrück-Anreppen (beide 9 n. Chr.)
dürften als gesichert gelten, während es
für die nachfolgende iulisch-claudische
Zeit schon wesentlich schwieriger ist,
ähnliche Fixdaten zu benennen. Viel
wird davon abhängen, ob es gelingt, mit
geeigneten Methoden den Zeitpunkt exakter zu bestimmen, zu dem die südgallischen Terra-sigillata-Manufakturen in
Montans und vor allem La Graufesenque
die italische Ware aus Arezzo, Pisa und
Lyon endgültig vom gallisch-germanischen Markt verdrängten. Galt lange das
4. Jahrzehnt des 1. Jhs. n. Chr. als Zeitpunkt dieses Wechsels, so sprechen
neuere Befunde dafür, daß dieser Prozeß
bereits während der ersten Regierungsjahre des Tiberius (14–37) in vollem
Gange war. Die endgültige Festlegung
dieses Zeitpunkts ist u. a. deshalb von
Bedeutung, weil an diesem Datum wiederum die Anfangsdatierungen von Kastellen wie Aislingen und Hofheim hängen, die bislang zeitlich wohl zu spät an-
gesetzt wurden.

Ein weiteres sicheres Datum ist der Bataveraufstand (69/70) mit
seinen zahlreichen Zerstörungshorizonten zwischen dem Niederrhein und der
Nordschweiz. Auch der fast schon legen-

däre und in seinen Aussagemöglichkeiten bisweilen überschätzte Depotfund
südgallischer Reliefsigillaten aus Pompeji gehört dazu. Weitere mehr oder weniger gesicherte Fixdaten sind im 2. Jh.
das Ende des südgallischen Terra-sigil-
lata-Imports in spättrajanischer Zeit, das
Einplanierungsdatum des Erdkastells der
Saalburg in den letzten Regierungsjahren
des Hadrianus (117–138), der Zeitpunkt
der Vorverlegung des Obergermanischen
Limes gegen Ende der Regierungszeit
des Antoninus Pius – neuerdings durch
‹Dendro-Daten› aus dem Benefiziarier-
Weihebezirk von Osterburken eindeutig
in das Jahr 159 datiert (Abb. 39) – sowie
das Anfangsdatum des Kastells Niederbieber, das auf Grund von gestempelten
Ziegeln der *LEG(io) VIII AVG(usta)
P(ia) F(idelis) COM(moda)* in die zweite
Hälfte der Regierung des Commodus
(180–192) gesetzt wird.

Demgegenüber ist das 3. Jh. arm an ab-
solut-chronologischen Daten. Daß es –
vor allem mit dem Beginn der dreißiger
Jahre – ein sehr unruhiges Jahrhundert
war, zeigt die große Zahl vergrabener
Münzschätze, die jedoch mit ihren
Schlußmünzen nach neueren Überlegungen nicht mehr uneingeschränkt als
Grundlage zur Fixierung absolut-histori-
scher Daten herangezogen werden sollten. Neben dem Einfall der Alamannen
im Jahre 233 ist vor allem der Zeitpunkt
des endgültigen Limesfalls (259/260)
von großer Wichtigkeit. Ähnliches gilt
für den ersten belegbaren Frankeneinfall
am Niedergermanischen Limes um
256/257 sowie die Ereignisse um das
Jahr 275, als die Franken tief in das Innere Galliens eindrangen. Ein ausrei-
chendes Datengerüst stellen diese wenigen Fixpunkte nicht dar, weswegen es
nach wie vor große Schwierigkeiten bereitet, Fundkomplexe des 3. Jhs. einigermaßen sicher zu datieren.

Überwiegen im 3. Jh. eindeutig die
Brandhorizonte, die sich keinem bestimmten historischen Ereignis zuordnen
lassen, kehrt sich die Situation im 4. Jh.
gleichsam um, da die historischen Quellen
für diesen Zeitraum sehr viel reichhalti-
ger fließen. Wichtige Fixpunkte sind hier
die militärische Reorganisation und Entstehung des Donau-Iller-Rhein-Limes

*Abb. 16 Augusta Vindelicum/Augsburg
(D). Goldschatz aus der Stephansgasse. Ver-
graben nach 164. München, Prähistorische
Staatssammlung.*

*Abb. 17 Batavodurum/Nijmegen (NL).
Grabung ‹Kops Plateau›. Inhalt einer Latri-
nengrube aus dem Lagerbereich. 1.–2. Jahrzehnt n. Chr.*

unter Diocletianus zu Beginn der neunziger Jahre des 3. Jhs., das um 320 entstandene Kastell *Divitiae*/Köln-Deutz, dem auf Grund von Ziegelfunden weitere Neubauten zwischen Boppard und Bitburg zugeordnet werden können, sowie die offenbar zahlreichen Zerstörungen an Rhein und Donau in der kurzen Zeit des Magnentius (351–353), der sich gegen Constantius II. erhob, dem offensichtlich keine andere Wahl blieb, als rechtsrheinische Germanen zu ermutigen, in das von Truppen entblößte Grenzgebiet einzufallen und dort die militärischen Kräfte des Usurpators zu binden.

Einen gewissen Abschluß bilden die literarisch wie epigraphisch abgesicherten Daten der Regierungszeiten der Brüder Valentinianus I. (364–375) und Valens (364–378), deren umfangreiche Bautätigkeit in den Limeszonen zwischen Niederrhein und mittlerer Donau vielfältig belegt ist. Entsprechend sicher lassen sich Fundkomplexe aus dieser Zeit einordnen, wenn auch gesagt werden muß, daß so manche konstantinische Keramikform auch weiterhin in Gebrauch blieb und sich typologisch in der Folgezeit nur wenig veränderte. Eine Schlüsselposition nehmen hier die Funde aus den Kastellen *Alta ripa*/Altrip und *Alteium*/Alzey sowie den zahlreichen *burgi* im Rhein-Donau-Gebiet ein, deren Beginn zu einem großen Teil in die Zeit um 370 datiert werden kann. Weitgehend offen ist dagegen immer noch die Frage nach der Bestandsdauer vieler dieser Anlagen. War man früher geneigt, das Ende der römischen Herrschaft am Rhein weitgehend mit dem Abzug der letzten römischen Truppen unter Stilicho im Jahre 402 bzw. mit dem nachfolgenden Germanensturm von 406/407 gleichzusetzen, so lehren neuere und neueste Befunde aus Alzey, Bonn, Dormagen und Krefeld-Gellep, daß manchenorts noch weit bis in die erste Hälfte des 5. Jhs. hinein mit der Anwesenheit römischer Einheiten gerechnet werden kann. Als letztes Fixdatum darf zumindest im Rheinland die Zeit um 460 angesehen werden, als Köln endgültig in die Hand der fränkischen Merowinger übergegangen war.

Die Grundlagen zur ‹Chronologie in der römischen Archäologie› sind von E. SCHALLMAYER u. a. zusammengetragen und kommentiert worden: *AK* 17, 1987, 483 ff. (mit ausführlichen Literaturangaben in den Anmerkungen). – Ergänzend dazu: S. VON SCHNURBEIN, *Zur Datierung der augusteischen Militärlager*, in: R. ASSKAMP/S. BERKE (Red.), *Die römische Okkupation nördlich der Alpen zur Zeit des Augustus* (1991) 1 ff. – Weiter seien angeführt: E. ETTLINGER, *Keramikdatierungen der frühen Kaiserzeit*, Jhb. SGUF 54, 1968/69, 69 ff.; B. PFERDEHIRT, *Die römische Okkupation Germaniens und Rätiens von der Zeit des Tiberius bis zum Tode Trajans. Untersuchungen zur Chronologie südgallischer Reliefsigillata*, Jhb. RGZM 33, 1986, 228 ff.

17

– Dazu: P. ESCHBAUMER/A. FABER, *Fundber. BW* 13, 1988, 223 ff.; F. RENKEN, *Grundlagen der Terra-Sigillata-Datierung im westmediterranen Bereich. Eine verfahrens- und quellenkritische Analyse* (1992); H. SCHÖNBERGER, *Zur Datierung mit Keramik*, in: DERS., *Neuere Grabungen am Obergermanischen und Rätischen Limes* (1962) 122 ff.; DERS., *Die römischen Truppenlager der frühen und mittleren Kaiserzeit zwischen Nordsee und Inn*, Ber. RGK 66, 1985, 321 ff.

Gemessen an der geringen Zahl wirklich sicherer chronologischer Fixpunkte oder ‹dated sites› (wie man in Großbritannien sagt), bleibt es nach wie vor schwierig, archäologische Siedlungsbefunde in das vorhandene Zeitraster einzupassen, zumal dann, wenn sich an einem Grabungsplatz nur wenige Münzen finden, die auf Grund ihrer Fundlage kaum Entscheidendes zur Geschichte eines Bauwerks o. ä. beitragen können. Da diese Situation häufiger auftritt, als den Ausgräbern lieb sein kann, ist in der römischen Archäologie eine Datierungsmethode entwickelt und in den letzten Jahrzehnten ständig verfeinert worden, die es möglich macht, archäologische Gesamtbefunde wie einzelne Grabungsschichten oder geschlossene Komplexe mit Hilfe bestimmter, vor allem keramischer Fundgattungen zeitlich einzuordnen, deren Herstellungs- und Benutzerzeit nicht aus sich selbst heraus datierbar ist, sondern auf indirektem Wege durch ein relativ kompliziertes Vergleichsverfahren erschlossen werden muß.

Während sich hierfür aus der großen Masse der Gebrauchskeramik nur wenige kurzlebige Gefäßtypen anbieten, sind es neben den oft sehr unterschiedlichen, der jeweiligen Mode unterworfenen Fibelformen in erster Linie die Produkte italischer, gallischer und germanischer Terra-sigillata-Manufakturen, deren zahlreiche Überreste an römischen Siedlungsplätzen zu einer Art Leitfossil der römischen Archäologie geworden sind.

Die Datierung mit Terra sigillata ist gerade in der letzten Zeit derart verfeinert worden, daß es heute möglich ist, die Hauptschaffenszeit einzelner Töpfer aus La Graufesenque mitunter auf ein Jahrzehnt einzugrenzen und damit die Stempel dieser Töpfer, sofern sie aus gesicherten Fundlagen stammen, methodisch ähnlich wie Münzen zu behandeln. Dabei kann ein auf diesem Wege ermittelter *terminus post* oder *ante quem* für eine bestimmte Siedlungsschicht im Einzelfall sogar exakter sein als ein münzdatierter, da republikanische wie kaiserzeitliche Prägungen oft eine recht lange Umlaufdauer besaßen. Daß die Möglichkeiten dieser Fundgattung längst noch nicht ausgeschöpft sind, zeigt im übrigen das Beispiel der Argonnen- oder Rädchensigillata des 4.–5. Jhs., deren Nutzung als chronologisches Hilfsmittel für archäologische Befunde der Spätantike immer noch in den Anfängen steckt.

Die materielle Hinterlassenschaft

Denkmäler und Funde

Wie viele der unzählbaren, von den Römern errichteten Baudenkmälern sind von der Geschichte übersehen worden, wie wenige haben den Verwüstungen der Zeit und der Barbarei widerstanden! ... und dennoch beweisen sogar die majestätischen Ruinen, daß jene Länder einst einem kultivierten und mächtigen Reich angehörten ...

EDWARD GIBBON (1737–1794)

Der heutige Zeitgeist findet einen unersättlichen Geschmack in Aufsuchung Römischer Alterthümer. Man scheuet weder Kösten, noch Mühe, denselben nachzuspüren, sie aus der ungewissen Erde hervorzusuchen, sie zu reinigen, sie in den Kabinetten aufzustellen, zu beschreiben, abzuzeichnen und zu erklären.

PATER ROMAN ZIRNGIBL (1740–1816)

Nichts ist dauerhafter als ein ordentliches Loch.

CARL SCHUCHHARDT (1859–1943)

Die Zeugnisse römischer Kultur und Zivilisation haben sich zwischen Atlantik und Nordsee, den Flüssen Rhein und Donau, den Karpaten, dem Schwarzen Meer und den Wüstenregionen des Vorderen Orients und Nordafrikas auf sehr unterschiedliche Weise erhalten. Auf der einen Seite gibt es im Osten des einstigen Imperiums ganze Städte wie das alte *Bostra*/Bosra-esch-Scham (SYR), in denen heute noch ‹gewohnt› wird und monumentale Überreste römischer Stadtarchitektur oft noch bis unter das Dach erhalten sind. Auf der anderen Seite beschränkt sich die römische Hinterlassenschaft in weiten Teilen des Westens oft genug auf das Niveau von Grundmauern, Fußböden, Kellern, Straßenpflaster, Ab-

Abb. 18 Bostra/Bosra esch-Scham (SYR). Blick von Südosten auf den cardo maximus der Provinzhauptstadt von Arabia, der noch heute als Straße benutzt wird.

Abb. 19 Elginaugh, östlich von Edinburgh (GB). Blick nach Süden über das freigelegte Areal zweier Mannschaftsbaracken des Holz-Erde-Kastells. Ende des 1. Jhs.

Abb. 20 Asciburgium/Moers-Asberg (D). Standspur eines Pfostens. Ausgrabung 1969.

wasserleitungen, Brunnen oder Hypokaustheizungen. Daß römische Schichten oft mehrere Meter tief im Boden liegen, hat seinen Hauptgrund darin, daß Menschen immer wieder an gleicher Stelle siedelten und ihre Städte oder Teile davon Jahrhunderte hindurch immer wieder neu errichteten, so daß das Wohnniveau ständig angehoben wurde und ‹Schichten-Pakete› wie in *Agrippina*/Köln (D), *Vindobona*/Wien (A) oder *Londinium*/London (GB) von bis zu 10 m Höhe entstehen konnten. Andere Stadtanlagen wie *Traiana*/Xanten (D), *Carnuntum*/Petronell (A) oder *Karthago*/Tunis-Carthage (TN) sind dagegen nie überbaut worden und dennoch fast vollständig vom Erdboden verschwunden. Hier war es die gängige Praxis späterer Zeit, auf bequeme Weise Baumaterial zu gewinnen, die dazu führte, daß – zumal in steinarmen Gegenden wie am Niederrhein, in Holland oder Großbritannien – römische Trümmerstätten als billige Steinbrüche genutzt wurden.

Trafen die Römer bei ihren Eroberungen im griechischen Osten sowie in Teilen Nordafrikas, Südspaniens und der Provence auf eine z. T. bereits hochentwickelte Stadtarchitektur, so war die Einführung des Steinbaus in großen Teilen des römischen Westens eine Neuerung, deren Wirkung nicht zuletzt an zahlreichen Wortbegriffen ablesbar ist, die als Lehnwörter über das Lateinische in die westeuropäischen Sprachen gelangten. In diesen oft sehr waldreichen Regionen hatte sich von alters her eine ausgefeilte Holzbautechnik und -tradition herausgebildet, an die römische Ingenieure und Bauhandwerker anknüpften. Dies galt vor allem für Gegenden wie Britannien, das Innere Galliens sowie für die Provinzen an Rhein und Donau, in denen der Holzbau weit verbreitet war, zumindest im 1. Jh. n. Chr., ehe auch dort der Steinbau sich ausbreitete und die Holzbauweise fast völlig verschwand.

Steinmauern können ausgebrochen sein, aber sie hinterlassen relativ breite und tiefe Baugruben, deren archäologischer Nachweis keinerlei Schwierigkeiten bereitet (Abb. 4). Anders ist es mit den Überresten von Holzbauten, deren Spuren im Boden noch im vorigen Jahrhundert meist ‹übersehen› wurden. Ein

20

entscheidender Wandel setzte hier erst gegen Ende des 19. Jhs. mit der Entdeckung des Pfostenlochs ein, wodurch es möglich wurde, Fundamente von Holzbauten oder einzelne Pfostensetzungen als Verfärbungen im Boden nachzuweisen und damit neben einer Vielzahl von Gruben, Erdkellern, Herdstellen, Brunnen oder Abwassergräben die Grundrisse ganzer Holz- bzw. Pfostenbauten zurückzugewinnen. Erste Erfolge mit dieser neuen Grabungs- und Erkenntnismethode gelangen schon den Streckenkommissaren der Reichslimeskommission, die seit 1892 tätig waren. Als bahnbrechend erwiesen sich jedoch wenig später die Ausgrabungen in Haltern, deren eindrucksvolle Ergebnisse ohne die Grunderkenntnis von C. SCHUCHHARDT, daß nichts dauerhafter sei als ein ordentliches Loch, nicht denkbar gewesen wären. Heutzutage hat sich die Beobachtung derartiger Bodenbefunde so verfeinert, daß bei entsprechender Feldererfahrung auch minimale Bodenverfärbungen erkannt und ‹gelesen› werden können.

Extreme Beispiele für die Ausbeutung römischer Stadtgebiete als Steinbrüche bieten in Großbritannien die Anlagen von *Calleva Atrebatorum*/Silchester und *Verulamium*/St. Albans, auf niederländischem und deutschem Boden *Noviomagus Batavorum*/Nijmegen und *Traiana*/Xanten sowie *Carnuntum*/Petronell in Österreich. – Zu *Calleva*: G. C. BOON, *Silchester. The Roman town of Calleva* (1974). – *Verulamium*: R. E. M. WHEELER/T. V. WHEELER, *Verulamium, a Belgic and two Roman cities*, Reports of the Research Committee of the Society of Antiquaries of London 11 (1936); S. S. FRERE, *Three Roman cities*, in: Antiquity 38, 1964, 103 ff.; DERS., *Verulamium and the towns of Britannia*, in: ANRW II 3 (1975) 290ff. – *Noviomagus*: A.

V. M. Hubrecht/A. M. Gerhartl-Witteveen (eds.), *Op het spoor de Romeinen en Nijmegen* ³(1988); W. J. H. Willems, *Romeins Nijmegen* (1990). – *Traiana*: C. B. Rüger, *Neues zum Plan der Colonia Ulpia Traiana*, in: *BJ* 172, 1972, 293 ff.; H. Hinz, *Xanten zur Römerzeit* ⁴(1971); G. Precht/ H. J. Schalles, *Spurenlese. Beiträge zur Geschichte des Xantener Raumes* (1989). – *Carnuntum*: W. Jobst, *Provinzhauptstadt Carnuntum. Österreichs größte archäologische Landschaft* (1983); E. Vorbeck/L. Beckel, *Carnuntum. Rom an der Donau* (1973).
Eines der eindrucksvollsten Beispiele kaiserzeitlicher Holzbaukonstruktion hat sich in Valkenburg (NL) gefunden: A. E. Van Giffen, *De Romeinsche castella in den dorpsheuvel te Valkenburg aan den Rijn (Z. H.) I. De opgravingen in 1941*, JVT 25–28, 1940–44 (1948); Ders., *De Romeinse castella in den dorpsheuvel te Valkenburg aan den Rijn (Z. H.) II. De opgravingen in 1942–43 en 1946–50*, ebd. 33–37, 1948–53 (1955); W. Glasbergen, *De Romeinse castella te Valkenburg Z. H. De opgravingen in den dorpsheuvel in 1962* (1972); Ders./W. Groenman Van Waateringe, *The Pre-Flavian garrisons of Valkenburg Z. H.* (1974). – Ein herausragendes Beispiel für den archäologischen Nachweis ehemaliger Holzbauten, die lediglich als Verfärbungen sichtbar waren, stellt das spätflavische Kastell von Elginaugh südlich des Firth of Forth dar: W. S. Hanson/P. A. Yeoman, *Elginaugh. A Roman fort and its environs* (1987); vgl. Abb. 19.

Stadtanlagen

Die markantesten Zeugnisse der römischen Provinzherrschaft sind bis heute die zahlreichen Stadtanlagen, deren Gründung und Besiedlung mit römischen Kolonisten als Konsequenz der *pacatio* eines Landes in erster Linie dazu dienten, ein unterworfenes Gebiet zu romanisieren. Dabei hat das Bestreben, ein «Rom in der Fremde» (Cicero) nach dem anderen zu errichten, zur intensiven Urbanisierung ganzer Regionen geführt, die bis dahin im wesentlichen ländlich strukturiert waren. Dies gilt insbesondere für die Provinz *Hispania Baetica*, große Teile von *Africa proconsularis*, den Nordabschnitt der dalmatinischen Küste, die heutige Provence, des weiteren – allerdings z. T. mit deutlichen Abstrichen – für die beiden mauretanischen Provinzen, die Donauprovinzen *Moesia*, *Dacia*, *Pannonia* und *Noricum* sowie für die übrigen Landesteile der Iberischen Halbinsel. Andererseits ist nicht zu verkennen, daß die Vorstellung, in Städten zu wohnen, in den von keltischer Tradition geprägten Gebieten Galliens, Germaniens und Britanniens nur geringen Anklang gefunden hat und es die meisten Menschen dort vorzogen, die das Leben in Stammesgemeinden (*civitates*) gewohnt waren, lieber in offenen Siedlungen oder auf Höfen zu leben. Allerdings zeigt die Archäologie auch, daß sich mancher Civitas-Hauptort im Laufe der Zeit zu einer Stadt römischen Gepräges entwickelte und nicht wenige von ihnen spätestens in severischer Zeit in den Rang einer *colonia* oder eines *municipium* erhoben wurden.

Was sich den Augen von Archäologen an römischer Stadtarchitektur im besten Falle heute noch darbietet, hat G. C. Picard auf Grund langjähriger Grabungserfahrungen im ehemals römischen Nordafrika treffend charakterisiert. Entsprechend den Hauptfunktionen der Städte als politische, wirtschaftliche und religiöse Zentren, dazu als Stätten der Vergnügung, sind es außer Mauern und repräsentativen Toranlagen vor allem die Überreste der *opera publica*, die das Bild römischer Ruinenfelder in Ost und West auch heute noch prägen. Zwar boten die Städte einer wohlhabenden Minderheit auch alle Annehmlichkeiten komfortablen Wohnens, doch sind Forumsanlagen, Marktplätze, Basiliken, Säulenhallen, Tempel, Theater, Thermen, Nymphäen, Bibliotheken, Triumphbögen oder Hippodrome schon auf Grund ihrer solideren Bauweise und tiefgründigen Fundamentierung in den meisten Fällen sehr viel besser erhalten als die Mauern von Wohnhäusern, die oft nicht unterkellert und selten mehr als zweistöckig waren. Insgesamt ist in der Entwicklung der archäologischen Erforschung römischer Stadtanlagen zu beobachten, daß die Freilegung und Untersuchung der baulichen Grundstruktur einer Stadt mit ihren Hauptgebäuden früher mehr im Vordergrund standen, während man sich heutzutage gezielter der Untersuchung von Wohnbauten widmet, um mehr über das Leben der Menschen zu erfahren. Dabei muß jedoch erwähnt werden, daß damit ein sehr viel größerer Teil der römischen Reichsbevölkerung ausgeklammert bleibt, die auf dem Lande lebte und deren Behausungen keinerlei Spuren im Boden hinterlassen haben (vgl. Abb. 23).

Die Fülle heute noch vorhandener oder durch Ausgrabungen und Teilrekonstruktionen wieder erkennbarer Stadtanlagen der römischen Kaiserzeit kann hier lediglich angedeutet werden. Grundsätzlich

21

22

23

wurden Städte nach rechtwinkligem Grundmuster errichtet, das die römischen Architekten und Bauingenieure von Etruskern und Griechen übernahmen. Ihrer ausgeprägten Vorliebe für Axialität und Symmetrie entsprechend, entwarfen sie mit Vorliebe ‹Städte vom Reißbrett›, die sie in Ebenen oder leicht hügeligem Gelände anlegten. Andererseits akzeptierten sie ältere Stadtanlagen, die – wie etwa in Numidien oder Lykien – als Hang- oder Bergstädte konzipiert waren, wenn es ihnen politisch opportun erschien und die jeweilige Region als ‹befriedet› galt, und begnügten sich damit, Stadtanlagen dieser Art durch die Errichtung typischer Bauten ein römisches Gepräge zu geben. Die römischen Eroberer scheuten aber auch nicht davor zurück, wenn nötig, Exempel zu statuieren und ganze Einwohnerschaften umzusiedeln. Beispiele für diese Art von ‹Bevölkerungspolitik› waren die Gründungen von *Augusta Treverorum*/Trier anstelle der Treverersiedlung auf dem Titelberg in Luxemburg oder *Virunum*/Zollfeld bei Klagenfurt anstelle der norischen Höhensiedlung auf dem Magdalensberg in Kärnten (Abb. 218).

Die besterhaltenen ‹Stadt-Landschaften› römischer Zeit finden sich in den ehemaligen Provinzen *Hispania Baetica*, *Gallia Narbonensis*, *Africa proconsularis*, *Asia minor*, *Lycia et Pamphylia* sowie *Syria* und *Arabia*. Den dortigen Römerstädten kam zugute, daß sie entweder gar nicht oder nur unwesentlich überbaut wurden bzw. in nachrömischer Zeit in ihrer Umgebung keine größeren Siedlungen oder gar Städte entstanden. So blieb manche Stadtanlage in abgelegener Region vor dem Schicksal bewahrt, als Steinbruch genutzt zu werden. Die Wiederverwendung römischen Spolienmaterials hat das ganze Mittelalter und die beginnende Neuzeit hindurch dazu geführt, daß einstige Großstädte wie *Karthago*/Tunis-Carthage (TN), *Alexandria* (ET) und *Antioch(e)ia*/Antakya (TR) weitgehend dem Erdboden gleichgemacht wurden, während andere Stadtanlagen wie *Italica*/Santiponce bei Sevilla (E), *Augusta Emerita*/Mérida (E), *Aeminium*/Coimbra (P) oder *Glanum*/St. Rémy-la-Provence (F), *Volubilis* (MA), *Cuicul*/Djemila (DZ), *Thamugadi*/Timgad (DZ) oder *Leptis Magna* (LAR), *Ephesus*/Efes (TR), *Aphrodisias*/Geyre (TR), *Gerasa*/ Djerash (HKJ) oder *Bostra*/Bosra-esch-Scham (SYR) bis heute ein mehr oder weniger vollständiges Bild vom Aussehen römischer Städte im Westen wie im Osten des Reiches vermitteln.

Abb. 21   *Civitas Mactaritana/Maktar (TN). Sog. Große Thermen. Blick in die palaestra (‹Ringplatz›), dahinter das bis zu den Gewölbeansätzen erhaltene frigidarium (‹Kaltwasserbad›).*

Abb. 22   *Cuicul/Djemila (DZ). Ansicht der römischen Ruinenstadt in den Bergen der östlichen Kabylei westlich von Constantine. Blick von Südwesten.*

Abb. 23   *Behausung der Nomaden, die auf den Gütern als Saisonarbeiter tätig waren (sog. mapalia). Detail eines Mosaiks aus El Alia (TN). Tunis, Bardo-Museum.*

AAVV., *Les thermes romains*, Coll. de l'École Franç. de Rome 142 (1991); AAVV., *Los foros Romanos de las provincias occidentales* (1987); AAVV., *Studi sull'arco onorario romano* (1979); I. M. BARTON, *Capitoline tempels in Italy and the provinces (especially Africa)*, in: *ANRW* II 12.1 (1982) 259 ff.; DERS. (ed.), *Roman public buildings* (1989); M. BIEBER, *Die Denkmäler zum Theaterwesen im Altertum* (1920); DIES., *The history of the Greek and Roman theatre* ²(1961); E. BRÖDNER, *Die römischen Thermen und das antike Badewesen* ²(1992). Dazu: H. MANDERSCHEID, in: *BJ* 194, 1994, 598 ff.; DIES., *Wohnen in der Antike* ²(1993); M. DONDERER, *Die Architekten der späten römischen Republik und der Kaiserzeit* (1996); M. FUCHS, *Untersuchungen zur Ausstattung römischer Theater in Italien und den Westprovinzen des Impe-

rium Romanum (1987); J. FUGMANN, *Römisches Theater in der Provinz*, Limesmuseum Aalen 41 (1988); R. GINOUVES, *Le nymphée de Laodicée et les nymphées romains*, in: *Laodicée du Lykos. Le nymphée* (1969) 136 ff.; J.-C. GOLVIN, *L'amphithéâtre romain* (1988); R. HAENSCH, *Capita provinciarum. Statthaltersitze und Provinzialverwaltung in der römischen Kaiserzeit* (1997); J. A. HANSON, *Roman theater-temples* (1959); W. HEINZ, *Römische Thermen und Badenlagen* (1983); H. VON HESBERG, *Bogenmonumente der frühen Kaiserzeit und des 2. Jahrh. n. Chr. Vom Ehrenbogen zum Festtor*, in: *Die römische Stadt im 2. Jahrhundert n. Chr.*, in: *Xantener Berichte* 2 (1992) 277 ff.; A. HÖNLE/A. HENZE, *Römische Amphitheater und Stadien* (1981); G. HORNBORSTEL-HÜTTNER, *Studien zur römischen Nischenarchitektur* (1979); L. L. JOHNSON, *The Hellenistic and Roman library* (1984); I. KADER, *Propylon und Bogentor* (1996); H. KÄHLER, s. v. Triumphbogen, in: *RE* VII A 1 (1939) 414 ff.; E. MAKOWIECKA, *The origin and evolution of architecture from the Roman library* (1978); J. MALONEY/B. HOBLEY (eds.), *Roman urban defences in the west*, CBA Res. Rep. 51 (1983); H. MANDERSCHEID, *Bibliographie zum römischen Badewesen* (1988); A. C. MCKAY, *Römische Häuser, Villen und Paläste* (1980); A. M. MANSEL, *Stockwerkbau der Griechen und Römer* (1932); I. NIELSEN, *Thermae et balnea. The architecture and cultural history of Roman public baths*, 2 Bde. (1991). Dazu: W. HEINZ, in: *BJ* 194, 1994, 601 ff.; A. NEPPI MODONA, *Gli edifici teatrali greci e romani: Teatri, odei, anfiteatri, circhi* (1961); C. DE

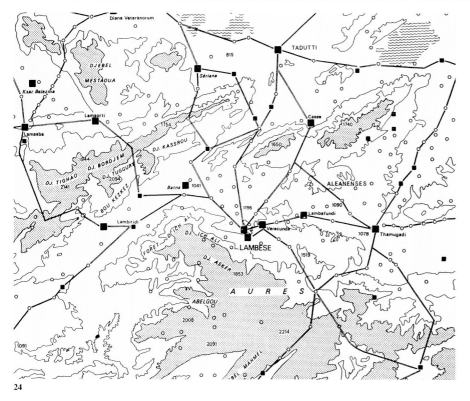

24

RUYT, *Macellum. Marché alimentaire des Romains*
(1984); M. SPANNAGEL, *Römische Triumphbögen –
Architektur und Programm* (i. Vorb.); K. M. SWO-
BODA, *Römische und romanische Paläste* ³(1969);
F. YEGÜL, *Baths and bathing in classical antiquity*
(1992). – Monographien zu einzelnen Stadtanlagen
und Architekturbeispielen siehe zu den einzelnen
Provinzen 59 ff.

Militärlager

Als ‹Städte› im übertragenen Sinne und
«Wohnsitze der Soldaten» (LIVIUS) galten auch die Standlager der Legionen an
den Grenzen des Reiches. Kennzeichnend für die Romanisierungsbestrebun-
gen der römischen Zentralgewalt war das
oftmalige Nebeneinander von Legionslager und Zivilstadt, deren Territorien voneinander getrennt waren. Beispiele hierfür finden sich am Rhein und an der Donau ebenso wie in Nordafrika, während
Legionstruppen im Osten nach allem,
was man heute zu wissen glaubt, in den
ummauerten Städten einquartiert waren.
Das wahrscheinlich eindrucksvollste
Bild einer derartigen Bevölkerungsag-
glomeration im Grenzbereich bietet die
regio Lambaesitana in Numidien, zu der
neben dem gut erhaltenen Legionslager
und der Zivilstadt von *Lambaesis*/Lam-
bèse (DZ), die um die Mitte des 3. Jhs.
colonia wurde, im näheren Umkreis weitere Veteranenstädte und -siedlungen
gehörten, die alle mehr oder weniger
sichtbare Spuren auf der Hochfläche
nördlich des Djebel Aurès hinterlassen
haben. Andere Beispiele solcher ‹Zwil-
lingsansiedlungen› sind *Traiana* und *Ve-*

tera castra in Xanten, *Carnuntum*/ Petronell und Bad Deutsch Altenburg (A),
Aquincum/Budapest (H) und *Duro-*
storum/Silistra (RO). Weitere Beispiele
ließen sich anfügen, doch sind die topographischen Erkenntnisse an anderen
Plätzen noch zu gering, um Näheres aussagen zu können.

Ob ein Platz auf militärischem Territorium lag oder im geschützten Binnenland, spiegelt sich auch bei heute desola-
tem Zustand einstiger Baustruktur im
Charakter der Objekte wider, die aus Un-
achtsamkeit verlorengingen, als Abfall in
den Boden gelangten oder – im Falle von
Gefahr – von Menschen vergraben wurden. Entsprechend hoch ist deshalb in
den ehemaligen Grenzregionen des nördlichen Britannien, längs des Rheines und
der Donau, entlang der Gebirgs- und Wü-
stenzonen des Vorderen Orients sowie
am Rande der Sahara der Anteil des militärischen Fundgutes, seien es Überreste
von Waffen, Ausrüstungsteilen, Pferde-
geschirr oder Pioniergerät, sei es das auffallend häufige Vorkommen bestimmter
Fundgattungen wie Münzen, Fibeln oder
Terra sigillata. Als besonders fundergie-
big haben sich militärische Plätze immer
dann erwiesen, wenn sie überstürzt aufgegeben werden mußten. Aber auch
wenn ein solcher Platz planmäßig verlassen
wurde, kann der Fundanfall beträchtlich
sein. Dies lehren etwa die Metallhort-
funde, die um die Mitte des 3. Jhs. in den
Donaukastellen *Quintanae*/ Künzing (D)
und *Sorviodurum*/Straubing (D) vergraben wurden, und der riesige Eisenhort-

fund aus dem nur kurzfristig belegten
und nie vollendeten spätflavischen Legionslager *Pinnata castra*/Inchtuthill (GB),
der Tausende von Eisennägeln enthielt,
die beim Rückzug im Jahre 87 im Boden
vergraben zurückgelassen wurden.

T. BECHERT, *Römische Lagertore und ihre Bauin-
schriften*, in: BJ 171, 1971, 201 ff.; DERS., *Wachtturm oder Kornspeicher? Zur Bauweise spätrömischer Burgi*, in: AK 8, 1978, 127 ff. u. AW 3.1,
1979, 17 ff.; D. P. DAVIDSON, *The barracks of the
Roman army from the 1st to the 3rd centuries A.D.*
(1989); R. FELLMANN, *Principia – Stabsgebäude*,
Limesmuseum Aalen 31 (1983); A. P. GENTRY, *Roman military stone built granaries in Britain*
(1976); W. S. HANSON, *The organisation of Roman
military timber supply*, in: Britannia 9, 1978, 293
ff.; M. J. JONES, *Roman fort defences to AD 117*,
BAR 21 (1975); *Limesforschungen. Studien zur Organisation der römischen Reichsgrenze an Rhein
und Donau* 1 ff. (1959 ff.); W. H. MANNING, *Roman
military timber granaries in Britain*, in: SJ 32,
1975, 105 ff.; H. VON PETRIKOVITS, *Die Innenbauten römischer Legionslager während der Prinzipatszeit* (1975); DERS., *Die Spezialgebäude römischer Legionslager*, in: *Beiträge zur römischen Geschichte und Archäologie 1931–74* (1976) 519 ff.;
DERS., *Die canabae legionis*, in: *150 Jahre Deutsches Archäologisches Institut* (1981) 163 ff.; W.
SCHLEIERMACHER, *Befestigte Schiffsländen Valentinians*, Germania 26, 1942, 191 ff.
T. BECHERT, *Die cohors II Raetorum in Wiesbaden*,
in: FH 9/10, 1969/70, 86 ff.; H. NESSELHAUF, *Um-
riß einer Geschichte des obergermanischen Heeres*, in: Jhb. RGZM 7, 1960, 151 ff.; B. PFERDEHIRT,
Die römischen Hilfstruppen nördlich des Mains,
ebd. 30, 1983, 303 ff.; DIES., *Die Geschichte der legio VIII Augusta*, ebd. 31, 1984, 397 ff.; A. RAD-
NÓTI, *Zur Dislokation der Auxiliartruppen in den
Donauprovinzen*, in: Limesstudien 1957 (1959) 134
ff.; DERS., *Legionen und Auxilien am Oberrhein im
1. Jahrhundert n. Chr.*, in: *Roman Frontier Studies
1969* (1974) 138 ff.; H. SCHÖNBERGER, *Die 1. Da-
mascenerkohorte aus Friedberg in zwei Heddern-
heimer Inschriften*, in: Germania 51, 1973, 146 ff.;
H. G. SIMON/D. BAATZ, *Spuren der Ala Moesica
felix torquata aus Obergermanien*, in: SJ 25, 1968,
193 ff.
AAVV., *Antike Helme. Ausstellung Mainz* (1988);
M. C. BISHOP, *Cavalry equipment of the Roman
army in the first century A.D.*, in: J. C. COULSTON
(ed.), *Military equipment and the identity of Roman
soldiers* (1988) 67 ff.; H. BULLINGER, *Spätantike
Gürtelbeschläge* (1969); M. FEUGÈRE, *Casques antiques* (1994); J. GARBSCH, *Römische Paradeausrü-
stungen* (1978); V. VON GONZENBACH, *Schwert-
scheidenbleche aus Vindonissa aus der Zeit der
XIII. Legion*, in: Jber. PV 1965, 5ff.; H. KLUMBACH,
Spätrömische Gardehelme (1973); DERS., *Römische Helme aus Niedergermanien* (1974); K. A.
LAWSON, *Zu den römischen Reiterspielen*, in: AK
10, 1980, 173ff.; J. OLDENSTEIN, *Studien zu Beschlägen und Zierat an der Rüstung der römischen
Auxiliareinheiten des obergermanisch-rätischen
Limesgebietes aus dem 2. und 3. Jahrhundert*, in:
Ber. RGK 57, 1976, 49 ff.; H.-H. VON PRITTWITZ
UND GAFFRON, *Der Reiterhelm des Tortikollis*, in:
BJ 191, 1991, 225 ff.; G. ULBERT, *Römische Waffen
des 1. Jahrhunderts n. Chr.*, Limesmuseum Aalen 4
(1968); G. WAURICK, *Helme in Caesars Heer*
(1990); G. WEBSTER, *Standards and standard-bearers in the alae*, in: BJ 186, 1986, 105 ff.; W. J. H.
WILLEMS, *Roman face masks from the Kops Plateau, Nijmegen*, in: Journ. Rom. Milit. Equipm.
Stud. 3, 1992, 57 ff.; K. WOELCKE, *Der neue römische Paradehelm aus Heddernheim*, in: Germania
14, 1930, 149 ff.
P. CONNOLLY, *Tiberius Claudius Maximus. The cavalry man* (1988); DERS., *Tiberius Claudius Maximus. The legionary* (1988); R. W. DAVIES, *The Roman military medical service*, in: SJ 27, 1970, 84
ff.; DERS., *The Roman military diet*, in: Britannia 2,
1971, 122 ff.; DERS., *The daily life of the Roman
soldier under the principate*, in: ANRW II 1 (1974)

299 ff.; M. JUNKELMANN, *Panis militaris* (1997); V. A. MAXFIELD, *The military decorations of the Roman army* (1981); H. VON PETRIKOVITS, *Römisches Militärhandwerk*, in: *Beiträge zur römischen Geschichte und Archäologie 1931–74* (1976) 598 ff.; DERS., *Militärisches Nutzland in den Grenzprovinzen des römischen Reiches*, in: *Actes du VIIe Congrès International d'Epigraphie Grecque et Latine 1977* (1979) 229 ff. – Weitere Literatur siehe 40 f. und 196 ff.

Siedlungen und Gehöfte

Das bisher generell zum Erhaltungszustand römischer Baustruktur Gesagte gilt sinngemäß auch für die Überreste mittlerer und kleinerer ziviler Ansiedlungen ebenso wie für die Grenz- und Militärplätze römischer Hilfstruppeneinheiten und den dazugehörigen Dörfern (*vici*). Allerdings sind sichtbare Spuren derartiger Siedlungen eher selten, weil ihre Mauern dem Steinraub zum Opfer fielen und sich die erhaltene Substanz im besten Fall auf Fundamentreste beschränkt, die tief im Boden stecken, oder aber weil die Holzfachwerkbauweise angewendet wurde, die gerade in kleineren Ansiedlungen – zivilen wie militärischen – zumal im Nordwesten des Reiches sehr viel langlebiger war als in den Städten und Legionslagern, die entweder sofort in Stein errichtet wurden oder – wie im Falle der Legionsfestungen – spätestens in vespasianischer Zeit in Stein umgebaut wurden. Die schlechte Erhaltung und schwierige Nachweisbarkeit noch vorhandener Bauspuren in Stein- wie in Holzbauweise mag zumindest mitentscheidend gewesen sein, daß die Aufdeckung und Untersuchung von Überresten ziviler wie militärischer Dorfanlagen lange ein ‹Stiefkind der Forschung› geblieben sind. Erst in jüngerer Zeit sind in diesem Bereich etwa in Baden-Württemberg und im Rheinland neue Schwerpunkte gesetzt worden.

T. BECHERT, *Kastelldorf und Zivilsiedlung*, in: DERS., *Die Römer in Asciburgium* (1989) 135 ff.; S. BURMEISTER, *Der römerzeitliche Vicus von Bedaium-Seebruck* (1995); H. W. DOPPLER, *Der römische Vicus Aquae Helveticae-Baden* (1976); A. HUNOLD, *Der römische vicus von Alzey* (i. Vorb.); W. JORNS, *Die Ausgrabungen am Zugmantel im Herbst 1935*, in: *SJ* 10, 1951, 50 ff. Dazu: H. SCHÖNBERGER, *Plan zu den Ausgrabungen am Kastell Zugmantel bis zum Jahre 1950*, ebd. 55 ff. m. Beil. 1.; DERS./W. SCHLEIERMACHER, *Das Lagerdorf des Kastells Butzbach*, ebd. 14, 1955, 12 ff.; H. F. MÜLLER, *Der römische Vicus von Sulz am Neckar. Vorbericht über die Ausgrabungen von 1967–72*, in: *Fundber. BW* 1, 1974, 483 ff.; H. VON PETRIKOVITS, *Das römische Neuss* (1957) 36 ff.; C. B. RÜGER, *Euskirchen-Billig*, in: H. G. HORN (Hg.), *Die Römer in Nordrhein-Westfalen* (1987) 422 ff.; C. S. SOMMER/H. KAISER, *Lopodunum-Ladenburg a.N. Archäologische Ausgrabungen 1981–87* (1988); J. WILLEMS/E. LAUWERIJS, *Le vicus gallo-romain de Vervoz à Clavier*, in: *Helinium* 13, 1973, 155 ff. – Zusammenfassend: AAVV., *Dörfer und Städte. Ausgrabungen im Rheinland '85/86* (1987); AAVV., *Römische Städte und Siedlungen in Baden-Württemberg* (1988); H. VON PETRIKOVITS, *Kleinstädte und nichtstädtische Siedlungen im Nordwesten des römischen Reiches*, in: *Das Dorf der Eisenzeit und des frühen Mittelalters* (1977) 86 ff.; C. S. SOMMER, *Kastellvicus und Kastell. Untersuchungen zum Zugmantel im Taunus und zu den Kastellvici in Obergermanien und Rätien*, in: *Fundber. BW* 13, 1988, 457 ff.

Gleiches wie bei Städten und Militäranlagen gilt auch für den Erhaltungszustand der vielen Gutshöfe (*villae rusticae*), die in Gebieten mit fruchtbaren Ackerböden zu Hunderten zählten und das Bild ganzer Landschaften prägten. Auch diese Anlagen sind zu Beginn der Kaiserzeit oft erst in Holzbauweise errichtet worden. Andererseits zeigen die bisher bekannten archäologischen Befunde, daß man zumindest die Haupthäuser schon sehr bald, d. h. ab der Mitte des

25

1. Jhs., in Steinbauten umwandelte und ihnen an vielen Orten das Aussehen mediterraner Portikusvillen mit Eckrisaliten gab. Einbezogen sind in diesem Zusammenhang auch die Siedlungen und Gehöfte in einheimischer Bauweise. Aber auch dort zeigt sich mit der Einführung des Steinbaues sowie bestimmter Elemente römischen Wohnkomforts eine zunehmende Romanisierung der einheimischen Bevölkerung, wie etwa Beispiele aus dem ehemaligen Stammesgebiet der *Cannanefates* im Mündungsgebiet von Rhein, Waal und Maas eindrucksvoll verdeutlichen.

Abb. 24   Regio Lambaesitana. Die Gegend um Lambaesis/Lambèse (DZ), dem Verwaltungszentrum der Provinz Numidia, mit zahlreichen zivilen und militärischen Siedlungsplätzen. Nach M. JANON.

Abb. 25   Quintanae/Künzing (D). Dolche und Dolchscheiden eines Eisenhortfundes aus dem Kastell. Vergraben um 250. München, Prähistorische Staatssammlung.

Abb. 26   Rijkswijk bei Den Haag (NL). Rekonstruktion der Grundrisse dreier aufeinanderfolgender Wohnhäuser im Stammesgebiet der Cannanefates, an denen sich die Entwicklung der Romanisierung ablesen läßt.

26

27

Das Bild der Landwirtschaft, die für alle Gebiete des Reiches mehr oder weniger bestimmend war und für die meisten Menschen jener Zeit die Basis ihrer Existenz bildete, setzt sich aus einer Vielzahl von Funden an Gerätschaften wie pflanzlichen Überresten zusammen, deren Charakterisierung und Bestimmung eine Aufgabe der Archäobotanik geworden ist. Hinzu kommen Darstellungen auf Reliefs (Abb. 44), Sarkophagen und Malereien sowie Nachbildungen landwirtschaftlicher Geräte en miniature, die sich in Gräbern gefunden haben. Diese Funde verdeutlichen zum einen, daß trotz der großen Zahl von annähernd tausend Städten in allen Teilen des Reiches weitaus die meisten Menschen auf dem Lande lebten, wobei ernstzunehmende Schätzungen von einem Anteil von 80–90% ausgehen, zum anderen, daß durch gezielten Anbau zahlreiche, heute gut geläufige Obst- und Gemüsesorten aus dem Mittelmeerraum in Gegenden

heimisch gemacht wurden, in denen sie bis dahin unbekannt waren.

J. H. F. Bloemers, *Rijswijk (Z.H.), De Bult. Eine Siedlung der Cananefaten* I–III (1978); G. De Boe u.a., *Neerharen-Rekem. Die komplexe Besiedlungsgeschichte einer vor den Kiesbaggern geretteten Fundstätte,* in: AAVV., *Spurensicherung. Archäologische Denkmalpflege in der Euregio Maas-Rhein* (1992) 477 ff.; W. Czysz, *Ein römischer Gutshof am Fundplatz 77/132 im Hambacher Forst,* in: *Ausgrabungen im Rheinland '77,* 1978, 118 ff.; W. Drack, *Der römische Gutshof bei Seeb, Gem. Winkel* (1990); B. Frei, *Der römische Gutshof von Sargans,* FAS 3 (1971); F. Fremersdorf, *Der römische Gutshof Köln-Müngersdorf* (1933); G. Fouet, *La villa galloromaine de Mont-Maurin,* Gallia Suppl. 20 (1969); W. Gaitzsch, *Der römische Gutshof im ‹Gewährhau› bei Niederzier. Modell einer Landsiedlung in der Germania inferior,* in: H. G. Horn (Hg.), *Archäologie in Nordrhein-Westfalen* (1990) 235 ff.; A. Gaubatz-Sattler, *Die villa rustica von Bondorf, Ldkrs. Böblingen* (1995); M. Gechter, *Der römische Gutshof von Rheinbach-Flerzheim,* in: AAVV., *Spurensicherung* (1992) 452 ff.; A. Gerster, *Die galloromische Villenanlage von Vicques* (1983); M. Hartmann, *Der römische Gutshof von Zofingen,* FAS 6 (1975); R. S. Hulst, *Druten-Klepperhei. Vorbericht der Ausgrabungen einer römischen Villa,* in: *Ber. ROB* 28, 1978, 133 ff.; A. Kolling, *Die Villa*

von Bierbach (1968); M. Luik/D. Müller, *Die römischen Gutshöfe von Gemmrigheim und Kirchheim a. N.* (1995); J. Metzler/J. Zimmer, *Ausgrabungen in Echternach,* 2 Bde. (1981); W. Modrijan, *Der römische Landsitz von Löffelbach* (1965); H. U. Nuber, *Römische Antike am Oberrhein: Die villa urbana von Heitersheim,* in: *Archäol. Nachr. aus Baden* 57, 1997, 3 ff.; F. Oelmann, *Die römische Villa bei Blankenheim in der Eifel,* in: *BJ* 123, 1916, 210 ff.; Ders., *Ein gallo-römischer Bauernhof bei Mayen,* ebd. 133, 1928, 151 ff.; W. Piepers, *Römischer Gutshof und späteisenzeitliche Siedlungsspuren bei Garsdorf,* in: *Germania* 37, 1959, 296 ff.; D. Planck, *Der römische Gutshof im Kreuzerfeld bei Rottenburg a. N.* (1968); Ders., *Die villa rustica von Bierlingen-Neuhaus, Kr. Horb a. N.,* in: *Fundber. BW* 1, 1974, 501 ff.; H. Reim, *Der römische Gutshof von Hechingen-Stein* (1982); R. Rothkegel, *Der römische Gutshof von Laufenburg* (1995); K. Roth-Rubi, *Die Villa von Stutheien/Hüttwilen* (1986); R. H. Schmidt, *Die villae rusticae ‹Ober der Pfingstweide› in Ober-Ramstadt, Kr. Darmstadt, und ‹Am Zahl› in Roßdorf, Kr. Darmstadt* (1971); P. Spitaels, *La villa galloromaine d'Anthée,* in: *Helinium* 10, 1970, 209 ff.; T. Spitzing, *Die römische Villa von Lauffen a. N., Kr. Heilbronn* (1988); P. Steiner, *Die römische Villa von Nennig* (1955); G. Wamser, *Ein römischer Gutshof bei Bad Rappenau,* in: *Fundber. BW* 3, 1976, 474 ff.; W. J. H. Willems, *Die kaiserzeitliche Villa von Voerendal,* in: AAVV., *Spurensicherung* (1992) 526 ff. – Weitere Literatur siehe 43 f.
H. Cüppers, *Gallo-römische Mähmaschine auf dem Relief in Trier,* in: *TZ* 27, 1964, 151 ff.; H. Hinz, *Die Landwirtschaft im römischen Rheinland,* in: *RV* 36, 1972, 1 ff.; K.-H. Knörzer, *Veränderungen der Unkrautvegetation auf rheinischen Bauernhöfen seit der Römerzeit,* in: *BJ* 184, 1984, 479 ff.; Ders./J. Meurers-Balke, *Die Wirtschafts- und Nutzungsflächen eines römischen Gutshofes. Eine Rekonstruktion aufgrund des botanischen Befundes,* in: H. G. Horn (Hg.), *Archäologie in Nordrhein-Westfalen* (1990) 242 ff.; J. Mertens, *Eine antike Mähmaschine,* in: *Ztschr. f. Agrargesch. u. Agrarsoziologie* 7, 1959, 1 ff.; M. Müller-Wille, *Die landwirtschaftliche Grundlage der villae rusticae,* in: *Germania Romana* III (1970) 32 ff.; M. Renard, *Technique et agriculture en pays trévire et rémois* (1959); K. D. White, *Gallo-Roman harvesting machines,* in: *Latomus* 26, 1967, 634 ff.

Straßen und Brücken

Von den Ingenieurbauten, die zu den größten Errungenschaften der römischen Zivilisation zählen, sind die Straßen mit fester Decke auf den ersten Blick nicht besonders augenfällig. Der Hauptgrund liegt darin, daß viele dieser Straßen bis heute das Fundament moderner Straßentrassen bilden. Nur dort, wo sich im Laufe der Zeit die Routen geändert haben wie auf dem Weg zwischen *Antioch(e)ia/* Antakya (TR) und *Chalkis/*Quinnesrin (SYR) oder im Falle der *via Egnatia* zwischen *Philippi* und *Neapolis/*Kavalla (GR) ist das römische Straßenpflaster partienweise noch gut erhalten (Abb. 92). Dagegen waren viele Straßen im Westen, wo Kies als Deckmaterial bevorzugt wurde, mitunter bis zum Beginn der Neuzeit als dammartige Erhöhungen im Gelände sichtbar, ehe sie unter modernen Pflasterungen und Asphaltdecken verschwanden. Sichtbar blieben sie nur dort, wo alte Wege sich erhalten haben oder sich ein Gebiet mit Wald bedeckte.

28

29

30

Über das Aussehen von Wagen und Karren unterrichten vor allem Reliefdarstellungen, die durch Ausgrabungsfunde ergänzt werden. Weitere Zeugnisse zum römischen Straßenwesen sind Wegeverzeichnisse und -karten, die in Abschriften erhalten sind (Abb. 6), sowie zahlreiche Meilensteine, die ihre Entfernungsangaben – im Gegensatz zu heute – vom Beginn einer Strecke her zählten (vgl. Abb. 163). Das Bild vervollständigten Raststationen (*mansiones* und *deversoria*) sowie Pferdewechsel (*mutationes*), außerdem staatliche *horrea*, in denen seit dem Ende des 2. Jhs. die *annona militaris*, eine Art Naturalsteuer, ‹gehortet› wurde, Bauwerke, von denen sich in aller Regel obertägig keinerlei Spuren bewahrt haben.

Erhalten haben sich dagegen überall dort, wo Flüsse überquert werden mußten und Stein als Baumaterial Verwendung fand, zahlreiche Brücken in Ost und West, die z. T. heute noch benutzt werden. Bekannte Beispiele sind die

Abb. 27 Gut erhaltenes Teilstück der Straße zwischen Lattakia/Latakya (TR) und Antioch(e)ia/Antakya (TR). Blick von Süden.

Abb. 28 Simitthus/Chemtou (TN). Zusammengestürzte Brücke über den Bagradas/Medjerda. Blick von Nordosten.

Abb. 29 Mogontiacum/Mainz (D). Freigelegtes Flußkriegsschiff (sog. Lusoria). Ausgrabung 1981. Gebaut aus Stämmen, die 376 gefällt wurden. Blick von Süden.

Abb. 30 Traiana/Xanten (D). Draufsicht eines Teilstücks der hölzernen Kaianlage im östlichen Vorfeld der Stadt. Erbaut um 80.

Trierer Moselbrücke aus claudischer Zeit, die Brücke von Alcántara, die nordwestlich des heutigen Cáceres (E), genau auf der Grenze zwischen Spanien und Portugal, den *Tagus*/Tejo überspannt, die beiden Brücken über den *Anas*/Guadiana nach *Augusta Emerita*/Mérida (E), von denen die eine 760 m lang ist, oder die gut erhaltenen Brücken an der römischen Euphratstraße zwischen *Samosata*/Samsat (TR) und *Zeugma*/Belkis (TR) im äußersten Osten des Reiches.

T. BECHERT, *Limesstraße und Benefiziarierstation,* in: *Die Römer in Asciburgium* (1989) 160 ff.; H. BENDER, *Baugeschichtliche Untersuchungen zur Ausgrabung Augst-Kurzenbettli* (1975); M. DOHRN-IHMIG, *Ein Schnitt durch die römische Straße Köln – Jülich – Tongeren im Tagebau Hambach I,* in: *Ausgrabungen im Rheinland* '79, 1980, 191 ff.; C. FAERBER, *Bautechnische Interpretation von Grabungsbefunden der römischen Straße Köln – Jülich,* Diplomarbeit Köln 1994; W. GAITZSCH/J. HERMANNS, *Römerstraße im Abbau. Aufschlüsse der antiken Fernstraße Köln – Jülich,* in: *Archäologie im Rheinland* 1991 (1992) 67 ff.; U. HEIMBERG, *Eine Straßenstation bei Bergheim (Erftkreis),* in: *BJ* 177, 1977, 569 ff.; F. E. KÖNIG, *Der Julierpaß in römischer Zeit,* in: *Jhb. SGUF* 62, 1979, 77 ff.; W. PIEPERS, *Ein Profil durch die römische Staatsstraße Köln – Jülich – Tongeren,* in: *Rheinische Ausgrabungen* 3 (1968) 317 ff.; W. RÖRING, *Bemerkungen zum römischen Wagen aus Frenz, Kr. Düren,* in: *AK* 8, 1978, 319 ff.; G. WALSER, *Summus Poeninus. Beiträge zur Geschichte des Großen St. Bernhard-Passes in römischer Zeit* (1984); DERS., *Via per Alpes Graias. Beiträge zur Geschichte des Kleinen St. Bernhard-Passes in römischer Zeit* (1986).
H. CÜPPERS, *Die Trierer Römerbrücken* (1969); H. FEHR u. a., *Eine Rheinbrücke zwischen Koblenz und Ehrenbreitstein aus der Regierungszeit des Claudius,* in: *BJ* 181, 1981, 287 ff.; W. GEYER u. a., *Die römische Sumpfbrücke bei Bickenbach (Kr. Darmstadt),* in: *SJ* 34, 1977, 29 ff.; F. GÜNDEL, *Die römische Mainbrücke bei Frankfurt a. M.,* in: *Germania* 6, 1922, 68 ff.; F. KUHN, *Die Römerbrücken von Augst und Kembs und die zugehörigen Straßenverbindungen rechts des Rheins,* in: *Badische Heimat* 50, 1970, 490 ff.; R. LAUR-BELART, *Die Römerbrücke von Augst im hochrheinischen Straßennetz,* in: *Helvetia Antiqua* (1966) 241 ff.; J. MIOULET/C. BARTEN, *De Romeinse brug tussen Cuijk en Middelaar* (1994); S. NEU, *Die römische Rheinbrücke,* in: *FVFD* 38 (1980) 147 ff. – Weitere Literatur siehe 47.

Häfen und Schiffe

Obwohl die Römer alles andere als ein Seevolk waren, haben sie sich – dank griechischer Hilfe auf dem Gebiet der Nautik und Seemannschaft – dem nassen Element anvertraut und sind zur ersten Seemacht des Mittelmeerraumes aufgestiegen. Zahlreich sind deshalb auch sowohl an den Gestaden des Mittelmeeres wie an den Ufern von Flüssen und Seen die z. T. ausgezeichnet erhaltenen Hafenanlagen, Leuchttürme und Anlegestellen, von denen Kunsthäfen wie in *Leptis Magna* bei Homs (LAR) und *Caesarea Maritima* bei Sdot Yam (IL) ebenso genannt werden müssen wie die großzügig ausgebauten Naturhäfen an den Küsten Südgalliens, Griechenlands und Kleinasiens, von denen die tief eingeschnittenen, heute größtenteils verlandeten Hafenbuchten von *Patara* (TR) und *Andriake*/Andraki (TR), dem Hafen von *Myra*/ Demre (TR) mit ihren Kaianlagen und riesigen Getreidespeichern zu den größten Anlagen ihrer Art zählten. Zu erwähnen sind in diesem Zusammenhang auch Binnenhäfen wie in *Aventicum*/Avenches (CH), wo Stadt und Fluß durch einen Kanal verbunden waren, der Arbeitshafen der *classis Germanica* unterhalb der Trachytbrüche des Drachenfelses bei Königswinter sowie der auf mindestens 300 m Länge geschätzte hölzerne Kai von *Traiana*/Xanten, der heute noch gut erhalten im feuchten Niederungsboden der Pistley steckt. Feuchte Böden bilden auch die Voraussetzung, daß sich Schiffe oder Schiffsteile aus Holz bis heute erhalten konnten. Dank deutlich verbesserter Konservierungsmethoden ist es heutzutage möglich, ganze Schiffe zu bergen und zu erhalten. Als

31

herausragende Beispiele seien die Schiffsfunde aus *Nigrum Pullum*/Alphen-Zwammerdam (NL), *Traiana*/Xanten und *Mogontiacum*/Mainz genannt. Ergänzt wird das Bild der Beförderungsmöglichkeiten zur See und auf den Flüssen durch bildliche Darstellungen auf Reliefs, Wandmalereien und Mosaiken.

F. BARTOCCINI, *Il porto romano di Leptis Magna* (1958); F. BONNET, *Le canal romain d'Avenches*, in: *Bull. APA* 27, 1982, 3 ff.; S. LEIH, *Neue Untersuchungen im Bereich des Hafens der Colonia Ulpia Traiana*, in: *Archäologie im Rheinland* 1993 (1994) 60 f.; J. P. OLESON/M. A. FITZGERALD/A. N. SHERWOOD u. a., *The harbours of Caesarea Maritima* 2. *The finds and the ship* (1994); A. RABAN, *Sebastos: The royal harbour at Caesarea Maritima – a short-lived giant*, in: *Nautical Journal* 21. 2. 1992, 111 ff.; J. RÖDER, *Römische Steinbruchtätig-*

keit am Drachenfels, in: *BJ* 174, 1974, 509 ff.; C. B. RÜGER, *Der römische Rheinhafen der Colonia Ulpia Traiana*, in: *Beiträge zur Rheinkunde* 25, 1973, 42 ff.
R. M. BARZEN, *Die Neumagener Weinschiffe*, in: *TZ* 24–26, 1956–58, 231 ff.; H. BERKEL/J. OBLADEN-KAUDER, *Das römerzeitliche Schiff von Xanten-Wardt*, in: *Archäologie im Rheinland* 1991 (1992) 74 ff.; DIES., *Das Schiff von Xanten-Wardt zwischen Bergung und Konservierung*, ebd. 56 ff.; A. BRUCKNER, *Römischer Balkenkopf aus dem Rhein bei Wardt-Lüttingen (Kr. Moers)*, in: *BJ* 163, 1963, 11 ff.; A. BÜTTNER, *Eine Bronzeprora aus der Mosel bei Trier*, in: *TZ* 27, 1964, 139 ff.; O. HÖCKMANN, *Spätrömische Schiffsfunde in Mainz*, in: *AK* 12, 1982, 231 ff.; DERS., '*Keltisch' oder 'römisch'? Bemerkungen zur Typengenese der spätrömischen Ruderschiffe von Mainz*, in: *Jhb. RGZM* 30, 1983, 403 ff.; C. M. HÜSSEN/ K. H. RIEDER/H. SCHAAFF, *Die Römerschiffe in Oberstimm – Ausgrabung und Bergung*, in: *Das archäologische Jahr in Bayern* 1994 (1995) 112 ff.; R. S. HULST/ L. TH. LEEMANN, *The Roman barge of Druten*, in: *Ber. ROB* 24, 1974, 7 ff.; G. KAENEL/D. WEIDMANN, *La barque romaine d'Yverdon*, in: *HA* 19/20, 1974, 66 ff.; L. P. LOUWE KOOIJMANS, *Een onderzoek en een opgraving*, in: *Studium Generale, Lieferung* 11, 1968, 6 f. (Schiff von Kapel-Avezaath); S. NEU, *Ein Schiffsrelief vom Kölner Rheinufer*, in: *Boreas* 5, 1982, 133 ff.; W. PIEPERS, *Teile römischer Schiffsanker vom Niederrhein*, in: *BJ* 174, 1974, 561 ff.; G. RUPPRECHT, *Die Mainzer Römerschiffe*, ³(1984); M. D. DE WEERD, *Schepen voor Zwammerdam* (1988). – Weitere Literatur siehe 47 f.

Aquädukte

Zu den großartigsten Denkmälern römischer Ingenieurskunst zählen neben Straßen und Brücken vor allem die monumentalen Wasserleitungen (*aquaeductus*), über die alle größeren Städte des Reiches aus den umliegenden Hügeln und Bergen mit Frischwasser versorgt wurden. Die Beispiele sind überaus zahlreich, ob man nun die Aquädukte von *Caesarea Maritima*/Sdot Yam (IL), *Antioch(e)ia*/Antakya (TR) oder *Satala*/Sadagh (TR) ganz im Osten des Reiches anführt, die Anlagen der Städte *Aspendus*/Belkis (TR), *Side*/Selimiye (TR), *Smyrna*/Izmir (TR), *Mytilene*/Mitilini (GR)

oder die Hochdruckleitung in *Pergamon*/Bergama (TR) im ehemaligen Kleinasien, die nicht minder eindrucksvollen Wasserleitungen der Städte *Nemausus*/Nîmes (F), *Tarraco*/Tarragona (E), *Segovia* (E) und *Augusta Emerita*/Mérida (E) im südlichen Gallien, in Hispanien und Lusitanien oder aber die mehr als 80 km lange Eifelwasserleitung, die nach *Agrippina*/Köln führte (vgl. Abb. 122, 128 u. 206). Zweifellos haben römische Ingenieure die großartigste Anlage dieser Art in *Africa proconsularis* errichtet, um die Provinzhauptstadt *Karthago*/Tunis-Carthage (TN) mit frischem Quellwasser zu versorgen (Abb. 112). Mehr als 130 km Länge besaß dieser Aquädukt, der vom Nordhang des Djebel Zaghouan herabführte, täglich mehr als 30 Millionen Kubikmeter Wasser nach *Karthago* leitete und bis heute mit seinen monumentalen Bögen die Landschaft südlich von Tunis bestimmt. Zum Bild römischer Wasserbauten gehören schließlich Talsperren und Wasserreservoirs, wie sie beispielsweise im näheren Umkreis von *Augusta Emerita*/Mérida nachgewiesen und untersucht worden sind.

G. FABRE/J. L FICHES/J. L. PAILLET, *L'aqueduc de Nîmes et le Pont du Gard* (1991); J. L. GONZALES COBELO/M. SERRANO MARZO, *El aqueducto de Segovia* (1983); K. GREWE, *Atlas der römischen Wasserleitungen nach Köln* (1986); DERS., *Neue Befunde zu den römischen Wasserleitungen nach Köln*, in: *BJ* 191, 1991, 385 ff.; DERS., *Augusta Emerita/Mérida – eine Stadt römischer Technikgeschichte*, in: *AW* 24.3, 1993, 244 ff.; W. HABEREY, *Die römischen Wasserleitungen nach Köln* ²(1972); H. HINZ, *Römische Wasserleitung südlich von Xanten*, in: *BJ* 159, 1959, 134 ff.; R. NAUMANN, *Der Quellbezirk von Nîmes* (1937); A. NEYSES, *Die Ruwer-Wasserleitung des römischen Trier* (o.J.); N. SCHNITTER, *Römische Talsperren*, in: *AW* 9.2, 1978, 25 ff.; H. H. WEGNER/U. HEIMBERG, *Wasser für die CVT. Reste römischer Wasserleitungen der Colonia Ulpia Traiana bei Xanten*, in: *Colonia Ulpia Traiana*, 1. u. 2. Arbeitsbericht (o. J.), 36 ff. – Weitere Literatur siehe 47.

Handwerk und Gewerbe

Die Bereiche des Handwerks und des Gewerbes lassen sich archäologisch vor allem durch den Nachweis von Produktions- und Arbeitsstätten fassen. Hierzu gehören Werkstatt- und Handwerksbetriebe, Mühlen, Ölpressen, Bäckereien, Verkaufsläden und Schenken in den Städten ebenso wie größere Betriebe und Manufakturen vor der Stadt oder in ländlichen Regionen wie Töpfereien, Glasbläsereien, Ziegeleien, Kalkbrennereien oder die Abbauplätze von Bodenschätzen wie Gold, Silber, Kupfer, Eisen, Blei, Galmei oder Marmor, deren Gewinnung kaiserliches Privileg war. Als herausragende Beispiele sei auf das südgallische Töpfereizentrum von *Condatomagus*/

32

Millau-La Graufesenque (F), die Kalköfen von Iversheim/Eifel (Abb. 58) und die Untersuchungen des Deutschen Archäologischen Instituts in den Marmorbrüchen von *Simitthus*/Chemtou (TN) verwiesen, wo der *marmor Numidicus* gebrochen wurde und u. a. die Aufdeckung eines Arbeitslagers mit mehreren Werkhallen gelang, in denen offenbar serienmäßig Gefäße und andere Gegenstände des gehobenen Bedarfs aus Marmor hergestellt wurden.

Mehr als in anderen Bereichen ist für eine möglichst umfassende Darstellung der römischen Arbeitswelt der Rückgriff auf bildliche und inschriftliche Quellen notwendig, deren Bild durch ein reiches Fundinventar an Werkzeugen und Geräten vervollständigt wird. Dies gilt in besonderer Weise für die Produkte und Utensilien des täglichen Bedarfs, deren Vielfältigkeit zumindest in den Städten eine reich differenzierte Berufswelt erkennen läßt, die vor allem auch durch inschriftliche Quellen gut belegt ist. Dies ist schon deshalb von großer Wichtigkeit, weil darunter ganze Berufszweige vertreten sind wie die zahlreichen *negotiatores*, die sich auf den Handel mit ganz bestimmten Waren spezialisierten und archäologisch, wenn nicht zufällig durch Inschriften, überhaupt nicht faßbar wären. Ein gutes Beispiel bieten hier die Weihesteine für *Dea Nehalennia* aus Domburg (NL) wie vor allem aus der Oosterschelde vor Colijnsplaat auf der Insel Noord Bevoland (NL), die wertvolle Einblicke in den Handel mit Salz, Fischsauce, Wein und keramischen Produkten erlauben, wie er sich im 2.–3. Jh. zwischen dem Rheingebiet, der Kanalküste und dem südlichen Britannien abgespielt hat.

O. DOPPELFELD, *Kölner Wirtschaft von den Anfängen bis zur Karolingerzeit*, in: *Zwei Jahrtausende Kölner Wirtschaft* 1 (1975) 15 ff.; H. VON PETRIKOVITS, *Neue Forschungen zur römerzeitlichen Besiedlung der Nordeifel*, in: *Germania* 34, 1956, 99 ff.; DERS., *Das römische Rheinland* (1960) 112 ff.; A. RIECHE/H. J. SCHALLES, *Arbeit, Handwerk und Berufe in der römischen Stadt* (1987); M. RIEDEL, *Köln. Ein römisches Wirtschaftszentrum* (1982); O.

Abb. 31 Moria bei Mitilini/Lesbos (GR). Gut erhaltene Bögen des Aquädukts, der die Hauptstadt der Insel mit Wasser versorgte (2. Jh.). Vgl. auch Titelbild.

Abb. 32 Simitthus/Chemtou (TN). Riesenblock in den Marmorbrüchen mit deutlichen Abbauspuren. Blick von Süden.

Abb. 33 Eine ungewöhnliche Art der ‹Ausgrabung›: Weihesteine der Dea Nehalennia finden sich in den Netzen der Fischer vor Colijnsplaat (NL) an der Oosterschelde. Vgl. hier auch Abb. 61 d.

ROLLER, *Die wirtschaftliche Entwicklung des pfälzischen Raumes während der Römerzeit*, in: *Beiträge zur pfälzischen Wirtschaftsgeschichte* 1968, 40 ff.;
A. BESCHAOUCH u. a., *Die Steinbrüche und die antike Stadt, Simitthus* 1 (1993); R. DIVISCH u. a., *Der Felsberg im Odenwald* (1985); H. G. HORN, *Die antiken Steinbrüche von Chemtou/Simitthus*, in: *Kat. Die Numider* (1979) 173 ff.; M. KHANOUSSI u. a., *Der Tempelberg und das römische Lager, Simitthus* 2 (1994); H. LEHNER, *Ein Tuffsteinbruch des ober- und niedergermanischen Heeres bei Kruft*, in: *Germania* 5, 1921, 130 ff.; H. LÖHR, *Ein römischer Steinbruch in den Katzensteinen bei Satzvey-Firmenich, Kr. Euskirchen*, in: *BJ* 176, 1976, 319 ff.; J. RÖDER, *Zur Lavaindustrie von Mayen und Volvic (Auvergne)*, in: *Germania* 31, 1953, 24 ff.; DERS., *Die antiken Tuffsteinbrüche der Pellenz*, in: *BJ* 157, 1957, 213 ff.; DERS., *Zur Steinbruchgeschichte der Pellenz und des Brohltals*, ebd. 159, 1959, 47 ff.; DERS., *Zur Steinbruchgeschichte des Rosengranits von Assuan*, in: *AA* 1965, 467 ff.; DERS., *Römische Steinbruchtätigkeit am Drachenfels*, in: *BJ* 174, 1974, 509 ff.
H. G. CONRAD, *Römischer Bergbau, erläutert am Beispiel des Aemilianus-Stollens bei Wallerfangen, Saar*, in: *BSDS* 15, 1968, 113 ff.; R. SCHINDLER, *Römischer Kupferbergbau im unteren Kylltal*, in: *Kurtrier. Jhb.* 7, 1967, 5 ff.; A. VOIGT, *Gressenich und sein Galmei in der Geschichte*, in: *BJ* 155–56, 1955–56, 318 ff.
A. KOLLING, *Über den Gebrauch der Steinkohle im Bereich des Saarkohlebeckens in römischer Zeit*, in: *Germania* 37, 1959, 246 ff.; W. SÖLTER, *Steinkohle in einer römischen Grube von Neuss*, in: *Rheinische Ausgrabungen* 10 (1971) 370 ff.; J. A. TRIMPE BURGER, *Steenkol uit de Romeinse tijd in Nederland*, in: *Westerheem* 22, 1973, 59 ff.
M. AMAND, *L'industrie de la céramique en Belgique romaine*, in: *Archeologia* 44, 1972, 28 ff.; P. ARNOLD, *Die römischen Ziegeleien von Hunzenschwil-Rupperswil*, in: *Jhb. PV* 1965, 37 ff.; H. BENDER/R. STEIGER, *Ein römischer Töpferbezirk des 1. Jahrhunderts n.Chr. in Augst-Kurzenbettli*, in: *Beiträge und Bibliographie zur Augster Forschung* (1975) 198 ff.; L. BERGER, *Ein römischer Ziegelbrennofen bei Kaiseraugst* (1969); W.C. BRAAT, *Romeins Nijmegen. De Holdeurn te Berg en Dal*, in: *Numaga* 3, 1956, 6 ff.; W. DRACK, *Die römischen Töpfereifunde von Baden-Aquae Helveticae* (1949); U. HEIMBERG/C. B. RÜGER, *Eine Töpferei vor der Colonia Ulpia Traiana*, in: *Rheinische Ausgrabungen* 12 (1972) 84 ff.; J. H. HOLWERDA – W. C. BRAAT, *De Holdeurn bij Berg en Dal*, OMRL 26, 1949 Suppl.; P. LA BAUME, *Frührömische Töpferöfen aus der Lungengasse*, in: *KJb.* 3, 1958, 26 ff.; W. PIEPERS, *Römische Ziegel- und Töpferöfen bei Bedburg-Garsdorf, Kr. Bergheim-Erft*, in: *Rheinische Ausgrabungen* 10 (1971) 340 ff.; F. REUTTI, *Tonverarbeitende Industrie im römischen Rheinzabern*, in: *Germania* 61, 1983, 33 ff.; G. SCHAUERTE, *Der römische Töpfereibezirk am Rudolfplatz in Köln*, in: *KJb.* 20, 1987, 23 ff.; DERS., *Der Töpfereibezirk am Bahnhofsvorplatz in Köln*, ebd. 27, 1994, 513 ff.; TH. TOMASEVIC-BUCK, *Die Ziegelbrennöfen der Legio I Martia in Kaiseraugst AG und die Ausgrabungen in der Liebrüti 1970–75* (1982); A. VERNHET, *La Graufesenque. Atelier de céramiques gallo-romain* (1979).
J. KELLER, *Die Auffindung römischer Kalköfen bei Rheinheim (Kr. St. Ingbert)*, in: *Ztschr. f. d. Gesch. der Saargegend* 14, 1964, 206 ff.; W. SÖLTER, *Römische Kalkbrenner im Rheinland* (1970).
W. GAITZSCH, *Ergologische Bemerkungen zum Hortfund in Königsforst und zu verwandten römischen Metalldepots*, in: *BJ* 184, 1984, 379 ff.; TH. FISCHER, *Zwei neue Metallsammelfunde aus Künzing/Quintana*, in: *Spurensuche. Festschr. H.-J. Kellner* (1991) 125 ff.; F.-R. HERRMANN, *Der Eisenhortfund aus dem Kastell Künzing. Vorbericht*, in: *SJ* 26, 1969, 129 ff.; A. MUTZ, *Römische Waagen und Gewichte aus Augst und Kaiseraugst* (1983); M. PIETSCH, *Die römischen Eisenwerkzeuge von Saalburg, Feldberg und Zugmantel*, in: *SJ* 39, 1983, 5 ff.; F. SPRATER, *Das römische Eisenberg. Seine Eisen- und Bronzeindustrie* (1952). Siehe auch 46 f.
F. FREMERSDORF, *Die Anfänge der römischen Glas-*

33

hütten Kölns, in: *KJb.* 8, 1965/66, 24 ff.; E. HAEVERNICK/P. HAHN-WEINHEIMER, *Untersuchungen römischer Fenstergläser*, in: *SJ* 14, 1955, 65 ff.; M. RECH, *Eine römische Glashütte im Hambacher Forst bei Niederzier, Kr. Düren*, in: *BJ* 182, 1982, 349 ff.; O. ROLLER, *Eine römische Glashütte in der Pfalz*, in: *Pfälzer Heimat* 8, 1957, 60 ff. – Siehe auch 37.
J. F. DRINKWATER, *Die Secundinier von Igel und die Woll- und Textilindustrie in Gallia Belgica. Fragen und Hypothesen*, in: *TZ* 40–41, 1977–78, 107 ff.; DERS., *The wool textile industry of Gallia Belgica and the Secundinii of Igel*, in: *Textile History* 13, 1982, 111 ff.; J. P. WILD, *Römische Textilreste im Saalburgmuseum*, in: *SJ* 24, 1967, 77 ff.
A. NEYSES, *Drei neuentdeckte gallo-römische Weinkelterhäuser im Moselgebiet*, in: *AK* 7, 1977, 217 ff.; DERS., *Die Getreidemühlen beim römischen Land- und Weingut von Lösnich (Kreis Bernkastel-Wittlich)*, in: *TZ* 46, 1983, 209 ff.
H. BERKE, *Reste einer spezialisierten Schlachterei in der CVT, Insula 37*, in: *Xantener Berichte* 6, 1995, 301 ff.; DERS., *Knochenreste aus einer römischen Räucherei in der Colonia Ulpia Traiana*, ebd. 343 ff. – Weitere Literatur siehe 35.

Alltagsleben

Ganz ähnliche Voraussetzungen gelten auch für den gesamten Bereich des menschlichen Alltagslebens, dessen Vielfalt die materiellen Überreste der römischen Zeit in den Provinzen nur unvollkommen widerspiegeln. Auch hier helfen mannigfache Zeugnisse darstellender und beschreibender Art auf Steindenkmälern, Wandmalereien, Mosaiken sowie schriftliche Quellen, um in der Verknüpfung mit unterschiedlichsten Gegenständen und Utensilien eine Vorstellung vom Leben nicht nur der Reichen, sondern ge-

34

rade auch der mittleren und unteren Bevölkerungsschichten zu gewinnen. Dazu gehören Bereiche wie Familienleben, wohnliche Umgebung, Ernährung, Kleidung und Erziehung ebenso wie die Möglichkeiten, sich zu bilden, zu musizieren, öffentliche Bäder aufzusuchen, sich medizinisch versorgen zu lassen, Freizeitvergnügen wie dem Jagen oder Fischen nachzugehen, Wagenrennen im *circus* oder Gladiatorenkämpfe im *amphitheatrum* zu besuchen. Gern hätte man mehr sprechende Inschriften wie jene aus *Thamugadi*/Timgad (DZ) vom südlichen Rand des Reiches, die mit

35

ihrem lapidaren Ausruf *venari, lavari, luderi, rideri – hoc est vivere* («Jagen, baden, spielen, lachen – das ist leben») auf eindrucksvolle Weise das Lebensgefühl von Menschen wiedergibt, die sich bewußt waren, auch an einer gefährdeten Grenze in einem Staat zu leben, der sie schützte und ihnen die Möglichkeit bot, zu Wohlstand und Ansehen zu gelangen.

ALLASON-JONES, *Women in Roman Britain* (1989); M. BALTZER, *Die Alltagsdarstellungen der treverischen Grabdenkmäler*, in: *TZ* 46, 1983, 7 ff.; E. BRÖDNER, *Wohnen in der Antike* [2](1993); I. LINFERT-REICH, *Römisches Alltagsleben in Köln* (1975); A. PELLETIER, *La femme dans la société gallo-romaine* (1984); N. ZIELING, *Die römischen Bäder* [2](1991).
M. BIEBER, *Charakter und Unterschiede der griechischen und römischen Kleidung*, in: *AA* 1973, 425 ff.; A. BÖHME, *Schmuck der römischen Frau*, Limesmuseum Aalen 11 (1974); DIES., *Tracht- und Bestattungssitten in den germanischen Provinzen und in der Belgica*, in: *ANRW* II 12.3 (1985) 423 ff.; J. GARBSCH, *Die norisch-pannonische Frauentracht im 1. und 2. Jahrhundert* (1965); S. MARTIN-KILCHER, *Schmuck und Tracht zur Römerzeit* (1982); V. MÜLLER-VOGEL, *Römische Kleider* (1986); J. P. WILD, *Die Frauentracht der Ubier*, in: *Germania* 46, 1968, 67 ff.; DERS., *The clothing of Britannia, Gallia Belgica and Germania Inferior*, in: *ANRW* ebd. 362 ff.
P. GOESSLER, *Ein gallo-römischer Steckkalender aus Rottweil*, in: *Germania* 12, 1928, 1 ff.; M. MARTIN, *Gegenstände des römischen Alltags* (1979); H. U. NUBER, *Kanne und Griffschale. Ihr Gebrauch im täglichen Leben und die Beigabe in Gräbern der römischen Kaiserzeit*, in: *Ber. RGK* 52, 1972, 1 ff.
E. ALFÖLDI-ROSENBAUM, *Das Kochbuch der Römer* [4](1976); M. u. G. FALTNER, *An der Tafel des Trimalchio* (1959); G. GERLACH, *Essen und Trinken in römischer Zeit* (1986); CH. HOLLIGER, *Culinaria Romana. So aßen und tranken die Römer* (1984); W. HORBIN, *Römisches Brot. Mahlen, Backen, Rezepte* (1980)
L. DÜPPERS, *Die römischen Augensalbenstempel*, Diss. Aachen 1972; E. KÜNZL, *Medizinische Instrumente aus Sepulkralfunden der römischen Kaiserzeit*, in: *BJ* 182, 1982, 1 ff.; DERS., *Operationsräume in römischen Thermen. Zu einem chirurgischen Instrumentarium aus der CUT*, ebd. 186, 1986, 491 ff.; C. L. RAEMAKERS, *Marcus Ulpius Heracles, de eerste Nijmeegse oogarts*, in: *Numaga* 9, 1962, 49 ff.; E. RIHA, *Römisches Toilettengerät und medizinische Instrumente aus Augst und Kaiseraugst* (1986); J. VOINOT, *Inventaire des cachets d'oculistes gallo-romains* (1984); L. A. WATERMANN, *Medizinisches und Hygienisches aus Germania Inferior. Ein Beitrag zur Geschichte der Medizin und Hygiene der römischen Provinzen* (1974); A. K. BOWMAN, *Life and letters on the Roman frontier. Vindolanda and its people* (1994); W. GAITZSCH, *Der Wachsauftrag antiker Schreibtafeln*, in: *BJ* 184, 1984, 189 ff.; M. A. SPEIDEL, *Die römischen Schreibtafeln von Vindonissa* (1996); J. G. WINTER, *Life and letters in the papyri* (1933)
W. BINSFELD, *Schauspiele im römischen Trier*, in: *Landeskundl. Vierteljahresbl.* 12, 1966, 47 ff.; M. KLART, *Musikinstrumente der Römerzeit*, in: *BJ* 171, 1971, 301 ff.; J. MOREAU, *Die Wasserorgel auf dem römischen Mosaik von Nennig an der Mosel*, in: *Saarbrücker Hefte* 4, 1956, 44 ff.; W. REUSCH, *Antike Theater in den Rhein- und Mosellanden* (1964); A. RIECHE, *So spielten die alten Römer* (1981); DIES., *Römische Kinder- und Gesellschaftsspiele*, Limesmuseum Aalen 34 (1984); DIES., *Computatio Romana. Fingerzählen auf provinzialrömischen Reliefs*, in: *BJ* 186, 1986, 165 ff.
Die bruchstückhafte Überlieferung läßt es nicht zu, für einzelne Siedlungsplätze, Regionen oder gar Provinzen das Bild des menschlichen Alltags zu rekonstruieren, wie es z. B. R. ETIENNE (*Pompeji. Das Leben in einer antiken Stadt* [2][1976]) beispielhaft

gelungen ist. Trotz dieser Ausgangslage fehlt es jedoch nicht an positiven Versuchen, diese Lücken zu füllen, um dieses Feld nicht allein Journalisten zu überlassen, die mit Daten und Fakten oft großzügig umgehen. Allerdings ist nicht zu verkennen, daß in Deutschland – anders als in Großbritannien, Frankreich oder Italien – lange Zeit eine große Zurückhaltung herrschte, ‹populärwissenschaftlich› zu schreiben. Hier haben erst Zeitschriften wie *ANTIKE WELT* und *Archäologie in Deutschland* ein allgemeines Umdenken in Gang gesetzt. Als

Beispiele seien genannt: D. BAATZ/H. RIEDIGER, *Römer und Germanen am Limes* [2](1967); T. BECHERT, *Marcus der Römer. Ein historisches Lebensbild aus dem römischen Xanten* (1985); DERS., *Zweitausend Jahre Asciburgium. Die Geschichte der römischen Kastelle auf dem ‹Burgfeld› in Moers-Asberg* (1992); G. BIEGEL/E. ERDMANN, *Wie lebten die Soldaten im römischen Reich?* (1981); S. C. BISEL, *Die Geheimnisse des Vesuv. Die Geschichte einer verschütteten Stadt wird lebendig* (1991); P. CONNOLLY, *Die römische Armee* (1976); DERS., *Pompeji* (1979); DERS., *Greece and Rome at war* (1981); DERS., *Das Leben zur Zeit des Jesus von Nazareth* (1984); DERS., *Tiberius Claudius Maximus. The legionary* (1988); DERS., *Tiberius Claudius Maximus. The cavalryman* (1988); DERS., *The Roman fort* (1991); D. MACAULEY, *Eine Stadt wie Rom. Planen und Bauen in römischer Zeit* (1975); M. SIMKINS, *Warriors of Rome. An illustrated military history of the Roman legions* (1988); H. D. STÖVER/M. GECHTER, *Report aus der Römerzeit. Vom Leben im römischen Germanien* (1989).

Kunsthandwerk

Der feinsinnige Unterschied, der heutzutage gern zwischen ‹Kunst› und ‹Kunsthandwerk›, gemacht wird, war der römischen wie der griechischen Antike unbekannt. Vielmehr bezeichnete der Begriff *artifex* den entwerfenden Künstler ebenso wie den ausführenden Handwerker. Anders als nach heutigem Verständnis stand auch nicht das Einzelkunstwerk im Vordergrund, sondern die Serienherstellung künstlerischer Produkte aller Art, die – von geringen Ausnahmen abgesehen – nach Werkstattvorlagen und Musterbüchern gearbeitet wurden. Die heute geläufige Vorstellung, der Künstler besitze Rechte an seinen Produkten, wäre in der Antike generell mit Unverständnis aufgenommen worden. In der künstlerischen Grundtendenz folgte man ‹klassischen› Vorbildern, d. h., man kopierte nach Belieben, wandelte bekannte Muster und Vorlagen ab und wählte aus, was dem Publikum gefiel und sich gut verkaufen ließ. Es paßt zu diesem Kunstverständnis, daß Künstlernamen eher selten sind, die Kunst der römischen Kaiserzeit demnach weitestgehend anonym war und der Künstler generell hinter dem Auftraggeber zurücktrat.

Römische Kunstvorstellungen und -produkte erreichten die Provinzen hauptsächlich auf dem Importwege. Die Überbringer waren im wesentlichen Verwaltungsbeamte und Militärs. In ihrem Gefolge befanden sich Architekten, Bildhauer, Wandmaler, Mosaikleger, Bronze- und Metallschmiede und andere Kunsthandwerker, die ihre Kenntnisse und Fähigkeiten an örtliche Werkstätten weitergaben. Die Einheimischen lernten schnell und paßten sich während einer Übergangsphase von nur wenigen Jahrzehnten dem römischen Kunstgeschmack an. Dies ist in den Provinzen an der Architektur ebenso ablesbar wie an der Bildnisplastik, der Wandmalerei, den Mosaiken sowie dem vielfältigen Bestand an kunstgewerblichen Produkten aus Metall, Glas, Ton und anderen z. T. ‹exotischen› Materialien, zu denen neben Elfenbein, Schildpatt, Bernstein oder Gagat besonders Halbedelsteine zu zählen sind, aus denen Gemmen und Kameen hergestellt wurden.

H. BÜSING, *Römische Militärarchitektur in Mainz* (1982); H. G. FRENZ, *Der Ehrenbogen des Dativius Victor zu Mainz und seine Rekonstruktion*, in: *Ber. RGK* 62, 1981, 219 ff.; H. HELLENKEMPER, *Architektur als Beitrag zur Geschichte der Colonia Claudia Ara Agrippinensium*, in: *ANRW* II 4 (1975) 783 ff.; M. KLEE, *Die Thermen auf dem Nikolausfeld*, in: *Arae Flaviae* IV (1988) 13 ff.; H. MYLIUS, *Die römischen Heilthermen von Badenweiler* (1936); DERS., *Die Marktbasilika in Lopodunum*, in: *Germania* 30, 1952, 56 ff.
W. BINSFELD/K. GOETHERT-POLASCHEK/L. SCHWINDEN, *Katalog der römischen Steindenkmäler des Rheinischen Landesmuseums Trier 1. Götter- und Weihedenkmäler* (1988); M. BOSSERT, *Die Rundskulpturen von Aventicum* (1983); *CSIR = Corpus Signorum Imperii Romani* I 1: G. GAMER/A. RÜSCH, *Raetia und Noricum* (1973). II 1: E. KÜNZL, *Alzey und Umgebung* (1975). II 2: G. BAUCHHENSS, *Die große Juppitersäule aus Mainz* (1984). II 3: DERS., *Denkmäler des Juppiterkultes aus Mainz und Umgebung* (1980). II 4: H. G. FRENZ, *Denkmäler römischen Götterkultes aus Mainz und Umgebung* (1992). II 5: W. BOPPERT, *Militärische Grabdenkmäler aus Mainz und Umgebung* (1992). II 6: DIES., *Zivile Grabsteine aus Mainz und Umgebung* (1992). II 7: H. G. FRENZ, *Bauplastik und Portraits aus Mainz und Umgebung* (1992). III 1: G. BAUCHHENSS, *Bonn und Umgebung. Militärische Grabdenkmäler* (1978). III 2: DERS., *Bonn und Umgebung. Zivile Grabdenkmäler* (1979); H. DRAGENDORFF/E. KRÜGER, *Das Grabmal von Igel* (1924); U. FISCHER, *Römische Steine aus Heddernheim* ²(1971); B. u. H. GALSTERER, *Die römischen Steininschriften aus Köln* (1975); J. GARBSCH, *Führer durch das römische Lapidarium in Burgmuseum Grünwald* (1985); A. GRENIER, *La polychromie des sculptures de Neumagen*, in: *Rev. Archéol.* 1964, 244 ff.; H. KLUMBACH, *Der römische Skulpturen-*

fund von Hausen a. d. Zaber, Kr. Heilbronn (1973); H. LEHNER, *Die antiken Steindenkmäler des Provinzialmuseums in Bonn* (1918); V. VON MASSOW, *Die Grabdenkmäler von Neumagen* (1932); J. MERTENS, *Römische Skulpturen von Buzenol, Prov. Luxemburg*, in: *Germania* 36, 1958, 386ff.; DERS., *Nouvelles sculptures romaines d'Arlon*, in: *Mél. W. Peremans* (1968) 147 ff.; S. NEU, *Römische Reliefs vom Kölner Rheinufer*, in: *KJb.* 22, 1989, 241 ff.; W. SELZER u. a., *Römische Steindenkmäler. Mainz in römischer Zeit* (1988); H. SCHOPPA, *Römische Götterdenkmäler in Köln* (1959); DERS., *Römische Bildkunst in Mainz* (1963).
L. BERGER/M. JOOS, *Das Augster Gladiatorenmosaik*, in: *Jhber. Augst* 1969/70, 3 ff.; W. BINSFELD, *Das Mosaik von der Fausenburg*, in: *TZ* 30, 1968, 235 ff.; D. VON BOESELAGER/G. PRECHT, *Der Mosaikfund am Kölner Domes*, in: *BJ* 183, 1983, 385 ff.; U. BRACKER-WESTER, *Die römischen Mosaiken von Köln*, in: *AK* 4, 1974, 237 ff.; O. DOPPELFELD, *Das Dionysos-Mosaik am Dom zu Köln* ²(1964); K. GEIB/O. GUTHMANN, *Der Kreuznacher Mosaikboden* ²(1958); V. VON GONZENBACH, *Die Orpheusmosaiken aus der Waadt*, in: *Jhb. SGUF* 40, 1949/50, 271 ff.; DIES., *Die römischen Mosaiken von Orbe, FAS* 4 (1974); J. MOREAU, *Das Trierer Kornmarktmosaik* (1960); R. SCHINDLER, *Das römische Mosaik von Nennig* (1962).
D. BAATZ, *Wandmalereien aus einem Limeskastell*, in: *Gymnasium* 75, 1968, 262 ff.; H. G. HORN, *Römische Wandmalereien aus Bonn*, in: *Das Rheinische Landesmuseum Bonn* 6, 1971, 85 ff.; DERS., *Neue römische Wandmalereien aus Bonn*, ebd. 2, 1973, 19 ff.; B. KAPOSSY, *Römische Wandmalereien aus Münsingen und Hölstein* (1966); G. KRAHE/G. ZAHLHAAS, *Römische Wandmalereien in Schwangau, Ldkrs. Ostallgäu* (1985); E. KÜNZL, *Wichtige neue römische Wandmalereien aus der Colonia Ulpia Traiana*, in: *Das Rheinische Landesmuseum Bonn* 3, 1969, 38 ff.; A. LINFERT, *Römische Wandmalereien aus der Grabung am Kölner Dom*, in: *KJb.* 13, 1972/73, 65 ff.; R. PAGENSTECHER, *Römische Wandmalereien am Bodensee und Jura*, in: *Germania* 2, 1918, 33 ff.; K. PARLASCA, *Römische Wandmalereien in Augsburg* (1956); W. J. T. PETERS, *Mural painting fragments found in the Roman legionary fortress at Nijmegen*, in: *Ber. ROB* 15/16, 1965/66, 113 ff. u. ebd. 19, 1969, 51 ff.; DERS./L. J. F. SWINKELS/E. M. MOORMANN, *Die Wandmalereien der römischen Villa von Druten*, ebd. 28, 1978, 153 ff.; W. REUSCH/L. DAHM/R. WIHR, *Wandmalereien und Mosaiken eines Peristylhauses im Bereich der Trierer Kaiserthermen*, in: *TZ* 29, 1966, 187 ff.; M. SCHLEIERMACHER, *Römische Wandmalerei in Köln*, in: AAVV., *Roman wall painting of the western Empire* (1982) 91 ff.; DIES., *Die römischen Wand- und Deckenmalereien aus dem Limeskastell Echzell*, in: *SJ* 46, 1991, 96 ff.; R. THOMAS, *Römische Wandmalerei in Köln* (1993).
J. BRACKER, *Ein Perseus in Köln*, in: *AA* 1969, 427 ff.; A. BÜTTNER, *Figürlich verzierte Bronzen vom Kastell Zugmantel*, in: *SJ* 20, 1962, 62 ff.; H. G. HORN, *Zwei neue Bronzen im Rheinischen Landesmuseum Bonn*, in: *BJ* 172, 1972, 141 ff.; DERS., *Drei römische Bronzen in Privatbesitz*, ebd. 174, 1974, 179 ff.; A. KOLLING, *Der römische Statuettenfund von Schwarzenacker bei Homburg-Saar*, in: *BSDS* 14, 1967, 7 ff.; E. KÜNZL, *Venus vor dem Bad – ein Neufund aus der Colonia Ulpia Traiana*, in: *BJ* 170, 1970, 102 ff.
H. CAHN/A. KAUFMANN-HEINIMANN (Hg.), *Der spätrömische Silberschatz von Kaiseraugst*, 2 Bde. (1984); U. GEHRIG, *Hildesheimer Silberfund* (1967); A. KAUFMANN-HEINIMANN/A. R. FURGER, *Der Silberschatz von Kaiseraugst* (1984); H.-J. KELLNER/G. ZAHLHAAS, *Der römische Tempelschatz von Weißenburg i. Bayern* (1993); E. KÜNZL, *Der augusteische Silbercalathus im Rheinischen Landesmuseum Bonn*, in: *BJ* 169, 1969, 321 ff.
W. HAGEN, *Kaiserzeitliche Gagatarbeiten aus dem rheinischen Germanien*, in: *BJ* 142, 1937, 77 ff.; A. KRUG, *Römische Gemmen und Fingerringe im Museum für Vor- und Frühgeschichte Frankfurt a. M.*, in: *Germania* 53, 1975, 113 ff.; DIES., *Antike Gemmen im Römisch-Germanischen Museum Köln* (1981); P. LA BAUME, *Das Achatgefäß von Köln*,

36

in: *KJb.* 12, 1971, 80 ff.; G. PLATZ-HORSTER, *Die antiken Gemmen des Rheinischen Landesmuseums Bonn* (1984); DIES., *Die antiken Gemmen aus Xanten*, 2 Bde. (1987/94); R. STEIGER, *Römische Gemmen aus Augst*, in: *BS* 1965, 193 ff. – Zusammenfassende Literatur siehe 50 f.

Götter und Tempel

Überaus vielfältig ist die Hinterlassenschaft der römischen Kaiserzeit auf religiösem Gebiet, woraus nicht so sehr eine tiefempfundene Frömmigkeit der Menschen jener Zeit spricht, als vielmehr ihr ausgeprägter und verständlicher Wunsch, die göttlichen Mächte zu binden und in

37

Abb. 34   Bonna/Bonn (D). Familienszene auf einem Grabdenkmal. 2.–3. Jh. Bonn, Rheinisches Landesmuseum.

Abb. 35   Agrippina/Köln (D). Auffindung des Dionysosmosaiks beim Bau des Dombunkers (1941). Anfang des 3. Jhs. Köln, Römisch-Germanisches Museum.

Abb. 36.   Traiana/Xanten (D). Ausschnitt einer Wandmalerei aus dem Zentrum der römischen Stadt. 2. Jh. Gefunden 1996.

Abb. 37   Hercules bibax. Statuette des trunkenen Hercules. Gefunden 1993 in Steinstraß-Lich, Krs. Düren (D). Höhe 9,9 cm. Anfang des 3. Jhs. Bonn, Rheinisches Landesmuseum.

38

39

chen Heiligtümer in den Städten, Siedlungen und auf dem Land. Ihr unterschiedliches Aussehen – gebaut mal als römischer Podiumstempel für römische Götter, mal als gallischer Umgangstempel für einheimische Gottheiten oder aber als Mithrasgrotte – belegt die bewußte und umfassende Duldung nichtrömischer Kulte und Riten auch in architektonischer Hinsicht. Dabei ist es, wie das Beispiel eines in *Aduatuca Tungrorum*/Tongeren (B) aufgedeckten Umgangstempels zeigt, der gleichzeitig als Podiumtempel konzipiert und auf eine Platzanlage ausgerichtet war, auch zu Mischformen gekommen. Eine Vorstellung vom ursprünglichen Denkmalreichtum örtlicher Heiligtümer vermitteln die mehr als 200 vollständig oder bruchstückhaft erhaltenen Weihesteine für die germanische Göttin *Nehalennia*, die man 1970/71 bei Colijnsplaat (NL) aus der Oosterschelde fischte, nachdem der einstige Tempelbezirk im 4. Jh. vom Wasser unterspült wurde und mit allem, was sich dort befand, in den Fluß stürzte (vgl. Abb. 33). Noch eindrucksvoller, weil *in situ* gefunden, war 1982/83 die Freilegung eines militärischen Weihbezirks in Osterburken/Neckar-Odenwald-Kreis, wo im feuchten Untergrund einer Flußaue nicht nur der hölzerne Unterbau eines kleinen Tempels erhalten blieb, sondern – angeordnet in sieben Reihen dicht nebeneinander – auch mehr als 40 Benefiziarierweihungen und Basen für Weihesteine des 2.–3. Jhs. zutage traten.

G. BAUCHHENSS, *Eine römische Skulpturengruppe aus der Germania Inferior*, in: *BJ* 182, 1982, 225 ff.; DERS., *Fragment eines Viergöttersteins aus Pulheim-Sinthern*, ebd. 184, 1984, 327 ff.; D. VAN BERCHEM, *Le culte de Jupiter en Suisse à l'époque gallo-romaine*, in: *RHV* 52, 1944, 128 ff. u. 161 ff.; F. BROMMER, *Der Gott Vulkan auf provinzialrömischen Reliefs* (1973); A. DAUBER, *Ein römischer Brunnen von Pforzheim*, in: *Badische Forschungen* 19 (1951) 63 ff. (Holzstatuette der Sirona); L. HAHL/V. VON GONZENBACH, *Zur Erklärung der niedergermanischen Matronendenkmäler*, in: *BJ* 160, 1960, 9 ff.; H. G. HORN, *Eine Weihung für Hercules Magusanus*, ebd. 170, 1970, 233 ff.; H. G. KOLBE, *Die neuen Matroneninschriften von Morken-Harff, Kr. Bergheim*, ebd. 160, 1960, 54 ff.; H. LEHNER, *Römische Steindenkmäler von der Bonner Münsterkirche*, ebd. 135, 1930, 1 ff.; G. RISTOW, *Religionen und ihre Denkmäler in Köln* (1975); R. SCHINDLER, *Gallorömische Götter, Kulte und Heiligtümer im Saarland*, in: *BSDS* 12, 1965, 79 ff.; CH.-M. TERNÈS, *Sanctuaires et cultes en pays trévire et rhénan*, in: *Caesarodunum* 9, 1974, 246 ff.; G. THILL, *Une Epona en bronze de Dalheim*, in: *Hémecht* 21, 1969, 71 ff.
PH. BRIDEL, *Aventicum III. Le sanctuaire du Cigognier* (1982); J. EINGARTNER/P. ESCHBAUMER/G. WEBER, *Der römische Tempelbezirk in Faimingen-Phoebiana* (1993); R. HÄNGGI, *Der Podiumtempel auf dem Schönbühl in Augst* (1986); G. PRECHT, *Zur Rekonstruktion und Sicherung des 'Hafentempels' der Colonia Ulpia Traiana*, in: *Koldewey-Gesellschaft. Bericht über die 31. Tagung für Ausgrabungswissenschaft und Bauforschung 1980* (1982) 89 ff.; E. SCHALLMAYER, *Ein Kultzentrum der Römer in Osterburken*, in: AAVV., *Der Keltenfürst*

ihren Entscheidungen zu beeinflussen. Glauben konnte man an alles, was einen «dem Himmel näher brachte» (CICERO), solange der *trias Capitolina* und der *domus divina*, d. h. dem Kaiserhaus, die vorgeschriebenen Opfer dargebracht wurden, was weniger ein religiöser Akt als eine unverzichtbare Geste staatlicher Loyalität war. Ungemein zahlreich und vielgestaltig sind deshalb auch in allen archäologischen Museen auf dem Boden des ehemaligen *imperium Romanum* die bildlichen und inschriftlichen Zeugnisse von Götterdarstellungen und -weihungen, mag es sich dabei um die römischen Staatsgötter in ihrer herkömmlichen

Form handeln, um Verschmelzungen römischer Gottheiten mit den Göttern ‹befriedeter› Völker wie *Mercurius Gebrinius*, *Hercules Magusanus*, *Sulis Minerva* oder *Apollo Grannus*, um einheimische Gottheiten wie *Vagdavercustis*, *Epona* oder *Nehalennia*, die durch den Zusatz der Worte *dea* oder *deus* zu römischen Göttern wurden, oder den hellenistisch-orientalischen Mysterienkulten des *Dionysos-Bacchus*, der *Isis*, *Cybele* oder des *Mithras*, zu denen in den Anfängen auch das junge Christentum gezählt wurde (Abb. 61).

Zu den sichtbaren Überresten religiöser Betätigung zählen auch die zahlrei-

von Hochdorf (1985) 378 ff.; M. VERZAAR, *Aventicum II. Un temple du culte imperial* (1978).
W. BINSFELD, *Das Quellenheiligtum Wallenborn bei Heckenmünster, Kr. Wittlich*, in: TZ 32, 1969, 239 ff.; J. E. BOGAERS, *De gallo-romeinse tempel te Elst in de Over-Betuwe* (1955); DERS. u. a., *Deae Nehalenniae* (1971); H. CÜPPERS, *Aedikula des Intarabus bei Ernzen*, in: TZ 36, 1973, 89 ff.; Y. FREIGANG, *Das Heiligtum der Insula 20 in der Colonia Ulpia Traiana*, in: *Xantener Berichte* 6, 1995, 139 ff.; E. GOSE, *Der Tempelbezirk des Lenus Mars in Trier* (1955); DERS., *Der gallo-römische Tempelbezirk im Altbachtal zu Trier* (1972); A. HONDIUS-CRONE, *The temple of Nehalennia at Domburg* (1955); S. MARTIN-KILCHER/M. BALMER/K. BARTELS u. a., *Das römische Heiligtum von Thun-Allmendingen, FAS* 28 (1995); J. MERTENS, *Een Romeins tempelcomplex te Tongeren*, in: KJb. 9, 1967/68, 101 ff.; H. MÜLLER-BECK, *Die Engehalbinsel bei Bern, ihre Topographie und ihre wichtigsten vor- und frühgeschichtlichen Denkmäler*, in: *Jahrb. d. Bern. Hist. Mus. Bern* 1959/60; E. RIHA, *Der gallorömische Tempel auf der Flühweghalde bei Augst* (1980); W. ROTH, *Petinesca* (1965); N. ROYMANS/T. DERKS (eds.), *De tempel van Empel. Een Hercules-heiligdom in het woongebied van de Bataven* (1994); M. SOMMER, *Das Heiligtum der Matronae Veteranehae bei Abenden*, in: BJ 185, 1985, 313 ff.; G. WEBER, *Der gallorömische Tempelbezirk von Cambodunum-Kempten*, in: *Das archäologische Jahr in Bayern 1984* (1985) 100 ff.; G. WEISGERBER, *Das Pilgerheiligtum des Apollo und der Sirona von Hochscheid im Hunsrück* (1975).
H. BIRKNER, *Denkmäler des Mithraskultes vom Kastell Rückingen*, in: *Germania* 30, 1952, 349 ff.; H. BRUNSTING, *Isis in Den Haag*, in: *Westerheem* 13, 1964, 121 ff.; W. HABEREY, *Gravierte Glasschale und sogenannte Mithrassymbole aus einem spätrömischen Grab von Rodenkirchen bei Köln*, in: BJ 149, 1949, 94 ff.; H. G. HORN, *Mysteriensymbolik auf dem Kölner Dionysosmosaik* (1972); I. HULD-ZETSCHE, *Mithras in Nida-Heddernheim* (1986); K. PARLASCA, *Die Isis- und Serapis-Verehrung im römischen Köln*, in: KJb. 1, 1955, 18 ff.; G. RISTOW, *Mithras in Köln* (1974); D. WORTMANN, *Ein Mithrasstein aus Bonn*, in: BJ 169, 1969, 410 ff.
G. BEHRENS, *Ein Mithräum in Bingen*, in: *Germania* 6, 1923, 29 f.; J. GARBSCH/H.-J. KELLNER, *Das Mithraeum von Pons Aeni/Pfaffenhofen*, in: BVBl. 50, 1985, 355 ff.; A. GERSTER, *Ein Cybele-Heiligtum bei Kaiseraugst*, in: RSAA 6, 1944, 53 ff.; H. JACOBI, *Das Heiligtum des Jupiter Dolichenus auf dem Zugmantel*, in: SJ 6, 1914/24, 271 ff.; R. SCHINDLER, *Die Mithrashöhle von Saarbrücken* (1964); W. SCHLEIERMACHER, *Das zweite Mithreum in Stockstadt a. M.*, in: *Germania* 12, 1928, 46 ff.
W. BINSFELD u. a., *Frühchristliches Köln* (1965); C. BRIDGER/F. SIEGMUND, *Die Xantener Stiftsimmunität* (1987); K. BÖHNER, *Trier zwischen Altertum und Mittelalter*, in: FVFD 32 (1977) 29 ff.; J. WERNER (Hg.), *Die Ausgrabungen in St. Ulrich und Afra in Augsburg 1961–68* (1977). – Zusammenfassende Literatur siehe 49.

Abb. 38 Traiana/Xanten (D). Podium und Standspuren der Cellawände des sog. Hafentempels. Ausgrabung 1979 (vor der Teilrekonstruktion). Blick von Süden.

Abb. 39 Osterburken/Neckar-Odenwald-Kreis (D). Freilegung eines Benefiziarier-Weihebezirks mit Altar- und Basissteinen sowie Holzbefunden in situ.

Abb. 40 Ammaedara/Haidra (TN). Grabtempel westlich der Ruinenstadt. 2. – 3. Jh.

Abb. 41 Asciburgium/Moers-Asberg (D). Sog. Bustumbestattung im südlichen Gräberfeld mit Beigaben, die erst nach der Totenverbrennung ins Grab gestellt wurden. Ende des 1. Jhs.

Grabkult

Die Zahl der auf uns gekommenen Götterweihungen aus römischer Zeit wird nur noch von der Zahl der Grabdenkmäler übertroffen, die heutzutage die Schauräume und Magazine archäologischer Museen füllen. Sie sind sinnfälliger Ausdruck dafür, daß die Menschen jener Zeit offenbar nichts so sehr fürchteten, als in Vergessenheit zu geraten, weshalb sie sich meist schon zu Lebzeiten um ihre *domus aeterna* kümmerten und dafür Sorge trugen, daß auf ihrem Grab ein *monumentum sepulcri* stand und ein *titulus* daran erinnerte, wer hier seine letzte Ruhe gefunden hatte. Diesem Umstand verdanken Nachwelt und Wissenschaft eine Vielzahl von Informationen über Namen und Herkunft der Verstorbenen, über Alter, Berufsstand, gesellschaftliche Stellung und Laufbahnen, familiäre Verhältnisse oder Truppenzugehörigkeit sowie testamentarische Verfügungen, die Einblicke in das römische Grabrecht geben. Dem ausgeprägten Wunsch, auch weiterhin am irdischen Dasein teilzuhaben, entsprach die Lage entlang der Straßen, auf denen man eine Stadt oder Siedlung betrat oder verließ, wie auch der hohe Aufwand, der mit der Errichtung kostspieliger Grabbauten getrieben wurde, die wesentlich zahlreicher gewesen sein müssen, als es der heutige Denkmälerbestand vermuten läßt. Eindrucksvolle Zeugnisse derartiger Grabarchitektur sind z. B. das Juliermonument in St. Remy (F) in der ehemaligen *Gallia Narbonensis* (Abb. 124), die wiederaufgerichteten Grabdenkmäler von Šempeter (SLO), das in der Kaiserzeit zu *Noricum* gehörte, die Igeler Säule unweit von Trier und das Familiengrabmal des L. Poblicius, das heute im Römisch-Germanischen Museum Köln steht. Auch das sog. Ubiermonument in Köln scheint nach neuester Deutung der Sockel eines solchen Grabbaus gewesen zu sein (S. NEU). Eine besondere Form des Grabbaus war das *hypogaeum*, eine ‹unterirdische› Grabkammer wie an der Aachener Straße in Köln-Weiden.

Eine überaus reichhaltige archäologische Quelle stellen schließlich die Gräber selbst mit ihren Inventaren dar. Die einzelnen Grabformen sind von Provinz zu Provinz durchaus unterschiedlich gewesen, zumal sich römische Vorstellungen mit einheimischen mischten und sich diese mitunter oft sehr lange gehalten haben. Neben der grundsätzlichen Unterscheidung zwischen Brand- und Körperbestattung, wovon letztere Grabsitte etwa seit der Mitte des 2. Jhs. ausgeübt wurde und die Totenverbrennung – offenbar unter

40

dem Einfluß der Mysterienkulte – bis zur Mitte des 3. Jhs. fast völlig verdrängte, unterschied man in römischen Zeit zwei Grundarten der Brandbestattung. Der prinzipielle Unterschied lag darin, ob der Tote an ein und demselben Platz verbrannt und bestattet wurde (*bustum*) oder aber auf einer *ustrina*, der separaten Verbrennungsstätte eines Friedhofs, und seine sterblichen Überreste anschließend

41

42

43

an anderer Stelle beigesetzt wurden. Während römische Gräber generell beigabenlos waren, hat man in vielen Provinzen des Reiches die Sitte beibehalten, den Verstorbenen Beigaben aus ihrem persönlichen Besitz mitzugeben und sie mit Speisen und Getränken zu versorgen. Dieser Brauch ist z. B. im gallisch-germanischen Raum sehr ausgeprägt gewesen, wie etwa das Testament eines begüterten Lingonen (*CIL* XIII 5708 = *ILS* 8379) oder die üppige Ausstattung der Tumulusgräber im Haspengau westlich von Lüttich (B) auf anschauliche Weise verdeutlicht.

H. Dragendorff/E. Krüger, *Das Grabmal von Igel* (1924); F. Fremersdorf, *Das Römergrab in Weiden bei Köln* (1957); J. H. Holwerda, *Romeinsche sarcophag uit Simpelveld*, in: *OMRL* 12, 1931 Suppl. 27 ff.; J. Metzler/G. Thill/J. Zimmer, *Großes gallo-römisches Grabdenkmal mit Bezirk und Bestattungen bei Grevenmacher ('Heck')*, in: *Hémecht* 26, 1974, 119 ff.; S. Neu, *Zum Kölner Ubiermonument – Ein Deutungsversuch*, in: *KJb.* 24, 1996, 76 ff.; E. Neuffer, *Ein römisches Familiengrab von Nickenich bei Andernach*, in: *Germania* 16, 1932, 22 ff. u. 285 ff.; P. Noelke/J. Deckers, *Die römische Grabkammer in Köln-Weiden*, *Rheinische Kunststätten* 238 (1980); G. Precht, *Das Grabmal des L. Poblicius. Rekonstruktion und Aufbau* (1975) Dazu: B. u. H. Galsterer, *Zur Inschrift des Poblicius-Grabmals in Köln*, in: *BJ* 179, 1979, 201 ff.; G. Thill, *Das Grabdenkmal eines gallo-römischen Großwinzers und Weinhändlers bei Remerschen*, in: *Hémecht* 24, 1972, 209 ff.; E. Zahn, *Die Igeler Säule bei Trier* (1968); Ders., *Die neue Rekonstruktionszeichnung der Igeler Säule*, in: *TZ* 31, 1968, 227 ff. J. E. Bogaers/J. K. Haalebos, *Einfache und reiche Gräber im römischen Nijmegen*, in: *AW* 18.1, 1987, 40 ff.; C. Bridger/B. Dickinson/M. Kunter, *Das römerzeitliche Gräberfeld 'An Hinkes Weisshof', Tönisvorst-Vorst, Kr. Viersen* (1996); H. Brunsting, *Het grafveld onder Hees bij Nijmegen* (1937; ND 1974); D. Castella, *Aventicum IV. La nécropole du port d'Avenches* (1987); J. Como, *Ein Grab eines Arztes in Bingen*, in: *Germania* 9, 1925, 152 ff.; H. Cüppers, *Zwei kaiserzeitliche Brandgräberfelder im Kreise Geldern*, in: *BJ* 162, 1962, 299 ff.; G. Dreisbusch, *Das römische Gräberfeld von Altlußheim-Hubwald, Rhein-Neckar-Kreis* (1994); U. Friedhoff, *Der römische Friedhof an der Jakobstraße zu Köln* (1991); J. K. Haalebos, *Het grafveld van Nijmegen-Hatert. Een begraafplaats uit de eerste drie eeuwen na Chr. op het platteland bij Noviomagus Batavorum* (1990); W. Haberey, *Römische Grabhügel in Monreal, Krs. Mayen*, in: *BJ* 148, 1948, 426 ff.; A. Haffner, *Das keltisch-römische Gräberfeld von Wederath-Belginum*, 2 Bde. (1971/74); H. Hinz, *Ein frührömisches Gräberfeld auf dem Kirchhügel in Birten, Kr. Moers*, in: *Rhei-*

nische Ausgrabungen 12 (1972) 24 ff.; L. J. A. M. van den Hurk, *The Tumuli from the Roman Period of Esch, Province of North Brabant* I, in: *Ber. ROB* 23, 1973, 189 ff.; II, ebd. 25, 1975, 69 ff.; III, ebd. 27, 1977, 91 ff.; E. Kern/F. Petry, *La nécropole romaine ouest de Strasbourg d'après des fouilles et observations récentes*, in: *CAAH* 16, 1972, 37 ff.; M. Mackensen, *Das römische Gräberfeld auf der Keckwiese in Kempten* I (1978); S. Martin-Kilcher, *Das römische Gräberfeld von Courroux im Berner Jura* (1976); G. Müller, *Die römischen Gräberfelder von Novaesium* (1977); R. Nierhaus, *Das römische Brand- und Körpergräberfeld 'Auf der Steig' in Stuttgart-Bad Cannstadt* (1959); H. U. Nuber/A. Radnóti, *Römische Brand- und Körpergräber aus Wehringen, Ldkrs. Schwabmünchen*, in: *Jahresber. d. Bayer. Bodendenkmalpflege* 10, 1969, 27 ff.; R. Pirling, *Das römisch-fränkische Gräberfeld von Krefeld-Gellep. Ausgrabung 1960 bis 1963*, 2 Bde. (1966); Dies. u. a., *Das römisch-fränkische Gräberfeld von Krefeld-Gellep 1960–63*, 2 Bde. (1974); Dies. u. a., *Das römisch-fränkische Gräberfeld von Krefeld-Gellep 1964–65*, 2 Bde. (1979); Dies., *Das römisch-fränkische Gräberfeld von Krefeld-Gellep 1966–1974* (1989); Dies., *Das römisch-fränkische Gräberfeld von Krefeld-Gellep 1975–1982* (1997); G. Rasbach, *Asciburgium* 12. *Das nördliche Gräberfeld. Ausgrabung 1984* (1997); S. von Schnurbein, *Das römische Gräberfeld von Regensburg* I (1977); W. Vanvinckenroye, *Gallo-Romeinse grafvondsten uit Tongeren* (1963); Ders., *De Romeinse zuidwest-begraafplaats van Tongeren. Opgravingen 1972–81*, 2 Bde. (1984). – Zusammenfassende Literatur siehe 50.

‹Lebens-Fragmente›

Der Archäologe, der mit dem Anspruch antritt, «nicht Dinge, sondern Menschen» auszugraben (R. E. M. Wheeler), sieht sich bei der Bergung seiner Funde in den meisten Fällen einer rudimentären, oft genug zufälligen Auswahl von Dingen und Fragmenten gegenüber, die in der Vergangenheit einmal Teil des Lebens von Menschen gewesen sind. Nur selten gelingt es, dieses spröde Quellenmaterial ‹zum Sprechen zu bringen› und über die Erforschung von Lebensumständen und -bedingungen hinaus etwas über die Menschen selbst zu erfahren, die mit den gefundenen Gegenständen umgegangen sind. Es ist deshalb nur ehrlich, sich von vornherein der Zufälligkeit und Bruchstückhaftigkeit der materiellen Hinterlassenschaft einer Zeit wie der römischen bewußt zu sein und die Grenzen des Erkenn- und Rekonstruierbaren möglichst eng zu ziehen. Andererseits liegt die Faszination der Archäologie gerade darin, diese Grenzen überschreiten zu wollen. Entscheidend ist, daß dies mit Verstand und Methode einerseits, Intuition und Phantasie andererseits geschieht.

Organische Überreste

Der Hauptgrund für die zufällige Auswahl der gegenständlichen Überlieferung eines Grabungsplatzes ist zum einen durch die ‹Ausschnitthaftigkeit› des freigelegten Areals begründet, zum anderen vor allem durch die Zusammensetzung des jeweiligen Materials, aus dem die Fundgegenstände gefertigt wurden. Dies bedeutet, daß bestimmte Fundgruppen im archäologischen Material eines Grabungsplatzes, denen die lange Lagerung im Boden nur wenig oder gar nichts ausgemacht hat, deutlich überrepräsentiert sind, während andere entweder gar nicht oder nur in unscheinbaren und wenig aussagefähigen Überresten vertreten sind. Deutlich in der Minderzahl befinden sich deshalb grundsätzlich alle Gegenstände und Utensilien aus organischen Materialien wie Holz, Leder oder Textilien, die sich in der Regel nur in feuchten Böden erhalten können. Etwas weniger empfindlich sind die Überreste von Nahrungsmitteln und -abfällen. Hier kommt der Archäologie die Archäobotanik zu Hilfe, mit deren Methoden heutzutage eine weitgehende Rekonstruktion römischer ‹Speisezettel› möglich ist. Ähnliches gilt auch für den Erhaltungszustand von menschlichen und tierischen Knochen, die allerdings in kalkarmen Böden bis zur Unkenntlichkeit zergehen können, sich dagegen in kalkreichen Böden oft ausgezeichnet erhalten haben.

H. ETTER/R. FELLMANN BROGLI/R. FELLMANN u. a., *Beiträge zum römischen Oberwinterthur-Vitudurum 5. A. Die Funde aus Holz, Leder, Bein, Gewebe. B. Die osteologischen und anthropologischen Untersuchungen* (1991).
A. L. BUSCH, *Die römerzeitlichen Schuh- und Lederfunde der Kastelle Saalburg, Zugmantel und Kleiner Feldberg*, in: *SJ* 22, 1965, 158 ff.; O. DOPPELFELD, *Hafenfunde am Alter Markt in Köln*, in: *BJ* 153, 1953, 102 ff.; C. VAN DRIEL-MURRAY, *Die römischen Schuhe aus einem Brunnen im Ostkastell von Welzheim, Rems-Murr-Kreis* (1993); M. SCHLEIERMACHER, *Römische Leder- und Textilfunde aus Köln*, in: *AK* 12, 1982, 295 ff.
H. BIEHN, *Römische Holzgerätschaften aus einem Grabfund bei Heßloch (Rheinhessen)*, in: *MZ* 31, 1936, 14 ff.; O. BOHN, *Hölzerne Schrifttafeln aus Vindonissa*, in: *Germania* 9, 1925, 133 ff.; A. K. BOWMAN/J. D. THOMAS, *The Vindolanda writing-tablets* I (1987). II (1994); A. DAUBER, *Römische Holzfunde aus Pforzheim*, in: *Germania* 28, 1944–50, 227 ff.; S. GROENEVELD, *Faßbrunnen aus dem Hafen der Colonia Ulpia Traiana*, in: *Archäologie im Rheinland 1993* (1994) 62 ff.; M. HOPF, *Einige Bemerkungen zu römerzeitlichen Fässern*, in: *Jahrb. RGZM* 14, 1967, 212 ff.; J.-S. KÜHLBORN, *Katalog der Brunnen*, in: *Oberaden* III (1992) 100 ff.; G. ULBERT, *Römische Holzfässer aus Regensburg*, in: *BVBl.* 24, 1959, 6 ff.

Abb. 42   Mogontiacum/Mainz (D). Töpferofen mit zahlreichen Terrakottastatuetten, die während des Brennens beschädigt wurden. Ausgrabung 1997.

Abb. 43   Saalburg-Kastell bei Bad Homburg v. d. H. (D). Römischer Soldatenschuh (caliga) aus einem Brunnen des Kastells.

Abb. 44   Buzenol, Prov. Luxemburg (B). Steinquader mit der Darstellung einer Art Mähmaschine (vallus), verbaut in der Mauer einer spätrömischen Fluchtburg.

J. BAAS, *Die Obstarten aus der Zeit des Römerkastells Saalburg*, in: *SJ* 10, 1951, 14 ff.; DERS., *Pflanzenreste aus den römerzeitlichen Siedlungen Mainz-Weisenau und Mainz-Innenstadt und ihr Zusammenhang mit Pflanzenfunden aus vor- und frühgeschichtlichen Stationen Mitteleuropas*, ebd. 28, 1971, 61 ff.; DERS., *Kultur- und Wildpflanzenreste aus einem römischen Brunnen von Rottweil-Altstadt*, in: *Fundber. BW* 1, 1974, 373 ff.; M. HOPF/E. SCHIEMANN, *Untersuchungen von Pflanzenresten aus der Kernsiedlung der Colonia Traiana bei Xanten*, in: *BJ* 152, 1952, 159 ff.; DIES., *Die Untersuchung von Getreideresten und anderen Feldfrüchten aus Altkalkar, Kr. Kleve, und Xanten, Kr. Moers*, ebd. 163, 1963, 416 ff.; R. KNAPP, *Die Vegetation der Umgebung von Butzbach in der Gegenwart und in der Römerzeit*, in: *SJ* 30, 1973, 115 ff.; K. H. KNÖRZER, *Über Funde römischer Importfrüchte in Novaesium (Neuss/Rh.)*, in: *BJ* 166, 1966, 433 ff.; DERS., *Novaesium IV. Römerzeitliche Pflanzenfunde aus Neuss* (1970); DERS., *Römerzeitliche Pflanzenfunde aus Xanten* (1981); DERS., *Geschichte der synanthropen Vegetation von Köln*, in: *KJb.* 20, 1987, 271 ff.; U. KÖRBER-GROHNE u. a., *Flora und Fauna im Ostkastell von Welzheim* (1983); D. KUCAN, *Die Pflanzenreste aus dem römischen Militärlager Oberaden*, in: *Oberaden* III (1992) 237 ff.; H.-P. STIKA, *Römerzeitliche Pflanzenreste aus Baden-Württemberg* (1996).
H. BADAWI/K. H. HABERMEHL, *Osteologische Untersuchungen an Tierknochenresten des Römerkastells Altenstadt*, in: *SJ* 24, 1967, 79 ff.; S. BEMETZ u. a., *Bad Wimpfen. Osteologische Untersuchungen an Schlacht- und Siedlungsabfällen aus dem römischen Vicus von Bad Wimpfen* (1991); V. GULDE, *Untersuchungen an Tierknochen aus dem römischen Vicus von Rainau-Buch, Ostalbkreis* (1985); K. H. HABERMEHL, *Die Tierknochenfunde im römischen Lagerdorf Butzbach*, in: *SJ* 18, 1959/60, 67 ff.; G. VON HOUWALD, *Römische Tierknochenfunde von Pfaffenhofen am Inn, Ldkrs. Rosenheim, und aus Wehringen, Ldkrs. Schwabmünchen* (1971); M. KOKABI, *Arae Flaviae II. Viehhaltung und Jagd im römischen Rottweil* (1982); DERS., *Viehhaltung und Jagd im römischen Rottweil*, in: *Arae Flaviae IV* (1988) 111 ff.; K.-P. LANSER, *Die Säugetierknochen aus dem sog. Herbergsthermen der CVT, Insula 38*, in: *Xantener Berichte* 5, 1994, 139 ff.; E. LIPPER, *Die Tierknochenfunde aus dem römischen Kastell Abusina-Eining*, in: *Ber. d. Bayer. Bodendenkmalpflege* 22/23, 1981/82, 81 ff.; J. PETERS, *Viehhaltung und Jagd im Umfeld der Colonia Ulpia Traiana*, in: *Xantener Berichte* 5, 1994, 159 ff.; W. PIEHLER, *Die Knochenfunde aus dem spätrömischen Kastell Vemania* (1976); J. SCHIBLER/A. R. FURGER, *Die Tierknochenfunde aus Augusta Raurica* (1988); W. SWEGAT, *Die Knochenfunde aus dem römischen Kastell Künzing-Quintana* (1976); K. WALDMANN, *Die Knochenfunde aus der Colonia Ulpia Traiana* (1967). – Zusammenfassend: J. RACKHAM, *Animal bones* (1994).

Stein

Wenn im Fundmaterial eines Platzes steinerne Zeugnisse zahlenmäßig oft nur eine untergeordnete Rolle spielen, ist dies vor allem darauf zurückzuführen, daß Architekturfragmente, Inschrifttafeln, Meilensteine, Weihaltäre, Sarkophage oder Skulpturen aus Stein im Mittelalter als Baumaterialien verwendet wurden und heute im günstigsten Fall in den Grund- und Außenmauern von Kirchen oder anderen Gebäuden verbaut sind. Auf Grabungen, die nicht auf dem Boden ehemaliger Stadtanlagen stattfinden, bilden deshalb Fundgegenstände aus Stein oder gar Marmor eher die Ausnahme, zumal bei letzterem hinzu-

44

kommt, daß sich hieraus zu allen Zeiten ein vorzüglicher Kalk herstellen ließ. Die Wiederverwendung steinerner Bauteile und Skulpturen als *spolia* (‹Beutestücke›) ist – vor allem im römischen Westen – um so intensiver gewesen, je weniger eine Provinz über eigene Steinvorkommen verfügte und Steinmaterial wie etwa in der *Germania inferior* über große Distanzen auf dem Wasserwege an den jeweiligen Bestimmungsort transportiert werden mußte. Zu den wenigen Steinfunden, die an römischen Fundplätzen etwas häufiger auftreten können, gehören neben Wetzsteinen die Fragmente von Handmühlen, für deren Herstellung im Westen bevorzugt Basaltlava verwendet wurde.

P. LA BAUME, *Auffindung des Poblicius-Grabmonuments in Köln*, in: *Gymnasium* 78, 1971, 373 ff.; V. VON MASSOW, *Die Grabdenkmäler von Neumagen* (1932); J. MERTENS, *Römische Skulpturen von Buzenol, Prov. Luxemburg*, in: *Germania* 36, 1958, 386 ff.; S. NEU, *Römische Reliefs vom Kölner Rheinufer*, in: *AW* 12.3, 1981, 31 ff. u. *KJb.* 22, 1989, 241 ff.; T. A. S. M. PANHUYSEN, *Romeins Maastricht en zijn beelden* (1996); P. STUART, *130 römische Steindenkmäler aus dem Meer*, in: *AK* 4, 1972, 299 ff. Dazu: J. E. BOGAERS u. a., *Deae Nehalenniae. Gids bij de tentoonstelling Nehalennia* (1971).
D. HAUPT, *Ein römisches Wetzsteindepot aus Xanten*, in: *Ausgrabungen im Rheinland 1978, '79*, 230 ff.; J. N. LANTING, *Wetzsteine mit Fischgrätenzierung: Artefakte aus römischer Zeit*, in: *Germania* 52, 1974, 89 ff.; J. RÖDER, *Zur Lavaindustrie von Mayen und Volvic (Auvergne)*, ebd. 31, 1953, 24 ff.

Keramik

Als besonders dauerhaft haben sich an allen Grabungsorten seit dem Mesolithikum die Überreste keramischer Produktion erwiesen. Die Zahl der Tonscherben und Gefäßreste ist an den meisten Ausgrabungsplätzen der römischen Zeit inzwischen derart umfangreich, daß demgegenüber andere Fundgruppen in numerischer Hinsicht weitgehend in den Hintergrund treten. Da dieses Material, zumal wenn der Scherben hart gebrannt ist, praktisch unvergänglich ist, können ihm selbst aggressive Böden nur wenig anhaben, und da es gegenüber früheren

45

Zeiten heutzutage aus guten Gründen gängige Praxis ist, jede Scherbe zu bergen und nicht eine Auswahl besonderer Stücke vorzunehmen, fällt keramisches Material meist in großen Massen an. Andererseits sind Tongefäße neben Münzen und Fibeln mit ihren unterschiedlichen, aus praktischen oder modischen Gründen oft wechselnden Formen und Verzierungen für die zeitliche Einordnung einzelner Grabungsschichten von eminenter Wichtigkeit geworden. Schon H. SCHLIEMANN (1822–1890) hat die besondere Aussagefähigkeit bestimmter Keramikformen und ihrer jeweiligen Bemalung oder Verzierung als Ordnungs- und Datierungskriterium erkannt und vom «Füllhorn archäologischer Weisheit» gesprochen. Dieselbe Methodik ist inzwischen längst zur wichtigsten Bestimmungs- und Datierungsgrundlage in der Vor- und Frühgeschichte geworden. Unter Zuhilfenahme eines Begriffs aus der Paläontologie bezeichnet man keramische Funde deshalb auch gern als ‹Leitfossilien der Archäologie›. Diese Charakterisierung gilt auch für die römische Zeit, insbesondere für die Keramikgruppe der sog. Terra sigillata aus italischer und gallischer Produktion, auch wenn für diesen Zeitraum Gefäßscherben nicht die einzigen Datierungsanhalte bieten. Zu den keramischen Produkten gehören neben der Vielfalt römischer Lampenformen auch die Funde von Amphorenscherben und Ziegelfragmenten. Beide Fundgattungen sind vor allem auch deshalb von großer Wichtigkeit,

weil sich auf ihnen des öfteren Stempel, Graffiti und Dipinti finden.

Die Dauerhaftigkeit keramischer Produkte spiegelt sich allein auf deutschem Boden in einer kaum mehr überschaubaren Fülle von Publikationen wider. Grundsätzlich sei auf die *Acta* der *R(ei) C(retariae) R(omanae) F(autores)* verwiesen sowie auf das *Journal of Roman Pottery Studies* (1986 ff.).
M. BELTRAN LLORIS, *Guía de la cerámica romana* (1990); R. CHARLESTON, *Roman pottery* (1955); M. GECHTER, *Stammformen römischer Gefäßkeramik in Niedergermanien* (1980); G. P. GILLAM, *Types of Roman coarse pottery vessels in northern Britain* (1970); E. GOSE, *Gefäßtypen der römischen Keramik im Rheinland* (1950); K. GREENE, *Roman pottery* (1992); J. W. HAYES, *Late Roman pottery* (1972); W. HILGERS, *Lateinische Gefäßnamen* (1969); D. PEACOCK, *Pottery in the Roman world. An ethnoarchaeological approach* (1982), M. VEGAS, *Cerámica común romana del Mediterráneo occidental* (1973).
C. BÉMONT/J.-P. JACOB (eds.), *La terre sigillée gallo-romaine. Lieux de production du Haut Empire* (1986); G. CHÉNET/G. GAUDRON, *La céramique sigillée d'Argonne des IIe et IIIe siècles* (1955); H. COMFORT, s. v. Terra sigillata, in: *RE Suppl.* 7 (1940) 1295 ff.; W. DRACK, *Die helvetische Terra-Sigillata-Imitation des 1. Jahrhunderts n. Chr.* (1945); H. DRAGENDORFF, *Terra sigillata*, in: *BJ* 96/97, 1895/96, 18 ff.; DERS./C. WATZINGER, *Arretinische Reliefkeramik* (1948); E. ETTLINGER u.a., *Conspectus formarum terrae sigillatae italico modo confectae* (1990); J. GARBSCH, *Terra Sigillata. Ein Weltreich im Spiegel seines Luxusgeschirrs* (1982); C. JOHNS, *Arretine and Samian pottery* (1971); R. KNORR, *Töpfer und Fabriken verzierter Terra Sigillata des ersten Jahrhunderts* (1919); DERS., *Terra-Sigillata-Gefäße des ersten Jahrhunderts mit Töpfernamen* (1952); L. LERAT/Y. JEANNIN, *La céramique sigillée de Luxeuil* (1960); M. LUTZ, *L'atelier de Saturninus et de Satto à Mittelbronn/Moselle* (1970); F. MAYET, *Les céramiques sigillées hispaniques* (1984); A. W. MEES, *Modelsignierte Dekorationen auf südgallischer Terra Sigillata* (1995); F. OSWALD/T. D. PRYCE, *An introduction to the study of Terra Sigillata* (1920; ND 1966); F. OSWALD, *Index of potters' stamps on Terra Sigillata* (1931; ND 1964); DERS., *Index of figure-types on Terra Sigillata* (1936–37;

ND 1964); A. OXÉ, *Arretinische Reliefgefäße vom Rhein* (1933); DERS./H. COMFORT, *Corpus Vasorum Arretinorum* (1968); M. PICON, *Introduction à l'étude technique des céramiques sigillées de Lezoux* (1973); B. PFERDEHIRT, *Die römischen Terra-Sigillata-Töpfereien in Südgallien, Limesmuseum Aalen* 18 (1978); J. A. STANFIELD/G. SIMPSON, *Central Gaulish potters* (1958); W. UNVERAGT, *Terra Sigillata mit Rädchenverzierung* (1919); A. VERNHET, *La Graufesenque, atelier de céramiques gallo-romain* (1979).
T. BECHERT/M. VANDERHOEVEN, *Italische Sigillata aus dem Vicus von Asciburgium*, in: *Rheinische Ausgrabungen* 23 (1984) 163 ff.; DIESS., *Asciburgium* 9. *Töpferstempel aus Südgallien* (1988); CH. FISCHER, *Zum Beginn der Terra-Sigillata-Manufaktur von Rheinzabern*, in: *Germania* 46, 1968, 321 ff.; DIES., *Die Terra-Sigillata-Manufaktur von Sinzig am Rhein* (1971); L. GARD, *Reliefsigillata des 3. und 4. Jahrhunderts aus den Werkstätten von Trier*, Diss. Tübingen 1937; C. GOUDINEAU, *Bolsena 4. La céramique aretine lisse* (1968; ND 1979); I. HULDZETSCHE, *Trierer Reliefsigillata. Werkstatt* 1 (1972); G. T. MARY, *Novaesium* I. *Die südgallische Terra Sigillata aus Neuss* (1967); H. U. NUBER, *Zum Ende der reliefverzierten Terra-Sigillata-Herstellung in Rheinzabern*, in: *Mitt. d. Hist. Ver. d. Pfalz* 67, 1969, 136 ff.; H. RICKEN, *Die Bilderschüsseln der Kastelle Saalburg und Zugmantel*, in: *SJ* 8, 1934, 130 ff.; B. P. M. RUDNIK, *Die verzierten Arretina aus Oberaden und Haltern* (1995); S. VON SCHNURBEIN, *Die unverzierte Terra sigillata aus Haltern* (1982); H. SCHÖNBERGER/H. G. SIMON, *Novaesium* II. *Die mittelkaiserzeitliche Terra Sigillata von Neuss* (1966); M. VANDERHOEVEN, *De Terra sigillata te Tongeren* III. *De italische terra sigillata* (1968).
H. BERNHARD, *Studien zur spätrömischen Terra Nigra zwischen Rhein, Main und Neckar*, in: *SJ* 40/41, 1985, 34 ff.; W. CZYSZ/H. KAISER /M. MACKENSEN/G. ULBERT, *Die römische Keramik aus Bad Wimpfen* (1982); X. DERU, *La céramique belge dans le nord de la Gaule. Caractérisation, chronologie, phénomènes culturels et économiques* (1996); E. ETTLINGER, *Die Keramik der Augster Thermen – Insula XVII* (1949); DIES., *Römische Keramik aus dem Schutthügel von Vindonissa* (1952); PH. FILTZINGER, *Novaesium* V. *Die römische Keramik aus dem Militärbereich von Novaesium* (1972); G. FINGERLIN, *Dangstetten* 1. *Katalog der Funde* (1986); B. HEUKEMES, *Römische Keramik aus Heidelberg* (1964); G. KAENEL, *Aventicum* I. *Céramiques gallo-romaines decorées* (1974); K. KRAUS, *Colonia Ulpia Traiana, Insula 38. Untersuchungen zur Feinkeramik anhand der Funde aus den Ausgrabungen der sog. Herbergsthermen* (1992); B. LIESEN, *Töpfereischutt des 1. Jahrhunderts n. Chr. aus dem Bereich der Colonia Ulpia Traiana* (1994); F. OELMANN, *Die Keramik des Kastells Niederbieber* (1914); K. ROTH-RUBI, *Untersuchungen an den Krügen von Avenches* (1979); H. SCHOPPA, *Die Funde aus dem Vicus des Steinkastells Hofheim, Maintaunuskreis.* I. *Die Keramik außer Terra Sigillata* (1961); P. STUART, *Gewoon aardewerk uit de Romeinse legerplaats en de bijbehorende grafvelden te Nijmegen* ²(1977); TH. TOMASEVIC, *Die Keramik der 13. Legion aus Vindo-*

46

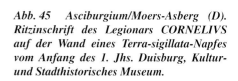

Abb. 45 Asciburgium/Moers-Asberg (D). Ritzinschrift des Legionars CORNELIVS auf der Wand eines Terra-sigillata-Napfes vom Anfang des 1. Jhs. Duisburg, Kultur- und Stadthistorisches Museum.

Abb. 46 Agrippina/Köln (D). Sog. Achilleus-Pokal in Fundlage. Frühes 3. Jh. Köln, Römisch-Germanisches Museum.

Abb. 47 Xanten-Wardt (D). Silber- und Bronzegefäße, die in den Jahren 1982–92 beim Auskiesen aus einem ehemaligen römischen Rheinlauf gebaggert wurden. Xanten, Regionalmuseum.

nissa (1970); W. UNVERZAGT, *Die Keramik des Kastells Alzei* (1916); W. VANVINCKENROYE, *Gallo-Romeins aardewerk von Tongeren* (1967).
L. BAKKER/B. GALSTERER-KRÖLL, *Graffiti auf römischer Keramik im Rheinischen Landesmuseum Bonn* (1975); T. BECHERT, *Asciburgium 4. Steindenkmäler und Gefäßinschriften* (1976); O. BOHN, *Pinselinschriften auf Amphoren aus Augst und Windisch*, in: *ASA* 28, 1926, 197 ff.; L. CRISCUOLO, *Bolli d'anfora greci e romani* (1982); B. GALSTERER, *Die Graffiti auf der römischen Gefäßkeramik aus Haltern* (1983); R. MARICHAL, *Les graffites de La Graufesenque* (1988); E. RODRIGUEZ ALMEIDA, *Los tituli picti de las ánforas olearias de la Bética 1. Tituli picti de los Severos y de la ratio fisci* (1989).
M. T. AMARE TAFALLA, *Lucernas romanas: generalidades y bibliografia* (1987); K. GOETHERT-POLASCHEK, *Katalog der römischen Lampen des Rheinischen Landesmuseums Trier* (1985); A. LEIBUNDGUT, *Die römischen Lampen in der Schweiz* (1977); L. LERAT, *Catalogue des collections archéologiques de Besançon* I. *Les lampes antiques* (1954); B. LIESEN, *Asciburgium* 11. *Lampen aus Asberg* (1994); S. LOESCHCKE, *Lampen aus Vindonissa* (1919); H. MENZEL, *Antike Lampen* ²(1969); M. PONSICH, *Les lampes romaines* (1963); M. VEGAS, *Novaesium* II. *Die römischen Lampen von Neuss* (1966);
AAVV., *Amphores romaines et histoire économique: dix ans de recherche*, Coll. Siena 1986 (1989); M. H. CALLENDER, *Roman amphorae with index of stamps* (1965); F. LAUBENHEIMER (ed.), *Les amphores en Gaule. Production et circulation* (1992); S. MARTIN-KILCHER, *Die römischen Amphoren aus Augst und Kaiseraugst. Ein Beitrag zur römischen Handels- und Kulturgeschichte* I: *Die südspanischen Ölamphoren* (1987). II: *Die Amphoren für Wein, Fischsauce, Südfrüchte und Gesamtauswertung* (1994). III: *Archäologische und naturwissenschaftliche Tonbestimmungen, Katalog und Tafeln* (1994) Dazu: U. HEIMBERG, in: *Germania* 75, 1997, 298 f.; D. P. S. PEACOCK/D. F. WILLIAMS, *Amphores and the Roman economy. An introductory guide* (1991).
D. BAATZ, *Die gestempelten Ziegel aus dem Bad des Limeskastells Echzell*, in: *SJ* 22, 1965, 118 ff.; DERS., *Die gestempelten Ziegel aus dem Bad des Zugmantel-Kastells*, ebd. 24, 1967, 40 ff.; DERS., *Ziegelstempel der legio XXII Primigenia Pia Fidelis Domitiana in Obergermanien?*, ebd. 26, 1969, 126 ff.; DERS., *Späthadrianische Ziegelstempel der 8. Legion von der Saalburg*, ebd. 27, 1970, 31 ff.; V. VON GONZENBACH, *Die Verbreitung der gestempelten Ziegel der im ersten Jahrhundert n. Chr. in Vindonissa liegenden Truppen*, in: *BJ* 163, 1963, 76 ff.; G. SPITZLBERGER, *Die römischen Ziegelstempel aus dem nördlichen Teil der Provinz Raetien*, in: *SJ* 25, 1968, 65 ff. – Zusammenfassend: A. MCWHIRR (ed.), *Roman brick and tile. Studies in manufacture, distribution and use in the western Empire*, BAR S 68 (1979); J. SZILÁGY, s. v. *Ziegelstempel*, in: *RE* X (1972) 433 ff.

Glas

Auch Glas – eine Mischung aus Kieselerde (Sand), Soda und Kalk – gehört trotz seiner leichten Zerbrechlichkeit zu den Fundmaterialien, die sich bis heute oft in ausgezeichnetem Zustand im Boden erhalten haben. Allerdings tritt die Zahl der Gläser und Glasfragmente an einem Fundplatz allein schon deshalb deutlich zurück, weil neu geformte oder geblasene Gefäße einen Altglasanteil bis zu 30% enthielten. Buntglas, das durch den Zusatz von Metalloxiden während des Schmelzvorganges entstand, war nur zu Beginn der Kaiserzeit verbreitet und

kam erst wieder in spätrömischer Zeit stärker in Gebrauch. Vorherrschend war etwa seit frühclaudischer Zeit das ungefärbte Glas, dessen blaugrüne Farbe durch das Eisenoxid bedingt war, das in fast allen Sandarten enthalten ist. Die Technik der Glasverarbeitung und des Blasens hat sich von Italien aus im ganzen Westen des Reiches verbreitet, während die Glasproduktion im Osten schon in Blüte stand, bevor Rom diese Gebiete zu Provinzen machte. Eines der größten Glaszentren im Westen war *Agrippina*/Köln, wo vor allem die Produktion von Luxusgläsern gepflegt wurde. Hierzu hat mit Sicherheit das Vorkommen besonders geeigneter Sande in der Gegend von Frechen, westlich von Köln, entscheidend beigetragen.

D. B. HARDEN u. a., *Glas der Caesaren* (1988); C. ISINGS, *Antiek glass* (1966); DIES., *Roman glass from dated finds* (1957); P. LA BAUME, *Glas der antiken Welt* (1973); M. NEWBY/K. PAINTER (eds.), *Roman glass. Two centuries of art and invention* (1991).
L. BERGER, *Römische Gläser aus Vindonissa* (1960); M. C. CALVI, *I vetri romani del Museo di Aquileia* (1968); B. CZURDA-RUTH, *Die römischen Gläser vom Magdalensberg* (1979); O. DOPPELFELD, *Das Diatretglas aus dem Gräberbezirk des römischen Gutshofs von Köln-Braunsfeld*, in: *KJb*. 5, 1960/61, 7 ff.; F. FREMERSDORF, *Denkmäler des römischen Köln* III–VIII (1958-67); K. GOETHERT-POLASCHEK, *Katalog der römischen Gläser des Rheinischen Landesmuseums Trier* (1977); J. W. HAYES, *Roman and Pre-Roman glass in the Royal Ontario Museum Toronto* (1975); C. ISINGS, *Roman glass in Limburg* (1971); S. M. E. VAN LITH, *Römisches Glas aus Velsen*, in: *OMRL* 58, 1977, 1 ff.; DIES., *Römisches Glas aus Valkenburg Z. H.*, ebd. 59/60, 1978/79, 1 ff.; DIES., *Asciburgium 10. Glas aus Asciburgium* (1987); S. NEU, *Die Entdeckung des Achilles – in Köln*, in: *Ein Land macht Geschichte. Archäologie in Nordrhein-Westfalen* (1995) 269 ff.; B. RÜTTI, *Die römischen Gläser aus Augst und Kaiseraugst* (1991); M. VANDERHOEVEN, *De Romeinse glasverzameling in het Provinciaal Gallo-Romeins Museum te Tongeren* (1962); E. WELKER, *Die römischen Gläser von Nida-Heddernheim* 1 u. 2 (1974/85).

48

Metall

Verhältnismäßig dauerhaft und deshalb auch auf ähnliche Weise interpretierbar und aussagefähig sind in aller Regel auch die Überreste von Fundobjekten aus Bronze oder Eisen. Allerdings tritt ihre Zahl gegenüber der Masse an Tonscherben gewöhnlich deutlich zurück. Ein wesentlicher Grund hierfür bestand in der Wiederverwendbarkeit metallener Gegenstände, die von einer späteren Generation umgeschmiedet oder umgegossen werden konnten, während man zerbrochene Keramik in den seltensten Fällen mit Blei zu flicken versuchte, vielmehr die Scherben beseitigte und sich preisgünstig neues Geschirr beschaffte. Hinzu kommen, was den Erhaltungszustand von Geräten, Waffenteilen, Fibeln und anderen Objekten aus Bronze und Eisen betrifft, die jeweiligen Auswirkungen des Oxidationsprozesses während der langen Lagerung im Boden, die bei vielen Metallobjekten dazu führte, daß heutzutage unter der Kruste aus Rost und Erde nur noch ein schwacher oder gar kein Metallkern mehr vorhanden ist. Zum metallenen Fundgut sind auch Schlacken zu zählen, deren Analyse interessante Einblicke in die Prozesse der Verhüttung und Verarbeitung gewährt. Eine gewisse Rolle spielen unter den Metallfunden auch solche aus Blei, doch beschränkte sich die Verwendung dieses Metalls, dessen Giftigkeit den Menschen der römischen Zeit offenbar nur unzureichend geläufig war, nur auf wenige Gegenstände wie z. B. Gewichte, Senklote oder auch Wasserrohre.

PH. FILTZINGER, *Limesmuseum Aalen* ³(1983); W. GAITZSCH, *Werkzeuge und Geräte in der römischen*

Kaiserzeit. Eine Übersicht, in: *ANRW* II 12.3 (1985) 170 ff.; J. OLDENSTEIN, *Zur Ausrüstung römischer Auxiliareinheiten. Studien zu Beschlägen und Zierat an der Ausrüstung der römischen Auxiliareinheiten des obergermanisch-raetischen Limesgebietes aus dem zweiten und dritten Jahrhundert n. Chr.,* in: *Ber. RGK* 57, 1976, 49 ff.; H. J. SCHALLES/CH. SCHREITER (Hg.), *Geschichte aus dem Kies. Neue Funde aus dem alten Rhein bei Xanten* (1993).
J. E. BOGAERS/ J. YPEY, *Ein neuer römischer Dolch mit silbertauschierter und emailverzierter Scheide aus dem Legionslager Nijmegen,* in: *Ber. ROB* 12/13, 1962/63, 87 ff.; W. C. BRAAT, *Römische Schwerter und Dolche im Rijksmuseum van Oudheden,* in: *OMRL* 48, 1967, 56 ff.; H. BULLINGER, *Spätantike Gürtelbeschläge* (1969); M. FEUGÈRE/J. GARBSCH, *Römische Bronzelaternen,* in: *BVBl.* 58, 1993, 143 ff.; J. YPEY, *Drei römische Dolche mit tauschierten Scheiden aus niederländischen Sammlungen,* in: *Ber. ROB* 10/11, 1960/61, 347 ff.
M. H. P. DEN BOESTERD, *The bronze vessels in the Rijksmuseum G. M. Kam at Nijmegen* (1956); DIES., *Roman bronze vessels from rivers,* in: *Ber. ROB* 17, 1967, 115 ff.; DIES., *Ein neuer römischer Grabfund mit Bronzegefäßen,* in: *Festschr. H. Brunsting* (1973) 233 ff.; H. HINZ, *Neue Bronzegefäße vom Niederrhein,* in: *BJ* 163, 1963, 151 ff.; DERS., *Einige römische Bronzegefäße vom Niederrhein,* ebd. 169, 1969, 393 ff.; A. KOSTER, *The bronze vessels 2. Acquisitions 1954–1996* (1997); R. MISCHKER, *Untersuchungen zu den römischen Metallgefäßen in Mittel- und Westeuropa* (1991); A. RADNÓTI, *Die römischen Bronzegefäße von Pannonien* (1938); H. J. SCHALLES, *Die römischen Bronzegefäße des unteren Niederrheins* (i. Vorb.).
O. ALMGREN, *Studien über nordeuropäische Fibelformen* ²(1923); T. BECHERT, *Asciburgium 1. Römische Fibeln des 1. und 2. Jahrhunderts* (1973); G. BEHRENS, *Fibeldarstellungen auf römischen Grabsteinen,* in: *MZ* 22, 1927, 51 ff.; DERS., *Zur Typologie und Technik der provinzialrömischen Fibeln,* in: *Jhb. RGZM* 1, 1954, 67 ff.; A. BÖHME, *Englische Fibeln aus den Kastellen Saalburg und Zugmantel,* in: *SJ* 27, 1970, 5 ff.; DIES., *Die Fibeln der Kastelle Saalburg und Zugmantel,* ebd. 29, 1972, 5 ff.; DIES., *Die Fibeln des Kastells am Kleinen Feldberg,* ebd. 31, 1974, 5 ff.; H. DRESCHER, *Die Herstellung von Fibelspiralen,* in: *Germania* 33, 1955, 340 ff.; E. ETTLINGER, *Die römischen Fibeln in der Schweiz* (1973); K. EXNER, *Die provinzialrömischen Emailfibeln der Rheinlande,* in: *Ber. RGK* 29, 1939, 31 ff.; M. FEUGÈRE, *Les fibules en Gaule méridionale de la conquête à la fin du Ve s. ap. J.-C.* (1985); CH. GUGL, *Die römischen Fibeln aus Virunum* (1995); J. K. HAALEBOS, *Fibulae uit Maurik,* in: *OMRL* 1984 – 85 Suppl. 65 (1986); W. JOBST, *Die römischen Fibeln aus Lauriacum* (1975); I. KOVRIG, *Die Haupttypen der kaiserzeitlichen Fibeln in Pannonien* (1937); E. PATEK, *Verbreitung und Herkunft der römischen Fibeln von Pannonien* (1942); E. RIHA, *Die römischen Fibeln aus Augst und Kaiseraugst* (1979); M. SCHLEIERMACHER, *Die Fibeln von Kempten-Cambodunum* (1993); H. SEDLMAYER, *Die römischen Fibeln von Wels* (1995).
K. LÖHBERG, *Untersuchungen an Eisenfunden aus Limeskastellen,* in: *SJ* 26, 1969, 142 ff.; W. H. MANNING, *Catalogue of the Romano-British iron tools, fittings and weapons in the British Museum* (1986); M. PIETSCH, *Die römischen Eisenwerkzeuge von Saalburg, Feldberg und Zugmantel,* in: *SJ* 39, 1983, 5 ff.; A. RIETH, *Werkzeuge der Holzbearbeitung: Sägen aus vier Jahrtausenden,* ebd. 17, 1958. 47 ff.

Münzen

Einen besonderen Rang nehmen im Fundgut eines römerzeitlichen Grabungsplatzes die Münzen ein, die meist als Einzelfunde auftreten, wobei es nach wie vor keine plausible Erklärung dafür gibt, warum Münzen an Fundplätzen der frühen Kaiserzeit besonders häufig sind, während sie in der mittleren Kaiserzeit an Zahl deutlich geringer werden. Dagegen ist das deutliche Anwachsen der Münzfunde aus spätrömischer Zeit mit dem allgemeinen Geldverfall seit severischer Zeit erklärbar, als der Silbergehalt der Denare und Antoniniane immer geringer und die Nominale immer kleiner wurden, so daß schließlich Kleingeld in großen Massen geprägt und unter das Volk gebracht werden mußte. Auch Münzen aus Kupfer und Messing sind der Aggressivität vieler Böden mehr oder weniger intensiv ausgesetzt und kommen oft stark korrodiert ans Tageslicht. Andererseits bedient sich die Numismatik geeigneter technischer Methoden, um die Fundmünzen wenigstens zum Teil wieder lesbar zu machen. Dies genügt in aller Regel, um zumindest das Kaiserportrait und/oder Teile der Legenden von Vorder- und Rückseite näher zu bestimmen, womit die Münze auch in rudimentärem Zustand ihre Funktion als in der Regel einziges absolut datierendes Fundstück in ausreichendem Maße erfüllen kann.

F. BERGER, *Kalkriese 1 – Die römischen Fundmünzen* (1996); K. CHRIST, *Antike Münzfunde Südwestdeutschlands. Münzfunde, Geldwirtschaft und Geschichte im Raume Baden-Württembergs,* 2 Bde. (1960); DERS., *Antike Numismatik. Einführung und Bibliographie* ³(1991); R. GÖBL, *Antike Numismatik,* 2 Bde. (1978); J. P. C. KENT/B. OVERBECK/A. U. STYLOW, *Die römische Münze* (1973); M. R.-ALFÖLDI, *Antike Numismatik,* 2 Bde. (1978); RIC = H. MATTINGLY/E. A. SYDENHAM, *The Roman imperial coinage,* vol. I–IX (1923–51); C. H. V. SUTHERLAND, *Münzen der Römer* (1974). – Generell wird auf das Sammelwerk *Die Fundmünzen der römischen Zeit in Deutschland (FMRD)* verwiesen, das seit 1960 erscheint.
S. BOERSMA, *The Roman coins of the province of Zeeland,* in: *Ber. ROB* 17, 1967, 65 ff.; H. CHANTRAINE, *Novaesium* VIII. *Die antiken Fundmünzen von Neuss* (1982); J. GORECKI, *Asciburgium 8. Münzen aus Asberg* (1981); C. M. KRAAY, *Die Münzfunde von Vindonissa* (1962); T. PÉKARY, *Fundmünzen von Vindonissa. Von Hadrian bis zum Ausgang der Römerherrschaft* (1971); P. VONS, *The identification of heavily corroded Roman coins found at Velsen,* in: *Ber. ROB* 27, 1977, 139 ff.; R. WEILLER, *Die Fundmünzen der römischen Zeit im Großherzogtum Luxemburg* (1972).

Abb. 48   Asciburgium/Moers-Asberg (D). Münze des Nero (54–68) in Fundlage.

Abb. 49   Germanischer Überfall auf einen Wachtturm am Obergermanischen Limes. Nach E. SCHALLMAYER.

Abb. 50   Der Obergermanisch-rätische Limes mit seinen Vorphasen in claudischer und frühflavischer Zeit (gelb/blau), der Grenzlinie seit domitianischer Zeit (rot) und dem endgültigen Ausbau des Limes kurz nach der Mitte des 2. Jhs.

Einblicke in die Geschichte

Themen und Inhalte

*Nur die Phantasie ist es, die zu großen
Entdeckungen führt.*

W. M. FLINDERS PETRIE (1853–1942)

*Wenn sich ein roter Faden (durch unser
Bemühen) zieht, so das Beharren darauf,
daß der Archäologe nicht Dinge, sondern
Menschen ausgräbt.*

R. E. MORTIMER WHEELER (1890–1976)

*Gegenstand (der Archäologie) ist nicht
mehr in erster Linie das antike Denkmal,
sondern der antike Mensch.*

H. G. NIEMEYER (* 1933)

Die gegenständlichen Überreste, denen
sich der ‹Provinzialrömer› in der täglichen Praxis gegenübersieht, sind überaus
vielfältig und umfassen die ganze Fülle
vergangenen menschlichen Lebens in römischer Zeit, die relativ mühsam aus den
Spuren, die der Boden über fast zweitausend Jahre hindurch bewahrt hat, heraus-
gelesen und gedeutet werden müssen.
Dabei sind es im wesentlichen folgende
Teilbereiche der Geschichte und Kultur
in den ehemaligen Provinzen des römischen Kaiserreiches, die sich auf Grund
vorwiegend archäologischer Methoden
und Erkenntnismöglichkeiten in mehr
oder weniger deutlichen Konturen zu-
rückgewinnen und wieder sichtbar machen lassen: Militärgeschichte, Siedt-
lungs- und Bevölkerungsgeschichte, Sozialgeschichte (vor allem unter dem
Aspekt der Geschichte des menschlichen
Alltags), Wirtschaftsgeschichte, Religionsgeschichte unter Einschluß der Grä-
berkunde sowie Kunstgeschichte.

Militärgeschichte

In nahezu allen modernen Staaten, die im
Bereich ehemaliger römischer Grenzge-
biete liegen, nimmt die Erforschung militärgeschichtlicher Zusammenhänge einen besonderen Platz ein. Dies gilt für
die beiden germanischen Provinzen
ebenso wie für Britannien, die Provinzen
entlang der Donau und des Euphrats wie
an den Wüstenrändern Syriens, Arabiens
und Nordafrikas. Dabei geht es in diesen
ehemaligen Grenz- und Militärzonen
nicht allein um reine Militärarchäologie,
d. h. um die Aufdeckung und Erfor-

schung einzelner Befestigungen und
Grenzanlagen, sondern um eine möglichst systematische Erfassung der Gesamtstruktur dieser für das langjährige
Bestehen des Reiches so überaus sensi-
blen Randgebiete. Dazu gehört auch eine
möglichst umfassende Rekonstruktion
der damaligen Lebensverhältnisse, d. h.,
es interessiert im Grunde alles, was Bodenfunde und schriftliche Quellen zu den
verschiedensten Aspekten sozial-, wirt-
schafts-, religions- oder allgemein sied-
lungsgeschichtlicher Art aussagen können, sowohl im Zusammenhang mit den
an den Grenzen konzentrierten Legionen
und Auxiliareinheiten, die diesen Regionen ein ausgesprochen römisches Gepräge gaben, wie auch hinsichtlich der
dort ansässigen oder seßhaft gemachten
Bevölkerung diesseits und jenseits der
Grenze.

Im Westen und Süden Deutschlands,
wo weite Teile von Nordrhein-Westfalen,
Rheinland-Pfalz, Hessen, Baden-Württemberg und Bayern ehemals römisch-
germanisches bzw. -gallisches Grenzgebiet waren, lag der Schwerpunkt des Interesses von Beginn an auf der Lösung
militärhistorischer Fragen. Ausgehend
von den Forschungen von CH. E. HANS-

49

SELMANN, der 1768 in seiner Schrift ‹Be-
weiß, wie weit der Römer Macht in den
mit verschiedenen teutschen Völkern geführten Kriegen auch in die nunmehrige
ostfränkische, sonderlich hohenlohische,
Lande eingedrungen› erstmals erkannte,
daß die von ihm untersuchten Kastelle
von Öhringen nicht isoliert zu sehen
seien, sondern zu einer durchgehenden

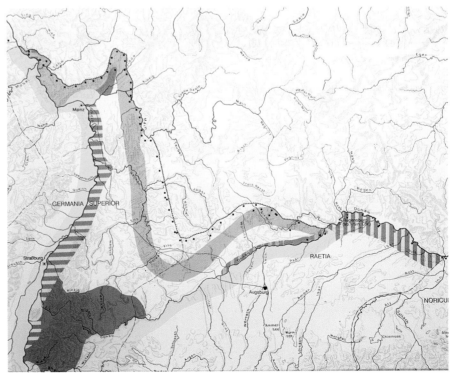

50

51

Grenzwehr gehörten, die einerseits bis in die Wetterau, andererseits bis nach Bayern reichte, war es der Limes mit seinen Befestigungsanlagen, Kastellen und Wachttürmen, der zum bevorzugten Forschungsfeld ‹provinzialrömischer› Archäologen in Deutschland wurde. Dabei ist charakteristisch, daß viele Limesforscher früherer Jahrzehnte *dilettanti* in des Wortes bester Bedeutung waren, die gemeinsam mit Archäologen und Althistorikern um 1900 und kurz danach Stück für Stück des ‹Obergermanisch-rätischen Limes› wiederentdeckten.

Diese gewaltige Grenzbefestigung, die den tiefen Winkel, den Rhein und Donau miteinander bilden, entscheidend verkürzte, setzte am rechten Rheinufer südlich von Remagen an, umlief die Wetterau zwischen Gießen und Frankfurt a. M. und erreichte nördlich von Aschaffenburg den Main. Von Miltenberg aus zog sie südwärts bis Lorch (Kr. Aalen), bog dann fast rechtwinklig nach Osten ab und erreichte, die Flußtäler von Kocher, Jagst und Altmühl kreuzend, südwestlich von Regensburg die Donau. Mehr als 500 km lang war der *limes ad Germaniam*, der die Provinzen *Germania superior* und *Raetia* durchlief und bis heute das größte archäologische Bodendenkmal in Mitteleuropa darstellt.

Demgegenüber war der *limes ad Germaniam inferiorem* zwischen dem Vinxtbach südlich der Ahr und der niederländischen Nordseeküste auf andere Weise gesichert. Hier bildete der Rhein mit seinen zahlreichen Nebenläufen und Altwassern ein natürliches Annäherungshindernis von beträchtlicher Breite. Ihn begleitete auf der linken Flußseite eine Straße, ein *limes* in des Wortes ursprünglicher Bedeutung. Dieser diente Augustus und seinen Militärs während der Germanien-Feldzüge zunächst als «militärischer

Rückhalt und logistische Basis» (H. VON PETRIKOVITS), wurde jedoch nach dem Scheitern der offensiven Germanienpolitik ungewollt zur Grenzlinie, die man nach und nach durch den Bau von Kastellen und Wachttürmen zu einer echten Grenzwehr ausbaute, so daß sie bis in die Mitte des 3. Jhs. ihren Zweck als «Schild Galliens» voll erfüllte und das Innere Galliens vor germanischen Einfällen sicherte.

Ähnliche Wehr- und Verteidigungsanlagen sind archäologisch auch in anderen Grenzregionen nachweisbar. Die Provinzen *Noricum*, *Pannonia superior* und *inferior* sowie Teile von *Moesia inferior* waren durch den Donaulimes gesichert, der konzeptionell dem Niedergermanischen Limes entsprach. Die vorgeschobene Provinz *Dacia* wurde dagegen vor allem im Norden durch ein dichtes Netz von Kastellen und Wachttürmen geschützt, während die Hinweise auf ausgebaute Grenzanlagen mit Wall, Graben oder Palisaden gering sind. Im Osten sind die Grenzen häufig verschoben worden. Hier bildete das Straßensystem, besetzt mit festen Stützpunkten und Kastellen, die Basis der Grenzverteidigung, die in mehrere Zonen gegliedert war. Das Rückgrat bildeten Straßenrouten wie die *strata Diocletiana* zwischen *Sura*/Al-Suriyya (SYR) und *Bostra*/Bosra-esch-Scham (SYR) und die *via nova Traiana* zwischen der Hauptstadt der Provinz *Arabia* und dem Roten Meer. Ein ähnlich tief gestaffeltes Verteidigungssystem ließ sich auch in den nordafrikanischen Provinzen nachweisen. Hier kam als zusätzliches Element der Grenzsicherung das *fossatum Africae* hinzu, eine Art Grenzgraben, der von einem Wall sowie zahlreichen Wachttürmen begleitet war und sich in mehr oder weniger erkennbaren Überresten heute noch in *Mauretania*

Tingitana ebenso findet wie in den Provinzen *Numidia* und *Africa proconsularis*. Demgegenüber begnügte man sich weiter östlich in *Tripolitania* mit einem reinen Straßenlimes, der allerdings durch vorgeschobene Kastelle gesichert war, die alle Nord-Süd-Routen kontrollierten. Ähnlich war es in der *Cyrenaica* und in *Aegyptus*, wo sich die militärische Kontrolle in erster Linie auf die Sicherung der landwirtschaftlichen Anbauzonen richtete. Wesentlich stärker geschützt war schließlich die Provinz *Britannia*, wo im 2. Jh. mit dem Hadrians- und dem Antoninus-Wall zwei Verteidigungswerke entstanden, die das Provinzgebiet im Norden schützten, während der *litus Saxonicum* vom Ende des 3. Jhs. ein Küstenlimes war, der aus einer Kastellkette bestand und landsuchende Angreifer im Süden und Südosten der Insel fernhalten sollte.

G. ALFÖLDY, *Römische Heeresgeschichte. Beiträge 1962–85* (1987); DERS., *Das Heer in der Sozialstruktur des römischen Kaiserreiches*, in: *Act. Ant. Acad. Scient. Hung.* 32, 1989, 169 ff.; J. B. CAMPBELL, *The emperor and the Roman army 31 B. C. – A. D. 235* (1984); P. CONNOLLY, *Die römische Armee* (1976); A. VON DOMASZEWSKI/B. DOBSON, *Die Rangordnung des römischen Heeres* ²(1967); A. VON DOMASZEWSKI, *Aufsätze zur römischen Heeresgeschichte* (1972); W. ECK/H. WOLFF (Hg.), *Heer und Integrationspolitik* (1986); M. FEUGÈRE, *Les armes des Romains de la Republique à l'Antiquité Tardive* (1993); R. O. FINK, *Roman military records on papyrus* (1971); F. GROSSE, *Römische Militärgeschichte von Gallienus bis zum Beginn der Byzantinischen Themenverfassung* (1920); D. HOFFMANN, *Das spätrömische Bewegungsheer und die Notitia Dignitatum*, 2 Bde. (1969–70); DERS., *Die Gallienarmee und der Grenzschutz am Rhein in der Spätantike*, in: *Nass. Ann.* 84, 1973, 1 ff.; L. KEPPIE, *The making of the Roman army* (1984); Y. LE BOHEC, *Die römische Armee. Von Augustus zu Konstantin d. Gr.* (1993); E. N. LUTTWAK, *The grand strategy of the Roman Empire from the first century A. D. to the third* ²(1979); I. A. RICHMOND, *Trajan's army on Trajan's column*, in: *PBSR* 13, 1935, 1 ff.; M. M. ROXAN, *Roman military diplomas 1954–77 u. 1977–84*, 2 Bde. (1978/85); M. SPEIDEL, *Roman army studies* (1984); G. R. WATSON, *The Roman soldier* (1969); G. WEBSTER, *The Roman imperial army* ³(1985); L. WIERSCHOWSKI, *Heer und Wirtschaft. Das römische Heer der Prinzipatszeit als Wirtschaftsfaktor* (1984).
G. ALFÖLDY, *Die Generalität des römischen Heeres*, in: *BJ* 169, 1969, 233 ff.; D. J. BREEZE/B. DOBSON, *Roman officers and frontiers* (1993); B. DOBSON, *Die Primipilares. Entwicklung und Bedeutung, Laufbahnen und Persönlichkeiten eines römischen Offiziersranges* (1978); TH. FRANKE, *Die Legionslegaten der römischen Armee in der Zeit von Augustus bis Trajan* (1991); A. SAXER, *Untersuchungen zu den Vexillationen des römischen Kaiserheeres von Augustus bis Diokletian* (1967).
AAVV., *Archäologie in Deutschland*. Sonderheft ‹Der römische Limes in Deutschland› (1992); D. BAATZ, *Der römische Limes* ³(1994); J. BARADEZ, *Fossatum Africae* (1949); T. BECHERT/W. J. H. WILLEMS (Hg.), *Die römische Reichsgrenze von der Mosel bis zur Nordseeküste* (1995). Niederländische Fassung: DIESS., *De Romeinse rijksgrens tussen Moezel en Nordzeekust* (1995); J. E. BOGAERS/C. B. RÜGER (Hg.), *Der Niedergermanische Limes. Materialien zu seiner Geschichte* (1974); D. J. BREEZE/B. DOBSON, *Hadrian's Wall* (1976); D. BREEZE u. a., *The frontiers*, in: J. WACHER (ed.), *The Roman world* (1987) 139 ff.; V. CHAPOT, *La frontière de l'Euphrate* (1907; ND 1967); H. CÜPPERS,

s. v. limes, in: *Der Kleine Pauly* 3 (1969) 652 ff.; H. ELTON, *Frontiers of the Roman Empire* (1996); M. EUZENNAT, *Le Limes de Tingitane* (1989); E. FABRICIUS/F. HETTNER/O. VON SARWEY, *Der obergermanisch-rätische Limes des Römerreiches* (1894–1937). Dazu: J. OLDENSTEIN, *Der obergermanisch-rätische Limes des Römerreiches. Fundindex* (1982); E. FABRICIUS, s. v. limes, in: *RE* XIII (1927) 572 ff.; K. GENSER, *Der österreichische Donaulimes in der Römerzeit* (1986); N. GUDEA, *Der Limes Dakiens und die Verteidigung der obermoesischen Donaulinie von Trajan bis Aurelian*, in: *ANRW* II 6 (1977) 849 ff.; DERS., *Der Dakische Limes. Materialien zu seiner Geschichte*, in: *Jhb. RGZM* 44, 1997; W. HANSON/G. MAXWELL, *Rome's north west frontier. The Antonine Wall* (1983); B. ISAAC, *The limits of Empire. The Roman army in the east* (rev. ed. 1993); S. JOHNSON, *Book of Hadrian's Wall* (1989); H. FRIESINGER/ F. KRINZINGER (Hg.), *Der römische Limes in Österreich* (1997); J. MANN, *The frontiers of the Principate*, in: *ANRW* II 1 (1974) 508 ff.; R. MOUTERDE/A. POIDEBARD, *Le limes de Chalkis* (1945); P. PETROVIC (ed.), *Roman limes on the Middle and Lower Danube* (1996); A. POIDEBARD, *La trace de Rome dans le désert de Syrie* (1934); E. W. RUPRECHTSBERGER, *Die römische Limeszone in Tripolitanien und der Kyrenaika*, Limesmuseum Aalen 47 (1993); E. SCHALLMAYER/G. PREUSS, *Von den Agri Decumates zum Limes Dacicus* (1995); P. TROUSSET, *Recherches sur le Limes Tripolitanus* (1974); Z. VISY, *Der römische Limes in Pannonien* (1988); J. WAGNER, *Die Römer an Euphrat und Tigris*, Sondernr. *Antike Welt* (1985).

M. JUNKELMANN, *Die Legionen des Augustus. Der römische Soldat im archäologischen Experiment* (1986); DERS., *Muli Mariani. Marsch in römischer Legionarsausrüstung über die Alpen*, Limesmuseum Aalen 36 (1985); H. M. D. PARKER, *The Roman legions* ²(1958); E. RITTERLING, s. v. legio, in: *RE* XII (1924–25) 1186 ff.; P. SOUTHERN, *The late Roman army* (1996).

H. BELLEN, *Die germanische Leibwache der römischen Kaiser des iulisch-claudischen Hauses* (1980); H. CALLIES, *Die fremden Truppen im römischen Heer des Prinzipats und die sogenannten nationalen Numeri*, in: *Ber. RGK* 45, 1964, 130 ff.; G. L. CHEESMAN, *The auxilia of the Roman imperial army* (1914; ND 1971); P. A. HOLDER, *Studies in the auxilia of the Roman army from Augustus to Trajan*, BAR Internat. Ser. 70 (1980); K. KRAFT, *Zur Rekrutierung der Alen und Kohorten an Rhein und Donau* (1951); D. B. SADDINGTON, *The development of the Roman auxiliary forces from Augustus to Trajan*, in: *ANRW* II 3 (1975) 176 ff.

K. R. DIXON/P. SOUTHERN, *The Roman cavalry from the first to the third century AD* (1992); A. HYLAND, *Equus. The horse in the Roman world* (1990); DIES., *Training the Roman cavalry. From Arrian's Ars Tactica* (1993); M. JUNKELMANN, *Römische Kavallerie/Equites Alae*, Limesmuseum Aalen 42 (1989); DERS., *Die Reiter Roms I–III* (1990–92); J. KRIER/F. REINERT, *Das Reitergrab von Hellingen. Die Treverer und das römische Militär in der frühen Kaiserzeit* (1993); M. P. SPEIDEL, *Riding for Caesar. The Roman emperor's horse guards* (1994); G. WEBSTER, *Standards and standard-bearers in the alae*, in: *BJ* 186, 1986, 105 ff.

D. BAATZ/R. BOCKIUS, *Vegetius und die römische Flotte* (1997); D. KIENAST, *Untersuchungen zu den Kriegsflotten der römischen Kaiserzeit* (1966); M.

52

REDDÉ, *Mare nostrum. Les infrastructures, le dispositif et l'histoire de la marine militaire sous l'Empire Romain* (1986); E. SANDER, *Zur Rangordnung des römischen Heeres: Die Flotten*, in: *Historia* 6, 1957, 347 ff.; C. G. STARR, *The Roman imperial navy* (1941); H. D. L. VIERECK, *Die römische Flotte* (1975).

D. BAATZ, *Die Wachttürme am Limes*, Limesmuseum Aalen 15 (1976); DERS., *Quellen zur Bauplanung römischer Militärlager*, in: *Bauplanung und Bautheorie der Antike. Diskussionen zur archäologischen Bauforschung* 4 (1984) 315 ff.; DERS., *Bauten und Katapulte des römischen Heeres* (1994); T. BECHERT, *Wachtturm oder Kornspeicher? Zur Bauweise spätrömischer Burgi*, in: *AK* 8, 1978, 127 ff. u. *AW* 10.3, 1979, 17 ff.; A. JOHNSON, *Römische Kastelle des 1. und 2. Jhs. n. Chr.* ³(1990); H. VON PETRIKOVITS, *Fortifications in the north-western Roman Empire from the third to the fifth centuries AD*, in: *JRS* 61, 1971, 178 ff.; DERS., *Die Innenbauten römischer Legionslager* (1975); W. SCHLEIERMACHER, *Befestigte Schiffsländen Valentinians*, in: *Germania* 26, 1942, 191 ff.; H. Schönberger, *Die römischen Truppenlager der frühen und mittleren Kaiserzeit zwischen Nordsee und Inn*, in: *Ber. RGK* 66, 1985, 321 ff.; F. VITTINGHOFF, *Die Bedeutung der Legionslager für die Entstehung der römischen Städte an der Donau und in Dakien*, in: *Studien zur europäischen Vor- und Frühgeschichte* (1968) 132 ff.; DERS., *Die Entstehung von städtischen Gemeinwesen in der Nachbarschaft römischer Legionslager*, in: *Legio VII Gemina* (1970) 337 ff.

M. C. BISHOP (ed.), *The production and distribution of Roman military equipment*, BAR Internat. Ser. 275 (1985); DERS./J. C. N. COULSTON, *Roman military equipment from the Punic Wars to the fall of Rome* (1993); J. C. N. COULSTON (ed.), *Military equipment and the identity of Roman soldiers* (1988); C. VAN DRIEL-MURRAY (ed.), *Roman military equipment*, BAR Internat. Ser. 476 (1989); J. OLDENSTEIN, *Zur Ausrüstung römischer Auxiliareinheiten*, in: *Ber. RGK* 57, 1976, 49 ff.; H. R. ROBINSON, *The armour of imperial Rome* (1975); G. ULBERT, *Römische Waffen des 1. Jhs. n. Chr.*, Limesmuseum Aalen 4 (1968); DERS., s. v. Bewaffnung, in: *Hoops Reallexikon d. Germ. Altertumskde.*, Bd. 2, ²(1976) 416 ff.

E. BIRLEY, *Beförderungen und Versetzungen im römischen Heer*, in: *Carnuntum-Jhb.* 1957, 3 ff.; A. BOWMAN, *Life and letters on the Roman frontier* (1994); R. W. DAVIES, *The daily life of the Roman soldier under the principate*, in: *ANRW* II 1 (1974) 299 ff.; DERS. (ed. by D. J. BREEZE/V. A. MAXFIELD), *Service in the Roman army* (1989); R.

MACMULLEN, *Soldier and civilian in the later Roman Empire* (1963); V. A. MAXFIELD, *The military decorations of the Roman army* (1981); H. VON PETRIKOVITS, *Römisches Militärhandwerk*, in: *Beiträge zur römischen Geschichte und Archäologie 1931–74* (1976) 598 ff.; DERS., *Militärisches Nutzland in den Grenzprovinzen des römischen Reiches*, in: *Actes du VIIe Congrès International d'Epigraphie Grecque et Latine 1977* (1979) 229 ff.

Limesforschung

Nach wie vor spielt die Limesforschung eine gewichtige Rolle in der Archäologie der römischen Provinzen, um so mehr, als man dank verfeinerter Methoden und Verfahren eigentlich erst seit wenigen Jahrzehnten zu Ergebnissen gelangt, die es erlauben, Fragen und Probleme wesentlich detaillierter anzugehen und zu lösen, als dies noch zu Beginn der 1950er Jahre möglich war. Inzwischen hat sich die Limesforschung auf internationaler Ebene fast schon zu einem eigenständigen Fach entwickelt. Dies findet seinen Ausdruck u. a. darin, daß sich römische Archäologen aus über zwanzig west- und osteuropäischen Ländern, aus Israel, den USA, aus Kanada sowie Nord- und Südafrika seit fast fünf Jahrzehnten in bestimmten Zeitabständen an einem Grenzabschnitt des *imperium Romanum* zum ‹International Congress of Roman Frontier Studies› zusammenfinden, um neue Forschungsergebnisse vorzustellen und zu diskutieren, Ansichten und Erfahrungen auszutauschen und die eigenen Kenntnisse zu vertiefen. Die internationale Vielfalt der Teilnehmer ist dabei immer wieder ein getreues Spiegelbild des einstigen römischen Vielvölkerstaates.

Abb. 51 Gheriat el-Garbia (LAR). Römisches Kastell am Limes Tripolitanus mit Blick auf die dreitorige porta praetoria. Erbaut 230/235. Ansicht von Osten am Morgen.

Abb. 52 Limeskongreß 1997 in Zalau (RO). Die Teilnehmer des Kongresses auf den freigelegten Ruinen des Lagers von Romita. Im Vordergrund die Überreste der porta praetoria des Kastells.

Bisher sind siebzehn Limeskongresse abgehalten worden: GB-Newcastle 1949: E. BIRLEY (ed.), *The Congress of Roman Frontier Studies 1949* (1952). – A-Bad Deutsch Altenburg 1955: E. SWOBODA (Hg.), *Carnuntina* (1956). – CH-Rheinfelden/Basel 1957: AAVV., *Limesstudien* (1959). – GB-Durham 1959: (Kongreßakten nicht veröffentlicht). – CS-Nitra 1961: AAVV., *Quintus Congressus Internationalis Limitis Romani Studiosorum* (1963). – D-Arnoldshain/Taunus 1964: AAVV., *Studien zu den Militärgrenzen Roms* (1967). – IL-Tel Aviv 1967: AAVV., *Roman Frontier Studies 1967* (1971). – GB-Cardiff 1969: E. BIRLEY/B. DOBSON/M. JARRETT (eds.), *Roman Frontier Studies 1969* (1974). – RO-Mamaia 1972: D. M. PIPPIDI (ed.), *D'Études sur les Frontières Romaines* (1974). – D-Xanten 1974: AAVV., *Studien zu den Militärgrenzen Roms II* (1977). – H-Székesfehérvár 1976: J. FITZ (Hg.), *Akten des XI. Internationalen Limeskongresses* (1978). – GB-Stirling 1979: W. S. HANSON/L. J. F. KEPPIE (eds.), *Roman Frontier Studies 1979*, 3 Bde., *BAR Int. Ser.* 71 (1980). – D-Aalen 1983: AAVV., *Studien zu den Militärgrenzen Roms III* (1986). – A-Bad Deutsch Altenburg 1986: H. VETTERS/M. KANDLER (Hg.), *Akten des 14. Internationalen Limeskongresses 1986 in Carnuntum* (1990). – GB-Canterbury 1989: V. A. MAXFIELD/M. J. DOBSON (eds.), *Roman Frontier Studies* 1989 (1991). – NL-Kerkrade 1995: AAVV., *Roman Frontier Studies 1995* (1997). – RO-Zalau 1997: (Veröffentlichung der Kongreßakten i. Vorb.).

Siedlungsgeschichte

Prägten in den Grenzprovinzen in der Hauptsache militärische Faktoren die Entwicklung und den Lebensstil, so betreffen die vielfältigen Fragestellungen und Probleme der Siedlungs- und Bevölkerungsgeschichte die Grenzregionen des Reiches ebenso wie die Binnenprovinzen. Begnügte man sich früher meist mit der Einzeluntersuchung von Gebäuden, Monumenten oder kleinen Siedlungsstellen, bestimmen heutzutage großflächige Ausgrabungen das Bild der modernen Siedlungsarchäologie, deren generelles Ziel es ist, ehemalige Stadtanlagen, Dörfer, Weiler und Einzelgehöfte nach Möglichkeit als Ganzes zu untersuchen, um damit das einstige Besiedlungsgefüge einer Landschaft im Zusammenhang zu erfassen und möglichst vollständig zu rekonstruieren. Entstanden ist diese ‹ganzheitliche› Denk- und Arbeits-

weise der Siedlungsarchäologie in den Jahren des Wiederaufbaus nach dem letzten Weltkrieg, als sich mit der Sanierung von Altstadtkernen, der Erschließung neuer Wohn- und Industriegebiete, dem Bau von Straßen, Tunnels, Bahnschächten oder Hafenanlagen sowie dem Abbau von Sand, Kies, Bims oder Braunkohle die zwingende Notwendigkeit ergab, Flächengrabungen von z. T. riesigen Ausmaßen durchzuführen, die nicht nur ein für den einzelnen kaum mehr überschaubares Fundmaterial erbrachten, sondern vor allem erstmals in einem nie zuvor gekannten Ausmaß umfassende Rückschlüsse auf die einstige Siedlungs- und Lebensstruktur ganzer Regionen und Siedlungskammern zuließen.

Auf deutschem Boden werden einem die Dimensionen derartiger Untersuchungen vor allem im Braunkohlenrevier zwischen Köln, Mönchengladbach und Aachen vor Augen geführt, wo riesenhafte Bagger mit einer Tagesleistung bis zu 240 000 m² Erde einen archäologischen ‹Suchschnitt› nach dem anderen durch die Landschaft ziehen und mit Hilfe der Archäologie die einstmals dichte Besiedlungsstruktur dieses fruchtbaren Lößgebietes wieder sichtbar machen. Auf diese Weise wird u. a. deutlich, daß fruchtbares Ackerland spätestens in römischer Zeit parzelliert war, sich nach einem festen System der Landverteilung ein Hof an den anderen reihte und sich an den Fernstraßen Ortschaften entwickelten, die vom durchziehenden Verkehr ebenso lebten wie vom Kleinhandel mit den umliegenden Gehöften. Erst Flächengrabungen großen Stils haben überhaupt Erkenntnisse dieser Art möglich gemacht.

Lange Zeit stand die archäologische Untersuchung und Freilegung römischer Stadtanlagen im Vordergrund, deren monumentale Überreste immer schon das besondere Interesse der Forschung besaßen. Einen deutlichen Aufschwung erhielt dieser Forschungszweig in Deutschland vor allem in der Nachkriegszeit, als sich für wenige Jahre die einmalige Gelegenheit ergab, umfassend Stadtkernforschung zu betreiben und in weitgehend zerstörten Innenstädten wie Köln, Augsburg oder Trier zusammenhängende Teile des römischen Untergrundes zu untersuchen und zumindest als Teilrekonstruktion wieder sichtbar zu machen. Heutzutage sind Stadtgrabungen dieser Art fast nur noch dort möglich, wo – wie etwa in Xanten oder Augst (CH), Bad Deutsch Altenburg (A), *Italica* (E), *Conimbriga* (P), Timgad (DZ) oder *Ephesus* (TR) – die spätere Besiedlung nicht an die römische anschloß (vgl. Abb. 64, 83

54

u. 108) oder Siedlungsplätze wie *Belgica vicus* südlich von Euskirchen, der *vicus* von Schwarzenacker bei Homburg (Saar) oder *Lousanna*/Lausanne (CH) am Nordufer des Genfer Sees von ihren Bewohnern noch in römischer Zeit verlassen wurden. Folgerichtig hat sich deshalb das Hauptgewicht der römischen Siedlungsforschung auf deutschem Boden in den letzten Jahrzehnten mehr und mehr auf die archäologische Untersuchung mittlerer und kleinerer Siedlungsplätze verlagert, die hauptsächlich an den Fernstraßen oder in unmittelbarer Nähe von Rohstoffvorkommen lagen. Ausdrücklich einbezogen in die wissenschaftliche Neuorientierung ist seitdem auch die ländliche Besiedlung mit ihrer Vielzahl von Hofanlagen. Dabei beschränkt sich der Archäologe heute längst nicht mehr allein auf das jeweilige Hauptgebäude, sondern richtet sein Augenmerk viel mehr als früher auf wirtschaftliche und soziale Fragen, die mit der Funktion und Wirtschaftsweise derartiger Anlagen in Zusammenhang stehen.

AAVV., *Les villes de la Gaule Belgique au Haut-Empire, Rev. Arch. Picardie* 2–4 (1984); R. BRULET, *Die römische Periode. Urbanisierung und Er-*

schließung des Landes, in: AAVV., *Spurensicherung. Archäologische Denkmalpflege in der Euregio Maas-Rhein* (1992) 99 ff.; M. CLAVEL/P. LEVEQUE, *Villes et structures urbaines dans l'occident romain* (1971); B. CUNLIFFE/T. ROWLEY (eds.), *Oppida: The beginnings of urbanisation in Barbarian Europe* (1976); W. ECK/H. GALSTERER (Hg.), *Die Stadt in Oberitalien und in den nordwestlichen Provinzen des Römischen Reiches* (1991). Dazu: J. GARBSCH, *BVBl.* 57, 1992, 334 f.; E. FRÉZOULS (ed.), *Les villes antiques de la France,* 2 Bde. (1983/88); A. GARCÍA Y BELLDO, *Urbanistica de las grandes ciudades del mundo antiguo* [2](1985); F. GREW/B. HOBLEY (eds.), *Roman urban topography in Britain and the western Empire,* in: *CBA Res. Rep.* 59 (1985); P. GROS/M. TORELLI, *Storia dell'urbanistica. Il mondo romano* (1988). M. HAMMOND, *The city in the ancient world* (1972); H. VON HESBERG, *Zur Plangestaltung der coloniae*

maritimae, in: *RM* 92, 1985, 127 ff.; A.H.M. JONES, *The Greek city from Alexander to Justinian* (1940; ND 1967); DERS., *The cities of the eastern Roman provinces* [2](1971); F. KOLB, *Die Stadt im Altertum* (1984); M.A. LEVI, *La città antica* (1989); TH. LORENZ, *Römische Städte* (1987); G. LUGLI, *La tecnica edilizia romana* (1957); G.A. MANSUELLI, *Architettura e città* (1970); E.J. OWENS, *The city in the Greek and Roman world* (1991); H. VON PETRIKOVITS, *Das Fortleben römischer Städte an Rhein und Donau im frühen Mittelalter,* in: *TZ* 19, 1950, 72 ff.; G. CH. PICARD, *Imperium Romanum* (1965); J. RICH/A. WALLACE-HADRILL (eds.), *City and country in the ancient world* (1991); J. RICH (ed.), *The city in late antiquity* (1992); J.B. WARD-PERKINS, *Cities of ancient Greece and Italy* (1974) bes. 27 ff.
Gute Einblicke vermittelt ein Sammelband, der die Ergebnisse eines Xantener Kolloquiums zusam-

Abb. 53   Agrippina/Köln (D). Archäologie in der kriegszerstörten Stadt mit den Überresten des Prätoriums (1953).

Abb. 54   Lousanna/Lausanne-Vidy (CH). Sog. Promenade archéologique mit den Grundmauern der Basilika am Forum des Vicus am Genfer See. Blick von Osten.

Abb. 55   Lauffen/Neckar, Lkr. Heilbronn (D). Villa rustica mit teilrekonstruierten Haupt- und Nebengebäuden (1996).

55

56

menfaßt: AAVV., *Die römische Stadt im 2. Jh.
n. Chr. – Der Funktionswandel des öffentlichen
Raumes, Xantener Berichte* 2 (1992). – Dem
Thema ‹Die Stadt im römischen Weltreich› war
auch der Kongreß für Klassische Archäologie 1993
in Tarragona gewidmet: AAVV., *El ciutat* (1994).
– Im übrigen wünschte man sich ähnlich systemati-
sche Untersuchungen wie die von E. L. SCHWAND-
NER und W. HOEPFNER (*Haus und Stadt im klassi-
schen Griechenland* [2][1994]) auch zum Städtewesen der römischen Kaiserzeit.
AAVV., *Colloque ‹Le vicus gallo-romain 1975›
Caesarodunum* 11 [2](1986); B. C. BURNHAM/J.
WACHER, *The ‹small towns› of Roman Britain*
(1990); H. CÜPPERS/ C. B. RÜGER, *Römische Siedlungen und Kulturlandschaften. Geschichtlicher
Atlas der Rheinlande* III 1–2 (1985); J. MERTENS/A.
DESPY, *Cartes archéologiques de la Belgique* 1. *Di-
visions administratives, villes, vici et routes sous le
Haut-Empire* (1968); H. VON PETRIKOVITS, *Klein-
städte und nichtstädtische Siedlungen im Nordwe-
sten des römischen Reiches*, in: *Das Dorf der Eisenzeit und des frühen Mittelalters* (1977) 86 ff.; A.
L. F. RIVET, *Town and country in Roman Britain*
[2](1996); W. SCHLEIERMACHER, *Civitas und vicus*, in:
Provincialia. Festschr. R. Laur-Belart (1968) 444
ff.
AAVV., *Villa rustica. Römische Gutshöfe im
Rhein-Maas-Gebiet* (1988); R. AGACHE/B. BRÉART,
*Atlas et répertoire archéologique de la Somme ro-
maine et préromaine d'après les prospections aéri-
ennes* (1974); R. AGACHE, *Die gallo-römische Villa
in den großen Ebenen Nordfrankreichs*, in: F.
REUTTI (Hg.), *Die römische Villa* (1990) 270 ff.; R.
CHEVALLIER (ed.), *La villa gallo-romaine dans les
provinces du nord-ouest, Caesarodunum* 17
(1982); R. DEGEN, *Römische Villen und Einzelsied-
lungen der Schweiz*, 4 Bde., Diss. Basel 1957; G.
DITMAR-TRAUTH, *Das gallorömische Haus* (1995);
K. DRERUP, *Die römische Villa* (1959); J. G. GOR-
GES, *Les villas hispano-romaines* (1979); R. LAU-
RENT/D. CALLEBAUT/R. ROOSENS, *Cartes archéologiques de la Belgique* 3. *L'habitat rural à l'époque
romaine* (1972); R. DE MAEYER, *De Romeinse
villa's in Belgie* (1937); DERS., *De overblijfselen de
Romeinsche villa's in Belgie* (1940); H. MIELSCH,
Die römische Villa. Architektur und Lebensform
(1987); D. K. PALÁGYI (Hg.), *Forschungen und Ergebnisse. Internationale Tagung über römische Villen* (1994); J. PERCIVAL, *The Roman villa* (1976); F.
REUTTI (Hg.), *Die Römische Villa* (1990); A. L. F.
RIVET, *The Roman villa in Britain* (1969); G. SU-
SINI/G. A. MANSUELLI/R. CHEVALLIER u. a., *La villa
romana*. Bologna 1970 (1971); B. THOMAS, *Römische Villen in Pannonien* (1964).

Bevölkerungsgeschichte

Von der eigentlichen Siedlungsgeschichte nicht zu trennen sind die Fragen,
die mit der Bevölkerung zusammenhängen, die in großen und kleinen Städten,
Dörfern und auf zahlreichen Hofstellen
lebte. Von besonderem Interesse sind in
diesem Zusammenhang die Siedlungen
der Einheimischen sowie alle Fragen, die
sich allgemein mit dem Thema ‹Romans
and Natives› befassen, d. h. im besonderen die Verhältnisse an den ehemaligen
römischen Grenzen untersuchen sowie
die Beziehungen von Römern und Einheimischen untereinander, soweit sich
diese aus dem überwiegend archäologischen Quellenmaterial erschließen lassen. Untersuchungen dieser Art, für die
das wissenschaftliche Interesse gerade in
jüngster Zeit außerordentlich gewachsen
ist, sind deshalb so reizvoll, weil sich auf
diese Weise u. a. die Frage beantworten
läßt, in welchem Maße und in welchen
Zeitabläufen sich Germanen, Kelten,
Thraker, Mauren und andere Völkerschaften, die dem Reich einverleibt wurden, römischen Einflüssen, römischem
Import und römischer Lebensweise
geöffnet haben bzw. inwieweit von ihnen
autochthones Kulturgut über eine längere
Zeit hin bewahrt worden ist. Wertvolle
Hilfe leistet hier auch die vergleichende
Sprachwissenschaft, die das vorhandene
Namensmaterial u. a. daraufhin untersucht, welche Sprachen in einer bestimmten Region des Reiches gesprochen wurden oder ob etwa germanische
Stämme wie die Ubier, Cugerner oder
Bataver, die von den Römern zwangsum-
gesiedelt wurden oder aus freien Stücken
auf römischen Reichsboden überwech-
selten, ihr germanisches Idiom beibehielten und das Lateinische lediglich als
Amtssprache benutzten.

Diesem noch relativ jungen Forschungszweig widmet man sich besonders intensiv in Großbritannien
und in den Niederlanden: J. H. F. BLOEMERS, *Rijswijk (Z. H.), De Bult. Eine Siedlung der Cananefaten* I–III (1978); R. BRANDT/J. SLOFSTRA (eds.), *Roman and Native in the Low Countries, BAR Int. Ser.*
71 (1983); O. BRINKKEMPER/H. DUISTERMAAT/D. P.
HALLEWAS/L. I. KOOISTRA, *A native settlement from
the Roman period near Rockanje*, in: *Ber. ROB* 41,
1995, 123 ff.; M W. C. BRAAT, *Die Besiedlung des
römischen Reichsgebietes in den heutigen nördlichen Niederlanden*, in: *Germania Romana* III
(1970) 43 ff.; R. M. DIERENDONCK/D. P. HALLEWAS/
K. E. WAUGH (eds.), *The Valkenburg excavations
1985–88* (1993); W. A. VAN ES, *Wijster. A native
village beyond the imperial frontier*, 2 Bde. (1967);
DERS./W. A. M. HESSING (red.), *Romeinen, Friezen
en Franken in het hart van Nederland* (1994); W. J. H.
WILLEMS, *Romans and Batavians. A regional study
in the Dutch Eastern River Area* (1986). Dazu: W.
A. VAN ES, *Das niederländische Flußgebiet von der
Römerzeit bis ins Mittelalter, Ber. RGK* 58, 1977
Beiheft.
T. F. BLAGG/A. C. KING (eds.), *Military and civilian
in Roman Britain: Cultural relationships in a fron-
tier province* (1984); K. BRANIGAN (ed.), *Rome and*

*the Brigantes: The impact of Rome on northern
England* (1980); DERS., *The Catuvelaunii* (1985);
B. C. BURNHAM/H. JOHNSON (eds.), *Invasion and
reponse: The case of Roman Britain* (1979); B. W.
CUNLIFFE, *The Regni* (1973); A. DETSICAS, *The
Cantiaci* (1983); R. DUNNETT, *The Trinovantes*
(1975); B. HARTLEY/L. FITTS, *The Brigantes*
(1988); I. A. RICHMOND (ed.), *Roman and native in
North Britain* (1958); P. SALWAY, *The frontier
people of Roman Britain* (1965); M. TODD, *The Coritani* (1973); G. WEBSTER, *The Cornovii* (1975).
Dem Thema ‹Roman and natives› war auf dem 15.
Limeskongreß in Canterbury (1989) eine ganze
Sektion gewidmet: J. H. F. BLOEMERS u. a., in: *Roman Frontier Studies* 1989 (1991) 411 ff. m. ausführl. Literaturangaben zu den einzelnen Beiträgen.
Weiter sind zu nennen: A. FURGER-GUNTI, *Die Helvetier. Kulturgeschichte eines Keltenvolkes* (1984);
M. GECHTER/J. KUNOW, *Der kaiserzeitliche Grabfund von Mehrum. Ein Beitrag zur Frage von Germanen in römischen Diensten*, in: *BJ* 183, 1983,
449 ff.; J. KRIER, *Die Treverer außerhalb ihrer Civitas. Mobilität und Aufstieg* (1981); R. NIERHAUS,
*Zur Bevölkerungsgeschichte der Oberrheinlande
unter der römischen Herrschaft*, in: *Bad. Fundber.*
15, 1939, 91 ff.; DERS., *Das swebische Gräberfeld
von Diersheim. Studien zur Geschichte der Germanen am Oberrhein vom gallischen Krieg bis zur
alamannischen Landnahme* (1966); J. WAHL, *Der
römische Militärstützpunkt auf dem Frankfurter
Domhügel. Mit einer Untersuchung zur germanischen Besiedlung des Frankfurter Stadtgebietes in
vorflavischer Zeit* (1982).
B. GEROV, *Die Sprachen im römischen Reich der
Kaiserzeit*, in: *BJ* 178, 1978, 147 ff.; R. MACMUL-
LEN, *Provincial languages in the Roman Empire*,
in: *AJPH* 87, 1966, 1 ff.; G. NEUMANN/J. UNTER-
MANN (Hg.), *Die Sprachen im römischen Reich der
Kaiserzeit* (1980); L. WEISGERBER, *Das römerzeitli-
che Namensgut des Xantener Siedlungsraumes*, in:
BJ 154, 1954, 94 ff.; DERS., *Die Namen der Ubier*
(1968); DERS., *Rhenania Germano-Celtica* (1969).
– Grundlegend sind die Beiträge von B. GEROV/G.
NEUMANN u. a. in: *ANRW* II 29.2 (1983). Zur Be-
völkerung allgemein, wenn auch in Teilen veraltet:
J. BELOCH, *Die Bevölkerung der griechisch-römi-
schen Welt* (1886; ND 1968).

Sozialgeschichte

Eng mit den Fragen zu Siedlung und Bevölkerung ist der Bereich der Sozialgeschichte verknüpft. In sie ist die Geschichte des menschlichen Alltagslebens
eingebunden, mit deren Relikten es die
Archäologie vor allem zu tun hat. Der
Umgang damit setzt das Bewußtsein vor-
aus, nicht Dinge, sondern Lebenszusam-
menhänge auszugraben. Gleichwohl muß
man sich immer wieder vor Augen
führen, wie begrenzt die eigenen Erkenntnismöglichkeiten sind. Was Archäologen antreffen, sind in aller Regel
nur Überreste, Trümmer, Fragmente – im
Grunde vergangenes, oft zerstörtes Leben. Der Ausgräber kann diese Dinge zu-
sammenfügen und versuchen, sie zum
Sprechen zu bringen, um mehr zu erfahren über den Alltag und die Lebensumstände der Menschen in römischer Zeit,
worüber die schriftliche Überlieferung so
gut wie nichts berichtet. Es ist jedoch nur
der äußere Rahmen, der einigermaßen
wiederherstellbar ist. In ihn muß alles
wie in ein großes Puzzle eingepaßt werden, was Auskunft geben kann über die

Lebenswirklichkeit der Menschen jener Zeit, die Bedingungen ihrer Existenz, ihre städtische oder ländliche Umwelt, ihr wirtschaftliches, gesellschaftliches und kulturelles Umfeld, d.h. über alles, was heutzutage mit dem Begriff ‹sozio-kulturelle Verhältnisse› umschrieben wird. Derartigen Fragen nachzugehen, kann sehr reizvoll sein, wenn man sich dabei auch stets im klaren sein muß, wie fragmentarisch das Gesamtbild letztlich bleibt. Als *specula vitae* geben bildliche Darstellungen auf Grabdenkmälern und Weihesteinen immer noch die lebendigste Anschauung vom Alltagsleben der Menschen in römischer Zeit (Abb. 34).

G. ALFÖLDY, *Die Rolle des Einzelnen in der Gesellschaft des römischen Kaiserreiches: Erwartungen und Wertmaßstäbe* (1980); DERS., *Römische Sozialgeschichte* ³(1984); DERS., *Die römische Gesellschaft. Ausgewählte Beiträge* (1986); N. BROCKMEYER, *Sozialgeschichte der Antike* (1974); E. FRÉZOULS (ed.), *La mobilité sociale dans le monde romain, Coll. Strasbourg 1988* (1992); J. GAGÉ, *Les classes sociales dans l'Empire romain* ²(1971).
N. BROCKMEYER, *Antike Sklaverei* (1979); W. ECK/J. HEINRICHS (Hg.), *Sklaven und Freigelassene in der Gesellschaft der römischen Kaiserzeit* (1993); M.I. FINLEY, *Die Sklaverei in der Antike* ³(1987); I. VOGT, *Sklaverei und Humanität* ²(1972).
K.-P. JOHNE (Hg.), *Gesellschaft und Wirtschaft des Römischen Reiches im 3. Jh. Studien zu ausgewählten Problemen* (1993); M. I. ROSTOVTZEFF, *Gesellschaft und Wirtschaft im römischen Kaiserreich,* 2 Bde. (1931); H. SCHNEIDER (Hg.), *Sozial- und Wirtschaftsgeschichte der römischen Kaiserzeit* (1981); F. VITTINGHOFF (Hg.), *Europäische Wirtschafts- und Sozialgeschichte in der römischen Kaiserzeit* (1990).
L. FRIEDLÄNDER, *Darstellungen aus der Sittengeschichte Roms in der Zeit von Augustus bis zum Ausgang der Antonine* ¹⁰(1922; ND 1964); J. LIVERSIDGE, *Everyday life in the Roman Empire* (1976); K.-W. WEEBER, *Alltag im Alten Rom. Ein Lexikon* (1995).
H. BLANCK, *Einführung in das Privatleben der Griechen und Römer* (1976); H. BLÜMNER, *Die römischen Privataltertümer* (1911); J. MARQUARDT, *Das Privatleben der Römer,* 2 Bde. ³(1886; ND 1990); P. VEYNE (Hg.), *Geschichte des privaten Lebens* Bd. 1: *Vom Römischen Imperium zum Byzantinischen Reich* ³(1989).
K. R. BRADLEY, *Discovering the Roman family. Studies in Roman social history* (1991); S. DIXON, *The Roman mother* (1988); C. FAYER, *La familia romana* (1994); J. F. GARDNER, *Women in Roman law and society* (1987); B. RAWSON, *The family in ancient Rome* (1985); DIES., *Marriage, divorce and children in ancient Rome* (1991); TH. WIEDEMANN, *Adults and children in the Roman Empire* (1989).

Abb. 56 Germanisches Paar in einheimischer Kleidung (1. Jh.). Nach P. CONNOLLY.

Abb. 57 Römisches Paar in typischer Kleidung, bestehend aus tunica und toga beim Mann rsp. tunica und palla bei der Frau, wie sie sich während des 1. Jhs. in den Städten gegenüber der einheimischen Tracht durchsetzte. Nach P. CONNOLLY.

Abb. 58 Iversheim bei Bad Münstereifel, Krs. Euskirchen (D). Wiederhergestellter Kalkofen beim Brennversuch. Blick von oben auf die Dolomitpackung, die bei ca. 1000° schon fast durchgeglüht ist.

R. BARROW, *Greek and Roman education* (1976); S. F. BONNER, *Education in ancient Rome* (1977); H. I. MARROU, *Geschichte der Erziehung im klassischen Altertum* (1977).
H. FLASHAR (Hg.), *Antike Medizin* (1971); M.D. GRMEK, *Diseases in the ancient world* (1989); R. JACKSON, *Doctors and diseases in the Roman Empire* (1988); A. KRUG, *Heilkunst und Heilkult.* Medizin in der Antike (1985); H. MATTHÄUS, *Der Arzt in römischer Zeit, Limesmuseum Aalen* 39 (1987) u. 43 (1989); E. D. PHILIPPS, *Ancient medicine* (1972); M. E. PFEFFER, *Einrichtungen der sozialen Sicherung in der griechischen und römischen Antike unter besonderer Berücksichtigung der Sicherung bei Krankheit* (1969).
F. M. AUSBÜTTEL, *Untersuchungen zu den Vereinen im Westen des römischen Reiches* (1982); F. BEHN, *Musikleben im Altertum und frühen Mittelalter* (1954); D. BUCHANAN, *Roman sport and entertainment* (1976); H. A. HARRIS, *Sport in Greece and Rome* (1972); G. WILLE, *Die Bedeutung der Musik im Leben der Römer,* Diss. Tübingen 1951.
M. GRANT, *Die Gladiatoren* (1970); J. HUMPHREY, *Roman Circusses. Arenas for chariot racing* (1986); P. VEYNE, *Le pain et le cirque* (1976). Deutsche Ausgabe: DERS., *Brot und Spiele. Gesellschaftliche Macht und politische Herrschaft in der Antike* (1988); K.-W. WEEBER, *Panem et circenses. Massenunterhaltung als Politik im antiken Rom* (1994).

57

Wirtschaftgeschichte

In archäologischer Hinsicht hat die Erforschung wirtschaftsgeschichtlicher und -technischer Probleme und Zusammenhänge erst in jüngerer Zeit größere Bedeutung gewonnen, wobei die Zurückhaltung der Archäologie auf diesem Gebiet u. a. darin begründet gewesen sein dürfte, daß man bei der Behandlung und Lösung derartiger Fragen in besonderer Weise auf Spezialkenntnisse in technologischer und naturwissenschaftlicher Hinsicht angewiesen ist. Erst die bewußte Öffnung gegenüber Disziplinen außerhalb der Altertumswissenschaft hat hier die Voraussetzungen geschaffen, die es in zunehmendem Maße möglich machen,

sowohl die Wirtschaftsweise einzelner Betriebe und Manufakturen wie auch die wirtschaftliche Struktur ganzer Landschaften näher zu erforschen. Zu den Objekten wirtschaftlicher Natur, die Gegenstand der Archäologie sind, zählen insbesondere die Abbauplätze für Bodenschätze sowie die Überreste von Produktionsstätten aller Art. Als beispielhaft sind in diesem Zusammenhang die Untersuchungen von Steinbrüchen und Bergwerken in verschiedenen Provinzen des Reiches anzusehen, aber auch die systematische Erforschung einzelner ‹Industriegebiete› wie z. B. in der Nordeifel südlich von Berg vor Nideggen, wo im Tagebau nach Rot- und Brauneisenstein gegraben wurde, oder an den Hängen des Schlangenberges bei Stolberg (Krs. Aachen), wo Galmei gewonnen wurde, den

58

59

man zur Herstellung von Messing benötigte. Geradezu Modellcharakter besitzen die Forschungen in der vom römischen Militär betriebenen Kalkbrennerei von Bad Münstereifel-Iversheim, wo es der Archäologie in enger Zusammenarbeit mit der chemischen Industrie nicht nur gelang, einen Kalkbrennofen, der 1700 Jahre nicht mehr benutzt worden war, wieder funktionstüchtig zu machen, ihn mit 500 Zentnern Dolomit zu beschicken und diesen innerhalb von zehn Tagen zu Kalk zu brennen, sondern etwa auch die Organisationsform dieses Betriebes zu klären und die monatliche Produktionskapazität zu errechnen, um damit gleichzeitig ein Stück römischer Technologie zurückzugewinnen, das längst vergessen war (Abb. 58).

Der steigenden politischen Bedeutung der Provinzen während der frühen und mittleren Kaiserzeit entsprach eine wachsende Vergrößerung des ökonomischen Spielraums gegenüber der kaiserlichen Verwaltung. Diese Entwicklung fand ihren Ausdruck einmal in einer deutlichen Steigerung der Herstellung landestypischer Produkte, die auch anderswo im Reich begehrt waren und in erster Linie auf dem Seeweg verhandelt wurden, zum anderen in einer weitgehenden Spezialisierung der Berufswelt, die vor allem in den Städten besonders ausgeprägt war. Vorherrschend blieb dennoch der Familien- und Kleinbetrieb. Wuchs die Nachfrage in der Bevölkerung, wurden die Betriebe nicht vergrößert, sondern neue gegründet. Für größere Investitionen fehlte den allermeisten das Geld. Lediglich der Kaiser besaß die Mittel, Fabriken zu bauen, um dort in größeren Mengen Waffen, Textilien und andere wichtige Erzeugnisse herstellen zu lassen. Wie dort funktionierte auch der Familienbetrieb auf der Basis von Spezialisierung und Arbeitstei-

lung. Die Belegschaften – selten mehr als zwanzig – bestanden meist aus Freien, die für Lohn arbeiteten, während Sklaven teuer waren und etwa in den Westprovinzen wohl nur eine kleinere gesellschaftliche Gruppe bildeten. Eine Reihe von Berufszweigen war völlig neu, andere paßten sich veränderten Anforderungen und Bedürfnissen an. Neu war insbesondere die Reichhaltigkeit des regionalen Angebots, die Fülle importierter Waren und die Steigerung der handwerklichen Produktion durch rationelle Serienfertigung. Handwerks- und Dienstleistungsbetriebe gab es auch in den Siedlungen längs der Straßen. Auf diese Weise bildeten sich an vielen Orten leistungsfähige Lokalmärkte, die mit ihrem Warenangebot ein größeres Gebiet versorgen konnten. Demgegenüber waren viele Höfe auf dem Lande im wesentlichen Selbstversorger.

M. H. CRAWFORD (ed.), *L'impero romano e le strutture economiche e sociali delle provincie* (1986); R. DUNCAN-JONES, *The economy of the Roman Empire* ²(1982); DERS., *Structure and scale in the Roman economy* (1990); M. I. FINLEY, *Die antike Wirtschaft* ²(1980); T. FRANK (ed.), *An economic survey of ancient Rome*, 6 Bde. (1933–40; ND 1959); P. D. A. GARNSEY u. a., *Non-slave labour in the Greco-Roman world* (1980); DERS./R. P. SALLER, *The Roman Empire: Economy, society and culture* (1987); K. GREENE, *The archaeology of the Roman economy* (1986); R. GÜNTHER/H. KÖPSTEIN (Hg.), *Die Römer an Rhein und Donau. Zur politischen, wirtschaftlichen und sozialen Entwicklung in den römischen Provinzen an Rhein, Mosel und oberer Donau im 3. und 4. Jh.* (1975); P. HERZ, *Der praefectus annonae und die Wirtschaft der westlichen Provinzen*, in: *Ktema* 13, 1988, 65 ff.; K.-P. JOHNE (Hg.), *Gesellschaft und Wirtschaft des Römischen Reiches im 3. Jh. Studien zu ausgewählten Problemen* (1993); A. H. M. JONES (ed. P. A. BRUNT), *The Roman economy. Studies in ancient economic and administrative history* (1974); H. KLOFT, *Die Wirtschaft der griechisch-römischen Welt* (1992); F. DE MARTINO, *Wirtschaftsgeschichte des alten Rom* ²(1991); P. ØRSTED, *Roman imperial economy and romanisation* (1985); T. PEKÁRY, *Die Wirtschaft der griechisch-römischen Antike* ²(1979); M. I. ROSTOVTZEFF, *Gesellschaft und Wirtschaft im römischen Kaiserreich*, 2 Bde. (1931); H. SCHNEIDER (Hg.), *Sozial- und Wirtschaftsge-*

schichte der römischen Kaiserzeit (1981); F. VITTINGHOFF (Hg.), *Europäische Wirtschafts- und Sozialgeschichte in der römischen Kaiserzeit* (1990); L. WIERSCHOWSKI, *Heer und Wirtschaft. Das römische Heer der Prinzipatszeit als Wirtschaftsfaktor* (1984).
AAVV., *Alimenta. Estudios en homenaje al Dr. M. Ponsich* (1991); M.-C. AMOURETTI/J.-P. BRUN/D. EITAM, *La production du vin et l'huile en Méditerranée*, Symposion Aîx-en-Provence/Toulon 1991 (1993); H. BENDER/ H. WOLFF (Hg.), *Ländliche Besiedlung und Landwirtschaft in den Rhein-Donau-Provinzen des Römischen Reiches* (1994); N. BROCKMEYER, *Arbeitsorganisation und ökonomisches Denken in der Gutswirtschaft des römischen Reiches* (1968); R. J. BUCK, *Agriculture and agricultural practice in Roman law* (1983); J. CARLSEN u.a. (eds.), *Landuse in the Roman Empire* (1994); D. FLACH, *Römische Agrargeschichte* (1990). Dazu: P. HERZ, in: *BJ* 194, 1994, 586 ff.; J.-B. HAVERSATH, *Die Agrarlandschaft im römischen Deutschland der Kaiserzeit* (1984); U. KÖRBER-GROHNE, *Nutzpflanzen in Deutschland. Kulturgeschichte und Biologie* (1994); R. MACMULLEN, *Peasants during the Principate*, in: *ANRW* II 1 (1974) 253 ff.; M. PONSICH/M. TARADELL, *Garum et industries antiques de salaison dans la Meditérranée occidentale* (1965); M. PONSICH, *Aceite de oliva y salazones de pescado* (1987); E. M. RUPRECHTSBERGER (Hg.), *Bier im Altertum. Ein Überblick* (1992); K. D. WHITE, *Agricultural implements of the Roman world* (1967); DERS., *Roman farming* (1970); DERS., *Farm equipment of the Roman world* (1975).
H. BLÜMNER, *Technologie und Terminologie der Gewerbe und Künste bei Griechen und Römern* ²(1912); A. BURFORD, *Künstler und Handwerker in Griechenland und Rom* (1985); M. EICHENAUER, *Untersuchungen zur Arbeitswelt der Frau in der römischen Antike* (1987); H. VON PETRIKOVITS, *Die Spezialisierung des römischen Handwerks*, in: *Das Handwerk in vor- und frühgeschichtlicher Zeit* I (1981) 63 ff.; DERS., *Die Spezialisierung des römischen Handwerks* II (Spätantike), in: *ZPE* 43, 1981, 285 ff.; D. STRONG/D. BROWN (eds.), *Roman crafts* (1976); G. ZIMMER, *Römische Berufsdarstellungen* (1982); DERS., *Römische Handwerker*, in: *ANRW* II 12.3 (1985) 205 ff.
R. BÉDON, *Les carrières et les carriers de la Gaule romaine* (1984); F. BEHN, *Steinindustrie des Altertums* (1926); R. CHEVALLIER, *Mines et carrières dans le monde romain* (1971); O. DAVIES, *Roman mines in Europe* (1935); C. DOMÈRGUE, *Les mines de la Péninsule Ibérique dans l'antiquité romaine* (1990); R. GNOLI, *Marmora Romana* (1971); J. RÖDER, *Vorkommen und Verarbeitung von polierfähigen Steinmaterialien in römischer Zeit*, in: *Ausgrabungen in Deutschland* 3 (1975) 345 f.; U. TAECKHOLM, *Studien über den Bergbau der römischen Kaiserzeit* (1937); J. B. WARD-PERKINS, *Quarrying in antiquity. Technology, Tradition and social change*, in: *Proceedings of the British Academy* 57, 1972, 1 ff.
AAVV., *Amphores romaines et histoire économique: Dix ans de recherche*. Coll. Siena 1986 (1989); G. VON BÜLOW, *Die Keramikproduktion*, in: R. GÜNTHER/H. KÖPSTEIN (Hg.), *Die Römer an Rhein und Donau* (1975) 230 ff.; N. CUOMO DI CAPRIO, *La ceramica in archeologia. Antiche tecniche di lavorazione e moderni metodi di indagine* (1985); K. GREENE, *Roman pottery* (1992); J. W. HAYES, *Handbook of Mediterranean Roman pottery* (1997); W. V. HARRIS, *Roman terracotta lamps. The organization of an industry*, in: *JRS* 70, 1980, 126 ff.; T. HELEN, *Organization of Roman brick production in the first and second centuries* (1975); H. HOWARD/E. L. MORRIS (eds.), *Production and distribution. A ceramic viewpoint*, BAR S 120 (1981); F. LAUBENHEIMER, *La production des amphores en Gaule Narbonnaise* (1986); DIES. (ed.), *Les amphores en Gaule. Production et circulation* (1992); D. PEACOCK/D.F. WILLIAMS, *Amphores and the Roman economy. An introduction guide* ²(1991); A. MACWHIRR (ed.), *Roman brick and tile. Studies in manufacture, distribution and use in the western Empire*, BAR S 68 (1979).
W. GAITZSCH, *Eiserne römische Werkzeuge. Studien zur römischen Werkzeugkunde in Italien und*

in den nördlichen Provinzen des Imperium Romanum, BAR Int. Ser. 78 (1980); DERS., *Werkzeuge und Geräte in der römischen Kaiserzeit. Eine Übersicht,* in: *ANRW* II 12.3 (1985) 170 ff.; G. GOMOLKA, *Die Metallproduktion,* in: R. GÜNTHER/H. KÖPSTEIN (Hg.), *Die Römer an Rhein und Donau* (1975) 189 ff.; J. KUNOW, *Die capuanischen Bronzegefäßhersteller Lucius Ansius Epaphroditus und Publius Cipius Polybius,* in: *BJ* 185, 1985, 215 ff.; R. MISCHKER, *Untersuchungen zu den römischen Metallgefäßen in Mittel- und Westeuropa* (1991); A. MUTZ, *Die Technik des Metalldrehens bei den Römern* (1972); DERS., *Römisches Schmiedehandwerk* (1976).

W. GAITZSCH, *Antike Korb- und Seilerwaren, Limesmuseum Aalen* 38 (1987); K. H. MARSCHALLEK, *Römisches Schuhwerk an Rhein- und Scheldemündung mit einer Zusammenstellung provinzialrömischer Schuh- und Lederfunde,* in: *Ber. ROB* 9, 1959, 68 ff.; J. P. WILD, *Textile manufacture in the northern Roman provinces* (1970).

J. M. BLAZQUEZ/J. REMESAL/E. RODRIGUEZ, *Excavaciones arqueologicas en el Monte Testaccio* (Roma). Memoria campana 1987 (1994); O. BROGAN, *Trade between the Roman Empire and the free Germans,* in: *JRS* 26, 1936, 195 ff.; M. P. CHARLESWORTH, *Trade routes and commerce in the Roman Empire* [2](1974); H. J. EGGERS, *Der römische Import im freien Germanien* (1951); P. D. A. GARNSEY (ed.), *Trade in the ancient economy* (1983); DERS./ C. R. WHITTAKER, *Trade and famine in classical antiquity* (1983); K. F. Hartley, *La diffusion des mortiers, tuiles et autres produits en provenance des fabriques italiennes,* in: *Cah. d'Archéologie Subaquatique* 2, 1973, 49 ff.; U. HEIMBERG, *Gewürze, Weihrauch, Seide .Welthandel in der Antike, Limesmuseum Aalen* 27 (1981); P. KNEISSL, *Die Utricularii. Ihre Rolle im gallo-römischen Transportwesen und Weinhandel,* in: *BJ* 181, 1981, 169 ff.; J. KUNOW, *Der römische Import in der Germania libera bis zu den Markomannenkriegen. Studien zu Bronze- und Glasgefäßen* (1983); DERS., *Römisches Importgeschirr in der Germania libera bis zu den Markomannenkriegen,* in: *ANRW* II,12.3 (1985) 229 ff.; S. LAUFFER (Hg.), *Diocletians Preisedikt* (1971); U. LUND HANSEN, *Römischer Import im Norden. Warenaustausch zwischen dem römischen Reich und dem freien Germanien während der Kaiserzeit unter besonderer Berücksichtigung Nordeuropas* (1987); G. MICKWITZ, *Geld und Wirtschaft im römischen Reich* (1965); H. VON PETRIKOVITS, *Römischer Handel am Rhein und an der oberen und mittleren Donau,* in: *Untersuchungen zu Handel und Verkehr der vor- und frühgeschichtlichen Zeit in Mittel- und Nordeuropa* I (1985) 299 ff.; P. REYNOLDS, *Trade in the western Mediterranean, AD 400–700: The ceramic evidence* (1995); J. ROUGÉ, *Recherches sur l'organisation du commerce maritime en Méditerranée sous l'Empire romain* (1966); O. SCHLIPPSCHUH, *Die Händler im römischen Kaiserreich in Gallien, Germanien und den Donauprovinzen Rätien, Noricum und Pannonien* (1974); R. E. M. WHEELER, *Der Fernhandel des Römischen Reiches in Europa, Afrika und Asien* (1965).

P.-M. DUVAL, *L'apport technique des Romains,* in: *L'histoire générale des techniques* (1962) 218 ff.; R. FORBES, *Studies in ancient technology* (1955–63); H. HODGES, *Technology in the ancient world* (1970); F. KIECHLE, *Sklavenarbeit und technischer Fortschritt im römischen Reich* (1969); F. KRETSCHMER, *Bilddokumente römischer Technik* [5](1983); H.O. LAMPRECHT, *Opus Caementicium. Die Bautechnik der Römer* [4](1993); J. G. LANDELS, *Die Technik in der antiken Welt* [4](1989); H. SCHNEIDER (Hg.), *Einführung in die antike Technikgeschichte* (1992); L. SPRAGUE DE CAMP, *Die Ingenieure der Antike* (1965); K. D. WHITE, *Greek and Roman technology* (1984).

E. B. VAN DEMAN, *The building of the Roman aqueducts* (1934); C. FERNANDEZ CASADO, *Historia del puente romano* (1980); DERS., *Hidraulica romana* (1983); G. GARBRECHT u. a., *Die Wasserversorgung antiker Städte,* 3 Bde. (1987–88); DERS./H. MANDERSCHEID, *Die Wasserbewirtschaftung römischer Thermen* (1994); P. GAZZOLA, *Licht am Ende des Tunnels. Planung und Trassierung im antiken Tunnelbau* (1998); K. GREWE, *Ponti romani,* 2 Bde. (1964); H. VOLKMANN, *Die Wasserversorgung einer Römerstadt,* in: *AA* 1963, 601 ff.; K. WITWER, *Historische Talsperren* (1993).

H. BENDER, *Römische Straßen und Straßenstationen, Limesmuseum Aalen* 13 (1975); DERS., *Römischer Reiseverkehr. Cursus publicus und Privatreisen,* ebd. 20 (1978); DERS., *Verkehrs- und Transportwesen in der römischen Kaiserzeit,* in: *Untersuchungen zu Handel und Verkehr der vor- und frühgeschichtlichen Zeit in Mittel- und Nordeuropa,* Teil 5 (1989) 108 ff.; L. CASSON, *Reisen in der alten Welt* (1976); A. u. M. LEVI, *Itineraria picta. Contributo allo studio della Tabula Peutingeriana* (1967); K. MILLER, *Itineraria romana. Römische Reisewege an der Hand der Tabula Peutingeriana* (1916; ND 1964); T. PEKÁRY, *Untersuchungen zu den römischen Reichsstraßen* (1968); L. QUILICI/S. QUILICI-GIGLI (eds.), *Tecnica stradale romana* (1992); DIESS., *Strade romane. Percorsi e infrastrutture* (1994); G. RADKE, *Viae Publicae Romanae,* in: *RE* Suppl. XIII (1971) 1418 ff.; W. RÖRING, *Untersuchungen zu römischen Reisewagen* (1973); G. WALSER, *Meilen und Leugen,* in: *Epigraphica* 31, 1969, 84 ff.; E. WEBER (Hg.), *Tabula Peutingeriana. Codex Vindobonensis 324,* Tafeln und Kommentar (1976).

W. BINSFELD, *Treideln unter den Römern* (1979); L. CASSON, *Die Seefahrer der Antike* (1979); DERS., *Ships and seafaring in ancient times* (1994); O. HÖCKMANN, *Antike Schiffahrt* (1984); K. LEHMANN-HARTLEBEN, *Die antiken Hafenanlagen des Mittelmeerraumes* (1923); F. J. MEIJER, *Greece, Rome and the sea* (1986); M. PERRONE MERCANTI, *Ancorae antiquae* (1979); B. PFERDEHIRT, *Das Museum für antike Schiffahrt* I (1995); M. RIVAL, *La charpenterie navale romaine* (1991).

60

Abb. 59 Colijnsplaat/Oosterschelde (NL). Darstellung eines Weinschiffs auf einem Weihaltar für Dea Nehalennia. Um 200. Leiden, Rijksmuseum van Oudheden.

Abb. 60 Agrippina/Köln (D). Kontorszene von einem Grabdenkmal. 2. Jh. Köln, Römisch-Germanisches Museum.

Religionsgeschichte

Gestützt auf eine überreiche Hinterlassenschaft an Inschriften und Bildwerken, in denen sich die ganze Vielfalt kaiserzeitlicher Kulte und Riten ausspricht, haben religionsgeschichtliche Themen in der Archäologie der römischen Provinzen immer schon einen breiten Raum eingenommen. Diese Vielfalt war das Ergebnis römischer *tolerantia* gegenüber den Göttern und Kultformen anderer Völker, verbunden mit der Fähigkeit und Bereitschaft, diese zu übernehmen und eigenen Vorstellungen anzupassen. Dies geschah zuerst mit den Göttervorstellungen der Latiner, Etrusker und Italiker, später dann mit denen der Griechen, von denen die Götter Roms, deren Kult zuvor bildlos war, ihre Gestalt erhielten. Dieser Umschmelzungsprozeß – von Tacitus treffend mit dem Begriff *interpretatio romana* charakterisiert (*Germ.* 43) – setzte sich folgerichtig in der Kaiserzeit fort, nachdem mit der römischen Expansion nach Norden und Osten auch gallische, germanische und donauländische Gottheiten, dazu die vielfältigen Riten

61a   b   c

d   e   f

g   h   i

östlicher Heilsreligionen, stärker in das römische Bewußtsein getreten waren. Sie wurden im Zuge der römischen Reichs- und Kolonisierungspolitik ebenfalls adaptiert, mit römischen Göttern gleichgesetzt oder aber umgeformt. Erwiesen sich Kulte wie die Mysterien des Ostens im Laufe der Entwicklung als attraktiver und somit stärker, konnte es geschehen, daß römische Kulte zunehmend zurückgedrängt oder überprägt wurden. So offen und nahezu unbegrenzt war das römische Pantheon, so ausgeprägt der Wunsch der Menschen jener Zeit, sich in allen Lebenssituationen des göttlichen Beistands zu versichern, daß Augustinus zu Beginn des 5. Jhs. feststellte, es sei unmöglich, alle Namen von Göttern und Göttinnen aufzuzählen, wo doch praktisch jedes Ding seinen besonderen göttlichen Patron habe.

Die Übernahme griechischer Götterbilder und Mythen entsprach dem weitverbreiteten Wunsch der Menschen im römischen Westen nach mehr Bildhaftigkeit und Götternähe. Demgegenüber wurzelte die altrömische Religiosität in der Vorstellung, daß jedes Ding, als Teil des menschlichen Daseins, ein *numen* besitze, eine Art göttlichen Willen, der von sich aus handele und nur durch die strikte Beachtung und Einhaltung ganz bestimmter Rituale unter menschliche Kontrolle gebracht werden könne. Eben dies will auch das Wort *religio* ausdrücken, das für Begriffe wie ‹gewissenhafte Sorgfalt und Beobachtung› ebenso stand wie für ‹Gottesfurcht› und ‹Aberglaube›. Danach glich römischer Ritus einer Art Rechtsgeschäft zwischen Mensch und Gottheit, deren gebräuchlichste Form das *votum* war. Bewies die

angesprochene Gottheit ihren Beistand, erfolgte die Einlösung des Gelübdes mit der Aufstellung eines Weihaltars oder Götterbildes. Diese Form der Kultausübung war starr und formelhaft und vermittelte dem einzelnen weder innere Erbauung noch geistige Anregung. Von dorther wundert es nicht, daß sich die Menschen im Reich mehr und mehr von den Heilsmysterien des hellenistischen Ostens angezogen fühlten, die sich mit ihrem Reichtum an geheimnisvollen Kultformen gerade dem einzelnen zuwandten und neben dem Verstand vor allem die Gefühle der Menschen ansprachen. Daß letztlich das Christentum den Sieg davontrug, lag nicht nur darin begründet, daß es seit dem Mailänder Edikt (313) ‹geduldet› wurde, sondern weil es vielen Menschen – anders als alle übrigen Religionen – ein Gefühl persönlicher Geborgenheit vermittelte und sich in einer Zeit äußerer Not und Gefährdung nicht nur aktiv der ‹Mühseligen und Beladenen› annahm, sondern auf der Grundlage seiner früh entwickelten Theologie zentrale Fragen nach Leben und Tod zu beantworten suchte. Die Erhebung des Christentums zur Staatsreligion war gegen Ende des 4. Jhs. die konsequente Folge dieser Entwicklung.

H. ANKERSDORFER, *Studien zur Religion des römischen Heeres von Augustus bis Diokletian*, Diss. Konstanz 1973; A. VON DOMASZEWSKI, *Die Religion des römischen Heeres*, in: WZ 14, 1895, 1 ff.; M. HENIG/ A. KING (eds.), *Pagan gods and shrines of the Roman Empire* (1986); K. LATTE, *Römische Religionsgeschichte* (1960); M. LEGLAY, *Villes, temples et sanctuaires de l'Orient romain* (1986); R. MUTH, *Einführung in die griechische und römische Religion* (1988); R.M. OGILVIE, *The Romans and their gods* (1979); CH.-M. TERNES (ed.), *La religion romaine en milieu provincial* (1985); G. WISSOWA, *Religion und Kultus der Römer* (1912; ND 1971).

A.-B. FOLLMANN-SCHULZ, *Die römischen Tempelanlagen in der Provinz Germania Inferior*, in: ANRW II 18.1 (1986) 672 ff.; H. HÄNLEIN-SCHÄFER, *Veneratio Augusti. Eine Studie zu den ersten Tempeln des römischen Kaisers* (1985); H. KÄHLER, *Der römische Tempel* (1970); H. KOETHE, *Die keltischen Rund- und Vielecktempel der Kaiserzeit*, in: Ber. RGK 23, 1933, 10 ff.; D. KRENCKER/W. ZSCHIETZMANN, *Römische Tempel in Syrien* (1938); H.J.T. LEWIS, *Temples in Roman Britain* (1966); F. OELMANN, *Zum Problem des gallischen Tempels*, in: Germania 17, 1933, 169 ff.; R. SALDITT-TRAPPMANN, *Tempel der ägyptischen Götter in Griechenland und an der Westküste Kleinasiens* (1970); M. TRUNK, *Römische Tempel in den Rhein- und westlichen Donauprovinzen* (1991).

A. BRUHL, *Liber Pater* (1953); B. COMBET-FARNOUX, *Mercure romain* (1980); R. ETIENNE, *Le culte impérial dans la Péninsule Iberique d'Auguste à Dioclétien* (1958); C. FAYER, *Il culto della dea Roma. Origine e diffusione nell'impero* (1976); D. FISHWICK, *The development of provincial ruler-worship in the western Roman Empire*, in: ANRW II 16.2 (1978) 1201 ff.; DERS., *The imperial cult in the Latin West. Studies in the ruler cult of the western provinces of the Roman Empire*, 4 Bde. (1987–92); P. HERZ, *Bibliographie zum römischen Herrscherkult*, in: ANRW ebd. 833 ff.; B.H. KRAUSE, *Iuppiter Optimus Maximus Saturnus* (1984); H. KUNCKEL, *Der römische Genius* (1974); CH. R. LONG, *The twelve gods of Greece and Rome* (1987); R.

MELLOR, ΘΕΑ PΩMH. *The worship of the goddess Roma in the Greek world* (1975); T. PEKÁRY, *Das römische Kaiserbildnis in Staat, Kult und Gesellschaft, dargestellt anhand der Schriftquellen* (1985); DERS., *Das Opfer vor dem Kaiserbild*, in: BJ 186, 1986, 91 ff.; E. SIMON, *Die Götter der Römer* (1990); C. C. VERMEULE, *The goddess Rome in the art of the Roman Empire* (1960).

AAVV., *Matronen und verwandte Gottheiten. Göttinger Akademiekommission für die Altertumskunde Mittel- und Nordeuropas* (1987); G. BAUCHENSS, *Jupitergigantensäulen, Limesmuseum Aalen* 14 (1976); DERS./P. NOELKE, *Die Jupitergigantensäulen in den germanischen Provinzen* (1981); G. BEHRENS, *Germanische und gallische Götter in römischem Gewand* (1944); G. SCHAUERTE, *Terrakotten mütterlicher Gottheiten* (1985); W. SCHLEIERMACHER, *Studien an Göttertypen der römischen Rheinprovinzen*, in: Ber. RGK 23, 1933, 109 ff.

W. BURKERT, *Antike Mysterien. Funktion und Gehalt* ³(1994); M. CLAUSS, *Mithras. Kult und Mysterium* (1990); DERS., *Cultores Mithrae* (1992); F. CUMONT, *Die orientalischen Religionen im römischen Heidentum* ⁸(1981); DERS., *Die Mysterien des Mithra* ⁵(1981); R. DUTHOY, *The Taurobolium. Its evolution and terminology* (1969); J. EINGARTNER, *Isis und ihre Dienerinnen in der Kunst der römischen Kaiserzeit* (1991); M. MALAISE, *La diffusion des cultes égyptiens dans les provinces européennes de l'Empire romain*, in: ANRW II 17.3 (1984) 1615 ff.; R. MERKELBACH, *Mithras* (1984); E. SCHWERTHEIM, *Mithras, seine Denkmäler und sein Kult*, Sondernr. Antike Welt (1979); M. SPEIDEL, *Jupiter Dolichenus. Der Himmelsgott auf dem Stier*, Limesmuseum Aalen 24 (1980); D. ULANSEY, *Die Ursprünge des Mithraskultes* (1998); M. J. VERMASEREN, *Mithras. Geschichte eines Kultes* (1965); DERS., *Die orientalischen Religionen im Römerreich* (1981); L. VIDMAN, *Isis und Serapis bei den Griechen und Römern* (1970); R. A. WILD, *The known Isis-Serapis-sanctuaries of the Roman period*, in: ANRW II 17.4 (1984) 1739 ff.

AAVV., *Spätantike und frühes Christentum* (1984); G.J.M. BARTELINK, *Het vroege christendom en de antieke cultuur* (1986); L. DE BLOIS/G. H. KRAMER, *Kerk en vrede in de oudheid* (1986); J. GARBSCH/B. OVERBECK (Hg.), *Spätantike zwischen Heidentum und Christentum* (1989); G. GOTTLIEB/P. BARCELO (Hg.), *Christen und Heiden in Staat und Gesellschaft des zweiten bis vierten Jahrhunderts* (1992); Kat. *Spätantike und frühes Christentum* (1984); R. LANE FOX, *Pagans and christians in the Mediterranean world from the second century A.D. to the conversion of Constantine* (1986); R. MACMULLEN, *Christianizing the Roman Empire A.D. 100–400* (1984); J. MOLTHAGEN, *Der römische Staat und die Christen im zweiten und dritten Jahrhundert* (1970); A. SCHÜTZE, *Mithras-Mysterien und Urchristentum* (1972).

Es entsprach altrömischer Vorstellung, die ihren Niederschlag erstmals im Zwölf-Tafel-Gesetz erfuhr, daß ein toter Mensch nur *extra muros* bestattet oder verbrannt werden dürfe. Rechtlich galten die Gräber, die die Ausfallstraßen von Städten und Dörfern säumten, als Besitz der Manen, wie es in der Eingangsformel *D(is) M(anibus) S(acrum)* zum Ausdruck kam, mit der seit dem Ende des 1. Jhs. die meisten Grabinschriften begannen. Diese altitalischen Totengeister, die auch in der Kaiserzeit gestaltlos blieben, galt es durch peinlich genaue Beachtung und Einhaltung der vorgeschriebenen Opfer und Riten versöhnlich zu stimmen, um in der anonymen Masse der Totengeister seine persönliche Individualität zu bewahren. Anders als bei den Griechen, die an eine Wanderung der Seele glaubten,

Abb. 61   Römisches Pantheon (in Auswahl). a) Bronzestatuette des Iuppiter mit dem Adler auf der Hand. Zweigmuseum Weißenburg i. Bay.; b) Bronzestatuette der Iuno mit silbernem Stabszepter. AO. wie a); c) Bronzestatuette des Mercurius mit Flügelhut und Geldbeutel. AO. wie a); d) Weihaltar der Dea Nehalennia, die den linken Fuß auf einen Schiffsbug setzt. Leiden, Rijksmuseum van Oudheden; e) Bronzestatuette eines Genius mit Blitzbündel, Füllhorn und Mauerkrone. Ursprünglich vergoldet. AO. wie a); f) Succellus und Parhedros. Reliefbild aus dem Vicus Les Bolards (F). Museum Nuits Saint-Georges; g) Bernsteinstatuette des Bacchus mit Thyrsosstab, Panther und Satyr aus Esch-'s-Hertogenbosch (NL). Centraal Noord Brabants Museum 's-Hertogenbosch; h) Felsgeburt des Mithras. Reliefbild aus Köln (D), gefunden 1969 vor dem Dom. Köln, Römisch-Germanisches Museum; i) Bronzestatuette der Venus. Grabfund aus Gelduba/Krefeld-Gellep (D). Krefeld, Museum Burg Linn.

62

rechneten die Menschen der römischen Zeit fest damit, daß der oder die Tote als *anima* im Grab weiterlebe und zu festgesetzten Zeiten der Stärkung durch bestimmte Nahrung bedürfe, um wenigstens vorübergehend dem kraft- und freudelosen Totendasein entfliehen zu können. Auf diesem Hintergrund sind unterirdische Grabkammern, reliefgeschmückte Sarkophage, vor allem aber der Brauch zu sehen, den Toten nicht nur mit der Bestattung Speisen und Trank mitzugeben, sondern diese Spenden an besonderen Gedenktagen wie den *parentalia* (13.–21. Februar) zu erneuern, Ge-

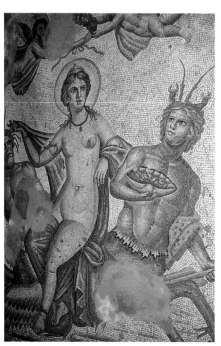

63

dächtnismahlzeiten an den Gräbern einzunehmen und die Toten daran teilhaben zu lassen, indem man Speisen auf die Gräber stellte oder Getränke darüber ausgoß. Wie ernst diese Riten genommen wurden, ist an Gräbern mit eingebauten Spenderöhren abzulesen, durch die das Trankopfer den Toten direkt erreichte.

J.-N. ANDRIKOPOULOU-STRACK, *Grabbauten des 1. Jhs. n. Chr. im Rheingebiet* (1986); H. GABELMANN, *Die Typen der römischen Grabstelen am Rhein,* in: *BJ* 172, 1972, 65 ff.; DERS., *Römische Grabbauten der frühen Kaiserzeit, Limesmuseum Aalen* 22 (1979); W. GAUER, *Die rätischen Pfeilergrabmäler und ihre moselländischen Vorbilder,* in: *BVBl.* 43, 1978, 43 ff.; H. VON HESBERG, *Römische Grabbauten* (1992); DERS./P. ZANKER (Hg.), *Römische Gräberstraßen.* Koll. München 1985 (1987). AAVV., *Bestattungssitte und kulturelle Identität,* Koll. Xanten 1995 (1998); L. BERGER/S. MARTIN-KILCHER, *Gräber und Bestattungssitten,* in: *Ur- und frühgeschichtliche Archäologie der Schweiz* 5 (1975) 147 ff.; A. CHAMBERLAIN, *Human remains* (1994); F. CUMONT, *After life in Roman paganism* ²(1959); R. MEYER-ORLAC, *Mensch und Tod. Archäologischer Befund – Grenzen der Interpretation* (1982); R. REECE (ed.), *Burial in the Roman world, CBA Res. Rep.* 22 (1977); M. STRUCK (Hg.), *Römerzeitliche Gräber als Quellen zu Religion, Bevölkerungsstruktur und Sozialgeschichte* (1993); J. M. C. TOYNBEE, *Death and burial in the Roman world* (1971).
O. BEHRENDS, *Grabraub und Grabfrevel im römischen Recht,* in: AAVV., *Zum Grabfrevel in vor- und frühgeschichtlicher Zeit* (1978) 85 ff.; H. BÜRGIN-KREIS, *Auf den Spuren des römischen Grabrechts in Augst und in der übrigen Schweiz,* in: *Provincialia. Festschr. R. Laur-Belart* (1968) 25 ff.
T. BECHERT, *Zur Terminologie provinzialrömischer Brandgräber,* in: *AK* 10, 1980, 253 ff.; U. BREITSPRECHER, *Zum Problem der geschlechtsspezifischen Bestattungen in der römischen Kaiserzeit, BAR Int. Ser.* 376 (1987); A. BÖHME, *Tracht und Bestattungssitten in den germanischen Provinzen und in der Belgica,* in: *ANRW* II 12.3 (1985) 423 ff.; H. W. BÖHME, *Germanische Grabfunde des 4. und 5. Jhs. zwischen Unterer Elbe und Loire* (1974); A. VAN DOORSELAER, *Les nécropoles d'époque romaine en Gaul septentrionale* (1967). Dazu: R. NIERHAUS, *Römerzeitliche Bestattungssitten im nördlichen Gallien: Autochthones und Mittelmeerländisches,* in: *Helinium* 9, 1969, 245 ff.; P. FASOLD, *Römischer Grabbrauch in Süddeutschland, Limesmuseum Aalen* 46 (1992); A. HAFFNER (Hg.), *Gräber – Spiegel des Lebens. Zum Totenbrauchtum der Kelten und Römer am Beispiel des Treverer-Gräberfeldes Wederath-Belginum* (1989); J. J. HATT, *La tombe gallo-romaine* (1951; erw. ND 1986).
J. GORECKI, *Studien zur Sitte der Münzbeigabe in römerzeitlichen Körpergräbern zwischen Rhein, Mosel und Somme,* in: *Ber. RGK* 56, 1975, 179 ff.; H. MENZEL, *Lampen im römischen Totenkult,* in: *Festschr. RGZM* 3 (1953) 131 ff.; H. U. NUBER, *Kanne und Griffschale. Ihr Gebrauch im täglichen Leben und die Beigabe in Gräbern der römischen Kaiserzeit,* in: *Ber. RGK* 53, 1972, 1 ff.

Kunstgeschichte

Der religionsgeschichtliche Bereich hat auf Grund der Fülle von Steindenkmälern – Grab- und Weihesteine machen mehr als zwei Drittel des heutigen Bestandes an bildnerischen Denkmälern aus – deutliche Berührungspunkte mit der römischen Kunstgeschichte, womit sich die Archäologie der römischen Provinzen

auch methodisch der ‹Klassischen Archäologie› am stärksten nähert. Von besonderem Reiz ist hier etwa die Frage, ob und inwieweit sich Römer und Germanen in ihren künstlerischen Vorstellungen gegenseitig beeinflußt haben. Auch wenn z. B. in Deutschland hierüber früher ganz anders geurteilt wurde, läßt sich ohne ‹ideologische Scheuklappen› klar erkennen, wie unscheinbar der germanische, wie überragend und bestimmend dagegen der Einfluß der römischen Zivilisation gewesen ist. Dabei fällt besonders auf, wie schnell man in den Provinzen gelernt und eigene künstlerische Fähigkeiten entwickelt hat, indem man römische Kunstvorstellungen aufnahm und sich zu eigen machte.

Generell gesehen gab es auf dem Gebiet des Kunsthandwerks tiefgreifende Unterschiede zwischen dem Westen und dem Osten des Reiches, die in der unterschiedlichen künstlerischen Entwicklung und Tradition der beiden Reichsteile begründet lagen. Konnten sich römische Kunstvorstellungen im Westen nahezu ungehindert ausbreiten und etwa keltische oder germanische Einflüsse so weit zurückdrängen oder überlagern, daß sie kaum mehr erkennbar waren, so blieben im griechisch geprägten Osten und in Ägypten die heimischen Kunsttraditionen auch in der Kaiserzeit bestimmend. Diese grundsätzliche Feststellung gilt für die Architektur ebenso wie für alle übrigen Bereiche der Kunst und des Kunsthandwerks, soweit es sich nicht – wie auf den Gebieten des historischen Reliefs, des Individualportraits oder der Mosaikkunst – um römische Eigenerfindungen oder Weiterführungen handelte. Auf der anderen Seite zeigt die Entwicklung römischen Kunstschaffens etwa seit severischer Zeit im gesamten Reich einen deutlichen Bruch mit der griechisch-hellenistischen Tradition, wobei gleichzeitig auf dem Hintergrund umwälzender historischer Veränderungen das Eigengewicht der Provinzen auch in künstlerischer Hinsicht wächst und vielerorts eine Kunst entsteht, die in ihren Ausdrucksformen die Grundlagen für die nachfolgende frühmittelalterliche und frühbyzantinische Kunst bildet.

B. ANDREAE, *Römische Kunst* (1974); R. BIANCHI BANDINELLI, *Das Ende der Antike* (1971) bes. 105 ff.; M. HAINZMANN/D. KRAMER/E. POCHMARSKI, *Akten des 1. Internat. Koll. über Probleme des provinzialrömischen Kunstschaffens,* Mitt. Archäol. Ges. Steiermark 3–4, 1989/90 u. 5, 1991; M. HENIG (ed.), *A handbook of Roman art* (1983); H. JUCKER, *Vom Verhältnis der Römer zur bildenden Kunst der Griechen* (1950); H. KÄHLER, *Rom und seine Welt,* 2 Bde. (1958–60); DERS., *Rom und sein Imperium* (1962). A. LEIBUNDGUT, *Kunst und Kunsthandwerk,* in: *Ur- und frühgeschichtliche Archäologie der Schweiz* 5 (1975) 73 ff.; W. LÜBKE/E. PERNICE/B. SARNE, *Die Kunst der Römer* (1958); R. NOLL,

Kunst der Römerzeit in Österreich (1949); H. P. L'ORANGE, *Das römische Reich. Kunst und Gesellschaft* (1985); H. VON PETRIKOVITS, *Die Originalität der römischen Kunst am Rhein*, in: *Beiträge zur römischen Geschichte und Archäologie 1931–74* (1976) 410 ff.; H. SCHOPPA, *Die Kunst der Römerzeit in Gallien, Germanien und Britannien* (1957); B. SCHWEITZER, *Die spätantiken Grundlagen der mittelalterlichen Kunst* (1949); A. SCHOBER, *Zur Entstehung und Bedeutung der provinzialrömischen Kunst*, in: *ÖJh.* 26, 1930, 8 ff.; W. TECHNAU, *Die Kunst der Römer* (1940); J. M. C. TOYNBEE, *Art in Britain under the Romans* (1964); R. E. M. WHEELER, *Roman art and architecture* (1964). Deutsche Ausgabe: DERS., *Römische Kunst und Architektur* (1969).

W. ALZINGER, *Grundzüge der römischen Architektur* (i. Vorb.); F. A. BAUER, *Stadt, Platz und Denkmal in der Spätantike. Untersuchungen zur Ausstattung des öffentlichen Raums in den spätantiken Städten Rom, Konstantinopel und Ephesos* (1996); A. BOËTHIUS/J. B. WARD-PERKINS, *Etruscan and Roman architecture* (1970); L. CREMA, *L'architettura romana* (1959); U.-W. GANS, *Korinthisierende Kapitelle im römischen Kaiserzeit. Schmuckkapitelle in Italien und den nordwestlichen Provinzen* (1992); W. L. MACDONALD, *The architecture of the Roman Empire I: An introduction* ²(1982); S. MACREADY/F. H. THOMPSON (eds.), *Roman architecture in the Greek world* (1987); G. VON KASCHNITZ-WEINBERG, *Die Baukunst im Kaiserreich* (1963); G. CH. PICARD, *Imperium Romanum* (1965); J. B. WARD-PERKINS, *Roman imperial architecture* ²(1981).

J. BERGEMANN, *Römische Reiterstatuen – Ehrendenkmäler im öffentlichen Bereich* (1990); G. GAMER, *Kaiserliche Bronzestatuen aus den Kastellen und Legionslagern an der Rhein- und Donaugrenze des römischen Imperiums* (1969); L. HAHL, *Zur Stilentwicklung der provinzialrömischen Plastik in Germanien und Gallien* (1937); O. HARL, *Zu den Voraussetzungen für das Entstehen einer römischen Steinskulptur im Ostalpenraum. Eine kritische Analyse*, in: *Mitt. Archäol. Ges. Steiermark* 3–4, 1989–90, 3 ff.; G. KOCH/H. SICHTERMANN, *Römische Sarkophage* (1982); G. KOCH, *Sarkophage der römischen Kaiserzeit* (1993); H. G. NIEMEYER, *Studien zur statuarischen Darstellung der römischen Kaiser* (1968); J. RONKE, *Magistratische Repräsentation im römischen Relief*, BAR Int. Ser. 370 (1987); H. SCHOPPA, *Keltische Einflüsse in der römischen Plastik in Gallien und Germanien*, in: *Celticum* 12, 1965, 267 ff.; O. STOLL, *Die Skulpturenausstattung römischer Militäranlagen an Rhein und Donau*, 2 Bde. (1992); E. WILL, *Le relief culturel gréco-romain. Contribution à l'histoire de l'art de l'empire romain* (1956).

S. AURIGEMMA, *Tripolitania I. I mosaici* (1960); C. BALMELLE u. a., *Le décor géometrique de la mosaïque romaine* (1985); L. BUDDE, *Antike Mosaiken in Kilikien*, 2 Bde. (1969/72); M. DONDERER, *Die Mosaizisten der Antike und ihre wirtschaftliche und soziale Stellung* (1989); K. DUNBABIN, *The mosaics of Roman North Africa* (1978); V. VON GONZENBACH, *Die römischen Mosaiken der Schweiz* (1961); A. KANKELEIT, *Kaiserzeitliche Mosaiken in Griechenland*, Diss. Bonn 1994; H. P. L'ORANGE/P. J. NORDHAGEN, *Mosaik* (1960); A. OVADIAH, *Geometric*

and floral patterns in ancient mosaic (1980); K. PARLASCA, *Die römischen Mosaiken in Deutschland* ²(1971); G. CH. PICARD/H. STERN (eds.), *La mosaïque gréco-romaine* (1965); G. SALIES, *Untersuchungen zu den geometrischen Gliederungsschemata römischer Mosaiken*, in: *BJ* 174, 1974, 1 ff.; DIES., *Römische Mosaiken in Griechenland*, ebd. 186, 1986, 241 ff.; H. STERN (ed.), *Recueil général des mosaïques de la Gaule* (1960 ff.).

AAVV., *4. Internat. Koll. zur römischen Wandmalerei. Köln 1989*, in: *KJb* 24, 1991; A. BARBET (ed.), *La peinture murale antique* (1987); B. BORG, *Mumienportraits. Chronologie und kultureller Kontext* (1995); DIES., ‹*Der zierlichste Anblick der Welt*›. *Ägyptische Portraitmumien* (1998); W. DORIGO, *Late Roman painting* (1971); W. DRACK, *Die römische Wandmalerei der Schweiz* (1950); DERS., *Römische Wandmalerei aus der Schweiz* (1986); M. FRIZOT, *Stucs de Gaule et des provinces romaines. Motifs et techniques* (1977); A. LINFERT, *Römische Wandmalerei der nordwestlichen Provinzen* ²(1979); R. LING, *Roman painting* (1991); L. NAGY, *Die römisch-pannonische dekorative Malerei*, in: *RM* 41, 1926, 79 ff.; K. PARLASCA, *Mumienportraits und verwandte Denkmäler* (1966); R. THOMAS, *Die Dekorationssysteme der römischen Wandmalerei von augusteischer bis in trajanische Zeit* (1995).

B. DEPPERT-LIPPITZ, *Römischer Goldschmuck – Stand der Forschung*, in: *ANRW* II 12.3 (1985) 117 ff.; R. A. HIGGINS, *Greek and Roman Jewellery* (1966); P. LA BAUME, *Römisches Kunstgewerbe zwischen Christi Geburt und 400* (1964); L. PIRZIO BIROLI STEFANELLI, *L'argento dei romani* (1991); DIES., *L'oro dei romani* (1992); A. RIEGL, *Spätrömische Kunstindustrie* ²(1927; ND 1992); D. E. STRONG, *Greek and Roman gold and silver plate* (1966).

Selbstverständlich lassen sich die einzelnen Teilbereiche des Faches in der täglichen Praxis nicht derart schematisch voneinander trennen, wie es der Übersichtlichkeit wegen hier geschieht. Natürlich greifen alle Themenbereiche, zu deren Erforschung die Archäologie Beiträge leisten kann, immer wieder ineinander. Ein Weihaltar etwa für eine bestimmte Gottheit, gesetzt von einem Kaufmann, der noch hinzufügt, ob er seinen Handel mit Salz, Wein, Geschirr oder Bekleidung treibt, wirft nicht nur ein bezeichnendes Licht auf die Art und Weise, wie man in der Kaiserzeit mit seinen Göttern umging, sondern ist natürlich auch in wirtschaftsgeschichtlicher Hinsicht von Interesse. Andere Denkmäler oder archäologische Befunde können unter noch mehr Aspekten interessant sein. So wird man die freigelegten Partien der Zivilsiedlung eines Grenzkastells nicht nur in siedlungs- und militärgeschichtlicher Hinsicht untersuchen, sondern sich bemühen, so viel wie möglich auch über wirtschafts-, sozial- und religionsgeschichtliche Zusammenhänge zu erfahren. Nichts, was Aufschluß ge-

Abb. 62 *Novum Ilium/Troja (TR).* ‹*Hebung*› *einer Hadriansstatue im Odeion. Ausgrabung 1993.*

Abb. 63 *Bulla Regia bei Hammam Daradji (TN). Sog. Haus der Amphitrite. Mosaik mit Venus Marina. 3. Jh.*

Abb. 64 *Der Archäologische Park Xanten aus der Vogelschau (1997). Blick von Süden mit dem teilrekonstruierten Amphitheater, darüber die wiedererrichtete Herberge und der sog. Hafentempel (vgl. Abb. 38).*

64

65

ben kann über das Leben von Menschen in römischer Zeit, bleibt dabei ausgespart, und sicher liegt darin auch die besondere Faszination für die Freunde dieses Fachs, dessen Bestreben es ist, den Menschen von damals mit Einfühlungsvermögen, Methode und Phantasie auf die Spur zu kommen.

‹Bewahrte Geschichte›

Ein besonderer Reiz der Archäologie liegt in ihrer Anschaulichkeit und ihren Möglichkeiten, Geschichte gegenständlich und wieder sichtbar zu machen. Diese Eigenschaft zu nutzen ist vor allem für Länder, aus deren römischer Vergangenheit nur noch geringe Architekturreste erhalten sind, von ganz besonderer Bedeutung. Im wesentlichen sind es drei

Gründe, die für den meist desolaten Zustand römischer Bausubstanz vor allem im ehemaligen römischen Nordwesten verantwortlich sind. Zum ersten ist es die Vergänglichkeit des Holzes, das bis weit in das 2. Jh. hinein als bevorzugtes Material zur Errichtung von Bauten jeglicher Art gedient hat und sich heutzutage in aller Regel nur noch als Verfärbung im Boden nachweisen läßt (Abb. 19 u. 20). Zum zweiten ist es die oft meterhohe Überdeckung einstiger Zentren der römischen Zivilisation durch moderne und dichtbebaute Innenstädte (Abb. 9). Zum dritten ist es die oft jahrhundertelange Ausbeutung römischer Stadtanlagen, Militärlager und Gutshöfe als bequem nutzbare Steinbrüche gewesen, die in Gebieten ohne natürliche Steinvorkommen besonders gründlich war. Nur so ist es zu erklären, daß eine Stadt wie *Traiana*/Xanten, eine Anlage von 73 ha Grundfläche, die einst von einer fast 4 km langen Mauer umgeben war und in ihrem Inneren zahlreiche Bauten aus Stein besaß, fast vollständig vom Erdboden verschwinden konnte (Abb. 4 u. 64). So radikal war der Kahlschlag, so ertragreich offensichtlich der Steinhandel, daß selbst die weit in die Tiefe reichenden Mauerfundamente oft bis zur Sohle ausgeraubt wurden.

Weil dennoch immer wieder Neues und Staunenswertes ans Tageslicht gelangt, ist die Archäologie längst zu einem Gegenstand öffentlichen Interesses geworden. Entsprechend häufig sehen sich deshalb auch römische Archäologen vor die Aufgabe gestellt, Ergrabenes zu erhalten und nach Möglichkeit als Teilrekonstruktion für eine interessierte Öffentlichkeit wieder sichtbar zu machen. Für diese Entwicklung war einerseits

entscheidend, daß es die Archäologen verstanden haben, aus einem früheren ‹Orchideenfach› für wenige Spezialisten eine alltägliche und moderne Wissenschaft zu machen, andererseits ist aber auch das allgemeine Interesse an archäologisch-historischen Zusammenhängen gerade in den letzten Jahrzehnten spürbar gewachsen. Das inzwischen weit verbreitete Bewußtsein für geschichtlich Gewachsenes äußert sich in hohen Besucherzahlen der Museen ebenso wie in der Fülle allgemeinverständlicher Archäologie-Literatur und fordert Nachbildungen und Rekonstruktionen geradezu heraus. Man möchte sehen und ‹begreifen›, wie der Mensch früherer Tage – nicht so sehr der priviligierte, sondern der Durchschnittsmensch – gelebt und sein Dasein gemeistert hat. Man möchte teilhaben an seiner Welt und nach Möglichkeit etwas davon mitnehmen, sei es als Nachbildung oder als Original.

«Aller Rekonstruktion haftet etwas Zeitgenössisches an», verteidigen sich Archäologen und Architekten gegenüber Einwänden und Bedenken im Archäologischen Park Xanten, wo seit mehr als zwei Jahrzehnten eines der anspruchsvollsten Projekte dieser Art verwirklicht wird (Abb. 64). Seit 1977 wachsen hier Mauern, Tore, Türme, Theater und Tempel in die Höhe, entsteht eine ‹Römerstadt aus der Retorte›, eingebunden in einen modernen Freizeitpark. Die Schaffung derartiger archäologischer Freizonen ist inzwischen in vielen europäischen Ländern eine erprobte und allgemein übliche Praxis, um historische Substanz zu sichern und der Öffentlichkeit zugänglich zu machen. Aus denkmalpflegerischer Sicht bietet ein solches Unternehmen die beste Garantie, ein geschichtliches Monument vor dem Zugriff der Planer zu schützen und damit gleichzeitig über die Durchführung von Ausgrabungen weitgehend selbst entscheiden zu können. Im Gegenzug sind hierfür allerdings politische und ökonomische Gegebenheiten zu akzeptieren, die manchen Fachwissenschaftler irritieren und skeptisch stimmen können, die jedoch in Kauf genommen werden müssen, um die eigenen Vorstellungen zu verwirklichen. «Wie man rettet, ist zunächst keine Geschmackssache, sondern wird von politischen und gesellschaftlichen Möglichkeiten bestimmt» – so Ch. B. Rüger, der erste Leiter des Xantener Projekts, auf den letztlich auch die Idee zum ‹Xantener Freizeitpark› zurückgeht.

Ein klassisches Beispiel dafür, in welchem Maße bauliche Rekonstruktionen dem jeweiligen Zeitgeschmack und -geist unterworfen sein können, ist

66

das Saalburg-Kastell oberhalb von Bad Homburg v. d. H., das im wesentlichen schon gegen Ende des 19. Jhs. ausgegraben und in großen Teilen während der Jahre 1898–1907 wiederaufgebaut worden ist. Wilhelm II. hat persönlich die Entwürfe des verantwortlichen Architekten ‹redigiert›, und es liegt deshalb auf der Hand, daß für die Rekonstruktion der Bauten so manches ‹militärpreußische› Detail Pate gestanden hat. Gleichwohl ist die Saalburg nach wie vor das einzige Limeskastell, das in seinen wesentlichen Teilen rekonstruiert worden ist und heutigen Besuchern den Eindruck einer Militärgarnison vermitteln kann, wie es sie zu Hunderten an den römischen Grenzen gegeben hat. Wichtig ist auch, daß man hier nicht nur das Kastell wiederaufgebaut, sondern auch die Grundmauern der zugehörigen Siedlung freigelegt und konserviert hat. So wird für den Betrachter deutlich, daß römische Grenzkastelle nicht isolierte Militärstützpunkte waren, sondern den Kern oft ausgedehnter Grenzsiedlungen bildeten, aus denen manche mittelalterliche und moderne Ortschaft oder gar Stadt hervorgegangen ist.

Römische Kastelle gehören auch an anderen Plätzen des Rhein-Donau-Grenzgebietes zu den Denkmälern, die auf Grund vorhandener Bausubstanz bevorzugt – zumindest in Teilen – konserviert und wiedererrichtet worden sind. Besonders zahlreich sind die Beispiele auf deutschem Boden, vor allem in Baden-Württemberg (z. B. Aalen, Rainau-Buch und Welzheim) und in Bayern (u. a. Eining, Ellingen und Weißenburg). Eindrucksvolle Teilrekonstruktionen römischer Kastellanlagen finden sich aber auch in Österreich (z. B. Traismauer),

67

Ungarn (z. B. Budapest) und in Rumänien (z. B. Mojgrad und Arutela). Sehr viel ist in dieser Hinsicht auch auf britannischem Boden getan worden, wo vor allem die 130 km lange Hadriansmauer mit ihren zahlreichen Militärlagern, Kleinkastellen und Wachttürmen wahrscheinlich den lebendigsten Eindruck vom Aussehen und der Struktur einer römischen

Grenzbefestigung vermittelt (Abb 201). Nicht unerwähnt bleiben sollen die Militäranlagen der spätrömischen Zeit, die deutlich eine mehr auf Sicherheit und Verteidigungsfähigkeit ausgerichtete Konzeption widerspiegeln. Markante Beispiele hierfür sind die Festungen von Irgenhausen und *Tenedo*/Zurzach (CH), Zeiselmauer (A) und Portchester (GB).

Abb. 65   Kaiser Wilhelm II. und Louis Jacobi (1836–1910) vor dem wiederaufgebauten Fahnenheiligtum auf der Saalburg bei Bad Homburg v. d. Höhe (D).

Abb. 66   Porolissum/Mojgrad (RO). Blick von Osten auf die wiedererrichtete porta praetoria des Kastells mit dem Bauzustand des Jahres 213.

Abb. 67   Badenweiler (D). Heilthermen der Diana Abnoba. Blick von Norden in eines der beiden Thermalbecken mit Sitzstufen für die Badenden.

Abb. 68   Cambodunum/Kempten   (D). Gallorömischer Tempelbezirk. Blick von Nordosten auf einen rekonstruierten Kleintempel und das Heiligtum des Hercules in der Form eines gallorömischen Umgangstempels. Zustand 1998.

68

69

Als Einzelanlagen eignen sich die Überreste von Thermen und Badegebäuden in besonderer Weise für eine Konservierung und Teilrekonstruktion, weil Bauten dieser Art aus verschiedenen Gründen besonders solide waren und sich dementsprechend viel von der antiken Bausubstanz erhalten hat. Auf deutschem Boden sind es neben den Heilthermen in Badenweiler, die 1784/85 freigelegt, wenig später konserviert und mit einem Schutzdach versehen wurden (Abb. 67), vor allem Badeanlagen in Heidenheim, Kempten, Osterburken, Rottweil, Weißenburg und Xanten, wo gegenwärtig die Stadtthermen von *Traiana* restauriert und teilrekonstruiert werden. Vergleichbare Projekte gibt es natürlich auch außerhalb Deutschlands, vor allem an Plätzen ehemaliger größerer Ansiedlun-

gen und Stadtanlagen wie etwa in den Niederlanden (*Coriovallum*/Heerlen), Frankreich (*Lutetia Parisiorum*/Paris) oder in Ungarn (*Gorsium*/Tác und *Aquincum*/Budapest), wo sich – anders als im Osten des Reiches oder in den nordafrikanischen Provinzen – die originale Bausubstanz z. T. nur noch in Fundamenten erhalten hat. Ein besonders eindrucksvolles Beispiel stellt das Heilbad *Aquae Sulis* im englischen Bath dar, das heutzutage Teil einer modernen Badeanlage ist.

Bei dem Bestreben, aufgefundene Bausubstanz der römischen Kaiserzeit zu erhalten und wieder ‹zugänglich› zu machen, haben Heiligtümer schon frühzeitig eine gewichtige Rolle gespielt. Zu den ältesten, wenn auch noch sehr sparsamen Teilwiederherstellungen gehören die einheimischen Tempelanlagen an verschie-

denen Plätzen der Vordereifel sowie ein Tempelbezirk mit insgesamt sechs gallo-römischen Umgangstempeln bei Studen/Petinesca (CH). Sehr viel spektakulärer sind jedoch die Freilegungen und Teilrekonstruktionen der jüngsten Zeit. Hierzu zählen der sog. Hafentempel in *Traiana*/Xanten (Abb. 38), das Heiligtum des *Apollo Grannus* in *Phoebiana(e)*/Lauingen-Faimingen (Abb. 189), der gallo-römische Tempelbezirk oberhalb von *Cambodunum*/Kempten (Abb. 68), das sog. Cigognier-Heiligtum von *Aventicum*/Avenches (CH) und der gallo-römische Tempel in *Octodurus*/Martigny (CH), den heute ein moderner Museumsbau überdeckt. Weitere herausragende Beispiele bilden der Kapitolstempel in *Scarbantia*/Sopron (H) mit den Statuen der Kapitolinischen Trias, die größtenteils wieder zusammengesetzt werden konnten, das Terrassenheiligtum von *Munigua*/Mulva (E) und der Tempel, den Hadrianus (117–138) an der Stelle älterer Bebauung für sich und seinen Vorgänger Traianus auf hoher Terrasse oberhalb des Theaters in *Pergamon*/Bergama (TR) erbauen ließ und der in den letzten Jahren als eindrucksvolle Teilrekonstruktion wiedererrichtet wurde (Abb. 114).

Zu den erhaltenswerten Objekten gehören auch viele Gutshöfe, die das flache Land überall dort, wo es fruchtbar war und bestellt werden konnte, zu Hunderten bedeckt haben. Vor allem die germanisch-gallischen Provinzen haben hier eindrucksvolle Beispiele zu bieten. Anzuführen sind sowohl einfachere Gutshäuser, wie in Bad Rappenau, Laufenburg, Rosenfeld, Hechingen-Stein oder Weinsberg, als auch vielräumige und prächtig ausgestattete Landsitze, wie in Bad Kreuznach, Konz, Nennig, Bad Neuenahr-Ahrweiler, Otrang, Echternach-Schwarzuecht (L) oder Seeb, Gem. Winkel (CH). Erst in jüngster Zeit ist man dazu übergegangen, römische Gutshöfe in ihrer Gesamtheit, d. h. mit ihren Stallungen, Scheunen, Speichern, Werkstätten, Wagenschuppen u. a. auszugraben und – wie etwa in Lauffen a. N. (Abb. 55) oder Holheim, südlich von Nördlingen – durch Aufmauerungen wieder sichtbar zu machen. Demgegenüber hatte man sich früher bei der Sicherung und Ergänzung vorhandener Bausubstanz im wesentlichen auf die repräsentativen Herrenhäuser beschränkt, deren Überreste einen unbefangenen Betrachter leicht zu der irrigen Vorstellung verleiten konnten, das flache Land sei in römischer Zeit vorwiegend von luxuriös ausgestatteten ‹Wochenendhäusern› bedeckt gewesen. Einen besonderen Rang nehmen in diesem Zusammenhang länd-

70

liche Palastanlagen wie in Piazza Armerina auf Sizilien (I) oder Fishbourne, einem Vorort von Chichester (GB) (Abb.
77 u. 200), ein, wo einer schon 1723 ent-
deckten Inschrift zufolge Tiberius Claudius Cogidubnus, Stammeskönig der
Regni und *rex magnus Britanniae* seine
Residenz hatte, die er mit üppigen Gärten
und prachtvollen Mosaiken ausschmük-
ken ließ (*CIL* VII 11 = RIB 91).

Zum Siedlungsbild der römischen Kaiserzeit gehörten außer Landgütern auch
zahlreiche zivile Ortschaften. In der
Hauptsache waren es Verkehrs- und Ge-
werbeansiedlungen, die an wichtigen
Straßenknotenpunkten und Flußübergängen lagen und vom durchgehenden
Reise- und Warenverkehr ebenso lebten
wie von ihrer Funktion als Markt für das
umliegende Land. Kaum einer dieser *vici*
ist bisher annähernd vollständig untersucht worden. Eine der wenigen Ausnahmen bildet auf deutschem Boden der *vicus* von Schwarzenacker im Tal der Blies
südlich von Homburg/Saar, wo in den
Jahren 1965–71 systematische Ausgrabungen stattgefunden haben. Die römische Bausubstanz war im Aufgehenden
noch so gut erhalten, daß man sich ent-
schloß, einen Teil der einstigen Wohnbe-
bauung in Teilrekonstruktionen wieder
sichtbar zu machen und in ein Neubauge-
biet zu integrieren. Mit seinen z. T. reich
ausgestatteten Steinhäusern, die an rechtwinklig sich kreuzenden Straßen liegen,
verdeutlicht der freigelegte und teilre-
konstruierte Bereich das hohe zivilisatorische Niveau, das in der Kaiserzeit auch
für kleinere Ansiedlungen mit städti-
schem Zuschnitt kennzeichnend war. Einen ganz ähnlichen Eindruck, wenn auch
zurückhaltender konserviert, vermittelt
auch die ‹Promenade Archéologique de
Vidy› in *Lousanna*/Lausanne (CH), die
auf gut 4 ha mit mehreren Tempeln und
einer zweischiffigen Basilika sowie dem

71

*Abb. 69   Bad Neuenahr-Ahrweiler (D).
Freilegung und Teilrekonstruktion einer römischen Villa am Fuße des Silberbergs
(1981).*

*Abb. 70   Colonia Iulia Equestris-Noviodu-
num/Nyon (CH). Perspektivischer Blick in
das Innere der Basilika am Forum der römischen Stadt. Gemälde in natürlicher Größe
auf der Seitenwand des Nachbarhauses.*

*Abb. 71   Ephesos/Efes (TR). Peristyl des
sog. Hanghauses B. Blick von Osten.*

*Abb. 72   Archäologischer Park Carnun-
tum (A). Freilegungs- und Restaurierungs-
maßnahmen im Bereich des römischen
Stadtviertels bei Schloß Petronell.*

72

angrenzenden Hafenbereich eine gute Vorstellung vom ehemaligen Zentrum dieser alten Handelsniederlassung am Genfer See bietet (Abb. 54).

Zweifellos fällt es in dichtbebauten Stadtzentren am schwersten, einen angemessenen Ausgleich zwischen ökonomischen und kulturellen Interessen zu finden. Oft nur punktuell und dann lediglich unter Einsatz bedeutender finanzieller Mittel ist es hier möglich, römische Bausubstanz sichtbar zu erhalten und öffentlich zugänglich zu machen. Gleichwohl haben ausgeprägter Bürgersinn und gewachsenes Geschichtsbewußtsein gerade in den Städten bewirkt, daß archäologische Dokumente der eigenen Geschichte nicht mehr ohne weiteres ‹abgeräumt› werden können. Die Städte Köln und Trier sind hier zu nennen, die eine mit dem ehemaligen Statthalterpalast unter dem heutigen Rathaus, die andere mit einem ausgezeichnet erhaltenen Thermenbau am Großen Viehmarkt, dessen von der Öffentlichkeit gewünschte Erhaltung und Konservierung die Trierer Stadtplaner zum Umdenken zwang (Abb. 160). In gleicher Weise sind aber auch andere Städte römischer Herkunft zu nennen, z. B. London, wo erst kürzlich in mehr als 10 m Tiefe die Konturen eines Amphitheaters entdeckt wurden, oder Budapest, wo die moderne Oberbauung der römischen Überreste von *Aquincum* jedes Jahr zwischen widerstreitenden Interessen neue Kompromisse erfordert (Abb. 176). Wie man trotz bewußt reduzierter Wiedergabe eines römischen Baubefundes dem modernen Betrachter die räumlichen Dimensionen römischer Nutzbauten verdeutlichen kann, lehrt ein gelungenes Beispiel aus Nyon (CH). Während der Grundriß der Basilika in der einstigen *colonia Iulia Equestris* im Aufgehenden architektonisch nur angedeutet wird, gewährt ein verblüffend naturgetreues Architekturgemälde auf der Seitenwand des angrenzenden Hauses einen exakten perspektivischen Blick in das ehemalige Innere dieser hohen mehrschiffigen Halle (Abb. 70).

Nur dort, wo die städtische Besiedlung mit der Spätantike endete oder sich im frühen Mittelalter der Siedlungsschwerpunkt verschob, besteht im ehemaligen Nordwesten des Reiches, wo der ‹Abbau› römischer Bausubstanz am größten war, noch eine Chance, Erscheinungsbild und Gesamtstruktur ganzer Stadtanlagen wieder sichtbar zu machen. Zu diesen Plätzen zählt auf deutschem Boden vorerst nur Xanten mit seinem ‹Archäologischen Park›, dessen Pendant im süddeutschen Raum gegenwärtig in Kempten entsteht (Abb. 68 u. 187). Für die

Schweiz sind die Stadtanlagen von *Aventicum*/Avenches und vor allem *Augusta Raurica*/Augst zu nennen, ein ca. 100 ha großes Gebiet, das größtenteils von moderner Überbauung frei blieb und gerade in den letzten Jahren wissenschaftlich wie denkmalpflegerisch in mustergültiger Weise erschlossen wurde (Abb. 230). Auch Österreich ist hier mit mehreren Siedlungsplätzen vertreten, von denen neben der frührömischen Siedlung auf dem Magdalensberg/Kärnten in denkmalpflegerischer Sicht *Carnuntum* als «größte archäologische Landschaft» des Landes am bedeutendsten ist (W. JOBST). Dabei hat die Entscheidung, auch zwischen Petronell und Bad Deutsch Altenburg einen Archäologischen Park entstehen zu lassen, dazu geführt, die Konservierung und Aufmauerung von Wohnhäusern im sog. Spaziergarten von Petronell, die Ende der 1950er Jahre vorgenommen wurden, wissenschaftlich wie technisch zu überprüfen und gleichsam eine «Restaurierung der restaurierten Ruinen» vorzunehmen (Abb. 72). Weitere Beispiele lassen sich anschließen. Das pannonische *Gorsium*, unweit von Székesfehérvár (H), gehört in diesen Zusammenhang (Abb. 177), desgleichen *Scarbantia*/ Sopron (H), wo im Zentrum der alten Stadt ebenfalls ein Archäologischer Park entsteht. Ein herausragendes Beispiel für die ebenso behutsame wie eindrucksvolle Rekonstruktion römischer Stadthäuser in Hanglage stellt *Ephesus*/Efes (TR) dar, während der von der tunesischen Regierung geplante ‹Parc Archéologique Carthage – Sidi Bou Said› auf dem Boden des punischen und römischen *Karthago* ein Beispiel dafür ist, was archäologische Zusammenarbeit auf internationaler Ebene bewirken kann (Abb. 71, 106 u. 117).

Die Reihe der Beispiele ließe sich beliebig fortsetzen, denn der Wunsch, Vergangenes zurückzugewinnen und für die Gegenwart und Zukunft zu bewahren, der auf so vielen Gebieten charakteristisch für unsere Zeit geworden zu sein scheint, hat eben auch auf archäologischem Gebiet viel bewegt. Die vielfältigen Bemühungen – nicht nur um das Erbe der römischen Vergangenheit – verdeutlichen zum einen das starke öffentliche Interesse, das die Archäologie als historische Kulturwissenschaft heutzutage beanspruchen darf. Sie zeigen aber auch, in welchem hohen Maß die Vertreter dieses Faches an Museen, Denkmalämtern und Universitäten in gesellschaftliche Prozesse eingebunden sind und darauf vorbereitet sein müssen, sich immer wieder neuen Anforderungen und Aufgaben zu stellen.

Fragestellungen und Erfahrungen zu diesem immer wichtiger werdenden Arbeitsbereich der Archäologie sind beispielhaft zusammengefaßt in: G. ULBERT/ G. WEBER (Hg.), *Konservierte Geschichte? Antike Bauten und ihre Erhaltung* (1985) mit ausführl. Bibl. 317 ff.
AAVV., *Lebendige Archäologie. Ein Kurzführer zu den restaurierten Bodendenkmälern in Baden-Württemberg* (1976); A. CARANDINI/A. RICCI/M. DE VOS, *Filosofiana. La villa di Piazza Armerina* (1982); B. W. CUNLIFFE, Bath. *Die römischen Bäder* (1993); J. EINGARTNER/P. ESCHBAUMER/G. WEBER, *Der römische Tempelbezirk in Faimingen-Phoebiana* (1993); A. ENNABLI (ed.), *Pour sauver Carthage* (1992); TH. HAUSCHILD, *Munigua*, in: *MM* 10, 1969, 185 ff.; F. HUEBER/V. M. STROCKA, *Die Bibliothek des Celsus. Eine Prachtfassade in Ephesos und das Problem ihrer Wiederaufrichtung*, in: *AW* 6.4, 1975, 3 ff.; W. JOBST, *Archäologischer Park Carnuntum. Die Zukunft einer antiken Stadt*, in: AAVV., *La Pannonia e l'Impero Romano* (1995) 337 ff.; DERS., *Archäologischer Park Carnuntum. Neue Wege der Restaurierung und Präsentation des römischen Erbes an der Donau*, in: M. JUNKELMANN, *Reiter wie Statuen aus Erz* (1996) 3 ff.; G. KAENEL, *Lousanna. La promenade archéologique de Vidy, FAS* 9 (1977); M. KLEE, *Die Saalburg* (1995); A. KOLLING, *Die Römerstadt in Homburg-Schwarzenacker* (1993); H. KOSCHIK, *Bodendenkmäler*, in: *Flurbereinigung und Denkmalpflege, Schriftenreihe des Bayerischen Staatsministeriums für Ernährung, Landwirtschaft und Forsten* 20, 1983, 44 ff. (Kastell Ellingen); DERS., *Bodendenkmäler in der Stadt. Beispiele für Erhaltung und Präsentation aus dem Rheinland, Materialien zur Bodendenkmalpflege im Rheinland* 7 (1997); M. LUIK/F. REUTTI, *Der Römerpark in Köngen* (1988); D. PLANCK, *Das Freilichtmuseum am rätischen Limes im Ostalbkreis* (1983); K. PÓCZY, *Archäologie und Denkmalpflege in Aquincum-Budapest*, in: *Carnuntum-Jhb.* 1990, 7 ff.; G. PRECHT, *Der Archäologische Park Xanten*, 1.–7. Arbeitsbericht zu den Grabungen und Rekonstruktionen (1974–92); F. RAKOB, *Deutsche Ausgrabungen in Karthago*, in: *RM* 91, 1984, 1 ff.; DERS., *Neue Ausgrabungen in Karthago*, in: *AW* 23.3, 1992, 159ff.; DERS. u. a., *Forschungen im Stadtzentrum von Karthago*, in: *RM* 102, 1995, 413 ff.; A. RIECHE, *Führer durch den Archäologischen Park Xanten* (1994); CH. B. RÜGER, *Stammbuchblatt zum Archäologischen Park Xanten*, in: *Ausgrabungen im Rheinland '78*, 1979, 127 ff.; E. SCHALLMAYER (Hg.), *Hundert Jahre Saalburg. Vom römischen Grenzposten zum europäischen Museum* (1997); H. SCHMIDT, *Wiederaufbau. Baumaßnahmen an archäologischen Stätten* (1993); DERS., *Schutzbauten. Denkmalpflege an archäologischen Stätten* 1 (1993); W. SÖLTER (Hg.), *Das römische Germanien aus der Luft* (1981); A. H. VLADAR, *Restauro e tutela del patrimonio architettonico d'epoca romana in Pannonia, nell'Ungheria d'oggi: Compiti e risultati*, in: AAVV., *La Pannonia e l'Impero Romano* (1995) 345 ff.; L. WAMSER, *Biriciana – das römische Weißenburg* (1984); F. WIBLÉ, *Forum Claudii Vallensium, FAS* 17 (1981); DERS./A. LUGON/C. OLIVE, *L'amphithéâtre romain de Martigny* (1991).
Die 1964 in Venedig beschlossene ‹Internationale Charta über die Erhaltung und Restaurierung von Kunstdenkmälern und Denkmalgebieten› ist übersetzt zugänglich in: *Österreichische Zeitschrift für Kunst und Denkmalpflege* 22, 1968.

Abb. 73 Aureus des Hadrianus, geprägt 128–138 in Rom (RIC 251 a).

Abb. 74 Das Hadrianstor in Athen um 1800. Im Hintergrund das Olympieion und der Hymettos. Blick von Südwesten. Nach J. STUART und N. REVETT.

Die Provinzen Roms

Materialien zu ihrer Geschichte und Kultur

(Provinciae sunt) praedia populi Romani
MARCUS TULLIUS CICERO (106–43 v. Chr.)

*Denke daran, Römer, daß es an dir ist,
die Völker zu beherrschen. Dies sei deine
Aufgabe: die Wege des Friedens zu bestimmen, die Besiegten zu schonen und
die Stolzen durch Kriege zu zähmen.*
PUBLIUS VERGILIUS MARO (70–19 v. Chr.)

*Den Statthaltern, die ihm (i.e. Tiberius)
zuredeten, die Steuern in den Provinzen
zu erhöhen, schrieb er zurück, ein guter
Hirte dürfe seine Schafe wohl scheren,
nicht aber schinden.*
CAIUS SUETONIUS TRANQUILLUS (um 75–150)

Um die Mitte des zweiten nachchristlichen Jahrhunderts bestand das *imperium
Romanum* aus insgesamt 40 Provinzen,
nachdem den Parthern die kurzfristig
besetzten Gebiete östlich des Euphrats
zurückgegeben worden waren. Damit
kam eine Politik zum Abschluß, die mit
der militärischen Besetzung außeritali-
scher Gebiete kurz nach dem Ende des
ersten Punischen Krieges (238 v. Chr.)
begonnen hatte, ihre Höhepunkte unter
Augustus (27 v. Chr. – 14 n. Chr.) und
Traianus (98 – 117) erlebte und von Hadrianus (117 – 138) bewußt beendet
wurde, dessen politisches Wirken vor allem darauf gerichtet war, das Reich von
innen her zu stärken und seinen etwa
50 – 60 Millionen Menschen das Bewußtsein zu geben, Teil eines Ganzen zu
sein.

Kaiser Hadrianus hat in diesem Sinne
viel für den Integrationsprozeß der Provinzen getan, deren Bedeutung er vor allem dadurch betonte, daß er das Reich
und seine Bevölkerung auf zahlreichen
Reisen kennenlernte und sich wie kein
römischer Herrscher vor oder nach ihm
um die Probleme und Belange jeder einzelnen Provinz kümmerte. Sein persönliches Auftreten und Eingreifen an vielen
Orten des Reiches hat ganz entscheidend
jene Entwicklung gefördert, die mit dem
modernen Begriff ‹Romanisierung› umschrieben wird. Die Römer selbst besaßen hierfür kein eigenes Wort. Erst der
Christ Tertullianus prägte den Begriff *ro-
manitas*, um damit auszudrücken, was er
als *Africus* unter römischer Kultur, römischer Denkweise und römischem Han-

deln verstand. Für die meisten Provinzen
war es charakteristisch, wie schnell dieser Prozeß der Angleichung und Verein-
heitlichung vor sich ging.

Das Erscheinungsbild der römischen
Hinterlassenschaft ist in den einzelnen
Provinzen sehr unterschiedlich. Generell
läßt sich sagen, daß die römischen Überreste in den westlichen Provinzen, den
Donauländern sowie Teilen Nordafrikas
sehr viel augenfälliger sind, weil die Römer hier – anders als im Osten – nicht auf
ausgeprägte einheimische Zivilisationen
stießen, die sich gegenüber dem starken
römischen Einfluß behaupten konnten,
sondern es hier mit vergleichsweise
‹prähistorischen› Kulturen zu tun hatten,
die ihre Eigenständigkeit sehr bald zugunsten der römischen Lebens- und
Denkweise verloren, wenn sich ihre Träger auch weiterhin als Hispanier, Gallier,
Germanen oder Afrikaner fühlten und
im Verkehr untereinander ihr eigenes
sprachliches Idiom beibehielten. Die monumentalen Zeugen der römischen Urba-
nisierungspolitik im Westen – besonders
eindrucksvoll manifestiert durch ganze
Ruinenlandschaften im südlichen Spanien, dem mittleren Nordafrika und der

73

Provence – haben schon früh das Interesse von Laien und Wissenschaftlern gefunden. Andererseits hat es lange gedauert, bis die Archäologie mit ihren spezialisierten Methoden und vielfältigen Er-
kenntnis- und Aussagemöglichkeiten von
der Alten Geschichte als gleichberech-
tigte Partnerin anerkannt wurde. Bahnbrechend hat hier das Werk von M. I. RO-
STOVTZEFF (1870–1952) gewirkt, der als
erster erkannte, daß Geschichte ohne die
Hilfe der Archäologie nicht geschrieben

74

75

werden könne. Seine damalige Gesamt-
schau zur Gesellschaft und Wirtschaft im
römischen Kaiserreich ist bis heute un-
übertroffen.

Anders lagen die Dinge im Osten, wo
die Römer Gebiete zu Provinzen machten, die mit ihrer fast durchgehend griechisch-hellenistischen Prägung bereits in
starkem Maße urbanisiert waren. Wirklich römische Städte wie die wiederaufgebauten Metropolen *Corinthus* und
Karthago oder Neugründungen wie
Cnossus, Nicopolis (Epirus) oder *Novum
Ilium*/Troja bildeten die Ausnahme und
wirkten in ihrer griechischen Umwelt
eher wie Fremdkörper. In den allermeisten Fällen begnügte man sich, den griechischen Städten eine Art römischer
‹Tünche› zu geben, indem man ältere
Bauwerke nach römischen Architekturvorstellungen umgestaltete oder neu errichtete. Grundsätzlich jedoch erkannten
die Römer die Überlegenheit der griechischen oder ägyptischen Kultur vorbehalt-
los an. So tragen Architekturschöpfungen
des Augustus in Ägypten ein fast rein
ägyptisches Gepräge, und keinem römischen Herrscher wäre es eingefallen, in
Athen oder anderswo in Griechenland
oder Kleinasien gewachsene und funktionierende urbane Zentren niederzule-
gen, um – gleichsam als Machtdemon-
stration – eigene Bauvorstellungen zu
verwirklichen. Das von Horatius geprägte Wort *Graecia capta ferocem victorem cepit* bietet hier vielmehr die Erklärung für jene Haltung, die ausschlaggebend dafür war, daß etwa in Athen kein
einziger römischer Kuppelbau errichtet

wurde und der zu Ehren Hadrians geschaffene Bogen am Eingang zu der von
ihm geplanten Neustadt von Athen nicht
das Aussehen eines römischen Triumphbogens, sondern eines hellenistischen
Festtores erhielt (Abb. 100).

Zur Einführung in den Gesamtzusammenhang: M.
CARY, *The geographic background of Greek and
Roman history* (1949); G. GOTTLIEB (Hg.),
*Raumordnung im Römischen Reich. Zur regionalen
Gliederung in den gallischen Provinzen, in Rätien,
Noricum und Pannonien* (1989); W. HELD, *Die
Grundbesitzverhältnisse in den römischen Rhein-
und Donauprovinzen im 3. und 4. Jahrhundert*, in:
Ztschr. f. Archäologie 5, 1971, 215 ff. u. 6, 1972,
43 ff.
J. P. V. D. BALSDON, *Romans and aliens* (1980); J.
BLEICKEN, *Verfassungs- und Sozialgeschichte des
römischen Kaiserreiches*, 2 Bde. (1978/80); A. DE-
MANDT, *Antike Staatsformen. Eine vergleichende
Verfassungsgeschichte der Alten Welt* (1995); J.-P.
MARTIN, *Les provinces romaines d'Europe centrale
et occidentale. Evolution et administration du Norique, de la Rhétie, des provinces alpestres, des Gaules, des Germanies, de la Bretagne et des provinces
hispaniques de 31 avant J.-C. à 235 après J.-C.*
(1990); F. MILLAR, *The emperor in the Roman
world* ²(1991).
W. T. ARNOLD (ed. E. S. BOUAHIER), *The Roman
system of provincial administration to the acces-
sion of Constantine the Great* ³(1968); F. M. AUS-
BÜTTEL, *Die Verwaltung des römischen Kaiserreiches* (1990); W. BOOCHS, *Die Finanzverwaltung
im Altertum* (1985); D. BRAUND (ed.), *The administration of the Roman Empire* (1988); R. HAENSCH,
*Capita provinciarum. Statthaltersitze und Provinzi-
alverwaltung in der römischen Kaiserzeit* (1997); J.
MARQUARDT, *Römische Staatsverwaltung* (1885;
ND 1957); H. NESSELHAUF, *Die spätrömische Verwaltung der gallisch-germanischen Länder* (1938);
K. L. NOETHLICHS, *Zur Entstehung der Diözesen
als Mittelinstanz des spätrömischen Verwaltungs-
systems*, in: *Historia* 31, 1982, 70 ff.; J. S. RICH-
ARDSON, *Roman provincial administration* 227
B.C. – A.D. 117 (1976); G. H. STEVENSON, *Roman
provincial administration* (1939); B. E. THOMAS-
SON, *Legatus. Beiträge zur römischen Verwaltungsgeschichte* (1991); F. VITTINGHOFF, *Römische Ko-
lonisation und Bürgerrechtspolitik unter Caesar

und Augustus* (1951); DERS., *Die politische Organisation der römischen Rheingebiete in der Kaiserzeit*, in: *Renania Romana, Atti dei Convegni Lincei*
23, 1976, 73 ff.; H. VOLKMANN, *Die römische Provinzialverwaltung der Kaiserzeit*, in: *Gymnasium*
68, 1961, 395 ff.; DERS., s. v. provincia, in: *Der
Kleine Pauly* 4 (1972) 1199 ff.; G. WESENBERG, s.
v. Provinciae Germaniae, in: *RE* XXIII 1 (1957)
995 ff.
H. W. BÖHME, *Römische Beamtenkarrieren, Limesmuseum Aalen* 16 (1977); G. W. BOWERSOCK, *Augustus and the Greek world* (1965); P. A. BRUNT,
*Charges of provincial maladministration under the
early principate*, in: *Historia* 10, 1961, 189 ff.; W.
ECK, *Senatoren von Vespasian bis Hadrian* (1970);
DERS., *Beförderungskriterien innerhalb der senatorischen Laufbahn, dargestellt an der Zeit von 69 bis
188 n. Chr.*, in: *ANRW* II 1 (1974) 158 ff. – H.
HALFMANN, *Die Senatoren aus dem östlichen Teil
des Imperium romanum bis zum Ende des 2. Jh. n.
Chr.* (1979); O. HIRSCHFELD, *Die kaiserlichen Ver-
waltungsbeamten bis auf Diokletian* ³(1963); K. L.
NOETHLICHS, *Beamtentum und Dienstvergehen. Zur
Staatsverwaltung in der Spätantike* (1981); B. E.
THOMASSON, *Die Statthalter der römischen Provinzen von Augustus bis Diokletian*, in: *Opusc. Rom.* 4,
1962, 125 ff.
G. ALFÖLDY, *Die Stellung der Ritter in der
Führungsschicht des Imperium Romanum*, in:
Chiron 11, 1981, 169 ff.; H. DEVIJVER, *Prosopo-
graphia militiarum equestrium quae fuerunt ab Augusto ad Gallienum*, 3 Bde. (1976–80); H. G.
PFLAUM, s. v. procurator, in: *RE* XXIII 1 (1957)
1240 ff.; DERS., *Les carrières procuratoriennes
equestres sous le Haut-Empire Romain*, 4 Bde.
(1960/61). Dazu: DERS., Suppl. (1982); A. STEIN,
Der römische Ritterstand (1927).
F. F. ABBOTT/A. C. JOHNSON, *Municipal administration in the Roman Empire* (1926); D. BAATZ,
*Rechtsstand und Verwaltung des flachen Landes in
römischer Zeit*, in: *Germania Romana* III (1970) 9
ff.; J. DEININGER, *Die Provinziallandtage der römischen Kaiserzeit. Von Augustus bis zum Ende des 3.
Jahrhunderts* (1965); P. GARNSEY, *Aspects of the
decline of the urban aristocracy in the Empire*, in:
ANRW II 1 (1974) 229 ff.; F. JACQUES, *Les curateurs des cités dans l'occident romain de Trajan à
Gallien* (1983); W. LANGHAMMER, *Die rechtliche
und soziale Stellung der magistratus municipales*
(1973); W. LIEBENAM, *Städteverwaltung im römischen Kaiserreich* (1900; ND 1967); D. NÖRR, *Imperium und Polis in der hohen Prinzipatszeit*
²(1969); G. RUPPRECHT, *Untersuchungen zum De-
kurionenstand in den nordwestlichen Provinzen des
römischen Reiches* (1975); M. STAHL, *Imperiale
Herrschaft und provinziale Stadt* (1978).

**Abb. 75   Philae (ET). Sog. Kiosk des Tra-
ianus im Isisheiligtum, wiederaufgebaut auf
der Nachbarinsel Agilkia. Blick von Süden.
Nach 117.**

**Abb. 76   Sicilia Romana. Übersichtskarte
der Städte, Siedlungen und Landgüter. Nach
R. J. A. WILSON.**

Sicilia (nach 241 v. Chr.)*

Es trauern alle Provinzen, es klagen alle freien Völker, selbst die Königreiche fordern Genugtuung von uns für unsere Taten der Begehrlichkeit und Ungerechtigkeit. Bis zum Ozean gibt es keinen noch so entlegenen oder versteckten Platz, wohin nicht in der letzten Zeit die Willkür und Unbill unserer Leute gedrungen wäre …

MARCUS TULLIUS CICERO (106–43 v. Chr.)

Der Gewinn des ersten Landbesitzes außerhalb Italiens und seine Umwandlung in eine *provincia* war das Ergebnis des ersten Punischen Krieges (264–241 v. Chr.). Bis zum Beginn dieser Auseinandersetzung hatten sich Karthager im Westen und Griechen im Osten die Insel geteilt, während die einheimischen bzw. eingewanderten Elymer, Sikaner und Sikuler politisch nur eine geringe Rolle spielten. Anlaß des Krieges war die Belagerung der Stadt *Messana*/Messina durch Hieron II. von Syrakus, der Grund das Ringen um die Seeherrschaft im Tyrrhenischen Meer zwischen Römern und Karthagern, das nach wechselnden Erfolgen mit dem Sieg bei den *Aegates insulae* (241 v. Chr.) zugunsten Roms entschieden wurde. Karthago sah sich gezwungen, auf seine sizilischen Stützpunkte zu verzichten, während Rom die Insel in Besitz nahm, dabei jedoch das Territorium Hierons im Ostteil der Insel bis 215 v. Chr., dem Zeitpunkt seines Todes, unangetastet ließ, da sich der Grieche nach anfänglicher Gegnerschaft als treuer Bundesgenosse erwies und viel dazu beitrug, für Rom gleich mehrere Flotten zu bauen und sie vor allem mit seetüchtigen und seekampferfahrenen Mannschaften auszustatten.

Es ist wenig wahrscheinlich, daß Sizilien von Beginn an als Provinz organisiert war. Vielmehr sieht es so aus, als sei dies endgültig erst nach 210 v. Chr. geschehen, als der Konsular M. Valerius Laevinus die Statthalterschaft übernahm, mit der Eroberung der Städte *Siracusae*/Syrakus (212 v. Chr.) und *Akragas-Agrigentum*/Agrigento (210 v. Chr.) wieder friedliche Verhältnisse auf der Insel herstellte und damit vor allem die für Rom so lebenswichtige Versorgung mit sizilischem Getreide sicherte. Fortan residierte in *Siracusae*, der neuen Provinzhauptstadt, ein vom Senat eingesetzter *praetor*, dem zwei *quaestores* zur Seite standen, von denen der eine seinen Sitz in *Lilybaeum*/Marsala hatte, das dank seiner exponierten Lage an der Westspitze der Insel und seines intensiven Seehandels eine der reichsten Städte Siziliens war. Offenbar führte die Ausweitung des Getreideanbaus auf den zahlreichen Latifundien der Insel in der Folgezeit wiederholt zu mehrjährigen Sklavenaufständen, die blutig niedergeschlagen werden mußten. Bekannt sind vor allem die Revolten von 135–132 und 104–100 v. Chr., die von P. Rupilius und M. Aqulius erfolgreich beendet wurden. Wie lebenswichtig die Insel für die Kornzufuhr Roms und Italiens war, erwies sich auch in den Auseinandersetzungen zwischen Octavianus und Sextus Pompeius (43–36 v. Chr.), der von Sizilien aus über Jahre die Versorgung des italischen Festlandes blockierte, ehe er von M. Agrippa nach zwei erfolgreichen Seeschlachten vertrieben werden konnte.

Trotz ihrer großen Bedeutung als *cella penaria rei publicae* (CATO) stuften Augustus und seine Ratgeber *Sicilia* im Jahre 27 v. Chr. als Senatsprovinz minderen Ranges ein und unterstellten sie einem *proconsul*, der lediglich prätorischen Rang besaß. Augustus war es auch, der die Provinz neu ordnen ließ und Städten wie *Tauromemium*/Taormina oder *Panhormus*/Palermo, die schon in der Vergangenheit besondere Privilegien besaßen, etwa durch die Besiedlung mit Veteranen einen neuen Status verlieh. Seitdem gab es mit *Catina*/Catania, *Lilybaeum*, *Panhormus*, *Siracusae*, *Tauromemium*, *Thermae Himeraeae*/Termini Imerese und *Tyndaris*/Tindari sieben *coloniae* auf der Insel, die alle an der Küste lagen. Mit *Messana*, *Centuripae*/Centuripe, *Netum*/Noto, *Agrigentum*, *Segesta*, *Halaesa*/Castel Tusa, *Haluntium*/S. Marco d'Aluncio und *Lipara*/Lipari, das mit den umliegenden Inseln zu Sizilien gehörte, kamen acht Städte hinzu, die den Rang von *municipia* besaßen, allerdings von unterschiedlicher Rechtsstellung waren. Das Siedlungsbild des römischen Sizilien wurde durch weitere Niederlassungen ergänzt, die von Plinius (*nat. hist.* III 86 ff.) als *oppida* bzw. *civitates stipendiariae* bezeichnet werden. Hierzu zählten Plätze wie *Helorus*/Eloro und *Mazara*/Mazzara, die über brauchbare Häfen verfügten, oder *Soluntum*/Solanto, das schon unter den Karthagern eine der wichtigsten Hafenstädte Siziliens war. Während diese Plätze auch in der Kaiserzeit eine gewisse Bedeutung behielten, gab es andere, die von ihren Bewohnern verlassen wurden. Betroffen waren hiervon vor allem griechische Gründungen wie *Himera*, *Selinus*, *Herakleia Minoa*, *Gela*, *Kamarina* und *Megara Hyblaia*.

Siziliens Wirtschaft basierte jahrhundertelang auf der Massenproduktion von Getreide, das auf großen Gütern und La-

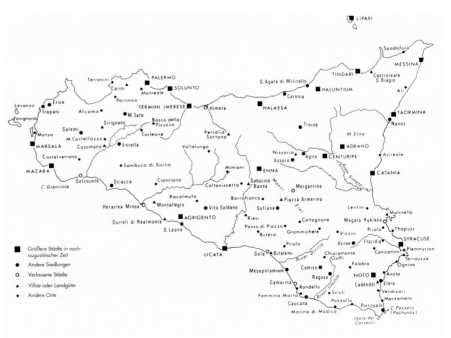

*Im Folgenden werden die Provinzen nicht – wie bislang meist üblich – in lockerer Folge von Westen nach Osten behandelt. Ihre Abfolge ist vielmehr chronologisch angeordnet und orientiert sich an den Daten, zu denen ein bestimmtes Land oder Gebiet Teil des *orbis Romanus* wurde.

77

tifundien angebaut wurde. Zwar wurde lange Zeit das meiste Getreide zur Versorgung der Hauptstadt aus Nordafrika und Ägypten importiert, doch wußte Sizilien, allein schon auf Grund seiner günstigen Lage, seine Position als Kornlieferant stets zu behaupten und, wenn nötig, auch zu steigern, wenn (wie in der Spätantike) Lieferungen aus dem Osten ausblieben oder zeitweise ganz eingestellt wurden. Weitere wichtige Exportgüter der Insel waren Wein, Früchte, Fisch und Tierhäute; größere Bedeutung für die Ausfuhr besaß auch die Vieh- und Pferdezucht. Dagegen diente etwa die Ölproduktion Siziliens lediglich der Eigenversorgung. Obwohl an Bodenschätzen nicht gesegnet, spielte der Export von Mineralien wie Schwefel und Alaun eine besondere Rolle, die in der Gegend von Agrigento bzw. auf den Liparischen Inseln abgebaut wurden. Eine gewisse Bedeutung besaß auch die Ausfuhr von Mahlsteinen aus Ätna-Basalt, die sich bei Ausgrabungen sowohl in Süditalien wie in Nordafrika fanden.

Abgesehen von Italien, von wo, insbesondere während der frühen und mittleren Kaiserzeit, keramische Produkte sowie Waren aus Glas, Bronze und Marmor eingeführt wurden, scheint seit der 2. Hälfte des 2. Jhs. v. Chr. der Warenaustausch mit der Provinz *Africa proconsularis* immer intensiver geworden zu sein. Eindeutige archäologische Indizien für diese Entwicklung bilden die zahlreichen Keramikfunde aus nordafrikanischer Produktion, zu der die sog. red slip ware ebenso gehört wie die in großer Zahl

gefundenen afrikanischen Tonlampen und Amphoren, in denen Olivenöl und Fischsauce (*garum*) nach Sizilien importiert wurden. Wie sehr der afrikanische Einfluß darüber hinaus in der Spätantike das sizilische Kunsthandwerk bestimmte, ist nicht zuletzt an den Mosaiken der prunkvollen Villa von Piazza Armerina ablesbar, die von afrikanischen Mosaizisten ausgeführt wurden und mit einer Gesamtfläche von ca. 3500 qm als «das bedeutendste und umfassendste Dokument afrikanischer Mosaikkunst aus der Zeit der Spätantike» gelten (R. BIANCHI BANDINELLI).

Anders als die meisten anderen Provinzen blieb *Sicilia*, das fortan zur *dioecesis Italiae* zählte, in spätrömischer Zeit ungeteilt. Wie lebenswichtig nach wie vor die Agrarproduktion der Insel auch damals noch war, mag die Tatsache unterstreichen, daß der oberste Beamte Siziliens, ein *consularis*, dem *vicarius urbis Romae* direkt unterstellt war. Wenige Jahrzehnte nach der Reichsteilung (395) bestimmten zuerst die Vandalen (439), später dann dauerhafter die Ostgoten (ab 493) die äußeren Geschicke Siziliens, ehe es den Byzantinern 535 gelang, die Insel für Rom zurückzugewinnen und sie bis zur arabischen Eroberung (827) zu halten.

Der reichen phönizisch-karthagischen, vor allem aber griechischen Vergangenheit entsprechend hat sich die archäologische Erforschung Siziliens bis heute in der Hauptsache auf die Hinterlassenschaft dieser beiden Kulturen konzentriert. Obwohl es bedeutende Überreste aus der Zeit gibt, in der die Insel Teil des *imperium Romanum* war, gehören römische Ausgrabungen auf Sizilien eher zu den Ausnahmen. Zu nennen sind hier insbesondere die Theater in Taormina, Catania und Syrakus, die Thermen und Nymphäen in Catania, Centuripe, Marsala, Sofiana, Syrakus und Tindari, dazu der Cornelius-Aquädukt bei Termini Imerese sowie Wohnviertel und Häuser der späthellenistischen und römischen Zeit in Agrigento, Centuripe, Syrakus und Tindari. Einen besonderen Rang nehmen die Ausgrabungen der großen Villa bei Piazza Armerina ein. Nach wie vor ist ungeklärt, ob der vielgestaltige Gebäudekomplex mit seinen bilderreichen Mosaikfußböden der Sommersitz eines reichen Großgrundbesitzers oder gar eines Kaisers wie Maxentius (306–312) oder Maximianus (286–310) war. Architektonische und stilistische Gründe sprechen allerdings dafür, die von Meistern eines nordafrikanischen Ateliers geschaffenen Mosaiken in die Zeit zwischen 320 und 360 zu datieren.

M. I. FINLEY, *Das antike Sizilien* (1992); E. GABBA/G. VALLET (eds.), *La Sicilia antica*, 2 Bde. (1980); G. MANGANARO, *Per una storia della Sicilia Romana*, in: *ANRW* II 1 (1972) 442 ff.; DERS., *La Sicilia da Sesto Pompeo a Diocleziano*, ebd. II 11.1 (1988) 3 ff.; E. MANNI, *Geografia fisica e politica della Sicilia antica* (1981); R. J. A. WILSON, *Sicily under the Roman Empire* (1990). Dazu H. VON HESBERG, in: *BJ* 196, 1996, 820 ff.
AAVV., *Città e contado in Sicilia fra III e il IV sec. d. C.*, in: *Kokalos* 28–29, 1982–83, 315 ff.; O. BELVEDERE, *Opere publiche ed edifici per lo spettacolo nella Sicilia di età imperiale*, in: *ANRW* II 11.1 (1988) 346 ff.; M. A. S. GOLDSBERRY, *Sicily and its cities in hellenistic and roman times* (1982).; U. KAHRSTEDT, *Die Gemeinden Siziliens in der Römerzeit*, in: *Klio* 35, 1942, 246 ff.; D. KIENAST, *Die Anfänge der römischen Provinzialordnung in Sizilien*, in: AAVV., *Sodalitas. Scritti in onore di A. Guarino* (1984) 105 ff.; G. LUGLI, *L'architettura in Sicilia nell'età ellenistica e romana*, in: DERS., *Studi minori* (1965) 203 ff.; R. SORACI, *I proconsoli di Sicilia da Augusto a Traiano* (1974); R. J. A. WILSON, *Towns of Sicily during the Roman Empire*, in: *ANRW* II 11.1 (1988) 90 ff.
AAVV., *Lilibeo. Testimonianze archeologiche del IV sec. a. C. al V sec. d. C.* (1984); L. BIRONA, *Lilibeo* (1984); A. CARANDINI/A. RICCI/M. DE VOS, *Filosofiana. La villa di Piazza Armerina* (1982); G. V. GENTILI, *Piazza Armerina* (1954); A. HOLM/G. LIBERTINI, *Catania antica* (1925); G. LIBERTINI, *Centuripe* (1926); G. PARISI, *Tyndaris* (1950); L. POLACCO/C. ANTI, *Il teatro antico di Siracusa* (1981); M. SANTANGELO, *Taormina und Umgebung* (1966); G. VALLET, *Rhegion et Zancle* (1958); R. J. A. WILSON, *Piazza Armerina* (1983).
A. BELLANCA, *Marmi di Sicilia* (1969); O. BELVEDERE, *L'acquedotto Cornelio di Termini Imerese* (1986); G. M. COLUMBA, *I porti della Sicilia* (1906); G. KAPITÄN, *Schiffsfrachten antiker Baugesteine und Architekturteile vor den Küsten Ostsiziliens*, in: *Klio* 39, 1961, 276 ff.; A. MANDRUZZATO, *La sigillata italica in Sicilia*, in: *ANRW* II 11.1 (1988) 414 ff.; M. MAZZA, *Economia e società nella Sicilia Romana*, in: *Kokalos* 26–27, 1980–81, 292 ff.; V. M. SCRAMUZZA, *Roman Sicily*, in: T. FRANK (ed.), *An economic survey of ancient Rome* 3 (1937; ND 1959) 225 ff.; G. P. VERBRUGGHE, *Sicilia. Itinera Romana* (1976); R. J. A. WILSON, *Trade and industry in Sicily during the Roman Empire*, in: *ANRW* ebd. 207 ff.
D. VON BOESELAGER, *Antike Mosaiken in Sizilien* (1983); N. BONACASA, *Ritratti greci e romani della Sicilia* (1964); DERS., *Le arti figurative nella Sicilia romana imperiale*, in: *ANRW* II 11.1 (1988) 306 ff.; DERS., *Zur Kunstgeschichte Siziliens in der Prinzipatszeit*, ebd. 12.4 (i. Vorb.); R. M. BONACASA CARRA, *Nuovi ritratti romani della Sicilia* (1977); A. CARANDINI, *Ricerche sullo stile e la cronologia dei mosaici della Villa di Piazza Armerina* (1964); G. V. GENTILI, *La villa Erculia di Piazza Armerina. I mosaici figurati* (1959); H. KÄHLER, *Die Villa des Maxentius bei Piazza Armerina* (1973); B. PACE, *Arte e civiltà della Sicilia antica* I ²(1958). II–III (1938). IV (1949); G. SFAMENI GAPARRO, *I culti orientali in Sicilia* (1973); V. TUSA, *I sarcofagi romani in Sicilia* (1957).

Abb. 77   Piazza Armerina/Sizilien (I). Ausschnitt aus einem Mosaik eines der Peristylhöfe. Ein Löwe ‹bevölkert› eine Ranke, 4. Jh.

Abb. 78   Sardinia Romana. Übersichtskarte der Städte, Siedlungen und Verkehrswege. Nach P. MELONI.

Sardinia et Corsica (227 v. Chr.)

Die Sarden sind käuflich, einer nichtsnutziger als der andere.

MARCUS TULLIUS CICERO (106–43 v. Chr.)

Wer über's Meer kommt, stiehlt.

Altsardisches Sprichwort

Die Annexion der Inseln Sardinien und Korsika und ihre Umwandlung in eine römische Provinz war ein Akt nackter Gewalt, der sich entweder schon im Jahre 241 v. Chr. als direkte Folge des ersten Punischen Krieges abgespielt hat oder Gegenstand eines Zusatzvertrages war, der wenig später im Jahre 238/237 v. Chr. abgeschlossen wurde. Vorausgegangen waren wiederholte römische Anstrengungen in den Jahren 378 und 259/258 v. Chr., auf der Italien zugewandten Seite der beiden Inseln Fuß zu fassen und Niederlassungen zu gründen. Gelang dies zuletzt auch im Einzelfall, so war Sardinien doch bis zum Ausbruch des ersten Punischen Krieges fest in den Händen der Karthager. Zwar feierte man in Rom bereits 235 v. Chr. einen Triumph *de Sardis*, doch begann die eigentliche Provinzialära erst mit dem Jahr 227 v. Chr., als M. Valerius Laevinus als erster prätorischer Statthalter nach Sardinien ging und seinen Amtssitz in *Carales*/ Cagliari (I) nahm, der bedeutendsten Stadt der neuen Provinz. Zu seinem Amtsbereich gehörte auch die Insel *Corsica*, die bereits 259 v. Chr. durch L. Cornelius Scipio besetzt wurde, der u. a. auch die alte Phokäerstadt *Alalia*/Aléria (F) an der Ostküste der Insel eroberte, die jedoch wohl erst mit dem Vertrag von 238/237 v. Chr. endgültig römischer Besitz wurde.

Die Einrichtung der Provinz *Sardinia et Corsica* geschah gegen den ausgesprochenen Willen der einheimischen Bevölkerung, die sich bis dahin in ihrer Eigenständigkeit gegen Griechen und Karthager im wesentlichen behaupten konnte. Bekannt war von den Sarden, die in der Antike keinen guten Namen hatten, daß sie es stets verstanden, sich bei drohender Gefahr in das bergige Hinterland zurückzuziehen und sich dort in «Höhlen» (STRABON) oder «unterirdischen Wohnungen» (DIODOROS) zu verschanzen, in denen man unschwer die eisenzeitlichen Nuraghen wiedererkennen kann, steinernen Rundbauten der einheimischen Bevölkerung, von denen bereits Aristoteles wußte und die noch heute in großer Zahl auf der Insel zu sehen sind. Allzu ausgeprägt kann das politische Interesse Roms an den Inseln Sardinien und Korsika nicht

gewesen sein, wie die wenigen, wirklich verwertbaren Nachrichten zeigen. Vielmehr galten Sardiniens Produkte als ziemlich wertlos, das Klima der Insel, vor allem im Sommer, als ungesund und die Sarden generell als wenig verläßlich. Es war deshalb nicht verwunderlich, daß beide Inseln bevorzugte Verbannungsorte

waren, wie das Beispiel des L. Annaeus Seneca zeigt, der acht Jahre auf *Corsica* verbringen mußte, ehe ihn Agrippina im Jahre 48 nach Rom rief, um ihm die Erziehung ihres Sohnes Nero anzuvertrauen.

Trotz ihres schlechten Rufes galten die beiden Inseln im Altertum nicht nur als

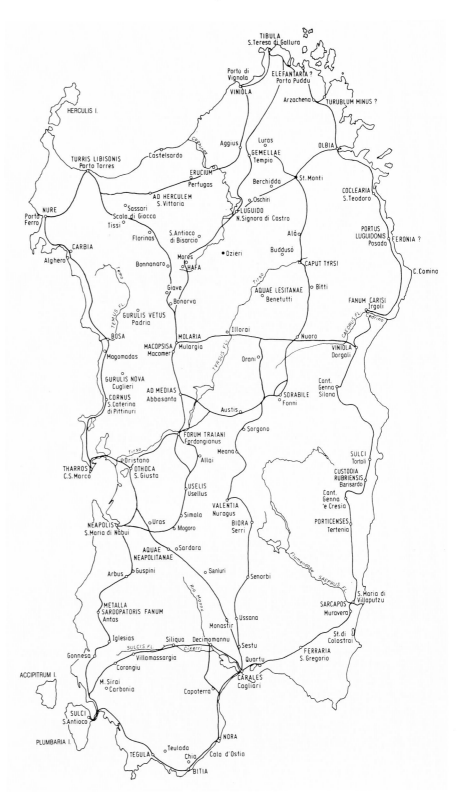

rauh und abweisend. Sardinien war auch für seinen Getreidereichtum und den Abbau verschiedener wertvoller Mineralien bekannt, während Korsikas Wälder Bauholz lieferten, das in erster Linie für den Schiffsbau benötigt wurde. Die besten Anbauflächen für Getreide lagen an der Westküste und im Süden Sardiniens zwischen dem Golf von Cagliari und dem von Oristano. Südwestlich davon erstreckt sich ein Bergland, das heute Iglesiente heißt, mit römischen Abbauplätzen vor allem für Kupfer, während beim heutigen Argentiera im äußersten Nordwesten der Insel silberhaltiges Blei gewonnen wurde. Erwähnenswert sind auch die Steinbrüche von Teulada im Süden sowie am Capo Testa, der Nordspitze Sardiniens. Dagegen verfügte das deutlich gebirgigere Korsika mit seinen ausgedehnten Bergwäldern nur an seiner Ostküste über ausreichende Anbauflächen, insbesondere in der Küstenebene von *Alalia/*Aléria (F), der 565/564 v. Chr. von phokäischen Griechen gegründeten Stadt, die L. Cornelius Scipio 259 v. Chr. eroberte (*CIL* VI 1286 f.), ehe er nach Sardinien weiterfuhr, um die Insel für Rom zu okkupieren.

Die Frage, inwieweit die beiden Inseln im Verlauf der römischen Kaiserzeit romanisiert worden sind, ist früher damit beantwortet worden, daß sich der Prozeß der Romanisierung im wesentlichen auf die ehemals griechischen und karthagischen Küstenstädte beschränkt habe, während das gebirgige Binnenland lange Zeit weitgehend von dieser Entwicklung ausgeschlossen blieb. Neuere Forschungen auf Sardinien haben jedoch inzwischen den Nachweis erbracht, daß auch das Innere der Insel erschlossen wurde, wie etwa die von R. J. ROWLANDS vorgelegten Karten zur Verteilung römischer Badegebäude, Mosaiken, Sarkophage, Statuen oder ländlicher Niederlassungen auf der Insel erkennen lassen. Allerdings zeigen diese Fundkarten auch, daß der Siedlungsschwerpunkt auf Sardinien im Süden und im Westteil der Insel lag, während der Osten – abgesehen von der Gegend um *Olbia* – weitgehend unberührt blieb. Inwieweit sich diese neueren Erkenntnisse siedlungsgeographischer Art auch auf die Insel Korsika übertragen lassen, entzieht sich unserer Kenntnis. Vorerst fehlen dort ähnliche Untersuchungen, wie sie für Sardinien im Gange sind oder bereits vorliegen.

Über die Geschichte der beiden Inseln während der Kaiserzeit ist nur sehr wenig bekannt. Bei der Neuordnung der Provinzen durch Augustus (27 v. Chr.) wurden *Sardinia et Corsica* zunächst dem Senat zuerkannt, jedoch bereits im Jahre 6 der

kaiserlichen Verwaltung unterstellt und wohl bis 67 von einem *procurator* verwaltet, ehe der Senat die Provinz zurückerhielt. Dabei mag mitentscheidend gewesen sein, daß z. B. auf Sardinien milizähnliche Truppen im Einsatz waren, um – wie es bei Tacitus heißt (*Ann.* II 85) – «das Raubgesindel dort im Zaum zu halten», sicher ein Zeichen dafür, daß die Insel auch zu Beginn der Kaiserzeit noch nicht endgültig als ‹befriedet› gelten konnte. Später versiegen die historischen Nachrichten völlig. Sicher ist nur, daß die Provinz spätestens im 4. Jh. geteilt wurde und fortan jede der beiden Inseln eine eigene Verwaltungseinheit bildete.

Die intensive Tätigkeit vor allem italienischer Forscher, unter denen P. MELONI besonders hervorzuheben ist, hat dem Bild des römischen Sardinien von Jahr zu Jahr klarere Konturen geben können. Dabei hat man sich insbesondere den städtischen Zentren zugewandt und vor allem dort, wo die römische Hinterlassenschaft nicht – wie etwa in Olbia oder Cagliari – von den Bauten jüngerer Zeit überdeckt wurde, größere Untersuchungen durchgeführt. Stellvertretend seien hier die Ausgrabungen in *Nora*, *Tharros*/C. San Marco und *Turris Libisonis*/Porto Torres angeführt, zu denen auch neuere Veröffentlichungen vorliegen. Andere Städte wie *Sulcis*/San Antioco, *Valentia*/Nuragus, *Neapolis*/S. Maria di Nabui, *Uselis*/Usellus oder *Forum Traiani*/Fordongianus, die z. T. auch Plinius nennt (*nat. hist.* III 7.85), sind zwar von ihrer Lage her bekannt, jedoch bislang noch wenig erforscht. Das Gleiche gilt auch für die weitere Erforschung der ländlichen Besiedlung Sardiniens. Auch wenn die *tabula Sardiniae* noch einer weiteren Komplettierung bedarf, so läßt sich heute schon ablesen, daß in der mittleren Kaiserzeit weite Gebiete der Insel – anders als heute – von Dörfern, Weilern und Einzelgehöften bedeckt waren. Eine Besonderheit stellt schließlich der Ort *Sardopatoris Fanum*/Antas dar, wo sich bis heute in unmittelbarer Nähe einer Nuraghensiedlung, die in römischer Zeit wiederbewohnt wurde, die eindrucksvollen Ruinen des Tempels des Gottes *Sardus pater* erhalten haben, dessen Kult einheimische und römische Vorstellungen miteinander verband.

Das wissenschaftliche Schrifttum zum römischen Sardinien ist sehr reichhaltig. Gleiches läßt sich über das französische Korsika nicht sagen, wo die römische Forschung noch ganz am Anfang steht. AAVV., *La Sardegna. La geografia, la storia, l'arte e la letteratura* (1982); AAVV., *Nuove testimonianze archeologiche della Sardegna centrosettentrionale* (1976); AAVV., *Sardegna romana*, 2 Bde. (1936/39); AAVV., *Sardinia antiqua. Studi in onore di Piero Meloni* (1992); M. C. ASCARI, *La*

Corsica nell'antichità (1942); M. S. BALMUTH/R. J. ROWLANDS JR. (eds.), *Studies in Sardinian Archaeology* I (1984); W. FUCHS, *Archäologische Forschungen und Funde in Sardinien 1949–62*, in: *AA* 1963, 277 ff.; J. u. L. JEHASSE, *La Corse romaine*, in: P. ARRIGHI (ed.), *Histoire de la Corse* (1971) 97 ff.; O. JEHASSE, *Corsica Classica. La Corse dans les textes antiques du VIIe siècle avant J.-C. au Xe siècle de notre ère* [2](1986); P. MELONI, *La Sardegna romana* (1975); DERS., *La provincia romana di Sardegna* I. *I secoli I–III*, in: *ANRW* II 11.1 (1988) 451 ff.; E. PAIS, *Storia della Sardegna e della Corsica durante il dominio romano* (1923); F. POMPONI, *Histoire de la Corse* (1979); R. J. ROWLAND JR., *I ritrovamenti romani in Sardegna* (1981); DERS., *The archaeology of Roman Sardinia*, in: *ANRW* ebd. 740 ff.; DERS., *History of the ancient Sardinia* (i. Vorb.); R. J. A. WILSON, *Sardinia and Sicily during the Roman Empire*, in: *Kokalos* 26–27, 1980–81, 219 ff.

W. ECK, *Zum Rechtsstatus von Sardinien im 2. Jh. n. Chr.*, in: *Historia* 20, 1971, 510 ff.; G. I. LUZZATTO, *In tema di organizzazione municipale della Sardegna*, in: *Studi in onore di G. Grosso* I (1968) 293 ff.; P. MELONI, *L'amministrazione della Sardegna da Augusto all'invasione vandalica* (1958); DERS., *La Sardegna romana. I centri abitati e l'organizzazione municipale*, in: *ANRW* ebd. 491 ff.; B. E. THOMASSON, *Zur Verwaltungsgeschichte der Provinz Sardinia*, in: *Eranos* 70, 1972, 72 ff. S. L. DYSON, *Native revolt patterns in the Roman Empire.* II: *Sardinia and Corsica*, in: *ANRW* II 3 (1975) 144 ff.; R. J. ROWLAND JR., *Mortality in Roman Sardinia*, in: *Studi Sardi* 22, 1971–72, 359 ff.; DERS., *Sardinians in the Roman Empire*, in: *Ancient Society* 5, 1974, 223 ff.; G. SOTGIU, *Sardi nelle legioni e nella flotta romana*, in: *Athenaeum* 39, 1961, 78 ff.

A. BONINU/M. LE GLAY/A. MASTINO, *Turris Libisonis colonia Iulia* (1984); G. CHIERA, *Testimonianze su Nora* (1978); J. u. L. JEHASSE, *Aléria antique. Guide des fouilles et du musée* (1982); G. NIEDDU, *Le Terme e le ville rurali in Sardegna* (1998); D. PANEDDA, *Olbia nel periodo punico e romano* (1953); G. PESCE, *Tharros* (1966); DERS., *Nora. Guida agli scavi* [3](1972); C. TRONCHETTI, *The cities of Roman Sardinia*, in: M. S. BALMUTH/R. J. ROWLAND JR. (eds.), *Studies in Sardinian Archaeology* I (1984) 237 ff.; R. ZUCCA, *Fordongianus* (1986).

R. BINAGHI, *La metallurgia in età romana in Sardegna*, in: *Sardegna Romana* II (1939) 39 ff.; F. FOIS, *I ponti romani in Sardegna* (1964); J. JEHASSE/J. P. BOUCHER, *La côte orientale corse et les relations commerciales en Méditerranée*, in: *Études Corses* 21, 1959, 45 ff.; A. SANCIU, *Una fattoria di età romana nell'agro di Olbia* (1998); C. SCHMIEDT, *Antichi porti d'Italia*, in: *L'Universo* 45, 1965, 225 ff.; A. U. STYLOW, *Ein neuer Meilenstein des Maximinus Thrax in Sardinien und die Straße Karales–Olbia*, in: *Chiron* 4, 1974, 515 ff.; S. VARDABASSO, *L'industria mineraria in Sardegna al tempo della dominazione romana*, in: *Sardegna Romana* II (1939) 17 ff.

S. ANGIOLILLO, *Mosaici antichi in Italia. Sardinia* (1981); DERS., *Architettura e scultura nell'età di Roma*, in: AAVV., *La Sardegna* (1982) 77 ff.; DERS., *L'arte della Sardegna romana* (1987); DERS., *I sistemi decorativi nella Sardegna di età romana: Mosaico, pittura e stucchi*, in: *ANRW* II 12.4 (i. Vorb.); G. PESCE, *Sarcofagi romani di Sardegna* (1957); C. SALETTI, *La scultura di età romana in Sardegna: Ritratti e statue iconiche*, in: *ANRW* ebd. (i. Vorb.); C. TRONCHETTI, *La ceramica della Sardegna romana* (1996). P. BARTOLONI/C. TRONCHETTI, *La necropoli di Nora* (1981); U. BIANCHI, *Sardus Pater*, in: *Rend. Accad. Lincei* 18, 1963, 97 ff.; C. FINZI, *Le città sepolte della Sardegna* (1982); M. MALAISE, *Inventaire préliminaire des documents égyptiens découverts en Italie* (1972); DIES., *Les conditions de pénétration et la diffusion des cultes égyptiens en Italie* (1972); G. MORACCHINI-MAZEL, *Les monuments paléochrétiens de la Corse* (1967); G. SOTGIU, *Culti e divinità nella Sardegna romana attraverso le iscrizioni*, in: *Studi Sardi* 12–13, 1952–54, 575 ff.; DIES., *Per la diffusione del culto di Sabazio. Testimonianze dalla Sardegna* (1980) 5 ff.; C. VISMARA, *Sarda Ceres. Busti fittile di divinità puniche della Sardegna romana* (1980).

Gallia cisalpina (um 218 v. Chr.)

Danach hatten wir dauernde Ruhe im Innern und standen machtvoll dem Ausland gegenüber, als wir den Transpadanern das Bürgerrecht verliehen, als bei der Gründung von Kolonien über den Erdkreis hin … die tüchtigsten Provinzbewohner hinzugezogen wurden und so dem erschöpften Reiche aufgeholfen wurde … Aber die Gallier haben Rom erobert! … Gleichviel! Man kann alle unsere Kriege durchgehen: keiner ist so schnell zu Ende gegangen wie der gegen die Gallier. Seitdem leben wir in dauerndem, aufrichtigem Frieden mit ihnen …

TIBERIUS CLAUDIUS im Jahre 48 vor dem Senat

Seit dem Galliersturm des Jahres 387 v. Chr. galt der 16. Juli im römischen Kalender als Unglückstag. Damals war ein gallisches Heer durch Etrurien marschiert und hatte Rom mit Ausnahme des Kapitols eingenommen, geplündert und niedergebrannt. Als die Gallier nach Zahlung einer beträchtlichen Goldsumme schließlich wieder abzogen, stand Rom vor einem Scherbenhaufen und mußte – politisch gesehen – wieder von vorn beginnen. Dieser Schock war nachhaltig. Es war deshalb auch kein Wunder, daß spätere Generationen darauf brannten, diese Schmach vergessen zu machen, und alles daransetzten, die Gallier Norditaliens zu unterwerfen.

Gallische Stämme waren etwa seit der Mitte des 5. Jhs. v. Chr. in die Po-Ebene eingewandert und hatten weite Gebiete des fruchtbaren Ackerlandes, das bis dahin vor allem von ligurischen Stämmen bewohnt wurde, in ihren Besitz genommen. So besiedelten die Insubrer das Gebiet um *Mediolanum*/Mailand, an die sich östlich davon die Cenomanen anschlossen, deren Hauptsitze *Brixia*/Brescia und *Verona* wurden. Weiter südlich – im Gebiet um *Felsina*/Bologna – saßen die Boier, während sich die Lingonen und Senonen längs der Adria-Küste niederließen, einem Gebiet, das auch später noch als *ager Gallicus* bezeichnet wurde. Von ihren sicheren Zentren aus bedrohten die Gallier das benachbarte Etrurien,

auf das auch Rom Anspruch erhob. Damit war der kriegerische Konflikt unausweichlich.

Die ersten, die Roms Schwert zu spüren bekamen, waren die Senonen. Obwohl sie sich mit den Boiern und Sabinern verbündet hatten, erlitten sie 295 v. Chr. mitten in ihrem Siedlungsgebiet bei *Sentinum* (beim heutigen Sassoferrato in Umbrien) eine vernichtende Niederlage. Gut zehn Jahre später fielen sie jedoch wiederum in Etrurien ein und besiegten 284 v. Chr. ein starkes römisches Heer. Im Jahr darauf wandte sich jedoch das Kriegsglück zugunsten der Römer, als sie das gallische Heer, dem sich viele Etrusker angeschlossen hatten, am Vadimonischen See im Süden Etruriens entscheidend schlugen. Um die Galliergefahr zumindest im Nordosten ihres Einflußgebietes endgültig zu beseitigen, drangen die Römer darauf in das Siedlungsgebiet der Senonen ein, vernichteten große Teile der keltischen Bevölkerung, vertrieben die Übriggebliebenen und nahmen den *ager Gallicus* in ihren Besitz. Seit 268 v. Chr. sicherten zudem starke Militärkolonien wie *Ariminum*/Rimini sowie das römisch besetzte *Ancona* das neueroberte Gebiet.

Die endgültige Entscheidung über die künftige Nordgrenze Italiens fiel jedoch erst gegen Ende des 3. Jhs. v. Chr., nachdem ganz Umbrien und Etrurien römisch geworden waren und Rom gegen Pyrrhos, den König von Epirus, und die

Karthager die ersten außenpolitischen Kraftproben erfolgreich bestanden hatte. Dennoch blieb Roms Haltung gegenüber den gallischen Stämmen der Po-Ebene zunächst unentschlossen, bis diese schließlich selbst, um Rom zuvorzukommen, im Sommer 225 v. Chr. mit einem großen Heer in Etrurien einfielen. Zwar drangen die Gallier weit auf etruskisches Gelände vor, doch wurden sie noch im gleichen Jahr bei *Telamon* am Tyrrhenischen Meer, unweit von *Cosa*, von zwei römischen Heeren in die Zange genommen und vernichtend geschlagen. Anschließend geschah, was man auf gallischer Seite unbedingt verhindern wollte. Die Römer eröffneten schon im nächsten Jahr die Offensive, wandten sich zuerst gegen die Boier und besiegten sie entscheidend. Gleiches widerfuhr 222 v. Chr. auch den westlich benachbarten Insubrern, die sich in der Nähe von *Placentia*/Piacenza der römischen Übermacht beugen mußten und wie ein Großteil der Boier und zuvor schon die Senonen rücksichtslos aus ihrem Siedlungsgebiet vertrieben wurden. Bereits im Jahre 218 v. Chr. entstanden mit *Placentia* und *Cremona* die ersten Kolonien latinischen Rechts in dem neueroberten Gebiet, das in der Folgezeit – ähnlich wie Sizilien, Sardinien und Korsika – systematisch mit einem Netz römischer Stadtgründungen überzogen wurde.

Der Einfall Hannibals in Oberitalien (218 v. Chr.) unterbrach die Entwicklung

Abb. 79 Aquileia nahe Udine (I). Ehemaliger Hafen der Stadt am Natiso, der heute verlandet ist. Blick auf die alte Kaimauer mit vorkragenden ‹Lochsteinen› zum Festmachen der Schiffe.

79

für knapp zwei Jahrzehnte. Anfangs zögerten die Gallier, ehe sie nach der ersten römischen Niederlage am *Ticinus,* südlich von *Mediolanum,* ihre Zurückhaltung aufgaben und das Heer der Karthager verstärkten. Doch die Zeitspanne war nur kurz, in der sie hoffen konnten, das römische Joch abschütteln zu können. Spätestens mit dem Abzug Hannibals aus Italien (203 v.Chr.) setzten die Römer die Eroberung des diesseitigen Gallien konsequent fort, bauten die zerstörten Kolonien *Cremona* und *Placentia* wieder auf und legten zwischen 190 und 180 v.Chr. neue Kolonien in *Aquileia, Bononia*/Bologna, *Mutina*/Modena und *Parma* an. Von 25 000 römischen Familien ist in den Quellen die Rede, die in den Mauern dieser Städte angesiedelt wurden und die als die eigentlichen Träger der Romanisierung anzusehen sind, die das Gebiet der Po-Ebene innerhalb weniger Generationen römisch werden ließ. Seit 187 v.Chr. verband zudem die *via Aemilia* zwischen *Ariminum* und *Placentia* die wichtigsten der neuen Zentren, der um die Mitte des 2. Jhs. v.Chr. mit der *via Annia* zwischen *Bononia* und *Aquileia* sowie der *via Postumia,* die *Genoa*/Genua und *Aquileia* miteinander verband, wichtige Querverbindungen zur Erschließung der Po-Ebene folgten. Die fruchtbaren Gebiete Oberitaliens wurden systematisch parzelliert und unter den römischen Kolonisten aufgeteilt. Noch heute sind die Grenzen der römischen *centuriatio* (oder *limitatio*) aus der Luft gut zu erkennen. Vor allem in der *Aemilia,* der späteren *regio VIII,* die im Norden bis an den *Padus*/Po reichte, sind die regelmäßigen Spuren der Landeinteilung bis heute über große Flächen hinweg sichtbar geblieben.

Die Benennung der neuen Provinz, die u. a. von Caesar verwaltet wurde, der von hier aus 49 v.Chr. den *Rubicon,* den Grenzfluß zu Italien, überschritt, war nicht einheitlich. Bevor kurz vor der Mitte des 1. Jhs. v.Chr. in einem Gesetzestext der Name *Gallia cisalpina* gewählt wurde, kursierten Bezeichnungen wie *Gallia, Ligures et Gallia, Ariminum* oder *Ariminum, ita Galliam appellabant.* Daneben sind im 1. Jh. v.Chr. auch Benennungen wie *Gallia cisalpeina* oder *Gallia cis Alpeis* bezeugt. Die namentliche Standardisierung zu Beginn des letzten vorchristlichen Jahrhunderts verlief parallel zur weiteren Entwicklung der Städte Oberitaliens. Zuerst wurden als Ergebnis der Bundesgenossenkriege (91–88 v.Chr.) die älteren latinischen Kolonien *Aquileia, Ariminum, Bononia, Cremona* und *Placentia* zu römischen Gemeinden. Wenig später stattete man

die Städte der späteren *Transpadana,* zu denen vor allem *Bergomum*/Bergamo, *Brixia*/Brescia, *Comum*/Como, *Mantova*/Mantua, *Mediolanum*/Mailand, *Novaria*/Novara, *Vercellae*/Vercelli und *Verona* gehörten, mit latinischem Stadtrecht aus. Den Abschluß dieser Entwicklung bildete schließlich die Verleihung der *civitas Romana* im Jahre 49 v.Chr. an alle Städte im diesseitigen Gallien, das seitdem seinen inoffiziellen Namen *Gallia togata* zu Recht trug. Sieben Jahre später verließ der letzte Militärkommandant die Provinz. Seitdem war das Land diesseits und jenseits des Po, das Augustus in die Regionen *Aemilia (VIII), Liguria (IX), Venetia et Istria (X)* und *Transpadana (XI)* gliederte, ein Teil von Italien. Wie tief dieses Land bereits zu dieser Zeit von römischer Zivilisation und Kultur durchdrungen war, zeigt die Tatsache, daß namhafte Dichter und Schriftsteller Roms wie Catullus, Vergilius, Livius, Cornelius Nepos und der ältere Plinius aus Städten Oberitaliens stammten.

Gemessen an der umfassenden Romanisierung des Po-Gebietes und seiner Städte ist der Beitrag, den die Archäologie bisher beisteuern konnte, vergleichsweise gering. Der Hauptgrund liegt darin, daß Städte wie Mailand und Piacenza, Parma, Modena, Bologna oder Verona das Mittelalter hindurch besiedelt waren und bis heute blühende Großstädte geblieben sind. Nur bei größeren Tiefgrabungen ist es heute noch möglich, bis zu den römischen Schichten vorzudringen. Zu den Ausnahmen gehören Städte wie Brescia, wo das einstige Stadtzentrum noch als Ruinenlandschaft zugänglich ist, oder Verona, wo außer einem monumentalen Stadttor eines der größten Amphitheater bis heute aufrecht steht und modern genutzt wird. Einen Sonderfall stellt nur das 181 v.Chr. gegründete *Aquileia* dar, das als Kultur- und Handelszentrum vor allem für den Donauraum lange Zeit große Bedeutung besaß, bis sich seine Bewohner 568 angesichts eines Einfalls der Langobarden entschlossen, ihre Stadt zu verlassen und in die Lagunen nach Grado zu flüchten. Allerdings hat der ungehemmte Zugriff auf die archäologischen Überreste der Stadt, solange dieses Gebiet zu Österreich gehörte, in starkem Maße dazu geführt, daß unkontrolliert gegraben und die reichen Funde Aquileias in alle Winde zerstreut wurden. Erst mit der Gründung des dortigen Museums trat ab 1873 eine deutliche Besserung ein. Heute steht das einstige, nicht überbaute Stadtgebiet längst unter Denkmalschutz, allerdings haben dort bisher nur vereinzelt systematische Grabungen stattgefunden.

AAVV., *Cisalpina I. Atti del convegno sull'attività archeologica nell'Italia settentrionale* (1958); G. E. F. CHILVER, *Cisalpine Gaul* (1941); T. W. POTTER, *Roman Italy* (1992); G. TRAINA, *Le Valli Grandi Veronesi in età romana* (1983); M. VACCHINA (ed.), *La Valle d'Aosta e l'arco alpino nella politica del mondo antico. Atti del convegno internazionale di Studi. St. Vincent 1987* (1988); V. VEDALDI IASBEZ, *La Venetia orientale e l'Histria. Le fonti letterarie greche e latine fino alla caduta dell'Impero Romano d'occidente* (1994).

AAVV., *La città nell'Italia settentrionale in età Romana* (1990); R. CHEVALLIER, *La romanisation de la Celtique du Pô* (1983); W. ECK/H. GALSTERER (Hg.), *Die Stadt in Oberitalien und in den nordwestlichen Provinzen des Römischen Reiches* (1991); U. LAFFI, *La provincia della Gallia Cisalpina,* in: *Athenaeum* 80, 1992, 5 ff.; G. A. MANSUELLI, *Urbanistica e architettura della Cisalpina romana fino al III sec. e. n.* (1971); J. SASEL, *Zur Frühgeschichte der XV. Legion und zur Nordostgrenze der Cisalpina zur Zeit Caesars,* in: *Festschrift A. Betz* (1985) 547 ff.

E. A. ARSLAN, *Urbanistica di Milano Romana,* in: *ANRW* II 12.1 (1982) 179 ff.; V. BENZOLA, *Parma. La città storica* (1978); F. BERGANZONI/G. BONARA, *Bologna Romana 1: Fonti per la storia di Bologna* (1976); F. BERGANZONI, *Bononia,* in: *Storia di Bologna* (1978) 45 ff.; M. BERTOLONE, *Lombardia Romana* (1939); G. BRUSIN, *Gli scavi di Aquileia* (1934); DERS., *Aquileia e Grado* (1964); A. CALDERINI, *Aquileia romana* (1930; ND 1972); L. FRANZONI, *Verona* (1965); A. FROVA, *Scavi di Luni* (1973); H. GABELMANN, *Das Kapitol in Brescia,* in: *Jbh. RGZM* 18, 1971, 124 ff.; C. GASPAROTTO, *Padova Romana* (1951); D. GIORGETTI, *Geografia storica Ariminese,* in: *Analisi di Rimini antica, storia e archeologia per un museo* (1980); R. R. GRAZZI, *Torino Romana I* (1981); M. MILANESE, *Genova romana* (1993); M. MIRABELLA ROBERTI, *L'urbanistica romana di Como,* in: *Atti del convegno celebrativo, Rivista archeologica della antica provincia e diocesi di Como 1872–1972* (1974); M. L. PAGLIANI, *Piacenza* (1991); L. PUPPI, *Ritratto di Verona* (1978); F. SARTORI, *Verona romana,* in: *Verona e il suo territorio* I (1960).

AAVV., *La Venetia nell'area padano-danubiana. Le vie di comunicazione.* Convegno Venezia 1988 (1990); G. BANDELLI, *L'economia nelle città romane dell'Italia nord-orientale (I sec. a. C. – II sec. d. C.),* in: W. ECK/H. GALSTERER (Hg.), *Die Stadt in Oberitalien* (1991) 85 ff.; L. BOSIO, *Le strade romane della Venetia e dell'Histria* (1991); S. PANCIERA, *Vita economica di Aquileia in età romana* (1957).

G. ALFÖLDY, *Römische Statuen in Venetia et Histria* (1984); M. C. CALVI, *Die römischen Gläser des Museums von Aquileia* (1969); M. DONDERER, *Die Chronologie der römischen Mosaiken in Venetien und Istrien bis zur Zeit der Antonine* (1986); E. DE FILIPPO BALESTRAZZI, *Lucerne del museo di Aquileia 2* (1988); C. FRANZONI, *Habitus atque habitudo militis. Monumenti funerari di militari nella Cisalpina romana* (1987); H. GABELMANN, *Die Werkstattgruppen der oberitalischen Sarkophage* (1973); G. A. MANSUELLI, *Problemi dell'arte romana nell'Italia settentrionale,* in: *Cisalpina* I (1958) 315 ff.; DERS., *Il ritratto romano nell'Italia settentrionale,* in: *RM* 65, 1958, 67 ff.; B. H. PFLUG, *Römische Portraitstelen in Oberitalien* (1989); M. J. STRAZZULLA, *Le terrecotte architettoniche della Venetia romana* (1987).

Abb. 80   Römischer Legionar im Kampf mit einem Iberer. Bronzeapplik. Höhe 19 cm. León, Muséo Catedralico Diocesano.

Abb. 81   Numantia/Numanzia (E). Luftbild der 133 v. Chr. zerstörten keltiberischen Stadt. Zustand zu Beginn der 1990er Jahre.

Hispania (nach 206 v. Chr.)

Hispania ... ist mit Ausnahme der Seite, wo es die beiden Gallien berührt, überall vom Meer umgeben ... Es hat Überfluß an Männern, Pferden, Eisen, Zinn, Erz, Silber und sogar Gold und ist so fruchtbar, daß es sogar dort, wo es infolge Wassermangels dürr ... ist, dennoch Flachs und Federgras (Esparto) hervorbringt.

POMPONIUS MELA (1. Jh. n. Chr.)

Die Turdetaner und besonders die um den Baetis (Guadalquivir) herum Wohnenden haben ihre Lebensweise völlig in die römische verwandelt und selbst ihre eigene Sprache vergessen. Die meisten sind latinische Bürger geworden und haben römische Ansiedler erhalten, so daß nur wenig fehlt, daß alle Römer sind ... Diejenigen Iberer, die solche Sitte angenommen haben, heißen stolati oder togati, wozu auch die Keltiberer gehören, früher die wildesten von allen.

STRABON (64/63 v. Chr. – um 25 n. Chr.)

Eine kleine und armselige Barbarenstadt von nur sieben Hektar Fläche – das ist das berühmte Numantia, das zwanzig Jahre hindurch der Schrecken eines Weltreichs und der Sieger über so manches römische Heer gewesen ist.

ADOLF SCHULTEN (1870–1960)

Die römische Geschichte Spaniens beginnt mit dem zweiten Punischen Krieg und der Landung des Cn. Cornelius Scipio in *Emporion*/Ampurias im Jahre 216 v. Chr. In den Jahren zuvor hatten die Karthager unter Hamilkar Barkas und seinen Söhnen Hasdrubal und Hannibal den Süden und Südosten der Iberischen Halbinsel erobert und ihre Herrschaft – gleichsam als Ausgleich für den Verlust der Inseln Sizilien, Sardinien und Korsika – im Norden bis an den *Hiberus*/Ebro ausgedehnt. Die Kämpfe zogen sich ein Jahrzehnt lang hin. Sie endeten 206 v. Chr. mit der völligen Vertreibung der Karthager aus Hispanien und der Gründung von *Italica*/Santiponce bei Sevilla, der ersten römischen Veteranenkolonie außerhalb Italiens (Abb. 83).

Es ist nicht bekannt, ob das Land bereits damals als *provincia* organisiert und in die beiden Verwaltungsbezirke *Hispania citerior* und *ulterior* unterteilt worden ist. Gewöhnlich werden die Jahre 197 oder 195 v. Chr. als mögliche Zeitpunkte genannt, als im Süden der Halbinsel ein Aufstand ausbrach und der Konsular M. Porcius Cato nach Hispanien geschickt

wurde, um diese Unruhen niederzuschlagen. Andererseits ist überliefert, daß bereits 197 v. Chr. die Zahl der jährlich zu wählenden Prätoren in Rom von vier auf sechs erhöht werden mußte, was nur bedeuten kann, daß es bereits vor diesem Zeitpunkt eine reguläre, wenn auch offenbar nicht ausreichende, römische Verwaltung gab. In jedem Fall ist wohl davon auszugehen, daß beide Provinzen im Süden und Osten des Landes eingerichtet waren, als Cato zu Beginn des Jahres 194 v. Chr. Hispanien wieder verließ.

Während die Römer mit der ‹Befriedung› der Küstenregionen im Osten und Süden der Halbinsel, die im wesentlichen mediterran geprägt und in der Hauptsache von iberischen Stämmen bewohnt waren, in der Folgezeit nur wenig Mühe hatten und sich die ohnehin weit fortgeschrittene Urbanisierung dieser Gebiete stetig weiterentwickelte, erwies sich die Unterwerfung der keltiberischen Stämme der Meseta, des spanischen Hochlandes, als ein überaus schwieriges, verlustreiches und kostspieliges Unternehmen, das sich mit zahlreichen Unterbrechungen und wechselnden Erfolgen fast zwei Jahrhunderte hinzog. Aus diesem zähen und brutalen Ringen ragt vor allem das *bellum Numantinum* der Jahre 143–133 v. Chr. hervor. Die Stadt *Numantia* – in der Nähe des heutigen Soria in fast 1100 m Höhe gelegen – war das Zentrum des keltiberischen Freiheitskampfes. Dieser endete erst mit der völligen Isolierung und Zerstörung der Stadt durch P. Cornelius Scipio Aemilianus, deren Verteidiger

80

sich bis zuletzt heldenmütig wehrten und lieber selbst den Tod gaben, als in die Hand der Römer zu fallen. Die Eroberung von *Numantia* brach zwar den politischen Widerstand der Keltiberer, doch galt das zentrale Hochland bis zum Atlantik und dem Kantabrischen Meer – der heutigen Biskaya – bis in die Zeit des Augustus als *regio impacata*. Dies kam insbesondere darin zum Ausdruck, daß bis zu diesem Zeitpunkt in diesem Gebiet eine dauernde militärische Präsenz vonnöten war.

Die endgültige Befriedung der Iberischen Halbinsel war erst das Werk der beginnenden Kaiserzeit. Zuvor war His-

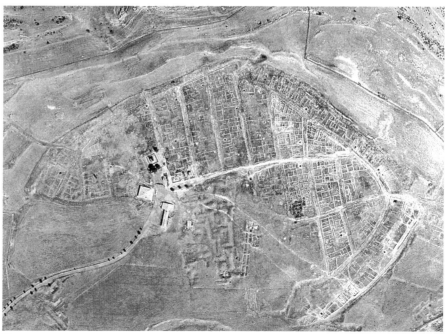

81

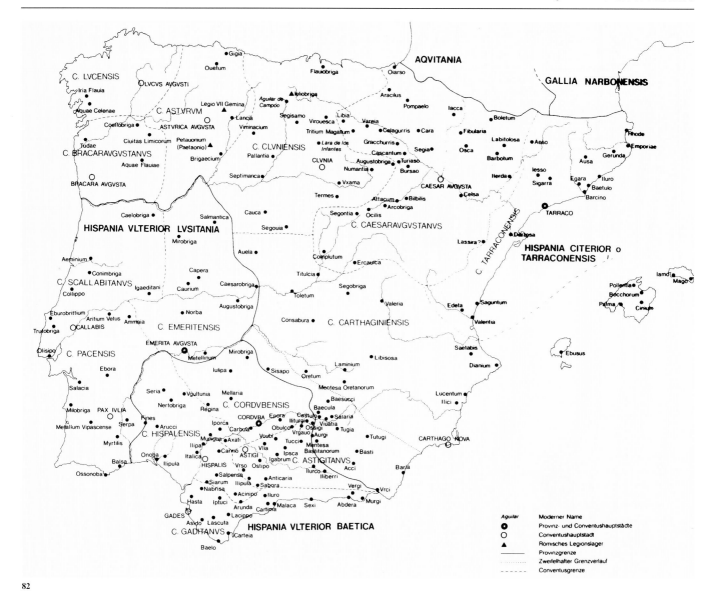

82

panien mehrere Jahrzehnte lang Schauplatz des römischen Bürgerkriegs gewesen, dessen Abschluß die Schlacht bei *Munda*/Montilla, südlich von Córdoba, bildete, in der die letzten Anhänger des Cn. Pompeius von den Truppen Caesars besiegt wurden (45 v. Chr.). Es folgte als letzte militärische Aktion der Kantabrische Krieg (26–19 v. Chr.), der den bis dahin noch nicht unterworfenen Stämmen des spanischen Nordens galt und die endgültige ‹Befriedung› der gesamten Halbinsel brachte. Das neugewonnene Gebiet wurde der alten Provinz *Hispania citerior* zugeschlagen, die seit der Neuordnung der Provinzen 27 v. Chr. nach ihrer Hauptstadt, dem heutigen Tarragona, *Hispania Tarraconensis* hieß. Gleichzeitig wurde aus dem ‹jenseitigen Hispanien› die Provinz (*Hispania*) *Baetica* mit der Hauptstadt *Corduba*/Córdoba, benannt nach ihrem Hauptfluß, dem *Baetis*/Guadalquivir, während mit *Lusitania* im Westen der Halbinsel eine dritte Provinz geschaffen wurde, die sich in ihrem Charakter insofern von den beiden ‹Altprovinzen› unterschied, als sie

nicht dem Senat unterstellt war, sondern von einem kaiserlichen *procurator* verwaltet wurde.

Die unter Augustus geschaffene Ordnung hatte lange Bestand. Unter Claudius (41–54) erfolgte die Untergliederung in einzelne *conventus iuridici*, d. h. Gerichtsbezirke oder ‹Landtage›, die vom Statthalter in den wichtigsten Städten der Provinz abgehalten wurden und von denen *Hispania Tarraconensis* allein sieben erhielt, während sich die kleinere *Baetica* mit vier Gerichtssprengeln begnügen mußte. Schon Caesar und Augustus hatten damit begonnen, an den Plätzen älterer Ansiedlungen und Städte römische Kolonien zu gründen, und damit eine Entwicklung in Gang gesetzt, die in der Folgezeit konsequent weitergeführt wurde. Die intensive Romanisierung weiter Teile des Landes und seiner Bevölkerung hatte schließlich zur Folge, daß sich die alten Stammesstrukturen auflösten und die alten Sprachen und Dialekte – mit Ausnahme des Baskischen, der Sprache der *Vascones* – kaum noch gesprochen wurden.

Unter Caracalla (214) entstand die Provinz *Gallaecia* im äußersten Nordwesten Spaniens, die zuvor ein Teil von *Hispania Tarraconensis* war. Diocletianus reduzierte gegen Ende des 3. Jhs. das Gebiet dieser Provinz nochmals, indem er im Süden die Provinz *Carthaginiensis* schuf, die nunmehr fünf hispanischen Provinzen zu einer Diözese zusammenfaßte und diese der neugeschaffenen *praefectura Galliae* unterstellte. Trotz dieser Straffung der Provinzverwaltung häuften sich seit der zweiten Hälfte des 3. Jhs. die Einfälle germanischer Scharen und Stammesgruppen, die zur Zerstörung zahlreicher Siedlungen und Städte und zum Zusammenbruch der reichen Agrar-

Abb. 82   Hispania Romana. Übersichtskarte der Städte Hispaniens in der frühen Kaiserzeit mit Provinz- und Conventusgrenzen. Nach Th. G. Schattner.

Abb. 83   Italica/Santiponce bei Sevilla (E). Senkrechtaufnahme des freigelegten römischen Stadtgebietes. Zustand zu Beginn der 1990er Jahre.

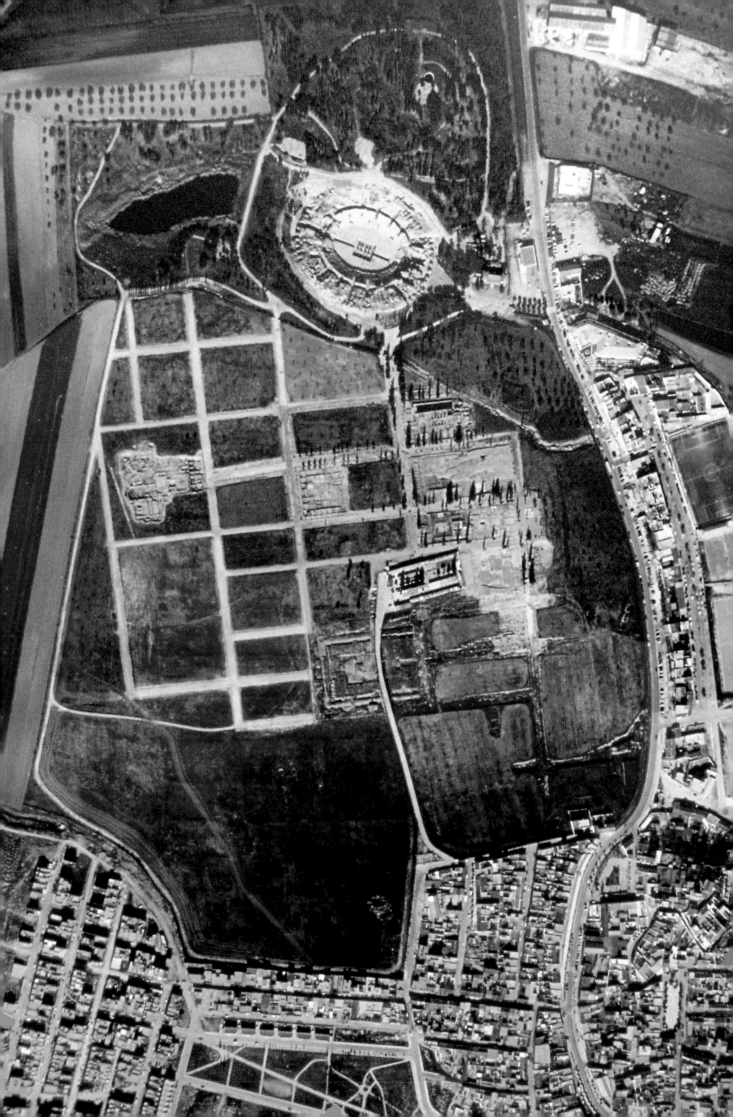

84

85

kultur Hispaniens führte. Zu Beginn des 5. Jhs. nahmen schließlich die Westgoten große Teile der Halbinsel in ihren Besitz, den sie, obwohl lediglich eine dünne Oberschicht bildend, bis zur arabischen Eroberung (711/712) behaupten konnten.

Schon die Karthager wußten um die reichen Metallvorkommen der Iberi-schen Halbinsel. Neuere Ausgrabungen haben gezeigt, daß ihr Mittelmeerhandel darauf basierte, Edelmetalle aus hispanischen Gruben in eigenen Küstenfaktoreien von einheimischen Kunsthandwerkern zu Halb- und Fertigfabrikaten verarbeiten zu lassen und mit diesen Produkten zu Schiff ihre Handelspartner zu beliefern. Es gibt die Nachricht, daß eine einzelne Mine bei *Carthago Nova*/Cartagena zur Zeit Hannibals pro Tag 300 Pfund Silber erbracht haben soll. Kein Wunder also, daß die Karthager nicht gewillt waren, die Kontrolle über den hispanischen Metallhandel mit anderen zu teilen, die Römer andererseits sehr daran interessiert waren, an diesen reichen Vorkommen teilzuhaben.

Plinius spricht in der 2. Hälfte des 1. Jhs. von «Blei-, Kupfer-, Silber- und Goldminen im Überfluß». Andere Quellen bestätigen dies, dazu die zahlreichen Gruben und Bergwerksinschriften, die man in allen Teilen Spaniens und Portugals gefunden hat. Am begehrtesten waren Gold und Silber, wovon bereits M. Porcius Cato im Jahre 194 v. Chr. riesige Mengen nach Rom gebracht und zur Schau gestellt hatte. Auch hispanisches Blei besaß einen hohen Handelswert und wurde in weite Teile des Imperiums exportiert. Ähnlich hoch im Kurs standen auch Eisen und Kupfer. Hochgeschätzt waren Klingen und Schwerter aus *Bilbilis* – heute eine Ruinenstätte auf dem Cerro de Bambola südlich von Zaragoza – und *Toletum*/Toledo sowie das Kupfer aus dem Rio-Tinto-Gebiet nördlich von Córdoba, dessen Gruben noch heute ausgebeutet werden. Was Plinius nicht erwähnt, ist die Tatsache, daß im Westen und Nordwesten auch Zinn gefunden wurde, das im Mittelmeerraum überaus selten und für die Bronzeherstellung unerläßlich war. Plinius berichtet dazu auch ausführlich über die z. T. abenteuerlichen Arbeits- und Abbaumethoden, die in den hispanischen Gruben üblich waren und die durch Ausgrabungen und Untersuchungen in heute noch erhaltenen Minen gerade in jüngster Zeit besser bekannt geworden sind (vgl. Abb. 166). Bezeichnend scheint dabei gewesen zu sein, daß die Minenerträge schon im 2. Jh. deutlich zurückgingen, was wahrscheinlich so zu deuten ist, daß viele Bergwerke durch intensive Ausbeutung erschöpft waren und sich ein weiterer Abbau größeren Stils nicht mehr lohnte.

Doch das römische Spanien war nicht allein auf den Ertrag seiner Bodenschätze angewiesen. Schon die zielbewußte Kolonisierungspolitik unter Caesar und Augustus hatte vor allem im Süden und Osten der Halbinsel zu einem großen wirtschaftlichen Aufschwung geführt, von dem die Landwirtschaft in hohem Maße profitierte. Wein, Getreide und vor allem Olivenöl waren die hauptsächlichen Exportartikel, die in großen Massen u. a. nach Rom transportiert wurden. Hauptanbaugebiete waren die Küstenregionen der *Tarraconensis* und vor allem das weite Tal des *Baetis*, das noch heute mit seinen riesigen Getreidefeldern, Olivenpflanzungen und Weinbergen auf den angrenzenden Höhen eine lebendige Vorstellung von der Agrarstruktur der frühen und mittleren Kaiserzeit zu geben vermag. Neuere Spezialuntersuchungen haben im übrigen gezeigt, daß man die Amphoren, in denen Öl und Wein über weite Strecken verschickt und transportiert wurden, auf den gleichen Gütern herstellte, auf denen die für den Export bestimmten Erzeugnisse geerntet, verarbeitet und abgefüllt wurden.

Die überragende Rolle, die vor allem der hispanische Ölexport bis weit in die Mitte des 3. Jhs. hinein gespielt hat, wird nirgendswo sinnfälliger als angesichts des Monte Testaccio in Rom, einem über 30 m hohen ‹Scherbenberg› am Westhang des *Aventinus* im Süden des alten Stadtkerns, der einen Umfang von ca. 1000 m hat und aus Millionen von Amphorenscherben besteht, die nach dem Zerschlagen dieser ‹Einweg-Container› an dieser Stelle Roms gegenüber den großen Speichern am Tiberufer aufgehäuft wurden. Bisher ist lediglich die oberste Schicht dieses Scherbenberges einigermaßen wissenschaftlich untersucht worden. Doch schon diese Untersuchungen und die hieraus gewonnenen Erkenntnisse haben deutlich gemacht, daß hier eines der größten Archive der spätrepublikanischen und kaiserzeitlichen Wirtschaftsgeschichte lagert.

Eine besondere hispanische Spezialität war *garum* oder *liquamen*, eine scharfe Fischsauce griechischen Ursprungs, die im 2. Jh. v. Chr. von den Römern als Luxuszutat zu den verschiedensten Speisen übernommen wurde. Doch bereits zu Beginn der Kaiserzeit war *garum* zu einer Art Volksnahrung geworden und ersetzte vielerorts das Salz. Hergestellt in einem wenig appetitlichen Verfahren aus kleinen Fischen und bestimmten Fischteilen, die man unter Zusatz von Salz und zahlreichen Würzkräutern 8–10 Wochen lang in der prallen Sonne gären ließ, war die Produktion dieser scharfen Sauce an vielen Küsten des Mittelmeeres verbreitet. Am meisten schätzte man den feinen Geschmack der hispanischen Sorten. Genannt werden als Herstellungsorte bei Strabon und Plinius ausdrücklich *Carthago Nova*/Cartagena, *Malaca*/Malaga und *Sexi*, das heutige Almuñécar an der Costa del Sol Granadina, wo erst vor wenigen Jahren zahlreiche Becken zum Einsalzen und ‹Gären› der Fischbestandteile gefunden und konserviert wurden. Zentrum der Garum-Produktion waren die südspanischen und portugiesischen Küstenorte zwischen Almeria und der Mündung des Sado südlich von Lissabon, wo überall ähnliche Einrichtungen ausgegraben wurden.

Der überragenden wirtschaftlichen Bedeutung der Iberischen Halbinsel für das Reich entsprach die rasch fortschreitende Urbanisierung der hispanischen Provinzen und die Konzentration der ca. 7 Millionen Einwohner in städtischen und ländlichen Zentren. Eindrucksvoll sind die Zahlen, die Ptolemaios und der ältere Plinius überliefern. Danach wies allein die *Tarraconensis* um die Mitte des 1. Jhs. fast 300 Städte und Zentralorte auf, von denen 114 – die sog. *populi* – auf dem Lande lagen (*nat. hist.* 3,7–28).

Abb. 84   Alcolea del Rio bei Sevilla (E). Amphorentöpferei ‹El Tefarillo›. Feuerungsanlage und Lochtenne des Brennofens von Nordosten. 2. – 3. Jh.

Abb. 85   Sexi/Almuñécar (E). Archäologischer Park mit freigelegter und konservierter ‹Garumfabrik› (Ausschnitt).

Abb. 86   Saguntum/Sagunto (E). Blick in die cavea des Theaters .

Abb. 87   Corduba/Córdoba (E). Luftbild der weitläufigen Palastanlage im Vorort Cercadilla, die möglicherweise Sitz des vicarius der dioecesis Hispaniae war. Ausgrabung 1992.

86

Dagegen führt Ptolemaios etwa ein Jahrhundert später gegenüber fast 250 Städtenamen lediglich noch 27 Landgemeinden auf. Hieraus ist der Schluß gezogen worden, daß die römische Administration darauf abzielte, die traditionell bäuerliche Lebensweise der Einheimischen zu verändern, statt dessen die Konzentration der Bevölkerung in städtischen Zentren zu fördern und damit günstige Voraussetzungen für eine möglichst umfassende Romanisierung des Landes zu schaffen. Die intensive Urbanisierung begünstigte die Entstehung einer städtischen Oberschicht, die als Grundbesitzer, Kaufleute, Händler oder

87

Inhaber größerer Manufakturen der Wirtschaft des Landes entscheidende Impulse verliehen. Allerdings gab es auch Landschaften im Innern und Nordwesten der *Tarraconensis*, die von dieser Entwicklung weitgehend ausgeschlossen blieben und ihre althergebrachte Lebensweise bewahren konnten.

Am intensivsten war die Provinz *Baetica* urbanisiert. Diese Entwicklung war schon in republikanischer Zeit energisch betrieben worden. Caesar und Augustus hatten diese Politik konsequent fortgesetzt. Seitdem zählte die *Baetica* neben der *Narbonensis*, der *Cisalpina*, dem prokonsularischen *Africa* und dem heute kroatischen Teil der Provinz *Dalmatia* zu den Gebieten des Reiches, in denen auf Grund der Vielzahl der Städte die Romanisierung der Bevölkerung am weitesten fortgeschritten war. Für diese eindrucksvolle Entwicklung stehen in der *Baetica* Städtenamen wie *Italica, Hispalis*/Sevilla, *Carmo*/Carmona, *Astigi*/Ecija, *Malaca*/ Malaga und die Provinzhauptstadt *Corduba*/Córdoba. Städte von z. T. beträchtlicher Ausdehnung, wenn auch nicht annähernd in gleicher Dichte, entstanden aber auch auf dem Boden der *Tarraconensis*, von denen *Caesaraugusta*/Zaragoza, *Tarraco*/Tarragona, *Barcino*/Barcelona, *Lucus Augusti*/Lugo, *Pompaelo*/Pamplona und *Valentia*/Valencia die bedeutendsten waren.

Es hat vergleichsweise lange gedauert, bis man sich im heutigen Spanien der römischen Vergangenheit bewußt geworden ist. Bis zum Beginn des 20. Jhs. waren die archäologischen Stätten des Landes Raubgräbern und Kunsthändlern überlassen, die ohne behördliche Einschränkung römische Ruinenfelder ausbeuten und ihre Funde ins Ausland verkaufen konnten. Erst in den Jahren 1911/12, als die Ausgrabungstätigkeit in- und ausländischer Institutionen erstmals gesetzlich geregelt und die Ausfuhr antiker Kunstwerke verboten wurde, begann in Spanien eine neue Entwicklung. Den wichtigsten auslösenden Faktor bildete hierbei die Ausgrabung von *Numantia*, der Hauptstadt der keltiberischen *Arevaci*, die den Römern jahrzehntelang hartnäckigsten Widerstand leisteten, bis sie von P. Cornelius Scipio Aemilianus zur Aufgabe gezwungen wurden und die römische Soldateska «die kleine und armselige Barbarenstadt» dem Erdboden gleichmachte. Initiator der Grabungen war der deutsche Althistoriker ADOLF SCHULTEN (1870–1960), der 1905 den Platz der untergegangenen Stadt identifizierte und erste Ausgrabungen durchführen konnte. Es entsprach dem nationalen Zeitgeist und neu erwachten Inter-

esse an der eigenen Geschichte, daß die weitere Aufdeckung von *Numantia* ab 1906 in spanische Hände überging, während man es den deutschen Archäologen überließ, die Überreste der militärischen Anlagen zu erforschen, die Feldherren wie M. Porcius Cato, Q. Fulvius Nobilior und P. Cornelius Scipio Aemilianus im Umfeld der Stadt anlegen ließen und die z. T. ähnlich gut erhalten sind wie die Lager, mit denen L. Flavius Silva die Bergfestung von *Masada* (IL) umgab (Abb. 144).

Heutzutage genießt die Erforschung der römischen Vergangenheit in Spanien einen sehr hohen Stellenwert in der archäologischen und althistorischen Forschung des Landes. Sie verdankt dies nicht zuletzt dem langjährigen Wirken von ANTONIO GARCIA Y BELLIDO (1903–1972), der durch sein reichhaltiges Schrifttum – u.a. mit der Vorlage seines zweibändigen Werkes «Esculturas romanas de España y Portugal» aus dem Jahre 1949 – das Interesse jüngerer Wissenschaftler auf die Erforschung der römischen Zeit Spaniens lenkte und damit wesentliche Grundlagen für die weitere Forschungsentwicklung schuf.

Bisher ist keine der hispanischen Provinzen auf der Basis neuerer und neuester Forschungsergebnisse in einer eigenen Monographie behandelt worden. Andererseits existiert – vor allem in spanischer Sprache – eine Fülle von Zusammenfassungen und Spezialuntersuchungen, die sich allerdings in der Hauptsache an modernen Grenzen orientieren. Den neuesten und umfassendsten Überblick in deutscher Sprache bieten: W. TRILLMICH/TH. HAUSCHILD/M. BLECH/H. G. NIEMEYER/A. NÜNNERICH-ASMUS/U. KREILINGER, *Hispania Antiqua. Denkmäler der Römerzeit* (1993) m. ausf. Bibl. 427 ff.
AAVV., *Hispania Romana. Da terra di conquista a provincia del l'impero* (1997); T. F. C. BLAGG/R. F. J. JONES/S. J. KEAY (eds.), *Papers in Iberian Archaeology, BAR S* 193 (1984); J. M. BLÁZQUEZ MARTÍNEZ, *Hispanien unter den Antoninen und Severn,* in: *ANRW* II 3 (1975) 452 ff.; DERS. u.a., *Historia de España antigua* II. *Hispania romana* (1982); DERS., *España romana* (1996); P. BOSCH-GIMPERA, *Katalonien in der römischen Kaiserzeit,* in: *ANRW* ebd. 572 ff.; C. A. CURCHIN, *Roman Spain. Conquest and assimilation* (1991); S. J. KEAY, *Roman Spain* (1988); F. J. LOMAS SALMONTE, *Asturia preromana y altoimperial* (1975); A. MONTENEGRO DUQUE u.a., *Historia de España* II. *España romana,* 2 Bde. (1982); J. S. RICHARDSON, Hispaniae. *Spain and the development of Roman imperialism 218–82 B.C.* (1986); H. SCHLUNCK/TH. HAUSCHILD, *Hispania Antiqua. Die Denkmäler der frühchristlichen und westgotischen Zeit* (1978); A. SCHULTEN, *Iberische Landeskunde,* 2 Bde. (1955/57); H. SICHTERMANN, *Funde in Spanien* (1977); K. F. STROHEKER, *Spanien im spätrömischen Reich (284–475),* in: *AEA* 45–47, 1974, 587 ff.; C. H. V. SUTHERLAND, *The Romans in Spain* (1939); E. A. THOMPSON, *The Goths in Spain* (1969); R. THOUVENOT, *Essai sur la province romaine de Bétique* (1940/ ND 1973); A. TOVAR/J. M. BLÁZQUEZ MARTÍNEZ, *Historia de la Hispania romana* (1975); DIESS., *Forschungsbericht zur Geschichte des römischen Hispanien,* in: *ANRW* ebd. 428 ff.; A. TOVAR, *Iberische Landeskunde* II. *Die Völker und die Städte des antiken Hispanien,* 2 Bde. (1974/76); DERS., *Iberische Landeskunde* II. *Las tribus y las ciudades de la antigua Hispania* 3. *Tarraconensis* (1989); A. TRANOY, *La Galice Ro-*

maine (1981); F. S. WISEMAN, *Roman Spain* (1956); R. ZUCCA, *Insulae Baliares* (1998).
J. M. ABASCAL PALAZÓN/U. ESPINOSA, *La ciudad hispano-romana: privilegio y poder* (1989); E. ALBERTINI, *Les divisions administratives de l'Espagne Romaine* (1923); G. ALFÖLDY, *Fasti Hispanienses* (1969); DERS., *Zur Geschichte von Asturia et Callaecia,* in: *Germania* 61, 1983, 511 ff.; E. ARINO GIL, *Centuriaciones romanas en el valle medio del Ebro* (1986); A. BALIL, *Los procónsules de la Bética,* in: *Zephyros* 13, 1962, 75 ff.; DERS., *Los gobernadores de la Hispania Tarraconense durante el Imperio romano,* in: *Emerita* 32, 1964, 19 ff.; DERS., *La defensa de Hispania en el Bajo Imperio,* in: A. GARCÍA Y BELLIDO u. a., *Legio VII Gemina* (1970) 601 ff.; T. R. S. BROUGHTON, *Municipal institutions in Roman Spain,* in: *Cahiers d'Histoire Mondiale* 9, 1965, 126 ff.; F. DIEGO SANTOS, *Die Integration Nord- und Nordwestspaniens als römische Provinz in der Reichspolitik des Augustus,* in: *ANRW* ebd. 523 ff.; A. GARCÍA Y BELLIDO u. a., *Legio VII Gemina* (1970); R. F. J. JONES, *The Roman military occupation of northwestern Spain,* in: *JRS* 66, 1976, 45 ff.; N. MACKIE, *Local administration in Roman Spain, A. D. 14–212, BAR Int. Ser.* 172 (1983); M. A. MARÍN DÍAZ, *Emigración, colonización y municipalización en la Hispania republicana* (1988); P. LE ROUX, *L'armée romaine et l'organisation des provinces ibériques d'Auguste à l'invasion de 409* (1982); A. PIGANIOL u.a., *Les empereurs romains d'Espagne* (1964); J. M. ROLDÁN, *Hispania y el ejército romano* (1973); M. SALINAS, *Conquista y romanización de Celtiberia* (1986); J. SANTOS YANGUAS (ed.), *romanización y resistencia a la romanización en el Norte de Hispania* (1985); DERS., *El ejército y la romanización de Galicia* (1988); R. SYME, *The conquest of north-west Spain,* in: A. GARCÍA Y BELLIDO u. a., *Legio VII Gemina* (1970) 83 ff.; G. ULBERT, *Cáceres el Viejo. Ein spätrepublikanisches Legionslager in Spanisch-Extremadura* (1984); J. WAHL, *Castelo da Lousa. Ein Wehrgehöft caesarisch-augusteischer Zeit,* in: *MM* 26, 1985, 149 ff.; R. WIEGELS, *Die Tribusinschriften des römischen Hispanien* (1985).
M. L. ALBERTOS FIRMAT, *Organizaciones suprafamiliares en la Hispania antigua* (1975); DERS., *Onomastique personelle indigène de la Péninsule Ibérique,* in: *ANRW* II 29.2 (1983) 853 ff.; G. ALFÖLDY, *Drei städtische Eliten im römischen Hispanien,* in: *Gerión* 2, 1984, 193 ff.; C. BELDA, *El proceso de romanización de la provincia de Murcia* (1975); J. M. BLÁZQUEZ MARTÍNEZ, *Nuevos estudios sobre la romanización* (1989); C. CASTILLO GARCÍA, *Prosopographia Bética* (1969); DIES., *Städte und Personen der Baetica,* in: *ANRW* II 3 (1975) 601 ff.; F. DIEGO SANTOS, *Romanización de Asturias* (1963); A. GARCÍA Y BELLIDO, *Die Latinisierung Spaniens,* in: *ANRW* I 1 (1972) 465 ff; L. GARCÍA IGLESIAS, *Los judíos en la España antigua* (1978); J. MANGAS, *Esclavos y libertos en la España romana* (1971); J. RODRÍGUEZ CORTÉS, *Sociedad y religión clásica en la Bética romana* (1991); J. M. SANTERO SANTURINO, *Asociaciones populares en Hispania Romana* (1987); H. SCHULZE-OBEN, *Freigelassene in den Städten des römischen Hispanien* (1989); J. DE C. SERRA RÀFOLS, *La vida en España en la época romana* (1944).
AAVV., *El teatro en la Hispania Romana. Simposio Mérida 1980* (1982); AAVV., *La casa urbana hispanorromana. Congreso Zaragoza 1988* (1991); AAVV., *Los foros romanos de las provincias occidentales. Kolloqium Valencia 1986* (1987); G. ALFÖLDY, *Römisches Städtewesen auf der neukastilischen Hochebene* (1987); A. BALIL, *La casa romana en España,* Diss. Madrid 1959; M. BELTRÁN LLORIS, *Arqueología e historia de las ciudades antiguas del Cabezo de Alcalá de Azaila* (1976); A. T. FEAR, *Rome and Baetica: Urbanization in southern Spain c. 50 B.C. – A.D. 150* (1996); H. GALSTERER, *Untersuchungen zum römischen Städtewesen auf der Iberischen Halbinsel* (1971); A. GARCÍA Y BELLIDO, *Las colonias romanas de Hispania,* in: *AHDE* 29, 1959, 447 ff.; J. L. JIMÉNEZ SALVADOR, *Arquitectura forense en la Hispania romana* (1987); J. MALUQUER DE MOTES NICOLAU u.a., *Ciudades augusteas de Hispania,* 2 Bde. (1976); W. TRILLMICH/P. ZANKER (Hg.), *Stadtbild*

und Ideologie. Die Monumentalisierung hispanischer Städte zwischen Republik und Kaiserzeit (1990); F. VITTINGHOFF, Die Entstehung von städtischen Gemeinwesen in der Nachbarschaft römischer Legionslager, in: A. GARCÍA Y BELLIDO u. a., Legio VII Gemina (1970) 337 ff.

AAVV., La ciudad Hispano-romana Barcelona (1993); A. DE ABEL VILELA/F. ARIAS VILAS, Guía arqueológica romana de Lugo y su provincia (1975); R. ALCAIDE u. a., Valeria romana I (1978); G. ALFÖLDY, s. v. Tarraco, in: RE Suppl. 15 (1978) 570 ff.; DERS., Tárraco y el Imperio Romano (1988); X. AQUILUÉ u. a., Tarraco (1991); A. BALIL, Colonia Iulia Augusta Paterna Faventia Barcino (1964); A. BELTRÁN u. a., Historia de Zaragoza I (1976); M. BELTRÁN LLORIS/A. BLANCO, Historia de Sevilla I 1. La ciudad antigua (1979); J. CAMPOS, Excavaciones arqueológicas en la ciudad de Sevilla (1986); C. CASTILLO, Hispanos y Romanos en Corduba (1974); M. COMAS/P. PADROS, Baetulo (1992); U. ESPINOSA, Calagurris Iulia (1984); J. ESTEVE, Valencia (1978); A. GARCÍA Y BELLIDO, Colonia Aelia Augusta Italica (1960); M. GONZÁLES SIMANCAS, Sagunto (1929); TH. HAUSCHILD, Arquitectura romana de Tarragona (1983); A. IBANEZ, Córdoba hispano-romana (1983); R. C. KNAPP, Roman Córdoba (1983); J. M. LUZÓN, La Italica de Adriano (1975); T. MAÑANES, Astorga romana y su entorno (1983); R. MARCET/E. SANMARTÍ, Empúries (1989); J. MALUQUER u. a., Segovia y la arqueología romana (1977); A. MARTIN BUENO, Bilbilis (1975); M. MEZQUIRIZ, Pompaelo II (1978); S. ORDÓNEZ AGULLA, Colonia Augusta Firma Astigi (1988); J. ORLANDIS, Hispania y Zaragoza en la antigüedad tardía (1984); M. OSUNA RUIZ, Ercavica (1973); P. DE PALOL, Clunia Sulpicia [4](1978); S. F. RAMALLO ASENSIO, La ciudad romana de Carthago Nova (1989); J. M. ROLDAN, Granada romana (1983); E. RODRÍGUEZ ALMEIDA, Avila romana (1981); A. RODRÍGUEZ COLMENERO, Aquae Flaviae, 2 Bde. (1987); J. F. RODRÍGUEZ NEILA, El municipio romano de Gades (1980); DERS., Historia de Córdoba 1 (1988); H. SCHLUNK, Centcelles (1988); A. SCHULTEN, Numantia, 4 Bde. (1914–29); DERS., Geschichte von Numantia (1933); J. M. SOLANA SAINZ, Flaviobriga (1977); DERS., Los cántabros y la ciudad de Iuliobriga (1981); M. TARRADELL u. a., Historia de Alcudia (1978); D. VAQUERIZO (ed.), Córdoba en tiempos de Seneca (1996).

M. C. FERNÁNDEZ CASTRO, Aspectos arquitectónicos y musivarios de las villas romanas en Andalucía (1978); DERS., Villas romanas en España (1982); J.-G. GORGES, Les villas hispano-romaines (1979). Dazu: G. VON BÜLOW, in: Klio 67, 1985, 370 ff.

J. L. ARGENTE OLIVER, La villa tardoromana de Baños de Valdearados/Burgos (1979); TH. HAUSCHILD/A. ARBEITER, La villa romana de Centcelles (1993); P. DE PALOL, La villa romana de la Olmeda de Pedrosa de la Vega (1982); M. RIBAS BERTRAN, La villa romana de la Torre Llauder de Mataró (1963); A. ROURE BONAVENTURA, La villa romana de Vilauba/Camós (1988).

AAVV., Vias romanas de Sureste. Simposio Murcia 1986 (1988); J. M. ABASCAL, Vias de comunicación romanas de la provincia de Guadalajara (1982); G. ARIAS, Repertorio de caminos de la Hispania romana (1987); J. COSTAL PROS, Los miliarios de la provincia Tarraconense (1992); A. GONZÁLES BLANCO, Vias romanas del sureste (1988); T. MAÑANES/J. M. SOLANA SAINZ, Ciudades y vias romanas en la cuenca del Duero (1985); E. MELCHOR GIL, Vias romanas de la provincia de Córdoba (1995); A. RODRÍGUEZ COLMENERO, La red viaria romana del sudeste de Galicia (1973); J. M. ROLDÁN HERVÁS, Iter ab Emerita Asturicam. El camino de la Plata (1971); DERS., Itinera Hispana (1973); P. SILLIÈRES, Les voies de communication de l'Hispanie Méridionale (1990); M. TOSCANO SAN GIL, Las vias romanas de Andalucia (1992).

S. ALVARADO BLANCO u. a., Puentes historicos de Galicia (1989); A. BLANCO FREIJEIRO, El puente de Alcántara en su contexto historico (1977); J. LIZ GUIRAL, Puentes romanos en el Convento Juridico Caesaraugustano (1985); DERS., El puente de Alcántara (1988); D. B. STEINMANN/S. R. WATSON, Puentes y sus constructores (1979).

C. FERNÁNDEZ CASADO, Acueductos romanos en España (1972); M. DE FRUTOS BORREGUERO, Epoca y conservación del aqueducto de Segovia (1992); J. L. GONZÁLES COBELO/M. SERRANO MARZO, El aqueducto de Segovia (1983); K. GREWE, Römische Wasserleitungen in Spanien, in: Schriften der Frontinus-Gesellschaft 7 (1984) 7 ff.; S. HUTTER, Der römische Leuchtturm von La Coruña (1973); A. RAMÍIREZ GALLARDO, El acueducto de Segovia (1984); J. M. RUIZ ACEVEDO/F. DELGADO BÉJAR, El agua en las ciudades de la Bética (1991); N. SCHNITTER, Römische Talsperren, in: AW 9.2, 1978, 25 ff.

AAVV., El vi a l'antiguitat: economía, producció i comerc al Mediterrani occidental (1987); A. BALIL, Historia económica y social de España I: La antigüedad (1973); J. M. BLÁZQUEZ, Historia económica de la Hispania Romana (1978); DERS., Die Iberische Halbinsel, in: F. VITTINGHOFF (Hg.), Europäische Wirtschafts- und Sozialgeschichte in der römischen Kaiserzeit (1990) 511 ff.; J. J. VAN NOSTRAND, Roman Spain, in: T. FRANK (ed.), An economic survey of ancient Rome 3 (1937; ND 1959) 150 ff.; M. TARRADELL (ed.), Estudios de economía antigua de la Península Ibérica (1968); L. C. WEST, Imperial Roman Spain. The objects of trade (1929).

C. DOMERGUE, Les amphores dans les mines antiques du sud de la Gaule et de la Péninsule Ibérique, in: Festschr. Schüle (1991) 99 ff.; J. REMESAL RODRÍGUEZ, Heeresversorgung und die wirtschaftlichen Beziehungen zwischen der Baetica und Germanien (1997); V. REVILLA CALVO, Weinamphoren aus Hispania Citerior und Gallia Narbonensis in Deutschland und Holland, in: Fundber. BW 16, 1991, 389 ff.; E. RODRÍGUEZ ALMEIDA, Il Monte Testaccio. Ambiente, storia, materiale (1984); A. TSCHERNIA, Les amphores vinaires de Tarraconaise et leur exportation au début de l'Empire, in: AEA 44, 1971, 38 ff.

G. GAMER, Antike Anlagen zur Fischverarbeitung in Hispanien und Mauretanien, in: AW 18.2, 1987, 19 ff.; N. HANEL, Römische Öl- und Weinproduktion auf der Iberischen Halbinsel am Beispiel von Munigua und Milreu, in: MM 30, 1989, 204 ff.; R. NIERHAUS, Zum wirtschaftlichen Aufschwung der Baetica zur Zeit Trajans und Hadrians, in: R. PIGANIOL u. a., Les empereurs romains d'Espagne (1964) 181 ff.; DERS., Die wirtschaftlichen Voraussetzungen der Villenstadt von Italica, in: MM 7, 1966, 189 ff.; M. PONSICH/M. TARRADELL, Garum et industries antiques de salaison dans la Méditerranée occidentale (1965); M. PONSICH, Implantation rurale antique sur le Bas-Guadalquivir 1–4 (1974–91); DERS., Aceite de oliva y salazones de pescado (1987); J. REMESAL RODRÍGUEZ, Die Ölwirtschaft in der Provinz Baetica, in: SJ 38, 1982, 30 ff.; DERS., La annona militaris y la exportación de aceite Bético a Germania (1986); E. RODRÍGUEZ ALMEIDA, Los tituli picti de las ánforas olearias de la Bética 1 (1989); P. SÁEZ FERNÁNDEZ, Agricultura romana de la Bética I (1987).

AAVV., La minería hispana e iberoamericana (1970); D. G. BIRD, The Roman goldmines of northwest Spain, in: BJ 172, 1972, 36 ff.; M. CISNEROS CUNCHILLOS, Mármoles hispanos (1988); C. DOMERGUE/G. HERAIL, Mines d'or romaines d'Espagne: Le district de la Valduerna/León (1978); C. DOMERGUE, Catalogue des mines et des fonderies antiques de la Péninsule Ibérique (1987); DERS., Les mines de la Péninsule Ibérique dans l'antiquité romaine (1990); R. F. J. JONES/D. G. BIRD, Roman goldmining in north-west Spain II: Working on the Rio Duerna, in: JRS 62, 1972, 59 ff.; P. R. LEWIS/G. D. B. JONES, Roman gold-mining in north-west Spain, ebd. 60, 1970, 169 ff.; S. F. RAMALLO ASENSIO/R. ARANA CASTILLO, Canteras romanas de Carthago Nova y alrededores (1987); B. ROTHENBERG/A. BLANCO FREIJEIRO, Studies in ancient mining and metallurgy in south-west Spain (1981); F. J. SÁNCHEZ PALENCIA, Römischer Goldbergbau in Nordwest-Spanien, in: Der Ausschnitt 2–3, 1979, 37 ff.

M. BENDALA, El arte romano (1990); A. BLANCO, Arte de la Hispania Romana, in: R. MENÉNDEZ PIDAL (ed.), Historia de España II 2: España Romana (1982) 557 ff.; DERS., Die Kunst Spaniens in der Prinzipatszeit, in: ANRW II 12.4 (i. Vorb.); R. CORZO, Historia del arte en Andalucia I. La antigüedad (1989); H. GIMENO PASCUAL, Artesanos y técnicos en la epigrafía de Hispania (1988); B. TARACENA, Arte Romano (1947); M. TARRADELL, Arte Romano en España (1969).

L. ABAD CASAL, Pintura romana en España (1982); DERS., Die Malerei im römischen Spanien, in: ANRW ebd. (i. Vorb.); A. BALIL, Estudios sobre mosaicos romanos I ff. (1970 ff.); DERS., Mosaicos romanos de Hispania Citerior I: Conventus Tarraconensis (1971); A. BLANCO/J. M. BLÁZQUEZ u. a., Corpus de mosaicos romanos en España I ff. (1978ff.); A. BLANCO/J. M. LUZÓN, El mosaico de Neptuno en Itálica (1974); J. M. BLÁZQUEZ, Römische Mosaiken Hispaniens in der Spätantike, in: ANRW ebd. (i. Vorb.); D. FERNÁNDEZ GALIANO, Complutum II. Mosaicos (1984); DERS., Mosaicos romanos del convento caesaraugustano (1987); T. MAÑANES u. a., El mosaico de la villa romana de Santa Cruz (1987); C. POSAC MON, El mosaico romano de Marbella (1963); S. F. RAMALLO ASENSIO, Mosaicos romanos de Carthago Nova (1985).

A. BALIL, Esculturas romanas de la Península Ibérica I–VIII, in: BVallad 43 ff., 1977ff. u. in: Studia Archaeologica (Valladolid) 51 ff., 1978 ff.; A. DÍAZ MARTOS, Capiteles corintios romanos de Hispania (1985); G. GAMER, Formen römischer Altäre auf der Hispanischen Halbinsel (1989); A. GARCÍA Y BELLIDO, Esculturas romanas de España y Portugal, 2 Bde. (1949); E. M. KOPPEL, Die römischen Skulpturen von Tarraco (1985); J. PUIG I CADAFALCH, L'arquitectura romana a Catalunya [2](1934); S. RODRÍGUEZ LAGE, Las estelas funerarias de Galicia en la época romana (1974).

J. M. ABASCAL, La cerámica pintada romana de tradición indígena en la Península Ibérica (1986); M. T. AMARÉ TAFALLA, Lucernas romanas de Bilbilis (1984); DIES., Lucernas romanas en Aragón (1988); M. BELTRÁN LLORIS, Las ánforas romanas de España (1970); V. ESCRIVA TORRES, La cerámica romana de Valentia. La terra sigillata hispánica (1989); T. GARABITO, Los alfares romanos riojanos (1978); J. JIMÉNEZ, Beobachtungen in einem römischen Töpferbezirk, in: Germania 36, 1958, 469 ff.; M. MEZQUIRIZ, Terra sigillata hispánica (1961); F. MAYET, Les céramiques à parois fines dans la Péninsule Ibérique (1975); DERS., Les céramiques sigillées hispaniques (1984); M. ROCA, Sigillata hispánica producida en Andújar (1976).

AAVV., La religión romana en Hispania. Simposio Madrid 1979 (1981); M. BENDALA GALÁN, Die orientalischen Religionen Hispaniens in vorrömischer und römischer Zeit, in: ANRW II 18.1 (1986) 345 ff.; J. M. BLÁZQUEZ, Einheimische Religionen Hispaniens in der römischen Kaiserzeit, ebd. 164 ff.; DERS., Religiones en la España antigua (1991); A. GARCÍA Y BELLIDO, Les religions orientales dans l'Espagne romaine (1967); J. MANGAS, Die römische Religion in Hispanien während der Prinzipatszeit, in: ANRW ebd. 276 ff.; P. DE PALOL, Arqueología cristiana de la España romana (1967); A. M. VAZUEZ, La religión romana en Hispania: Fuentes epigráficas, arqueológicas y numismáticas (1982).

G. ALFÖLDY, Flamines Provinciae Hispaniae Citerioris (1973); J. ARCE, Dionysos-Bacchus in Roman Spain (1986); J. DEININGER, Zur Begründung des Provinzialkultes in der Baetica, in: MM 5, 1964, 167 ff.; R. ETIENNE, Le culte impérial dans la Péninsule Ibérique d'Auguste à Dioclétien (1958); D. FISHWICK, The altar of Augustus and the municipal cult of Tarraco, in: MM 23, 1982, 222 ff.; M. A. DE FRANCISCO CASADO, El culto de Mithra en Hispania (1989).

AAVV., Templos romanos de Hispania, Cuadernos de Arquitectura Romana 1 (1992); J. BASSEGODA NONELL, El templo romano de Barcelona (1974); TH. HAUSCHILD, Munigua, in: MM 9, 1968, 263 ff.; W. E. MIERSE, Influences in the formation of early Roman sanctuary design on the Iberian Peninsula (1987).

M. ALMAGRO, Las necrópolis de Ampurias II: Necrópolis romanas y indígenas (1955); M. BENDALA GALÁN, La necrópolis romana de Carmona (1976); C. FERNÁNDEZ-CHICARRO Y DE DIOS, Guía del museo y necrópolis romana de Carmona [2](1969); M. VEGAS, Mulva II. Die Südnekropole von Munigua (1988).

Macedonia/Epirus (148 v. Chr.)

Wenn es Makedonien erst einmal dahin kommen läßt, daß die jetzt drohend im Westen stehende Wolke über Griechenland heraufzieht, dann bin ich in schwerer Sorge, daß die Waffenstillstände, die Kriege und all die Kinderspiele, die wir jetzt (noch) miteinander spielen, uns so gründlich ausgetrieben werden, daß wir dann die Götter auf den Knien anflehen werden, uns die Freiheit wiederzugeben, Kriege zu führen miteinander und Frieden zu schließen, wann wir wollen.

AGELAOS VON NAUPAKTOS (217 v. Chr.)

Den Taten des Aemilius (Paullus) im Makedonischen Kriege rechnet man als ein seine Beliebtheit erhöhendes, allen zugute kommendes Ergebnis auch die Tatsache zu, daß durch ihn damals so viel Geld in den Staatsschatz überführt wurde, daß das Volk bis auf die Zeiten des Hirtius und des Pansa (43 v. Chr.) ... keine Steuern zu zahlen brauchte.

LUCIUS MESTRIUS PLUTARCHUS (etwa 45–120)

Auch die mehrere Jahrzehnte andauernden Kämpfe mit Makedonien gehören zu den ‹Erblasten› des zweiten Punischen Krieges. Hannibal hatte den Römern eben erst die Niederlage bei *Cannae* (216 v. Chr.) beigebracht, als er mit dem jungen Makedonenkönig Philippos V. (221–179 v. Chr.) ein Bündnis schloß. Doch Rom war so klug, sich wenig später mit den Ätoliern im mittleren Griechenland zu verbinden, die erklärte Feinde des Makedonen waren und sich – ähnlich wie der Achäische Bund auf der Peloponnes – zu einem Bund gegen ihn zusammengeschlossen hatten. Damit waren dem makedonischen König fürs erste die Hände gebunden, während sich die Römer auf die Karthager konzentrieren konnten (erster Makedonischer Krieg 215–205 v. Chr.).

Wenige Jahre später machte Philippos gemeinsame Sache mit dem Seleukiden Antiochos III. Gemeinsam nutzten sie eine Schwäche des Ptolemäerreiches und brachten Teile davon in ihren Besitz. Philippos besetzte einige Städte am Marmarameer, nahm *Samos* ein und die Landschaft *Caria*, doch handelte er sich damit die Gegnerschaft der Rhodier und

89

Pergamener ein, die ihre Einflußsphären in der östlichen Ägäis und der *Propontis* bedroht sahen und Rom um Hilfe baten. Der Senat – obwohl kriegsmüde nach dem langen Ringen mit Karthago – hielt es für seine Pflicht, dem expansiven Streben des Makedonenkönigs Einhalt zu gebieten und ein Heer nach Griechenland zu entsenden. Damit begann der zweite Makedonische Krieg (200–197 v. Chr.), den Rom mit einer relativ kleinen Streit-

Abb. 88 Tessalonica/Thessaloniki (GR). Blick von Nordosten über die Stadt, im Zentrum das kaiserzeitliche Forum.

Abb. 89 Philippos V. (221–179 v. Chr.) auf einer Tetradrachme, geprägt 212 v. Chr. in Amphipolis.

Abb. 90 Macedonia Romana. Übersichtskarte der Städte, Verkehrswege und Grenzen. Nach F. PAPAZOGLU.

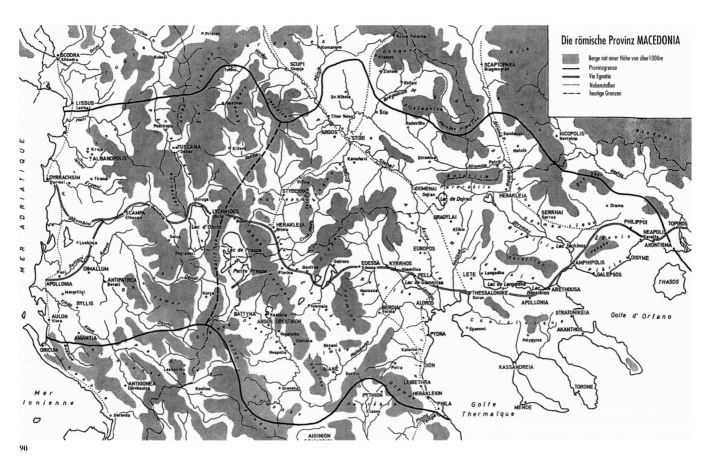

90

91

macht bestritt. Dabei gelang es dem römischen Befehlshaber T. Quinctius Flamininus, die Stämme Mittel- und Süd-
griechenlands auf seine Seite zu ziehen,
nachdem er ihnen glaubhaft machen
konnte, römisches Kriegsziel sei es, Philippos aus Griechenland zu vertreiben
und den Griechen die Freiheit zurückzugeben. Gemeinsam schlugen sie den Makedonen und sein Heer bei *Kynoskepha-
lai* im mittleren Thessalien (197 v. Chr.).
Rom nahm ihm alle seine griechischen
und kleinasiatischen Besitzungen ab, beschränkte seine Herrschaft auf das alte
makedonische Königreich und nötigte
ihn mit einem Bündnisvertrag, künftig

Rom militärisch zu unterstützen. Den
Griechen dagegen gab Flamininus die
Freiheit zurück, die er 196 v. Chr. anläßlich der Isthmischen Spiele in Korinth
feierlich verkünden ließ (Abb. 95).

In der Folgezeit erwies sich der Make-
done nach außen hin als treuer Vasall,
während er insgeheim auf Vergeltung
sann. Zwar verhielt er sich loyal gegenüber seinem neuen Bündnispartner im
Kampf gegen Antiochos III., der 190
v. Chr. bei *Magnesia* am *Sipylos* von
Römern und Pergamenern entscheidend
besiegt wurde und zwei Jahre später
im Friedensdiktat von *Apameia* ganz
Kleinasien, dazu seine Flotte und Elefanten
verlor, doch betrieb er seine Kriegsrü-
stungen so gut es eben ging, d. h. ohne
den Argwohn der Pergamener, Rhodier
oder gar Roms zu wecken. Philippos
starb 179 v. Chr. und gab das Vermächtnis, Makedonien aus seiner Isolierung
und der Umklammerung durch die allgegenwärtige römische Diplomatie wieder
zu befreien, an seinen Sohn Perseus weiter. Dieser setzte die Aufrüstung fort und
unternahm alles, um eine neue Allianz
mit den Griechen aufzubauen. Den Römern genügte die bloße Behauptung,
Makedonien bereite einen neuen Krieg
vor, um 171 v. Chr. erneut in Griechenland einzugreifen (dritter Makedonischer
Krieg). Perseus war zunächst siegreich,

mußte sich jedoch 168 v. Chr. bei *Pydna*
im südlichen Makedonien der überlege-
nen Strategie des L. Aemilius Paullus geschlagen geben. Da der König in römische Gefangenschaft geriet, war das
Schicksal Makedoniens besiegelt.

Anders als im Westen zögerte Rom, die
Herrschaft über Makedonien künftig direkt auszuüben, d. h. das besiegte Land in
eine Provinz umzuwandeln und Truppen
dorthin zu verlegen. Statt dessen beließ
man dem Land nach außen hin die Freiheit, zerstückelte es jedoch in vier
‹selbständige› Teilrepubliken mit den
Hauptstädten *Amphipolis, Thessalonike,
Pella* und *Herakleia Lynkestis*/Bitola
(MK), die von jährlich zu wählenden Beamten verwaltet wurden und denen untereinander jegliche politischen und
menschlichen Kontakte untersagt waren.
Weit schlimmer noch erging es den
Stämmen im benachbarten *Epirus*, die
sich nach den ersten Erfolgen mit den
Makedonen verbündet hatten. Ihr Land
wurde systematisch geplündert und ver-
wüstet und große Teile der Bevölkerung
in die Sklaverei verschleppt. Auch die
Griechenstädte, die Perseus unterstützt
hatten, mußten büßen für ihre antirömische Haltung. Hunderte von Menschen
wurden nach Italien verschleppt und dort
als Geiseln gehalten; der bekannteste
unter ihnen war der Historiker Polybios

92

93

aus *Megalopolis* (nördlich der gleichnamigen Stadt auf der Peloponnes). Selbst die Romfreunde *Pergamon* und *Rhodos* mußten wegen ihrer zögernden Haltung zu Beginn der Auseinandersetzungen Einbußen hinnehmen. Beide wurden mit Gebietsverlusten bestraft und *Rhodos* zudem wenig später auch wirtschaftlich geschwächt, indem die Insel *Delos* zugunsten des italischen Handels zum Freihafen erklärt wurde. Jedem im Osten mußte in Zukunft klar sein, was es bedeutete, Rom nicht bedingungslos Gefolgschaft zu leisten.

Trotz dieser massiven Einschüchterungen hielt das labile Gleichgewicht in Makedonien und Griechenland kaum zwei Jahrzehnte. Der Aufstand des Andriskos, der sich als Sohn des Perseus ausgab, führte 148 v. Chr. erneut zum Eingreifen der Römer, die nun die ewigen Querelen leid waren und kurzen Prozeß machten. Der Aufrührer wurde geschlagen und Makedonien zu einer römischen Provinz gemacht, zu der auch *Epirus* und Teile von Illyrien gehörten. Da sich Ätolier und Achäer diesmal offenbar neutral verhalten hatten, blieben sie unbehelligt. Vielleicht war es aber auch eine tiefsitzende Scheu, die viele Römer der Oberschicht davon abhielt, sich für eine ‹Provinzialisierung› Griechenlands, das sie seiner großen Vergangenheit wegen achteten und verehrten, einzusetzen. Doch die römische Geduld war erschöpft, nachdem Angehörige einer Gesandtschaft in Korinth tätlich angegriffen worden waren. Die Antwort Roms war die Zerstörung der Stadt, die 146 v. Chr. bis auf wenige Gebäude dem Erdboden gleichgemacht wurde (S. 78). Seitdem war Griechenland für 120 Jahre ein Teil der neugegründeten Provinz *Macedonia*.

Bis zum Beginn der Kaiserzeit waren Makedonien und Griechenland hilflos der Willkür und Brutalität rasch wechselnder Statthalter sowie dem großen Heer der Steuereintreiber ausgeliefert, die sich – zu Kapitalgesellschaften zu-

94

Abb. 91   Perseus (179–168 v. Chr.). Halbportrait des makedonischen Königs auf einer Tetradrachme, geprägt in Amphipolis.

Abb. 92   Die Via Egnatia zwischen Neapolis/Kavalla (GR) und Philippi (GR). Blick von Südosten. Zustand 1996.

Abb. 93   Philippi (GR). Römisches Forum an der Via Egnatia. Blick von Süden. Zustand 1996.

Abb. 94   Nikopolis (GR). Luftbild des ehemaligen Stadtgeländes. Zustand zu Beginn der 1970er Jahre. Blick von Süden.

sammengeschlossen – in Rom ‹ihre› Provinzen ersteigerten und aus ihnen ein Vielfaches dessen herausquetschten, was an Steuern bei der Auktion in Rom festgelegt worden war. So unfähig, wie sich Makedonen und Griechen in der Stunde der Entscheidung erwiesen hatten, als es darum ging, über alle Gegensätze hinweg zusammenzustehen und der unbezwinglich scheinenden Kriegsmaschinerie und Diplomatie der Römer Paroli zu bieten, so machtlos mußten sie nun mit ansehen, wie das Land ausgebeutet, ganze Landschaften verheert und vor allem Städte und Heiligtümer derart systematisch ausgeplündert wurden, daß T. Pomponius Atticus, ein guter Freund Ciceros, anläßlich eines Griechenlandaufenthaltes im Jahre 45 v. Chr. schrieb, einstmals so geschäftige Städte wie *Aegina, Megara, Piraeus* und *Corinthus* lägen nun «in Trümmern und Verwüstung». Es geschah

danach eher zwangsläufig, daß sich Makedonen und Griechen in ihrer verzweifelten Lage dem pontischen Herrscher Mithradates VI. anschlossen, der 88 v. Chr. ganz Kleinasien in seine Gewalt brachte und den Befehl gab, alle Römer und Italiker, derer man habhaft werden konnte, zu ermorden. Um so brutaler war wenig später der römische Gegenschlag durch L. Cornelius Sulla, der 86 v. Chr. Athen und Piräus einnahm und von seinem Heer plündern und zerstören ließ.

Der schier endlosen Serie von Amtsmißbräuchen, Erpressungen, Plünderungen, Requirierungen und Zerstörungen bereitete erst Augustus ein Ende, als er 27 v. Chr. das Reich neu ordnete und *Macedonia* unter Abtrennung von *Epirus* und *Achaea* dem Senat unterstellte, der das Gebiet von einem *proconsul* im Range eines Prätors verwalten ließ. Wie sehr jedoch das Land in spätrepublikanischer Zeit gelitten hatte und zum ‹Armenhaus› geworden war, wurde spätestens zu Beginn der Regierung des Tiberius (14–37) offenbar, als die beiden Provinzen *Macedonia* und *Achaea* in Rom um Ermäßigung ihrer Steuern baten und bis 44 von den kaiserlichen Legaten der Provinz *Moesia* mitverwaltet wurden, ehe man sie wieder in die Obhut des Senates gab. Von den älteren Verwaltungsstrukturen blieb lediglich die Vierteilung Makedoniens bestehen, die sich offenbar – zumindest aus römischer Sicht – bewährt hatte. Sie bildete fortan die Grundlage der Einteilung nach *conventus iuridici*, Gerichtssprengeln oder ‹Landtagen›, deren Hauptsitz die Stadt *Beroea*/Verria (GR) war.

Stärker noch als im griechischen Mutterland hat die Romanisierung in Makedonien sichtbare Spuren hinterlassen. Zwar ist das alte *Tessalonica*, die Hauptstadt der Provinz, heute weitgehend von der modernen Großstadt überdeckt, doch zeigen etwa die Überreste des monumentalen Forums, wie großzügig diese Stadt angelegt war (Abb. 88). Städte mit ausgesprochen römischem Charakter, von denen die meisten den Rang römischer Kolonien besaßen, waren *Dyrrhachium*/Durazzo-Durres (AL) am Beginn der *via Egnatia*, *Pella* und *Philippi*, ebenso wie *Tessalonica* an dieser wichtigen West-Ost-Achse liegend, weiter südlich dann *Beroea*, *Dium*/Dion am Fuße des Olymp, *Kassandreia*, das alte *Potideia*, auf der Chalkidike sowie *Stoboi* im Norden der Provinz im Tal des Vardar, heute ein verlassener Platz bei Gradsko (MK). Der wirtschaftliche Hintergrund dieser Städte war vor allem agrarisch geprägt. Charakteristisch waren auch die großen landwirtschaftlichen Güter in den Händen weniger Grundherren, die weite Gebiete zwischen den griechischen und römischen Stadtterritorien einnahmen. Ein wichtiger Ausfuhrartikel war auch das Holz der makedonischen Wälder, während der Bergbau – insbesondere das Gold des *Pangaeus mons* unweit von *Philippi* – nicht mehr die Bedeutung besaß wie in der Blütezeit des makedonischen Reiches.

Wahrscheinlich war es Nero (54–68), vielleicht aber auch erst Antoninus Pius (138–161), der die Provinz *Macedonia* vergrößerte und ihr das reiche Getreide- und Viehland Thessalien angliederte, das nach wie vor auch durch seine Pferdezucht berühmt war. Die diokletianische Neuordnung des Reiches zerstückelte Makedonien hingegen wieder. Schriftliche Quellen sprechen von drei Provinzen auf dem Boden Makedoniens: *Thessalia*, *Macedonia* und *Macedonia salutaris*.

Gemeinsam mit den Provinzen *Achaea*, *Epirus vetus* und *nova*, *Praevalis* (oder *Praevalitana*) und *Creta* gehörten sie zur *diocesis Moesiarum* und waren dem *praefectus praetorio per Illyricum* unterstellt, der seinen Sitz in *Tessalonica* hatte. In dieser Zeit wurde die Stadt eine der wichtigsten des Reiches. Kaiser Galerius (293–311), der ihr Residenzcharakter gab, ließ sie mit großartigen Bauten schmücken, zu denen außer einem Hippodrom vor allem ein weitläufiger Palast, ein dreitoriger Triumphbogen sowie ein gewaltiger Rundbau gehörten, der gegen Ende des 4. Jhs. in eine Georgskirche umgewandelt wurde. *Tessalonica* war auch in den nachfolgenden Jahrhunderten mit seinen starken Mauern eines jener Bollwerke des Oströmischen Reiches, das germanische, awarische und später slawische Eroberer, die nach Süden und Südosten drängten, immer wieder vergeblich berannten.

Römische Ausgrabungen gehören im Norden Griechenlands, in Mazedonien und Albanien immer noch zu den Ausnahmen. Demzufolge steht die archäologische Erforschung der Provinzen *Macedonia* und *Epirus* noch ganz in den Anfängen und hat sich bislang auf nur wenige Plätze beschränkt.
S. ACCAME, *Il dominio romano in Grecia dalla guerra acaica ad Augusto* (1946); S. E. ALCOCK, *Graecia capta. The landscapes of Roman Greece* (1993); P. E. ARIAS, *La Grecia nell'impero di Roma* (1940); H. BENGTSON, *Griechische Geschichte. Von den Anfängen bis in die römische Kaiserzeit* [8](1994); P. R. FRANKE, *Albanien im Altertum*, Sonder_nr._ *Antike Welt* (1983); E. S. GRUEN, *The Hellenistic world and the coming of Rome* (1984); N. G. L. HAMMOND, *Epirus* (1967); N. G. L. HAMMOND/G. T. GRIFFITH/F. W. WALBANK, *A history of Macedonia*, 3 Bde. (1972–88); G. F. HERTZBERG, *Die Geschichte Griechenlands unter der Herrschaft der Römer*, 3 Bde. (1866–75; ND 1990); S. LAUFFER (Hg.), *Griechenland. Lexikon der historischen Stätten von den Anfängen bis zur Gegenwart* (1989) s. Ortsreg. 761 ff.; F. PAPAZOGLU, *Quelques aspects de l'histoire de la province de Macédoine*, in: ANRW II 7.1 (1980) 302 ff.; DIES., *Macedonia under the Romans*, in: M. B. SAKELLARIOU (ed.), *Macedonia. 4000 years of Greek history and civilization* (1983) 192 ff.; D. K. SAMSARIS, *Forschungen zur Geschichte, Topographie und Religion der römischen Provinzen Makedonien und Thrakien* (1984, griech. m. frz. Res.); R. V. SCHODER S. J., *Das antike Griechenland aus der Luft* (1975) s. Reg. 254 ff.; D. VOLLMER, *Symploké. Das Übergreifen der römischen Expansion auf den griechischen Osten* (1990);
A. AICHINGER, *Die Reichsbeamten der römischen Macedonia der Prinzipatsepoche*, in: AArchSlov 30, 1979, 603 ff.; G. W. BOWERSOCK, *Zur Geschichte des römischen Thessalien*, in: RhM 108, 1965, 277 ff.; W. J. CHERF, *The Roman borders between Achaia and Macedonia*, in: Chiron 17, 1987, 135 ff.; J. DEININGER, *Der politische Widerstand gegen Rom in Griechenland 217–86 v. Chr.* (1971); U. KAHRSTEDT, *Die Territorien von Patrai und Nikopolis in der Kaiserzeit*, in: Historia 1, 1950, 549 ff.; D. KANATSOULIS, *Der ‹Provinztag› der Makedonen* (griech.), in: Makedoniká 3, 1956, 27 ff.; DERS., *Makedonische Prosopographie von 148 v. Chr. bis zu den Zeiten Konstantins des Großen* (1955; ND 1984 griech.); S. I. OOST, *Roman policy in Epirus and Acarnania in the age of the Roman conquest of Greece* (1954); F. PAPAZOGLU, *La population des colonies romaines en Macédoine*, in: Ziva Antica 40, 1990, 111 ff.; TH. CH. SARIKAKIS, *Die römischen Statthalter der Provinz Makedonien*, 2 Bde.

(1971/77, griech.); M. K. SHERK, *Roman imperial troops in Macedonia and Achaia*, in: AJPh 78, 1957, 52 ff.; J. TOULOMAKIS, *Zum Geschichtsbewußtsein der Griechen in der Zeit der römischen Herrschaft*, Diss. Göttingen 1971; H. VOLKMANN, *Die Massenversklavungen der Einwohner eroberter Städte in hellenistisch-römischer Zeit* [2](1990).
J. BERGEMANN, *Die römische Kolonie Butrint und die Romanisierung Griechenlands* (1998); P. COLLART, *Philippes. Ville de Macédoine*, 2 Bde. (1937); CH. KOUKOULI-CHRYSANTHAKI/CH. BAKIRTZIS, *Philippi* (1995); F. PAPAZOGLU, *Les villes de Macédoine à l'époque romaine* (1988); PH. PETSAS, *The Agora of Thessaloniki*, in: Athen Annals of Archaeology 1, 1968, 156 ff.; A. PHILADELPHEUS, *Nicopolis. Les fouilles 1913–26* (1933); A. B. TATAKI, *Ancient Beroea* (1988).
U. KAHRSTEDT, *Das wirtschaftliche Gesicht Griechenlands in der Kaiserzeit* (1954); J. A. O. LARSEN, *Roman Greece*, in: T. FRANK (ed.), *An economic survey of ancient Rome* 4 (1938; ND 1959) 436 ff.; I. TOURATSOGLU, *Die Münzstätte von Thessaloniki in der römischen Kaiserzeit* (1988); H. WOLFF, *Grundzüge einer Wirtschafts- und Sozialgeschichte der römischen Karpaten-Balkan-Provinzen* (1990); DERS., *Makedonien*, in: F. VITTINGHOFF (Hg.), *Europäische Wirtschafts- und Sozialgeschichte in der römischen Kaiserzeit* (1990) 631 ff.
P. COLLART, *Les milliaires de la via Egnatia*, in: BCH 100, 1976, 177 ff.; F. O'SULLIVAN, *The Egnatian way* (1972); G. STADTMÜLLER, *Das römische Straßennetz der Provinzen Epirus nova und Epirus vetus*, in: Historia 3, 1954, 236 ff.
V. R. ANDERSON-STOJANOVIC, *Stobi. The Hellenistic and Roman pottery* (1992); G. BALAKAKIS, *Vorlage und Interpretation von römischen Kunstdenkmälern in Thessaloniki*, in: AA 1973, 671 ff.; A. GIULIANO, *La cultura artistica delle province della Grecia in età Romana* (1965); H. P. LAUBSCHER, *Der Reliefschmuck des Galeriusbogens in Thessaloniki* (1975); CH. I. MAKARONAS, *The arch of Galerius at Thessalonike* (1970); J. NIKOLAJEVIC-STOJKOVIC, *La décoration architecturale de l'époque bas-romaine en Macédoine, en Serbie et au Montenegro* (1957); D. PANDERMALIS, *Monuments and art in the Roman period*, in: M. B. SAKELLARIOU (ed.), *Macedonia. 4000 years of Greek history and civilization* (1983) 208 ff.
S. DÜLL, *Die Götterkulte Nordmakedoniens in römischer Zeit* (1977); S. GUETTEL COLE, *Theoi megaloi. The cult of the Great Gods at Samothrace* (1984); DIES., *The mysteries of Samothrace during the Roman period*, in: ANRW II 18.2 (1989) 1564 ff.; R. F. HODDINOTT, *Early Christian and Byzantine churches in Macedonia and southern Serbia* (1962); R. SALDITT-TRAPPMANN, *Tempel der ägyptischen Götter in Griechenland und an der Westküste Kleinasiens* (1970); L. ZOTOVIC, *Die Ausbreitung des Mithraskultes in Südosteuropa*, in: ANRW ebd. 1014 ff.

Abb. 95 Titus Quinctius Flamininus (228–174 v. Chr.). Halbportrait des römischen Feldherrn auf einem Goldstater, geprägt um 196/195 v. Chr. oder später, wahrscheinlich in Chalkis/Euboia (GR).

Abb. 96 Athenae/Athen (GR). Die Akropolis mit dem Odeion des Herodes Atticus von Südosten. Blick vom Philopapposhügel.

Achaea (146 v. Chr.)

Graecia capta ferum victorem cepit et artis intulit agresti Latio ...

QUINTUS HORATIUS FLACCUS (65–8 v. Chr.)

Im gleichen Jahr, in dem Karthago fiel, zerstörte L. Mummius Korinth bis auf den Grund ... Wie ungebildet Mummius war, zeigt sich an folgendem: Als er nach der Eroberung der Stadt Gemälde und Tafeln, eigenhändige Werke der größten Künstler, zur Überführung nach Italien verdingte, ließ er den Unternehmern sagen, daß sie, sollten diese zu Schaden kommen, zum Ersatz neue liefern müßten.

VELLEIUS PATERCULUS (1. Hälfte des 1. Jhs.)

Auf See ... blickte ich zu den Ufern ringsum. Achtern lag Aegina, vor mir Megara, zu meiner Rechten Piraeus, zu meiner Linken Korinthus: alle einstmals geschäftige Städte, und nun liegen sie in Trümmern und Verwüstung vor unseren Augen.

T. POMPONIUS ATTICUS an M. TULLIUS CICERO (45 v. Chr.)

Ich bin das alte Korisia. Irgendwann kamen die Römer und eroberten mich. Meine Bürger bauten mich mit Eifer neu auf. Von nun an werde ich nicht mehr ein unbedeutender Hafen der Ägäis sein.

Inschrift von der Insel Keos/Kea (etwa 2. Jh.)

Die Geschichte von *Achaia* beginnt mit der Entstehung des Achäischen Bundes im frühen 4. Jh. v. Chr. Ursprünglich nur ein kleiner nordpeloponnesischer Stammesstaat, beherrschte die πόλις der Achäer bereits zu Beginn des 2. Jhs. v. Chr. die gesamte Peloponnes. Die kontinuierliche Entwicklung dieses südgriechischen Bundesstaates, dem zeitweise rund sechzig Stadtstaaten (πόλεις) angehörten, war allerdings nur möglich, indem man sich auf die Seite Roms stellte, in der Hoffnung, dadurch größeren politischen Spielraum zu gewinnen. War zunächst wohl noch die Begeisterung vorherrschend, die die Proklamation der Freiheitsrechte aller Griechen durch den Römer T. Quinctius Flamininus 196 v. Chr. in Korinth ausgelöst hatte, so machte sich unter den Achäern bald Ernüchterung breit, als offenbar wurde, was Rom unter ‹Freiheit› verstand. Zwar durfte man sich nominell frei fühlen, doch war es in Wirklichkeit die Abhängigkeit des Klienten von seinem Herrn, die das politische Verhältnis zwischen Griechen und Römern fortan bestimmte.

Es nimmt deshalb auch nicht wunder, daß sich in vielen Stadtstaaten des Achäischen Bundes vor allem nach 179 v. Chr. viel Sympathie für den jungen Makedonenkönig regte, zumal Perseus alles tat, um die Griechen auf seine Seite zu zie-

95

hen. Zwar griffen die Achäer 171 v. Chr. nicht direkt in die Kämpfe ein, dennoch glaubten die Römer ein Exempel statuieren zu müssen, als sie 168 v. Chr. nach der makedonischen Niederlage tausend achäische Geiseln nahmen, von denen laut Polybios nach siebzehn Jahren Deportation weniger als dreihundert in ihre Heimat zurückkehren konnten.

Eingeschüchtert durch diese Aktion verhielt sich der Bund im dritten Makedonischen Krieg (150–148 v. Chr.), der das nördliche Griechenland zur Provinz *Macedonia* machte, strikt neutral. Doch dieses Verhalten wurde schlecht belohnt. Rom nutzte innere Streitigkeiten des

Bundes, als *Sparta* sich lossagen wollte, zum Eingreifen und verlangte die Umwandlung in einen lockeren Stadtstaatenbund. Ein spontaner Aufstand unter der verarmten Bevölkerung und die wenig freundliche Behandlung römischer Emissäre in Korinth waren dem Senat schließlich Anlaß genug, den Konsular L. Mummius mit einem Heer nach Griechenland zu schicken, mit dem Auftrag, Korinth dem Erdboden gleichzumachen und seine Bevölkerung in die Sklaverei zu verkaufen. Wie die amerikanischen Ausgrabungen im Zentrum des ehemaligen Stadtgebietes gezeigt haben, ist dies sehr gründlich geschehen.

Das römische Strafgericht beschränkte sich jedoch nicht auf Korinth. Auch andere Städte wie *Dymae* (beim heutigen Kato-Achaia an der Nordküste der Peloponnes) und *Patrae*/Patrai litten schwer und wurden fast entvölkert. Hohe Tribute

wurden Achäern, Phokern, Böotiern und anderen auferlegt, die Bundesversammlungen der einzelnen Stämme aufgelöst und die Demokratien in den Städten des einstigen Bundes durch timokratische Verfassungen ersetzt, deren Repräsentanten Rom willfährig waren und unter ihren Landsleuten für Ruhe und Ordnung zu sorgen hatten. Das gesamte Gebiet des Achäischen Bundesstaates wurde römische Provinz und dem Statthalter von *Macedonia* unterstellt. Bis zum Beginn der Kaiserzeit war Griechenland damit dem brutalen Zugriff römischer Steuerpächter ausgesetzt. Entscheidend für den Niedergang des Landes war aber auch, daß Griechenland gerade im 1. Jh. v. Chr. immer wieder zum Schlachtfeld wurde, sei es anläßlich der Auseinandersetzungen Sullas mit Mithradates VI., bei denen Athen im Jahre 86 v. Chr. schlimmer heimgesucht wurde als vierhundert Jahre

zuvor von den Persern, sei es, daß das Land gegen seinen Willen in die Endphase des römischen Bürgerkrieges hineingezogen wurde und entscheidende Schlachten wie bei *Pharsalos* (48 v. Chr.), *Philippi* (42 v. Chr.) und *Actium* (31 v. Chr.) auf seinem Boden und an seinen Küsten stattfanden.

Die eigentliche Provinzialära des Landes begann erst 27 v. Chr. mit der Neuordnung der Provinzen durch Augustus. Erst auf ihn geht die Bildung der Provinz *Achaea* zurück, die von Makedonien abgetrennt wurde und neben *Epirus*, den Ionischen Inseln und einem Teil der Ägäischen Inseln vor allem das griechische Kernland zwischen Peloponnes und Thessalien umfaßte. Provinzhauptstadt wurde *Colonia Laus Iulia Corinthus*, mit dessen Wiederaufbau schon Caesar begonnen hatte und das nun Sitz eines senatorischen *proconsul* wurde, der den Rang

97

98

Abb. 97   Corinthus/Korinth (GR). Rekonstruierte Ansicht der Nordseite des kaiserzeitlichen Forums mit Apollontempel, der sog. Gefangenenfassade und den Propyläen, an denen die Straße zum Hafen Lechaion ihren Anfang nahm (vgl. Abb. 98). Nach H. Wood und L. B. Holland.

Abb. 98   Corinthus/Korinth (GR). Sog. Lechaion-Straße, die hinauf zum Forum führte. Im Hintergrund der Felsen von Akrokorinth (573 m). Zustand Mitte der 1960er Jahre.

Abb. 99   Nero als Sänger in Griechenland. Rückseite eines As, geprägt vor 68 in Rom (RIC 356).

Abb. 100   Athenae/Athen (GR). Das Hadrianstor, das Alt- und Neustadt voneinander trennte. Blick von Südosten.

eines Prätors besaß und in seinen Amts-
handlungen von einem *legatus pro praetore* und einem *quaestor* unterstützt
wurde. Zwischen 15 und 44 befand sich
Achaea gemeinsam mit *Macedonia* und
Moesia unter kaiserlicher Obhut, da
große Teile des Landes verödet waren
und sich die verarmte Bevölkerung nicht
in der Lage sah, die ihr auferlegten Steuern aufzubringen. In den Jahren 66/67
bereiste Nero die Provinz, trat als Sänger
und Wagenlenker auf und verkündete in
Korinth persönlich die Steuerfreiheit für
alle Griechen. Allerdings war die Freude
darüber nur von kurzer Dauer, denn
schon Vespasianus (69–79) stellte die
alte Ordnung wieder her.

Spätestens unter Antoninus Pius
(138–161) wurde Thessalien der Provinz
Macedonia angegliedert, während *Epirus*
vielleicht schon unter Nero (54–68) eine
eigene prokuratorische Provinz wurde,
deren Hauptstadt *Nicopolis* war, jene
Stadt, die Octavianus nach seinem Sieg
vor *Actium* (31 v. Chr.) an der Stelle seines Lagers anlegen ließ (Abb. 94). Die
Bedeutung der Stadt Athen wurde dadurch gehoben, daß sie seit Hadrianus
(117–138) die Führung des neugeschaffenen ‹Panhellenischen Bundes› übernahm, der einmal im Jahr eine große Ver-
sammlung in der Stadt abhielt. Wie *Athenae* besaßen auch *Sparta* und *Nicopolis*
den Rang von *civitates liberae*, während
Corinthus, *Dymae* und *Patrae* römische
Kolonien waren. Auch *Aigion* behielt
als ehemalige Versammlungsstätte des
Achäischen Bundes wenigstens zum Teil
seine ursprüngliche Bedeutung. Es blieb
auch weiterhin sakraler Mittelpunkt des
Landes und wurde Sitz des κοινόν τῶν
Ἀχαιῶν.

Politische Veränderungen brachte erst
wieder die Zeit der Spätantike, in der die
Provinz durch Diocletianus (284–305)
für kurze Zeit einem ritterlichen *praeses*
unterstellt, wenig später jedoch dem Senat zurückgegeben wurde. Während
Achaea in seinem Gebietsbestand ungeschmälert blieb, wurde das benachbarte
Epirus in eine Nord- und eine Südhälfte
geteilt. Fortan war *Nicopolis* die Hauptstadt von *Epirus vetus*, während der
Nordteil unter Hinzufügung makedonischer Gebietsteile als *Epirus nova* künftig von *Dyrrhachium*/Durazzo-Durres
(AL) aus verwaltet wurde, das spätestens
seit Augustus als wichtigster Hafen an
der östlichen Adriaküste und Ausgangs-
punkt der *via Egnatia* römische Kolonie
war. Seit der Reichsteilung (395) gehörte
Achaea zur östlichen Reichshälfte. Kurz
zuvor hatte das alte Hellas sein Ende gefunden, als Theodosius I. die heidnischen
Tempel schloß (391), jeglichen Götter-

kult verbot (392) und die Olympischen
Spiele abschaffte (393). Kurz darauf ver-
wüsteten Alarichs Westgoten große Teile
Griechenlands und drangen bis zur Peloponnes vor. Im 5. Jh. waren es schließlich zuerst die Hunnen unter Attila, die
bis zu den Thermopylen vorstießen
(447), dann die Vandalen, die zweimal
von Nordafrika aus in Griechenland einfielen (467 und 474), sowie die Ostgoten,
die 549 von Italien her das Land unsicher
machten. Erst Iustinianus I. gelang es,
die griechischen Städte wieder neu zu befestigen, Sperrmauern an den Thermopylen
und am korinthischen Isthmus zu errichten und Griechenland damit wieder mehr
Sicherheit zu geben. Allerdings war er es
auch, der 529 mit der Schließung der
Athener Akademie der letzten Institution
alten hellenischen Geistes das endgültige
Ende bereitete.

Das römische Kolonialsystem hatte in
republikanischer Zeit aus Griechenland
ein ‹Armenhaus› gemacht. Zahllose
Kleinstädte und Siedlungen waren verödet, die Menschen konzentrierten sich in
wenigen größeren Städten, während
weite Teile des Landes keinen Anteil an
den Segnungen der *pax Romana* besaßen. Doch ist dieses Bild ungenau, wie

99

vor allem die Forschungen U. KAHR-
STEDTS gezeigt haben. Entscheidend war
vor allem der wirtschaftliche Struktur-
wandel, den das griechische Kernland in
der Kaiserzeit erlebte. Dazu gehörte zum
einen das Anwachsen der Städte, von denen die wichtigsten wie *Athenae*, *Sparta*,
Corinthus und *Patrae*, aber auch andere
wie *Elis*, *Argos*, *Tegea*, *Gythion*, *Hermione*, *Eleusis* oder *Megara* jetzt größere
Flächen einnahmen und damit größere
Bedeutung erlangten als in klassisch-
griechischer Zeit. Zum anderen wurde
das Siedlungsbild Griechenlands in rö-

100

101

ten. Die Stadt entwickelte sich vor allem aufgrund ihrer einmaligen Lage und ihrer beiden Häfen *Lechaion* und *Kenchreai* schnell zur Drehscheibe des Ost-West-Handels im Mittelmeer und profitierte zudem vom Ausbau des Poseidonheiligtums auf dem Isthmus und der Beliebtheit der Isthmischen Spiele, die nach wie vor alle zwei Jahre stattfanden. Wie sehr die prägende Kraft Roms selbst die ‹isoliertesten› Gegenden Griechenlands erfaßte, geht aus einer Inschrift von der Insel *Keos*/Kea hervor, in der es heißt: «Ich bin das alte Korisia. Irgendwann kamen die Römer und eroberten mich. Meine Bürger bauten mich mit Eifer neu auf. Von nun an werde ich nicht mehr ein unbedeutender Hafen der Ägäis sein».

Zumindest mitentscheidend für den wirtschaftlichen Aufschwung Griechenlands in römischer Zeit war aber auch der starke Zuspruch von Reisenden aus der gesamten Mittelmeerwelt, für die Griechenland mit den Stätten seiner ruhmreichen Vergangenheit und althergebrachtem Brauchtum ein riesiges ‹Freilichtmuseum› darstellte. Von diesem Interesse profitierten nicht nur die alten Zentren Athen und Sparta, wo sich Knaben vor aller Augen auspeitschen ließen, um ‹spartanische Lebensart› zu demonstrieren, sondern vor allem auch die großen Heiligtümer in *Delphi*, *Olympia*, *Eleusis* und *Epidauros*, die viele Besucher anzogen und in denen gerade in der Kaiserzeit eine überaus rege Bautätigkeit herrschte. Eine wichtige Erwerbsquelle bildeten zudem für Athen die zahlreichen Studenten und Gelehrten, die wie etwa Cicero an der Akademie und den Gymnasien der Stadt philosophische, juristische oder literaturwissenschaftliche Vorlesungen hörten und sich als Redner ausbilden ließen. Welche überragende Sonderstellung Athen als ‹Kulturhauptstadt der römischen Welt› auch noch im 3. Jh. besaß, verdeutlicht das Wort des Christen Tertullianus, der mit seiner rhetorischen Frage, was denn Athen mit Jerusalem zu tun habe, nicht nur die Unvereinbarkeit von antiker Kultur und christlichem Denken ausdrücken wollte, sondern ungewollt damit auch die geistige Bedeutung

mischer Zeit durch die Anlage zahlreicher *villae rusticae* geprägt, die überall dort entstanden, wo anbaufähiges Land vorhanden war oder etwa durch Trockenlegung für die Landwirtschaft erschlossen werden konnte. Den Gütern und Domänen, die oft beträchtliche Ausmaße haben konnten (so befand sich z. B. halb Attika im Besitz des Herodes Atticus, der aus Marathon stammte), entsprachen überall auf dem Land und im Umkreis der Städte neue, oft sehr große Kolonendörfer, die vielerorts die älteren Kleinstädte ersetzten und wüst werden ließen. So zeigt sich bei näherem Quellenstudium, daß das griechische Mutterland in der Kaiserzeit trotz mancher Einschrän-

kungen wirtschaftlich wieder auflebte und sich neues urbanes Leben entfalten konnte. Dabei spielte weniger der Export von Getreide eine Rolle, das vielmehr wie eh und je von der pontischen Schwarzmeerküste her eingeführt werden mußte. Auch die Zeit, als die Silbergruben von *Laurion* noch reiche Gewinne abwarfen, war längst vorbei. Exportiert wurde vor allem Wein, insbesondere von der nördlichen Peloponnes, der eigentlichen Landschaft *Achaia*, dazu Honig und Olivenöl, vor allem aus *Attika*, die nach wie vor begehrte Ausfuhrartikel waren. Hinzu kam der Export verschiedener Marmorsorten aus Thessalien und Attika, von der Peloponnes und den Inseln *Euboea*, *Skyros*, *Naxos* und *Paros* sowie von künstlerischen Produkten aus griechischen Werkstätten, die insbesondere für Athen, aber auch andere Bildhauerzentren eine wichtige Erwerbsquelle bildeten.

Große Bedeutung besaß auch der Textilhandel, dessen Zentrum *Patrae* war, wo die βύσσος genannte und vornehmlich in der Landschaft *Elis* produzierte Leinenfaser sowie die Wolle arkadischer Schafe verarbeitet wurden. *Gythion* dagegen profitierte zum einen davon, daß es Hauptexporthafen für lakonischen Marmor war, zum anderen von der Produktion von Purpur, der zum Färben der βύσσινα πεπλώματα aus *Patrae* diente. Der wirtschaftliche Mittelpunkt der Provinz war schließlich das wiedererstarkte Korinth, wo seit der Wiederbegründung laut Pausanias (II 1) «von den alten Korinthiern niemand mehr, sondern von den Römern geschickte Kolonisten» leb-

102

Abb. 101   Olympia (GR). Vereinshaus der Athletengilden am Westrand des Heiligen Bezirks. Begonnen durch Nero (um 67), vollendet unter Domitianus (um 85). Ausgrabung zu Beginn der 1990er Jahre.

Abb. 102   Eleusis (GR). Ausschnitt des Giebels der sog. Großen Propyläen mit einer Kaiserbüste, die Hadrianus (117–138), Antoninus Pius (138–161) oder Marcus Aurelius (161–180) darstellte.

gerade dieser Stadt hervorhob, selbst in einer Zeit, in der Athen politisch schon längst am Ende war.

Gemessen an der Zurückhaltung römischer Baumeister und dem weitgehenden Verzicht auf typische römische Prachtbauten einerseits und der – von einzelnen Plätzen wie Korinth einmal abgesehen – bislang immer noch unzureichenden Erforschung römerzeitlicher Überreste auf griechischem Boden, ist die archäologische Hinterlassenschaft Roms in Griechenland wesentlich bedeutender, als allgemein angenommen wird. Nicht nur Athen weist zahlreiche römische Baureste auf, von denen der römische Markt, errichtet von Caesar und Augustus, die Bibliothek des Hadrianus und das von Herodes Atticus gestiftete Odeion am Fuß der Akropolis die bekanntesten sind (Abb. 96). Auch in *Argos, Aulis* und *Sikyon* sind zahlreiche römerzeitliche Überreste, darunter auch Wohnquartiere, aufgedeckt und untersucht worden. Während öffentliche Bauten im wesentlichen auf kaiserliche oder städtische Initiative zurückgingen, waren es z. B. in den großen Heiligtümern oft private Mäzene wie Ti. Claudius Atticus Herodes, C. Iulius Eurycles oder S. Iulius Maior Antoninus Pythodorus, die zahlreiche Bauten stifteten oder wiederherstellen ließen. Dagegen befindet sich die archäologische Erforschung der vielen Landgüter auf griechischem Boden noch ganz in den Anfängen. Welche Erkenntnismöglichkeiten hier bislang noch weitgehend ungenutzt sind, haben gerade in letzter Zeit die (noch weitgehend unveröffentlichten) Untersuchungen auf dem Gelände einer der großen Villen des Herodes Atticus in *Kiphissia,* einem Athener Vorort, gezeigt sowie topographische und siedlungsgeschichtliche Forschungen zur Gebiets- und Flureinteilung Attikas, die zwar insbesondere der Zeit des klassischen Athen galten, jedoch manchen Aufschluß auch zur Besiedlung und Agrarstruktur der Halbinsel während der römischen Kaiserzeit erbracht haben.

Die Provinz *Achaea* ist bisher nicht im Zusammenhang behandelt worden, da die Erforschung der Zeit der römischen Besetzung nach wie vor nicht zu den bevorzugten Themen der griechischen Landesarchäologie gehört.
S. ACCAME, *Il dominio romano in Grecia dalla guerra acaica ad Augusto* (1946); S. E. ALCOCK, *Graecia capta. The landscapes of Roman Greece* (1993); P. E. ARIAS, *La Grecia nell'impero di Roma* (1940); R. BALADIÉ, *Le Péloponnèse de Strabon* (1980); H. BENGTSON, *Griechische Geschichte. Von den Anfängen bis in die römische Kaiserzeit* [8](1994); A. BON, *Le Péloponnèse byzantin* cp. 1: *De l'époque romaine jusqu'au règne de Justinien* (1951); G. W. BOWERSOCK, *Augustus and the Greek world* (1965); R. CAGNAT u. a. (ed.), *Inscriptiones Graecae ad res Romanas pertinentes,* 3 Bde. (1911–27; ND 1964); E. S. GRUEN, *The Hellenistic world and the coming of Rome* (1984); CH. HA-

BICHT, *Pausanias und seine ‹Beschreibung Griechenlands›* (1985); G. F. HERTZBERG, *Die Geschichte Griechenlands unter der Herrschaft der Römer,* 3 Bde. (1866–75; ND 1990); S. LAUFFER (Hg.), *Griechenland. Lexikon der historischen Stätten von den Anfängen bis zur Gegenwart* (1989) s. Ortsreg. 761 ff.; K. ŠAŠEL, *Inscriptiones latinae in Graecia repertae* (1979); R. V. SCHODER S. J., *Das antike Griechenland aus der Luft* (1975) s. Reg. 254 ff.; J. TRAVLOS, *Bildlexikon zur Topographie des antiken Attika* (1988); D. VOLLMER, *Symploké. Das Übergreifen der römischen Expansion auf den griechischen Osten* (1990); S. WALKER/A. CAMERON (eds.), *The Greek renaissance in the Roman Empire* (1989); P. W. WALLACE, *Strabo's description of Boiotia* (1979).
G. W. BOWERSOCK, *Zur Geschichte des römischen Thessalien,* in: *RhM* 108, 1965, 277 ff.; DERS., *Eurykles of Sparta,* in: *JRS* 51, 1961, 212 ff.; W. J. CHERF, *The Roman borders between Achaia and Macedonia,* in: *Chiron* 17, 1987, 135 ff.; P. CONNOLLY, *Greece and Rome at war* (1981); J. DEININGER, *Der politische Widerstand gegen Rom in Griechenland 217–86 v. Chr.* (1971); E. GROAG, *Die römischen Reichsbeamten von Achaia bis auf Diokletian* (1939); DERS., *Die Reichsbeamten von Achaia in spätrömischer Zeit* (1946); H. HALFMANN, *Die Senatoren aus dem östlichen Teil des Imperium Romanum bis zum Ende des 2. Jahrhunderts n. Chr.* (1979); N. KENNELL, *The public institutions of Roman Sparta,* Diss. Toronto 1985; M. K. SHERK, *Roman imperial troops in Macedonia and Achaea,* in: *AJPh* 78, 1957, 52 ff.; A. J. SPAWFORTH, *Families at Roman Sparta and Epidaurus,* in: *Ann. Brit. School at Athens* 80, 1985, 191 ff.; R. SYME, *Greeks under Roman rule,* in: *Proceedings of the Massachusetts Historical Society* 72, 1957–60, 3 ff.; J. TOULOMAKIS, *Zum Geschichtsbewußtsein der Griechen in der Zeit der römischen Herrschaft,* Diss. Göttingen 1971.
S. E. ALCOCK, *Archaeology and imperialism: Roman expansion and the Greek city,* in: *Journal of Mediterranean Archaeology* 2, 1989, 87 ff.; J. M. FOSSEY, *The cities of the Kopaïs in the Roman period,* in: *ANRW* II 7.1 (1980) 549 ff.; A. H. M. JONES, *Cities of the eastern Roman provinces* [2](1971); DERS., *The Greek city* (1940); U. KAHRSTEDT, *Die Territorien von Patrai und Nikopolis in der Kaiserzeit,* in: *Historia* 1, 1950, 549 ff.; A. J. SPAWFORTH/S. WALKER, *The world of the Panhellenion* I: *Athens and Eleusis.* II: *Three dorian cities,* in: *JRS* 75, 1985, 78 ff. u. 76, 1986, 88 ff.
AAVV., *Corinth. Results of excavations conducted by the American School of Classical Studies at Athens* (1931 ff.); R. CARPENTER/O. BRONEER, *Ancient Corinth: A guide to the excavations* [6](1954); P. CARTLEDGE/A. J. SPAWFORTH, *Hellenistic and Roman Sparta* (1989); J. J. DEWAELE, *Corinthe* (1961); D. ENGELS, *Roman Corinth* (1990); S. FOLLET, *Athènes au IIe et au IIIe siècles* (1976); A. FRANTZ/J. TRAVLOS, *The Athenian agora: Late Antiquity A. D. 267–700* (1988); D. J. GEAGAN, *Roman Athens: Some aspects of life and culture* I. 86 B.C.–A.D. 267, in: *ANRW* ebd. 371 ff. m. ausf. Bibl. 411 ff.; E. R. GEBHARD, *The theater at Isthmia* (1973); R. GINOUVÈS, *Le théâtron à gradins droits et l'odéon d'Argos* (1972); P. GRAINDOR, *Athènes sous Auguste* (1927); DERS., *Athènes de Tibère à Trajan* (1931); DERS., *Athènes sous Hadrien* (1934; ND 1973); U. KAHRSTEDT, *Die Stadt Athen in der Kaiserzeit,* in: *MdI* 3, 1950, 51 ff.; J. H. OLIVER, *The civic tradition and Roman Athens* (1983); H. S. ROBINSON, *The urban development of ancient Corinth* (1965); DERS., *Corinth. A brief history of the city and a guide to the excavations* (1972); G. ROUX, *Pausanias en Corinthie* (1957); T. L. SHEAR, *Athens: From city-state to provincial town,* in: *Hesperia* 50, 1981, 356 ff.; J. TRAVLOS, *Bildlexikon zur Topographie des antiken Athen* (1971); D. WILLERS, *Hadrians panhellenisches Programm* (1990); J. WISEMAN, *Corinth and Rome* I. 228 B. C. – A. D. 267, in: *ANRW* ebd. 438 ff. m. ausf. Bibl. 542 ff.
W. AMELING, *Herodes Atticus,* 2 Bde. (1982); G. W. BOWERSOCK, *Achaia,* in: F. VITTINGHOFF (Hg.), *Europäische Wirtschafts- und Sozialgeschichte in der römischen Kaiserzeit* (1990) 639 ff.; J. DAY, *An economic history of Athens under Roman domination* (1942; ND 1973); P. GRAINDOR, *Un milli-*

ardaire antique. *Hérode Atticus et sa famille* (1930); U. KAHRSTEDT, *Das wirtschaftliche Gesicht Griechenlands in der Kaiserzeit* (1954); J. A. O. LARSEN, *Roman Greece,* in: T. FRANK (ed.), *An economic survey of ancient Rome* 4 (1938; ND 1959) 436 ff.; CH. TH. PANAGOS, *Le Pirée. Etude économique et historique depuis les temps les plus anciens jusqu'à la fin de l'empire romain* (1968); R. L. SCRANTON/J. W. SHAW/L. IBRAHIM, *Kenchreai. Eastern port of Corinth* I (1978); D. VANHOVE, *Roman marble quarries in southern Euboea and the associated road systems* (1996).
CH. BÖRKER, *Blattkelchkapitelle. Untersuchungen zur kaiserzeitlichen Architekturornamentik in Griechenland,* Diss. Berlin 1965; R. BOL, *Das Statuenprogramm des Herodes-Atticus-Nymphäums in Olympia* (1983); O. BRONEER, *Isthmia* III: *Terracotte lamps* (1977); PH. BRUNEAU, *Tendances de la mosaïque en Grèce à l'époque impériale,* in: *ANRW* II 12.2 (1981) 320 ff.; A. GUILIANO, *La cultura artistica delle province della Grecia in età romana* (1965); DERS./ B. PALMA, *La maniera ateniese di età romana* (1982); E. B. HARRISON, *Portrait sculpture. The Athenian agora* 1 (1953); G. HELLENKEMPER SALIES, *Römische Mosaiken in Griechenland,* in: *BJ* 186, 1986, 241 ff.; L. IBRAHIM/R. BRILL/R. L. SCRANTON, *Kenchreai. Port of Corinth* II: *The panels of opus sectile in glass* (1976); H. KÄHLER, *Der Fries vom Reiterdenkmal des Aemilius Paullus in Delphi* (1965); B. G. KALLIOPOLITIS, *Zur Chronologie der attischen Sarkophage mit mythologischen Darstellungen der römischen Zeit* (1958, griech.); A. KANKELEIT, *Kaiserzeitliche Mosaiken in Griechenland,* Diss. Bonn 1994; DIES., *Symposion mit Menander und Dionysos. Römische Mosaiken aus Griechenland,* in: *AW* 28.4, 1997, 309 ff.; D. E. E. KLEINER, *The monument of Philopappos in Athens* (1983); S. MACREADY/F. H. THOMPSON (eds.), *Roman architecture in the Greek world* (1987); S. E. RAMSDEN, *Roman mosaics in Greece: The mainland and the Ionian islands,* Diss. London 1971; H. S. ROBINSON, *The Athenian Agora* 5: *Pottery of the Roman period* (1959); C. C. VERMEULE, *Roman imperial art in Greece and Asia Minor* (1968); DERS., *Dated monuments of Roman imperial art in Greece and Asia Minor,* in: *ANRW* II 12.4 (i. Vorb.); S. E. WAYWELL, *Roman mosaics in Greece,* in: *AJA* 83, 1979, 293 ff.
L. J. ALDERINK, *The Eleusinian mysteries in Roman imperial times,* in: *ANRW* II 18.2 (1989) 1457 ff.; A. BENJAMIN, *Altars of Hadrian in Athens and Hadrian's panhellenic programme,* in: *Hesperia* 32, 1963, 57 ff.; DERS./A. E. RAUBITSCHEK, *Ares Parade,* ebd. 28, 1959, 65 ff.; K. CLINTON, *Roman initiates and benefactors, second century B. C. to A. D. 267,* in: *ANRW* ebd. 1499 ff.; S. LEVIN, *The old Greek oracles in decline,* ebd. 1599 ff.; G. MYLONAS, *Eleusis and the Eleusinian mysteries* (1961); J. POUILLOUX, *Delphes et les Romains,* in: *REA* 73, 1971, 374 ff.; A. E. RAUBITSCHEK, *Hadrian as the son of Zeus Eleutherios,* in: *AJA* 49, 1945, 128 ff.; R. SALDITT-TRAPPMANN, *Tempel der ägyptischen Götter in Griechenland und an der Westküste Kleinasiens* (1970); R. TRUMMER, *Die Denkmäler des Kaiserkultes in der römischen Provinz Achaia* (1980).

103

104

Africa proconsularis/Numidia (146 v. Chr.)

Quid novi ex Africa?

Standardfrage römischer Müßiggänger in Rom

(2. Jh. v. Chr.)

Ceterum censeo Carthaginem esse delendam.

Marcus Porcius Cato (234–149 v. Chr.)

Der Boden bringt gute Getreideernten und gutes Weidegras hervor, ist jedoch zur Kultivierung von Bäumen nicht geeignet.

Caius Sallustius Crispus (86–34 v. Chr.)

Von numidischem Marmor und wilden Tieren einmal abgesehen, kommt nichts Besonderes aus Numidien.

Caius Plinius Secundus (23–79 n. Chr.)

Soweit man heute weiß, waren Scipios Truppen im Jahre 204 oder 203 v. Chr. die ersten Römer, die von Sizilien aus afrikanischen Boden betraten. Hannibal war zur gleichen Zeit nach *Karthago* zurückberufen worden, während P. Cornelius Scipio Aemilianus seine freundschaftlichen Beziehungen zu dem jungen Numiderfürsten Massinissa erneuerte, den er wenige Jahre zuvor, als er mit seinen Reitertruppen noch auf seiten der Karthager stand, bei einem persönlichen Treffen für die Sache Roms gewinnen konnte. Dem vereinigten römisch-numidischen Heer hatte Hannibal nichts Gleichwertiges entgegenzusetzen und verlor die entscheidende Schlacht bei *Zama* (im mittleren Tunesien), die den zweiten Punischen Krieg beendete (201

v. Chr.). Massinissa, der sich mit römischer Unterstützung kurz zuvor seines stärksten Widersachers im eigenen Lager entledigt hatte, blieb Bundesgenosse und wurde mit römischer Billigung König von ganz Numidien, dessen Stämme er einte und seßhaft machte. *Karthago* dagegen verlor alle seine Besitzungen. Es wurde entwaffnet und mit der Auflage belegt, keine eigene Außenpolitik mehr zu führen. Dies bedeutete im Ernstfall, daß es künftig dem Machtstreben des Numiders und seinen Bemühungen, sein Reich auf Kosten karthagischen Besitzes zu vermehren, schutzlos ausgesetzt war.

105

106

Abb. 103   Sufetula/Sbeitla (TN). Straße mit Insulabebauung und Blick auf die Rückseite des Forums mit ‹dreiteiligem› Kapitol. Blick von Norden. Zustand 1997.

Abb. 104   Leptis Magna bei Homs (LAR). Severisches Forum. Blick durch die südöstliche Arkadenreihe auf das Podium des Tempels der Gens Septimia. Zustand 1966.

Abb. 105   Personifikation der Provinz Africa, dargestellt als junge Frau, die eine Elefantenhautkappe trägt. Zeichnung nach der Vorderseite eines Stater des Agathokles, geprägt um 310 v. Chr. in Syrakus.

Abb. 106   Karthago/Tunis-Carthage (TN). Französische Ausgrabungen an der Südseite des Byrsahügels mit spätpunischer Insulabebauung und ‹aufgesetzten› Stützpfeilern der Plattform des römischen Forum- und Tempelbezirks auf der Byrsa. Zustand 1997.

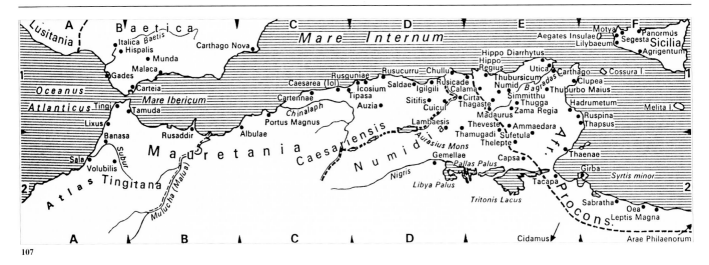

107

In der Folgezeit häuften sich die Eigenmächtigkeiten des numidischen Königs wie auch die karthagischen Gegenproteste. Mindestens viermal – soweit bekannt – wurden römische Schiedsgerichte angerufen, die sich ausnahmslos, wie nicht anders zu erwarten, auf die Seite Massinissas stellten. Bei einem neuerlichen Annexionsversuch im Jahre 150 v. Chr. schließlich, der die Stadt *Thugga*/Dougga (TN) und das umliegende fruchtbare Getreideland betraf, wehrten sich die Karthager. Offenbar gegen den Willen Massinissas, der diese Auseinandersetzung gern auf eigene Faust entschieden hätte, mischten sich die Römer ein und nutzten die Gelegenheit, *Karthago*, das trotz seiner bedrängten Lage wieder zu erstarken schien und dessen Handel wieder zu florieren begann, ein für allemal zu zerstören. Ganz offen wurde diese Auffassung von einer einflußreichen Gruppe im Senat vertreten, deren bekanntester Protagonist M. Porcius Cato war, dessen berüchtigtes, von Cicero überliefertes *ceterum censeo Carthaginem esse delendam,* sprichwörtlich geworden ist.

Ähnlich wie Korinth, das in demselben Jahr dem Erdboden gleichgemacht wurde, nahmen die Römer 146 v. Chr. nach verzweifelter Gegenwehr auch *Karthago* ein und zerstörten die Stadt. Sie okkupierten das karthagische Staatsgebiet zwischen *Thabraca*/Tabarka (TN) im Norden und *Taparura*/Sfax (TN) im Süden und bildeten daraus die Provinz *Africa.* Alles übrige Land westlich davon wurde den Söhnen Massinissas überlassen, der 148 v. Chr. gestorben war und P. Cornelius Scipio Aemilianus, den Eroberer Karthagos, zum Vollstrecker seines Testaments gemacht hatte. Da *Karthago* vom Erdboden verschwunden und die Stätte verflucht worden war, wurde die alte punische Stadt *Utica*/Utique-Henchir bou Chateur (TN) Hauptstadt der

neuen Provinz, in der die römischen Statthalter bis etwa 10 v. Chr. residierten, ehe der Statthaltersitz in das wiederaufgebaute *Karthago* verlegt wurde.

In der Folgezeit begnügte sich Rom damit, seinen afrikanischen Besitz zu sichern und im benachbarten Numidien den *status quo* zu erhalten. Dort hatte nach dem Tode Massinissas der älteste Sohn Micipsa die Herrschaft übernommen, dem allerdings auf römisches Betreiben hin seine Brüder Gulussa und Mastanabal als Mitherrscher an die Seite gestellt wurden. Die ‹romgewollte› Ordnung zerbrach, als Micipsa 118 v. Chr. nicht nur seine Söhne Adherbal und Hiempsal zu gleichberechtigten Erben seines Reiches machte, sondern dazu noch seinen Neffen Jugurtha, der sich u. a. mit seinem Einsatz vor *Numantia,* wo er 134/133 v. Chr. ein numidisches Hilfscorps befehligte, unter den Römern viele Freunde gemacht hatte. Ließ man ihn deshalb zunächst gewähren, als er kurz nach dem Tode Micipsas seinen Miterben Hiempsal ermorden ließ, sah sich Rom sechs Jahre später genötigt, in Numidien einzugreifen, nachdem Jugurtha auch Adherbal besiegt und dieser die Römer um Hilfe gebeten hatte. Der römische Vermittlungsversuch scheiterte, da der Numider noch im gleichen Jahr seinen Konkurrenten in *Cirta*/Constantine (DZ) beseitigen ließ.

Für Rom war der *casus belli* gegeben, als bei dieser Gelegenheit auch in der Stadt ansässige Kaufleute aus Italien getötet wurden. Da Jugurtha jedoch äußerst geschickt agierte und mit Hilfe massiver Bestechungen und intimer Kenntnisse die Rivalitäten innerhalb der römischen Nobilität geschickt auszunutzen wußte, zogen sich die kriegerischen Auseinandersetzungen über mehrere Jahre hin. Erst C. Marius und seinem Quästor L. Cornelius Sulla gelang es, Jugurtha im Jahre 105 v. Chr. entscheidend

zu besiegen und Bocchus, den König von Mauretanien, zu überreden, seinen Schwiegersohn, der sich an seinen Hof geflüchtet hatte, an die Römer auszuliefern (Abb. 191). Der Verrat zahlte sich aus für den König, dem der Westen Numidiens zugesprochen wurde. Das numidische Kernland um die Königsburg in *Cirta* blieb dagegen unangetastet, während Rom die Grenze seines Einflußbereiches weiter nach Westen vorschob.

Die Parteinahme Jubas I., des letzten numidischen Königs, für Cn. Pompeius im Jahre 46 v. Chr. machte Nordafrika erneut zum Kriegsschauplatz. Die entscheidende Schlacht fand bei *Thapsus* statt (heute Henchir ed-Dimas südlich von Monastir), in der die Pompejaner von Caesars Truppen geschlagen wurden. Während sich Juba wie auch andere Anhänger des Pompeius selbst den Tod gab, annektierte Caesar große Teile Numidiens und schuf hieraus die Provinz *Africa nova,* deren erster Statthalter der Historiker C. Sallustius Crispus war und die durch die *fossa Regia,* eine bereits 146 v. Chr. durch Grenzsteine festgelegte Demarkationslinie zwischen dem römischen und numidischen Einflußbereich, von der ‹alten› Provinz getrennt worden war, die jetzt *Africa vetus* hieß. Das Gebiet um *Cirta* übergab Caesar seinem Mitstreiter P. Sittius, der ihm durch einen Sieg über die Truppen Jubas den Rücken freigehalten und verhindert hatte, daß sich die geschlagenen Pompejaner in Numidien noch einmal sammeln und neu formieren konnten. *Cirta* wurde römische Kolonie mit latinischem Recht und Heimat der *Sittiani,* die als Veteranen dort angesiedelt wurden. Gleichzeitig erfolgte die Neugründung Karthagos als *colonia Iulia,* wo schon C. Sempronius Gracchus im Jahre 122 v. Chr. etwa 3000 Kolonistenfamilien angesiedelt hatte.

Caesars eher provisorische Ordnung

erfuhr ihre endgültige Festlegung durch Augustus, der die beiden *Africae* zur Provinz *Africa proconsularis* zusammenfaßte. Zu dieser neuen Provinz zählte auch das Kernland von Numidien, das Grenz- und Militärterritorium war und Standort einer Legion, der *legio III Augusta*, die ihr Lager zunächst in *Ammaedara*/Haïdra (TN) hatte. Da in *Karthago*, dem neuen Statthaltersitz, ein senatorischer *proconsul* residierte, ergab sich die für das Reich einmalige Situation, daß in einer Senatsprovinz reguläre Truppen standen. Andererseits stammten die Befehlshaber der Legion, die seit der Zeit des Caligula (37–41) nachweisbar sind, aus dem Ritterstand, waren dem Kaiser direkt unterstellt und dienten so als politisches Gegengewicht zum Statthalter der Provinz, die neben *Asia minor* die ranghöchste Senatsprovinz war. Außer *Africa vetus* bzw. *nova* gehörte auch *Tripolitania* zur Provinz *Africa proconsularis*, ein schmaler Küstenstreifen entlang der Großen Syrte. Ihren Namen trug die Landschaft nach den drei Städten *Sabratha*, *Oea*/Tripolis (LAR) und *Leptis Magna*, alten phönizischen Niederlassungen am Ende der Karawanenstraßen aus dem Fezzan, die seit ca. 25 v. Chr. *civitates liberae* waren.

Im Jahre 17 brach ein Aufstand in der Provinz aus, der um so gefährlicher war, als sein Anführer Tacfarinas – Mommsen nannte ihn den «afrikanischen Arminius» – zuvor in einer römischen Hilfstruppe gedient hatte und mit der Organisationsform und Kampfesweise der Römer vertraut war. Zudem gelang es dem Numider, den großen Berberstamm der *Musulamii* auf seine Seite zu ziehen und Rom fast acht Jahre lang Widerstand zu leisten. Erst als Tacfarinas im Jahre 24 im Kampf fiel, brach der Aufstand in sich zusammen. Das Ergebnis war, daß die Musulamier in der näheren Umgebung von *Theveste*/Tebessa (DZ) zwangsangesiedelt wurden, wo sich seit der Zeit des Tiberius (14–37) das Standlager der *legio III Augusta* befand. Hier residierte spätestens seit Caligula (37–41) ein kaiserli-

108

cher Legat, der zwar *de iure* dem senatorischen Statthalter in Karthago unterstellt war, sich jedoch *de facto* in seiner Stellung immer mehr verselbständigte, zumal die Grenzen des numidischen Militärterritoriums noch im 1. Jh. unter Einschluß des *Aurasius mons*/Djebel Aurès weit nach Westen und Süden vorgeschoben wurden und die Legion bereits in flavischer Zeit bis nach *Lambaesis*/Lambèse (DZ) vorrückte. Es war deshalb nur konsequent, daß Septimius Severus 198/199 *Numidia* von *Africa proconsularis* trennte, daraus eine selbständige Provinz mit eigenem Provinziallandtag machte und sie dem Kommando des *leg(atus) Aug(usti) pr(o) pr(aetore)* in *Lambaesis* unterstellte, für den in der Folgezeit wiederholt auch die Bezeichnung *praeses provinciae Numidiae* verwendet wurde.

Im Zuge der diokletianischen Neuordnung der Provinzen entstand um 300 die *dioecesis Africae*, die zur *praefectura*

Italiae gehörte. Sie ergab eine Aufspaltung von *Africa proconsularis* und *Numidia* in zeitweise fünf Provinzen, wobei das prokonsularische Afrika dreifach geteilt wurde, während Numidien – allerdings nur zeitweise – in zwei Bezirke zerfiel. Die Namen der neugeschaffenen Provinzen waren *Africa proconsularis* mit der Hauptstadt *Karthago*, die nach einem einheimischen Namen jetzt allerdings meist *Zeugitana* (*regio*) hieß, *Byzacena* im mittleren und südlichen Teil des heutigen Tunesien mit der Hauptstadt *Hadrumetum*/Sousse, deren Name sich ebenfalls von einer einheimischen Landschaftsbezeichnung herleitete (*Byzacium*), sowie weiter östlich *Tripolitania* mit der Hauptstadt *Leptis Magna*, östlich von Homs (LAR). Dazu gab es zu Beginn des 4. Jhs. auf dem Boden Numidiens für kurze Zeit zwei Provinzen, *Numidia militiana* mit der Hauptstadt *Lambaesis* im Süden sowie *Numidia Cirten-*

Abb. 107 Africa Romana. Übersichtskarte der Provinzen Mauretania und Africa proconsularis mit den wichtigsten Städten und topographischen Angaben.

Abb. 108 Thamugadi/Timgad (DZ). Blick über die römische Stadt von Norden, im Hintergrund die Säulen des Kapitols. Zustand 1966.

Abb. 109 Lambaesis/Lambèse (DZ). Blick vom Osttors (porta principalis dextra) des Legionslagers auf die Eingangshalle der Principia (sog. Groma). Zustand 1966.

109

110

sis im Norden, deren ziviler Statthalter seinen Sitz in *Cirta* hatte. Doch diese Trennung war nur von kurzer Dauer, denn bereits 312 wurden beide Regionen wieder zu einer Provinz zusammengefaßt. Hauptstadt wurde *Cirta*, das sich zu Ehren des neuen Kaisers fortan *Constantina* nannte und bis zum Beginn der Vandalenherrschaft (429) Sitz des *consularis provinciae Numidiae* blieb. Zwar gehörten große Teile des römischen Nordafrika ab 533 zum Oströmischen Reich, doch war diese Nachblüte nur von kurzer Dauer. Bereits 642 wurde Tripolitanien arabisch. Eine Generation später erfolgte die Eroberung des heutigen Tunesien und die Gründung von Kairouan (671). Bis zum Ende des 7. Jhs. waren alle byzantinischen Festungen gefallen und ganz Nordafrika in der Hand der arabischen Eroberer, die das Land mit ihrer Lebensweise und Religion von Grund auf veränderten.

Afrikas sprichwörtlicher Reichtum war das Ergebnis einer planmäßigen Kolonisierungspolitik, mit der schon Caesar und Augustus begonnen hatten und die von ihren Nachfolgern konsequent fortgeführt wurde. Sie war begleitet von einer Binnenwanderung großen Stils, die vor allem zahlreiche Italiker nach Nordafrika lockte, darunter viele, die in den Wirren der vorangegangenen Bürgerkriege ihr Land verloren hatten. Die zweite große Gruppe von Neusiedlern bestand aus Veteranen der Bürgerkriegsarmeen, die – meist in Kolonien latinischen Rechts organisiert – auf afrikanischem Boden angesiedelt wurden. Die römischen Kolonisten trafen dabei auf eine Kultur, die seit

mehreren Jahrhunderten vor allem durch die Karthager (oder Punier) geprägt worden war, in der jedoch, je weiter man in das Binnenland kam, auch das libysche oder berberische Element seine Bedeutung besaß. Beide Kulturen lebten während der römischen Kaiserzeit vor allem in ihren Sprachen weiter, dokumentiert durch zahlreiche Inschriften, die nicht selten als Bilinguen abgefaßt waren.

Trotz dieser recht komplexen und unterschiedlichen Zusammensetzung der afrikanischen Bevölkerung vollzog sich die Romanisierung Nordafrikas in weniger als drei Generationen. Dabei ist für diesen Prozeß charakteristisch, daß es der römischen Administration gelang, der einheimischen, im Süden der Provinz häufig noch halbnomadisch lebenden Bevölkerung die Identität zu belassen und ihr nicht die städtische Lebensform aufzuzwingen, andererseits jedoch in großen Teilen der Provinz eine regelrechte ‹Stadt-Landschaft› entstehen zu lassen, die mit mehr als 200 Mittel- und Kleinstädten eine Dichte besaß, wie sie sonst in keiner anderen Provinz des Imperiums erreicht worden ist. Damit war *Africa* neben Hispanien und Dalmatien die Provinz des Reiches, die am nachhaltigsten und – denkt man an die vielen monumentalen Überreste nordafrikanischer Römerstädte – auch am sichtbarsten von der römischen Zivilisation geprägt wurde. Trotz des Weiterlebens der einheimischen Sprachen – laut Augustinus sprach man im 5. Jh. noch Punisch – wird man U. KAHRSTEDT recht geben können, der davon ausging, daß von der

lateinisch sprechenden Bevölkerung des Reiches während der Kaiserzeit allein etwa 40% in Nordafrika gelebt haben.

Afrikas Haupterzeugnis und -ausfuhrprodukt war Weizen. Schon die Karthager hatten im Norden und Osten ihres Staatsgebietes Getreide angebaut. Systematisch wurden nun im Rahmen der Landerschließung und -vermessung die Weizenanbauflächen erweitert, vor allem den *Bagradas*/Medjerda hinauf bis weit nach Numidien hinein. Die Ertragssteigerungen waren immens. War in der Zeit Caesars noch von – umgerechnet – etwa 42 000 Tonnen Getreide die Rede, die *Africa vetus* «entbehren» mußte, erzeugte die Provinz, inzwischen um Numidien und Tripolitanien erweitert, hundert Jahre später unter Nero (54–68) mehr als das Zehnfache. Diese Produktion deckte den Kornbedarf Roms zu zwei Dritteln, während der Rest aus Ägypten kam, das die Hauptstadt bis dahin fast ausschließlich allein beliefert hatte. Da der Transport aus Nordafrika billiger und infolge der kürzeren Seefahrt weniger gefährlich war, lag Rom sehr daran, daß in Nordafrika vor allem Weizen angebaut wurde. Wie sehr staatlicher Dirigismus in der Lage war, die gängige Meinung über Anbaumöglichkeiten in Nordafrika zu beeinflussen, zeigen übereinstimmend die Feststellungen von Sallustius und Plinius dem Älteren, wonach Afrika nur Korn hervorbringe, während ihm Öl und Wein «versagt» blieben.

Der tatsächliche Befund lehrt, daß dies irrig war. Schon die Nachricht, Caesar habe die Stadt *Leptis Magna* wegen ihrer Parteinahme für Pompeius mit einem

Tribut von drei Millionen Pfund Olivenöl bestraft, beweist zur Genüge, daß ausgedehnte Olivenhaine bereits damals zum Landschaftsbild der Provinz gehörten. Offenbar behinderten jedoch zunächst Gesetze, die sowohl die Sicherung der Getreidezufuhr nach Rom wie den Schutz der italischen Ölproduzenten im Auge hatten, die systematische Ausbreitung von Olivenpflanzungen in Nordafrika. Dies wurde anders spätestens zu Beginn des 2. Jhs., als die italische Produktion nicht mehr ausreichte und Gesetze erlassen wurden, jede nur mögliche Fläche afrikanischen Bodens, wenn nicht mit Getreide, so doch mit Oliven und Weinstöcken zu bepflanzen. Ähnlich wie im heutigen Tunesien waren seitdem das Zentrum und der Süden der Provinz von ausgedehnten Olivenkulturen bedeckt, die auch die *loci derelicti* nicht mehr aussparten, die als «herrenlose Gebiete» ursprünglich bei der Aufmessung des Landes unberücksichtigt blieben, weil ihre Böden für den Weizenanbau unergiebig waren. Welche Bedeutung die Olivenproduktion für das römische Nordafrika besaß, läßt sich eindrucksvoll an den Ruinen zahlreicher Ölpressen und -mühlen ablesen, die sich bis weit hinauf in die Bergregionen Numidiens finden, die heutzutage praktisch menschenleer oder lediglich dünn besiedelt sind.

Waren es im prokonsularischen Afrika und in Tripolitanien in erster Linie die Ausfuhr landwirtschaftlicher Produkte und der Transsaharahandel, die das schnelle Aufblühen der vielen Städte begünstigten, war Numidien vor allem das Land, das die Amphitheater Italiens und des gesamten Westens mit wilden Tieren versorgte. Die Nachfrage nach Löwen, Leoparden, Bären oder Elefanten war ungeheuer groß, zumal derartige ‹Spiele› mit der Romanisierung des Landes auch in Afrika heimisch wurden und sich viele Städte ein Amphitheater bauten. Wie reich die nordafrikanische Tierwelt zu dieser Zeit gewesen sein muß, ist an Zahlen ablesbar, wonach etwa unter Titus (79–81) an einem einzigen Tag 5000 Tiere in der Arena des Kolosseums ‹massakriert› worden sind. Von großer Bedeu-

tung war auch der Abbau des *marmor Numidicum* in *Simitthus*/Chemtou (TN), der ein wichtiger Exportartikel Numidiens war und überall im Westen des Reiches, natürlich auch innerhalb der afrikanischen Provinzen, seine Abnehmer fand (Abb. 32). Erst in jüngster Zeit haben in den dortigen Marmorbrüchen systematische Untersuchungen stattgefunden, die umfassende Einblicke in die Arbeits- und Produktionsweise dieses kaiserlichen ‹Staatsbetriebes› ermöglicht haben.

Die wissenschaftliche Erforschung der römischen Provinzen *Africa proconsularis* und *Numidia* ist hauptsächlich das Werk französischer Archäologen, Althistoriker, Epigraphiker und Architekten. Sie haben auf dem Boden Algeriens und Tunesiens seit den 1880er Jahren eine rege Forschungs- und Grabungstätigkeit entfaltet, die ihren Niederschlag in zahlreichen, für den einzelnen in ihrer Zahl kaum noch überschaubaren Publikationen gefunden hat. Ähnliches gilt auch für die Arbeiten italienischer Wissenschaftler, die seit 1912 im ehemaligen Tripolitanien tätig waren, nachdem Libyen in italienischen Besitz übergegangen war. Jahrzehntelang ist Nordafrika bis weit in die 1950er Jahre hinein intensiv auf seine römische Vergangenheit hin untersucht worden. Ganze Stadtanlagen wie *Thamugadi*/ Timgad (Abb. 108) und *Cuicul*/ Djemila (Abb. 22) in Algerien, *Thugga*/ Dougga, *Mactaris*/Maktar (Abb. 21) und *Sufetula*/Sbeitla (Abb. 103) in Tunesien, *Sabratha* und *Leptis Magna* (Abb. 104) in Libyen sind in dieser Zeit freigelegt, untersucht und konserviert bzw. teilrekonstruiert worden. Dabei kam ein überaus reichhaltiges Fundmaterial zutage,

111

das zum allergrößten Teil – auch schon während der Zeit der französischen und italienischen Besetzung – in die örtlichen Museen gelangte. Darunter nehmen die zahlreichen Mosaiken eine Sonderstellung ein, weil ihre bildlichen Darstellungen in besonderer Weise das private wie wirtschaftliche und religiöse Leben der Provinz widerspiegeln und sie gleichzeitig Zeugnisse der Kunstgattung sind, in der das römische Nordafrika mit seinem ‹malerischen› Stil und dem Hang zu großformatigen, überaus plastischen Sujets lange Zeit führend war.

Das römische Nordafrika darf mit Recht als eines der am besten erforschten Gebiete des Römischen Reiches gelten. Entsprechend unübersehbar ist die

Abb. 110   Thysdrus/El Djem (TN). Blick von Westen auf das Amphitheater der römischen Stadt. Zustand 1997.

Abb. 111   Cuicul/Djemila (DZ). Mosaik des 4. Jhs. mit Jagdszenen und Tieren. Museum Djemila.

Abb. 112   Der Aquädukt von Karthago bei Oudna (TN). Er führte über 132 km vom Djebel Zaghouan in die Provinzhauptstadt.

112

Zahl der Gesamt- und Einzelpublikationen vorwiegend französischer und italienischer Gelehrter. Als Einstieg nach wie vor von großem Wert, wenn auch bibliographisch längst nicht mehr auf dem letzten Stand: G. Ch. Picard, Nordafrika und die Römer (1962) mit ausf. Bibl. 308 ff. (R. Werner).

AAVV., Die Numider. Reiter und Könige nördlich der Sahara (1979); E. Albertini, L'Afrique romaine ⁶(1955); I. M. Barton, Africa in the Roman Empire (1972); A. Berthier, La Numidie (1981); C. Courtois, Les Vandales et l'Afrique (1955; ND 1964); D. Fushöller, Tunesien und Ostalgerien zur Römerzeit (1979); D. E. L. Haynes, An archaeological and historical guide to the pre-islamic antiquities of Tripolitania (1965); Ch. A. Julien, Histoire de l'Afrique du Nord I ²(1951); A. King/M. Henig (eds.), The Roman west in the 3rd century, BAR Int. Ser. 109 (1981); L. Leschi, L'Algérie antique (1952); P. Mackendrick, The North African stones speak (1980); D. J. Mattingly, Tripolitania (1995); H.-G. Pflaum, Nordafrika und die Römer, in: Annales Univ. Sarav., Phil.-Lettres 5, 1956, 37 ff.; S. Raven, Rome in Africa ³(1984); J. M. Reynolds/J. B. Ward-Perkins, The inscriptions of Roman Tripolitania (1952); P. Romanelli, Storia delle province romane dell'Africa (1959); Ders., Topografia e archeologia dell'Africa romana (1970); L. A. Thompson/J. Ferguson, Africa in classical antiquity (1969); B. H. Warmington, The North African provinces from Diocletian to the Vandal conquest (1971); J. E. M. Wheeler, Römisches Afrika (1968).

A. Chastagnol, Les gouverneurs de Byzacéne et de Tripolitaine, in: Ant. Afr. 1, 1967, 119 ff.; Ders., L'album municipal de Timgad (1978); D. Fishwick/B. D. Shaw, The formation of Africa Proconsularis, in: Hermes 105, 1977, 369 ff.; J. Gascou, La politique municipale de l'empire romain en Afrique proconsulaire de Trajan a Septime Sévère (1972); Ders., La politique municipale de Rome en l'Afrique du Nord I/II, in: ANRW II 10.2 (1982) 136 ff. u. 230 ff.; A. Gutsfeld, Römische Herrschaft und einheimischer Widerstand in Nordafrika, Diss. Heidelberg 1987; F. Jacques, Les curateurs des cités africaines au IIIe siècle, in: ANRW ebd. 62 ff.; H. G. Kolbe, Die Statthalter Numidiens von Gallien bis Konstantin (1962); T. Kotula, Les curies municipales en Afrique romaine (1968); H. W. Ritter, Rom und Numidien. Untersuchungen zur rechtlichen Stellung abhängiger Könige (1987); B. E. Thomasson, Die Statthalter der römischen Provinzen Nordafrikas von Augustus bis Diocletianus I (1960). Dazu: E. Birley, in: JRS 52, 1962, 219 ff.; Ders., Zur Verwaltungsgeschichte der römischen Provinzen Nordafrikas, in: ANRW ebd. 3 ff.; U. Vogel-Weidemann, Die Statthalter von Africa und Asia in den Jahren 14–68 n. Chr. (1982).

J. Baradez, Fossatum Africae (1949); R. Cagnat, L'armée romaine d'Afrique et l'occupation militaire de l'Afrique (1912; ND 1975); E. Fentress, Numidia and the Roman army, BAR Int. Ser. 53 (1979); Y. Le Bohec, La IIIe Légion Auguste (1989); Ders., Les unités auxiliaires de l'armée romaine en Afrique Proconsulaire et Numidie sous le Haut Empire (1989); R. Rebuffat, Au-delà des camps romains d'Afrique mineure: renseigement, contrôle, pénétration, in: ANRW ebd. 474 ff.; E. M. Ruprechtsberger, Die römische Limeszone in Tripolitanien und der Kyrenaika, Limesmuseum Aalen 43 (1993); P. Trousset, Recherches sur le Limes Tripolitanus du Chott Djerid à la frontière Tuniso-Libyenne (1974).

J. Baradez, Les nouvelles fouilles de Tipasa et les opérations d'Antonin le Pieux en Maurétanie, in: Libyca 2, 1954, 89 ff.; M. Euzennat/P. Trousset, Le camp de Remada (1975); R. G. Goodchild, Oasis forts of Legio III Augusta on the routes to the Fezzan, in: PBSR 22, 1954, 56 ff.; M. Janon, Recherches à Lambèse, in: Ant. Afr. 7, 1973, 193 ff.; G. Ch.-Picard, Castellum Dimmidi (1947); R. Rebuffat u. a., Bu Ngem, in: Libya antiqua 3–4, 1966–67, 49 ff. u. ebd. 6–7, 1969–70, 9 ff. u. 107 ff.; D. Welsby, The Roman fort at Gheria el-Garbia, in: Libyan Studies 14, 1983, 57 ff.

AAVV., Les Flavii de Cillium. Étude architecturale, épigraphique, historique et littéraire du Mausolée de Kasserine, Coll. de l'École Franç. de Rome 169 (1993); M. Benabou, La résistance africaine à la romanisation (1976); J. Burian, Die einheimische Bevölkerung Nordafrikas von den punischen Kriegen bis zum Ausgang des Prinzipats, in: F. Altheim/ R. Stiehl, Die Araber in der Alten Welt 1 (1964) 420 ff.; Ders., Die einheimische Bevölkerung Nordafrikas in der Spätantike bis zur Einwanderung der Wandalen, ebd. 5.1 (1968) 170 ff.; T. R. S. Broughton, The romanisation of Africa Proconsularis (1929); M. Corbier, Les familles clarissimes d'Afrique proconsulaire (Ie–IIIe siècle), in: Tituli 5, 1982, 685 ff.; Ch. Daniels, The Garamantes of southern Libya (1970); R. P. Duncan-Jones, City population in Roman Africa, in: JRS 53, 1963, 85 ff.; J. M. Lassère, Ubique populus (1977); Ders., L'organisation des contacts de population dans l'Afrique romaine sous la République et au Haut-Empire, in: ANRW ebd. 397 ff.; M. Mahboubi, Les élites municipales de la Numidie deux groupes: étrangers à la cité et vétérans, ebd. 673 ff.; Th. Précheur-Canonge, La vie rurale en Afrique romaine d'après les mosaïques (1962); M. Rachet, Rome et les Berbères (1970); E. M. Ruprechtsberger, Die Garamanten (1997); Y. Thebert, Privates Leben und Hausarchitektur in Nordafrika, in: P. Veyne (Hg.), Geschichte des privaten Lebens 1 (1989) 299 ff.; G. Zimmer, Locus datus decreto decurionum (1989).

D. J. Buck/D. J. Mattingly (eds.), Town and country in Roman Tripolitania, BAR Int. Ser. 274 (1985); P. A. Février, Urbanisation et urbanisme de l'Afrique romaine, in: ANRW ebd. 321 ff.; Ders./Ph. Leveau (eds.), Villes et campagnes (1982); C. Lepelley, Les cités d'Afrique romaine au Bas-Empire, 2 Bde. (1979/81); L. Teutsch, Das römische Städtewesen in Nordafrika (1962); A. di Vita, Gli Emporia di Tripolitania dall'età di Massinissa a Diocleziano, in: ANRW ebd. 515 ff.; G. Waldherr, Kaiserliche Baupolitik in Nordafrika (1989); G. Wesch-Klein, Liberalitas in rem publicam (1990).

F. Baratte/N. Duval, Les ruines d'Ammaedara-Haïdra (1974); N. Ben Lazreg/D. J. Mattingly, Leptiminus/Lemta (1992); A. Beschaouch, Mustitana (1968); R. Bianchi-Bandinelli/E. Vergara Caffarelli/G. Caputo, Leptis Magna (1964). Englische Fassung: Diess., The buried city (1966); O. Brogan/D. J. Smith, Ghirza (1984); G. Caputo, Il teatro di Sabratha e l'architettura teatrale africana (1959); S. Dahmani, Hippo Regius (1973); N. Duval/F. Baratte, Les ruines de Sufetula-Sbeitla (1973); N. Duval, L'urbanisme de Sufetula-Sbeitla en Tunisie, in: ANRW ebd. 596 ff.; Ders., Topographie et urbanisme d'Ammaedara, ebd. 633 ff.; W. Elliger, Karthago (1990); A. Ennabli (ed.), Pour sauver Carthage (1992); P. A. Février, Djemila ²(1978); M. Floriani Squarciapino, Leptis Magna (1966); L. Foucher, Hadrumetum (1964); J. Griffiths Pedley, New light on ancient Carthage (1980); R. Hanoune/Y. Thebert, Les ruines de Bulla Regia (1977); J. Holst/Th. Kraus/M. Mackensen u. a., Die deutschen Ausgrabungen in Karthago (1991); P. M. Kenrick, Excavations at Sabratha 1948–51 (1986); J. Lassu, Visite à Timgad (1969); L. Leschi, Djemila (1953); A. Lézine, Thuburbo Maius (1968); Ders., Carthage. Utique. Etudes d'architecture et d'urbanisme (1968); Ders., Les thermes d'Antonin à Carthage (1969); Ders., Utique (1970); H. Lohmann, Beobachtungen zum Stadtplan von Timgad, in: AAVV., Wohnungsbau im Altertum (1978) 167 ff.; E. Marec, Hippone la Royale ²(1954); G. Ch.-Picard, Carthage (1964); Ders., Civitas Mactaritana (1957); C. Poinssot, Les ruines de Dougga (1958; ND 1983); Ph. Ward, Sabratha (1970).

R. G. Goodchild, The Roman roads of Libya and their milestones, in: F. Gadullah (ed.), Libya in history (1971) 158 f.; N. Hammond, The Limes Tripolitanus: a Roman road in North Africa, in: Journ. Brit. Arch. Ass. 3rd ser. 30, 1967, 1 ff.; P. Salama, Les voies romaines de l'Afrique du Nord (1951); Ders., Bornes milliaires d'Afrique proconsulaire (1987).

A. Beschaouch u. a., Simitthus I. Die Steinbrüche und die antike Stadt (1993); G. Camps-Fabrer, L'olivier et l'huile dans l'Afrique romaine (1953); D. Flach, Die Pachtbedingungen der Kolonen und die Verwaltung der kaiserlichen Güter in Nordafrika, in: ANRW ebd. 427 ff.; R. M. Haywood, Roman Africa, in: T. Frank (ed.), An economic survey of ancient Rome 4 (1938; ND 1959); D. Kehoe, The economics of agriculture on Roman imperial estates in North Africa (1988); M. Khanoussi u. a., Simitthus II. Der Tempelberg und das römische Lager (1994); J. Kolendo, Le colonat en Afrique sous le Haut-Empire ²(1991); J. Nollé, Nundinas instituere et habere, in: Subsidia Epigraphica 9, 1982, 136 ff.; J. Peyras, Le fundus Aufidianus: étude d'un grand domaine romain de la région de Mateur, in: Ant. Afr. 9, 1975, 181 ff.; J. L. Ramirez Sadaba, Gastos suntuarios y recursos económicos de los grupos sociales del Africa romana (1981); B. D. Shaw, Rural markets in North Africa and the political economy of the Roman Empire, in: Ant. Afr. 17, 1981, 37 ff.; J. B. Ward-Perkins, Tripolitania and the marble trade, in: JRS 41, 1951, 89 ff.; Ch. R. Whittaker, Land and labour in North Africa, in: Klio 60, 1978, 331 ff.

S. Aurigemma, Tripolitania. I monumenti d'arte decorativa 1: I mosaici (1962). 2: Le pitture d'età romana (1962); R. Bianchi Bandinelli, Nordafrika, in: Ders., Rom. Das Zentrum der Macht (1971) 223 ff.; K. M. D. Dunbabin, The mosaics of Roman North Africa (1978); P. A. Février, La sculpture des provinces africaines, in: ANRW II 12.4 (i. Vorb.); L. Foucher, La mosaïque en Afrique du Nord, ebd. (i. Vorb.); A. Lézine, Architecture romaine d'Afrique (1963); M. Vilimkova, Roman art in Africa (1964).

M. Blanchard-Lemée, Maisons à mosaïques du quartier central de Djemila-Cuicul (1975); G. Caputo/G. Traversari, Le sculture di teatro di Leptis Magna (1976); M. Floriani Squarciapino, Sculture del Foro Severiano di Leptis Magna (1974); S. Gozlan, La maison du triomphe de Neptune à Acholla I. Les mosaïques (1992); R. Hanoune, Bulla Regia IV. Les mosaïques 1 (1980); E. Joly, Lucerne del Museo di Sabratha (1974).

M. S. Bassignano, Il flaminato nelle province romane dell'Africa (1974); D. Fishwick, The institution of the provincial cult in Africa Proconsularis, in: Hermes 92, 1964, 342 ff.; M. Léglay, Saturne africain (1966); G. Ch.-Picard, Les religions d'Afrique antique (1954); J. Toutain, Les cultes païens dans l'empire romain, 3 Bde. (1905–18; ND 1967).

I. M. Barton, Capitoline tempels in Italy and the provinces (especially Africa), in: ANRW II 12.1 (1982) 259 ff.; J. Eingartner, Fora, Capitolia und Heiligtümer im westlichen Nordafrika, in: AAVV., Die römische Stadt im 2. Jh. n. Chr. (1992) 213 ff.; P. Gauckler, Les temples païens. Les monuments historiques de la Tunisie I (1898).

G. Caputo/F. Ghedini, Il tempio d'Ercole di Sabratha (1984); E. Joly/F. Tomasello, Il tempio a divinità ignota di Sabratha (1984); G. Pesce, Il tempio d'Iside in Sabratha (1953).

A. Berthier, Les vestiges du christianisme dans la Numidie centrale (1942); J. Christern, Das frühchristliche Pilgerheiligtum von Tebessa (1976); Y. Duval, Loca sanctorum Africae (1982); W. H. C. Frend, The Donatist Church (1952; ND 1985); W. Gessel, Monumentale Spuren des Christentums im römischen Nordafrika, Sondernr. Antike Welt (1981); E. Marec, Monuments chrétiens d'Hippone (1958); V. Saxer, Morts, martyrs, reliques en Afrique chrétienne aux premiers siècles (1980).

R. G. Goodchild, La necropoli romano-libica di Bir ed-Dreder, in: Quaderni di Archeologia della Libia 3, 1954, 91 ff.; R. Guery, La nécropole orientale de Sitifis (1985).

Abb. 113   COM(MVNE) ASI(AE). Rückseite eines sog. cistophorus mit der Front eines Tempels für den Kaiserkult, in dem ROM(A) ET AVG(VSTVS) verehrt wurden. Geprägt um 41/42, wohl in Ephesos (RIC 52).

Abb. 114   Pergamon/Bergama (TR). Blick von Norden auf die wiedererrichteten Teile des Trajaneums. Zustand 1996.

Asia minor (129 v. Chr.)

Pergamon war auf kleinasiatischem Boden die erste Macht, die sich offen auf die Seite Roms stellte. Dies geschah wohl weniger aus Zuneigung oder gar Bewunderung für Roms Siegeszug im Westen als vielmehr aus kühler politischer Überlegung heraus, um sich im Kräftespiel der hellenistischen Staaten vor allem gegen den Zugriff des makedonischen und seleukidischen Reiches zu behaupten. Als beide gemeinsame Sache machten und Antiochos III. mit Philippos V. 203 v. Chr. ein Geheimabkommen abschloß, das die Aufteilung des Ptolemäerreiches zum Ziel hatte, fühlten sich Pergamon und Rhodos zu Recht bedroht und baten den römischen Senat um Hilfe (201 v. Chr.). Sie gaben damit Rom, das soeben über Karthago triumphiert hatte, einen willkommenen Anlaß, gegen den Makedonen vorzugehen, dessen Heer 197 v. Chr. in Thessalien geschlagen wurde. In das entstandene Machtvakuum versuchte der Seleukide einzudringen, dessen politischer und militärischer Ratgeber inzwischen Hannibal geworden war. Wieder waren es die Pergamener, die gemeinsam mit den Rhodiern und den Griechenstädten Kleinasiens Rom zum Eingreifen ermunterten. Antiochos III. mußte seinen Traum, Griechenland und die Ägäis zu gewinnen, begraben und sich wieder nach Kleinasien zurückziehen, wo er schließlich 190 v. Chr. von einem römisch-pergamenischen Heer unter L. Cornelius Scipio bei *Magnesia* am *Sipylos*, heute Manisa (TR), entscheidend besiegt wurde und im Diktatfrieden

von *Apameia* zwei Jahre später seine kleinasiatischen Besitzungen an Pergamon und Rhodos abtreten mußte.

Dieser Friedensschluß brachte Pergamon einen deutlichen Zuwachs seines Staatsgebietes, das fortan im Süden bis an den *Maiandros*/Büyük Menderes und im Osten bis weit nach Phrygien und Pisidien hineinreichte. Es war offensichtlich, daß Rom – ähnlich wie zuvor schon in Nordafrika und Griechenland bzw. Makedonien – (noch) nicht bereit war, die eroberten Gebiete zu annektieren, sondern sich mit einer mehr indirekten Herrschaftsform begnügte und sein Interesse darauf richtete, in seinem Vorfeld einen ‹Kordon› von Klientelstaaten zu schaffen, deren Führer treu zu Rom hielten und keine Politik auf eigene Faust machten. Es scheint, als sei es lange die Autorität eines L. Cornelius Scipio und seiner Freunde gewesen, die diesen politischen Kurs maßgeblich mitbestimmten, ehe Männer wie M. Porcius Cato im Senat die Oberhand gewannen und ihren ‹imperialistischen› Kurs durchsetzten, in dessen Folge Makedonien, Achaia und Afrika zu römischen Provinzen wurden.

Obwohl wiederholt gedemütigt, blieb Pergamon auch in der Folgezeit ein treuer Vasall Roms, zumal Eumenes II. (197–160/159 v. Chr.) und seinen beiden Nachfolgern gar keine andere Wahl blieb. Da sich der Zugriff Roms spürbar verstärkte, vor allem, nachdem Rhodos als Ordnungshüter in der Ägäis entmachtet (167 v. Chr.) und Makedonien (148 v. Chr.) und Achaia (146 v. Chr.) römisch geworden waren, sah Attalos III. (138–133 v. Chr.), der kinderlos blieb,

113

schließlich keinen anderen Ausweg, als den Gang der Ereignisse zu beschleunigen und – um seinem Reich eine ungewisse Zukunft zu ersparen – das römische Volk zum Erben seines Besitzes zu machen. Der römische Senat erklärte noch im Jahre 133 v. Chr. den Inhalt des Testaments für gültig, wonach zwar das ‹Königsland› und der Staatsschatz an Rom fiel, nicht jedoch die Stadt *Pergamon* selbst und die kleinasiatischen Griechenstädte nördlich des Mäanders, die Attalos für autonom erklärt hatte.

Bevor jedoch *Asia* als erste römische Provinz auf kleinasiatischem Boden eingerichtet werden konnte, mußte Aristonikos, ein unehelicher Sohn Attalos' II. niedergerungen werden, der Anspruch auf den pergamenischen Thron erhob und es geschickt verstand, die krassen sozialen Gegensätze zwischen Stadt und Land für seine Ziele zu nutzen, ein größeres Söldnerheer um sich zu scharen und den Römern fast vier Jahre lang Widerstand zu

114

115

leisten. Erst nachdem es ihm 130 v. Chr. gelungen war, ein römisches Heer zu schlagen und den Konsul P. Licinius Crassus gefangenzunehmen und zu töten, machte Rom ernst und schickte ein neues Heer, das den Aufrührer in einer seiner Festungen einschloß und durch Aushungern zur Kapitulation zwang. Das Ende des Aristonikos, der nach Rom deportiert und dort 129 v. Chr. erdrosselt wurde, machte den Weg frei zur Gründung der Provinz *Asia*. Sie entsprach im wesentlichen dem Kernland des pergamenischen Reiches und umfaßte die Landschaften von Mysien, Lydien, Ionien und Karien sowie den Westteil Phrygiens. Außerdem gehörten die ostägäischen Inseln zum römischen Herrschaftsbereich, während Rhodos als Verbündeter Roms bis weit in die Kaiserzeit hinein eine *civitas libera* blieb.

Weit mehr noch als Griechenland ist die Provinz *Asia* zum Inbegriff römischer Ausbeutungspolitik geworden. Dies gilt zumindest für die Zeit, als Rom noch Re-

publik war, der «attalische Reichtum» sprichwörtlichen Charakter besaß und die meist jährlich wechselnden Statthalter bedenkenlos nach dem Motto verfuhren, daß man in der kurzen Zeit der eigenen Amtsführung ein dreifaches Vermögen anhäufen müsse – eines zur Tilgung seiner Schulden, ein zweites zur Bestechung seiner Richter sowie ein drittes, um künftig ein standesgemäßes Leben führen zu können. Noch schlimmer war jedoch die Tätigkeit der Steuerpächter, die gerade in *Asia* zu einer gefürchteten ‹Landplage› wurden und Städte und Gemeinden mit Steuern belegten, die das, was die Menschen zur Zeit der pergamenischen Könige an Abgaben zu leisten hatten, um ein Vielfaches überstieg. Dazu kam eine große Anzahl römischer Kaufleute und Geldunternehmer, die es geschickt verstanden, die Notlage der Kommunen auszunutzen, die, um ihren Verpflichtungen nachzukommen, vielfach gezwungen waren, Anleihen aufzunehmen und sich hoch zu verschulden.

Es versteht sich von daher, daß die Methoden fortgesetzter Ausbeutung und Willkür nicht nur die bestehenden sozialen Gegensätze verschärften, sondern vor allem auch eine starke antirömische Stimmung in der Bevölkerung schürten, die sich geschickte und bedenkenlose Führer zu eigen machen konnten. Derjenige, dem dies ohne viel Mühe gelang, war Mithradates VI., der 88 v. Chr., als Rom im Bundesgenossenkrieg mit sich selbst zu tun hatte, mit einem starken Heer in die Provinz einmarschierte und überall wie ein göttlicher Befreier gefeiert wurde. Er war es auch, der den allgemeinen Volkszorn auf die in der Provinz lebenden Römer und Italiker lenkte und

den Befehl gab, sie mit ihren Familien umzubringen; 80 000 Menschen sollen damals ums Leben gekommen sein. Selbst wenn diese Zahl übertrieben sein sollte, so zeigt sie doch, wie verbittert die Bevölkerung war und wie bereitwillig sie den Blutbefehl des Mithradates ausführte. Wie reich die Provinz trotz der langjährigen Repressalien, die sie zu erdulden hatte, zu dieser Zeit immer noch war, mag die Nachricht verdeutlichen, wonach die Einwohner von *Asia* immer noch in der Lage waren, die ihnen von Sulla auferlegte ‹Wiedergutmachungssumme› von 20 000 Talenten, die dem Ertrag von fünf regulären Steuerjahren entsprach, binnen eines Jahres aufzubringen.

Gegen Ende der Republik stieg die Zahl der Statthalter, die nicht mehr nur allein ihr eigenes Wohl im Auge hatten, sondern bereit waren, sich der Mißstände anzunehmen und den Provinzbewohnern gegenüber Steuerpächtern und Wucherern mehr Recht und Sicherheit zu geben. L. Licinius Lucullus scheint 71/70 v. Chr. offenbar der erste Statthalter gewesen zu sein, der die übelsten Zustände in der Provinz beseitigte und vor allem den Schuldendienst neu regelte, was ihm – wie nicht anders zu erwarten – die Gegnerschaft der Ritter einbrachte, die um ihre ‹Pfründe› besorgt waren. Auch Cn. Pompeius wird auf Grund seiner segensreichen Tätigkeit in Kleinasien gelobt, weil er die Küsten von der Seeräuberplage befreite (67 v. Chr.) und wenig später den Unruhestifter Mithradates endgültig besiegte (63 v. Chr.). Charakteristisch für die geänderte Einstellung sind auch zwei Briefe von M. Tullius Cicero an seinen Bruder Quintus, der 61–58 v. Chr. als *propraetor* die Provinz *Asia* verwaltete (s. S. 89 oben).

Nirgendwo im Kaiserreich war deshalb auch der Jubel über die Segnungen der *pax Romana* so laut zu vernehmen wie gerade im westlichen Kleinasien. Dies mag zum Teil auf den besonderen Hang der Griechen zur Euphorie zurückzuführen sein, spiegelt aber auch annähernd wirklichkeitsgetreu die Stimmung der Bevölkerung wider, die seit der Herrschaft des Augustus spürbar aufatmete und vor allem im 2. Jh. eine Blütezeit erlebte, in der Wirtschaft und Handel florierten, die Städte wuchsen und sich mit prächtigen Bauten schmücken konnten und viele Menschen in der Provinz einen Lebensstandard besaßen, wie er mancherorts erst wieder in neuerer Zeit erreicht worden ist. Als Binnenprovinz gehörte *Asia* seit der Neuordnung des Augustus (27 v. Chr.) zu den Senatsprovinzen und wurde seitdem von einem

116

proconsul verwaltet, dem drei *legati pro praetore* sowie ein *quaestor* an die Seite gestellt waren, die er sich in aller Regel aus seinem Verwandten- und Freundeskreis selbst auswählen konnte. Der Kaiser hatte im übrigen dafür gesorgt, daß auch die senatorischen Statthalter hohe Gehälter erhielten (eine Million Sestertien betrug das Jahresgehalt in *Asia* und *Africa*), um sie auf diese Weise gar nicht erst auf die Idee kommen zu lassen, sich während ihrer Amtszeit persönlich zu bereichern.

Die Städte hatten sich in der Zwischenzeit zum κοινὸν Ασ ας zusammengeschlossen, wodurch ein Gremium geschaffen wurde, mit dessen Hilfe man sich wirkungsvoller gegen behördliche Willkür und Anmaßung zur Wehr setzen konnte. Die Provinz war in mehrere Verwaltungsbezirke (*conventus iuridici*) eingeteilt, die die Namen der größten und bekanntesten Städte trugen. Hauptstadt der Provinz *Asia* war spätestens seit Beginn der Kaiserzeit *Ephesos*, das, wie die Münzen der drei Städte zeigen, mit *Pergamon* und *Smyrna* in stetem Wettstreit lag, wer von ihnen das Anrecht habe, die «erste Stadt Asiens» zu sein. Ob *Ephesos* von Beginn der Provinzialära an Sitz des Statthalters war, ist keineswegs sicher. Manches spricht dafür, daß zunächst *Pergamon* diesen Rang innehatte, ehe das wirtschaftlich bedeutendere *Ephesos* diesen Platz einnahm. Das politische Eigengewicht der vielen Städte namentlich im Westen der Provinz unterstreichen im übrigen die zahlreichen Münzprägungen der Städte, von denen es in ganz Kleinasien mehr als 350 gab – gegenüber rund 90 im griechischen Mutterland und auf den Inseln der Ägäis.

Asiens Segen war vor allem der Handel. Das Land verfügte lange Zeit über hervorragende Häfen, bis die Flüsse, an deren Mündungen Städte wie *Ephesos*, *Miletos* und *Kaunos* lagen, die Häfen mit ihren Ablagerungen versumpfen ließen (Abb. 118). Zu den Hauptausfuhrprodukten gehörten Textilien aus Wolle, vor allem aus *Miletos* und *Laodikeia*, dazu Webteppiche aus *Hierapolis*/Pamukkale. Während sich die Ausfuhr landwirtschaftlicher Produkte auf bestimmte Qualitätswaren beschränkte und das, was die Provinz hervorbrachte, im wesentlichen zur Deckung des Eigenbedarfs diente, spielten Holz und Marmor für den Export eine relativ große Rolle, darunter vor allem auch die Ausfuhr kunsthandwerklicher Erzeugnisse wie Marmorsarkophage und -statuen. Überregionale Bedeutung besaß auch die Keramikproduktion in *Pergamon* und *Samos*, mit deren Erzeugnissen vor allem der Osten des Reiches beliefert wurde, sowie die Lederindustrie, die lediglich aus schriftlichen Quellen bekannt ist. Zu nennen ist schließlich die Handelsschiffahrt. Inschriften belegen eindrucksvoll den fast totalen ‹Wachwechsel› zwischen italischen und kleinasiatischen Reedereien. Während die einen ihre monopolartige Stellung verlieren, die sie in republikanischer Zeit besaßen, wird die römische Handelsschiffahrt im Osten wie in Teilen des Westens nun maßgeblich von kleinasiatischen Reedereien bestimmt, deren beträchtliche Erträge wiederum dem Wohlergehen der Provinz zugute kamen.

Erste Vorboten einer Zeit, die nichts Gutes ahnen ließ, waren die Auswirkungen des Partherkrieges, den Marcus Aurelius und sein Adoptivbruder Lucius Verus in den Jahren 162–166 führen

Abb. 115 Mithradates VI. (120/119–63 v. Chr.). Halbportrait des pontischen Königs auf einer Tetradrachme, geprägt 92/91 v. Chr.

Abb. 116 Hierapolis/Pamukkale (TR). Römisches Grabdenkmal, ‹eingebettet› in die Kalkablagerungen der dortigen Sinterterrassen. Zustand 1996.

Abb. 117 Ephesos/Efes (TR). Blick aus der Vogelschau auf die sog. Kuretenstraße zwischen Memmiusbau und Celsus-Bibliothek, im Hintergrund das Gebiet des verlandeten Hafens der Stadt.

117

118

teilte, von denen das ehemalige Provinzgebiet von *Asia* fortan zum *thema Thra-
kesion* gehörte.

Neben dem prokonsularischen Afrika
war *Asia* die Provinz mit den meisten
Städten. Doch anders als dort, wo römische Planung zahlreiche neue Städte
nach eigenem Muster schuf, übernahmen
die Römer mit dem pergamenischen
Reich ein Land, das schon voller Städte
war, die in den meisten Fällen ihre letzte
und entscheidende Prägung in hellenistischer Zeit erfahren hatten. Dennoch gelang es Rom, diesen Städten im Laufe
der beiden ersten nachchristlichen Jahrhunderte seinen Stempel aufzudrücken
und die Stadtzentren mit eigenen typi-
schen Bauten zu füllen. So waren es auch
seit dem Ende des 19. Jahrhunderts die
ausgedehnten Ruinenfelder der Städte
Kleinasiens, die das Interesse vor allem
deutscher, österreichischer und amerikanischer Archäologen fanden. Seitdem ist
das Österreichische Archäologische Institut in *Ephesos* tätig, haben deutsche
Archäologen in *Aizanoi*/Cavdarhisar,
südwestlich von Kütayha, gegraben und
setzen ihre Arbeiten in *Pergamon* und
Miletos bis heute fort, während *Sardeis*
und seit Beginn der 1960er Jahre *Aphrodisias* (beim heutigen Geyre) bevorzugte
Grabungsplätze der Amerikaner sind.
Hinzu kommt das Engagement der Italie-
ner, deren Hauptgrabungsplatz neben
dem karischen *Iasos* seit 1957 *Hierapolis*, heute Pamukkale, geworden ist.

mußten und der die Pest nach Kleinasien
brachte. Von den Kämpfen, die seitdem
gegen Parther und Sassaniden (ab 227)
an der Ostgrenze Kleinasiens tobten,
blieb die Provinz *Asia* lange Zeit unbehelligt, wenn auch nicht zu verkennen
war, daß das Land als Truppendurch-
zugsgebiet stark in Mitleidenschaft gezogen wurde. Um die Mitte des 3. Jhs. und
kurz danach wurden vor allem die Küstenregionen der Provinz wiederholt von
Einfällen der Goten heimgesucht, die
263 *Ephesos* plünderten und auch nicht
vor dem Apollonheiligtum in *Didyma*
haltmachten. Warum die Provinz *Asia*

unter Diocletianus (284–305) stärker als
andere Reichsteile zerstückelt wurde, ist
nicht bekannt. Tatsache ist, daß die Provinz seitdem das Gros der *dioecesis Asiana* bildete und in sechs Teile ‹zerlegt›
wurde: *Hellespontus* mit der Hauptstadt
Kyzikos am Marmara-Meer, dann *Asia*
und *Lydia* mit den Hauptstädten *Ephesos*
und *Sardeis*, im Süden *Caria* sowie
Phrygia I und *II* im anatolischen Hinterland. Bei dieser Verwaltungsstruktur
blieb es bis zum Beginn des 7. Jhs., als
Herakleios I. (610–641) ganz Kleinasien
im nunmehr byzantinischen Reich in vier
Verwaltungsdistrikte (*themata*) unter-

Demgegenüber ist das Interesse türkischer Archäologen an der griechischen
und römischen Vergangenheit ihres Landes lange Zeit sehr gering gewesen. Hier
hat erst der Archäologe EKREM AKURGAL,
der in den 1930er Jahren in Deutschland
studierte und 1940 in Berlin promoviert
wurde, als Professor in Ankara und Initiator griechisch-römischer Grabungen
an Plätzen wie *Erythrai*/Ildir, *Phokaia*/
Foça und *Smyrna*/Izmir einer jungen Archäologengeneration in der Türkei neue
Perspektiven eröffnet. So werden etwa
die Grabungen in *Kaunos* seit 1967 allein
von türkischen Wissenschaftlern durchgeführt. Selbstverständlich ist es längst
archäologische Praxis, seit die Türkei ein
eigenes Ausgrabungsgesetz besitzt, daß
auf allen ‹ausländischen› Grabungen ein

119

**Abb. 118   Kaunos (TR). Römisches Nym-
phäum oberhalb des antiken Naturhafens,
der heutzutage stark verlandet ist. Zustand
1996.**

**Abb. 119   Novum Ilium/Troia (TR). Mo-
saikfußboden eines römischen Hauses. Ausgrabung 1993.**

türkischer Kurator anwesend ist und junge türkische Wissenschaftler an den Untersuchungen beteiligt werden.

Beispielhaft sind in dieser Hinsicht die im Jahre 1988 wieder aufgenommenen Grabungen in *Troia*, die zwar unter deutscher Leitung stehen (M. KORFMANN), jedoch ohne engste Zusammenarbeit mit der türkischen Antikenverwaltung nicht durchzuführen wären. Sie betreffen zwar insbesondere das prähistorische Troia, haben jedoch bis heute auch eindrucksvolle Ergebnisse zur Anlage von ‹Troia IX› erbracht, jener Stadt, die die Römer als *Novum Ilium* und mythische Heimat ihrer Ahnen auf großzügige Weise neu gestalteten und ausbauten und die Constantinus I. ursprünglich zu seiner neuen Hauptstadt machen wollte, ehe er sich für *Byzantion* entschied.

Die reiche Hinterlassenschaft der römischen Zeit in *Asia* (*minor*) spiegelt sich nur unvollkommen in zusammenfassenden Darstellungen und Übersichten. Als Grundlage dient nach wie vor: D. MAGIE, *Roman rule in Asia Minor to the end of the third century A. D.*, 2 Bde. (1950).

E. AKURGAL, *Ancient civilizations and ruins of Turkey* ^{6}(1985); G. E. BEAN, *Kleinasien 1. Die ägäische Türkei von Pergamon bis Didyma* ^{5}(1983); DERS., *Kleinasien 3. Jenseits des Mäander* (1974); W. M. CALDER/G. E. BEAN, *A classical map of Asia Minor* 1 : 2 000 000, *AS* 7, 1957 Suppl.; V. CHAPOT, *La province romaine proconsulaire d'Asie* (1904); S. DIMITRIOU/G. KLAMMET, *Die türkische Westküste* ^{2}(1983); C. FOSS, *History and archaeology of Byzantine Asia Minor* (1990); P. R. FRANKE, *Kleinasien zur Römerzeit* (1968); P. M. FRASER/G. E. BEAN, *The Rhodian Peraea and islands* (1954); E. S. GRUEN, *The Hellenistic world and the coming of Rome* (1984); W. KOENIGS, *Die Westküste von Troja bis Knidos* (1984); K. KRAFT, *Das System der kaiserzeitlichen Münzprägung in Kleinasien* (1972); S. MITCHELL, *Anatolia: Law, men and gods in Asia Minor*, 2 Bde. (1993); T. PÉKARY, *Kleinasien unter römischer Herrschaft*, in: *ANRW* II 7.2 (1980) 595 ff.; J. u. H. WAGNER/G. KLAMMET, *Die türkische Südküste* ^{2}(1986).

R. BERNHARDT, *Imperium und Eleutheria*, Diss. Hamburg 1971; DERS., *Die Immunitas der Freistädte*, in: *Historia* 29, 1980, 190 ff.; A. B. BOSWORTH, *Vespasian and the provinces: Some problems of the early 70's A. D.*, in: *Athenaeum* 51, 1973, 49 ff.; T. R. S. BROUGHTON, *Roman landholding in Asia Minor*, in: *TAPA* 65, 1934, 207 ff.; E. DABROWA, *L'Asie mineure sous les Flaviens* (1980); J. DEININGER, *Die Provinziallandtage der römischen Kaiserzeit von Augustus bis zum Ende des 3. Jhs. n. Chr.* (1971); W. ECK, *Jahres- und Provinzialfasten der senatorischen Statthalter*, in: *Chiron* 12, 1982, 281 ff. u. 13, 1983, 147 ff.; DERS., *Prokonsuln von Asia in der flavisch-trajanischen Zeit*, in: *ZPE* 45, 1982, 139 ff.; P. FREEMAN/D. KENNEDY (eds.), *The defence of the Roman and Byzantine east, BAR Int. Ser.* 297 (1986); D. H. FRENCH/C. M. ROUÉCHE, *Governors of Phrygia and Caria*, in: *ZPE* 49, 1982, 159 f.; S. I. B. IPLIKCIOGLU, *Die Repräsentanten des senatorischen Reichsdienstes in Asia bis Diokletian im Spiegel der ephesischen Inschriften*, Diss. Wien 1983; B. KREILER, *Die Statthalter Kleinasiens unter den Flaviern*, Diss. München 1975; A. N. SHERWIN-WHITE, *Roman foreign policy in the east 168 B. C. to A. D. 1* (1984); M. P. SPEIDEL, *Legionaries from Asia Minor*, in: *ANRW* ebd. 730 ff.; DERS., *The Roman army in Asia Minor*, in: S. MITCHELL (ed.), *Armies and frontiers in Roman and Byzantine Anatolia, BAR S* 156 (1983) 7 ff.; U. VOGEL-WEIDEMANN, *Die Statthalter von Africa und Asia in den Jahren 14–68 n. Chr.* (1982).

G. W. BOWERSOCK, *Augustus and the Greek world* (1965); W. ECK, *Senatoren von Vespasian bis Hadrian* (1970); H. HALFMANN, *Die Senatoren aus den kleinasiatischen Provinzen des Römischen Reiches vom 1.–3. Jh.*, in: *Tituli* 5, 1982, 603 ff.; B. HOLTHEIDE, *Römische Bürgerrechtspolitik und römische Neubürger in der Provinz Asia*, Diss. Freiburg 1983; F. QUASS, *Zur politischen Tätigkeit der munizipalen Aristokratie des griechischen Ostens in der Kaiserzeit*, in: *Historia* 31, 1982, 188 ff.; DERS., *Zum Einfluß der römischen Nobilität auf das Honoratiorenregime in den Städten des griechischen Ostens*, in: *Hermes* 112, 1984, 199 ff.; W. M. RAMSAY, *The social basis of Roman power in Asia Minor* (1941; ND 1967); L. u. J. ROBERT, *Noms indigènes de l'Asie Mineure gréco-romaine* (1963); M. WAELKENS, *Phrygian votive- and tombstones as sources of the social and economic life in Roman antiquity*, in: *Ancient Society* 8, 1977, 278 ff.; M. WÖRRLE, *Stadt und Fest im kaiserzeitlichen Kleinasien* (1988).

A. ARACOGLU, *The evolution of the urbanisation in Anatolia from the beginning of sedentary life until the end of the Roman Empire*, 2 Bde. (1970); H. VON AULOCK, *Städte und Münzen Phrygiens*, 2 Bde. (1980/87); D. DE BERNARDI FERRERO, *Teatri classici in Asia Minore*, 4 Bde. (1966–74); B. BURRELL, *Neokoroi. Greek cities of the Roman east*, Diss. Cambridge, Mass. 1980; M. DRÄGER, *Die Städte der Provinz Asia in der Flavierzeit* (1993); B. GALSTERER-KRÖLL, *Untersuchungen zu den Beinamen der Städte des Imperium Romanum* (1972) 44 ff.; G. M. A. HANFMANN, *From Croesus to Constantine: Cities of western Asia Minor* (1971); A. H. M. JONES, *The cities of the eastern Roman provinces* ^{2}(1971); B. M. LEVICK, *Roman colonies in southern Asia Minor* (1967); A. D. MACRO, *The cities of Asia Minor under the Roman imperium*, in: *ANRW* ebd. 658 ff.; D. NÖRR, *Imperium und Polis in der hohen Prinzipatszeit* (1966); DERS., *Zur Herrschaftsstruktur des römischen Reiches: Die Städte des Ostens und das Imperium*, in: *ANRW* II 7.1 (1979) 3 ff.; L. ROBERT, *Villes d'Asie Mineure* ^{2}(1962).

AAVV., *Iasos. Studie su Iasos di Caria*, in: *Bolletino d'Arte Suppl.* 31–32 (1986); W. ALZINGER, *Die Ruinen von Ephesos* (1972); A. BAMMER, *Ephesos. Stadt am Fluß und Meer* (1988); N. EHRHARDT, *Milet und seine Kolonien*, 2 Bde. ^{2}(1988); W. ELLIGER, *Ephesos – Geschichte einer antiken Weltstadt* (1985); K. T. ERIM, *Aphrodisias. City of Venus Aphrodite* (1986); G. M. A. HANFMANN, *Sardis from Prehistoric to Roman times* (1983); F. HUEBER, *Ephesos – Gebaute Geschichte* (1997); G. KLEINER, *Die Ruinen von Milet* (1968); D. KLOSE, *Die Münzprägung von Smyrna in der römischen Kaiserzeit* (1987); D. KNIBBE/W. ALZINGER, *Ephesos vom Beginn der römischen Herrschaft in Kleinasien bis zum Ende der Prinzipatszeit*, in: *ANRW* II 7.2 (1980) 748 ff.; M. KORFMANN/D. MANNSPERGER, Troia (1998); E. LESSING/W. OBERLEITNER, *Ephesos* (1978); A. N. MODONO, *L'isola di Coo nell'antichità classica* (1933); W. MÜLLER-WIENER (Hg.), *Milet 1899–1980* (1986); W. RADT, *Pergamon. Geschichte und Bauten* (1988); J. M. REYNOLDS, *Aphrodisias and Rome* (1982); K. RHEIDT, *Aizanoi in Phygien – Entdeckung, Ausgrabungen und neue Forschungsergebnisse*, in: *AW* 28.6, 1997, 479 ff.; T. RITTI, *Hierapolis* 1 (1985); C. ROUÉCHE, *Aphrodisias in late antiquity* (1989); H. H. SCHMITT, *Rom und Rhodos* (1957); M. SIEBLER, *Troia. Geschichte – Grabungen – Kontroversen* (1994); R. R. R. SMITH/ K. T. ERIM (eds.), *Aphrodisias papers* 2 (1991); W. TRANSIER, *Samiaka. Epigraphische Studien zur Geschichte von Samos in hellenistischer und römischer Zeit*, Diss. Mannheim 1985.

M. N. FILGIS/W. RADT, *(Pergamon.) Die Stadtgrabung, das Heroon* (1986); R. GINOUVÈS, *Le nymphée de Laodicée et les nymphées romains*, in: AAVV., *Laodicée du Lykos* (1969) 136 ff.; H. KNACKFUSS, *Milet* 1.7: *Der Südmarkt* (1924); R. NAUMANN/S. KANTAR, *Die Agora von Smyrna* (1950); R. NAUMANN, *Aizanoi. Bericht über die Ausgrabungen 1983 und 1984*, in: *AA* 1987, 301 ff.; D. PINKWART/W. STAMMITZ, *Peristylhäuser westlich der unteren Agora* (1984); V. M. STROCKA, *Das Markttor von Milet* (1981); H. THÜR, *Das Hadrianstor in Ephesos* (1989); F. TOMASELLO/D. BALDONI/M. SCARLATA, *Iasos. L'acquedotto romano e la necropoli presso l'Istmo* (1991); K. YEGOL, *The Bath-Gymnasium Complex at Sardis* (1986).

T. R. S. BROUGHTON, *Roman Asia*, in: T. FRANK (ed.), *An economic survey of ancient Rome* 4 (1938; ND 1959) 499 ff.; H. ENGELMANN/D. KNIBBE, *Das Zollgesetz der Provinz Asia* (1989); J. L. FANT, *Cavum Antrum Phrygiae. The organization and operations of the Roman imperial marble quarries in Phrygia, BAR Int. Ser.* 482 (1989); G. FERRARI, *Il commercio dei sarcofagi asiatici* (1966); D. H. FRENCH, *The Roman road-system of Asia Minor*, in: *ANRW* ebd. 698 ff.; E. GREN, *Kleinasien und der Ostbalkan in der wirtschaftlichen Entwicklung der römischen Kaiserzeit* (1941); J. NOLLÉ, *Nundinas instituere et habere. Epigraphische Zeugnisse zur Einrichtung und Gestaltung von ländlichen Märkten in Afrika und der Provinz Asia*, in: *Subsidia Epigraphica* 9, 1982, 136 ff.; H. WIEGARTZ, *Marmorhandel, Sarkophagherstellung und die Lokalisierung der kleinasiatischen Säulensarkophage*, in: *Mél. A. M. Mansel* I (1974) 345 ff.

E. AKURGAL, *Griechische und Römische Kunst in der Türkei* (1987); W. ALZINGER, *Augusteische Architektur in Kleinasien* (1979); M. FLORIANI SQUARCIAPINO, *La scuola di Aphrodisia* (1943); J. INAN/E. ROSENBAUM, *Römische und frühbyzantinische Portraitplastik aus der Türkei* (1979); F. IŞIK, *Kleinasiatische Girlandensarkophage mit Pilaster- oder Säulenarchitektur*, in: *ÖJh* 53, 1981/82 Beibl. 29 ff.; W. JOBST, *Antike Mosaikkunst in Westanatolien*, in: *ANRW* II, 12.4 (i. Vorb.); S. MACREADY/F. H. THOMPSON (eds.), *Roman architecture in the Greek world* (1987); K. TUCHELT, *Frühe Denkmäler Roms in Kleinasien* (1979); C. C. VERMEULE, *Imperial art in Greece and Asia Minor* (1968); DERS., *Dated monuments of Roman imperial art in Greece and Asia Minor*, in: *ANRW* ebd. (i. Vorb.); M. WAELKENS, *Die kleinasiatischen Türsteine* (1986); H. WIEGARTZ, *Kleinasiatische Säulensarkophage* (1965).

M. AURENHAMMER, *Die Skulpturen von Ephesos* I (1990); A. BAMMER, *Beiträge zur ephesischen Architektur*, in: *ÖJh* 49, 1968–71, 1 ff.; F. D'ANDRIA/J. RITTI, *Hierapolis 2: Le sculture del teatro* (1985); G. M. A. HANFMANN/N. H. RAMAGE, *Sculpture from Sardis* (1978); F. IŞIK, *Sarkophage aus Aphrodisias*, in: *Marburger Winckelmann-Programm* 1984, 243 ff.; W. JOBST, *Römische Mosaiken aus Ephesos* I (1977); DERS./P. SCHERRER, *Mosaiken von Erythrai*, in: *Anz. Wien* 118, 1981, 391 ff.; A. KANKELEIT, *Kaiserzeitliche Mosaiken in Griechenland*, Diss. Bonn 1994.; DIES., *Symposion mit Menander und Dionysos. Römische Mosaiken aus Griechenland*, in: *AW* 28.2, 1997, 309 ff.; R. KÖSTER, *Römische Bauornamentik in Milet*, in: *IM Beih.* 31 (1986) 157 ff.; S. PÜLZ, *Untersuchungen zur kaiserzeitlichen Bauornamentik von Didyma* (1989); E. RUDOLF, *Attische Sarkophage aus Ephesos* (1989); V. M. STROCKA, *Die Wandmalerei der Hanghäuser in Ephesos* (1977); M. WAELKENS, *Dokimeion. Die Werkstatt der repräsentativen kleinasiatischen Sarkophage* (1982).

TH. DREW-BEAR/CH. NAOUR, *Divinités de Phrygie*, in: *ANRW* II 18.2 (1989) 1907 ff.; P. HERRMANN, *Rom und die Asylie griechischer Heiligtümer*, in: *Chiron* 19, 1989, 127 ff.; D. KNIBBE, *Der Kaiserkult in Asia am Beispiel von Ephesos*, in: *ANRW* II 18.6 (i. Vorb.); E. N. LANE, *Men. A neglected cult of Roman Asia Minor*, in: *ANRW* II 18.2 (1989) 2161 ff.; A. LAUMONIER, *Les cultes indigènes en Carie* (1958); S. LEVIN, *The old Greek oracles in decline*, in: *ANRW* ebd. 1599 ff.; S. R. F. PRICE, *Rituals and power. The Roman imperial cult in Asia Minor* (1984); L. ROBERT, *Le culte de Caligula à Milet et la province d'Asie*, in: DERS., *Hellenica* VII (1949) 206 ff.; R. SALDITT-TRAPPMANN, *Tempel der ägyptischen Götter in Griechenland und an der Westküste Kleinasiens* (1970); K. SCOTT, *The imperial cult under the Flavians* (1936).

F. W. GOETHERT/H. SCHLEIF, *Der Athenatempel von Ilion* (1962); R. NAUMANN, *Der Zeustempel zu Aizanoi* (1979); E. OHLEMUTZ, *Die Kulte und Heiligtümer der Götter in Pergamon* ^{2}(1968); R. E. OSTER, *Ephesus as a religious center under the principate* I. *Paganism before Constantine*, in: *ANRW* II 18.3 (1990) 1661 ff.; M. WÖRRLE, *Hadrianstempel in Ephesos*, in: *AA* 1973, 470 ff.

120

121

122

Gallia Narbonensis (121 v.Chr.)

Gallien wird durch den Lemannus-See (Genfer See) und die Cebennischen Berge (Cevennen) in zwei Teile geteilt; ... Der Teil der an ‹unserem› Meer liegt – er hieß einst Bracata (weil seine Bewohner «Hosen» trugen), jetzt Narbonensis – ist zivilisierter und kultivierter und bietet daher auch einen erfreulicheren Anblick.

POMPONIUS MELA (1. Jh.)

... kurz gesagt, die Narbonensis ist ... mehr Italien als eine römische Provinz.

CAIUS PLINIUS SECUNDUS (23–79)

Die Keimzelle des römischen Gebietes, das bis zum Beginn der römischen Kaiserzeit den schlichten Namen *provincia* führte, der sich bis heute in der Landschaftsbezeichnung ‹Provence› wiederfindet, war die alte Phokäerstadt *Massalia*/Marseille (F). Ionische Griechen aus *Phokaia*/Foça (TR) hatten sie um 600 v. Chr. im Gebiet der ligurischen Salyer auf einer Halbinsel gegründet und sich dabei die strategisch günstige Lage ihrer Mutterstadt zum Vorbild genommen. Die Stadt war rasch gewachsen und hatte gut fünfzig Jahre später weiteren Zuzug erhalten, nachdem die Perser *Phokaia* eingenommen hatten. In der Folgezeit gründeten die Massalioten zwischen *Monaikos*/Monaco (MC) und *Emporion*/Ampurias (E) weitere Kolonien und dehnten ihren Handel, insbesondere mit Zinn, Silber und Eisen, bis in das mittlere und südliche Hispanien aus, wo sie neben *Hemeroskopeion*/Denia bei Valencia mit *Mainake* in der Nähe des heutigen Malaga ihre südlichste Faktorei anlegten (bislang nicht identifiziert). Lebendig blieben auch die Handelsbeziehungen mit dem griechisch-kleinasiatischen

Mutterland, während sich die hellenische Kultur Massalias die Rhône aufwärts bis tief in das Innere Galliens ausbreitete und auf den Routen massaliotischer Händler und Kaufleute auch das südliche Rheingebiet erreichte. Wie bedeutsam die kulturelle Ausstrahlung dieser Stadt als μικρόν παιδευτήριον (STRABON) auf Gallien gewesen ist, läßt sich u. a. daran ablesen, daß sich die Helvetier noch zur Zeit Caesars beim Abfassen wichtiger Stammesdokumente der griechischen Schrift bedienten.

Das Rückgrat der massaliotischen Herrschaft an der ligurischen und iberischen Küste bildete eine starke Flotte. Nur so war es möglich, sich der Konkurrenz von Karthago zu erwehren, das bereits in der Seeschlacht vor *Alalia* (um 540 v. Chr.) klargemacht hatte, daß es nicht gewillt war, Teile seines maritimen Einflußbereiches an die griechischen Konkurrenten abzutreten. Von dorther war es logisch, daß sich die Massalioten eng an Rom anschlossen, um den Bestand ihrer weit auseinanderliegenden Handelsstützpunkte zu sichern. Bereits im zweiten Punischen Krieg standen sie an der Seite Roms und besiegten mit rö-

mischer Hilfe 217 v. Chr. eine karthagische Flotte im *Gallicus sinus*, dem heutigen Golfe du Lion. Das enge Bündnis mit den Römern war lebenswichtig, denn Massalias Küstenfaktoreien waren nicht mehr als befestigte Brückenköpfe ohne Hinterland. Immer wieder kam es deshalb vor, daß römische Truppen eingreifen mußten, um den massaliotischen Besitz vor den Angriffen ligurischer oder keltischer Stämme zu schützen.

Auf der anderen Seite gab es das fundamentale Interesse Roms, den «gallischen Fußpfad» (CICERO) entlang der ligurischen Küste zu sichern und freizuhalten, zumal seit Beginn des 2. Jhs. v. Chr., nachdem Hispanien römisch geworden war. Ereignisse wie der Überfall ligurischer Straßenräuber auf L. Baebius Dives (189 v. Chr.), der mit seinem Gefolge auf dem Weg nach *Hispania ulterior* war, um dort sein Amt als Statthalter anzutreten, dürften anfangs öfter vorgekommen sein. Um so dringender wurde es deshalb für Rom, hier für klare Verhältnisse zu sorgen. Als die ligurischen Stämme der Oxybier und Dekieten 154 v. Chr. die Küstenstraße zwischen *Nikaia*/Nizza (F) und *Massalia* unter ihre

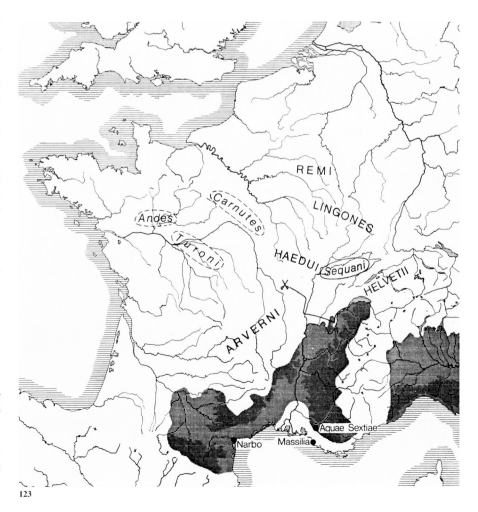

Abb. 120 Arausio/Orange (F). Dreitoriger Triumphbogen der Zeit des Tiberius (14–37). Waffenfries über einem der beiden Seitendurchgänge (Ausschnitt).

Abb. 121 Glanum/St. Rémy-de-Provence (F). Südlicher Bezirk des Ruinengeländes. Links das Theater. Blick von Westen.

Abb. 122 Sog. Pont du Gard. Dreifache Bogenkonstruktion von 237 m Länge und 49 m Höhe. Sie war Teil des Aquädukts, der Nemausus/Nîmes (F) mit Wasser versorgte.

Abb. 123 Gallia Narbonensis. Caesars Amtsgebiet zu Beginn seiner Statthalterschaft in Gallien (58 v. Chr.). Nach F. FISCHER

Kontrolle brachten und ein erneutes Hilfeersuchen der Massalioten eintraf, schickte der Senat ein Heer unter der Führung des Konsuls Q. Opimius, der eine wichtige Siedlung der Ligurer zerstörte und beide Stämme entscheidend besiegte. Rom besetzte den Küstenstreifen allerdings nicht, sondern überließ ihn seinem griechischen Verbündeten. Wie stark im übrigen die Stellung Massalias im 2. Jh. v. Chr. war, zeigt das wiederholte Eintreten der Stadt für ihre in Schwierigkeiten geratenen ‹phokäischen Brüder› in *Lampsakos*/Lapseki (TR) oder in *Phokaia* selbst, die man 196 bzw. 130 v. Chr. vor römischen Repressalien bewahren konnte.

Den entscheidenden Schritt zur Eingliederung Südgalliens in sein Herrschaftsgebiet tat Rom mit seinem Eingreifen im Jahre 124 v. Chr., als sich die Massalioten nicht länger allein der Salluvier (Salyer) erwehren konnten, deren Stammesgebiet unmittelbar nördlich der Stadt lag und die den Weg zwischen Italien und Hispanien kontrollierten. Nachdem eine erste Expedition 135 v. Chr. unter dem Kommando des M. Fulvius Flaccus nicht den gewünschten Erfolg gebracht hatte, gelang es dem Konsul C. Sextius Calvinus gut zehn Jahre später, den Widerstand der Salluvier zu brechen, nachdem er 123 v. Chr. mit dem *oppidum* von Entremont die Hauptstadt des Stammes erobert und zerstört hatte. Zum Zeichen seines Sieges gründete er ein Jahr später am Fuße der zerstörten Bergfestung die erste römische Stadt in Gallien und nannte sie *Aquae Sextiae Saluviorum*/Aîx-en-Provence (F). Es war das erstemal, daß die Römer eine gallische Bergstadt in die Ebene verlegten, um das neue Stammeszentrum leichter unter Kontrolle zu haben.

Zur *provincia* wurde das südgallische Gebiet jedoch erst unter dem Konsul Cn. Domitius Ahenobarbus, der Sextius Calvinus noch im gleichen Jahr ablöste und sich gegen die rhôneaufwärts lebenden Allobroger wandte, bei denen Tautomalius, der Führer der Salluvier im Kampf um die Höhensiedlung von Entremont, Unterschlupf gefunden hatte. Ahenobarbus besiegte die Allobroger in einer Schlacht am Zusammenfluß von Rhône und Sorgue. Diese gaben sich jedoch nicht geschlagen und verbündeten sich unter ihrem König Bituitus mit ihren westlichen Nachbarn, den Arvernern, um sich der römischen Einmischung zu widersetzen. Ahenobarbus reagierte auf die militärische Verstärkung seiner Gegner, indem er sich im darauffolgenden Jahr mit seinem Amtsnachfolger Q. Fabius Maximus zusammentat und die vereinig-

ten Allobroger und Arverner im Mündungsgebiet der Isère entscheidend schlug, um im Anschluß daran den Kampf gegen die Arverner allein zu beenden. Die Auseinandersetzungen endeten noch 121 v. Chr., nachdem Bituitus in die Hände der Römer gefallen und in Ketten nach Italien gebracht worden war.

Angesichts der Tatsache, daß sich der Zeitpunkt, an dem das südliche Gallien zur *provincia romana* wurde, nicht mehr exakt ermitteln läßt, wird man am ehesten das Jahr 121 v. Chr. als ‹Gründungsjahr› ansehen dürfen, nachdem mit den Salluviern, Allobrogern und Vokontiern, die bereits Sextius Calvinus unterworfen hatte, die drei bedeutendsten Keltenstämme östlich der Rhône ‹befriedet› worden waren. Noch aber gab es viel zu tun. Während sich Fabius Maximus, der seit seinem Sieg den Beinamen *Allobrogicus* führte, in den Jahren 120–117 v. Chr. als *proconsul* vor allem wohl um den Aufbau der Verwaltung im Ostteil der neuen Provinz kümmerte, wird von Domitius Ahenobarbus berichtet, daß er das Gebiet westlich der Rhône unterwarf und mit dem Bau jener Durchgangsstraße begann, die von der Rhône bis an die Nordgrenze Hispaniens führte und ihrem Erbauer zu Ehren *via Domitia* hieß. Ahenobarbus war es auch, der 118 v. Chr. an dieser Strecke die Stadt *Narbo Martius*/Narbonne (F) anlegen ließ, die Hauptstadt der Provinz und Sitz des Statthalters wurde.

Eine erste ernsthafte Belastungsprobe ergab sich für die junge Provinz bereits knapp zehn Jahre später, als landsuchende Germanenstämme, allen voran Kimbern und Teutonen, von Nordosten her in die *provincia* einfielen und 109 v. Chr. ein römisches Heer vernichteten, nachdem ihr Antrag auf Zuweisung von Siedlungsland vom Senat abgewiesen worden war. Die Lage spitzte sich zu, nachdem 107 v. Chr. im Gebiet der Allobroger ein weiteres römisches Heer geschlagen wurde bzw. in Gefangenschaft geriet und den vereinigten Kimbern, Teutonen, Ambronen, Toygernern und Tigurinern wiederum zwei Jahre später ein militärischer Doppelschlag glückte, als sie an der Rhône und bei *Arausio*/Orange zwei römische Heere gleichzeitig besiegten. Zwar gab es ein vorübergehendes Aufatmen in der Provinz, als sich die Stämme trennten und die Kimbern nach Hispanien weiterzogen, doch kehrten diese 103 v. Chr. zurück, nachdem ihnen die Keltiberer im nördlichen Hispanien erfolgreich Widerstand geleistet hatten. Da man in Rom befürchten mußte, daß sich die Germanen nun nach Italien wenden würden, betraute man C. Marius,

dem es kurz zuvor in Nordafrika gelungen war, das *bellum Iugurthinum* erfolgreich zu beenden (S. 157), mit dem Oberbefehl gegen den inzwischen sprichwörtlich gewordenen *furor Teutonicus* (Lucanus).

Marius reagierte abwartend und beschäftigte seine Truppen zunächst damit, die *fossa Mariana* graben zu lassen, einen Seitenkanal der Rhône, um für seinen Nachschub eine bessere Zufahrt vom Meer her zu schaffen. Erst nachdem sich die Hauptstämme wieder getrennt hatten, um auf verschiedenen Wegen nach Italien zu gelangen, wurde Marius auch militärisch aktiv. Zunächst drängte er 102 v. Chr. die Teutonen und Ambronen, die über die westlichen Alpenpässe nach Italien wollten, nach Süden ab, verlegte ihnen bei *Aquae Sextiae* den Weg und brachte erst den Ambronen, wenige Tage später auch den Teutonen vernichtende Niederlagen bei. Währenddessen waren die Kimbern über das Etschtal in Oberitalien eingefallen, wo sie Marius mit seinem Heer ein Jahr darauf bei *Vercellae*/Vercelli (I) ähnlich vernichtend schlug. Beide germanischen Völkerschaften wurden dabei so entscheidend dezimiert, daß sie in späteren historischen Quellen kaum noch genannt werden. Ob es stimmt, daß die Massalioten ihre Weinberge mit den Gebeinen gefallener Teutonen umzäunten, sei dahingestellt. Jedenfalls verdeutlicht diese Notiz auf drastische Weise, wie sehr die *provincia* jahrelang unter den Plünderungen und Verwüstungen der Germanen gelitten haben muß.

Die Provinz kam aber auch in der Folgezeit nicht zur Ruhe. Zunächst erhoben sich erneut die Salluvier, ihnen folgten wenig später die Vokontier und Volker, deren Aufstände sämtlich von dem jungen Cn. Pompeius und anderen Statthaltern mit gnadenloser Brutalität niedergeschlagen wurden. In einigen Fällen führte das römische Vorgehen dazu, daß ganze Stämme wie die Salluvier fast vollständig ausgerottet wurden. Die letzten, die eine Erhebung wagten, waren die Allobroger im Norden der Provinz, die ursprünglich sogar vorgehabt hatten, sich der catilinarischen Verschwörung anzuschließen und Cicero im Dezember 63 v. Chr. ungewollt den Anlaß gaben, gegen die in Rom verbliebenen Catilinarier vorzugehen, nachdem ihren Gesandten bei der Ankunft in Rom Briefe abgenommen worden waren, die Catilina und seine Mitverschworenen stark belasteten. Da die Allobroger für ihre eigenen Anliegen in Rom kein Ohr fanden, erhoben sie sich unter der Führung des Catugnatus und vertrieben Hunderte von römischen

Kaufleuten aus *Vienna*/Vienne (F), die in *Condate*, dem späteren *Lugudunum*/ Lyon (F), eine neue Existenzmöglichkeit fanden. Erst 61 v. Chr. – drei Jahre, bevor Caesar in Gallien eintraf – fand auch dieser Aufstand sein Ende, als C. Pomptinus gegen Catugnatus erfolgreich war.

Erst Caesar, für den die südgallische Provinz zur strategischen Basis seiner gallischen Unternehmungen wurde, brachte dem Land eine gewisse Beruhigung. Diese wurde allerdings 49 v. Chr. noch einmal für kurze Zeit unterbrochen, als sich *Massalia* auf die Seite des Pompeius stellte, von Caesar in zähem Kampf niedergerungen wurde und neben seiner Flotte fast seinen gesamten Außenbesitz verlor. Spätestens jedoch seit dem Sieg bei *Thapsus* (46 v. Chr.) begann für die Provinz eine Zeit der Blüte, als Caesar seinen Parteigänger Ti. Claudius Nero beauftragte, Veteranen in Südgallien anzusiedeln und – über das Land verteilt – Militärstädte zu gründen. Damals entstanden die Kolonien von *Arausio*/ Orange, *Arelas*/Arles und *Vienna*/Vienne sowie eine zweite *colonia* auf dem Boden von *Narbo Martius*/Narbonne; kurze Zeit später kam noch *Baeterrae*/Béziers hinzu. Auch Caesar selbst gründete eine Stadt in Südgallien und nannte sie *colonia Octavanorum Pacensis Classica Forum Iulii*; später hieß sie meist *Forum Iulii* oder schlicht *Iulium* (heute Fréjus).

Augustus setzte diese Politik fort und schickte seinen engsten Berater M. Vipsanius Agrippa nach Südgallien, das seit der Neuordnung der Provinzen 27 v. Chr. offiziell den Namen *Gallia Narbonensis* trug. In dieser Zeit entstanden neue Kolonien u. a. in *Cabellio*/Cavaillon, *Apta*/ Apt, *Carpentoracte*/Carpentras und *Reii*/ Riez. Der erste Kaiser war es auch, der die Stämme der Westalpen in langjährigen Kämpfen unter römische Kontrolle zwang, die praktisch erst 14 v. Chr. ihr Ende fanden, als die Ligurer unterworfen waren und zwei Jahre später die *via Iulia Augusta* – bis dahin bekannt als «ligurischer Pfad» – endgültig fertiggestellt war. Den Sieg über die Alpenvölker symbolisierte das *tropaeum Alpium*, das monumentale Siegesdenkmal von La Turbie oberhalb von Monte Carlo (MC), das 7/6 v. Chr. geweiht wurde und heute noch als teilrekonstruiertes, fast 50 m hohes Monument an der alten Grenze zwischen Italien und Gallien die Landschaft beherrscht (Abb. 223).

Von einer kurzen Zwischenphase unter Augustus abgesehen war *Gallia Narbo-*

nensis eine senatorische Provinz, die von Statthaltern verwaltet wurde, die im Range eines Prätors standen. Unter ihrer Führung gedieh die Provinz, die im Osten die späteren Alpenprovinzen umfaßte (S. 187 ff.), im Norden bis an den Genfer See reichte und im Westen die Cevennen und das Languedoc einschloß. Das Kernland bildete jedoch das Gebiet des unteren Rhônetals, das mit seinen zahlreichen römischen Kolonien und keltischen Siedlungen, die schnell zu römischen Städten wurden, «mehr ein Teil von Italien als von Gallien» war (PLINIUS D. Ä.). Der Provinz kam zugute, daß sie seit spätaugustischer Zeit über ein ausgezeichnetes Straßennetz verfügte. Hinzu kam die Schiffahrt auf den Flüssen *Rhodanus*/Rhône, *Arar*/Saône, *Isara*/Isère und *Druentia*/Durance, die vor allem den Norden der Provinz erschloß, sowie die Küstenschiffahrt, die damalige Großhäfen wie *Narbo Martius*/Narbonne, *Arelas*/Arles oder *Forum Iulii*/Fréjus mit *Ostia* und *Roma* verband.

Die Hauptausfuhrprodukte der Provinz waren agrarischer Natur, während der Abbau von Bodenschätzen keine Bedeutung besaß. Wein, Olivenöl, dazu verschiedene Obstsorten, Käse aus den Cevennen sowie zeitweise auch Weizen spielten eine bedeutende Rolle für die Ernährung der Hauptstadt, zumal dann, wenn Importe aus weiter entfernten Regionen sich verzögerten. Auch die Fischindustrie spielte eine gewisse Rolle für den Export. Wirkliche Bedeutung gewann seit Beginn der Kaiserzeit jedoch vor allem die südgallische Terra-sigillata-Produktion, die kurz vor Christi Geburt mit der Gründung italischer Filialen im Raum von *Lugudunum*/Lyon begann, sich mit zahlreichen kleineren Töpferzentren, vor allem im Westen der Provinz, fortsetzte und ihren Höhepunkt schließlich mit den Großmanufakturen von Montans, Millau-La Graufesenque und Banassac erreichte, die mit ihrer Sigillata-Industrie großen Stils den italischen Produzenten nicht nur Konkurrenz machten, sondern diese in tiberischer Zeit binnen kurzem vom gallisch-germanischen Markt verdrängten (Abb. 157).

Mehr als zwei Jahrhunderte lang prägte tiefer Frieden das südliche Gallien, dessen Entwicklung um die Mitte des 2. Jhs. zusätzlich durch den Kaiser Antoninus Pius gefördert wurde, dessen Familie aus *Nemausus*/Nîmes stammte. Die Zeit der *pax Romana* fand ihr Ende um die Mitte des 3. Jhs., als die *Narbonensis* wiederholt von germanischen Einfällen heimgesucht wurde. Diocletianus wies das Gebiet der *dioecesis Viennensis* zu und teilte es in zwei Provinzen, die

124

durch die Rhône getrennt waren. Zur neuen Hauptstadt des östlichen Teils, der jetzt *Viennensis* oder *Narbonensis II* hieß, wurde *Vienna*/Vienne, während im Westteil, der *Narbonensis I*, die Stadt *Narbo Martius* ihren alten Rang behielt. Das Ende kam schließlich mit den Westgoten, die 418 im Westen der alten Provinz das Reich von *Tolosa*/Toulouse gründeten, während der Norden und Osten in die Hände der Burgunder und Ostgoten fiel.

Trotz der reichen materiellen Hinterlassenschaft im südlichen Frankreich hat die römische Archäologie des Landes, deren Erforschung man früher in der Hauptsache Architekten und Lokalforschern überließ, lange Zeit im Schatten anderer Aktivitäten auf dem Gebiet der Klassischen Altertumswissenschaft gestanden. Erst Napoleon III. hat tatkräftig versucht, diese Stagnation zu überwinden, indem er erstmals in *Alesia* graben ließ, in Paris das Museum Saint-Germain gründete und selbst ein zweibändiges Werk über Caesar verfaßte. Doch diese Phase dauerte nicht lange und wurde in der Folgezeit durch die allzu große Betonung alles Gallischen wieder zunichte gemacht. Erst J. CARCOPINO gelang es seit Beginn der 1940er Jahre, wenn auch in bescheidenem Ausmaß, einen archäologischen Dienst aufzubauen. Entsprechend gering ist auch die Zahl systemati-

Abb. 124   Glanum/St. Rémy-de-Provence (F). Grabmal der Julier. Ende des 1. Jhs. v. Chr.

scher Großgrabungen, die sich zum Ziel setzten, größere Teile einer römischen Stadt freizulegen. Erstmals gelang dies in den 1940er Jahren in *Glanum*/St. Rémy-de-Provence, wo H. ROLLAND das Zentrum einer kleinen Stadt freilegte und konservierte, die ihre römische Ausprägung in den letzten Jahrzehnten vor Christi Geburt erhalten hatte. Ein anderer Platz, an dem bereits seit 1907 ausgegraben wurde, war *Vasio Vocontiorum*/Vaison-la-Romaine, wo neben einem Theater vor allem aufwendig gebaute Wohnhäuser freigelegt wurden. Dagegen mußte sich die archäologische Erforschung an vielen anderen Plätzen wie *Alba Augusta*/Aps, *Apta*/Apt, *Aquae Sextiae*/Aîx-en-Provence, *Arausio*/Orange, *Arelas*/Arles, *Avennio*/Avignon, *Baeterrae*/Béziers, *Cabellio*/Cavaillon, *Carpentoracte*/Carpentras, *Cularo*/Grenoble, *Forum Iulii*/Fréjus, *Narbo Martius*/Narbonne, *Nemausus*/Nîmes, *Reii*/Riez, *Tolosa*/Toulouse, *Valentia*/Valence oder *Vienna*/Vienne, die heutzutage von modernen Städten überdeckt sind, im wesentlichen auf die heute noch sichtbaren Architekturmonumente beschränken. Hinzu kommen bedeutende Nutzbauten der römischen Zeit, zu denen der Pont du Gard ebenso zählt wie die Wassermühlen von Barbegal oder die römischen Brückenbauten bei Apt, Saint-Thibéry und Saint-Chamas. Heutzutage kümmern sich vor allem Archäologen und Althistoriker der Universität in Aîx-en-Provence um das Erbe der Provinz *Gallia Narbonensis*, das – ähnlich wie in anderen Gebieten Westeuropas – durch vielfältige Aktivitäten, die den Absichten und Bemühungen der Archäologen zuwiderlaufen, in hohem Maße gefährdet ist.

Ähnlich wie in anderen Ländern orientieren sich Gesamtdarstellungen und Übersichten zur Geschichte und Archäologie der römischen Zeit auch in Frankreich an modernen Grenzziehungen, die bis auf wenige Ausnahmen neben den *tres Galliae* auch die Provinz *Gallia Narbonensis* einschließen. E. BARATHIER/G. DUBY/E. HILDESHEIMER, *Atlas historique: Provence. Comtat. Orange. Nice. Monaco* (1969); O. BROGAN, *Roman Gaul* (1953); R. CHEVALLIER, *Gallia Narbonensis*, in: *ANRW* II 3 (1975) 686 ff.; DERS., *Römische Provence* (1979); J.-P. CLÉBERT, *Provence antique* 2 (1970); P.-M. DUVAL, *La Gaule jusqu'au milieu du Ve siècle* (1971); J. FORMIGÉ, *Les monuments romains de la Provence* (1974); J. GASCOU/ M. JANON, *Inscriptions latines de Narbonaise* (1985); J.J. HATT, *Histoire de la Gaule Romaine* ³(1970); P. MACKENDRICK, *Roman France* (1971); J. PRIEUR, *La Savoie antique* (1977); A.L.F. RIVET, *Gallia Narbonensis* (1988). Dazu: R.J.A. WILSON, in: *BJ* 194, 1994, 687 ff.
F. BENOÎT, *La romanisation de la Narbonnaise à la fin de l'époque républicaine*, in: *REL* 33, 1966, 287 ff.; M. CLAVEL-LEVEQUE (ed.), *Cadastres et espace rural: approches et réalités antiques* (1984); A. PÉREZ, *Les cadastres antiques en Narbonnaise occidentale* (1995); H.-G. PFLAUM, *Les fastes de la province de Narbonnaise* (1978); A. PIGANIOL, *Les documents cadastraux de la colonie romaine d'Orange* (1962).

G. BARRUOL, *Les peuples préromains du sud-est de la Gaule* (1969); C. BOISSE, *Les Tricastin des origines à la chute de l'Empire Romain* (1968); B. BOULOU-MIÉ, *L'oppidum gauloise à Saint-Blaise* (1984); Y. BURNAND, *Domitii Aquenses* (1975); DERS., *Primores Galliarum. Sénateurs et chevaliers romains originaires de la Gaule de la fin de la République au IIIe siècle*, Diss. Paris 1985; P.-M. DUVAL, *Gallien. Leben und Kultur in römischer Zeit* (1979); D. ELLIS EVANS, *Gaulish personal names* (1967); A. HOLDER, *Alt-Celtischer Sprachschatz* (1896–1907; ND 1962); J. JANNORAY, *Ensérune, contribution à l'étude des civilisations préromaines de Gaule méridionale* (1965); F. LOT/E. HOUTH, *Recherches sur la population et la superficie des cités remontant à la période gallo-romaine*, 4 Bde. (1945–53). AAVV., *Los foros romanos de las provincias occidentales*, Koll. Valencia 1986 (1987); F. BENOÎT u.a., *Villes épiscopales de Provence* (1951); P. BROÏSE, *L'urbanisme vicinal aux confins de la Viennoise et de la Séquanaise*, in: *ANRW* II 5.2 (1976) 602 ff.; G. DUBY (ed.), *Histoire de la France rurale* 1 (1975); DERS. (ed.), *Histoire de la France urbaine* 1 (1980); P.-A. FÉVRIER, *Le développement urbain en Provence de l'époque romaine à la fin du XIVe siècle* (1964); DERS. u.a., *The origin and growth of the cities of southern Gaul to the third century A.D.*, in: *JRS* 63, 1973, 1 ff.; DERS./M. FIXOT/C. GOUDINEAU/V. KRUTA, *Histoire de la France urbaine: la ville antique* (1980). AAVV., *Histoire de Nîmes* (1982); AAVV., *Palladia Tolosa. Toulouse romaine* (1988); R. AMBARD, *Aîx romaine: nouvelles observations sur la topographie d'Aquae Sextiae* (1984); G. BACCRABÈRE, *Etude de Toulouse romaine* (1977); A. BARBET, *Glanum, Gallia Suppl.* 27 (1974); G. BARRUOL, *Essai sur la topographie d'Apta Iulia*, in: *RAN* 1, 1968, 101 ff.; J. BENOÎT, *Nîmes: études sur urbanisme antique*, in: *Bull. de l'École antique de Nîmes* 16, 1981, 69 ff.; A. BLANC, *La cité de Valence à la fin de l'antiquité* (1980); P. BROÏSE, *Genève et son territoire dans l'antiquité* (1974); DERS., *Le vicus gallo-romain de Boutae et ses territoires* (1984); G. CHAPOTAT, *Vienne gauloise* (1970); M. CLAVEL, *Béziers son territoire dans l'antiquité* (1970); M. CLERC, *Aquae Sextiae* (1916; ND 1973); J. CLERGUES, *La recherche archéologique à Antibes* (1966); L.-A. CONSTANS, *Arles antique* (1921); M. EUZENNAT, *L'époque romaine*, in: E. BARATIER (ed.), *Histoire de Marseille* (1973); P.-A. FÉVRIER, *Fréjus (Forum Iulii) et la basse vallée de l'Argens* ²(1977); DERS./M. FIXOT/L. RIVET, *Au cœur d'une ville épiscopale, Fréjus* (1988); S. GAGNIÈRE/J. GRANIER, *Avignon de la préhistoire à la papauté* (1970); M. GAYRAUD, *Narbonne antique dès origines à la fin du IIIe siècle* (1981); C. GOUDINEAU/DE KISCH, *Vaison-la-Romaine* (1984); M. LABROUSSE, *Toulouse antique dès origines à l'établissement des Wisigoths* (1968); R. LAUXEROIS, *Les Bas-Vivarais à l'époque romaine: recherches sur la cité d'Alba* (1983); M. LEGLAY/S. TOURRENC, *Saint-Romain-en-Gal* (1970); A. PELLETIER, *Vienne antique* (1982); DERS., *Vienne antique II* (1983); H. ROLLAND, *Fouilles de Glanum* (1946); DERS., *Fouilles de Glanum 1947–56* (1958).
R. AMY u.a., *L'arc d'Orange* (1962); G. BARRUOL/ A. DUMOULIN, *Le théâtre romain d'Apta Iulia*, in: *RAN* 1, 1968, 159 ff.; C. CAMBON, *Les thermes romains dans le Sud de la Gaule*, in: *Mél. M. Labrousse, Pallas* 32, 1986, 259 ff.; C. GOUDINEAU, *Les fouilles de la Maison du Dauphin à Vaison-la-Romaine* (1979); P. GROS, *Les arcs de triomphe de Gaule Narbonnaise*, in: *Gallia* 37, 1979, 55 ff.; I. PAAR, *Der Bogen von Orange und der gallische Aufstand unter der Führung des Iulius Sacrovir*, in: *Chiron* 9, 1979, 215 ff.; H. ROLLAND, *L'arc de Glanum* (1977); M. SABRIÉ/Y. SOLIER, *La maison à portiques du Clos de la Lombarde à Narbonne et sa décoration murale, RAN* Suppl. 16 (1987). J. ARNAL u.a., *Le port de Latara* (1974); G. BARRUOL, *Le port romain de Ganagobie*, in: *Gallia* 21, 1963, 314 ff.; DERS./P. MARTEL, *La voie romaine de Cavaillon à Sisteron sous le Haut-Empire*, in: *REL* 28, 1962, 125 ff.; F. BENOÎT, *Fouilles sousmarines: l'épave du Grand Congloué à Marseille* (1961); R. CHEVALLIER, *Roman roads* (1976); G. FABRE/J.L. FICHES/J.L. PAILLET, *L'aqueduc de Nîmes et le Pont du Gard* (1991); A. HESNARD u.a.,

L'épave du Grand Ribaud, Archaeonautica 8 (1988); I. KÖNIG, *Itinera Romana* III: *Die Meilensteine der Gallia Narbonensis* (1970); R. NAUMANN, *Der Quellbezirk von Nîmes* (1937); A. TSCHERNIA u.a., *L'épave romaine de La Madrague de Giens* (1978).
C. BÉMONT/J.-P. JACOB (eds.), *La terre sigillée gallo-romaine. Lieux de production du Haut Empire* (1986); F. BENOÎT, *Le musée des docks romains et du commerce antique de Marseille* ²(1965); J.-P. BRUN, *L'oléiculture antique en Provence, RAN* Suppl. 15 (1986); G. Clemente, *I Romani nella Gallia meridionale (II–I s. a. C.). Politica ed economia nell'età dell'imperialismo* (1974); C. DOMERGUE, *Les amphores dans les mines antiques du Sud de la Gaule et de la Péninsule Ibérique*, in: *Festschrift Schüle* (1991) 99 ff.; E. FRÉZOULS, *Gallien und römisches Germanien*, in: F. VITTINGHOFF (Hg.), *Europäische Wirtschafts- und Sozialgeschichte in der römischen Kaiserzeit* (1990) 429 ff.; A. GRÉNIER, *La Gaule romaine*, in: T. FRANK (ed.), *An economic survey of ancient Rome* 3 (1937; ND 1959) 379 ff.; F. LAUBENHEIMER, *La production des amphores en Gaule Narbonnaise* (1985); J. REMESAL RODRIGUEZ/V. REVILLA CALVO, *Weinamphoren aus Hispania Citerior und Gallia Narbonensis in Deutschland und Holland*, in: *Fundber. BW* 16, 1991, 389 ff.; Y. ROMAN, *De Narbonne à Bordeaux: un axe économique au Ier siècle avant J.-C.* (1983); A. VERNHET, *La Graufesenque, atelier de céramiques gallo-romain* (1979); L.C. WEST, *Roman Gaul. The objects of trade* (1935).
A. BARBET, *Recueil des peintures murales de la Gaule I: Province de la Narbonnaise 1. Glanum* (1971); F. BRAEMER, *La sculpture de la Gaule romaine*, in: *ANRW* II 12.4 (i. Vorb.); E. ÉSPERANDIEU/R. LANTIER, *Recueil général des bas-reliefs, statues et bustes de la Gaule romaine* (1907–66); E. ÉSPERANDIEU, *Répertoire archéologique du Département des Pyrénées-Orientales: période gallo-romaine* (1936); M. FEUGÈRE, *Les fibules en Gaule méridionale de la conquête à la fin du Ve siècle après J.-C.* (1985); P. GROS, *L'architecture des provinces gauloises*, in: *ANRW* II 12.4 (i. Vorb.); A. KÜPPER-BÖHM, *Die römischen Bogenmonumente der Gallia Narbonensis* (1996); C. LAFAYE/A. BLANCHET, *Inventaire des mosaïques de la Gaule I* (1909); J. LANCHA, *Mosaïques géométriques. Les ateliers de Vienne* (1977); DERS., *Recueil général des mosaïques de la Gaule: Vienne* (1981); J. LAVAGNE, *Recueil général des mosaïques de la Gaule. Province de Narbonnaise: partie centrale* (1979); R. PETERS, *Dekorative Reliefs an römischen Ehrenbögen in Südgallien* (1986); H. ROLLAND, *Bronzes antiques de Haute-Provence* (1965); H. STERN, *Recueil général des mosaïques de la Gaule* (1957 ff.); R. TURCAN, *Les sarcophages en Gaule romaine*, in: *ANRW* II 12.4 (i. Vorb.).
J.-M. DÉMAROLLE, *Céramique et religion en Gaule romaine*, in: *ANRW* II 18.1 (1986) 519 ff.; P.-M. DUVAL, *Les dieux de la Gaule* ³(1976); H.-P. EYDOUX, *Hommes et dieux de la Gaule* (1963); CH.-J. GUYONVARC'H/ F. LE ROUX-GUYONVARC'H, *Remarques sur la religion gallo-romaine: rupture et continuité*, in: *ANRW* II 18.1 423 ff.; J.J. HATT, *Les deux sources de la religion gauloise et la politique religieuse des empereurs romains en Gaule*, ebd. 410 ff.; E. THÉVENOT, *Divinités et sanctuaires de la Gaule* (1968); R. TURCAN, *Les religions orientales en Gaule Narbonnaise et dans la vallée du Rhône*, in: *ANRW* ebd. 456 ff.; V.J. WALTERS, *The cult of Mithras in the Roman provinces of Gaul* (1974).
R. AMY/P. GROS, *La Maison Carrée de Nîmes* (1979); J. CH. BALTY, *Études sur la Maison Carrée de Nîmes* (1960); P. GROS, *L'Augusteum de Nimes*, in: *RAN* 17, 1984, 123 ff.; H. ROLLAND, *Le mausolée de Glanum* (1969); A. ROTH-CONGES/P. GROS, *Le sanctuaire des eaux à Nîmes*, in: *RAC* 22, 1983, 131 ff.
F. BENOÎT, *Sarcophages paléochrétiens d'Arles et de Marseille* (1954); J. BIARNE u.a., *Provinces ecclésiastiques de Vienne et d'Arles* (1986); Y. DUVAL, *Provinces ecclésiastiques d'Aîx et d'Embrun* (1986); P. A. FÉVRIER/X. BARRAL I ALTET, *Province ecclésiastique de Narbonne* (1989); E. GRIFFE, *La Gaule chrétienne à l'époque romaine*, 2 Bde. (1964).

Cilicia (80/79 v. Chr.)

Roms Eingreifen im Südosten von
Kleinasien geschah nicht aus freien
Stücken, sondern wurde durch das ungehemmte Treiben ganzer Seeräuberflotten
veranlaßt, die ihre Schlupfwinkel entlang
der kilikischen Küste hatten und mit ihren
schnellen Schiffen nicht nur die Küsten
des östlichen Mittelmeeres unsicher
machten, sondern zeitweilig auch den
See- und Frachtverkehr nach Rom un-

125

terbrachen. Bis zum Beginn des 2. Jhs.
v. Chr. hatte im wesentlichen die starke
seleukidische Flotte für Sicherheit an den
Küsten von Pamphylien und Kilikien gesorgt. Doch diese bestand nicht mehr seit
dem Diktatfrieden von *Apameia* (188
v. Chr.), als sie auf römisches Geheiß hin
auf zehn Schiffe reduziert werden mußte.
Das hierdurch entstandene Machtvakuum
begünstigte in fataler Weise das Aufkom-
men der Seeräuber, die auf der Höhe ihrer
Macht selbst Städte wie *Side* oder *Phaselis* dazu zwingen konnten, ihnen Häfen
und Märkte zu öffnen. Neben räuberi-
schen Überfällen, vor denen keine Küstenregion zwischen der Levante und Italien sicher sein konnte, war es vor allem
der Handel mit Menschen, der das große
Geschäft brachte. Da vor allem in Italien
ein hoher Bedarf an Sklaven bestand, die
über den Großmarkt auf *Delos* nach Westen gelangten, ließ man die Piraten lange
Zeit gewähren. Erst als das Seeräuberunwesen überhandnahm und zeitweise sogar die Kornzufuhr in die Hauptstadt
stockte, griffen die Römer ein.

Die ersten Versuche, vor allem das sog.
rauhe Kilikien, den bergigen Westteil dieses Gebietes, unter römische Kontrolle zu
bringen, verliefen kläglich. Die auch in
neuesten Veröffentlichungen immer noch
vertretene Ansicht, Kilikien sei bereits im
Jahre 102/101 v. Chr. römische Provinz
geworden, als der Prätor M. Antonius,
Großvater des späteren Triumvirn, die
kilikischen Seeräuber bekämpfte, ist
heute nicht mehr aufrechtzuerhalten. Die
Annexion dieses Gebietes scheint vielmehr im Jahre 80/79 v. Chr. nach Beendigung des ersten Mithradatischen Krieges
vollzogen worden zu sein, zumal für diesen Zeitpunkt mit Cn. Cornelius Dola-

*Abb. 125   Cn. Pompeius Magnus (106 – 48
v. Chr.). Vorderseite eines Denars aus einer
hispanischen Münzstätte, geprägt ca. 46
v. Chr. von Minatius Sabinus für Sextus
Pompeius (Sydenham 1037a).*

*Abb. 126   Cilicia Romana. Übersichts-
karte der Städte und Verkehrswege. Nach T.
B. MITFORD.*

bella der erste Statthalter von *Cilicia*
bezeugt ist; weitere Statthalter wie P. Ser-
vilius Vatia (78–74 v. Chr.) und L. Licinius Lucullus (74–67 v. Chr.) folgten.
Doch erst Cn. Pompeius sorgte für eine
endgültige Ordnung, als er 67 v. Chr. vom
römischen Senat den Auftrag erhielt, die
Küsten des östlichen Mittelmeeres vom
Seeräuberunwesen zu befreien. Dies gelang ihm in bemerkenswert kurzer Zeit,
nachdem er das Gros der Piraten in einer
Seeschlacht vor *Korakesion*/Alanya (TR)
entscheidend besiegte und binnen weniger Monate auch die verstecktesten
Schlupfwinkel der Piraten aufspürte. Andererseits war Pompeius so vorausschau-
end, seine zahlreichen Gefangenen nicht
ebenfalls in die Sklaverei zu verkaufen,
sondern sie im östlichen Kilikien, das er
den Armeniern abnahm, sowie an anderen Plätzen des Reiches, darunter auch in
Süditalien, anzusiedeln. Der Provinz
selbst gab er eine neue Ordnung, indem
er die Städte der Küstenregion zwischen
Korakesion, *Soloi*, das seitdem *Pom-
peio(u)polis* hieß, und *Antiocheia ad*

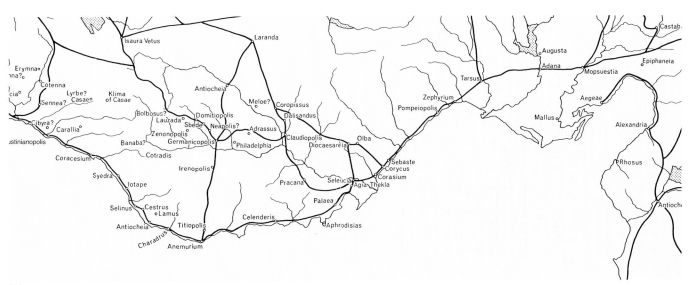

127

Sarum/Adana (TR) als Stadtstaaten organisierte, während er das Landesinnere
seinem Parteigänger und römischen Bundesgenossen Tarcondimotus überließ, der
sich im Grenzbereich zwischen Kilikien
und Syrien ein Priesterfürstentum geschaffen hatte.

Seit dieser Zeit herrschte im wesentlichen Frieden in Kilikien, wenn sich auch
die Küstenstädte im gebirgigen Westteil
der Provinz zu wiederholten Malen den
Angriffen und Beutezügen kriegerischer
Taurusstämme ausgesetzt sahen, die
Roms Statthalter lange Zeit nicht in den
Griff bekamen. Dies wurde erst besser,
nachdem Claudius im Jahre 41 seinen Jugendfreund Antiochos als Klientelkönig
von Kommagene, einer Landschaft westlich des Euphrat, eingesetzt und seinem
Reich auch das ‹rauhe› Kilikien angegliedert hatte. Dieser Zustand blieb bis zum
Jahre 72 bestehen, als Vespasianus die römische Ostgrenze bis an den Euphrat vorschob, dabei das Reich von Kommagene

annektieren ließ und es der Provinz Syria
zuschlug. Gleichzeitig erhielt Cilicia
seine endgültige Gestalt, nachdem die
Dynastie des Tarcondimotus bereits im
Jahre 17 erloschen war, Rom sein Priesterfürstentum übernommen und es der
Provinz im Nordosten angegliedert hatte.
Hauptstadt und Amtssitz des kaiserlichen
Statthalters war Tarsos, die »erste, größte
und schönste Stadt Kleinasiens« (so das
Zeugnis ihrer Münzen), von der wir jedoch nur geringe Vorstellungen haben, da
ihre Überreste größtenteils unter dem
Schwemmland des Kydnos/Tarsus Çayi
und der modernen Stadt begraben liegen.

Die über zweihundertjährige Friedenszeit, die insbesondere den zahlreichen
Küstenstädten Kilikiens zugute kam, dauerte bis in die Zeit der sassanidischen
Herrscher, als Shapur I. im Jahre 260 in
die Provinz einfiel und fast sämtliche
Städte entlang der Küste eroberte und
plündern ließ. Knapp zehn Jahre später
waren es die Truppen von Zenobia, der

Herrscherin des Reiches von Palmyra, die
bei ihrem Vordringen bis Ancyra/An-
kara (TR) den Osten Kilikiens eroberten.
Es kam hinzu, daß die Bergstämme des
Taurus in dieser Zeit wieder damit begannen, die Städte an der Küste unsicher zu
machen. Um kleinere Verwaltungseinheiten zu schaffen, die sich leichter organisieren ließen, teilte Diocletianus (284–
305) die Provinz in drei Teile. Es entstanden Cilicia I und Cilicia II mit den
Hauptstädten Tarsos und Anazarbos
(heute ein Ruinenfeld ca. 70 km nordöstlich von Adana), während das Kernland
der isaurischen Bergstämme im Süden
der Provinz Galatia künftig mit dem
Westteil des ‹rauhen› Kilikien die kleine
Provinz Isauria bildete. Dennoch konnte
die neue Ordnung nicht verhindern, daß
die Bergstämme auch in der Folgezeit die
Küstenstädte drangsalierten und plünderten. Besonders hatte offenbar die Stadt
Anemurium/Eski Anamur, am gleichnamigen Kap gelegen, unter diesen Einfällen zu leiden, wo nach einer Verwüstung
der Stadt im Jahre 382 eine ganze Legion
aufgeboten werden mußte, um die Ein-
dringlinge zu vertreiben und eine neue
Stadtmauer zu errichten.

Das römische Kilikien war vor allem
im Küstenbereich eine Landschaft mit
vielen Städten, von denen nur einige wenige wie Soloi-Pompeio(u)polis, Kelenderis, Mallos, Tarsos und Mopsouhestia
griechischen Ursprungs oder noch älter
waren, während alle anderen frühestens
in hellenistischer Zeit gegründet wurden
und ihre Hauptblüte im 2.–3. Jh. erlebten.
Dagegen war das Taurusgebirge nur unzureichend erschlossen, obwohl sich Antiochos IV. von Kommagene und M.
Antonius Polemo, der Priesterfürst des
kleinen Tempelstaates von Olba/Ura
(TR), darum bemühten, dieses Gebiet mit
ihren Stadtgründungen Germanikopo-
lis/Ermenek (TR) und Klaudiopolis/ Mut
(TR) in die allgemeine Entwicklung ein-
zubeziehen. Antiochos war es auch, der
als einziger in römischer Zeit an der
Küste zwei neue Städte gründete – Antiocheia ad Cragum und Iotape, das er

128

*Abb. 127   Demirçili (TR). Kaiserzeitliche
Tempelgräber an der Straße zwischen Seleukia am Kalykadnos/Silifke (TR) und Dio-
kaisareia/Uzuncaburç (TR).*

*Abb. 128   Elaioussa-Sebaste/Ayas   (TR).
Zweistöckiger Aquädukt, der die Stadt mit
Wasser aus dem Lamos/Lamas Çayi ver-
sorgte. Blick von Südosten.*

*Abb. 129   Soloi-Pompeiopolis bei Mersin
(TR). Überreste der Kolonnadenstraße, die
einst zum Hafen führte. 2. – 3. Jh.*

nach seiner Frau benannte. Besondere Berühmtheit erlangte die Stadt *Selinous* an der Küste des ‹rauhen› Kilikien, in der Traianus 117 starb und die anschließend für kurze Zeit den Namen *Traianoupolis* trug.

Die wissenschaftliche Erforschung des römischen Kilikien steht noch ganz in den Anfängen. Systematische Grabungen haben im Westteil der ehemaligen Provinz bisher lediglich in *Anemurium* stattgefunden, wo kanadische Archäologen tätig waren und Einblicke in die innerstädtische Struktur möglich sind. Alle anderen Stadtanlagen Kilikiens, deren Zahl sich in der frühen Kaiserzeit durch Neugründungen nahezu verdoppelte, sind dagegen fast nur in Umrissen und Einzelbeispielen monumentaler Stadtarchitektur erkennbar. Besonders gelitten haben Städte, die wie etwa *Aegeae*, *Anazarbos* und *Korykos* im Mittelalter neu genutzt oder wie Adana, Silifke und Tarsos modern überbaut wurden.

Gefährdet waren (und sind) vor allem Küstenplätze wie die Ruinen von *Soloi-Pompeio(u)polis*, die im 19. Jh. in großem Umfang als Steinbruch genutzt wurden, oder die Gegend von *Elaiussa-Sebaste*, deren reicher Denkmälerbestand in bedenklichem Maße durch die Entwicklung des modernen Tourismus und die mehr und mehr um sich greifende Tätigkeit von Raubgräbern bedroht ist. Unter diesen Umständen bleibt den wenigen Verantwortlichen der staatlichen Denkmalpflege angesichts des nach wie vor geringen Interesses an den Überresten der römischen Zeit nicht viel mehr zu tun, als die noch vorhandenen Denkmäler nach besten Kräften zu schützen und zu dokumentieren sowie alles zusammenzutragen, was an archäologischen Materialien durch Zufall und gelegentliche Grabungen ans Tageslicht kommt.

129

Eine zusammenfassende Darstellung zur Geschichte und Archäologie der römischen Provinz *Cilicia* steht noch aus.

E. AKURGAL, *Ancient civilizations and ruins of Turkey* ⁶(1985); G. E. BEAN/T. B. MITFORD, *Journeys in Rough Cilicia in 1962 and 1963* (1965); DIESS., *Journeys in Rough Cilicia 1964–68* (1971); DIESS., *Sites old and new in Rough Cilicia*, in: *AS* 12, 1962, 185 ff.; W. M. CALDER/G. E. BEAN, *A classical map of Asia Minor* 1:2 000 000, *AS* 7, 1957 Suppl.; G. DRAGON/D. FEISSEL, *Inscriptions de Cilicie* (1987); P. R. FRANKE, *Kleinasien zur Römerzeit* (1968); M. GOUGH, *The plain and the rough places. An account of archaeological journeying through the plain and the rough places of the Roman province of Cilicia in southern Turkey* (1954); H. HELLENKEMPER/ F. HILD, *Neue Forschungen in Kilikien* (1986); A. H. M. JONES, *The later Roman Empire 284–602* (1964); J. KEIL/A. WILHELM, *Denkmäler aus dem Rauhen Kilikien, Monumenta Asiae Minoris Antiqua* III (1931); K. KRAFT, *Das System der kaiserzeitlichen Münzprägung in Kleinasien* (1972); T. B. MITFORD, *Roman Rough Cilicia*, in: *ANRW* II 7.2 (1980) 1230 ff.; C. MUTAFIAN, *La Cilicie au carrefour des empires*, 2 Bde. (1988); TH. PÉKARY, *Kleinasien unter römischer Herrschaft*, ebd. 650 ff.;

M. V. SETON-WILLIAMS, *Cilician survey*, in: *AS* 4, 1954, 121 ff.; H. SWOBODA/J. KEIL/F. KNOLL, *Denkmäler aus Lykaonien, Pamphylien und Isaurien* (1935); O. A. TASYÜREK, *Cilician excavations and survey 1973*, in: *AS* 24, 1974, 26 ff.; J. U. H. WAGNER/G. KLAMMET, *Die Türkische Südküste* ²(1986); P. WEISS, *Kilikien in der Severerzeit (194–222 n. Chr.). Stadt-, Regional- und Reichsgeschichte im Spiegel der städtischen Münzprägungen* (1983, masch.).

PH. FREEMAN, *The province of Cilicia and its origin*, in: DERS./D. KENNEDY (eds.), *The defence of the Roman and Byzantine east* (1986) 253 ff.; T. LIEBMAN-FRANKFORT, *La provincia Cilicia et son intégration dans l'empire romain*, Homm. à M. Renard (1969) 447 ff.; D. MAGIE, *Roman rule in Asia Minor to the end of the third century A. D.*, 2 Bde. (1950); B. RÉMY, *Les fastes sénatoriaux des provinces romaines d'Anatolie au Haut-Empire 31 avant J.-C. – 284 après J.-C.* (1988); DERS., *Les carrières sénatoriales dans les provinces romaines d'Anatolie au Haut-Empire 31 av. J.-C. – 284 ap. J.-C.* (1989); R. SYME, *Observations on the Roman province of Cilicia*, in: *Anatolian studies presented to W. H. Buckler* (1939) 299 ff.; DERS., *Legates of Cilicia under Trajan*, in: *Historia* 18, 1969, 352 ff.; R. ZIEGLER, *Städtisches Prestige und kaiserliche Politik* (1985).

H. HALFMANN, *Die Senatoren aus den kleinasiatischen Provinzen des römischen Reiches vom 1. – 3. Jh.*, in: *Tituli* 5, 1982, 603 ff.; PH. H. HOUWINK TEN CATE, *The Luwian population groups of Lycia and Cilicia aspera during the Hellenistic period* (1961); L. ROBERT, *Noms indigènes dans l'Asie Mineure gréco-romaine* (1963); DERS., *Documents de l'Asie Mineure méridionale* (1966); L. ZGUSTA, *Kleinasiatische Personennamen* (1964); DERS., *Anatolische Personennamensippen* (1964); DERS., *Neue Beiträge zur kleinasiatischen Anthroponymie* (1970).

B. GALSTERER-KRÖLL, *Untersuchungen zu den Beinamen der Städte des Imperium Romanum* (1972) bes. 135 ff.; H. HELLENKEMPER, *Zur Entwicklung des Stadtbildes in Kilikien*, in: *ANRW* II 7.2 (1980) 1262 ff.; G. HUBER, *Vorläufige Beobachtungen über die Städteplanung in den Küstenorten des westlichen Kilikien*, in: *Türk Arkeoloji Dergisi* 13.2, 1964, 140 ff.; A. H. M. JONES, *The cities of the eastern Roman provinces* ²(1971); DERS., *The greek city from Alexander to Justinian* (1940; ND 1966); B. LEVICK, *Roman colonies in southern Asia Minor* (1967); L. ROTHER, *Gedanken zur Stadtentwicklung in der Cukurova (Türkei). Von den Anfängen bis zur Mitte des 14. Jhs.*, Beih. zum Tübinger Atlas des Vorderen Orients, Reihe B Nr. 3 (1972); E. ROSENBAUM/G. HUBER/S. ONURKAN, *A survey of coastal cities in western Cilicia* (1967); E. WINTER, *Staatliche Baupolitik und Baufürsorge in den römischen Provinzen des kaiserzeitlichen Kleinasien* (1996).

C. BÖRKER, *Die Datierung des Zeus-Tempels von Olba-Diokaisareia*, in: *AA* 86, 1971, 37 ff.; Y. BOYSAL, *Uzuncaburç ve Ura Kilavuzu* (1963); S. CELIKKOL, *Adana Tasköprüsü* (1946); S. ERDEMGIL/ F. ÖZARAL, *Antiochia ad Cragum*, in: *Türk Arkeoloji Dergisi* 22.2, 1975, 55 ff.; E. EQUINI SCHNEIDER (Hg.), *Elaiussa Sebaste* I (1998); H. GOLDMAN, *Tarsus* 1. *The hellenistic and roman periods* (1950); M. GOUGH, *Anazarbus*, in: *AS* 2, 1952, 85 ff.; DERS., *Augusta Ciliciae*, ebd. 6, 1956, 165 ff.; E. HERZFELD/S. GUYER, *Meryamlik und Korykos, Monumenta Asiae Minoris Antiqua* II (1930); E. KIRSTEN, *Diokaisareia und Sebaste*, in: *Anz. Akad. Wien* 110, 1973, 347 ff.; DERS., *Elaiussa-Sebaste in Kilikien*, in: *Mél. Mansel* (1974) 777 ff.; S. LLOYD/S. RICE, *Alanya* (1958); T. S. MACKAY, *Olba in Rough Cilicia*, Diss. 1968; A. PESCHLOW-BINDOKAT, *Zur Säulenstraße von Pompeiopolis in Kilikien*, in: *IM* 25, 1975, 373 ff.; J. RUSSELL, *Anemurium. Eine kleine römische Stadt in Kleinasien*, in: *AW* 7.4, 1976, 3 ff.; L. ZOROGLU, *Kelenderis* 1 (1994, türk.).

B. ALKIM, *Ein altes Wegenetz im südwestlichen Antitaurus-Gebiet*, in: *Anadolu Arastirmalari* 1 2 (1959) 208 ff.; A. A. BOYCE, *The harbor of Pompeiopolis*, in: *AJA* 62, 1958, 67 ff.; T. R. S. BROUGHTON, *Roman Asia*, in: T. FRANK (ed.), *An economic survey of ancient Rome* 4 (1938; ND 1959) 499 ff.; D. H. FRENCH, *A study of roman roads in Anatolia: Principles and methods*, in: *AS* 24, 1974, 143 ff.; R. P. HARPER, *Podandus and the via Tauri*, ebd. 20, 1970, 149 ff.; H. TREIDLER, Πύλαι Κιλίκ αι, in: *RE* Suppl. 9 (1962) 1352 ff.

E. AKURGAL, *Griechische und Römische Kunst in der Türkei* (1987); L. BUDDE, *Antike Mosaiken in Kilikien*, 2 Bde. (1969/72); S. DURUGÖNÜL, *Die Felsreliefs im Rauhen Kilikien*, BAR Int. Ser. 511 (1989); C. WILLIAMS, *Anemurium. The Roman and Byzantine pottery* (1989).

E. ALFÖLDI-ROSENBAUM, *The Necropolis of Anemurium* (1971); DIES., *The Necropolis of Adrassus (Balabolu) in Rough Cilicia* (1980); A. DUPONT-SOMMER/L. ROBERT, *La déesse de Hierapolis-Castabala*, in: *Bibl. Arch. Inst. Franç. Istanbul* 16, 1963, 1 ff.; O. FELD, *Beobachtungen an spätantiken und frühchristlichen Bauten in Kilikien*, in: *Röm. Quartalsschr.* 60, 1965, 131 ff.; DERS./H. WEBER, *Tempel und Kirche über der Korykischen Grotte*, in: *IM* 17, 1967, 254 ff.; M. GOUGH, *Early churches in Cilicia*, in: *Byzantinoslavica* 16, 1955, 201 ff.; A. MACHATSCHEK, *Die Nekropolen und Grabmäler im Gebiet von Elaiussa-Sebaste und Korykos im Rauhen Kilikien* (1967); DERS., *Die Grabtempel von Dösene im Rauhen Kilikien*, in: *Mél. Mansel* I (1974) 251 ff.; T. S. MACKAY, *The major sanctuaries of Pamphylia and Cilicia*, in: *ANRW* II 18.3 (1990) 2045 ff.; T. B. MITFORD, *The cults of Roman Rough Cilicia*, ebd. 2131 ff.

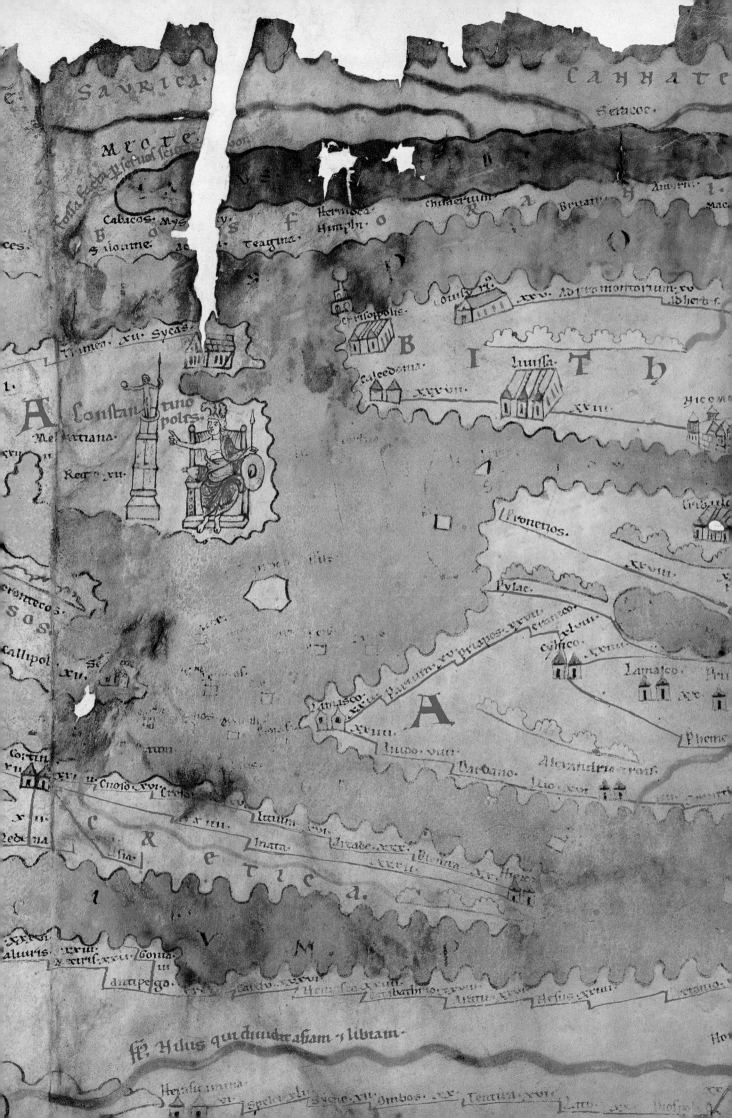

SAVRICA . SAHMATE

MEOTE .

Cabacos . Myssy Herudea chimeruum Bruaty Amerui I .

Sioume . Teagina Himpin

Trimea . xu . Sycas . iouis xv adpremontorium . xv
Crisoppolis . adherbc
B
I T h
Caledoma . xxvii . Iuiissa
A Constantino xxviii Hicome
polis .
Melchatiana .

Regis . xu . Prioneuos .

Pylae . xxvii

Callipol . Cythico . xxvii
Lamasco Lamasco .
Panum . xv Priapos . xxvii .
Cortu A Iuudo . viii Pheme
Cnoso xu Creto Alexandria trous .
Vardano . uio . xxvii
C R E T I C A Inata Yicabo . xxx .
Piiona
aluuris Gonia
antipego Cardo Henusco

fl . Nilus qui diuidit asiam . libiam .

Creta et Cyrenae (74/67 v. Chr.)

Die Kreter sind allemal Lügner, böse Tiere und faule Bäuche.

PAULUS an Titus (um 60 n. Chr.)

Weh um Kyrene, dessen Chronik meine Ahnen zurück bis zu den Nachkommen des Herakles verzeichnet. Weh um jene Gräber der Dorer, in denen ich keinen Platz finden werde. Weh um Ptolemais, das mich zu seinem letzten Bischof ernannte ... Ich muß fliehen und mich einschiffen.

SYNESIOS VON KYRENE (um 370–413)

Die Zusammenfassung dieser beiden rund 200 Seemeilen voneinander entfernten Territorien zu einer Provinz erscheint nur auf den ersten Blick als ein Akt administrativer Willkür. Beide Gebiete waren griechisch geprägt und wurden in römischer Zeit in der Hauptsache von dorischen Griechen bewohnt, die im 11. Jh. v. Chr. erst auf Kreta und gut vier Jahrhunderte später von *Thera*/Santorin aus auf heute libyschem Boden Fuß faßten und dort etwa 20 km landeinwärts auf einem Plateau von durchschnittlich 600 m Höhe Κυρήνη gründeten (631 v. Chr.).

Die Stadt blieb nicht die einzige griechische Gründung in dieser Landschaft, die seit dieser Zeit ἡ Κυρηναϊκά hieß. Wahrscheinlich noch im 7. Jh. v. Chr. entstand das spätere *Apollonia*, das *Kyrene* lange als Hafenplatz diente, ehe es unter den Römern als *civitas Apolloniatarum* eine autonome Stadt wurde. Als weitere griechische Gründungen kamen später die Hafenstädte *Ptolemais*/Tolmeta (LAR), *Taucheira*/Tokra (LAR) und *Hesperides* (oder *Euesperides*), das spätere *Berenike* und heutige Benghasi (LAR), dazu, so daß sich in römischer Zeit die Landschaftsbezeichnung ἡ πεντάπολις einbürgerte, die als *Antabolous* noch in frühislamischer Zeit geläufig war.

Bis in die letzten Jahrzehnte des 4. Jhs.

Abb. 130   Straßenkarte des Römischen Reiches (sog. Tabula Peutingeriana). Ausschnitt mit dem Schwarzen Meer, den Dardanellen (mit Konstantinopel und dem westlichen Bithynien), der Ägäis (mit Ostkreta und der Troas) und der Libyschen Afrikaküste. Erste Hälfte des 5. Jhs. Wien, Österreichische Nationalbibliothek.

Abb. 131   Knossos (GR). Das Labyrinth auf der Rückseite eines Stater (11,08 g), geprägt um 300 – 280/270 v. Chr.

v. Chr. bestimmten die Kyrener ihre Politik selbst. Im Jahre 331 v. Chr. boten sie Alexander d. Gr. ihre Unterwerfung an, als dieser auf dem Wege in die Oase *Siwa* war, um das Orakel des Zeus Ammon zu befragen. Ein Jahrzehnt später gehörte die *Kyrenaika* zum Reich Ptolemaios' I. Dieser ließ das Gebiet von seinem Stiefsohn Magas verwalten, der sich 274 v. Chr. von Ägypten löste und später selbst zum König ausrufen ließ. Dieses Ereignis blieb zunächst Episode, denn mit dem Herrschaftsantritt Ptolemaios' III. wurden beide Territorien wieder vereinigt (247 v. Chr.). Politische Streitigkeiten, in die nun erstmals auch Rom eingriff, gab es erst wieder 163 v. Chr., als Ptolemaios VI. Philometer seinen jüngeren Bruder als Mitregenten anerkennen und die *Kyrenaika* als selbständiges Königreich an ihn abtreten mußte. Zwar wurden unter Ptolemaios VIII. Euergetes beide Gebiete nochmals vereinigt, doch währte diese Zeitspanne lediglich bis 116 v. Chr., als die *Kyrenaika* testamentarisch als ‹Vize-Königtum› an Ptolemaios Apion fiel, einen illegitimen Nachkommen Ptolemaios' VIII.

Bereits 155 v. Chr. hatte dieser – damals noch als Mitherrscher seines älteren Bruders Ptolemaios' VI. – ein Testament verfaßt, dessen Text bei Ausgrabungen in der Nähe des Apollontempels in *Kyrene* gefunden wurde. Darin verfügte er, daß Rom sein Königreich übernehmen sollte, falls ihm, der damals noch jung war und keine Erben besaß, etwas zustoßen sollte. In gleicher Art handelte auch sein Sohn Ptolemaios Apion, der 96 v. Chr. starb, keinen männlichen Erben hinterließ und die *Kyrenaika* testamentarisch den Römern vermachte. Der Senat akzeptierte das Vermächtnis, begnügte sich jedoch mit der Übernahme des königlichen Besitzes und beließ den Städten das Recht, sich selbst zu verwalten. Diese nutzten ihre Freiheit auf ihre Weise und gerieten untereinander bald in handfeste Streitigkeiten, die Rom schließlich 74 v. Chr. dadurch beendete, daß es *Cyrenae* zur Provinz machte und einem Quästor unterstellte, der binnen kurzem für Ruhe und Ordnung sorgte.

Zu diesem Zeitpunkt galt die Insel Kreta längst als eines der Zentren der Seeräuberei, bedingt auch durch den traditionell schlechten Ruf der Kreter, der dazu führte, daß die Herkunftsbezeichnung *Creticus* zum Synonym für *pirata* wurde. Obwohl sich im 3. Jh. v. Chr. mehr als dreißig kretische Städte zu einem

131

lockeren Bund, dem κοινόν τῶν Κρηταιέων, zusammengeschlossen hatten, kam es unter den rivalisierenden Städten immer wieder zu handfesten Auseinandersetzungen und Kleinkriegen, in die auch auswärtige Mächte eingriffen. Die labilen Verhältnisse hatten mehr als einmal zur Folge, daß manche kretische Stadt zerstört wurde und die verbleibende Bevölkerung zusehen mußte, wie sie ihr Auskommen fand, sei es, daß sich die Männer – was Kreter immer schon getan hatten – als Söldner verdingten oder aber sich der Seeräuberei zuwandten.

Diese Entwicklung hatte zu Beginn der sechziger Jahre des 1. Jhs. v. Chr. nicht nur an der Südküste Kleinasiens, sondern auch in den Gewässern zwischen *Creta* und der *Cyrenaica* ein Ausmaß erreicht, das die Römer zum Handeln zwang. Sie schickten deshalb 69 v. Chr. den Konsul Q. Caecilius Metellus mit drei Legionen nach Kreta, wo er bis 67 v. Chr. den hartnäckigen kretischen Widerstand mit brutalen Mitteln brach und mit *Kydonia*/Chania, *Knossos*, *Lyktos*, *Lappa* und *Eleutherna* fünf der bedeutendsten Städte einnahm und zerstörte, während sich *Gortyn(a)* im Süden der Insel frühzeitig ergab und verschont blieb. Zur gleichen Zeit gelang es Pompeius, die kilikischen Seeräuber binnen kurzer Zeit in ihren Schlupfwinkeln aufzuspüren und zu besiegen. Flankierend dazu hatte er Cn. Cornelius Lentulus Marcellinus beauftragt, auch die Küste der *provincia Cyrenensis* von Piraten zu säubern, wofür dieser in *Cyrenae* und anderen Orten der Provinz auf Inschriften als «Schutzherr und Retter» gepriesen wurde. Aus den Inschriften scheint auch hervorzugehen, daß er gefangene Seeräuber nicht in die Sklaverei verkaufen ließ, wie dies

132

Metellus auf Kreta tat, sondern sie nach dem Beispiel des Pompeius in der Hafenstadt *Ptolemais* ansiedelte.

Nachdem die Seeräubergefahr im östlichen Mittelmeerraum beseitigt war, vereinigte man beide Gebiete zur Provinz *Creta et Cyrenae*, die einem *proconsul* prätorischen Ranges unterstellt wurde. Zur Hauptstadt der Provinz wurde jedoch nicht *Cyrenae*, sondern *Gortyn(a)*/Gortys bestimmt, für das vor allem seine Lage im fruchtbaren Süden Kretas sowie seine Nähe zur Südküste sprach, wo die Stadt mit *Matala* und *Leben*/Lendas zwei Häfen besaß, die bei günstigen Winden nur zwei Tagesreisen von den Hafenplätzen an der libyschen Küste entfernt waren. *Gortyn(a)* profitierte dabei auch vom Niedergang der einst mächtigen Nachbarstadt *Phaistos*, die um die Mitte des 2. Jhs. v. Chr. bei innerkretischen Auseinandersetzungen zerstört worden war und ihre alte Bedeutung verloren hatte. Sicher hat bei der Wahl als Provinzhauptstadt auch der Umstand eine Rolle gespielt, daß sich *Gortyn(a)* – anders als die übrigen kretischen Städte – frühzeitig dem römischen Druck fügte und Metellus seine Tore öffnete.

Zwei Jahrzehnte später war es der römische Bürgerkrieg, der in seiner Endphase nochmals für Unruhe sorgte. Im Jahre 47 v. Chr. landeten Anhänger des Pompeius unter der Führung des jüngeren Cato in *Apollonia*, um von hier aus in das prokonsularische Afrika zu gelangen. Fünf Jahre später erhob M. Antonius Anspruch auf die *Cyrenaica*, die er 34 v. Chr. seiner noch unmündigen Tochter Kleopatra Selene zum Geschenk machte. Die Schlacht bei *Actium* (31 v. Chr.) sowie die Einnahme von *Alexandria* (30 v. Chr.) beendeten diese Epi-

sode, deren Abschluß den Kyrenern immerhin so bedeutsam erschien, daß sie die ‹actianische› Zeitrechnung einführten und bis in das 3. Jh. beibehielten.

Spätestens im Jahre 27 v. Chr. bildeten beide Territorien wieder eine Provinz, die Augustus dem Senat überließ, der sie auch weiterhin von einem Prokonsul prätorischen Ranges verwalten ließ. Daneben bestanden auch weiterhin die beiden Provinzialversammlungen auf *Creta* wie in der *Cyrenaica* – das κοινόν τῶν Κρηταιέων ebenso wie das κοινόν τῶν Κυρηναιέων. Es ist nicht überliefert, ob die Versammlungsorte auf *Creta* wechselten oder der ‹Landtag› immer am gleichen Platz tagte. Für die *Cyrenaica* ist dagegen sicher, daß die Zusammenkünfte auch noch im 2. Jh. in *Cyrenae* stattfanden. Dies geht aus einem Brief des Antoninus Pius (138–161) hervor, der als Inschrift in *Cyrenae* gefunden wurde und im Kern besagt, daß die Stadt der Versammlungsort sei und bleibe, nachdem es seitens der anderen Städte ernsthafte Bestrebungen gegeben hatte, das κοινόν alternierend auch an anderen Plätzen der Provinz tagen zu lassen.

Die *pax Romana* wirkte sich für die Städte Kretas überaus günstig aus, da sie nun nicht mehr untereinander im Streit lagen, sondern gemeinsam eine neue Blütezeit erlebten und sich z. T. mit prächtigen Bauten schmückten. Zu den Städten, die in der Kaiserzeit eine besondere Rolle spielten, gehörten *Aptera*, *Chersonesos*, *Hierapytna*/Hierapetra, *Lyktos* und *Knossos*, das unter Augustus römische Veteranen aufnahm und zur *C(olonia) I(ulia) N(obilis?) Cnos(sus)* wurde. Besonderen Glanz verbreitete *Gortyn(a)*, das als Provinzhauptstadt großzügig ausgebaut wurde

und dessen weitläufige Ruinen zwischen den Dörfern Agii Deka und Mitropolis noch heute ein Gebiet von mindestens 50 ha bedecken.

Soweit bekannt, bleibt *Creta* auch in spätantiker und frühbyzantinischer Zeit von einschneidenden Ereignissen verschont. Administrativ wird die Insel mit der diokletianischen Neuordnung zu einer eigenen Provinz. Früh faßt das Christentum Fuß auf der Insel. Titus, ein Schüler des Paulus, predigt dort und wird zum ersten Bischof der Insel. Die ihm gewidmete Basilika des 6. Jhs. gehört noch heute zu den eindrucksvollsten Ruinen von *Gortyn(a)*, das in der Spätzeit nicht nur politisch-administrativ, sondern auch im kirchlichen Sinne μητρόπολις war, ein Name, der sich in der gleichlautenden Dorfbezeichnung bis heute erhalten hat. Im Jahre 642 nehmen die Araber das Gebiet der *Cyrenaica* in Besitz, doch erst 824 gelingt es ihnen, auch auf Kreta Fuß zu fassen, bis dahin einer der wichtigsten militärischen Stützpunkte der Byzantiner.

So kontinuierlich und ungestört verlief die Entwicklung in der *Cyrenaica* nur während des 1. Jhs., denn das Gebiet südlich von *Cyrenae* war Grenzland und wurde von libyschen Stämmen bewohnt, die als Halbnomaden lebten und immer mal wieder das Hinterland der Provinz beunruhigten. Aus Inschriften geht hervor, daß schon Augustus bemüht war, diesen Gefahrenherd zu beseitigen, als er P. Sulpicius Quirinius mit einem Heer gegen die Marmariden einsetzte, deren Stammesgebiet südöstlich der *Cyrenaica* lag. Darüber hinaus kümmerte sich der Kaiser in besonderer Weise um die rechtlichen Belange der unterschiedlichen Volksgruppen, die vor allem in *Cyrenae* lebten und miteinander auszukommen hatten. Unter ihnen bildeten römische Einwanderer und Griechen der Oberschicht, die das römische Bürgerrecht erhalten hatten, lediglich eine Minderheit, während die auf maximal 30 000 Menschen geschätzte Einwohnerschaft der Stadt und ihrer näheren Umgebung größtenteils aus Griechen und zugewanderten Juden bestand. Augustus regelte das Zusammenleben dieser drei Volksgruppen in mehreren Edikten, die als Inschriften im Agora-Gebiet der Stadt gefunden wurden. Inschriftliche Zeugnisse sprechen des weiteren dafür, daß auch die nachfolgenden Kaiser manches für das friedliche Gedeihen der Grenzprovinz taten, indem sie wie Tiberius (14–37) eine rege Bautätigkeit entfalteten oder wie Claudius (41–54) das Straßennetz der Provinz verbesserten. Sicher geschah dies nicht in erster Linie zum Wohl der

Bevölkerung, sondern vor allem wohl deshalb, um die ausgedehnten, von den Ptolemäern übernommenen Königsgüter besser kontrollieren und ausbeuten zu können, die den Inschriften nach unter Claudius, Nero und Vespasianus neu vermessen und von Siedlern ‹befreit› wurden, die das Land widerrechtlich besetzt hatten.

Ein einschneidendes Ereignis stellte der Aufstand der jüdischen Bevölkerung im Jahre 115 dar, der von der *Cyrenaica* aus schnell um sich griff und über Ägypten auch den Vorderen Orient erfaßte. Die tieferen Gründe dürften neben wirtschaftlichen Aspekten in Roms restriktiver Judäa-Politik nach der Zerstörung des Tempels in Jerusalem gelegen haben. Seitdem herrschte Unruhe unter den Juden Nordafrikas, die zusätzlich durch das Auftreten jüdischer Aufrührer geschürt wurde, die zu offener Rebellion aufriefen. Traianus, der zu dieser Zeit in Mesopotamien Krieg führte und einen Unruheherd in seinem Rücken nicht dulden konnte, schickte mit Q. Marcius Turbo einen seiner erfahrensten Generäle nach Ägypten und in die *Cyrenaica*, um den Aufstand niederzuschlagen. Zuvor schon hatten die jüdischen Rebellen vor allem in *Cyrene* gewütet und große Teile der Stadt zerstört. Zwar ist der Ablauf dieses Feldzuges nicht im einzelnen belegt, doch muß das römische Heer bedeutend und die Zahl der Opfer hoch gewesen sein. Der christliche Historiker Orosius Paulus, der kein Zeitgenosse war, spricht in diesem Zusammenhang von mehr als 200 000 Toten, doch dürfte diese Zahl, gemessen an der nicht sehr hohen Bevölkerungszahl der *Cyrenaica*, mit Sicherheit zu hoch gegriffen sein. Andererseits wird man Orosius glauben können, wenn er davon spricht, es habe keine Menschen mehr gegeben, die die Felder hätten bestellen können, und es Hadrianus gewesen sei, der neue Siedler ins Land gebracht hätte. Dafür spricht nicht nur der Inhalt einer Inschrift aus *Attaleia/*Antalya (TR), die einen gewissen P. Gavius Fronto nennt, der 3000 Veteranen

als Neusiedler in die *Cyrenaica* führte, sondern vor allem auch die Gründung der Stadt *Hadrianopolis* an der Küste nördlich von Benghasi (LAR). Dabei ist nicht so sehr von Interesse, daß aus der *Pentapolis* für kurze Zeit eine *Hexapolis* wurde, wie die gängige Bezeichnung in der Zeit der Antoninen lautete, sondern die Beobachtung, die sich aus dem Studium antiker Quellen ergibt, daß gerade im Gebiet zwischen den alten Städten *Berenike* und *Taucheira* zuvor die meisten jüdischen Siedlungen lagen.

Von den Auswirkungen des jüdischen Aufstandes, der erst 117 beendet war, hat sich die *Cyrenaica* nur ganz allmählich wieder erholen können. Wie die Ausgrabungen in *Cyrene* gezeigt haben, hat sich der Wiederaufbau zerstörter öffentlicher Gebäude fast ein Jahrhundert lang hingezogen, wobei manche Bauten lediglich teilrestauriert wurden. Den endgültigen Niedergang der Stadt als politischer und geistiger Mittelpunkt des Landes besiegelten schließlich zwei Ereignisse kurz nach der Mitte des 3. Jhs. Zunächst erschütterte 262 ein furchtbares Erdbeben weite Teile des Mittelmeerraumes, dessen Epizentrum nicht sehr weit von der *Cyrenaica* entfernt gelegen haben kann, wie die zahlreichen Beschädigungen an noch intakten bzw. wiederhergestellten Gebäuden in *Cyrene* erkennen ließen. Entweder gleichzeitig oder kurze Zeit später wurde die Stadt dann offenbar ein Opfer der Marmariden. Ausgrabungen haben gezeigt, daß *Cyrene*, das damals zu Ehren des Kaisers Claudius' II. Gothicus (268–270) den Namen *Claudiopolis* erhielt, nach diesem Einfall zwar wiederaufgebaut wurde, allerdings auf deutlich reduziertem Grundriß, wodurch die Stadt ihre alte Bedeutung endgültig verlor und zu einer Art Grenzfestung wurde.

133

Den Platz von *Cyrenae* nahm seit der Neuordnung der Provinzen durch Diocletianus (284–305) die Küstenstadt *Ptolemais* ein. Die *Cyrenaica* wurde von *Creta* getrennt und ihrerseits in zwei Provinzen geteilt, bei deren Namensgebung die alte geographische Bezeichnung *Libya* wieder zu Ehren kam, die sich bereits bei Herodot findet. *Libya superior* und *Libya inferior* lauteten seitdem die offiziellen Namen der beiden Provinzen. Andererseits hielt sich für das ‹obere Libyen› auch weiterhin die Bezeichnung *Pentapolis*, während der Ostteil bis zur Grenze Ägyptens wegen seiner Trocken-

Abb. 132   Cnossus/Knossos (GR). Römische Peristylvilla oberhalb des minoischen Palastes. Blick von Westen.

Abb. 133   Gortyn(a)/Gortys (GR). Palast des Statthalters der Provinz CRETA ET CYRENAE (Detail). Blick von Osten.

Abb. 134   Cyrenae/Kyrene   (LAR). Sog. Caesareum, errichtet um Christi Geburt zu Ehren des vergöttlichten C(aius) Iulius Caesar. Blick von Osten auf die Kolonnaden und den Altar in der Mitte des Platzes.

134

heit auch *Sicca* genannt wurde. Im Juli 365 erschütterte erneut ein katastrophales Erdbeben den mittleren und östlichen Mittelmeerraum, das – dem Zeitgenossen Libanios zufolge – alle Städte der *Pentapolis* in Schutt und Asche legte. Seit dem Ende des 4. Jhs. häuften sich zudem die Angriffe libyscher Stämme, vor allem der Austurianer, später auch der Maziken, die mehr und mehr das offene Land besetzten und römisches Leben auf die Städte und ihre unmittelbare Umgebung zurückdrängten, wo Mauern und Garnisonen Schutz gaben.

Im frühen 6. Jh. wurde der Regierungssitz des *dux Pentapoleos* von *Ptolemais* nach *Apollonia* verlegt, das nunmehr *Sozousa* (etwa ‹Stadt des Erlösers›) hieß und neue, prachtvolle Bauten erhielt. Eine kurze Blütezeit brachte nochmals die Zeit des Iustinianus (527–565), der in *Berenike* und *Taucheira* neue Stadtmauern bauen ließ und die Grenzverteidigung neu organisierte, doch war der weitere Niedergang dieses Territoriums trotz des entscheidenden Sieges über die Vandalen (534) nicht mehr aufzuhalten. Im Jahre 610 bestieg mit Herakleios I. ein Mann den Thron in Konstantinopel, der zuvor kaiserlicher Präfekt in Tripolitanien und der *Pentapolis* gewesen war, ehe er sich gegen Kaiser Phokas erhoben hatte. Zwar gelang es ihm, den bis nach Ägypten vorgedrungenen Persern erfolgreich entgegenzutreten und sie zu vertreiben, doch waren er und sein Nachfolger den wenig später einsetzenden Eroberungszügen der Araber nicht mehr gewachsen. Im Jahre 641 fielen *Alexandria* und die Festung *Babylon*, das spätere Kairo, in die Hand des Kalifen Omar und seines Generals Amr ibn el-Aasi, der schon ein Jahr später auch die *Pentapolis* eroberte und Apollonios, den letzten byzantinischen Statthalter zwang, sich in das stark befestigte *Taucheira* zurückzuziehen, das spätestens 645 erobert oder übergeben wurde. Zur neuen Hauptstadt wurde *Barca*, das zwar auch eine alte griechische Stadt war, jedoch seit hellenistischer Zeit durch das benachbarte *Ptolemais* überflügelt wurde, in römischer Zeit dann nur eine bescheidene Siedlung darstellte und deshalb in der Spätantike mehr und mehr zum Zentrum der autochthonen libyschen Bevölkerung geworden war.

Dank intensiver Untersuchungen britischer, italienischer, französischer und amerikanischer Archäologen und Epigraphiker kann die *Cyrenaica* als relativ gut erforscht gelten. Dagegen ist *Creta* bisher nur wenig Aufmerksamkeit zuteil geworden. Allerdings ist unverkennbar, daß das wissenschaftliche Interesse an der römischen Vergangenheit der Insel gerade in jüngster Zeit zugenommen hat.

G. W. M. HARRISON, *The Romans and Crete* (1993); J. W. MYERS/E. E. MYERS/G. CADOGAN u. a. (eds.), *The aerial atlas of ancient Crete* (1992); L. PERNIER/L. BANTI, *Guida degli scavi italiani in Creta* (1947); I. F. SANDERS, *Roman Crete* (1982); A. DI VITA u. a., *Creta Antica: Cento anni di archeologia italiana 1884–1984* (1984); L. V. WATROUS, *An archaeological survey of the Lasithiplain in Crete from the Neolithic to the Late Roman*, Diss. Univ. of Pennsylvania 1974.

G. BARKER/J. LLOYD/J. REYNOLDS (eds.), *Cyrenaica in antiquity*, BAR Int. Ser. 235 (1985); F. GADULLAH (ed.), *Libya in history* (1971); R. G. GOODCHILD, *Mapping Roman Libya*, in: *GJ* 118, 1952, 142 ff.; C. B. C. HYSLOP, *Cyrene and ancient Cyrenaica* (1945); D. L. JOHNSON/J. AL-AKDHAR, *Cyrenaica. A historical geography of settlement and livelihood* (1973); E. KIRSTEN, *Nordafrikanische Stadtbilder* (1961); A. LARONDE, *Cyrène et la Libye hellénistique* (1987); DERS., *La Cyrénaïque romaine, dès origines à la fin des Sévères (69 av. J.-C.–235 ap. J.-C.)*, in: *ANRW* II 10.1 (1988) 1006 ff.; G. OLIVERIO, *Documenti antichi dell'Africa Italiana. Cirenaica*, 2 Bde. (1932/36); M. REDDÉ, *Prospections des vallées du nord de la Libye (1979–80). La région de la Syrte à l'époque romaine* (1988); J. M. REYNOLDS (ed.), *Libyan studies: select papers of the late R. G. Goodchild* (1976); P. ROMANELLI, *La Cirenaica Romana* (1943; ND 1971); D. ROQUES, *Synésios de Cyrène et la Cyrénaïque du Bas-Empire* (1987); H. SICHTERMANN, *Archäologische Funde und Forschungen in der Kyrenaika 1942–58*, in: *AA* 1959, 239 ff. u. 1962, 421 ff.; S. STUCCHI (ed.), *Giornata lincea sulla archeologia Cirenaica* (1990).

G. ALFÖLDY, *Ein Quaestor der römischen Provinz Creta et Cyrenae*, in: *Epigraphica* 35, 1973, 40 ff.; M. A. W. BALDWIN, *Fasti Cretae et Cyrenarum. Imperial magistrates of Creta and Cyrenaica during the Julio-Claudian period*, Diss. Univ. of Michigan 1983; M. W. B. BOWSKY, *A. Larcius Lepidus Sulpicianus and a newly identified Proconsul of Crete and Cyrenaica*, in: *Historia* 36, 1987, 502 ff.; G. W. M. HARRISON, *The joining of Cyrenaica to Crete*, in: G. BARKER u. a. (eds.), *Cyrenaica in antiquity*, BAR Int. Ser. 235 (1985) 365 ff.; G. PERL, *Die römischen Provinzbeamten in Cyrene und Creta zur Zeit der Republik*, in: *Klio* 52, 1970, 319 ff. u. 53, 1971, 369 ff.

M. AMANDRY, *Les duoviri Capito et Cytherus à Cnossus*, in: *BCH* 101, 1977, 241 ff.; M. A. W. BALDWIN BOWSKY, *Roman arbitration in Central Crete: an Augustan proconsul and a Neronian procurator*, in: *CJ* 82, 1987, 218 ff.; A. CHANIOTIS, *Eine neue lateinische Ehreninschrift aus Knossos*, *ZPE* 58, 1985, 182 ff.; G. W. M. HARRISON, *Background to the first century of Roman rule in Crete*, in: *Cretan Studies* 1, 1988, 125 ff.; M. VAN DER MIJNSBRUGGE, *The Cretan Koinon* (1931); S. SPYRIDAKIS, *Cretan soldiers overseas: A prosopography*, in: *Kritilogia* 12/13, 1981, 49 ff.; R. F. WILLETTS, *The Cretan Koinon: Epigraphy and Tradition*, in: *Kadmos* 14, 1975, 143 ff.

A. ALFÖLDI, *Commandants de la flotte romaine stationnée à Cyrène sous Pompée, César et Octavien*, in: *Mél. J. Carcopino* (1966) 25 ff.; R. G. GOODCHILD, *The Roman and Byzantine Limes in Cyrenaica*, in: *JRS* 43, 1953, 65 ff.; P. ROMANELLI, *Il confine orientale della provincia romana di Cirene*, in: *Rend. Pont. Acc. Arch.* 16, 1940, 215 ff.; E. M. RUPRECHTSBERGER, *Die römische Limeszone in Tripolitanien und der Kyrenaika*, Limesmuseum Aalen 47 (1993); J. STROUX/L. WENGER, *Die Augustus-Inschrift auf dem Marktplatz von Kyrene*, in: *Abh. Bayer. Akad., Phil.-Hist. Kl.* 34.2 (1928) 45 ff.; F. DE VISSCHER, *Les édits d'Auguste découverts à Cyrène* (1940; ND 1965).

S. APPLEBAUM, *Jews and Greeks in ancient Cyrene* (1979); A. LARONDE, *Prosopographie cyrénéenne* (i. Vorb.); G. LÜDERITZ, *Die Juden der Cyrenaika* (1993); J. REYNOLDS, *Senators originating in the provinces of Egypt and of Creta and Cyrene*, in: *Tituli* 5, 1982, 671 ff.

D. CHATZI-VALLIANOU, *Lebena. The ancient city and shrine of Asclepius* (1989); M. F. S. HOOD/D. SMYTH, *An archaeological survey of the Knossos area*, BSA Suppl. 14 (1981); L. H. SACKETT/K. BRANIGAN/P. J. CALAGHAN u. a., *Knossos from the*

Greek city to Roman colony. Excavations at the unexplored mansion, 2 Bde. (1992); I. F. SANDERS, *Settlement in the Hellenistic and Roman periods on the plain of the Mesara, Crete*, in: *BSA* 71, 1976, 131 ff.; S. G. SPANAKIS, *Das Theater im römischen Kreta*, in: *Diethnes Kretologikon Pepragmena* 2, 1973, 142 ff. (griech); A. DI VITA (ed.), *Gortina* I (1988).

R. G. GOODCHILD, *Benghazi (Euhesperides, Berenice, Marsa Ibn Ghazi). The story of a city* [2](1962); DERS., *Kyrene und Apollonia* (1971); DERS./J. G. PEDLEY/D. WHITE, *Apollonia, the port of Cyrene* (1978); J. H. HUMPHREY (ed.), *Apollonia, the port of Cyrene* (1976); G. D. B. JONES/J. H. LITTLE, *Coastal settlement in Cyrenaica*, in: *JRS* 61, 1971, 64 ff.; C. H. KRAELING, *Ptolemais. City of the Libyan Pentapolis* (1962); J. A. LLOYD (ed.), *Excavations at Sidi Khrebisch, Benghazi (Berenice)*, 3 Bde. (1977–85); DERS., *Some aspects of urban development at Euesperides/Berenice*, in: *BAR Int. Ser.* 236 (1985) 49 ff.

R. G. GOODCHILD, *Roman milestones in Cyrenaica*, in: *PBSR* 18, 1950, 83 ff.; DERS., *The Roman roads of Libya and their milestones*, in: *Libya in History. Historical Conference Benghazi 1968* (1971) 165 ff.; A. LARONDE, *Kainopolis de Cyrénaïque et la géographie historique*, in: *CRAI* 1983, 67 ff.

A. CHANIOTIS, *Vinum Creticum Excellens: Zum Weinhandel Kretas*, in: *MBAH* 7, 1988, 62ff.; C. DAVARAS, *Rockcut fish tanks in eastern Crete*, in: *BSA* 69, 1974, 87 ff.; M. K. DURKIN/D. J. LISTER, *The rods of Digenis: An ancient marble quarry in eastern Crete*, ebd. 78, 1983, 69 ff.; E. HADJIDAKI, *Preliminary report of excavations at the harbor of Phalasarna in West Crete*, in: *AJA* 92, 1988, 463 ff.; G. W. M. HARRISON, *A Roman quarry in eastern Crete*, Cretan Studies 3, 1990.

A. LARONDE, *Aspects de l'exploitation de la chôra cyrénéenne*, in: G. BARKER u. a. (eds.), *Cyrenaica in antiquity*, in: *BAR Int. Ser.* 236 (1985) 183 ff.; DERS., *Roman agricultural development in Libya and its impact on the Libyan Roman economy before the Arab conquest*, in: *Libya Antiqua* (1986) 13 ff.

H. W. CATLING, *A find of Roman marble statuettes at Knossos*, in: *BSA* 72, 1977, 85 ff.; J. HAYES, *The Villa Dionysos excavations, Knossos: The pottery*, ebd. 78, 1983, 97 ff.; E. RAFTOPOULOU, *Un portrait romain au musée de Chania*, in: *BCH* 92, 1968, 1 ff.

C. ANTI, *Sculture greche e romane di Cirene* (1959); E. ALFÖLDI-ROSENBAUM/J. B. WARD-PERKINS, *Justinianic mosaic pavements in Cyrenaican churches* (1980); D. M. BAILEY, *Excavations at Sidi Khrebisch, Benghazi* III 2: *The lamps* (1985); J. HUSKINSON, *CSIR* II. *Roman sculpture from Cyrenaica in the British Museum* (1975); E. PARIBENI, *Catalogo della sculture di Cirene* (1959); E. ROSENBAUM, *A catalogue of Cyrenaican portrait sculpture* (1969); S. STUCCHI, *Architettura cirenaica* (1975).

J. N. COLDSTREAM, *Knossos: The sanctuary of Demeter* (1973); W. H. C. FREND, *The Byzantine basilica church at Knossos*, in: *BSA* 57, 1962, 186 ff.; R. G. GOODCHILD/J. M. REYNOLDS, *The temple of Zeus at Cyrene*, in: *PBSR* 26, 1958, 30 ff.; L. PERNIER, *Il tempio e l'altare di Apollo a Cirene* (1935); G. SCHAUS, *The extramural sanctuary of Demeter and Persephone at Cyrene* (1985); L. VITALI, *Fonti per la storia della religione cirenaica* (1932); J. B. WARD-PERKINS/M. H. BALLANCE, *The Caesareum at Cyrene and the basilica of Cremna*, in: *PBSR* 26, 1958, 160 ff.; D. WHITE, *The extramural sanctuary of Demeter and Persephone at Cyrene*, 3 Bde. (1984–87).

J. CARINGTON SMITH, *A Roman chamber tomb on the south-east slopes of Monasteraki Kephala, Knossos*, in: *BSA* 77, 1982, 255 ff.; C. DAVARAS, *Römische Bestattung von Aghios Nikolaos*, in: *AE* 1985, 130 ff. (griech); S. PARFITT, *Knossos: Tomb 244* (1991).

Pontus et Bithynia (74/64 v. Chr.)

Schon lange sehen wir jenes unermeßliche Meer, von dessen Brausen nicht nur die Seewege, sondern auch die Städte und die Heerstraßen erdröhnten, dank der Tapferkeit des Pompeius vom Ozean bis zum äußersten Pontus ... im Besitz des römischen Volkes ..., so daß Asia, welches vorher die Grenze unserer Herrschaft bezeichnete, jetzt selbst von drei neuen Provinzen umgürtet wird ...

MARCUS TULLIUS CICERO (106–43 v. Chr.)

Ich habe nichts anderes gefunden als einen verderbten, maßlosen Irrglauben.

CAIUS PLINIUS SECUNDUS (61/62 – nach 112)

Man soll nicht nach ihnen (den Christen) fahnden. Wenn sie aber angezeigt und überführt werden, muß man sie bestrafen ... Anonyme Anzeigen aber dürfen bei keiner Anklage Berücksichtigung finden, denn das wäre ... unserer Zeit nicht würdig.

MARCUS ULPIUS TRAIANUS (53–117)

Die Provinz *Pontus et Bithynia*, die Cn. Pompeius im Jahre 64 v. Chr. im Anschluß an die endgültige Niederringung Mithradates' VI. im Nordwesten Kleinasiens einrichtete, bestand ursprünglich aus zwei selbständigen Königreichen, die beide ihre eigene Geschichte haben und auf sehr unterschiedliche Weise in die Hand der Römer gelangten. Während allerdings von dem einstigen Kernland der pontischen Könige lediglich der westliche Landesteil der neuen Provinz zugeschlagen wurde, übernahm Rom das ganze ehemalige Königreich Βιθυν α, ohne es gewaltsam zu zerstückeln, nachdem es ihm 74 v. Chr. auf testamentarischem Wege zugefallen war.

Bithynien umfaßte ursprünglich nur die Halbinsel zwischen dem *Bosporus* im Westen, dem Schwarzen Meer im Norden, der tiefeingeschnittenen Bucht von *Astakos*, dem heutigen Izmit Körfezi, im Süden sowie dem Grenzfluß *Hypios* im Osten, dem heutigen Melençay. Eingestreut in dieses von Thrakern bewohnte Gebiet lagen einige wenige griechische Küstenstädte, die wie *Kalchedon*/ Istanbul-Kadiköy oder *Astakos* (wahrscheinlich unweit von Izmit) Gründungen megarischer Einwanderer waren. Der

politische Aufstieg dieses Stammesfürstentums zum Königreich vollzog sich nach dem Ende der persischen Herrschaft und der Befreiung der griechischen Städte Kleinasiens durch Alexander d. Gr. (334/333 v. Chr.). Geschickt verstanden es die bithynischen Stammesfürsten, die neu entstandene Lage für ihre Zwecke zu nutzen und sich in der nachfolgenden Phase der Diadochenkriege nicht nur zu behaupten, sondern sich unter Ausdehnung ihres Machtbereichs nach Süden wie nach Osten als neue politische Kraft im nordwestlichen Kleinasien zu etablieren. Es kam ihnen dabei zugute, daß mit Zipoites (328–280 v. Chr.) ein Mann an ihrer Spitze stand, dem es mit politischem Geschick gelang, die Unabhängigkeit seines Landes gegen so mächtige Herrscher wie Lysimachos und Antiochos I. zu wahren. Es entsprach deshalb auch durchaus den neuen Machtverhältnissen, daß Zipoites seit 297 v. Chr. den Königstitel trug.

Die durch ihn eingeleitete Entwicklung setzte sich auch unter seinen Nachfolgern fort. Unter ihnen ragt vor allem Nikomedes I. (280–255 v. Chr.) hervor, der ein machtvolles Regime führte, den Westteil des benachbarten Phrygien unterwarf und eine stärkere Hellenisierung Bithyniens einleitete, indem er sein Land verkehrsmäßig erschloß, systematisch die Landwirtschaft förderte und gegenüber der alten Griechengründung *Astakos*, die ihre frühere Bedeutung offenbar verloren hatte, die Stadt *Nikomed(e)ia*/ Izmit (TR) gründete und die Bewohner von *Astakos* dorthin umsiedelte (264 v. Chr.). Als verhängnisvoll erwies sich seine Entscheidung, in der Auseinandersetzung mit seinem Bruder und Thronrivalen Zipoites gallische Söldner anzuwerben, die sich zu Beginn des 3. Jhs. v. Chr. mit ihren Familien zu Tausenden im nördlichen Balkangebiet niedergelassen hatten. Diese *Galati* – später auch *Gallograeci* genannt – verließen zwar Bithynien wieder, nachdem ihr Söldnerdienst beendet war, doch kehrten sie nicht mehr nach Europa zurück, sondern durchzogen den Westen Kleinasiens und plünderten Städte und Heiligtümer, ehe sie nach langen Kämpfen in das phrygische Hochland um die Stadt *Ancyra*/Ankara (TR) abgedrängt werden konnten und schließlich 189 v. Chr. durch römisches Eingreifen so entscheidend dezimiert wurden, daß sie fortan ihre Raubzüge weitgehend einstellten (S. 135).

Bis zum Beginn des 2. Jhs. v. Chr.

135

konnten die bithynischen Könige gegenüber dem römischen Senat eine relativ selbständige Politik betreiben. Als letzter hat offenbar Prusias I. (235–183 v. Chr.) die Souveränität seines Landes gegenüber Rom dokumentiert, als er Hannibal nicht nur politisches Asyl bot, sondern den genialen Strategen auch zum Admiral seiner Flotte machte, ihn jedoch schließlich auf starken römischen Druck hin preisgeben mußte, worauf der Punier seinem Leben selbst ein Ende machte (183 v. Chr.). In der Folgezeit verstärkte sich der Einfluß Roms in zunehmendem Maße, zumal es mit den benachbarten Pergamenern immer wieder zu Grenzstreitigkeiten und kriegerischen Auseinandersetzungen kam, in die Rom ‹schlichtend› eingriff und den Bithyniern mehr als einmal die Friedensbedingungen diktierte. Nachdem das pergamenische Reich römische Provinz geworden war und es schließlich in den lang anhaltenden Kämpfen zwischen Mithradates VI. und Rom für Bithynien immer aussichtsloser wurde, sich der direkten römischen Einflußnahme zu entziehen, folgte Nikomedes IV. (94–74 v. Chr.) dem Beispiel der letzten Herrscher von Pergamon und der *Kyrenaika*, die bereits vor ihm den Entschluß gefaßt hatten, ihre Länder dem römischen Senat zu überantworten.

Zu diesem Zeitpunkt war die jahrzehntelange Auseinandersetzung zwischen Rom und dem pontischen König Mithradates VI. in ihre letzte und entscheidende Phase getreten. Auch dieses Königreich an der kleinasiatischen Schwarzmeerküste entstand in der Diadochenzeit, als sich der Iraner Mithradates, ursprünglich ein Parteigänger des Eumenes und Freund des jungen Makedonenkönigs Demetrios Poliorketes, im schwer zugänglichen Bergland des nördlichen Kleinasien festsetzte, um 300 v. Chr. das Reich von *Pon-*

Abb. 135   Prusias I. (235–183 v. Chr.). Halbportrait des bithynischen Königs auf einer Tetradrachme (16,93 g).

tos schuf und zwei Jahrzehnte später den Königstitel annahm. Sein Reich, zu dem auch die griechischen Küstenstädte *Herakleia Pontike*/Eregli, *Amastris*/Amasra, *Sinope*/Sinop, *Amisos*/Samsun und *Trapezus*/Trabzon (alle TR) gehörten, grenzte im Westen an Bithynien, im Osten an Armenien, während die Grenze nach Süden bereits unter Mithradates II. weiter vorgeschoben wurde, der seinem Reich Teile von Phrygien hinzufügte. Da die pontischen Könige seit Mithradates IV. (170–150 v. Chr.) zu Freunden und Bundesgenossen Roms wurden und ihre Bündnishilfe auch wiederholt unter Beweis stellten, ließ man sie gewähren und verzichtete weitgehend darauf, in die inneren Angelegenheiten des pontischen Herrschaftsbereichs einzugreifen.

Erst das Expansionsstreben Mithradates' VI. (120–63 v. Chr.) machte diese Politik zunichte, als dieser mit der Eroberung des Bosporanischen Reiches zunächst seine eigene Machtbasis erweiterte, anschließend große Teile Kleinasiens von sich abhängig machte und schließlich den Bundesgenossenkrieg (91–88 v. Chr.) dazu nutzte, sich offen gegen Rom zu wenden. Es bedurfte dreier Kriege und vielfältiger Anstrengungen, um den pontischen König, der Rom fast ein halbes Jahrhundert lang in Atem hielt

und die innenpolitischen Auseinandersetzungen der ausgehenden Republik geschickt auszunutzen verstand, militärisch in die Knie zu zwingen. Dies gelang erst Cn. Pompeius, der 66 v. Chr. gemeinsam mit dem Partherkönig Phraates III. das pontische Heer in Kleinarmenien vernichtend schlug. Zwar konnte Mithradates VI. noch einmal fliehen und auf die Krim entkommen, doch war sein Schicksal drei Jahre später besiegelt, nachdem sich die letzten Getreuen von ihm abgewandt hatten und der pontische König keinen anderen Ausweg mehr sah, als sich von einem seiner keltischen Söldner erstechen zu lassen (63 v. Chr.).

Der unumstrittene politische Sieger jener Jahre war Cn. Pompeius, der nicht nur in unerwartet kurzer Zeit das Seeräuberproblem löste und Mithradates VI. niederwarf, sondern sich vor allem als glänzender Organisator erwies, als er daranging, die Verhältnisse in den eroberten kleinasiatischen Gebieten neu zu ordnen und diese organisatorisch in das Reich einzugliedern. Dazu gehörte als erste Amtshandlung neben der Gründung von Städten an der Durchgangsstraße von Bithynien nach Armenien, denen Pompeius in der Tradition Alexanders und seiner Nachfolger griechische Namen gab, die Einrichtung der Provinz *Pontus et*

Bithynia. Sie bestand aus dem ehemaligen Königreich Bithynien sowie dem Westteil des pontischen Herrschaftsbereiches, während Pompeius das verbleibende Gebiet im Osten bis nach *Kolchis* zur Entschädigung der Könige und Fürsten verwendete, die als ‹Verbündete und Freunde des römischen Volkes› gegen Mithradates VI. mitgekämpft hatten.

Die grundlegenden Entscheidungen zur Einrichtung und Organisation der neuen Provinz dürften spätestens im Winter 65/64 v. Chr. gefallen sein, den Pompeius in *Amisos*/Samsun (TR) verbrachte. Man wird deshalb davon ausgehen dürfen, daß die *lex provincialis* des neuen Reichsgebietes spätestens seit dem Frühjahr 64 v. Chr. in Kraft war. Die zuvor auf der Grundlage von ‹Landkreisen›, den sog. Eparchien, beruhende Gebietsgliederung des pontischen Provinzteils organisierte Pompeius neu und gliederte ihn in elf große Stadtbezirke (sog. Politien). Dazu gehörten die alten Griechenstädte *Herakleia Pontike, Amastris, Sinope, Amisos* sowie *Amaseia*/Amasya (TR), die alte pontische Hauptstadt, ebenso wie die pompeischen Neu- und Wiederbegründungen *Neapolis, Pompeiopolis, Magnopolis, Diospolis, Megalopolis* und *Zela*. Soweit bekannt, entsprach die neugeschaffene Ordnung auch der Gebietsgliederung des bithynischen Landesteils, der nach einer Aussage des jüngeren Plinius zu Beginn des 2. Jhs. offenbar aus zwölf Stadtbezirken bestand, ohne daß man in der Lage wäre, die Namen aller zwölf bithynischen Städte aufzuführen.

Die neugeschaffene Provinz, die in spätrepublikanischer Zeit sowie während des 1. Jhs. meist nur *Bithynia* hieß, wurde von einem *proconsul* verwaltet, der den Rang eines Prätors besaß und seinen Statthaltersitz in *Nikomedia*/Izmit hatte. Als ‹überkommunale› Organe fungierten das κοινὸν Πόντου und κοινὸν Βιϑυνίας, in die die pontischen und bithynischen Städte ihre Vertreter entsandten, um bei schwerwiegenden Problemen und Entscheidungen, die mehrere oder alle Städte angingen, gegenüber Statthalter und Senat, später auch gegenüber dem Kaiser, nach Möglichkeit geschlossen aufzutreten. Während sich offenbar der bithynische ‹Städtetag› im wesentlichen ohne römisches Eingreifen konstituierte, gingen die Gründung des κοινὸν Πόντου sowie die Einsetzung eines ποντάρχης, eines Vorsitzenden, der jährlich wechselte, unmittelbar auf die Neuordnung des pontischen Gebietes durch Cn. Pompeius zurück, die allerdings nur kurze Zeit Bestand hatte. Bereits 48 v. Chr. gelang es Pharnakes II. durch den Sieg über ein römisches Heer,

137

große Teile des ehemaligen Reiches seines Vaters wieder zu besetzen, doch verlor er dieses auch ebenso schnell, nachdem ihn Caesar schon ein Jahr später bei
Zela entscheidend und mit bemerkens-
werter Schnelligkeit besiegte und zur
Aufgabe seiner ‹großköniglichen› Pläne
zwang. M. Antonius, der 40/39 v. Chr. im
Vorfeld seines geplanten Partherfeldzu-
ges die politischen Verhältnisse in Teilen
Kleinasiens neu ordnete, gab das pontische Gebiet an Dareios, einen Enkel Mithradates' VI., zurück, das als *Pontos
Polemoniakos* bis 63/64 im Besitz ponti-
scher Klientelkönige verblieb, ehe es unter Nero wieder römisch wurde, bis zum
Beginn des 2. Jhs. ein Teil der Provinz
Galatia war und schließlich seit Traianus
wieder zu *Bithynia* gehörte.

Bei der Neuordnung durch Augustus
behielten *Pontus et Bithynia* ihren Status
als Senatsprovinz, die auch weiterhin von
einem Angehörigen des Senats prätorischen Ranges verwaltet wurde und damit –
wie schon bisher – zu den kleineren Se-

natsprovinzen zählte. Allerdings zeigen
die Quellen, daß es einzelnen Kaisern aus
gegebenem Anlaß notwendig erschien,
persönlich einzugreifen und Statthalter
ihres Vertrauens als Sonderbevollmäch-
tigte in die Provinz zu entsenden, um dort
vor Ort als *correctores et auditores* die
Verhältnisse im Sinne der kaiserlichen
Zentralverwaltung zu ordnen. Derartiger
staatlicher Dirigismus, der vor allem von
den Vertretern der bithynischen Städte als
unliebsamer und mit den griechischen
Freiheitsvorstellungen unvereinbarer Eingriff in die eigenen Angelegenheiten
angesehen wurde, ist bereits für die Regierungszeiten des Claudius (41–54) und
des Nero (54–68) belegt. In ähnlicher
Funktion weilte C. Plinius Secundus in
spättrajanischer Zeit als *legatus Augusti
consulari potestate* für mehrere Jahre in
Nikomedia, und auch C. Iulius Severus
gehört in diesen Zusammenhang, den Hadrianus (117–138) gegen Ende seiner Regierung nach *Pontus et Bithynia* schickte,
um den «Zustand der Provinz» wieder in
die richtigen Bahnen zu lenken (AÉ
1938, 144).

Es darf als Glücksfall gewertet werden,
daß die Korrespondenz, die der jüngere
Plinius als Statthalter in *Nikomedia* mit
Kaiser Traianus führte, offenbar nahezu
vollständig erhalten ist. Der Briefwechsel
vermittelt wie sonst keine historische
Quelle direkte Einblicke in die Fülle

der Probleme, mit denen ein Statthalter
konfrontiert sein konnte. Als kaiserlicher
Sonderlegat hatte Plinius vor allem zahlreiche Streitigkeiten der bithynischen
Städte untereinander zu schlichten und
insbesondere ihr Finanzgebaren durch-
greifender, als dies seine Vorgänger getan
hatten, zu kontrollieren, wozu C. Plinius
Secundus, der zuvor in Rom die beiden
wichtigsten öffentlichen Kassen zu voller
Zufriedenheit geführt hatte, dem Kaiser
besonders geeignet erschien. Die Plinius-
Briefe vermitteln dabei vor allem das
Bild einer sehr ‹baufreudigen› Zeit, in der
die Städte Bithyniens zahlreiche Großbauten in Angriff nahmen, dabei jedoch
im Wettstreit miteinander oft genug über
ihre Verhältnisse lebten, wodurch manche
Großbaustelle frühzeitig zur Ruine
wurde, weil Gelder ausblieben oder
zurückgehalten wurden.

Ergänzt werden diese Einblicke durch
die Schriften des Redners Dion Cocceianus, genannt Chrysostomos (‹Gold-
mund›), der aus der bithynischen Stadt
Prusa/Bursa (TR) stammte und in trajanischer Zeit zu den führenden Männern seiner Heimatstadt gehörte. Als solcher
plante und begann er verschiedene ehrgeizige Bauprojekte, wobei er jedoch
einen Teil der Stadtbewohner gegen sich
aufbrachte, als er ältere, darunter religiöse Bauten, rigoros niederlegen ließ,
um Platz für neue Monumentalbauten zu

*Abb. 136   Golf von Edremit (TR), Südufer.
Römischer Sarkophag in situ. 2. – 3. Jh.*

*Abb. 137   Nikaia/Iznik (TR). Das Nordtor
der Stadt von innen her gesehen, davor die
Mauern des sog. Inneren Tores. Bauzustand
des 3. Jhs.*

schaffen, die «des Glanzes der Zeit würdig» waren (PLINIUS). Es dürfte ein typischer Vorgang jener Zeit gewesen sein, daß Männer wie Dion ihrer Aktivitäten wegen beim Statthalter angeklagt wurden und Amtsvertreter wie Plinius einen Rechtsstreit wie diesen zu regeln und zu entscheiden hatten. In diesem Fall scheint Dion der Gewinner gewesen zu sein, der seit einem Aufenthalt in Rom mit Traianus persönlich bekannt war und offenbar vor Gericht von dieser Beziehung profitierte.

Durch Plinius erhält man auch einen der frühesten Belege für die Ausbreitung des Christentums in Bithynien sowie die ambivalente Haltung, die die römische Verwaltung in dieser Frage einnahm. Dabei wird deutlich, daß es erst einer klaren Instruktion des Kaisers bedurfte, um die rechtlichen Grundsätze festzulegen, nach denen Christen, die ihrem Glauben nicht abschworen, sondern sich zu ihm bekannten, zu behandeln waren. Es ehrt den Kaiser, daß er nach dem Prinzip «bestrafen, aber nicht verfolgen» verfuhr und vor allem anonyme Anklagen ablehnte, weil sie seiner Auffassung nach nicht dem Geist der Zeit entsprachen.

Unter den Städten Bithyniens waren *Nikomedia*/Izmit und *Nikaia*/Iznik, die lange Zeit in starker Rivalität zueinander standen und vor allem dank deutscher Untersuchungen als relativ gut erforscht gelten dürfen, die beiden bedeutendsten. Allerdings stammen die heute noch erhaltenen Baudenkmäler in der Hauptsache erst aus spätantiker Zeit, nachdem *Nikomedia* von Diocletianus im Jahre 284 zur Residenz gemacht worden war und in *Nikaia* die erste Reichssynode getagt hatte, auf der das sog. *Nicaenum* formuliert wurde (325). Dagegen haben sich an Plätzen wie *Prusa*/Bursa, *Kalchedon*/Istanbul-Kadiköy oder *Apameia*, südlich von Mudanya am Marmarameer gelegen, das unter Augustus zur *col(onia) Iul(ia) Conc(ordia) Aug(usta)* erhoben wurde, nur geringe Überreste erhalten, die zudem bisher archäologisch nur sehr unvollkommen erforscht worden sind. Dennoch läßt sich insbesondere auf Grund von Inschriften sagen, daß der bithynische Provinzteil vor allem entlang seiner Küsten in starkem Maße städtisch geprägt war.

Soweit sich die antiken Verhältnisse heute noch rekonstruieren lassen, änderte sich dieses Bild, je weiter man zu Lande oder zu Wasser in den pontischen Osten der Provinz gelangte. Von den ehemals griechischen und pontischen Städten an der Schwarzmeerküste wie im Hinterland erhielt lediglich *Sinope* als *Iulia Felix Sinope* den Status einer römischen Kolonie

(47 v. Chr.), während die meisten der von Cn. Pompeius entweder neu- oder wiedergegründeten Siedlungsplätze, vornehmlich an der Straße zwischen Bithynien und Armenien, über den Charakter von kleinen und mittleren Landstädten nicht hinauskamen. Allerdings muß auch hier angemerkt werden, daß die archäologische Forschung auf ehemals pontischem Gebiet – abgesehen vom heutigen Sinop (TR) – noch ganz am Anfang steht.

Mit dem Beginn der Völkerwanderung im Norden und dem Aufstieg der Sassaniden im Osten endet für große Teile Kleinasiens spätestens um die Mitte des 3. Jhs. die Zeit, in der sich die Bevölkerung in Sicherheit fühlen durfte. Wie tiefgreifend die Veränderungen waren, geht aus den Schriften des Bischofs Gregorios aus *Neokaisareia*/Niksar (TR) hervor, der sein hohes Amt etwa in den Jahren 240–270 ausübte und in denen er u. a. darüber nachdachte, wie junge Frauen zu behandeln seien, die von Barbaren vergewaltigt worden waren, oder Männer, die durch Plünderung ihr Gut verloren und sich dafür bei anderen schadlos gehalten hatten. Zum erstenmal scheinen gotische Scharen die Städte Bithyniens im Jahre 258 heimgesucht, geplündert und zerstört zu haben. Wenige Jahre später ereignete sich ein weiterer Einfall, der die Goten bis in das mittlere Ionien vordringen ließ. Der unweit von *Nikomedia* im November 284 zum Kaiser ausgerufene Diocletianus baute die Stadt neu auf, erweiterte sie beträchtlich und dürfte im Umkreis seiner neuen Residenz auch andere bithynische Städte dazu ermuntert haben, zerstörte Bauwerke wiederzuerrichten oder -instand zu setzen. Kaiser Diocletianus war es auch, der die Provinz teilte, wobei *Bithynia*, das fortan zur *dioecesis Pontica* gehörte, als selbständige Provinz erhalten blieb, während weiter östlich die neuen Provinzen *Diospontos* und *Pontos Polemoniakos* entstanden. Diese Gebietsordnung hatte bis in frühbyzantinische Zeit Bestand und lebte in der Themenverfassung Herakleios' I. (610–641) weiter.

Der römischen Zeit in *Pontus et Bithynia* ist bisher nur wenig Aufmerksamkeit zuteil geworden. Die jüngsten Zusammenfassungen bieten: B. F. HARRIS, *Bithynia: Roman sovereignty and the survival of Hellenism*, in: *ANRW* II 7.2 (1980) 857 ff. und E. OLSHAUSEN, *Pontos und Rom (63 v. Chr. – 64 n. Chr.)*, ebd. 903 ff.
E. AKURGAL, *Ancient civilizations and ruins of Turkey* ⁶(1975); P. R. FRANKE, *Kleinasien zur Römerzeit* (1968); J. KEIL, *Pontus et Bithynia*, in: *CAH* 11 (1936) 575 ff.; K. KRAFT, *Das System der kaiserzeitlichen Münzprägung in Kleinasien* (1972); D. MAGIE, *Roman rule in Asia Minor to the end of the third century A. D.*, 2 Bde. (1950); CH. MAREK, *Stadt, Ära und Territorium in Pontus-Bithynia und Nord-Galatia* (1993); T. PÉKARY, *Kleinasien unter römischer Herrschaft*, in: *ANRW* II 7.2 (1980) 638 ff.; R. PILLINGER/A. PÜTZ/H. VETTERS, *Die*

Schwarzmeerküste in der Spätantike und im frühen Mittelalter. Symposium Wien 1990 (1992); B. RÉMY (ed.), *Pontica 1. Recherches sur l'histoire du Pont dans l'antiquité* (1991); S. SAHIN, *Bithynische Studien* (1978); A. SCHÜTTE/D. POHL/J. TEICHMANN (Hg.), *Studien zum antiken Kleinasien. F. K. Dörner zum 80. Geburtstag gewidmet* (1991).
J. COLIN, *Pline le Jeune et les cités grecques dans la province Pont-Bithynie*, in: *Historia* 14, 1965, 455 ff.; M. GELZER, *Pompeius* (1949); B. M. LEVICK, *Pliny in Bithynia and what happened afterwards*, in: *Greece and Rome* 29, 1979, 119 ff.; B. RÉMY, *Les fastes sénatoriaux des provinces romaines d'Anatolie au Haut-Empire 31 av. J.-C. – 284 ap. J.-C.* (1988); DERS., *Les carrières sénatoriales dans les provinces romaines d'Anatolie au Haut-Empire 31 av. J.-C. – 284 ap. J.-C.* (1989); S. SAHIN, *Statthalter der Provinzen Pamphylia-Lycia und Bithynia-Pontus in der Zeit der Statusänderung beider Provinzen unter Mark Aurel und Lucius Verus*, in: *EA* 20, 1992, 77 ff.; A. N. SHERWIN-WHITE, *The letters of Pliny. A historical and social commentary* (1966); L. VIDMAN, *Die Mission Plinius' des Jüngeren in Bithynien*, in: *Klio* 37, 1959, 217 ff.; DERS., *Étude sur la correspondance de Pline le Jeune avec Trajan* (1960); J. WAGNER, *Die Römer an Euphrat und Tigris*, Sondernr. Antike Welt (1985); K. WELLESBY, *The extent of the territory added to Bithynia by Pompey*, in: *RhM* 96, 1953, 293 ff.; L. ZUCKERMANN, *Essai sur les fonctions des procurateurs de la province Bithynie-Pont sous le Haut-Empire*, in: *Rev. Belge Philol. Hist.* 46, 1968, 42 ff.
G. W. BOWERSOCK, *Augustus and the Greek world* (1965); P. DESIDERI, *Dione di Prusa. Un intellettuale greco nell'imperio Romano* (1978); H. HALFMANN, *Die Senatoren aus den kleinasiatischen Provinzen des Römischen Reiches vom 1. – 3. Jh.*, in: *Tituli* 5, 1982, 603 ff.; C. P. JONES, *The Roman world of Dio Chrysostom* (1978).
J. COLIN, *Les villes libres de l'orient gréco-romain et l'envoi au supplice par acclamations populaires*, Coll. Latomus 82 (1965); F. K. DÖRNER, *Bericht über eine Reise in Bithynien* (1952); DERS., *Vorbericht über eine im Herbst 1961 ausgeführte Reise in Bithynien*, in: *Anz. Wien* 99, 1962, 30 ff.; DERS., *Vorbericht über eine Reise in Bithynien*, ebd. 100, 1963, 132 ff.; W. HOEPFNER, *Herakleia-Eregli. Eine baugeschichtliche Untersuchung* (1966); A. H. M. JONES, *Cities of the eastern Roman provinces* ²(1971); R. MERKELBACH, *Nikaia in der römischen Kaiserzeit* (1987); W. MÜLLER-WIENER, *Bildlexikon zur Topographie Istanbuls* (1977); J. SÖLCH, *Bithynische Städte im Altertum*, in: *Klio* 19, 1925, 140 ff.; J. TEICHMANN, *Das Territorium der Stadt Kyzikos zu Beginn der römischen Kaiserzeit*, in: A. SCHÜTTE u. a. (Hg.), *Studien zum antiken Kleinasien* (1991) 139 ff.; E. WINTER, *Staatliche Baupolitik und Baufürsorge in den römischen Provinzen des kaiserzeitlichen Kleinasien* (1996).
D. H. FRENCH, *The Roman road-system of Asia Minor*, in: *ANRW* II 7.2 (1980) 628 ff.; DERS., *Milestones of Pontus, Galatia, Phrygia and Lycia*, in: *ZPE* 43, 1981, 149 ff.
T. R. S. BROUGHTON, *Roman Asia*, in: T. FRANK (ed.), *An economic survey of ancient Rome* 4 (1938; ND 1959) 591 ff.; E. GREN, *Kleinasien und der Ostbalkan in der wirtschaftlichen Entwicklung der römischen Kaiserzeit* (1941); J. B. WARD-PERKINS, *Nicomedia and the marble trade*, in: *PBSR* 48, 1980, 23 ff.; DERS., *The marble trade and its organization: Evidence from Nicomedia, Roman seaborne commerce*, in: *Mem. Am. Acad. Rome* 36, 1980, 325 ff.
E. AKURGAL, *Griechische und römische Kunst in der Türkei* (1987); M. CREMER, *Hellenistisch-römische Grabstelen im nordwestlichen Kleinasien* 1. *Mysien* (1991). 2. *Bithynien* (1992); C. C. VERMEULE, *Roman imperial art in Greece and Asia Minor* (1968).
S. E. JOHNSON, *Asia Minor and early Christianity*, in: J. NEUSNER (ed.), *Christianity, Judaism and other Graeco-Roman cults* II (1975) 77 ff.; E. N. LANE, *Men. A neglected cult of Roman Asia Minor*, in: *ANRW* II 18.3 (1990) 2161 ff.; E. OLSHAUSEN, *Götter, Heroen und ihre Kulte in Pontos – ein erster Bericht*, ebd. 1865 ff.

Syria/Iudaea (64 v. Chr.)

*Jetzt faßte ihn (i. e. Pompeius) das unge-
stüme Verlangen, Syrien zu erobern und
durch Arabien bis an das Rote Meer vorzudringen, damit er den die Erde umge-
benden Ozean auf allen Seiten als Sieger
erreiche … Indes rückte er selbst in Syrien ein, machte dies Land unter dem
Vorwand, daß es keine rechtmäßigen Könige mehr habe, zu einer Provinz und erklärte es zum Eigentum des römischen
Volkes. Auch Judäa unterwarf er sich und
machte den König Aristobulos zum Gefangenen …*
LUCIUS MESTRIUS PLUTARCHUS (um 50 – nach 120)

*Wenn du ein parthisches Pferd an einem
jüdischen Grabstein angebunden siehst,
dann erwarte, daß der Messias kommt.*
YOHANAN BEN ZAKKAI (1. Jh.)

Das im Westen vom Mittelmeer, im Norden und Süden vom *Taurus* und dem
Libanon bzw. Antilibanon sowie im
Osten vom Euphrat begrenzte Gebiet, das
von alters her (Aσ)συρ α hieß, bildete im
Altertum weder geographisch noch politisch eine Einheit. Entsprechend unterschiedlich lauteten die geographischen
Angaben griechischer Autoren, ehe seit
der Zeit Alexanders d. Gr. die landschaft-
lichen Grenzen Syriens im wesentlichen
festlagen. Einer politischen Einigung
stand vor allem die geographische Zerris-
senheit des Landes entgegen. Sie hatte
zur Folge, daß sich auf syrischem Boden
schon früh zahlreiche Stadtstaaten her-
ausbildeten, deren Zentren größere Städte
oder Oasen waren. Zu einer kontinuierli-
chen politischen Entwicklung konnte es
auch deshalb nicht kommen, weil Syrien
ein typisches Durchgangsland war, durch
das wichtige Karawanenstraßen führten
und das sich deshalb im Laufe seiner Geschichte immer wieder dem Zugriff fremder Völker und Herren ausgesetzt sah.

Bevor es römische Provinz wurde, bildete Syrien das Kernland des seleukidischen Reiches, auf das sich Antiochos III. nach seiner katastrophalen

Niederlage bei *Magnesia* (190 v. Chr.)
und dem darauffolgenden Diktatfrieden
von *Apameia* (188 v. Chr.) hatte zurückziehen müssen. Zwar schienen sich mit
der Eroberung Ägyptens durch Antiochos
IV. (175–164 v. Chr.) die seleukidischen
Großmachtvorstellungen dennoch zu erfüllen, doch war Rom bereits so stark,
daß der Abgesandte des Senats den Seleukiden in einer Szene von beispielhafter
Symbolkraft ultimativ zwingen konnte,
seine Eroberung wieder preiszugeben. Es
war nach diesem Auftritt nur konsequent,
daß kurz nach seinem Tod erneut eine Se-
natsgesandtschaft in *Antiochia* erschien,
um die strikte Durchführung der Friedensbedingungen von 188 v. Chr. persönlich zu überwachen, die u. a. darin bestanden, die eigene Flotte bis auf wenige
Schiffe zu verbrennen.

Mit dem rasch fortschreitenden Verfall
der seleukidischen Zentralgewalt wuchs
zwangsläufig die Macht der kleinen Königreiche, unter denen *Kommagene* westlich des oberen Euphrat, *Iudaea*, das
Reich der Hasmonäer, sowie die arabischen Staaten der Ituräer um die Stadt
Chalkis im Libanongebiet nördlich von
Damaskus und der Nabatäer mit ihrer
Hauptstadt *Petra* im heutigen Jordanien
die bedeutendsten waren. Zu Beginn des
1. Jhs. v. Chr. war der seleukidische Rest-
staat schließlich derart schwach geworden, daß er nach mehreren Panthereinfäl-
len 83 v. Chr. eine leichte Beute des
armenischen Königs wurde und bis zu
seinem Ende nicht viel mehr war als eine

138

armenische Provinz, ehe Tigranes 65
v. Chr. von Pompeius geschlagen wurde
und sich wieder in sein ursprüngliches
Königreich zwischen Tigris und Kauka-
sus zurückziehen mußte.

Es scheint von vornherein Pompeius'
erklärter Wille gewesen zu sein, Syrien
nicht wieder in die Hand der Seleukiden
zurückzugeben, obwohl ihn Antiochos
XIII. mehrmals kniefällig darum bat, sondern das Gebiet zur römischen Provinz zu
machen, um es – wie er sich ausdrückte –
nach den Erfahrungen der Vergangenheit
«nicht wieder den Räubereien der Juden
und Araber preiszugeben», von denen es
mancher verstanden hatte, sich in den
Jahren allgemeiner Anarchie eine kleine
Herrschaft zu sichern und die Bevölkerung der Umgebung zu drangsalieren und auszurauben. In allen diesen Fällen
griff Cn. Pompeius hart durch und ließ

**Abb. 138 Antiochos III. (223/222–187
v. Chr.). Halbportrait des seleukidischen
Herrschers auf einer Tetradrachme (16,98
g), geprägt 208/200 v. Chr. in Antiochia.**

**Abb. 139 Antioch(e)ia. Die Hauptstadt
der Provinz Syria und ihre Umgebung auf
der sog. Tabula Peutingeriana. Erste Hälfte
des 5. Jhs. Wien, Österreichische Nationalbibliothek.**

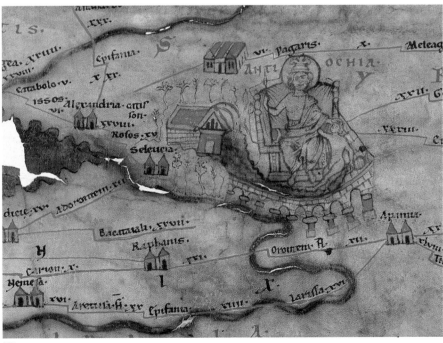
139

140

die meisten dieser selbsternannten ‹Kleinfürsten› hinrichten.

Ähnlich wie im Pontus-Gebiet basierte die Ordnung der neugeschaffenen Provinz *Syria* auf der Einteilung in größere Stadtbezirke, die zwar Abgaben zu zahlen hatten, sich jedoch weitgehend selbst verwalten durften. Daneben blieben aber auch verschiedene Fürstentümer bestehen, sei es, daß ihre Repräsentanten als ‹Freunde und Verbündete des römischen Volkes› galten, sei es, daß sie für ihre relative Eigenständigkeit auf provinzialem Boden Tribute entrichteten. Augenscheinlich gehörten die arabischen Emire Samsikeramos und Ptolemaios, die Fürsten von *Hemesa*/Homs (SYR) und *Chalkis*/Quinnesrin (SYR), zur zweiten Gruppe. Dabei dürfte sich Ptolemaios den Fortbestand seiner Herrschaft u. a. dadurch erkauft haben, daß er die Besoldung des Pompeius-Heeres in Höhe von sechs Millionen Denaren übernahm.

Um die neugeschaffene Provinzordnung für *Syria*, die sehr wahrscheinlich schon im Winter 63/62 v. Chr. ihre endgültige Rechtsform als *lex provincialis Pompeia* gefunden hat, auch außenpolitisch abzusichern, hatte Pompeius mit dem Partherkönig Phraates III. bereits im Frühjahr 66 v. Chr. einen Freundschaftsvertrag abgeschlossen, der die Interessensphären beider Mächte abgrenzte und den Euphrat als römische Ost- bzw. parthische Westgrenze festlegte. Da auch in Galatien, Kappadokien, dem östlichen

Pontos sowie in Armenien nunmehr römische Klientelkönige und -fürsten regierten, war eine Pufferzone entstanden, die der neuen Provinz Schutz bot und Rom davon entband, seine Herrschaft in diesen Gebieten direkt auszuüben. Als römischer Vasall galt auch das Reich der Hasmonäer, deren Führer Pompeius nicht mehr als Könige, sondern nur noch als Hohepriester anerkannte und deren Herrschaftsgebiet er um ein Drittel reduzierte, indem er den griechisch-hellenistischen Städten in der *Dekapolis* westlich und vor allem östlich des Jordans, darunter so bedeutenden Städten wie *Gerasa*/ Djerash (HKJ), *Philadelphia*/Amman (HKJ) und *Scythopolis*/Beth Shean (IL), die Freiheit zurückgab und sie der neuen Provinz zuteilte. Roms neues Einflußgebiet reichte damit die levantinische Küste entlang bis zum heutigen Gazastreifen. Auf die Einbeziehung des Nabatäerreiches verzichtete Pompeius und begnügte sich damit, seinem König Arethas III. die Stadt *Damaskus* wieder abzunehmen, die dieser 85/84 v. Chr. in seinen Besitz gebracht hatte.

Syrien war für Rom vor allem wirtschaftlich interessant. Neben der Landesproduktion von Öl und Wein besaß insbesondere der Export von Zedernholz, wenn auch in abgeschwächter Form, weil sich die Wälder des Libanon gelichtet hatten, purpurgefärbten Stoffen sowie kunsthandwerklichen Produkten wie Gläsern, Kupferschalen und elfenbeinver-

zierten Kleinmöbeln große Bedeutung weit über Syrien hinaus. Vor allem jedoch übernahm Rom mit der neuen Provinz die Kontrolle über den lukrativen Fernhandel, auf dem der Reichtum dieser Region beruhte und der begehrte Luxusgüter wie ‹Spezereien› aus Arabien, edle Hölzer und Gewürze aus Indien sowie Seide aus China nach Westen brachte.

Es waren im wesentlichen zwei Routen, auf denen dieser Handel ablief. Die eine kam von Osten, erreichte das Zweistromland im Süden und führte zunächst den Euphrat hinauf wahrscheinlich bis *Dura Europos*/As-Salihiya (SYR). Von dort gelangten die Luxuswaren mit Kamelkarawanen in die Oasenstadt *Palmyra* sowie von dort zur Küste in Städte wie *Tyros*/Sur (RL), *Sidon*/Sayda (RL), *Berytos*/Beyrouth (RL), *Laodikeia*/Lattakya (SYR) und *Seleukia Pieria*, die Hafenstadt von *Antiochia* an der Mündung des *Orontes*, von wo aus jeder gewünschte Platz des Mittelmeerraumes zu Schiff erreicht werden konnte. Kamen die Güter dagegen aus dem arabischen Raum, nahm man die Nord-Süd-Route, den sog. Königsweg, der über *Petra*, die Hauptstadt des Nabatäerreiches, *Philadelphia*/Amman, *Gerasa*/Djerash (alle HKJ) bzw. *Bostra*/Bosra esch-Scham (SYR) und *Damaskus* (SYR) die Städte Nordsyriens und an der Küste erreichte.

Die Hauptstadt der neuen Provinz war von Beginn an das von Seleukos I. im

Jahre 300 v. Chr. gegründete *Antioch-(e)ia*/Antakya (TR). Die Stadt war eine der bedeutendsten ihrer Zeit, galt als »Zierde des Ostens« (AMMIANUS MARCELLINUS) und war in der Spätantike als *Antiochia famosissima* nach Rom und Konstantinopel gemeinsam mit *Karthago* und *Alexandria* die drittgrößte unter den Metropolen des Reiches, ein Rang, der auch die Basis dafür war, daß *Antiochia* für das frühe Christentum lange Zeit eine große Bedeutung besaß, ehe die Stadt 637 islamisch wurde und verfiel.

Als erster römischer Statthalter, der namentlich bekannt ist, residierte der Konsular A. Gabinius, ein Parteigänger des Pompeius, in *Antioch(e)ia*. Ihm folgte der Triumvir M. Licinius Crassus, der 53 v. Chr. mit Billigung des Senats den von Pompeius ausgehandelten Freundschaftsvertrag brach und mit einem großen Heer in Parthien einmarschierte. Seine katastrophale Niederlage südlich von *Karrhai*/Harran (TR) noch im gleichen Jahr besiegelte nicht nur das persönliche Schicksal des ehrgeizigen Politikers, sondern ließ vor allem die schon als gesichert geltende Euphratgrenze mit einem Schlag wieder zu einem politischen Unsicherheitsfaktor ersten Ranges werden und belastete überdies die parthisch-römischen Beziehungen über Jahrzehnte auf das schwerste. Erst Augustus gelang es, hier einen Ausgleich zu schaffen und unter Anerkennung der militärischen Stärke der Parther die Ostpolitik des Pompeius fortzuführen, die nicht darauf abzielte, das Reich der Parther zu erobern, sondern die Ostgrenze des Reiches durch vorgelagerte Klientelstaaten zu sichern. Erst auf diesem Hintergrund wurde es 19 v. Chr. möglich, von den Parthern Feldzeichen und Legionsadler zurückzuerhalten, die in der Schlacht bei *Karrhai* verlorengegangen waren (Abb. 240).

Auch wenn *Iudaea*, das mit der Abtretung der *Dekapolis* wieder auf das Kernland der Hasmonäerzeit eingegrenzt worden war, *de iure* als römischer Klien-

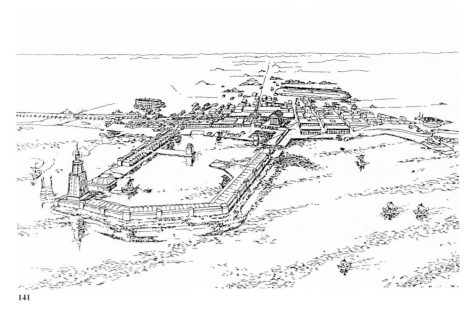

141

telstaat galt, bewies die praktische Politik doch sehr bald, daß dieses Gebiet als Teil der neuen Provinz *Syria* angesehen wurde, zumal Rom dem jüdischen Herrscher Hyrkanos II. die Königswürde aberkannt und ihm nach einem Aufstand 57 v. Chr. lediglich die Herrschaft über Jerusalem gelassen hatte. Die wirkliche Macht übte vielmehr sein Minister Antipatros aus, ein Nichtjude aus *Idumaea*, dem es durch betont romfreundliche Politik gelang, seinen Söhnen Phasael und Herodes die Herrschaft zu sichern. Als römischer Klientelkönig regierte Herodes mehr als drei Jahrzehnte über das Land (37–4 v. Chr.), das unter seiner Führung fast wieder den Umfang der Davidszeit erreichte. Unübersehbar sind im heutigen Israel und im Westjordanland die Spuren seiner ehrgeizigen Bautätigkeit. Der großartige Ausbau Jerusalems mit der Neugestaltung des Tempels gehört hierher, ebenso die Bautätigkeit in *Samaria*,

das Augustus zu Ehren in *Sebaste* umbenannt wurde (heute Sebastiya), die Anlage der Hafenstadt *Caesarea Marit(t)ima* sowie der Ausbau und die Neuerrichtung von Palästen und Festungen, unter denen *Masada* und das *Herodion* bei Bethlehem, das dem Herrscher als monumentales Grabdenkmal dienen sollte, am bekanntesten sind.

Mit dem Tod des Herodes (4 v. Chr.) wurde das Land unter drei seiner Söhne aufgeteilt: Archelaos erhielt mit *Iudaea*, *Samaria* und *Idumaea* den Hauptanteil, während sich Antipas, der Landesherr Jesu, mit *Galilaea* und *Peraea*, dem Gebiet östlich des mittleren Jordan, und Philippos mit dem Gebiet östlich des Sees Genezareth und um die Jordanquellen zufriedengeben mußten. Als Archelaos 6 n. Chr. starb, wurde das jüdische Kernland der Provinz *Syria* zugeschlagen und einem *praefectus* unterstellt, der den syrischen Statthalter vor Ort vertrat und sei-

Abb. 140   Gerasa/Djerash (HKJ). Blick von Süden auf das ovale Forum der Stadt und den cardo maximus. Im Hintergrund links der Tempel der Artemis.

Abb. 141   Caesarea Marit(t)ima und der von Herodes d. Gr. errichtete Kunsthafen des 1. Jhs. Nach S. GIANETTI.

Abb. 142   Caesarea Marit(t)ima/Sdot Yam (IL). Das einstige Hafengebiet ist heute ein beliebter Bade- und Naherholungsplatz. Blick von Osten.

142

143

nen Sitz in *Caesarea* hatte. Der bekannteste unter ihnen war Pontius Pilatus (26–35), der den Prozeß gegen Jesus führte. Mit dem Tod des Philippos fiel 34 auch dessen Gebietsanteil an Syrien, während Antipas sein Erbe drei Jahre später dadurch verlor, daß ihn Caligula (37–41) absetzen und verbannen ließ. Claudius (41–54) stellte das alte Herodesreich noch einmal her, indem er seinen Jugendfreund Agrippa, einen Enkel des Herodes, als Klientelkönig einsetzte, doch starb dieser bereits wenige Jahre später (44). *Iudaea* wurde wiederum römisches Provinzialland und war seitdem einem *procurator* unterstellt. Möglicherweise deutet sich in dieser ‹Umbesetzung› an, daß *Iudaea* vorübergehend von einem ritterlichen Prokurator als selbständige Provinz geführt wurde.

Der Versuch, aus *Iudaea* bereits zu diesem Zeitpunkt eine eigene Provinz zu machen, dürfte jedoch nur von kurzer Dauer gewesen sein. Das Land blieb ein permanenter Unruheherd, auf dessen Boden es den römischen Prokuratoren nie gelang, Recht und Ordnung aufrechtzuerhalten. Die jüdische Empörung gipfelte schließlich nach zahllosen Mißverständnissen und Greueltaten in einem mehrjährigen Aufstand, der den Juden zunächst militärische Vorteile brachte, ehe der spätere Kaiser Vespasianus mit der Kriegsführung beauftragt wurde und den Aufstand blutig niederschlug. Er endete mit der Eroberung Jerusalems und der völligen Zerstörung des erst wenige Jahrzehnte zuvor von Herodes so prachtvoll ausgebauten ‹zweiten› Tempels im August 70, wurde jedoch noch so lange

fortgeführt, bis auch der letzte Widerstand erloschen und *Masada*, die einzige noch verbliebene jüdische Bastion, drei Jahre später gefallen war. Zum erstenmal verlegte Rom eine Legion nach *Iudaea*, die innerhalb der Mauern von Jerusalem stationiert war und von einem *legatus Augusti* befehligt wurde, der gleichzeitig Provinzstatthalter war.

Trotz dieser Demonstration militärischer Stärke erhoben sich die Juden zwei Generationen später noch einmal, als das bis dahin weitgehend wüste Jerusalem wiederaufgebaut und in eine römische Kolonie umgewandelt werden sollte. Der Aufstand unter der Führung des Simeon ben Koziba, auch Bar Kochba (‹Sohn des Sterns›) genannt, verlief ähnlich wie schon der vorhergehende. Auf bedeutende Anfangserfolge der Juden folgte die rigorose Erwiderung durch die römische Heeresmaschinerie, die den Aufstand erbarmungslos niederschlug und jeglichen Widerstand erstickte (135). Alle Juden wurden aus der Stadt vertrieben und unter Androhung der Todesstrafe daran gehindert, sie je wieder zu betreten. Kaiser Hadrianus und Iuppiter zu Ehren hieß die Stadt jetzt *colonia Aelia Capitolina*. Gleichzeitig verschwand der Name *Iudaea* und wurde durch *Syria Palaestina* ersetzt. In *Caesarea*, der Provinzhauptstadt, residierte seitdem ein konsularischer Statthalter, nachdem zur Sicherung eine zweite Legion in die Provinz verlegt worden war, die ihr Lager in *Capercotna* anlegte, das auch schlicht *Legio* hieß, woraus das heutige Ladschun (oder Leggun) unweit von Megiddo (IL) wurde.

Trotz dieser leichten Schwächung verfügte der syrische Statthalter nach wie vor über eine beträchtliche Machtfülle. Als Crassus gegen die Parther zog, unterstanden ihm allein sieben Legionen. In der Folgezeit waren es in der Regel vier Legionen, die zu Beginn der Kaiserzeit zunächst in *Antiochia*, *Laodikeia*, *Kyrrhos* und *Raphaneai* standen und die Euphratgrenze gegen Parthien und Armenien zu sichern hatten, das immer wieder unter parthischen Einfluß geriet. Noch während des 1. Jhs. rückten zwei der syrischen Legionen direkt an den Euphrat vor und bezogen neue Garnisonen in *Zeugma*/Belkis (TR) und *Samosata*/Samsat (TR), nachdem Vespasianus den kleinen Klientelstaat *Kommagene* unmittelbar westlich des Euphrat annektiert hatte (72). Auch wenn sich zur gleichen Zeit durch den Abzug der 10. Legion nach Jerusalem die Zahl der syrischen Legionen auf drei verringerte, so blieb der syrische Statthalter auch weiterhin einer der mächtigsten Männer des Reiches, und die Kaiser taten gut daran, für diesen

verantwortungsvollen Posten Männer ihres Vertrauens auszuwählen. Daß dies nicht immer gelang, die zur Verfügung stehende Machtfülle nur zu verführerisch war, zeigen die Erhebung des C. Avidius Cassius, der 175 versuchte, die Macht im Staat an sich zu reißen, und der Griff des C. Pescennius Niger nach dem Kaiserthron, der sich im April 193 in *Antioch(e)ia* zum Kaiser ausrufen ließ, jedoch bereits ein gutes Jahr später von L. Septimius Severus geschlagen wurde und ein schmähliches Ende fand.

Die unmittelbare Konsequenz, die Septimius Severus als neuer Kaiser noch im gleichen Jahr aus diesen Vorgängen zog, war die Teilung der großen Provinz in *Syria Coële* mit der Hauptstadt *Antioch(e)ia* sowie *Syria Phoenice*, dessen Hauptstadt *Hemesa*/Homs (SYR) wurde. Dies geschah nicht von ungefähr, denn aus dieser Stadt stammte Iulia Domna, die syrische Frau des Kaisers, aus deren Familie die späteren Kaiser Varius Avitus, genannt Elagabalus, und Severus Alexander hervorgingen, der als erster gezwungen war, im Jahre 231 gegen die Sassaniden zu Felde zu ziehen, die kurz zuvor das Partherreich an sich gebracht hatten und seitdem mit Rom um den Besitz von Mesopotamien und Armenien stritten. Zwischen diese Fronten geriet in der zweiten Hälfte des 3. Jhs. die Oasenstadt *Palmyra*, die als römische Kolonie der Provinz *Syria Phoenice* angehörte und als zentraler Umschlagplatz von Luxusgütern aus China, Indien und Arabien überaus reich geworden war. Die Gründung eines eigenen palmyrenischen Staates wurde zwar zunächst von Rom akzeptiert, doch griff Aurelianus 271 ein, als die Fürsten von *Tadmor* – so der alte Name der Oasenstadt – ihren Machtbereich vom Roten Meer bis in das Innere Kleinasiens ausdehnten und Zenobia die politische Unabhängigkeit ihres Reiches

145

Abb. 143   Silberschekel des Bar Kochba. Links: Front des Tempels mit der Beischrift „Jerusalem", darüber ein Stern, das Zeichen Bar Kochbas. Rechts: Palmzweig (sog. lulav) mit der Umschrift „Jahr zwei der Freiheit Israels". Geprägt im Jahre 133.

Abb. 144   Masada (IL). Blick von Süden auf das Lager des L. Flavius Silva und der legio X Fretensis, die Masada 73 eroberte.

Abb. 145   Dura-Europos/As-Salihiya (SYR). Das antike Stadtgebiet am Euphrat. Blick von Westen.

Abb. 146   Palmyra-Tadmor (SYR). Bogentor am Beginn der großen Säulenstraße. Anfang des 3. Jhs. Blick von Südosten.

146

147

proklamierte. Aurelianus schlug die Palmyrener und nahm 272 die Oasenstadt ein, die danach ihre wirtschaftliche Bedeutung für den Fernhandel verlor, dessen Hauptverkehrsachse fortan über die mesopotamischen Städte *Nisibis*/Nesibin (TR) und *Edessa*/Urfa (TR) direkt nach *Antioch(e)ia* führte. Als Grenzstadt am mittleren Euphrat und wichtige Durchgangsstation des Karawanenhandels zwischen dem südlichen Zweistromland und der Mittelmeerküste spielte zeitweise auch *Dura-Europos*/As-Salihiya (SYR) eine wichtige Rolle. Allerdings währte diese Blüte nicht länger als ein knappes Jahrhundert, nachdem der Sassanide Shapur I. die Stadt 256 eingenommen und so gründlich zerstört hatte, daß römische Truppen, die 363 nochmals bis hierher vordrangen, nur noch ein *desertum oppidum* vorfanden (Abb. 145).

Kaiser Diocletianus (284–305) organisierte die syrischen Provinzen neu, die seit dieser Zeit zur *dioecesis Oriens* gehörten. Durch die Teilung der beiden bestehenden entstanden vier neue Provinzen: *Syria I (Coële)* mit *Antioch(e)ia* als Hauptstadt, *Syria II*, das später auch *Augusta Euphratensis* hieß, mit *Apameia*/Qalat Mudiq (SYR), *Phoenicia I* mit der Hauptstadt *Tyros* sowie *Phoenicia II* mit *Damaskus*, das auch *Phoenicia ad Libanum* genannt wurde. *Syria Palaestina* war dagegen offenbar bereits klein genug und blieb ungeteilt. Das inzwischen weitgehend christianisierte Grenzland litt in der Spätantike sehr unter den fortwährenden militärischen Auseinandersetzungen mit den Sassaniden, die unter Chosroes II. zu Beginn des 7. Jhs. Syrien und Palästina eroberten, sich jedoch wenige Jahre später dem byzantinischen Kaiser Herakleios I. (610–641) beugen mußten, der sie wieder vertrieb. Im August 636 siegten jedoch die Araber am Yarmuk, dem größten Nebenfluß des Jordan, wodurch der gesamte Vordere Orient islamisch wurde. Ein Jahr später zog Kalif Omar in Jerusalem ein, das die Araber zunächst *Ilya* nannten, worin sich unschwer das lateinische *Aelia* wiedererkennen läßt.

Die archäologische Forschung auf dem Boden der heutigen Staaten Jordanien, Libanon, Syrien sowie dem äußersten Süden der Türkei, auf deren Boden das heutige Antakya liegt, hat sich bislang in der Hauptsache auf die alten Stadtzentren konzentriert, in denen sich z. T. bedeutende Überreste der römischen Zeit erhalten haben. Generell läßt sich für alle vier Länder sagen, daß sich die örtliche Denkmalpflege, allein schon aus finanziellen Gründen, im wesentlichen darauf beschränkt, das Erhaltene oder durch Ausgrabung und Teilrekonstruktion wieder sichtbar Gemachte zu sichern, während man die archäologische Erforschung der römischen Zeit hauptsächlich ausländischen Missionen und Instituten überließ, die dort vor allem nach dem Zusammenbruch des Osmanischen Reiches tätig wurden. Im wesentlichen sind es deshalb Franzosen und Briten gewesen, die den Vorderen Orient 1917 auch archäologisch unter sich aufteilten. So haben etwa die Franzosen größere Untersuchungen in *Berytos*, *Kyrrhos*, *Tyros* und *Palmyra* durchgeführt, während die Briten archäologisch vor allem in ihrem ehemaligen Mandatsgebiet Palästina tätig waren. Darüber hinaus haben sich neben Belgiern und Polen vor allem amerikanische Forschungsinstitute einen Namen gemacht, zu deren bevorzugten Ausgrabungsplätzen *Antioch(e)ia*, *Gerasa* und *Dura-Europos* gehör(t)en. Größere deutsche Forschungsunternehmen hat es dagegen in der Zeit vor 1917 nur in *Helio-*

polis-Baalbek und *Palmyra* gegeben. Seit 1952 konzentrierten sich die Bemühungen des Deutschen Archäologischen Instituts, das in Damaskus eine Zweigstelle unterhält, u. a. auf die Erforschung der spätrömisch-frühbyzantinischen Ruinenstadt *Resapha-Sergiopolis*/Rusafe (SYR).

Eine gewisse Sonderstellung nimmt demgegenüber das heutige Israel ein, wo die Landesarchäologie zu einer Art ‹Nationalwissenschaft› wurde. Dort gilt zwar das Hauptinteresse der Erforschung der eigenen Geschichte, doch ist diese während des 1. und 2. Jhs. mit der römischen derart eng verflochten, daß beide – die jüdische wie die römische – nicht voneinander zu trennen sind. Monumentale römische Überreste sind deshalb im heutigen Israel und Westjordanland an vielen Plätzen gegenwärtig, in *Aschkelon*/Askalon, *Caesarea* (nahe dem Kibbuz Sdot Yam), *Samaria-Sebaste*/Sebastiya oder *Scythopolis*/Beth Shean, arab. Beisan, ebenso wie in Jerusalem, das unter Hadrianus (117–138) in eine Stadt nach römischem Muster umgebaut wurde und dessen *cardo maximus* bei den Ausgrabungen nach 1967 im Jüdischen Viertel der Altstadt wiedergefunden und in die moderne Bebauung integriert wurde. Das archäologische Paradebeispiel stellt für diesen Zeitabschnitt ohne Zweifel die alte Zelotenfestung *Masada* dar, wo es dem Ausgräber Y. YADIN auf einzigartige Weise gelungen ist, das überlieferte historische Geschehen mit dem archäologischen Befund zu verknüpfen.

Weder *Syria* noch *Iudaea* sind bisher Gegenstand einer zusammenfassenden und grundlegenden Monographie gewesen. Gleichwohl existiert für beide Teile dieser Großprovinz eine Fülle von Teildarstellungen und Einzeluntersuchungen, die einen hohen Forschungsstand belegen.
AAVV., *The Roman and Byzantine Near East: Some recent archaeological research* (1995); J.-M. DENTZER/W. ORTHMANN (eds.), *Archéologie et histoire de la Syrie* II. *La Syrie de l'époque achéménide à l'avènement de l'Islam* (1989); R. DUSSAUD, *Topographie de la Syrie antique et médiévale* (1927); B. M. FELLETI MAJ, *Siria, Palestina, Arabia settentrionale nel periodo romano* (1950); P. K. HITTI, *History of Syria* [2](1957); H. KLENGEL, *Syria Antiqua. Vorislamische Denkmäler der Syrischen Arabischen Republik* (1971); B. LIFSHITZ, *Études sur l'histoire de la province romaine de Syrie*, in: *ANRW* II 8 (1977) 3 ff.; F. MILLAR, *The Roman near east 31 B. C. – A. D. 337* (1994); J.-P. REY-COQUAIS, *Syrie romaine de Pompée à Dioclétien*, in: *JRS* 68, 1978, 44 ff.; E. M. RUPRECHTSBERGER (Hg.), *Syrien. Von den Aposteln zu den Kalifen* (1993); M. SAR-

Abb. 147   Colonia Aelia Capitolina/Jerusalem (IL). Portikussäulen am cardo maximus, errichtet in späthadrianischer Zeit (nach 135).

Abb. 148   Antakya (TR). Blick in einen der Räume des Museums mit Mosaiken aus Antioch(e)ia.

148

TRE, *L'orient Romain. Provinces et sociétés provinciales en Méditerranée orientale d'Auguste aux Sévères* (1991); R. D. SULLIVAN, *The dynasty of Emesa*, in: *ANRW* II 8 (1977) 198 ff.; DERS., *The dynasty of Commagene*, ebd. 732 ff.
F.-M. ABEL, *Histoire de la Palestine depuis la conquête d'Alexandre le Grand jusqu'à l'invasion arabe*, 2 Bde. (1952); G. ALON (ed. G. LEVI), *The Jews in their land in the talmudic age (70–640)*, 2 Bde. (1980/84); S. APPLEBAUM, *Judaea in Hellenistic and Roman times* (1989); M. AVI-YONAH, *A map of Roman Palestine* (1940); DERS., *The Madaba mosaic map* (1954); DERS., *Geschichte der Juden im Zeitalter des Talmud, in den Tagen von Rom und Byzanz* (1962); DERS., *Gazetteer of Roman Palestine* (1976); S. FREYNE, *Galilee from Alexander the Great to Hadrian, 323 B. C. to 135 C. E.* (1980); M. GINSBURG, *Rome et la Judée* (1928); A. KASHER/U. RAPPAPORT (eds.), *Greece and Rome in Eretz Israel* (1990); H.-P. KUHNEN, *Nordwest-Palästina in hellenistisch-römischer Zeit* (1987); DERS., *Studien zur Chronologie und Siedlungsarchäologie des Karmel (Israel) zwischen Hellenismus und Spätantike* (1989); DERS., *Palästina in griechisch-römischer Zeit* (1990). Dazu: TH. WEBER, in: *BJ* 194, 1994, 549 ff.; A. SCHALIT, *König Herodes. Der Mann und sein Werk* (1969); E. SCHÜRER, *Geschichte des jüdischen Volkes im Zeitalter Jesu Christi*, 3 Bde. (1901–07; ND 1970); E. M. SMALLWOOD, *The Jews under Roman rule*, 2 Bde. (1976); R. D. SULLIVAN, *The dynasty of Judaea in the first century*, in: *ANRW* II 8 (1978) 262 ff.
G. M. HARPER, *Village administration in the Roman province of Syria*, in: *Yale Classical Studies* 1 (1928) 105 ff.; P. PETIT, *Libanius et la vie municipale à Antioche au IVe siècle après J.-C.* (1955).
W. ECK, *Zum konsularen Status von Judaea im frühen 2. Jh.*, in: *Bull. Am. Soc. Papyr.* 21, 1984, 55 ff.; A. MOMIGLIANO, *Ricerche sull'organizzazione della Guidea sotto il dominio romano* (63 a. C. – 70 d. C.), *Annali della Scuola Normale di Pisa* 3 (1934).
E. DABROWA, *Les troupes auxiliaires de l'armée romaine en Syrie au Ier siècle de notre ère*, in: *Dialogue d'Histoire Ancienne* 5, 1979, 233 ff.; DIES., *Quelques remarques sur le limes romain en Anatolie et en Syrie à l'époque du Haut Empire*, in: *Folia Orientalia* 21, 1980, 245 ff.; P. FREEMAN/D. KENNEDY, *The defence of the Roman and Byzantine east*, 2 Bde., *BAR Int. Ser.* 297 (1986); M. GAWLIKOWSKI, *Les principia de Dioclétien. Temple des enseignes* (1984); M. H. GRACEY, *The Roman army in Syria, Palestine and Arabia*, Diss. Oxford 1983; B. ISAAC, *The limits of Empire. The Roman army in the east* (rev. ed. 1993); D. L. KENNEDY, *The auxilia and numeri raised in the Roman province of Syria*, Diss. Oxford 1980; DERS./D. RILEY, *Rome's desert frontier from the air* (1990); D. KENNEDY (ed.), *The Roman army in the east* (1996); M. MACKENSEN, *Resafa I. Eine befestigte spätantike Anlage vor den Stadtmauern von Resafa* (1984); R. MOUTERDE/A. POIDEBARD, *Le limes de Chalcis* (1945); A. POIDEBARD, *La trace de Rome dans le désert de Syrie* (1934); J. WAGNER, *Die Römer an Euphrat und Tigris*, Sondernr. Antike Welt (1985).
S. APPLEBAUM, *Prolegomena to the study of the second Jewish revolt (AD 132–135), BAR S* 7 (1976); E. DABROWA, *Legio X Fretensis. A prosopographical study of its officers* (1993); H.-P. KUHNEN, *Mit Thora und Todesmut. Judäa im Widerstand gegen die Römer von Herodes bis Bar-Kochba* (1994); E. METZGER, *Masada 3. The buildings. Stratigraphy and architecture* (1991); M. P. SPEIDEL, *The Roman army in Judaea under the procurators*, in: *Ancient Society* 13/14, 1982/83, 233 ff.; Y. YADIN, *Masada* (1967); DERS., *Bar Kochba* (1971).
F. ALTHEIM/R. STIEHL, *Die Araber in der Alten Welt*, 6 Bde. (1964–69); G. W. BOWERSOCK, *Roman senators from the Near East: Syria, Judaea, Arabia, Mesopotamia*, in: *Tituli* 5, 1982, 651 ff.; DERS., *Studies on the eastern Roman Empire. Social, economic and administrative history, religion and historiography* (1994); R. DUSSAUD, *La pénétration des Arabes en Syrie avant l'Islam* (1955).
L. J. ARCHER, *The Jewish woman in Graeco-Roman Palestine* (1990); M. D. GOODMAN, *State and society in Roman Galilee, A. D. 132–212* (1983); DERS., *The ruling class of Judaea. The origins of the Jewish revolt against Rome A. D. 66–70* (1987); M. HENGEL, *The 'Hellenization' of Judaea in the first century after Christ* (1989); H. KREISSIG, *Die sozialen Zusammenhänge des judäischen Krieges* (1970); J. LIEU/J. NORTH/T. RAJAK, *The Jews among Pagans and Christians* (1992); A. N. SHERWIN-WHITE, *Roman society and Roman law in the New Testament* (1963).
A. BIETENHARD, *Die syrische Dekapolis von Pompeius bis Traian*, in: *ANRW* II 8 (1977) 220 ff.; S. DAR, *Landscape and pattern: An archaeological survey of Samaria, 800 BC–636 CE*, in: *BAR Int. Ser.* 308, 2 Bde. (1986); E. FRÉZOULS, *Observations sur l'urbanisme dans l'orient syrien*, in: *Annales Archéologiques Arabes Syriennes* 21, 1971, 231 ff.; K. W. HARL, *Civic coins and civic politics in the Roman east, AD 180–275* (1987); Y. MESHORER, *City-coins of Eretz-Israel and the Decapolis in the Roman period* (1985); CH. STRUBE, *Die 'Toten Städte'. Stadt und Land in Nordsyrien während der Spätantike* (1996); G. TSCHALENKO, *Villages antiques de la Syrie du Nord*, 2 Bde. (1953/58).
AAVV., *Antioch on the Orontes. Publications of the Committee for the excavation of Antioch and its vicinity*, 5 Bde. (1934–72); J. et J. CH. BALTY, *Apamée de Syrie, archéologie et histoire* I. *Dès origines à la Tétrachie*, in: *ANRW* II 8 (1977) 103 ff.; J. CH. BALTY/W. VAN RENGEN, *Apamée de Syrie. Quartiers d'hiver de la IIe Légion Parthique* (1993); I. BROWNING, *Palmyra* (1979); DERS., *Jerash and the Decapolis* (1982); J. CANTINEAU/J. STARCKY/J. TEIXIDOR, *Inventaire des inscriptions de Palmyre*, 11 Bde. (1930–65); A. CHAMPDOR, *Les ruines de Palmyra* (1963); F. CUMONT, *Fouilles de Doura-Europos 1922–23*, 2 Bde. (1926); G. DOWNEY, *A history of Antioch in Syria from Seleucus to the Arab conquest* (1961); A. J. FESTUGIÈRE, *Antioche païenne et chrétienne* (1959); J. G. FÉVRIER, *Essai sur l'histoire politique et économique de Palmyre* (1931); J. M. FIEY, *Nisibe, métropole syriaque orientale et ses suffragants dès origines à nos jours* (1977); E. FRÉZOULS, *Recherches historiques et archéologiques sur la ville de Cyrrhus*, in: *Annales archéologiques de Syrie* 4/5, 1954, 89 ff.; C. HOPKINS, *The discovery of Dura-Europos* (1979); W. KARNAPP, *Die Stadtmauer von Resafa in Syrien* (1976); C. H. KRAELING, *Gerasa, city of the Decapolis* (1938); J. LASSUS, *La ville d'Antioche à l'époque romaine d'après l'archéologie*, in: *ANRW* II 8 (1977) 54 ff.; J. LAUFFRAY, *Beyrouth Archéologie et Histoire, époques gréco-romaines* I. *Periode héllenistique et Haut-Empire romain*, ebd. 135 ff.; G. PLOUG, *Hama. The Graeco-Roman town* (1985); M. ROSTOVTZEFF u. a., *The excavations at Dura-Europos*, 9 Bde. (1929–52); J. STARCKY/M. GAWLIKOWSKI, *Palmyre* (1985); J. TEIXIDOR, *Un port romain du desert: Palmyre* (1984); J. WAGNER, *Seleukia am Euphrat* (1976); C. WATZINGER/K. WULZINGER, *Damaskus, die antike Stadt* (1921); TH. WIEGAND u. a., *Palmyra* (1932).
N. AVIGAD, *Discovering Jerusalem* (1983); K. BIEBERSTEIN/H. BLÖDHORN, *Jerusalem. Grundzüge der Baugeschichte vom Chalkolithikum bis zur Frühzeit der osmanischen Herrschaft*, 3 Bde. (1994); J. W. CROWFOOT/ K. KENYON/ E. L. SUKENIK, *The buildings of Samaria* (1966); A. FROVA (ed.), *Scavi di Cesarea Marittima* (1966); C. A. M. GLUCKER, *The city of Gaza in the Roman and Byzantine periods, BAR Int. Ser.* 325 (1987); K. G. HOLUM u. a., *King Herod's dream. Caesarea on the sea* (1988); B. ISAAC, *Roman colonies in Judaea: The foundation of Aelia Capitolina*, in: *Talanta* 12/13, 1980/81, 31 ff.; L. KADMAN, *The coins of Aelia Capitolina* (1956); DERS., *The coins of Caesarea Marittima* (1957); DERS., *The coins of Acco-Ptolemais* (1961); L. I. LEVINE, *Caesarea under Roman rule* (1975); B. LIFSHITZ, *Scythopolis. L'histoire, les institutions et les cultes de la ville de l'époque hellenistique et imperiale*, in: *ANRW* ebd. 262 ff.; DERS., *Jerusalem sous la domination romaine. Histoire de la ville depuis la conquète de Pompée jusqu'à Constantin*, ebd. 444 ff.; DERS., *Cesarée de Palestine, son histoire et ses institutions*, ebd. 490 ff.; A. RABAN/K. G. HOLUM, *Caesarea maritima* (1996); Y. YADIN (ed.), *Jerusalem revealed: Archaeology in the Holy City 1968–74* (1975).
R. G. GOODCHILD, *The coast road of Phoenicia and its milestones*, in: *Berytus* 9, 1948, 91 ff.; S. MITTMANN, *Die römische Straße von Gerasa nach Adraa*, in: *ZDPV* 80, 1964, 113 ff.; P. THOMSEN, *Die römischen Meilensteine der Provinzen Syria, Arabia und Palaestina*, ebd. 40, 1917, 1 ff.
R. COHEN, *New light on the Petra-Gaza road*, in: *Biblical Archaeologist* 45, 1982, 240 ff.; S. DAR/S. APPLEBAUM, *The Roman road from Antipatris to Caesarea*, in: *PEQ* 1973, 91 ff.; B. ISAAC, *Milestones in Judaea. From Vespasian to Constantine*, ebd. 110, 1978, 47 ff.; DERS./I. ROLL, *Roman roads in Judaea* 1: *The Legio-Scythopolis road, BAR Int. Ser.* 141 (1982); I. ROLL, *The Roman road system in Judaea*, in: *The Jerusalem Cathedra* 3, 1983, 136 ff.;
O. CALLOT, *Huileries antiques de Syrie du Nord* (1984); F. M. HEICHELHEIM, *Roman Syria*, in: T. FRANK (ed.), *An economic survey of ancient Rome* 4 (1938; ND 1959) 121 ff.; G. KOCH, *Der Import kaiserzeitlicher Sarkophage in den römischen Provinzen Syria, Palaestina und Arabia*, in: *BJ* 189, 1989, 161 ff.; H. STIERLIN, *Petra, Palmyra und Hatra – Handelszentren am Karawanenweg* (1994).
S. APPLEBAUM, *Judaea as a Roman province: the countryside as a political and economic factor*, in: *ANRW* ebd. 355 ff.; A. BÜCHLER, *The economic conditions of Judaea after the destruction of the second temple* (1912); J. P. OLESON/M. A. FITZGERALD/A. N. SHERWOOD u. a., *The harbours of Caesarea Marittima* 2. *The finds and the ship* (1994); B. ROTHENBERG, *Timna* (1972); D. SPERBER, *Aspects of agrarian life in Roman Palestine* I. *Agricultural decline in Palestine during the later principate*, in: *ANRW* ebd. 397 ff.
J. BALTY, *Mosaïques antiques de Syrie* (1977); DERS., *La mosaique antique au Proche-Orient* I. *Dès origines à la Tétrachie*, in: *ANRW* II 12.2 (1981) 347 ff.; S. CAMPBELL, *The mosaics of Antioch* (1988); F. CIMOK (ed.), *Antioch mosaics* (1995); M. A. R. COLLEDGE, *The art of Palmyra* (1976); DERS., *'Parthian' art and the Roman east*, in: *ANRW* II 12.4 (i. Vorb.); J. GUNNEWEG/I. PERLMAN/ J. YELLIN, *The provenance, typology and chronology of eastern Sigillata* (1983); K. PARLASCA, *Die palmyrenische Grabkunst in ihrem Verhältnis zur römischen Gräbersymbolik*, in: *Mitt. Archäol. Ges. Steiermark* 3–4, 1991, 112 ff.; A. PERKINS, *The art of Dura Europos* (1973); M. ROSTOVTZEFF, *Dura-Europos and its art* (1938); A. SCHMIDT-COLINET (Hg.), *Palmyra – Kulturbegegnung im Grenzbereich* (1995); K. TANABE, *Sculptures of Palmyra* I (1986); J. WAGNER, *Neue Denkmäler aus Doliche*, in: *BJ* 182, 1982, 133 ff.; TH. WEBER, *Syrisch-römische Sarkophagbeschläge* (1989).
G. FOERSTER, *A cuirassed bronze statue of Hadrian*, in: *Atiqot* 17, 1985, 139 ff.; R. u. A. OVADIAH, *Hellenistic, Roman and early Byzantine mosaic pavements in Israel* (1987).
E. FRÉZOULS, *Remarques sur les cultes de la Syrie romaine*, in: *ANRW* II 18.6 (i. Vorb.); Y. HAJJAR, *Divinités oraculaires et rites divinatoires en Syrie et en Phénicie à l'époque gréco-romaine*, in: *ANRW* II 18.4 (1990) 2236 ff.; L. M. HOPFE, *Mithraism in Syria*, ebd. 2214 ff.; K. PARLASCA, *Syrische Grabreliefs hellenistischer und römischer Zeit* (1982).
A. CHAMPDOR, *L'acropole de Baalbek* (1959); M. GAWLOKOWSKI, *Le temple palmyrénien* (1973); D. KRENCKER/W. ZSCHIETZSCHMANN, Römische Tempel in Syrien (1938); F. W. NORRIS, *Antioch on-the-Orontes as a religious center* I. *Paganism before Constantine*, in: *ANRW* ebd. 2322 ff.; M. PIETRZYKOWSKI, *Les adytons des temples syriens à l'époque romaine*, in: ANRW II 18.6 (i. Vorb.); F. RAGETTE, *Baalbek* (1980); A. SCHMIDT-COLINET, *Römische Tempel in Syrien*, in: *ANRW* II 12.4 (i. Vorb.).
D. KRENCKER, *Die Wallfahrtskirche des Simeon Stylites in Kalat Siman* (1939); J. LEVINE, *The synagogue in late antiquity* (1987); H. SPANNER/S. GUYER, *Die Wallfahrtsstadt des Heiligen Sergios* (1926); T. ULBERT, *Resafa II: Die Basilika des heiligen Kreuzes in Resafa-Sergiupolis* (1986).

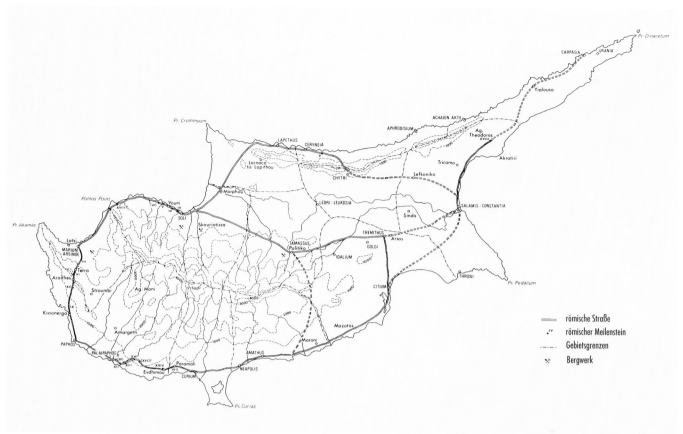

149

150

Cyprus (58 v. Chr.)

Cypros steht hinter keiner Insel des Mittelmeers zurück. Es ist reich an Wein und Öl, erzeugt Getreide im Überfluß und besitzt bei Tamassos große Kupferminen.

STRABON (64/63 v. Chr.–um 25 n. Chr.)

Innerhalb des größten Golfs, den Asien in sich aufnimmt, liegt etwa in der Mitte Cypros. Es ist so riesig, daß es einst neun Königreiche umfaßte und noch heute einige Städte trägt, deren berühmteste Salamis, Paphos und Palaepaphos sind, wo … Venus zuerst dem Meer entstiegen ist.

POMPONIUS MELA (1. Jh.)

Bevor Rom die Hand nach Zypern ausstreckte und als politisches Faustpfand an sich brachte, war die Insel fast zweieinhalb Jahrhunderte lang ein Teil des ptolemäischen Reiches. Allerdings verzichteten die ägyptischen Herrscher darauf, die für ihr Kernland typische zentralistische Verwaltungsstruktur auch auf der Insel zu praktizieren. Sie begnügten sich vielmehr damit, die ertragreichen Kupferminen um die Stadt *Tamassos*, südlich von Nikosia, sowie die Wälder des *Troodos* in staatliche Regie zu nehmen und ihre Interessen durch einen στρατηγός (‹Generalgouverneur›) wahrnehmen zu lassen, der eine starke ptolemäische Garnison befehligte. In dem Maße, in dem sich unter dem wachsenden Einfluß Roms die immer schwächer werdende ptolemäische Zentralmacht in Ägypten vor allem durch dynastische Auseinandersetzungen selber schädigte, wurde aus Zypern *de facto* ein eigenes kleines Königreich, nachdem sich Ptolemaios IX. im Jahre 106 v. Chr. vor seiner Mutter und Mitregentin auf die Insel in Sicherheit bringen konnte und das zyprische Königtum schließlich 80 v. Chr. auf seinen Sohn überging.

Im gleichen Jahr hatte Ptolemaios XI. sein Reich unter Einschluß von Zypern den Römern testamentarisch zum Geschenk gemacht. Obwohl diese damit zweifellos einen Rechtstitel auf die Insel besaßen, machten sie hiervon zunächst keinen Gebrauch, akzeptierten vielmehr die bestehenden Verhältnisse und stützten in Ägypten den neugewählten König

Ptolemaios XII. Auletes nicht nur politisch, sondern auch mit hohen finanziellen Aufwendungen. Damit war der vorletzte Ptolemäerkönig und *socius atque amicus populi Romani* dem römischen Zugriff ausgeliefert und mußte tatenlos mitansehen, wie der römische Senat unter der Führung von M. Porcius Cato ein Heer aussandte, um *Cyprus* dem Reich einzuverleiben (58 v. Chr.).

Die Annexion der Insel hatte politische wie wirtschaftliche Gründe, von denen die letzteren ausschlaggebend gewesen sein dürften. Außenpolitisch bildete die Besetzung der Insel den vorletzten Schritt zur Okkupation Ägyptens, des letzten der hellenistischen Reiche, auch wenn dieses längst *de facto* unter römischer ‹Obhut› stand. Innenpolitisch mag bei der Wahl des Zeitpunktes eine Rolle gespielt haben, daß es auf diese Weise gelang, M. Porcius Cato, den überzeugten Republikaner und erklärten Gegner Caesars für einige Jahre fern von Rom zu wissen. Wirtschaftlich lockten die reichen Ressourcen der Insel, die von denjenigen, die in der ersten Zeit als Statthalter auf die Insel kamen, als willkommene ‹Morgengabe› betrachtet und rücksichtslos ausgebeutet wurden. Schon Cato handelte nach dieser Maxime, als er auf der Basis der bisherigen Erträge aus den königlichen Gütern der Insel den Bewohnern eine Tributlast von 7000 Talenten auferlegte. Lediglich M. Tullius Cicero, der 51/50 v. Chr. von *Cilicia* aus auch für *Cyprus* zuständig war, scheint die Insel im ganzen mustergültig und bewußt korrekt verwaltet zu haben.

Cyprus war zunächst keine selbständige Provinz, sondern ein Teil von *Cilicia*. Diese erste provisorische Verwaltungslösung war hinfällig, als Zypern für fast zwei Jahrzehnte zuerst durch Caesar (47 v. Chr.) und dann durch M. Antonius (36 v. Chr.) noch einmal an Ägypten zurückfiel. Erst durch die Entscheidung bei *Actium* (31 v. Chr.) sowie die anschließende Eroberung Ägyptens im darauffolgenden Jahr wurde die Insel endgültig römisch; seitdem bildete sie eine selbständige Provinz. Wurde sie anfangs noch von kaiserlichen Legaten verwaltet, gehörte *Cyprus* spätestens seit 22 v. Chr. zu den Senatsprovinzen, in denen ein *proconsul* residierte. Als Provinzhauptstadt wurde *Nea Paphos* an der Südwest-Küste Zyperns gewählt (beim heutigen Ktima), das bereits in der Ptolemäerzeit Sitz der Regierung gewesen war und spätestens in flavischer Zeit zur *colonia Au-*

gusta Claudia Flavia erhoben wurde. *Nea Paphos*, das von dem weiter östlich gelegenen *Palaepaphos* zu unterscheiden ist, wo sich – beim heutigen Kouklia – das berühmte Aphrodite-Heiligtum der Insel befand, war auch Sitz des κοινὸν Κύπρου, des cyprischen ‹Landtages›, der im wesentlichen für die Organisation von Wettspielen und die Ausgestaltung des Kaiserkults zuständig war. Die gesamte Insel wurde in vier Rechtsbezirke eingeteilt, deren Zentren neben *Nea Paphos* die Städte *Amathus* (an der Südküste östlich von Limassol), *Salamis* (nördlich von Famagusta) und *Lapethos* waren (an der Nordküste westlich von Kyrenia-Girne).

Seit Beginn der Kaiserzeit profitiert *Cyprus* in steigendem Maße von seiner ausgeprägten Binnenlage, die Voraussetzung dafür ist, daß die Insel – von ganz geringen Ausnahmen abgesehen – jahrhundertelang in tiefem Frieden lebt, bis sie mit dem Auftreten der Araber und dem gleichzeitigen Rückzug Ostroms unter Herakleios I. (610–641) ihre geschützte Binnenlage wieder verliert und wie schon in vorrömischer Zeit zu einem umkämpften Außenposten wird. Vor allem in frührömischer Zeit blühen Industrie und Handel, werden das Straßennetz der Insel ausgebaut und für Zyperns Produkte neue Märkte erschlossen. Nach wie vor spielt die Kupfergewinnung und -verarbeitung von *Tamassos* eine gewichtige Rolle, nach wie vor liefern die Wälder des *Troodos* Holz für den Bau von Schiffen, und die Zyprioten – von alters her bekannt für ihre Schiffbautradition – können sich rühmen, ein Schiff vollständig aus landeseigenen Rohmaterialien bauen und ausrüsten zu können (AMMIANUS MARCELLINUS). Frieden und Wohlstand kommen, soweit heute erkennbar, vor allem den Städten zugute, die sich im wesentlichen selbst verwalten und mit prachtvollen Bauten schmücken.

Nur einmal wird in dieser Zeit die innere Ruhe der Insel empfindlich gestört. Der im Jahre 115 von der *Cyrenaica* ausgehende Aufstand der jüdischen Bevölkerung greift auch auf *Cyprus* über und führt dort zu blutigen Auseinandersetzungen, die vielen Menschen das Leben kosten. Allerdings dürften die in der antiken Literatur genannten Zahlen von 240 000 Toten allein auf der Insel reine Propaganda sein, die wohl hauptsächlich gegen die Mauren Lusius Quietus gerichtet war, einen der loyalsten, aber auch brutalsten Generäle Trajans, den der Kaiser 117 mit der Niederschlagung des

Abb. 149 Cyprus Romanus. Übersichtskarte der Städte, Siedlungen, Verkehrswege und Bergwerke. Nach T. B. MITFORD.

Abb. 150 Nea Paphos (CY). Namengebendes Mosaik aus der sog. Villa des Theseus. Dargestellt ist der Kampf der Theseus gegen Minotaurus.

Aufstandes beauftragte, der inzwischen weite Teile von Mesopotamien, Syrien, Judäa, Ägypten und Zypern erfaßt hatte. Lusius Quietus, einer der bestgehaßtesten Männer der talmudischen Tradition, erfüllte seinen Auftrag zur Zufriedenheit des Kaisers und erstickte den Aufstand in einem Meer aus Blut. Den Quellen nach sollen hierbei alle Juden aus Zypern vertrieben worden sein.

Bis dahin muß die Zahl der jüdischen Gemeinden auf der Insel recht bedeutend gewesen sein. Dabei ist davon auszugehen, daß zunächst diese Gemeinden auch das bevorzugte Ziel frühchristlicher Missionstätigkeit waren. Allerdings berichten die Apostelgeschichte und andere Quellen, daß Paulus und Barnabas, der aus *Salamis* stammte, bei den Juden Zyperns nur auf geringe Gegenliebe stießen und Barnabas seinen Einsatz für die neue Lehre später sogar mit dem Tod bezahlen mußte, als er von den Juden in *Nea Paphos* gesteinigt und verbrannt wurde. Dagegen berichtet die Apostelgeschichte (13,6 ff.), daß es Paulus in der Provinzhauptstadt gelungen sei, L. Sergius Paullus, den damaligen Statthalter der Insel, wenn nicht zum Christentum zu bekehren, so doch in starkem Maße für die neue Religion zu interessieren. Grundsätzlich muß gesagt werden, daß es über weitere christliche Aktivitäten bis zum Beginn des 4. Jhs. so gut wie keine historisch verwertbaren Nachrichten gibt. Dennoch darf als sicher angenommen werden, daß sich das Christentum während dieser Zeit kontinuierlich über die ganze Insel ausgebreitet hat. Ebenso sicher ist aber auch, daß die Tempel der alten Götter bis weit in das 4. Jh. hinein in Benutzung waren.

Die schwere Krise, die das römische Reich erstmals im 3. Jh. erschütterte, war auf *Cyprus* nur von ferne zu spüren. Lediglich einmal ist davon die Rede, daß im Jahre 269 eine gotische Flotte außer Kreta und Rhodos auch Zypern heimsuchte. Auch die diokletianische Reichsreform hatte keinerlei Auswirkungen auf die Insel. *Cyprus* gehörte fortan zur *dioecesis Oriens* und blieb ungeteilt. Dagegen wechselte der Sitz des Statthalters von *Nea Paphos* nach *Salamis*, das nach den Zerstörungen zweier Erdbeben durch Constantius II. (337–361) großzügig wiederaufgebaut wurde und sich seitdem *Constantia* nannte, während *Nea Paphos* nach den Worten des Kirchenvaters Hieronymus bereits gegen Ende des 4. Jhs. zu einer Ruinenlandschaft geworden war, die nur noch Spuren dessen aufwies, was die Stadt einst gewesen war («von Dichtern gepriesen, aber durch häufige Erdbeben zerstört»).

Bis zum endgültigen Sieg des Islam um die Mitte des 7. Jhs. blieb Zypern weitgehend von den Unruhen und Erschütterungen verschont, die in dieser Zeit zum wirtschaftlichen und politischen Verfall des Weströmischen Reiches führten. Handel und Gewerbe blühten auch weiterhin, doch waren es nun vor allem landwirtschaftliche Erzeugnisse, die den Wohlstand der Insel sicherten, nicht mehr die Erträge aus dem Export von Kupferwaren oder Bauholz für Schiffe. Dafür gewann die Produktion und Verarbeitung von Seidenstoffen an Bedeutung, nachdem Iustinianus I. (527–565) die Seidenraupenzucht auf Zypern heimisch gemacht hatte. Die späte Blüte fand ihren sichtbaren Ausdruck wiederum in den Städten der Insel, von denen die meisten zu Bischofssitzen wurden und in denen neben wenigen Profanbauten vor allem zahlreiche Basiliken und Baptisterien errichtet wurden, von denen die fünfschiffige Epiphanios-Basilika in *Salamis* und die Basiliken am Kap Drepanon, nordwestlich von *Nea Paphos*, zu den bedeutendsten zählen. Die umfassenden Zerstörungen, die schließlich Muawija, damals noch Emir von Damaskus und späterer Begründer der Ommayaden-Dynastie, im Jahre 647 vor allem im Osten der Insel anrichtete, bedeuteten für Zypern das Ende einer jahrhundertelangen Friedenszeit wie einer Epoche. Am eindrucksvollsten vermitteln dies die lange von Sand bedeckten Ruinen von *Salamis-Constantia*, das damals endgültig zerstört wurde und dessen Sandsteinmauern selbst heute noch die Spuren des Feuers erkennen lassen, das zum Untergang dieser antiken Metropole geführt hat.

Die wissenschaftliche Erforschung der Ruinenstätten Zyperns aus griechischer und römischer Zeit stellt eine noch recht junge Entwicklung dar, die erst mit der Unabhängigkeit der Insel richtig eingesetzt hat (1960). Bis dahin hatten sich in der Hauptsache britische, schwedische, französische und griechische Forscher, dazu zahlreiche Amateurarchäologen, vor allem mit den älteren Epochen der zyprischen Vergangenheit beschäftigt. Erst mit dem Aufbau einer funktionierenden Altertümerverwaltung (Department of Antiquities of Cyprus) und dem Erlaß eines Gesetzes zum Schutz der Altertümer Zyperns (1964) wurde es möglich, Forschungsschwerpunkte zu bilden und systematische Grabungen an Stätten wie *Kourion*, *Nea Paphos* oder *Salamis* in Angriff zu nehmen, die zum Ziel hatten, die Topographie, Architektur und Geschichte dieser Städte zu erforschen und die freigelegten Bauten zu sichern und

dauerhaft zu erhalten. In vorbildlicher Weise ist dies im alten Stadtgebiet von *Salamis-Constantia* geschehen, wo V. KARAGEORGHIS seit 1952 umfangreiche Ausgrabungen durchgeführt hat. Ähnlich erfolgreich waren die Untersuchungen amerikanischer Archäologen in *Kourion* an der Südküste Zyperns, die u. a. der bedeutenden Kultstätte des Apollon Hylates galten. Von besonderem Rang sind auch die Entdeckungen einer zyprisch-polnischen Archäologengruppe in *Nea Paphos*, wo u. a. eine Peristylvilla des 3. Jhs. mit mehr als siebzig Zimmern und reichem Mosaikschmuck freigelegt werden konnte, von der wohl mit Recht vermutet wird, daß sie den römischen Statthaltern als Residenz gedient hat (Abb. 150).

Untersuchungen und Forschungen zur Geschichte und Archäologie des römischen *Cyprus* haben sich bislang auf nur wenige Plätze der Insel konzentriert. Die beste Zusammenfassung bietet: T. B. MITFORD, *Roman Cyprus*, in: *ANRW* II 7.2. (1980) 1285 ff.

V. CHAPOT, *Les Romains et Chypre*, in: *Mél. R. Cagnat* (1912) 59 ff.; G. F. HILL, *A history of Cyprus* I (1949); G. C. IOANNIDES (ed.), *Studies in honour of V. Karageorghis* (1992); V. KARAGEORGHIS, *Ten years of archaeology in Cyprus 1953–62*, in: *AA* 1963, 498 ff.; DERS., *Zypern* (1968) bes. 234 ff.; DERS., *Cyprus* (1982); DERS. (ed.), *Archaeology in Cyprus 1960–85* (1985); E. KIRSTEN, s. v. *Cyprus*, in: *RAC* 3 (1957) 481 ff.; F. G. MAIER, *Cypern. Insel am Kreuzweg der Geschichte* (1964) bes. 48 ff.; E. OBERHUMMER, *Die Insel Cypern* I (1903); O. VESSBERG/A. WESTHOLM, *The Hellenistic and Roman periods in Cyprus*, in: E. GJERSTAD u. a., *The Swedish Cyprus Expedition* Bd. IV.3 (1956).

T. B. MITFORD, *New inscriptions from Roman Cyprus*, in: *Opusc. Archaeol.* 6, 1950, 1 ff.; DERS. (ed.), *The inscriptions of Kourion* (1971); DERS./I. NICOLAOU (eds.), *Inscriptions from Salamis* (1974).
E. BADIAN, *M. Porcius Cato and the annexation and early administration of Cyprus*, in: *JRS* 55, 1965, 110 ff.; M. CHRISTOL, *Proconsuls de Chypre*, in: *Chiron* 16, 1986, 1 ff.; W. OTTO/H. BENGTSON, *Zur Geschichte des Niederganges des Ptolemäerreiches* (1938).

A. H. M. JONES, *Cities of the eastern Roman provinces* ²(1971); V. KARAGEORGHIS, *Recent discoveries at Salamis (Cyprus)*, in: *AA* 1966, 210 ff.; DERS., *Salamis in Cyprus* (1970). Deutsche Ausgabe: DERS., *Salamis. Die zyprische Metropole des Altertums* (1970) bes. 221 ff.; F. G. MAIER/V. KARAGEORGHIS, *Paphos* (1984); K. NIKOLAOU, *The topography of Nea Paphos*, in: *Mél. à K. Michalowski* (1966) 561 ff.; R. STILWELL, *Kourion the theatre*, in: *Proceedings of the American Philosophical Society* 105 (1961).

S. HADJISAVVAS, *Olive oil processing in Cyprus from the Bronze Age to the Byzantine period* (1992).

W. A. DASZEWSKI, *Nea Paphos 2. La mosaïque de Thesée* (1977); DERS./D. MICHAELIDES, *Mosaic floors in Cyprus* (1988); DIESS., *Guide to the Paphos mosaics* (1988); J. W. HAYES/ L. L. NEURU, *Nea Paphos 3. The Hellenistic and Roman pottery* (1991); V. KARAGEORGHIS, *Sculptures from Salamis* I (1964); DERS./C. C. VERMEULE, *Sculptures from Salamis* II (1966).

W. A. DASZEWSKI, *Dionysos, der Erlöser. Griechische Mythen im spätantiken Zypern* (1985); T. B. MITFORD, *The cults of Roman Cyprus*, in: *ANRW* II 18.3 (1990) 2176 ff.; V. KARAGEORGHIS, *Excavations in the Necropolis of Salamis*, 4 Bde. (1967–78); R. SCRANTON, *The architecture of the temple of Apollo Hylates at Kourion*, in: *TAPA* 57, 1967, 3 ff.; A. WESTHOLM, *The temples of Soli* (1936).

Aegyptus (30 v. Chr.)

Dort aber ist der Göttin Heim; denn alles, was irgend auf der Erde ist und wird, ist in Aigyptos: Reichtum, Ringschulen, Macht, heiterer Himmel, Ruhm, Schaustellungen, Philosophen, Goldgeschmeide, junge Männer, der Geschwistergötter Tempel (Ptolemaios II. Philadelphos [285–246 v. Chr] und Arsinoë II.), der brave König (Ptolemaios III. Euergetes [246–221 v. Chr.]) , das Museum, Wein – kurz, alles Gute, was man nur wünschen mag, und Frauen erst, so viel, daß selbst der Himmel . . . so vieler Sterne sich nicht rühmen kann.

HERONDAS (3. Jh. v. Chr.)

Der Wohlstand der Stadt (Alexandria) aber ist vor allem darin begründet, daß von ganz Ägypten allein dieser Platz zu beidem geschaffen ist: zum Seehandel wegen der guten Hafenverhältnisse und zum Binnenhandel, da der Strom wie ein bequemer Fährmann alles transportiert und an einem Platz zusammenführt, der der größte Handelsplatz der Welt ist .

STRABON (64/63 v. Chr. – um 25 n. Chr.)

Die reiche Flußoase des mittleren, vor allem aber des unteren Niltals, die die Griechen *Aigyptos* nannten, stellte für die Römer ohne Zweifel etwas Besonderes dar. Ägypten war für die meisten Menschen jener Zeit ein fernes, weithin unbekanntes Land. Was viele Römer wohl in besonderer Weise faszinierte, war die jahrtausendalte Geschichte dieses Landes mit seiner reichen, sehr ausgeprägten und eigenständigen Kultur, die Roms Kaiser und ihre Vertreter so sehr beeindruckte, daß sie – wie zuvor schon die Ptolemäer – ihre eigenen monumentalen Bauten fast ausschließlich im altägyptischen Stil errichten ließen (Abb. 75). Es scheint auch, daß die Römer lange gezögert haben, Ägypten in ihren Einflußbereich einzugliedern und zur Provinz zu machen, was politisch wie vor allem militärisch schon lange vor dem Ende des ptolemäischen Herrscherhauses möglich gewesen wäre.

Das Ägypten allerdings, das die Römer schließlich nach dem Tod von Kleopatra VII. in Besitz nahmen, bot nur noch einen schwachen Abglanz vergangener Jahrhunderte. Vor allem befand sich das Land damals wirtschaftlich in einem Zustand tiefster Depression. Dreihundert Jahre zuvor war Ägypten kampflos in die Hand Alexanders gefallen, sein einstiger Leibwächter Ptolemaios hatte seit 323 v. Chr. das Land behauptet und 305 v. Chr. den Königstitel angenommen. Dieses Ägypten, das unter Ptolemaios III. Euergetes (246–221 v. Chr.) seine größte Ausdehnung erfuhr, bildete zunächst eine Macht, mit der sich Rom nicht anzulegen wagte, zumal es zu dieser Zeit vollauf damit beschäftigt war, Karthago niederzuringen. Doch schon unter den beiden nachfolgenden Ptolemäern begann der politische und wirtschaftliche Verfall des Reiches. Die meisten Außenbesitzungen in Syrien, Kleinasien, Thrakien sowie auf den ägäischen Inseln gingen verloren; später folgten dann auch Zypern und die Kyrenaika. Außenpolitisch geriet das Ptolemäerreich immer stärker in römische Abhängigkeit, während es im Innern durch Aufstände erschüttert wurde, die sich gegen die griechisch-makedonische Oberschicht richteten. Als Ägypten um die Mitte des 1. Jhs. v. Chr. erstmals direkt in die römische Politik

151

hineingezogen wurde, stand das Land praktisch vor dem Zusammenbruch. Mit Caesars Hilfe gelang es Kleopatra VII. zwar nochmals, die Alleinherrschaft zu sichern, doch blieb dies Episode. Die endgültige Entscheidung fiel bei *Actium* (31 v. Chr.) und ein Jahr später vor den Toren Alexandrias, nachdem M. Antonius und seine Geliebte Selbstmord begangen hatten. *Aegyptus* wurde römische Provinz und blieb fortan dem Kaiser direkt unterstellt, der das Land – anders als alle anderen Provinzen des Reiches – als persönlichen Besitz betrachtete und darin die Nachfolge der ptolemäischen Könige antrat.

Abb. 151   Kleopatra VII. (69 – 30 v. Chr.). Rückseite eines Denars des M. Antonius, geprägt ca. 32/31 v. Chr. in der Provinz Asia, wohl in Ephesus (Sydenham 1210).

Abb. 152   Praeneste/Palestrina (I). Fußbodenmosaik aus dem Fortuna-Heiligtum mit phantasievoller Darstellung der Nilschwemme (Ausschnitt). 1. Jh. v. Chr.

152

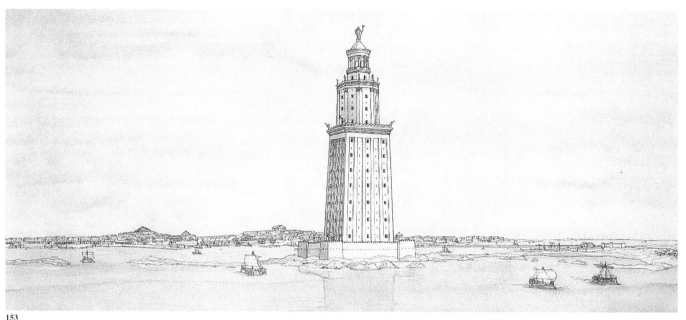

153

Die relativ umfangreichen Kenntnisse über Ägypten beruhen vor allem auf der großen Anzahl von Papyri, die z.B. im mittelägyptischen *Oxyrhynchos* gefunden wurden und wertvolle Aufschlüsse zu zahlreichen Aspekten römischen Lebens in Ägypten bieten. Vor allem machen sie deutlich, daß Verwaltung und Wirtschaft des Landes, das ja nicht viel mehr war als ein langgestreckter Streifen fruchtbaren Landes, das intensiv bewässert und bebaut wurde, bereits in ptolemäischer Zeit überaus straff und zentralistisch geführt wurden, um das agrarische Potential des Landes voll auszuschöpfen. Auf Grund seiner besonderen geographischen Beschaffenheit war eine zentrale Kontrolle des Nillandes von Alexandria aus möglich. Hier hatte in vorrömischer Zeit der διοικητής (‹Staatsverwalter›) seinen Sitz, der über rund 40 νομο (‹Gaue›) gebot, die ihrerseits in τοπαρχεῖαι (‹Distrikte›) bzw. κῶμαι (‹Dörfer›) untergliedert waren. Praktisch gab es damit im ptolemäischen Ägypten keinen Lebensbereich, der nicht von der allmächtigen Verwaltungsbürokratie erfaßt werden konnte.

Die Römer taten gut daran, diese wohldurchdachte Ordnung beizubehalten und alles zu tun, um das Land nach jahrzehntelanger Mißwirtschaft wieder zu ‹befrieden›, seine Infrastruktur zu erneuern und somit wieder jene Überschußmengen an Getreide zu produzieren, deren Export die Hauptquelle des ptolemäischen Reichtums gewesen war. Roms ‹Vizekönig› war der *praefectus Aegypti*, ein Mann aus dem Ritterstand, der dem Kaiser direkt unterstellt war und u.a. dafür zu sorgen hatte, daß kein römischer Senator ägyptischen Boden betrat. Im übrigen folgte die kaiserliche Politik dem Grund-

prinzip, die ägyptische Landbevölkerung in Abhängigkeit zu halten und den größtmöglichen Getreideertrag aus dem Land herauszupressen, der insbesondere für die Versorgung Roms bestimmt war.

Von bis zu 175 000 t jährlich ist in einer zeitgenössischen Quelle die Rede, was deutlich macht, wie ertragreich das Nilland in römischer Zeit war. Diese Zahl offenbart aber auch, daß *Aegyptus* – anders als andere Provinzen in der Kaiserzeit – systematisch ausgebeutet wurde. In gesellschaftlicher Hinsicht bedeutete dies, daß die Vertreter der Oberschicht, bestehend aus zugezogenen römischen Bürgern, den Repräsentanten der Griechenstädte *Alexandria* und *Ptolemais* sowie den hellenisierten Einheimischen in den Hauptorten der einzelnen Gaue, dazu die alteingesessene ägyptische Priesterschaft, die ihre Privilegien im wesentlichen behalten hatte und nun dem römischen Kaiser huldigte, z. T. unvorstellbare Reichtümer anhäuften, während große Teile der ägyptischen Landbevölkerung verarmten und verelendeten, weil sie – anders als die Reichen, die ganz oder teilweise davon befreit waren – die volle Steuerlast zu tragen hatten. Viele Menschen, darunter auch zahlreiche Vertreter des griechischen Bürgerstandes, die in zunehmendem Maße zu kommunalen Sonderleistungen, den sog. Leiturgien, herangezogen wurden, blieb dann oft nur der ‹Rückzug› (ἀναχώρησις) in die angrenzende Wüste, um sich dem staatlichen Druck zu entziehen, eine Reaktion, die gerade in Ägypten viele Nachahmer gefunden hat und im 4. Jh. zur Keimzelle des ägyptischen Mönchtums wurde.

Aegyptus war wirtschaftlich für die Römer jedoch nicht nur als Weizenlieferant

wichtig. Aus dem Studium der Papyri geht vielmehr hervor, daß z.B. die Produktion von Leinwand ständig zunahm und es mitunter schwerfiel, genügend Arbeitskräfte für die Landwirtschaft zu finden. Große Bedeutung besaß neben dem Obstanbau vor allem auch die Produktion von Papyrus sowie die Blumenzucht zur Parfümherstellung. Wichtige Exportgüter waren auch Gläser, Edelsteine sowie Gegenstände aus Elfenbein. Eine wichtige Rolle – zumindest aus der Sicht des Kaisers, der Besitzer aller Bodenschätze im Reich war – spielte schließlich die Ausfuhr von Düngemitteln wie z.B. Natron sowie der Abbau und Export von Granit, Marmor, Alabaster und Porphyr, Gesteinsarten, die z. T. nahe dem Nil gebrochen wurden und ohne große Mühe auf Schiffen und Flößen flußabwärts bis nach *Alexandria* gelangen konnten, um von dort aus weiterverschifft zu werden. Hier befand sich die ‹Drehscheibe› für den weitgespannten Handelsverkehr, der *Aegyptus* über seinen wichtigsten See- und Binnenhafen *Alexandria* einerseits mit dem Mittelmeerraum, andererseits in zunehmendem Maße mit Äthiopien und Indien verband, nachdem es zwei Kaufleuten aus *Kyzikos* an der Südküste des Marmara-Meeres bereits 117/116 v. Chr. gelungen war, das Geheimnis der Monsunwinde zu ergründen und den direkten Seeweg nach Indien zu finden.

Wie weit Rom im übrigen darin ging, die gewachsenen Strukturen des Landes zu erhalten, zeigt sich u.a. auch im Städtebau. Anders als in vielen Teilen des Reiches haben die Römer auf ägyptischem Boden keine Städte gegründet, bewußt wohl auch urbanes Wachstum verhindert.

So gab es mit *Alexandria* im Norden und *Ptolemais* im Süden, dazu der alten Griechengründung *Naukratis* im Nildelta, lediglich drei größere Städte, während die meisten anderen Plätze, die in den Quellen jener Zeit gern als πόλεις (‹Städte›) bezeichnet werden, oft wohl eher großen dorfähnlichen Ansiedlungen glichen. Allerdings muß einschränkend angemerkt werden, daß archäologisch nur die wenigsten dieser Siedlungsplätze römischer Zeit auch nur annähernd bekannt sind. Dort, wo wie z.B. im mittelägyptischen Gauvorort *Hermopolis Magna*/El Ashmunein Ausgrabungen stattgefunden haben, besitzen die Überreste säulengeschmückter Großbauten, zumindest im ehemaligen Zentrum, durchaus städtischen Charakter. Wie weit die Macht des *praefectus Aegypti* reichte, ist im übrigen auch daran ablesbar, daß die drei Städte Ägyptens – unter Hadrianus kam noch *Antinoopolis* hinzu – nicht wie andere Städte des Reiches weitgehend autonom regiert wurden. Erst Septimius Severus (193–211) billigte den Alexandrinern einen eigenen Stadtrat zu.

Zu diesem Zeitpunkt war *Alexandrea ad Aegyptum*, wie die Stadt in der Kaiserzeit offiziell hieß, längst zu jener Weltstadt und Handelsmetropole geworden, von der antike Autoren wie Strabon und Diodorus Siculus voller Bewunderung berichten, nachdem sie selbst um die Zeitenwende die Stadt besucht und ihren Glanz und vielfältigen Reichtum erlebt hatten. Ihre z. T. sehr detaillierten Beschreibungen bilden heute die wichtigste Quelle für die Rekonstruktion dieser hellenistisch-römischen Großstadt, von der viele Griechen meinten, sie sei größer noch als Rom. Zur Zeit Napoleons I. (1798), als *Alexandria* gerade noch etwa 6000 Einwohner zählte – ca. 2% der Bewohner in römischer Zeit! – hätte noch die Chance bestanden, das riesige Trümmerfeld der alten Stadt zwischen dem Mareotis-See und den antiken Häfen mit der vorgelagerten Insel *Pharos*, auf der der größte Leuchtturm der Antike stand, weitestgehend unbesiedelt zu lassen, um dort – ähnlich wie wenige Jahrzehnte zuvor in *Pompeii* – mit systematischen Ausgrabungen zu beginnen. Die Neugründung Alexandriens zu Beginn des 19. Jhs.

machte jedoch diese einzigartige Möglichkeit zunichte, um so mehr, als sich die neugegründete Stadt auf Grund ihrer Lage wieder rasch zu einem bedeutenden Seehafen und Wirtschaftsplatz entwickelte.

So gibt es heutzutage nur noch ganz wenige Bauten, von denen antike Quellen sprechen und die sich heute noch im Stadtgebiet nachweisen lassen. Es sind allesamt Baureste der römischen Zeit, die bis heute sichtbar geblieben sind oder durch Grabungen hauptsächlich britischer, italienischer und zuletzt polnischer Archäologen wieder zutage kamen. Dagegen liegt das spätptolemäische *Alexandria* mehrere Meter unter dem heutigen Stadtniveau, wozu u. a. die schon von Strabon und anderen Autoren erwähnten Seebeben und Überflutungen maßgeblich beigetragen haben dürften, von denen vor allem die tiefer gelegenen Stadtviertel offenbar wiederholt betroffen waren. So kennt man heutzutage weder den Platz der lange Zeit größten Bibliothek, die ein Teil des μουσεῖον war, der ‹ältesten Universität der Welt›, noch den des σῆμα ᾿Αλεξάνδρου, des Alexandergrabes, um dessen Identifizierung sich schon ganze Generationen von Archäologen und Althistorikern vergeblich bemüht haben.

Ohne Zweifel dürfte es von besonderem Reiz sein, der Frage nachzugehen, wie lebendig die ägyptische Tradition auch in hellenistisch-römischer Zeit fortwirkte und inwieweit sie sich neuen Tendenzen öffnete bzw. griechische und römische Vorstellungen die Bau- und Bildniskunst im Ägypten jener Zeit beeinflußt haben. Grundsätzlich läßt sich hierzu sagen, daß griechisch-römische Elemente vor allem in den Städten vorherrschend waren, wo es wohl nur gelegentlich wie z.B. in der alexandrinischen Nekropole Kôm-es-Shukâfa zu einer eigentümlichen Vermischung griechisch-römischer und ägyptischer Stilmerkmale kam, während im Innern des Landes die altägyptischen Traditionen und Bildnisformen fast ungebrochen weitergeführt wurden, ablesbar etwa an den Bauten römischer Kaiser in Kalabsha oder auf der Insel *Philae* (Abb. 75). Unter deutlichem hellenistisch-römischem Einfluß sind dagegen die zahlreichen Mumienportraits entstanden, von denen viele in der Oase Faiyum gefunden wurden. Es handelt sich hierbei um Bilder auf dünnen Holztafeln oder Leinwand, die das in aller Regel nach dem Leben gemalte Portrait des Verstorbenen zeigen und am Kopfende der Mumienbandage so angebracht waren, als schaue der oder die Tote aus der Umhüllung aus Stuck und Leinenstreifen hervor. Inwieweit hier die römische Por-

154

traitmalerei, ausgehend von den Totenmasken, die bei Begräbnissen im Trauerzug mitgeführt wurden, stilbildend mitgewirkt hat, mag dahingestellt sein. In jedem Fall gehören die ägyptischen Mumienportraits des 1.–4. Jhs. in künstlerischer Hinsicht zum Qualitätvollsten, was das römische Ägypten hervorgebracht hat.

In der Spätantike erfuhr *Aegyptus* eine ähnliche Entwicklung wie die meisten anderen Provinzen. Diocletianus (284–305), auf den auch die letzte schwere Christenverfolgung in Ägypten zurückgeht, teilte das Nilland in die drei Provinzen *Aegyptus Iovia* mit der Hauptstadt *Alexandria*, *Aegyptus Herculia* mit der Hauptstadt *Hermopolis* sowie *Thebais*, deren Hauptstadt *Ptolemais* wurde. Eine radikale Änderung des Steuersystems durch denselben Kaiser verschärfte nur noch die sozialen Spannungen, die im Land ohnehin schon bestanden. Die neue Besteuerung legte nicht nur dem ägyptischen Landvolk weitere, drückende Lasten auf, sondern führte auch zum endgültigen Niedergang der hellenisierten Stadtbevölkerung. In ihrer Not wandten sich die Menschen beider Schichten in großer Zahl dem Christentum zu, das auf ägyptischem Boden durch den Gebrauch der koptischen Sprache, einer Weiterführung des Ägyptischen unter Benutzung des angepaßten griechischen Alphabets, eine besondere Ausprägung

Abb. 153   Alexandria (ET). Blick auf den Pharos und die Hafenanlagen der Stadt. Rekonstruktionsskizze J.-C. GOLVIN.

Abb. 154   Mumienportrait eines Mädchens. Fundort unbekannt. Anfang des 3. Jhs. Bonn, Akademisches Kunstmuseum.

erfuhr. Dieser Hang zur Eigenständigkeit fand im übrigen schon früh seinen Ausdruck vor allem darin, daß sich die koptische Kirche zunehmend verselbständigte und den ersten ernsthaften Kirchenlehrstreit, in dem es um die Zwei-Naturen-Lehre Christi ging, zum Anlaß nahm, sich von der Gesamtkirche abzuspalten, worauf die ägyptische Kirche auf dem Konzil von *Kalkedon* (451) für häretisch erklärt wurde. Diese völlige Loslösung von Konstantinopel machte es den Arabern knapp zwei Jahrhunderte später leicht, das Land in ihre Gewalt zu bringen und Ägypten zu einem Kernland des Islam zu machen.

Die römische Provinz *Aegyptus* kann auf verschiedenen Gebieten, insbesondere in wirtschaftlicher Hinsicht, als relativ gut erforscht gelten. Dabei hat das wissenschaftliche Interesse für die römische Zeit erst vergleichsweise spät eingesetzt.

D. M. BAILEY (ed.), *Archaeological research in Roman Egypt*, Coll. London 1993 (1996); H. I. BELL, *Egypt from Alexander the Great to the Arab conquest* (1956); A. K. BOWMAN, *Egypt after the Pharaohs: 332 B. C. – A. D. 624* ²(1990); A. E. BRECCIA, *Egitto greco-romano* ³(1957); L. CRISCUOLO/G. GERACI (eds.), *Egitto e storia antica dall'ellenismo all'età araba*, Atti del coll. internaz. Bologna 1987 (1989); J. DESANGES, *Les relations de l'Empire Romain avec l'Afrique nilotique et érythéenne, d'Auguste à Probus*, in: *ANRW* II 10.1 (1988) 3 ff.; G. GRIMM/ H. HEINEN/ E. WINTER (Hg.), *Das römisch-byzantinische Ägypten*, Symposion Trier 1978 (1983); A. C. JOHNSON, *Egypt and the Roman Empire* (1951); P. *Jouguet*, *La domination romaine en Égypte aux deux premiers siècles après J.-C.* (1947); J. G. MILNE, *A history of Egypt under Roman rule*, 3. Aufl. (1924); H. VOLKMANN, *Ägypten unter römischer Herrschaft*, in: *Handbuch der Orientalistik* I 2.4 (1971).

A. BARZANO, *Tiberio Giulio Alessandro, Prefetto d'Egitto (68–70)*, in: *ANRW* II 10.1 (1988) 518 ff.; G. BASTIANINI, *Il prefetto d'Egitto (30 a.C. – 297 d.C.): Addenda 1973–85*, ebd. 503 ff.; DERS., *'Επαρχος Αἰγύπτου nel formulario dei documenti da Augusto a Diocleziano*, ebd. 581 ff.; R. E. BENNETT, *The prefects of Roman Egypt 30 B. C. – 69 A. D.*, Diss. Yale Univ. 1970; P. A. BRUNT, *The administrators of Roman Egypt*, *JRS* 65, 1975, 124 ff.; P. BURETH, *Le préfet d'Egypte (30 av. J.-C. – 297 ap. J.-C.): Etat présent de la documentation en 1973*, in: *ANRW* ebd. 472 ff.; G. GERACI, *'Επαρχ α δε νῦν ἐστ . La concezione augustea del governo d'Egitto*, ebd. 383 ff.; DERS., *Genesi della provincia romana d'Egitto* (1983); M. HUMBERT, *La jurisdiction du préfet d'Egypte d'Auguste à Dioclétien* (1964); E. G. HUZAR, *Augustus. Heir of the Ptolemies*, in: *ANRW* ebd. 343 ff.; J. LALLEMEND, *L'administration civile de l'Ègypte de l'avènement de Dioclétien à la création du diocèse, 284–382* (1964); O. MONTEVECCHI, *L'amministrazione dell'Egitto sotto i Giulio-Claudi*, in: *ANRW* ebd. 412 ff.; G. ROUILLARD, *L'administration civile de l'Égypte byzantine* (1928); A. STEIN, *Untersuchungen zur Geschichte und Verwaltung Ägyptens unter römischer Herrschaft* (1915); DERS., *Die Präfekten von Ägypten in der römischen Kaiserzeit* (1950); J. VOGT, *Römische Politik in Ägypten* (1924); J. WHITEHORNE, *Recent research on the strategi of Roman Egypt*, in: *ANRW* ebd. 598 ff.

E. SEIDL, *Rechtsgeschichte Ägyptens als römische Provinz: Die Behauptung des ägyptischen Rechts neben dem römischen* (1973); R. TAUBENSCHLAG, *The law of Graeco-Roman Egypt in the light of the papyri* ²(1955).

A. K. BOWMAN, *The town councils of Roman Egypt* (1971); DERS./D. RATHBONE, *Cities and administration in Roman Egypt*, *JRS* 82, 1992, 107 ff.; D. HAGEDORN, *Zum Amt des dioiketes im römischen Ägypten*, *YCS* 28, 1985, 167 ff.; P. JOUGUET, *La vie municipale dans l'Égypte romaine* (1968).

W. Y. ADAMS/J. A. ALEXANDER/R. ALLEN, *Qasr Ibrim 1980 and 1982*, *JEA* 69, 1983, 43 ff.; D. VAN BERCHEM, *L'occupation militaire de la Haute Egypte sous Dioclétien*, in: AAVV., *Limeskongreß Tel Aviv 1967* (1971) 123 ff.; R. CAVENAILE, *Prosopographie de l'armée romaine d'Égypte d'Auguste à Dioclétien*, *Aegyptus 50*, 1970, 213 ff.; S. DARIS, *Documenti minori dell'esercito romano in Egitto*, in: *ANRW* ebd. 724 ff.; DERS., *Le truppe ausiliarie romane in Egitto*, ebd. 743 ff.; H. DEVIJVER, *The Roman army in Egypt*, in: *ANRW* II 1 (1974) 452 ff.; DERS., *De Aegypto et exercitu romano sive prosopographia militiarum equestrium quae ab Augusto ad Gallienum seu statione seu origine ad Aegyptum pertinebant* (1975); J.-C. GOLVIN/M. REDDÉ, *Archéologie militaire romaine en Égypte, la route de Coptos à Quseir*, *CRAI* 1986, 177 ff.; L. P. KIRWAN, *Rome beyond the southern Egyptian frontier*, *Proceedings of the British Academy* 63, 1977, 13 ff.; J. LESQUIER, *L'armée romaine d'Égypte d'Auguste à Dioclétien* (1918); D. MEREDITH, *The Roman remains in the eastern desert of Egypt*, *JEA* 38, 1952, 94 ff. u. 39, 1953, 95 ff.; G. W. MURRAY, *Roman roads and stations in the eastern desert of Egypt*, ebd. 11, 1925, 138 ff.; M. P. SPEIDEL, *Nubia's Roman garrison*, in: *ANRW* ebd. 767 ff.

R. ALSTON, *Soldier and society in Roman Egypt* (1995); J. W. B. BARNS, *Egyptians and Greeks* (1978); H. I. BELL, *Juden und Griechen im römischen Alexandreia*, *Beih. z. Alten Orient* 9 (1927); J. BIEZUNSKA-MALOWIST, *L'esclavage dans l'Égypte gréco-romaine*, 2 Bde. (1974/77); A. E. R. BOAK, *The population of Roman and Byzantine Karanis*, *Historia* 4, 1955, 157 ff.; H. BRAUNERT, *Die Binnenwanderung: Studien zur Sozialgeschichte Ägyptens in der Ptolemäerzeit und Kaiserzeit* (1964); D. FORABOSCHI, *Movimenti e tensioni sociali nell' Egitto romano*, in: *ANRW* II 10.1 (1988) 807 ff.; J. K. KEENAN, *Soziale Mobilität im spätrömischen Ägypten*, *Zeitschr. f. Papyrologie und Epigraphik* 17, 1975, 257 ff.; N. LEWIS, *Life in Egypt under Roman rule* (1983); J. LINDSAY, *Daily life in Roman Egypt* (1963); J. F. OATES, *The quality of life in Roman Egypt*, in: *ANRW* ebd. 799 ff.; S. B. POMEROY, *Women in Roman Egypt. A preliminary study based on papyri*, in: *ANRW* ebd. 708 ff.; D. W. RATHBONE, *Villages, land and population in Graeco-Roman Egypt*, *PCPhS* 1990, 103 ff.; J. A. STRAUS, *L'esclavage dans l'Égypte romaine*, in: *ANRW* ebd. 841 ff.; J. G., WINTER, *Life and letters in the papyri* (1933).

D. M. BAILEY/M. BIMSON/L. M. BURN u. a., *Excavations at El-Ashmunein 4. Buildings of the Roman period* (1991); N. BONACASA/A. DI VITA, *Alessandria e il mondo ellenistico-romano. Studi in onore di A. Adriani*, 3 Bde. (1983–84); F. BRECCIA, *Alexandrea ad Aegyptum* (1922); A. E. R. BOAK/ E. E. PETERSON, *Karanis: Topographical and architectural report of excavations during the seasons 1924–28* (1931); P. M. FRASER, *Ptolemaic Alexandria*, 3 Bde. (1972); G. GRIMM, *Alexandria. Die erste Königsstadt der hellenistischen Welt* (1998); DERS., *Bildlexikon des antiken Alexandria* (i. Vorb.); H. HEINEN, *Alexandrien – Weltstadt und Residenz*, in: *Aegyptiaca Treverensia* 1 (1981) 3 ff.; E. M. HUSSELMANN, *Karanis excavations of the University of Michigan in Egypt 1928–35. Topography and architecture* (1979); E. G. HUSAR, *Alexandria ad Aegyptum in the Julio-Claudian age*, in: *ANRW* ebd. 619 ff.; A. H. M. JONES, *Cities in the eastern Roman provinces* ²(1971); K. MICHALOWSKI, *Alexandria* (1970); DERS., *Alexandria*, in: DERS., *Ägypten. Kunst und Kultur* ³(1973) 489 ff.; M. PFROMMER, *Alexandria. Im Schatten der Pyramiden* (1998); M. RODZIEWICZ, *Alexandrie 3. Les habitations romaines tardives d'Alexandrie à la lumière des fouilles polonaises à Kom el Dikka* (1984); E. L. SCHWANDNER/W. HOEPFNER (Hg.), *Alexandria. Beginn einer neuen Ära*, in: DIESS., *Haus und Stadt im klassischen Griechenland* ²(1994) 235 ff.; ST. E. SIDEBOTHAM (ed.), *Berenike* (1994/1995); A. J. SPENCER, *Excavations at El-Ashmunein 1. The topography of the site* (o. J.); DERS./P. A. SPENCER/A. BURNETT, *Excavations at El-Ashmunein 2. The temple area* (1989); L. TÖRÖK, *Geschichte Meroës*, in: *ANRW* ebd. 107 ff.; E. G. TURNER, *Roman Oxyrhynchus*, *JEA* 38, 1952, 78 ff.; M. ZAHRNT, *Antinoopolis in Ägypten: Die hadrianische Gründung und ihre Privilegien in der neueren Forschung*, in: *ANRW* ebd. 669 ff.;

H. J. DREXHAGE, *Eigentumsdelikte im römischen Ägypten (1. – 3.Jahrh. n. Chr.). Ein Beitrag zur Wirtschaftsgeschichte*, in: *ANRW* ebd. 952 ff.; DERS., *Preise, Mieten/Pachten, Kosten und Löhne im römischen Ägypten bis zum Regierungsantritt Diokletians. Vorarbeiten zu einer Wirtschaftsgeschichte des römischen Ägypten 1* (1991); R. P. DUNCAN-JONES, *The price of wheat in Egypt under the principate*, *Chiron* 6, 1976, 241 ff.; A. GARA, *Aspetti di economia monetaria dell'Egitto romano*, in: *ANRW* ebd. 912 ff., E. J. HUSSELMANN, *The granaries of Karanis*, *Transactions of the American Philological Association* 83, 1952, 56 ff.; M. HOMBERT/CL. PRÉAUX, *Recherches sur le recensement dans l'Égypte romaine* (1952); A. CH. JOHNSON, *Roman Egypt*, in: T. FRANK (ed.), *An economic survey of ancient Rome 2* (1936; ND 1959); DERS./L. C. WEST, *Byzantine Egypt: Economic studies* (1967); D. P. KEHOE, *Management and investment on estates in Roman Egypt during the early Empire* (1992); M. J. KLEIN, *Untersuchungen zu den kaiserlichen Steinbrüchen am Mons Porphyrites und Mons Claudianus in der östlichen Wüste Ägyptens* (1988); TH. KRAUS/ J. RÖDER, *Mons Claudianus*, *KM* 18, 1962, 80 ff.; TH. KRAUS/W. MÜLLER-WIENER/J. RÖDER, *Mons Claudianus*, ebd. 22, 1967, 108 ff.; G. M. PARASSOGLU, *Imperial estates in Roman Egypt* (1978); G. POETHKE, *Epimerismos: Betrachtungen zur Zwangspacht in Ägypten während der Prinzipatszeit* (1969); D. W. RATHBONE, *Egypt, Augustus and Roman taxation*, *CCC* 4, 1993, 81 ff.; J. RÖDER, *Zur Steinbruchgeschichte des Rosengranits von Assuan*, *AA* 1965, 467 ff.; J. L. ROWLANDSON, *Landowners and tenants in Roman Egypt: The social relations of agriculture in the Oxyrhynchite nome* (1996); M. SCHNEBEL, *Die Landwirtschaft im hellenistischen Ägypten* (1925); P. J. SIJPESTEIJN, *Customs duties in Graeco-Roman Egypt* (1987); S. L. WALLACE, *Taxation in Egypt from Augustus to Diocletian* (1938); L. C. WEST/A. C. JOHNSON, *Currency in Roman and Byzantine Egypt* (1944).

A. ADRIANI, *Repertorio d'arte dell'Egitto Greco-Romano*, 2 Bde. (1961); B. BORG, *Mumienportraits. Chronologie und kultureller Kontext* (1995); DIES., *«Der zierlichste Anblick der Welt». Ägyptische Portraitmumien* (1998); L. CASTIGLIONE, *Kunst und Gesellschaft im römischen Ägypten*, *Act. Antiqua Acad. Scient. Hung.* 15, 1967, 107 ff.; H. COCKLE, *Pottery manufacture in Roman Egypt*, *JRS* 71, 1981, 87 ff.; W. A. DASZEWSKI, *Corpus of mosaics from Egypt 1* (1985); P. GRAINDOR, *Bustes et statues. Portraits d'Égypte romaine* (1937); G. GRIMM, *Die römischen Mumienmasken aus Ägypten* (1974); DERS., *Kunst der Ptolemäer- und Römerzeit im Ägyptischen Museum Kairo* (1975); K. MICHALOWSKI, *Ägypten. Kunst und Kultur* ³(1973); C. NAUERTH, *Koptische Textilkunst im spätantiken Ägypten* (1978); K. PARLASCA, *Mumienportraits und verwandte Denkmäler* (1966); DERS., *Pittura-Ritratti di mummie*, 3 Bde. (1969-80); F. A. SALEH, *Alexandria: Its contribution to Roman art* (1973); A. F. SHORE, *Portrait painting from Roman Egypt* (1962); V. M. STROCKA, *Augustus als Pharao*, in: *Eikones. Studien ... H. Jucker gewidmet* (1980) 177 ff.; L. TÖRÖK, *Kunst in Meroë*, in: *ANRW* II 12.4 (i. Vorb.); H. ZALOSCER, *Portraits aus dem Wüstensand* (1961).

H. I. BELL, *Cults and Creeds in Graeco-Roman Egypt* (1953); S. CHALEUR, *Histoire des Coptes d'Égypte* (1960); D. KURTH, *Der Sarg der Teüris. Eine Studie zum Totenglauben im römerzeitlichen Ägypten* (1990); U. MONNERET DE VILLARD, *The temple of the imperial cult at Luxor*, *Archaeologia* 95, 1953, 85 ff.; W. MACQUITTY, *Island of Isis: Philae, temple of the Nile* (1976); J. LINDSAY, *Men and gods of the Roman Nile* (1968); N. SAUNERON, *Temples ptolemaïques et romains d'Égypte* (1956); E. SIEGLIN/ T. SCHREIBER, *Expedition E. Sieglin Bd. I: Die Nekropole von Kôm esch-Schukâfa* (1908).

Gallia Transalpina (27 v. Chr.)

Sie nehmen ihr Mahl auf Heu gelagert ein, an Holztischen, die sich wenig über den Erdboden erheben. Die Mahlzeit besteht aus wenig Brot und viel Fleisch ... Die Speisen führen sie sauber zum Munde, aber wie Löwen, indem sie ganze Gliedmaßen aufheben und das Fleisch mit den Zähnen abnagen ... In der Schlacht treten sie oft aus der Reihe vor und fordern den Tüchtigsten ... zum Zweikampf heraus, wobei sie mit den Waffen rasseln und die Gegner einschüchtern ... Den gefallenen Feinden schneiden sie die Köpfe ab und hängen sie an die Nacken ihrer Pferde ...

POSEIDONIOS (etwa 135–51 v. Chr.)

Er machte ganz Gallien, das von den Pyrenäen und Alpen sowie von den Cevennen und den Flüssen Rhein und Rhône umschlossen wird, in einem Umfang von 3 200 000 Schritt (= 4730 km³) ... vollständig zur römischen Provinz und belegte es mit einer Jahressteuer von sechs Millionen Sesterzen.

CAIUS SUETONIUS TRANQUILLUS (um 75–150)

Auch wenn griechische Kaufleute und Siedler bereits seit dem 6. Jh. v. Chr. im Süden Galliens Fuß fassen und ihnen die Römer seit der Mitte des 2. Jhs. v. Chr. weit weniger friedfertig folgen und 121 v. Chr. am Unterlauf der Rhône die spätere Provinz *Gallia Narbonensis* einrichten (S. 95 ff.), tritt das weiträumige Gebiet zwischen Atlantik und Rhein, Ärmelkanal und Pyrenäen eigentlich erst mit Caesar in das Licht der Geschichte. Er ist es auch, der im Zuge seiner Eroberungen in den Jahren 58–51 v. Chr. die keltischen Stämme Galliens als erster nach «Sprachen, Einrichtungen und Gesetzen» in drei große Gebiete unterteilte, die von den *Belgae*, den *Aquitani* sowie den *Celtae* bewohnt wurden, die die Römer *Galli* nannten (*B. G.* I 1). Den sprachlichen und völkischen Gegebenheiten entsprach später auch die Dreiteilung Galliens in die Provinzen *Gallia Belgica*, *(Gallia) Aquitania* und *Gallia Celtica*, die sich jedoch bald nach der 43 v. Chr. angelegten Veteranenkolonie *Lugudunum*/Lyon (F) nur noch *Gallia Lugdunensis* nannte. Caesar selbst gab der Provinz den Namen *Gallia Transalpina*, um sie von dem Gebiet *citra Alpes* zu un-

terscheiden, das als *Gallia Cisalpina* bis 41 v. Chr. römische Provinz war, ehe es zu Italien kam (S. 63 f.). Inoffiziell sprach man auch von *Gallia comata*, weil die Gallier auch weiterhin ihr Haupthaar lang trugen, oder – wegen der weiten gallischen Hosen – auch *Gallia bracata*, während man das Gebiet der Po-Ebene als *Gallia togata* bezeichnete, weil die hier lebenden Gallier als romanisiert galten und – soweit sie römische Bürger waren – die Toga trugen.

Schon Caesar hat die naturgegebenen Grundlagen Galliens erkannt und genutzt, die nicht nur gute Voraussetzungen für überraschende Truppenbewegungen boten, sondern vor allem auch die bald einsetzende Entwicklung von Wirtschaft und Handel außerordentlich begünstigten. Dabei spielte eine entscheidende Rolle, daß das Land nicht durch höhere Gebirge zerteilt war und sich vor allem über seine Flußsysteme erschließen ließ. Die wichtigsten Nord-Süd-Verbindungen bildeten *Rhenus*/Rhein, *Mosa*/Maas und *Rhodanus*/Rhône, nach Westen führten *Sequana*/Seine und *Liger*/Loire, während *Garumna*/Garonne und *Duranius*/Dordogne den Südwesten des Landes erschlossen. Durch TACITUS (*Ann.* 13, 53) ist bekannt, welche Bedeutung der Verkehr auf den gallischen Flüssen besaß. So berichtet er zum Jahre 52 von dem Plan, den *Arar*/Saône, den wichtigsten Nebenfluß des *Rhodanus*, durch einen Kanal mit der *Mosella*/Mosel zu verbinden, ein Unternehmen, das nicht etwa an seiner technischen Undurchführbarkeit scheiterte, sondern am Widerstand des Statthalters im ‹belgischen› Gallien, der nicht zulassen wollte, daß sein Kollege, der als Oberkommandierender des ‹oberen germanischen Heeres› in *Mogontiacum*/Mainz (D) saß, seine Legionen als Bautrupps auf gallischem Provinzterritorium einsetzte.

Während der ersten zwei Jahrzehnte ihres Bestehens befand sich die Provinz *Gallia Transalpina* in einem Stadium, das man mit einem Begriff, den U. KAHRSTEDT geprägt hat, als «eine Art Militärbezirk mit halbprovinzieller Ordnung» umschreiben kann, d. h., das riesige Land, in dem mehrere Legionen stationiert waren, um mögliche Aufstände sofort im Keim zu ersticken, wurde anfangs von römischen Militärs verwaltet, die der Senat ernannte. Erst Augustus schuf in Gallien eine dauerhafte Ordnung, als er 27 v. Chr. auf der Basis sprachlicher und ethnischer Gegebenhei-

155

ten das Land in drei Territorien unterteilte und die neuen Provinzen *Aquitania*, *Belgica* und *Lugdunensis* unter kaiserliche Obhut nahm, während er die *Narbonensis* bei gleicher Gelegenheit dem Senat überließ. Zum *caput trium Galliarum* bestimmte er die Neugründung *Lugudunum*/Lyon am Zusammenfluß von Rhône und Saône, die seit 12 v. Chr. mit der Errichtung der *ara Romae et Augusti* auch das gallische Zentrum des Kaiserkults war. Zu weiteren Zentren wurden die Städte *Burdigala*/ Bordeaux (F) in *Aquitania* und *Durocortorum Remorum*/ Reims (F) in der *Belgica*, während in *Augusta Treverorum*/Trier (D) der Sitz des Finanzprokurators eingerichtet wurde, der für *provinciae Belgicae et utriusque Germaniae* zuständig war. Zu den administrativen Neuerungen gehörte einige Zeit später auch die Abtrennung der beiden Militärbezirke am Rhein, die ursprünglich ein Teil Galliens waren und erst unter Domitianus (81–96) zu selbständigen Provinzen wurden (S. 191 ff.).

Trotz der umfassenden Neuorganisation Galliens und der rasch einsetzenden Romanisierung des Landes regte sich hie und da noch Widerstand unter den Einheimischen. Überliefert ist ein Aufstand im Jahre 21 in der *Belgica*, als sich Treverer und Häduer erhoben, um sich gegen die ständig wachsenden Steuerlasten zur Wehr zu setzen. Auch die Unruhen des Vierkaiserjahres (68/69) begannen in Gallien, als sich C. Iulius Vindex, ein geborener Gallier und Statthalter der *Lugdunensis*, von Nero lossagte, in *Lugudunum* das *concilium Galliorum* zusammenrief und schließlich gemeinsam mit verschiedenen gallischen Stämmen Ser. Sulpicius Galba, den Statthalter von *Hispania Tarraconensis*, dazu aufrief, mit seinen Truppen nach Rom zu ziehen und der Mißwirtschaft Neros ein Ende zu ma-

Abb. 155 Sog. Vercingetorix. Vorderseite eines Denars des Münzmeisters L. Hostilius Saserna, geprägt ca. 48 v. Chr. in Rom (Sydenham 952).

156

chen. Ostgallische Stämme waren schließlich auch am Aufstand des Batavers C. Iulius Civilis beteiligt, der um die Mitte des Jahres 69 sein *imperium Germaniarum et Galliarum* proklamierte, allerdings waren die meisten gallischen Vertreter dieses Bundes so klug, sich früh genug aus diesem Unternehmen zurückzuziehen, als erkennbar wurde, daß Vespasianus (69–79) im Ringen um den Kaiserthron die Oberhand gewinnen und die abgefallenen Stämme kompromißlos zur Rechenschaft ziehen würde. Es war dies das letzte Mal für zwei Jahrhunderte, daß sich Gallier gegen Rom erhoben.

Die lange Friedenszeit, die nun folgt, kommt ganz Gallien zugute. Die Uneinigkeit der vielen Stämme und Gauverbände gehört der Vergangenheit an. Die Urbanisierung erfaßt wichtige Punkte des Landes und läßt aus einstigen *oppida*

und jetzigen Civitas-Vororten Städte entstehen, die den Munizipien Italiens oder der *Narbonensis* in nichts nachstehen. Generell jedoch bleiben weite Teile des mittleren und nördlichen Gallien ländlich geprägt. Vorherrschend ist auch weiterhin die Gutswirtschaft, die bereits in vorrömischer Zeit für das gesellschaftliche und wirtschaftliche Gefüge Galliens kennzeichnend war. Die Oberschicht romanisiert sich schnell. Sie nimmt bald wichtige Positionen im Staat ein, zumal Claudius im Jahre 48 damit beginnt, zahlreichen Galliern gegen den Widerstand vieler Senatoren das *ius honorum* zuzuerkennen. Was diese auszuzeichnen scheint, ist ihre Bodenständigkeit. Sie residieren auf ihren Gutshöfen, die in großer Zahl das Land bedecken und z. T. prächtig ausgebaut werden. Sie betreiben Landwirtschaft in großem Stil und bedie-

nen sich dabei der vielen Kleinbauern, die kein Land besitzen, sondern – wie später die Kolonen – von ihren Grundherren abhängig sind. In anderen Gegenden Galliens überwiegt dagegen die Viehzucht. Schinken und andere Rauchwaren sind weit über die Grenzen Galliens hinaus begehrt, während bei den gallischen Gänsen offenbar weniger das Fleisch als vielmehr die Daunenproduktion der Grund dafür war, daß die Geflügelzucht einen so großen Aufschwung nahm. Zu erwähnen ist auch die Produktion von Käse und Bier (*cervesia*), die überregionale Bedeutung besaßen, während sich der Anbau von Wein auf wenige Gebiete an der Garonne, in der Bourgogne und an der Mosel konzentrierte.

Von den Bodenschätzen des Landes hatten sich die Eroberer sicher mehr versprochen, doch erwiesen sich die vorhandenen Lagerstätten im wesentlichen als unergiebig. Sehr viel größere Bedeutung erlangten dagegen Manufakturbetriebe, in denen Schafswolle zu Textilien verarbeitet wurde, mit denen man nicht nur die Truppen am Rhein belieferte, sondern später selbst in Rom ‹Mode machte›, wie das Beispiel des *caracallus* zeigt, eines gallischen Allwettermantels, der sogar einem Kaiser den Namen gab. Eine gewisse Bedeutung gewann auch die gallische Metall- und Glasindustrie, doch war diese nicht zu vergleichen mit der Massenproduktion der *vasa Arretina* oder *Samia*, die seit dem 19. Jh. mit dem wissenschaftlichen Sammelbegriff ‹Terra Sigillata› bezeichnet werden. Diese mattrot glänzende, oxydierend gebrannte Tonware ist in Gallien offenbar zuerst in *Lugudunum*/Lyon in größeren Stückmengen produziert worden. Handelte es sich hierbei noch um Keramikprodukte in italo-gallischer Technik, so entstanden wenig später in Montans am Tarn, unweit von *Tolosa*/Toulouse, sowie vor allem in *Condatomagus* am Zusammenfluß von Dourbie und Tarn (heute Millau-La Graufesenque) große Töpferdörfer, in denen nach eigenen Entwürfen gearbeitet wurde und auf dem Zenit der Produktion in der zweiten Hälfte des 1. Jhs. mehrere hundert Töpfer tätig waren, die Gallien, Germanien und Britannien mit ihrer Ware belieferten. Später ‹wanderte› die Sigillata-Industrie nordwärts, wo bei Vichy und Lezoux zu Beginn des 2. Jhs. neue Töpferzentren entstanden. Gegen Ende des Jahrhunderts setzt sich die ‹Wanderung› fort. Zu Töpferorten von Rang werden Lavoye an der oberen Marne, La Madelaine bei Nancy und Luxeuil in den Vogesen, bis die Hauptproduktionsstätten endgültig nach Trier und Rheinzabern vorgeschoben werden.

Die Jahre allgemeinen Wohlstands in Gallien enden mit den ersten Einfällen rechtsrheinischer Germanen gegen Ende des 2. Jhs. Wenig später wird *Lugudunum* im Kampf um den Kaiserthron zwischen L. Septimius Severus und D. Clodius Albinus eingenommen und geplündert. Von dieser Zeit an häufen sich die Übergriffe,

vor allem, nachdem sich rechts des Rheines mit den *Franci* und *Alamanni* große Zusammenschlüsse germanischer Stämme gebildet haben, die auf der Suche nach Land und Beute immer wieder den Rhein überschreiten, um plündernd und mordend Germanien und Gallien heimzusuchen. Gleichsam als Gegenreaktion auf einen der schwersten Einbrüche der Franken um 256 entsteht das *imperium Galliarum* des M. Cassianus Latinius Postumus, der von seinen Soldaten in Köln zum Kaiser ausgerufen wird (Abb. 159) und Saloninus, den Sohn des rechtmäßigen Kaisers Gallienus, der sich in seiner Obhut befindet, umbringen läßt. Das ‹Gallische Sonderreich›, dessen Hauptstadt erst Köln, später dann Trier war und das zeitweise bis nach Britannien und Hispanien reichte, existiert bis 273, als es kampflos an den römischen Kaiser zurückfällt. Für die Menschen jener Zeit zählte, daß es den gallischen Kaisern gelang, auch wenn sie Usurpatoren waren, die Franken länger als ein Jahrzehnt niederzuhalten und an ihren Beutezügen zu hindern.

Größere Veränderungen brachte im Provinzgefüge Galliens gegen Ende des 3. Jhs. die Neuordnung Diokletians, die

157

zur Bildung zweier gallischer Diözesen führte. Regierungssitz der *dioecesis Galliarum* wurde *Augusta Treverorum*/Trier, das 293 mit der Erhebung des C. Flavius Valerius Constantius Chlorus zum *Caesar* Residenzcharakter erhielt. Von den mittelkaiserzeitlichen Provinzen gehörten ihr *Lugdunensis* und *Belgica* an. Beide wurden nun geteilt und hießen fortan

Abb. 156   Gallia Romana. Übersichtskarte der gallischen und germanischen Provinzen mit den wichtigsten Städten, Grenzziehungen und topographischen Angaben.

Abb. 157   Millau (F), Musée Municipal. Museumsvitrine mit südgallischer Terra sigillata aus La Graufesenque. 1. Jh.

Abb. 158   Lugudunum/Lyon (F). Römisches Theater auf dem Hügel ‹La Fourvière›. Blick von Norden.

158

159

Lugdunensis I und *Lugdunensis II*, dessen Hauptstadt *Rotomagus*/Rouen wurde, sowie *Belgica I* und *II*, deren Statthalter in Trier und Reims residierten. Dagegen wurde *Aquitania* der *dioecesis Viennensis* zugeschlagen, deren Regierungssitz *Vienna*/Vienne war. Auch diese Provinz wurde geteilt, und zwar in *Aquitania I* und *II* mit den Hauptstädten *Burdigala*/Bordeaux und *Avaricum*/Bourges, während im Südwesten um die neue Hauptstadt *Elusa*/Eauze eine weitere Provinz abgetrennt wurde, die den Namen *Novempopulania* erhielt.

Obwohl Constantinus I. (306–337), der Trier mit großartigen Bauten schmückt, mit großer Tatkraft vor allem die Franken immer wieder zurückschlägt, können weder er noch seine Nachfolger verhindern, daß die gallischen Provinzen in der Folgezeit immer öfter von Einfällen der Franken, Alamannen, Vandalen, Burgunder, Westgoten und anderer Stämme heimgesucht werden. Immer schwerer wird es für die römische Zentralgewalt, ihren Herrschaftsanspruch zu behaupten. Das Land entvölkert sich, die übriggebliebene Bevölkerung zieht sich in die

Städte zurück, die zu Festungen ausgebaut werden. Im Jahre 406 brechen Alanen, Vandalen und Sueben in Gallien ein und durchziehen das Land auf ihrem Weg zur Iberischen Halbinsel, 418 entsteht im südlichen Gallien das westgotische Reich von *Tolosa*, 443 lassen sich die Burgunder an der mittleren Rhône nieder, 451 gelingt es dem römischen Feldherrn Aëtius mit starker germanischer Unterstützung, die in Gallien eingedrungenen Hunnen zu schlagen und zum Abzug zu bewegen. Um das Jahr 475 fällt Trier endgültig in die Hände der Franken, ein Jahr später entthront in Rom der Swebe Odoakar den letzten weströmischen Kaiser. Nur ein Jahrzehnt danach ist es schließlich der Franke Chlodovech (Chlodwig), der Syagrius, den letzten römischen Heerführer in Gallien, bei Soissons entscheidend schlägt und ganz Gallien damit fränkisch wird (486).

Gemessen an der reichen materiellen Hinterlassenschaft Roms in allen Teilen des ehemaligen Gallien hat man sich in Frankreich erst verhältnismäßig spät der römischen Archäologie zugewandt. Der Hauptgrund lag in der lange Zeit üblichen

Geringschätzung der römischen gegenüber der griechischen Kunst. Dies hat dazu geführt, daß die Erforschung des römischen Gallien bis weit in das 20. Jh. hinein nicht Archäologen, Althistorikern oder Epigraphikern überlassen wurde, sondern in der Hauptsache Architekten, Bauforschern sowie einer Vielzahl von Lokalforschern, deren wissenschaftliche Befähigung in vielen Fällen unzureichend war. Erst seit dem Ende des 19. Jhs. erkannte man auch in Frankreich nach und nach die Originalität der römischen Kunst. Verstärkt wurde dieser Prozeß durch die Entwicklung, die zur gleichen Zeit die Epigraphik nahm, die – ähnlich wie in Deutschland – auch in Frankreich zu einer ersten systematischen Sammlung aller erreichbaren römischen Inschriften führte und erstmals wichtige Einblicke in die Verwaltungsorganisation der gallischen Provinzen vermittelte. Dennoch dauerte es weitere Jahrzehnte, bis es die ersten römischen Ausgrabungen auf französischem Boden gab, die nach streng wissenschaftlichen Kriterien vorgenommen wurden. Bezeichnenderweise fanden diese nicht in Frankreich selbst, sondern in Algerien und Tunesien statt, wo im übrigen der französische Einfluß in der Archäologie beider Länder bis heute spürbar geblieben ist. Demgegenüber trat in Frankreich selbst erst mit dem Beginn der 1940er Jahre ein deutlicher Wandel ein, als Forscher wie J. CARCOPINO und A. MALRAUX die staatlichen Voraussetzungen für eine umfassende Bodendenkmalpflege im Lande schufen und in *Glanum*/Saint-Rémy-de-Provence die ersten Plangrabungen begannen.

Ohne Zweifel hat sich die Ausgrabungstätigkeit französischer Forscher immer schon auf die südlichen Landesteile konzentriert, wo auf dem Boden der ehemaligen *Narbonensis* die monumentalsten Zeugen der römischen Vergangenheit Frankreichs zu finden sind (S. 95 ff.). Wenn auch nicht so ausgeprägt wie im Süden, bietet aber auch das mittlere und

160

Abb. 159   Aureus des M. Cassianus Latin(i)us Postumus (259?–268). Auf der Vorderseite Kaiserbüste mit Lorbeerbekränzung, auf der Rückseite der Kaiser als Lenker einer Triumphalquadriga. Gefunden 1975 in Gelduba/Krefeld-Gellep (D).

Abb. 160   Augusta Treverorum/Trier (D). Thermen am Viehmarkt aus der Vogelschau. Links das Frigidarium mit Kaltwasserbecken, rechts das Caldarium (‹Heißwasserbecken›). Heute ist die Anlage von einem modernen Museumsbau überdeckt.

Abb. 161   Luftbild der Villa rustica ‹Le Mesge› in der Picardie (F). Nach R. AGACHE.

nördliche Frankreich, vor allem in den Bereichen großer Städte wie Lyon, Bordeaux, Autun, Bavai oder Paris, zahlreiche monumentale Überreste der römischen Kaiserzeit, die anschaulich machen, wie tiefgreifend die Romanisierung dieser Gebiete gewesen ist, die – anders als die Provinzen des Ostens – ihre keltische Prägung innerhalb weniger Generationen zugunsten der römischen Zivilisation weitgehend aufgaben. Dennoch hat es gerade in Gallien – etwa auf dem Gebiet der Architektur – Vermischungen und Sonderentwicklungen gegeben, in denen das keltische Element bewahrt blieb. Am augenfälligsten ist dies im Falle des rund oder quadratisch gebauten ‹Umgangstempels› geschehen, der – ursprünglich in Holz errichtet – in der Kaiserzeit als Steinbau in großen Teilen Galliens, Germaniens und Britanniens der Verehrung einheimischer Gottheiten vorbehalten blieb. Ähnliches gilt für die gallo-römische Bildnisplastik und hier vor allem für die Gattung der Jupitergigantensäulen, in denen sich gallische Vorstellungen mit römischen Einflüssen mischten.

Zu einem Zentrum von besonderer Ausstrahlungskraft entwickelte sich das spätrömische Trier, das mit seiner prachtvollen Architektur und seinen zahlreichen hochentwickelten Werkstätten in maßgeblicher Weise die zivilisatorische wie künstlerische Entwicklung der Provinz *Gallia Belgica* bestimmte. Demgegenüber waren die Flußauen und das flache Land überall, wo der Boden fruchtbar war, von einer Vielzahl großer Landgüter bedeckt. Einige davon wie Chiragan und Montmaurin in *Aquitania*, Grand (Vogesen) in der *Lugdunensis* oder Anthée, Echternach oder Nennig in der *Belgica* sind in den vergangenen Jahrzehnten durch z. T. umfassende Ausgrabungen bekannt geworden, wobei sich insbesondere auch belgische, luxemburgische und deutsche Archäologen hervorgetan haben. Vor allem jedoch haben in den letzten Jahrzehnten die systematischen Befliegungen großer Flächen des nördlichen Frankreich durch R. AGACHE unsere Vorstellungen von der römischen Besiedlung dieser Gebiete entscheidend vertieft, weil es hier zum ersten Mal möglich war, die landschaftliche Gliederung ganzer Siedlungsräume im ehemaligen Gallien im Luftbild zu erfassen.

161

Neben dem römischen Britannien und den germanischen Provinzen dürften die *Tres Galliae* zu den besterforschten Gebieten des Römischen Reiches zählen. Dies spricht sich in einer Vielzahl zusammenfassender Darstellungen und Überblicke aus. AAVV., *Die Alamannen* (1997); AAVV., *Die Franken. Wegbereiter Europas* (1996); AAVV., *Die Römer an Mosel und Saar* (1983); AAVV.,

Gallien in der Spätantike (1980); O. BROGAN, *Roman Gaul* (1953); R. BRULET, *La Gaule septentrionale au Bas-Empire* (1990); R. CHEVALLIER, *Gallia Lugdunensis. Bilan de 25 ans de recherches historiques et archéologiques*, in: *ANRW* II 3 (1975) 860 ff.; G. COULON, *Les Gallo-Romains. 1. Les villes, les campagnes et les échanges* (1990); DERS., *Les Gallo-Romains. 2. Metiers, vie quotidienne et religion* (1990); J. F. DRINKWATER, *Roman Gaul. The three provinces 58 B. C. – A. D. 260* (1983); DERS., *The Gallic Empire A. D. 260–274* (1987); P.-M. DUVAL, *La Gaule jusqu'au milieu du Ve siècle* (1971); DERS., *Les sources de l'histoire de France*, 2 Bde. (1976); C. EBEL, *Transalpine Gaul: The emergence of a Roman province* (1976); H. P. EYDOUX, *Résurrection de la Gaule. Les grandes fouilles archéologiques* (1961); DERS., *La France antique* (1962); P. GALLIOU, *L'Armorique romaine* (1983); A. GRÉNIER, *Manuel d'archéologie gallo-romaine*, 7 Bde. (1931–60); L. HARMAND, *L'occident romain* ³(1970); J. J. HATT, *Histoire de Gaule romaine* ³(1970); DERS., *L'Alsace romaine*, in: PH. DOLLINGER, *Histoire de l'Alsace* (1970) 27 ff.; A. KING/M. HENIG (eds.), *The Roman west in the third century*, in: *BAR Int. Ser.* 109 (1981); A. KING, *Roman Gaul and Germany* (1990); I. KÖNIG, *Die gallischen Usurpatoren* (1981); J. LE GALL u. a., *La civilisation gallo-romaine dans la region de Bourgogne* (1971); L. LERAT, *La Gaule romaine* (1977); M. LUTZ, *La Moselle gallo-romaine* (1991); P. MACKENDRICK, *Roman France* (1972); M. E. MARIËN, *L'empreinte de Rome* (1980); J. MERTENS/A. DESPY, *La Belgique à l'époque romaine 2. Divisions administratives, routes, agglomérations fortifiées, burgi et castella sous le Bas Empire* (1968); M. TH. RAEPSAET-CHARLIER/ G. RAEPSAET, *Gallia Belgica et Germania Inferior. Vingt-cinq années de recherches historiques et archéologiques*, in: *ANRW* II 4 (1975) 3 ff.; CH. M. TERNES, *Das römische Luxemburg* (1973); DERS., *Die römerzeitliche Civitas Treverorum im Bilde der Nachkriegsforschung I*, in: *ANRW* ebd. 320 ff.; A. WANKENNE, *La Belgique à l'époque romaine* (1972); K.-J. WERNER, *Histoire de France, les origines* (1984); E. M. WIGHTMAN, *Gallia Belgica* (1985); P. WUILLEUMIER, *Inscriptions latines des Trois Gaules* (1963).

E. BADIAN, *Notes on Provincia Gallia in the late Republic*, in: R. CHEVALLIER (ed.), *Mél. A. Piganiol* (1966) 901 ff.; J. BÉNARD, *L'armée romaine en Gaule* (1996); A. J. CHRISTOPHERSON, *The provincial assembly of the Three Gauls in the Julio-Claudian period*, in: *Historia* 17, 1968, 351 ff.; H. DRAYE, *Die Civitates und ihre Capita in Gallia Belgica während der frühen Kaiserzeit*, in: *Ancient Society* 2, 1971, 66 ff.; R. GOGUEY/M. REDDÉ, *Le camp légionnaire de Mirebeau* (1995); G. GOTTLIEB (Hg.), *Raumordnung im Römischen Reich. Zur regionalen Gliederung in den gallischen Provinzen, in Rätien und Pannonien* (1989); H. HEINEN, *Probleme der Romanisierung – die erste Phase der römischen Herrschaft im Trevererland*, in: *Staatl. Inst. f.*

Lehrerfort- und -weiterbildung d. Landes Rheinland-Pfalz 25, 1979, 25 ff.; O. HIRSCHFELD, *Die Organisation der drei Gallien durch Augustus*, in: *Klio* 8, 1908, 464 ff.; W. MEYERS, *L'administration de la province romaine de Belgique* (1964); C. E. STEVENS, *Roman Gaul*, in: J. M. WALLACE-HADRILL/J. MCMANNERS (eds.), *France: Government and society* ²(1970) 19 ff.; G. H. STEVENSON, *Roman provincial administration* (1939); D. TIMPE, *Caesars gallischer Krieg und das Problem des römischen Imperialismus*, in: *Historia* 14, 1965, 189 ff.; H. WOLFF, *Kriterien für lateinische und römische Städte in Gallien und Germanien und die «Verfassung» der gallischen Stammesgemeinden*, in: *BJ* 176, 1976, 45 ff.; DERS., *Die politisch-administrative Binnengliederung des gallisch-germanischen Raumes* (1989); P. WUILLEUMIER, *L'administration de la Lyonnaise sous le Haut-Empire* (1948).

AAVV., *Le goût du théâtre à Rome et en Gaule romaine* (1989); Y. BURNAND, *Primores Galliarum. Sénateurs et chevalliers romains originaires de la Gaule de la fin de la République au IIIe siècle*, Diss. Paris 1985; G. COULON, *L'enfant en Gaule romaine* (1994); R. VAN DAM, *Leadership and community in late antique Gaul* (1992); J. F. DRINKWATER, *Local careers in the Three Gauls*, in: *Britannia* 10, 1979, 89 ff.; P.-M. DUVAL, *Gallien. Leben und Kultur in römischer Zeit* (1979); C. F. C. HAWKES, *Prehistory and the Gaulish peoples*, in: J. M. WALLACE-HADRILL/J. MCMANNERS (eds.), *France: Government and society* ²(1970) 1 ff.; J. KRIER, *Die Treverer außerhalb ihrer Civitas* (1981); S. J. DE LAET, *Romains, Celtes et Germains en Gaule septentrionale*, in: *Diogène* 47, 1964, 89 ff.; S. LEWUILLON, *Histoire, société et lutte des classes en Gaule*, in: *ANRW* II 4 (1975) 425 ff.; F. LOT/E. HOUTH, *Recherches sur la population et la superficie des cités remontant à la période gallo-romaine*, 4 Bde. (1946–53); D. NASH, *The growth of urban society in France*, in: B. CUNLIFFE/T. ROWLEY (eds.), *Oppida: The beginnings of urbanisation in barbarian Europe*, *BAR* S 11 (1976) 95 ff.; G. NEUMANN/J. UNTERMANN (Hg.), *Die Sprachen im römischen Reich der Kaiserzeit* (1980); A. PELLETIER, *La femme dans la société gallo-romaine* (1984); G. CH. PICARD, *La société gallo-romaine*, in: *Doss. Archéol.* 59 (1981/82); S. PIGGOT/G. DANIEL/C. MCBURNEY (eds.), *France before the Romans* (1974); A.-M. ROUANET-LIESENFELT, *La civilisation des Pictones* (1980); K. H. SCHMIDT, *Keltisch-lateinische Sprachkontakte im römischen Gallien der Kaiserzeit*, in: *ANRW* II 29.2 (1983) 988 ff.; K. F. STROHEKER, *Der senatorische Adel im spätantiken Gallien* (1948); CH.-M. TERNES, *Die Römer an Rhein und Mosel* (1975); L. WEISGERBER, *Rhenania Germano-Celtica* (1969).

AAVV., *Los foros romanos de las provincias occidentales*, Koll. Valencia 1986 (1987); AAVV., *Rural settlement in central Gaul in the Roman period*, in: *BAR Int. Ser.* 73 (1980); R. BEDON/R. CHEVALLIER, *Architecture et urbanisme en Gaule romaine*

(1988); R. Bedon (ed.), *Les villes de la Gaule Lyonnaise* (1996); B. Cunliffe/T. Rowley (eds.), *Oppida: The beginnings of urbanisation in barbarian Europe*, in: *BAR S* 11 (1976); G. Ditmar-Trauth, *Das gallorömische Haus* (1995); J. F. Drinkwater, *Urbanisation in the Three Gauls*, in: B. Hobley/J. Maloney (eds.), *Roman-British urban topography*, in: *CBA Res. Rep.* 51 (1983); G. Duby (ed.), *Histoire de la France urbaine* 1 (1980); P.-M. Duval/E. Frézouls (eds.), *Thèmes de recherche sur les villes antiques de l'occident* (1977); P. A. Février/M. Fixot/C. Goudineau/V. Kruta, *Histoire de la France urbaine 1: La ville antique* (1980); S. S. Frere, *Town planning in the western provinces*, in: *Beih. Ber. RGK* 58, 1977, 87 ff.; E. Frézouls (ed.), *Les villes antiques de la France I: Gallia Belgica* (1983); E. Will, *Recherches sur le developpement urbain sous l'Empire romain dans le Nord de la France*, in: *Gallia* 20, 1962, 79 ff.

AAVV., *Autun-Augustodunum* (1985); AAVV., *Bordeaux. 2000 ans d'histoire* (1973); AAVV., *Lutèce-Paris de César à Clovis* (1984); B. Ancien/M. Tuffreau-Libre, *Soissons gallo-romain* (1980); A. Audin, *Lyon, miroir de Rome dans les Gaules* ^{2}(1979); D. Bayard/J.-L. Massy, *Amiens romain* (1983); R. Billoret, *Grand la gallo-romaine* (1972); P. Bonnard, *La ville romaine de Nyon. Noviodunum* I (1988); Ders./Ph. Bridel/F. Mottas/D. Paunier/D. Weidmann, *Nyon. La ville romaine et le musée*, in: *GAS* 25 (1989); Ph. de Carbonnières, *Lutèce. Paris Ville Romaine* (1997); J.-M. Desbortes/ J. P. Loustaud, *Limoges antique* (1991); P. Desportes (ed.), *Histoire de Reims* (1983); P.-M. Duval, *Paris antique dès origines aux IIIe siècle* (1961); R. Etienne, *Bordeaux antique* (1962); H. Galinié/ B. Randoin, *Les archives du sol à Tours: Survie et avenir de l'archéologie de la ville* (1979); J. Le Gall, *Alésia* (1963); C. Goudineau (ed.), *Aux origines de Lyon* (1989); H. Heinen, *Trier und das Trevererland in römischen Zeit* (1985); G. Kaenel, *Lousanna*, in: *FAS* 9 (1977); A. Kolling, *Die Römerstadt in Homburg-Schwarzenacker* (1993); L. Maurin, *Saintes antique* (1978); R. Neiss, *Le developpement urbain de Reims dans l'antiquité* (1977); D. Paunier u. a., *Le vicus gallo-romain de Vidy-Lausanne* (1989); M. Toussaint, *Metz à l'époque gallo-romaine* (1948); S. Walker (ed.), *Récentes recherches en archéologie galloromaine et paléochrétienne sur Lyon et sa region*, in: *BAR Int. Ser.* 108 (1981); E. M. Wightman, *Trier and the Treveri* (1970); E. Will, *Bavay, cité gallo-romaine* (1957); P. Wuilleumier, *Lyon, métropole des Gaules* (1953).

R. Agache/R. Bréart, *Atlas et répertoire archéologique de la Somme romaine et préromaine d'après les prospections aériennes* (1974); R. Agache, *La campagne à l'époque romaine dans les grandes plaines du Nord de la France d'après les photographies aériennes*, in: *ANRW* II 4 (1975) 658 ff.; Ders., *La Somme préromaine et romaine* (1978); G. De Boe, *De stand van het onderzoek der romeinse villa's in Belgie*, in: *Archaeologia Belgica* 132, 1971, 1 ff.; Ders., *Une villa romaine à Haccourt*, ebd. 15 ff.; ebd. 168, 1974, 1 ff. u. 174, 1975, 1 ff.; P. Broise, *L'urbanisme vicinal aux confins de la Viennoise et de la Sequanaise*, in: *ANRW* II 5.2 (1976) 602 ff.; R. Chevallier (ed.), *La villa gallo-romaine dans les provinces du Nordouest, Caesarodunum* 17 (1982); Ders. (ed.), *Colloque «Le vicus gallo-romain»*, ebd. 11 ^{2}(1986); G. Duby (ed.), *Histoire de la France rurale* 1 (1975); A. Ferdière, *Les campagnes en Gaule romaine*, 2 Bde. (1988); G. Fouet, *La villa gallo-romaine de Montmaurin*, in: *Gallia Suppl.* 20 (1969); K.-J. Gilles, *Spätrömische Höhensiedlungen in Eifel und Hunsrück* (1985); A. Leday, *La campagne à l'époque romaine dans le centre de la Gaule*, in: AAVV., *Rural settlement in central Gaul in the Roman period*, in: *BAR Int. Ser.* 73 (1980) 203 ff.; J. Metzler/ J. Zimmer, *Ausgrabungen in Echternach*, 2 Bde. (1981); P. Van Ossel, *Etablissements ruraux de l'antiquité tardive dans le Nord de la Gaule* (1992); J. T. Smith, *Villa plans and social structure in Britain and Gaul*, in: *Caesarodunum* 17, 1982, 321 ff.; P. Spitaels, *La villa gallo-romaine d'Anthée*, in: *Helinium* 10, 1970, 209 ff.; Ch.-M. Ternes, *Le vicus d'époque gallo-romaine en pays trévire et rhénan*, in: *Caesarodunum* 11, 1976, 18 ff.; E. M. Wightman, *The pattern of rural settlement in Roman Gaul*, in: *ANRW* II 4 (1975) 584 ff.;

D. Van Berchem, *Les routes et l'histoire* (1982); R. Chevallier, *Les voies romaines* (1972); Ders. (ed.), *Du Léman à l'Océan*, in: *Caesarodunum* 10 (1975); Ders. (ed.), *Les voies anciennes en Gaule et dans le monde romain occidental*, ebd. 18 (1983); H. Cüppers, *Die Trierer Moselbrücken* (1969); J. Mertens, *Les routes romaines de la Belgique*, in: *Archaeologia Belgica* (1957); H. Pineau, *La côte atlantique de la Bidassoa à Quiberon dans l'antiquité* (1970); E. Thévenot, *Les voies romaines de la cité des Eduens* (1969); G. Walser, *Meilen und Leugen*, in: *Epigraphica* 31, 1969, 84 ff.

E. Frézouls, *Gallien und römisches Germanien*, in: F. Vittinghoff (Hg.), *Europäische Wirtschafts- und Sozialgeschichte in der römischen Kaiserzeit* (1990) 429 ff.; A. Grénier, *La Gaule romaine*, in: T. Frank (ed.), *An economic survey of ancient Rome* ^{3}(1937; ND 1959) 379 ff.; M. Mangin, *Artisanat et commerce dans les agglomérations romaines du Centre-Est sous l'Empire* (1984); Y. Roman, *De Narbonne à Bordeaux: Une axe économique au Ier siècle avant J.-C.* (1983); J. Rougé, *Recherches sur l'organisation du commerce en Méditerranée sous l'Empire romain* (1966); O. Schlippschuh, *Die Händler im römischen Kaiserreich in Gallien, Germanien und den Donauprovinzen* (1974); L. C. West, *Roman Gaul. The objects of trade* (1935).

AAVV., *Colloque «Le bois et la forêt en Gaule et dans les provinces voisines»*, in: *Caesarodunum* 21 (1985); AAVV., *Mines et fonderies antiques en Gaule. Toulouse* 1980 (1982); R. Bedon, *Les carrières et les carriers de la Gaule romaine* (1984); F. Braemer, *Le marbre des Pyrénées dans la sculpture antique*, Diss. Paris 1969; R. Chevallier (ed.), *Les mines et la métallurgie en Gaule et dans les provinces voisines*, in: *Caesarodunum* 22 (1987); R. Dion, *Histoire de la vigne et du vin en France dès origines au XIXe siècle* (1954); J. F. Drinkwater, *The wool textile industry of Gallia Belgica and the Secundinii of Igel*, in: *Textile History* 13, 1982, 111 ff.; P. Galliou, *Les industries de salaisons en Armorique romaine*, in: *Caesarodunum* 10, 1975, 141 ff.; F. Laubenheimer, *Les temps des amphores en Gaule. Vins, huiles et sauces* (1990); F. Le ny, *Les fours des tuiliers gallo-romaines* (1988); R. Marichal, *Les graffites de La Graufesenque* (1988); P. L. Pelet, *Fer, charbon, acier dans le pays de Vaud I* (1973); H.-G. Pflaum, *Le marbre de Thorigny* (1948); M. Renard, *Téchnique et agriculture en pays trévire et rémois* (1959); G. Roche-Bernard, *Costumes et textiles en Gaule romaine* (1993); R. Sanquer, *Les industriels des salaisons en Armorique romaine*, in: *Caesarodunum* 10, 1975, 148 ff.; K. D. White, *Gallo-roman harvesting machines*, in: *Latomus* 26, 1967, 634 ff.; Ders., *The economics of the gallo-roman harvesting machines*, in: *Coll. Latomus* 102, 1969, 804 ff.; J. P. Wild, *Textile-manufacture in the northern Roman provinces* (1970).

F. Braemer, *La sculpture de la Gaule romaine*, in: *ANRW* II 12.4 (i. Vorb.); E. Ésperandieu/R. Lantier, *Recueil général des bas-reliefs, statues et bustes de la Gaule romaine* (1907-66); M. Frizot, *Stucs de Gaule et des provinces romaines. Motifs et techniques* (1977); P. Gros, *L'architecture des provinces gauloises*, in: *ANRW* ebd. (i. Vorb.); Ch. Nerzig, *La sculpture en Gaule romaine* (1989); H. Schoppa, *Die Kunst der Römerzeit in Gallien, Germanien und Britannien* (1957); R. Turcan, *Les sarcophages en Gaule romaine*, in: *ANRW* ebd. (i. Vorb.); E. Will, *Die Kunst im römischen Gallien*, in: Ders., *Kelten und Germanen in heidnischer Zeit* (1964) 89 ff.

C. Balmelle, *Recueil général des mosaïques de la Gaule 4. Province d'Aquitaine* (1987); J. Barrelet, *La verrerie en France de l'époque gallo-romaine à nos jours* (1953); W. Binsfeld/ K. Goethert-Polaschek/L. Schwinden, *Katalog der römischen Steindenkmäler des Rheinischen Landesmuseums Trier 1. Götter- und Weihedenkmäler* (1988); F. Braemer, *Les stèles funéraires à personnages de Bordeaux* (1959); E. Ésperandieu/H. Rolland, *Les bronzes antiques de la Seine-maritime* (1959); G. Faider-Feytmans, *Bronzes de Bavai* (1957); Dies., *Les bronzes romains de Belgique* (1979); L. Hahl, *Zur Stilentwicklung der provinzialrömischen Plastik in Germanien und Gallien* (1937); M. Lutz, *L'atelier de Saturninus et de Satto à Mittelbronn (Moselle)*, in: *Gallia Suppl.* 22 (1970).; Ders., *La sigillée de Boucheporn*, ebd. 32 (1977); W. von Massow, *Die Grabdenkmäler von Neumagen* (1932); H. Stern, *Recueil général des mosaïques de la Gaule* I. *Belgique* 1–3 (1957–62); D. Tardy, *Le décor architectonique de Saintes antique* (1990); M. Vanderhoeven, *Verres romains (I–IIIe s.) des musées Curtius et du Verre à Liège* (1961); R. Wattiez, *Les mosaïques romaines de Reims*, in: *BSAC* 48, 1955, 16 ff.; E. Wilhelm, *Bronzes figurés de l'époque romaine* (1971); Dies., *La verrerie de l'époque romaine au Musée d'Histoire et d'Art de Luxembourg* (1969).

Y. Cabuy, *Les temples gallo-romains des cités des Tongres et de Trévires* (1991); J.-M. Demarolle, *Céramique et religion en Gaule romaine*, in: *ANRW* II 18.1 (1986) 519 ff.; T. Derks, *Gods, temples and ritual practices. The transformation of religious ideas and values in Roman Gaul* (1998); P.-M. Duval, *Les dieux de la Gaule* ^{2}(1976); I. Fauduet, *Atlas des sanctuaires romano-celtiques de Gaule. Les fanums* (1993); D. Fishwick, *The development of provincial ruler-worship in the western Empire*, in: *ANRW* II 16.2 (1978) 1201 ff.; M. J. Green, *The gods of the Celts* (1986); Ch.-J. Guyonvarc'h/F. Le Roux-Guyonvarc'h, *Remarques sur la religion gallo-romaine: Rupture et continuité*, in: *ANRW* II 18.1 (1986) 423 ff.; J. J. Hatt, *Les deux sources de la religion gauloise et la politique religieuse des empereurs romains en Gaule*, in: *ANRW* ebd. 410 ff.; Ders., *Mythes et dieux de la Gaule* (1989); E. Thévenot, *Divinités et sanctuaires de la Gaule* (1968); R. Turcan, *Les religions orientales en Gaule Narbonnaise et dans la vallée du Rhône*, in: *ANRW* ebd. 456 ff.; E. M. Wightman, *Pagan cults in the province of Belgica*, ebd. 542 ff.

P. P. Bober, *Cernunnos: Origin and transformation of a Celtic divinity*, in: *AJA* 55, 1951, 13 ff.; R. Chevallier (ed.), *Les eaux thermales et les cultes des eaux en Gaule et dans les provinces voisines*, in: *Colloque Turin* 1990 (1992); M. Euskirchen, *Epona*, in: *Ber. RGK* 74, 1993, 607 ff.; D. Fishwick, *The temple of the Three Gauls*, in: *JRS* 62, 1972, 46 ff.; M. J. Green, *The wheel as a cult-symbol in the Romano-Celtic world* (1984); Ch. Landes (ed.), *Dieux guérisseurs en Gaule romaine* (1992); H. Merten, *Der Kult des Mars Lenus im Treverer-raum*, in: *TZ* 48, 1985, 7 ff.; G. Moitrieux, *Hercules Salutaris. Hercule au sanctuaire de Deneuvre* (1992); G. Niccolini, *Les sanctuaires ruraux de Poitou-Charentes*, in: *Caesarodunum* 11, 1976, 256 ff.; V. J. Walters, *The cult of Mithras in the Roman Provinces of Gaul* (1974).

M. Amand, *Roman barrows in Belgium*, in: *Festschr. F. Fremersdorf* (1960) 69 ff.; P. Galliou, *Les tombes romaines d'Armorique* (1989); J.-J. Hatt, *La tombe gallo-romaine* (1951); M. E. Mariën, *Les monuments funéraires de l'Arlon romaine* (1945); C. Massart, *Les tumulus gallo-romains conservés en Hesbaye* (1994); J. Metzler/R. Waringo/R. Bis u. a., *Clemency et les tombes de l'aristocratie en Gaule Belgique* (1991); C. Pilet, *La nécropole de Frénouville*, in: *BAR S* 83 (1980); M. Polfer, *Das gallorömische Brandgräberfeld und der dazugehörige Verbrennungsplatz von Septfontaines-Decht* (1996); H. Thoen/A. Van Doorselaer, *Het gallo-romeinse grafveld van Emelgem* (1980).

B. Beaujard u. a., *Province ecclésiastique de Lyon* (1986); J. Biarne u. a., *Provinces ecclésiastiques de Vienne et d'Arles* (1986); N. Gauthier, *L'évangelisation des pays de la Moselle* (1980); Ders., *Province ecclésiastique de Trèves* (1986); E. Griffe, *La Gaule chrétienne à l'époque romaine* (1964–66).

Abb. 162 Lusitania Romana. Römische Straßen und Verkehrswege im heutigen Portugal. Nach Th. G. Schattner.

Abb. 163 Gerês (P). Römische Meilensteine an der Straße von Bracara Augusta/ Braga (P) nach Asturica Augusta/Astorga (E).

Lusitania (27 v. Chr.)

*Durch drei Namen ... ist das Land unter-
schieden: ein Teil heißt Tarraconensis,
einer Baetica, einer Lusitania. Die Tarraconensis berührt ... Gallien ... Die beiden anderen Teile trennt der Fluß Anas
(Guadiana) ... Lusitania liegt nur am
Ozean, doch mit seiner Längsseite nach
Norden, mit seiner Vorderseite nach
Westen ... Von den Städten des Bin-
nenlandes waren in der Tarraconensis die
berühmtesten Palantia (Palencia) und
Numantia, jetzt ist Caesaraugusta (Zaragoza), in Lusitania Emerita (Mérida) in
Baetica Astigi (Ecija), Hispal(is) (Sevilla)
und Corduba (Córdoba).*

POMPONIUS MELA (1. Jh.)

Das Gebiet der lusitanischen Stämme im
äußersten Westen der Iberischen Halbinsel – heute weitgehend mit Portugal identisch – gehörte ursprünglich zur Provinz
Hispania ulterior, die 197 v. Chr. römisch
wurde (S. 65 ff. u. Abb. 82). Allerdings
sollte es weitere 170 Jahre dauern, bis das
Gebiet zwischen *Durius*/Duero und
Anas/Guadiana als ‹befriedet› angesehen
werden konnte. Politisch haben die Lusitanier, die laut Strabon in dreißig Stämme
zerfielen (andere Autoren sprechen sogar
von fünfzig), nie eine besondere Rolle
gespielt. Nur einmal gelang es Viriathus,
dem bekanntesten ihrer Führer, die
Stämme zu einen und im Bestreben, der
eigenen Heimat die Unabhängigkeit zu
sichern, Rom acht Jahre lang in einem ge-
nial geführten Guerillakrieg die Stirn zu
bieten (147–139 v. Chr.).

Viriathus – der Überlieferung nach ein
Mann aus dem Volke – hatte sich seit
etwa 150 v. Chr. als Bandenführer einen
Namen gemacht und war 147 v. Chr. von
seinen Landsleuten zum Führer bestimmt
worden. Seine Kriegsführung war jahrelang sehr erfolgreich. Mehrmals mußten
römische Heere vor ihm kapitulieren.
Seinen politischen Höhepunkt erlebte Viriathus im Jahre 140 v. Chr., als er zum
zweiten Mal das fruchtbare Tal des *Baetis*/Guadalquivir eroberte und im Vertrag
mit dem römischen Feldherrn Q. Fabius
Maximus Servilianus den Titel *amicus
populi Romani* erhielt. Doch der Senat erkannte den Vertrag nicht an, sondern
schickte neue Truppen. Es kam zu erneuten
Kämpfen, die schließlich mit Friedens-
verhandlungen endeten. Sie bedeuteten
das Ende für Viriathus, der auf römisches
Betreiben hin von seinen eigenen Landsleuten umgebracht wurde (139 v. Chr.).

Doch damit war der Widerstand der
Lusitanier gegen Rom keineswegs gebro-

chen, die ihre Kleinkriegstaktik auch in
den folgenden Jahrzehnten beibehielten
und weiterhin erfolgreich anwendeten.
Allerdings scheint ihnen in dieser Zeit ein
Stratege vom Talent eines Viriathus ge-
fehlt zu haben. Statt dessen taten sie sich
im Jahre 80 v. Chr. mit dem römischen
Ritter Q. Sertorius zusammen, der drei
Jahre zuvor vom Senat als Prätor in die
Provinz *Hispania citerior* geschickt worden war, von dort jedoch – als Anhänger
des Marius – von dem Sullaner T. Annius
vertrieben wurde und hierauf gemeinsam
mit einer großen Schar römischer Emi-
granten, die nach Hispanien geflüchtet
waren, den Entschluß faßte, mit Hilfe
starker einheimischer Bundesgenossen
die Macht im Staat zu ergreifen. Auch
wenn er mit lusitanischer Unterstützung
in zwei Schlachten selbst Cn. Pompeius
schlug, scheiterte Sertorius, als es zu keiner
endgültigen Entscheidung kam, seine
Bundesgenossen von ihm abfielen und er
selbst 72 v. Chr. von M. Perperna, einem
seiner Mitstreiter, ermordet wurde.

Ob der langjährige lusitanische Widerstand damit beendet war, geht aus den
überlieferten Quellen nicht hervor. Von
geordneten Verhältnissen im Westen der
Iberischen Halbinsel wird man jedoch
erst nach Beendigung der Bürgerkriege
sprechen dürfen, nachdem Augustus die
Alleinherrschaft errungen hatte. Er war es
auch, der im Jahre 27 v. Chr. das römische
Hispanien neu ordnete und neben den
Provinzen *Hispania Tarraconensis* und
Baetica die neue Provinz *Lusitania* schuf,
deren Hauptstadt die 25 v. Chr. angelegte

162

Veteranenkolonie *Augusta Emerita* wurde,
das heutige Mérida (E). Im Unterschied
zu den beiden anderen hispanischen Provinzen, die dem Senat unterstanden und
jeweils von einem senatorischen Statthal-

164

ter verwaltet wurden, der im Range eines Prätors stand, gehörte *Lusitania* von Beginn an zu den kleineren kaiserlichen Provinzen, die einem ritterlichen *procurator* unterstellt waren. Dieser zählte zu den *ducenarii*, die ein Jahreseinkommen von 200 000 Sestertien bezogen. Claudius (41–54) ergänzte die neue Ordnung, indem er das Provinzgebiet in drei Gerichtssprengel (*conventus iuridici*) unterteilte, die nach den drei ‹Gerichtszentren› *Augusta Emerita*, *Pax Iulia*/Beja und *Scallabis*/Santarem(?) benannt wurden. Diese Ordnung überdauerte auch die Zeit der Spätantike, in der *Lusitania* als ohnehin bereits recht kleines Provinzgebiet ungeteilt blieb und gemeinsam mit den

übrigen hispanischen Provinzen zur *dioecesis Galliarum* gehörte, ehe es nach dem Untergang des Weströmischen Reiches (476) erst unter die Herrschaft der Alanen fiel und schließlich 712 ein Teil des westgotischen Reiches wurde.

Wenn Plinius d. Ä. schreibt, fast ganz Hispanien besitze Blei-, Eisen-, Kupfer-, Silber- und Goldminen im Überfluß, so schließt er die lusitanischen Metallgruben mit ein, die in der Kaiserzeit eine bedeutende Rolle spielten. Ein Zentrum des Abbaus von Kupfer und Silber war vor allem *Metallum Vipascensis* beim heutigen Aljustrel südwestlich von Beja. Wie alle Bergwerke der Provinzen in kaiserlichem Besitz, erfährt man gerade hier auf

Grund einer Bronzetafel, die 1906 in *Vipasca* gefunden wurde, wichtige Details zum Betrieb einer derartigen Mine im 2. nachchristlichen Jahrhundert. Daraus geht u. a. hervor, daß Privatleute einzelne Grubenschächte pachten konnten, allerdings dafür auch beträchtliche Vorauszahlungen an den kaiserlichen *fiscus* zu leisten hatten, bevor sie überhaupt mit dem Verhütten des Erzes beginnen konnten. Das vorgegebene Reglement war streng. So durfte nur tagsüber in den Schächten und Stollen und an den Öfen gearbeitet werden, doch scheint einer Nachricht des älteren Plinius zufolge in der Praxis «nachts ebensoviel» gearbeitet worden zu sein «wie am Tage», so daß die Grubenarbeiter «ganze Monate» kein Tageslicht gesehen hätten. Streng waren auch die Sicherheitsbestimmungen abgefaßt, die sich auf den systematischen Ausbau der Stollen ebenso bezogen wie auf

Abb. 164   Augusta Emerita/Mérida (E). Theater und Amphitheater der lusitanischen Hauptstadt. Blick von Süden.

Abb. 165   Ebora/Evora (P). Rückseite des römischen Podiumstempels im Zentrum der heutigen Stadt, der wahrscheinlich dem Kaiserkult diente (1. Jh.).

Abb. 166   Três Minas (P). Römisches Goldbergwerk. Stollen ‹Galeria do Pilar› mit rekonstruiertem Hebewerk.

Abb. 167   Milreu-Estói (P). Römische Villa. Meeresmosaik und Nymphäum, das in der Spätantike zu einer Kirche wurde.

165

die Probleme mit dem Grundwasser. Allerdings scheint auch hier in der Praxis einiges anders ausgesehen zu haben, wenn Plinius davon berichtet, daß die Stollen bisweilen einstürzten und die Arbeiter unter sich begruben.

Gerade der Bergwerksdistrikt von *Vipasca* darf auf Grund der Arbeiten portugiesischer und französischer Forscher als relativ gut untersucht gelten. In der Hauptsache sind es jedoch die wenigen städtischen Siedlungsplätze im ehemaligen Lusitanien, auf die sich das wissenschaftliche Interesse bislang konzentriert hat. Neben den Städten *Ebora*/Evora und *Aeminium*/Coimbra ist es in erster Linie die ehemalige Stadtanlage von *Conimbriga,* die als bestuntersuchter römischer Platz im heutigen Portugal gelten darf und dessen Name offenbar im Mittelalter auf das benachbarte Coimbra überging. Vor allem die gemeinsamen Ausgrabungen der Portugiesen mit französischen Archäologen der Universität Bordeaux haben in den Jahren 1964–71 mehrere Gebäudekomplexe, darunter das Forum des Augustus und die Thermen des Traianus, freigelegt. Dagegen kümmert sich um die monumentalen Überreste der ehemaligen Provinzhauptstadt *Augusta Emerita*/Mérida naturgemäß die spanische Landesarchäologie. Die Zeit umfassender Ausgrabungen liegt hier allerdings bereits schon einige Zeit zurück. Dennoch sind die heute noch erhaltenen Bauten dieser einst bedeutenden Stadt überaus beeindruckend in ihrer Monumentalität. Dazu gehören neben dem Theater, dem sog. Dianatempel und den Überresten des Amphitheaters und des Circus, der eine Länge von 433 m besaß, der 800 m lange Aquädukt ‹Los Milagros› und zwei gut erhaltene Brücken, von denen die weitaus größere mit ihren 60 Bögen und 760 m Länge noch heute den Guadiana überquert.

Eine vollständige zusammenfassende Darstellung zur Provinz *Lusitania* gibt es bisher nicht; entsprechende Artikel im Sammelwerk *ANRW* fehlen. Die umfassendste Einführung gibt: J. Alarcão, *Portugal Romano* ³(1983) m. ausführl. Bibl. 220 ff. u. *Roman Portugal,* 2 Bde. (1988) m. ausführl. Bibl. 126 ff. Allerdings beinhaltet eine derartige Darstellungsweise auch einen generellen Nachteil, der darin besteht, daß sich der Autor an der modernen Grenzziehung orientiert. So bleiben etwa so wichtige Plätze wie *Salamantica*/Salamanca und die Provinzhauptstadt *Augusta Emerita*/Mérida unbehandelt. J. D'encarnação, *Inscricoes romanas do Conventus Pacensis* (1984); S. P. M. Estácio da Veiga Affonso dos Santos, *Arqueologia romana do Algarve* 1/2 (1971/72); Th. G. Schattner, *Archäologischer Wegweiser durch Portugal* (1998); A. Schulten, *Viriatus,* in: *Neue Jahrbücher,* 1. Abt., H. 4 (1917); Ders., *Sertorius* (1926); Ders., *Iberische Landeskunde,* 2 Bde. (1955/57); H. Simon, *Roms Kriege in Spanien* (1926); C. H. V. Sutherland, *The Romans in Spain* (1939); A. Tovar, *Iberische Landeskunde 2. Die Völker und die Städte des antiken Hispanien Bd. 2: Lusitanien* (1976); F. J. Wiseman, *Roman Spain. An introduction to the*

Roman antiquities of Spain and Portugal (1956). A. Balil Illana, *Los legados de la Lusitania,* in: *Conimbriga* 4, 1965, 43 ff.; G. Heuten u. a., *Les gouverneurs de la Lusitanie et leur administration,* in: *Latomus* 2, 1938, 256 ff. R. Etienne, *Sénateurs originaires de la province de Lusitanie,* in: *Tituli* 5, 1982, 521 ff; M. Palomar Lapesa, *La onomástica personal pre-latina de la antigua Lusitania* (1957); F. H. Stanley jr., *Roman Lusitania: Aspects of provincial romanization,* Diss. Missouri-Columbia 1984; A. Velazques u. a., *Los ultimos romanos en Lusitania* (1995). AAVV., *El teatro en la Hispania Romana. Simposio Mérida* 1980 (1982); AAVV., *Les villes de Lusitanie romaine. Hiérarchies et territoires* (1990); AAVV., *Los foros romanos de las provincias occidentales. Kolloquium Valencia* 1986 (1987); AAVV., *Templos romanos de Hispania. Cuadernos de Arquitectura Romana* 1 (1992); A. García y Bellido, *Las colonias romanas de la provincia de Lusitania,* Arqueologia e Historia 8, 1958/59, 13 ff.; W. Trillmich/P. Zanker (Hg.), *Stadtbild und Ideologie. Die Monumentalisierung hispanischer Städte zwischen Republik und Kaiserzeit. Kolloquium Madrid* 1987 (1990). J. Alarcão/R. Etienne u. a., *Fouilles de Conimbriga* I ff. (1974 ff.); M. Almagro Basch, *Guía de Mérida* ⁸(1979); Ders., *Augusta Emerita,* in: *150 Jahre Deutsches Archäologisches Institut 1829–1979* (1981); J. M. Alvarez Martínez, *La ciudad romana de Mérida* (1991); A. Blanco Freijeiro u. a., *Augusta Emerita. Simposio Mérida* 1975 (1976); A. García y Bellido, *El recinto mural romano de Evora Liberalitas Iulia,* in: *Conimbriga* 10, 1971, 85 ff.; E. García Sandoval, *Informe sobre las casas romanas de Mérida y excavaciones en la «Casa del Anfiteatro»* (1966); Th. Hauschild, *Das römische Theater von Lissabon,* in: *MM* 31, 1990, 348 ff.; J. R. Melida, *Mérida* (1929); H. Sichtermann, *Mérida – das Rom Spaniens,* in: Ders., *Funde in Spanien* (1977) 130 ff.; W. Trillmich, *Colonia Augusta Emerita, die Hauptstadt von Lusitanien,* in: W. Trillmich/P. Zanker (Hg.), *Stadtbild und Ideologie* (1990). J. Alarcão/ R. Etienne/F. Mayet, *Les villas romaines de São Cucufate* (1990); J.-G. Gorges, *Les villas hispano-romaines* (1979); Th. Hauschild, *Milreu, Estói (Algarve). Untersuchungen neben der Taufpiscina und Sondagen in der Villa,* in: *MM* 21, 1980, 189 ff. J. M. Alvarez Martínez, *En torno al acueducto de ‹Los Milagros›,* in: *Actas del Simposió de Bimilenario del Acueducto de Segovia* 1974 (1977) 49 ff.; Ders., *El puente romano de Mérida* (1983); J. Alvarez Saénz de Buruaga, *El acueducto de Rabo de Buey – San Lázaro de Mérida,* in: *Estudios dedicados a C. Callejo Serrano* (1979) 71 ff.; K. Grewe, *Römische Wasserleitungen in Spanien, Schriften der Frontinus-Gesellschaft* 7 (1984) 7 ff.; N. Schnitter, *Römische Talsperren,* AW 9.2, 1978, 25 ff. J. M. Blázquez, *Die Iberische Halbinsel,* in: F. Vittinghoff (Hg.), *Europäische Wirtschafts- und Sozialgeschichte in der römischen Kaiserzeit* (1990) 511 ff.; C. Domergue, *La mine antique d'Aljustrel (Portugal) et les tables de bronze de Vipasca,* in: *Conimbriga* 22, 1983, 5 ff.; Ders., *Catalogue des mines et des fonderies antiques de la Péninsule Ibérique,* T. 1.2 (1987); J. C. Edmondson, *Two industries in Roman Lusitania. Mining and garum production* (1987); D. Flach, *Die Bergwerksordnungen von Vipasca,* in: *Chiron* 9, 1979, 399 ff.; N. Hanel, *Römische Öl- und Weinproduktion auf der Iberischen Halbinsel am Beispiel von Munigua und Milreu,* in: *MM* 30, 1989, 204 ff.; F. A. Harrison, *Ancient mining activities in Portugal,* in: *Mining Magazine* 45, 1931, 137 ff.; L. C. West, *Imperial Roman Spain. The objects of trade* (1929). P. Acuña Fernández, *Esculturas militares romanas de España y Portugal* I: *Las esculturas thoracatas* (1975); A. Alföldi u. a., *Aion in Mérida und Aphrodisias* (1979); J. M. Alvarez Martínez, *Mosaicos romanos de Mérida. Nuevos hallazgos* (1990); J. L. Barrera Antón, *Los capiteles romanos de Mérida* (1984); Dies., *La decoracion arquitectonica de los foros de Augusta Emerita* (1998); A. Blanco Freijeiro, *Mosaicos romanos de Mérida* (1978); A. García y Bellido, *Esculturas*

166

167

romanas de España y Portugal (1949); J. Lancha, *La mosaïque d'Océan decouverte à Faro (Algarve),* in: *Conimbriga* 24, 1985, 151 ff.; R. Lantier, *Inventaires des Monuments sculptés préchrétiens de la Péninsule Ibérique* I: *Lusitanie. Conventus Emeritensis* (1918); B. Pérez Outeirino, *Sellos de alfarero en terra sigillata itálica encontrados en Mérida* (1990); V. De Souza, *CSIR Portugal* (1990).

F. De Almeida, *Templo de Venus em Idanha-a-Velha,* in: *Actas e memórias do I Congresso Nacional de Arqueologia. Lissabon 1958* (1970) 133 ff.; J. M. Alvarez Martínez, *El templo de Diana,* in: AAVV., *Templos romanos de Hispania, Cuadernos de Arquitectura Romana* 1 (1992) 83 ff.; J. De Encarnação, *Divinidades indigenas sob o dominio romano em Portugal* (1975); D. Fishwick, *The imperial cult in the latin west* (1991); J. M. Garcia, *Religioes antiguas de Portugal* (1991); Th. Hauschild, *Der Kultbau neben dem römischen Ruinenkomplex bei Estói in der Provincia Lusitania* (1966); W. E. Mierse, *Influences in the formation of early Roman sanctuary design on the Iberian Peninsula* (1987).

168

169

Galatia (25 v. Chr.)

Rerum gestarum divi Augusti quibus orbem terra[rum] subiecit et impensarum quas in rem publicam populumque Romanum fecit incisarum in duabus aheneis pilis quae su[n]t Romae positae exemplar sub[i]ectum.

CAIUS IULIUS OCTAVIANUS AUGUSTUS
(63 v. Chr.–14 n. Chr.)

Inmitten alteingesessener Völkerschaften waren die Γαλάται (*Galatae*), die später der Provinz *Galatia* im Zentrum Anatoliens den Namen gaben, ein Volk mit einer besonderen Geschichte. Es hatte seinen Grund, daß griechische Autoren dieses Land im alten Phrygien Γαλλογραικ α oder Γαλατ α ή έώα nannten, um es vom ‹westlichen› Gallien abzuheben. Dahinter verbirgt sich die Geschichte dreier Stämme aus dem südlichen Gallien – der Trokmer, Tolistoagier und Tektosagen –, die ihre keltische Heimat zu einem unbekannten Zeitpunkt verließen und historisch in dem Augenblick faßbar werden, als sich ihrer Nikomedes I. im Kampf um den bithynischen Thron bedient und sie als Söldner verpflichtet (278 v. Chr.). Die Folge ist, daß sich die Galater im westlichen Kleinasien festsetzen und auf ihren Raubzügen Angst und Schrecken verbreiten. Nur allmählich gelingt es Herrschern wie Antiochos I. und Attalos I., der gallischen Scharen Herr zu werden und sie zu zwingen, sich im Gebiet der phrygischen Hochebene und ihren fruchtbaren Flußtälern anzusiedeln. Hier bilden sie bald auf Grund ihrer Zahl, die von J. BELOCH zu Beginn des 2. Jhs. v. Chr. – wahrscheinlich zu hoch – auf 360 000–400 000 geschätzt wurde, eine Art Herrenschicht, die erstaunlich zäh an ihrer Sprache und an althergebrachten Rechtsbräuchen festhält. Schon sehr früh bilden sich für die drei Stämme feste Siedlungsgebiete heraus. Danach bewohnten die Tolistoagier den Westen des galatischen Territoriums um die Stadt *Pessinus*/Ballihisar (TR), die Tektosagen bevölkerten das Gebiet um *Ancyra*/Ankara (TR), während die Trokmer das Gebiet um die Stadt *Tavium*/Delice (TR) östlich des *Halys*/Kizilirmak innehatten.

Ein erster feindlicher Zusammenstoß mit römischen Truppen ereignete sich 190 v. Chr. bei *Magnesia*, als 5500 Galater das Heer Antiochos' III. verstärkten, die Niederlage des seleukidischen Heeres jedoch nicht verhindern konnten. Die konsequente Folge war eine römische Strafexpedition, die unter dem Konsul Cn. Manlius Vulso ein Jahr später zur Erstürmung und Zerstörung der galatischen Bergfestungen führte (189 v. Chr.). Tausende von Galatern wurden erschlagen und etwa 40 000 in die Sklaverei verkauft. Obwohl damit ohne Zweifel geschwächt und fortan treu zu Rom stehend, beteiligten sich galatische Aufgebote auch in der Folgezeit immer wieder an kriegerischen Auseinandersetzungen im westlichen Kleinasien. Um 180 v. Chr. erringt mit Eumenes II. zum letzten Mal ein pergamenischer König einen entscheidenden Sieg über die Galater, doch gelingt es Eumenes fortan nicht mehr, die Römer gegen die Galater aufzubringen. Vielmehr werden diese 166 v. Chr. vom Senat für autonom erklärt, allerdings unter der Maßgabe, ihre Wohnsitze zukünftig nicht mehr zu verlassen, um ihre gefürchteten Raubzüge zu unternehmen.

Nachdem das pergamenische Reich 129 v. Chr. zur Provinz *Asia* geworden war, entstand den Galatern im Norden mit dem Königreich *Pontos* ein neuer Feind. Da sie auch weiterhin treu zu Rom hielten, traf sie der Zorn Mithradates' VI. im Jahre 86 v. Chr. besonders hart, als dieser von sechzig galatischen Adligen, die sich als Geiseln in seiner Gewalt befanden, lediglich drei am Leben ließ. Diese Bluttat veränderte das innere Gefüge der drei Stämme grundlegend, deren Führungsschicht mit einem Schlag fast völlig ausgerottet wurde. Waren die Stämme bis dahin jeweils in vier Tetrarchien gegliedert, die gemeinsam den ‹Rat der Dreihundert› bildeten, gab es spätestens seit 63 v. Chr., als Cn. Pompeius in die inneren Angelegenheiten der Galater eingriff, nur noch einen Tetrarchen pro Stamm. Von diesen war der Tolistoagier Deiotaros, der zudem den Königstitel angenommen hatte, ohne Zweifel der agilste, aber auch brutalste Herrscher. Obwohl mit ihm verschwägert, vertrieb er Brogitaros, den Tetrarchen der Trokmer, aus *Pessinus*, dessen Reich ihm schließlich 52 v. Chr., nachdem sein Schwiegersohn gestorben war, vom römischen Se-

nat zugesprochen wurde. Als erklärter Parteigänger des Pompeius verhielt sich Deiotaros unter Caesar eher zurückhaltend, nutzte jedoch 44 v. Chr. die Gunst der Stunde, Kastor Tarkondarios, den Tetrarchen der Tektosagen, der ebenfalls sein Schwiegersohn war, ermorden zu lassen und bis zu seinem Tode die drei galatischen Stämme unter seinem Königtum zu vereinen (40 v. Chr.). Nachdem ihm für wenige Jahre sein Enkel Kastor auf den Thron gefolgt war, beschloß Amyntas, der bereits unter Deiotaros ein hohes Staatsamt bekleidet hatte, die Reihe der galatischen Tetrarchen und Könige. Zunächst von Augustus trotz seiner Parteinahme für M. Antonius in seiner Herrschaft bestätigt, fiel Amyntas 25 v. Chr. im Kampf gegen das pisidische Bergvolk der Homonadenser. Noch im gleichen Jahr wurde die Lücke an der römischen Ostflanke zwischen Kilikien und dem Pontusgebiet geschlossen und das Gebiet zwischen dem *Taurus* im Süden, Paphlagonien im Norden sowie Kappadokien im Osten zur Provinz *Galatia* gemacht. Hauptstadt der Provinz wurde *Ancyra*/Ankara (TR), wo fortan ein *legatus Augusti* residierte, der im Rang eines Prätors stand.

Umfang und Bezeichnung der neuen Ostprovinz wechseln des öfteren in der Folgezeit, so daß für das 1. und 2. Jh. nur zurückhaltend ausgesagt werden kann, welche Landschaften in welchen Zeitabschnitten zu *Galatia* gehörten. Kennzeichnend ist z. B. die Laufbahn des Statthalters L. Caesennius Sospes (118), aus der hervorgeht, daß zu seinem Befehlsbereich neben dem eigentlichen Galatien auch die Gebiete von *Pisidia, Isauria, Lycaonia, Phrygia, Paphlagonia, Pontus Galaticus* bzw. *Polemonianus* sowie *Armenia minor* gehörten (*ILS* 1017). Erst für das Jahr 192 ist eine Inschrift überliefert, in der ein Statthalter als *leg(atus) Aug(usti) pr(o) pr(aetore) prov(inciae) Galatiae* bezeichnet wird (*ILS* 1142). Allerdings geht daraus nicht eindeutig hervor, welche Landschaften gegen Ende des 2. Jhs. zu Galatien gezählt wurden. Immerhin hat man jedoch die Provinz bei der Neueinteilung unter Diocletianus (284–305) als so umfangreich angesehen, daß man daraus zwei Provinzen machte: *Galatia I* mit der alten Hauptstadt *Ancyra* sowie *Galatia II* (auch *salutaris*), deren Zentrum *Pessinus* wurde.

Galatien war geographisch gesehen im wesentlichen ein rauhes Gebirgsland, das

Abb. 168 Ancyra/Ankara (TR). Tempel des Augustus und der Roma. Überschrift und erste Zeilen des sog. Monumentum Ancyranum auf den Wänden des Pronaos. Nach 14 n. Chr.

Abb. 169 Galatia Romana. Übersichtskarte der Provinz mit den wichtigsten Städten, Hauptverkehrslinien und Nachbarprovinzen. Nach R. K. SHERK.

stark bewaldet war und in das die breiten, fruchtbaren Täler des *Sangarios*/ Sakarya und *Halys*/Kizilirmak eingeschnitten waren. Kennzeichnend für diese Landschaft sind bis heute heiße Sommer und schneereiche Winter, äußere Bedingungen, die einen harten und ausdauernden Menschenschlag erfordern. Vielleicht haben gerade diese Umstände die eingewanderten Gallier in besonderer Weise geprägt und ihr Festhalten an der Sprache und keltischem Brauchtum gefördert. So lebendig waren diese Traditionen noch in der Zeit des aufkommenden Christentums, daß man mit Vorliebe galatische Missionare ins Trierer Land holte, um den immer noch keltisch sprechenden Menschen auf dem Lande das Evangelium in ihrer Sprache zu verkünden. Das strikte Festhalten an keltischen Traditionen zeigt sich auf galatischem Boden vor allem in der Namensgebung, die sich bis in die Kaiserzeit hinein gehalten hat, wie etwa die Namen der Priester zeigen, die auf den Wänden des Augustus-Roma-Tempels in *Ancyra* stehen.

Wirtschaftlich war die Provinz für das Reich nicht von großem Interesse. An Bodenschätzen scheinen nach Aussagen antiker Autoren nur Halbedelsteine wie Opale und Rauchtopase eine gewisse Rolle gespielt zu haben. Insgesamt gesehen war *Galatia* eine Provinz mit stark landwirtschaftlicher Struktur, soweit dies die Geographie des Landes zuließ. Soweit sich erkennen läßt, brachte die Provinz genügend hervor, um seine Bewohner zu ernähren. Dies gilt auch für Städte wie *Termessos, Sagalassos, Selge,* das pisidische *Antiochia* oder *Iconium*/Konya im Süden, *Pessinus, Ancyra, Tavium* oder *Amaseia*/Amasya im Norden. Charakteristisch waren jedoch auch – ähnlich wie in den Nachbarprovinzen – die großen Tempelgüter wie z. B. in der Gegend von *Pessinus,* auf deren Grund und Boden zahlreiche Dörfer und Höfe abhängiger Bauern lagen, die unter römischer Herrschaft zwar *de iure* die Freiheit erhielten, denen es jedoch als Kleinpächter ohne nennenswerte Rechte kaum besser ging als zuvor, als sie noch Leibeigene der Tempelherren waren.

Obwohl die einzelnen Landschaften der ehemaligen Provinz *Galatia* zahlreiche Überreste aus römischer Zeit aufweisen, steckt die Archäologie der Kaiserzeit im Innern Anatoliens immer noch in den Anfängen. Wie auch in anderen Gebieten Kleinasiens hat man sich dabei gezielt einzelnen Siedlungszentren zugewandt, insbesondere den ehemaligen Stadtanlagen, von denen nur *Ancyra*/Ankara weitestgehend unter dem Häusermeer einer modernen Großstadt verschwunden ist.

Bevorzugte Ausgrabungsplätze westeuropäischer Archäologen, Bauforscher und Althistoriker sind seit der zweiten Hälfte des 19. Jhs. vor allem *Termessos, Sagalassos, Selge, Pessinus* und *Ancyra* gewesen. Besonders hervorzuheben sind hierbei die deutschen Grabungen und Untersuchungen am Augustus-Roma-Tempel in Ankara, der unmittelbar nach Einrichtung der Provinz (25 v. Chr.) über einem Heiligtum der kleinasiatischen Gottheiten Men und Kybele als Symbol kaiserlicher Macht begonnen wurde. Unterstrichen wurde die Funktion des Tempels als Stätte des Kaiserkults durch die Anbringung des *index rerum gestarum* des Augustus (sog. Monumentum Ancyranum), der längsten Inschrift, die aus der Antike bekannt ist und den Leistungs- und Rechenschaftsbericht des ersten Kaisers in lateinischer und griechischer Sprache enthält (Abb. 168). Neuere Grabungen belgischer Archäologen haben zudem zur Aufdeckung des Haupttempels in *Pessinus* geführt, der ein Zentrum des Kybele oder Magna-Mater-Kultes war, der selbst noch im 4. Jhs. große Bedeutung besaß. Von hierher hatten die Römer schon 204 v. Chr. die Göttin Kybele nach Rom geholt, um sie im Kampf gegen Hannibal als Bundesgenossin an ihrer Seite zu wissen.

Bisher gibt es keine zusammenfassende Darstellung zur Provinz *Galatia*, lediglich Vorarbeiten, die erste Einblicke ermöglichen.
E. AKURGAL, *Ancient civilizations and ruins of Turkey* [6](1985); K. BELKE/M. RESTLE, *Galatien und Lykaonien* (1984); W. M. CALDER/G. E. BEAN, *A classical map of Asia Minor 1 : 2 000 000,* in: *AS* 7, 1957 *Suppl.;* W. M. CALDER/J. M. CORMACK, *Monuments from Lycaonia, the Pisido-Phrygian borderland* (1962); P. R. FRANKE, *Kleinasien zur Römerzeit* (1968); K. KRAFT, *Das System der kaiserzeitlichen Münzprägung in Kleinasien* (1972); D. MAGIE, *Roman rule in Asia Minor to the end of the third century A.D.,* 2 Bde. (1950); CH. MAREK, *Stadt, Ära und Territorium in Pontus-Bithynia und Nord-Galatia* (1993); S. MITCHELL, *Anatolia. Land, men and gods in Asia Minor 1. The Celts in Anatolia and the impact of Roman rule* (1993); T. PÉKARY, *Kleinasien unter römischer Herrschaft,* in: *ANRW* II 7.2 (1980) 641 ff.; W. M. RAMSAY, *Studies in the Roman province of Galatia* I–VII, in: *JRS* 7, 1917, 229 ff. bis ebd. 16, 1926, 114 ff.; F. STÄHELIN, *Geschichte der kleinasiatischen Galater* [2](1907).
T. R. S. BROUGHTON, *Roman land-holding in Asia Minor,* in: *TAPA* 65, 1934, 207 ff.; E. MEYER, *Die Grenzen der hellenistischen Staaten in Kleinasien* (1925); S. MITCHELL, *Legio VII and the garrison of Augustan Galatia,* in: *Classical Quarterly* 26.2, 1976, 298 ff.; W. M. RAMSAY, *Roman garrisons and soldiers in Asia Minor,* in: *JRS* 18, 1928, 181 ff.; DERS., *Early history of province Galatia,* in: W. M. CALDER/ J. KEIL (eds.), *Anatolian studies presented to W. Hepburn Buckler* (1939) 201 ff.; B. RÉMY, *Les fastes sénatoriaux des provinces romaines d'Anatolie au Haut-Empire 31 av. J.-C. – 284 ap. J.-C.* (1988); DERS., *Les carrières sénatoriales dans les provinces romaines d'Anatolie au Haut-Empire 31 av. J.-C. – 284 ap. J.-C.* (1989); DERS., *L'activité des fonctionnaires sénatoriaux dans la province de Galatie au Haut-Empire d'après les inscriptions,* in: *REA* 92, 1990, 85 ff.; W. F. SHAFFER, *The administration of the Roman province of Galatia from*

25 B. C. to A. D. 72 (1951); R. K. SHERK, *The legates of Galatia* (1951). Dazu: H.-G. PFLAUM, in: *Historia* 4, 1955, 119 ff.; DERS., *Roman Galatia: The governors from 25 B.C. to A.D. 114,* in: *ANRW* II 7.2 (1980) 954 ff.; R. SYME, *Galatia and Pamphylia under Augustus,* in: *Klio* 27, 1934, 127 ff.; E. WEBER (Hg.), *Res gestae divi Augusti* (1970);
E. BOSCH, *Die Kelten in Ankara, JKAF* 2, 1952/53, 283 ff.; C. FOSS, *Ankyra,* in: *RAC Suppl.* 3 (1985) 448 ff.; H. HALFMANN, *Die Senatoren aus den kleinasiatischen Provinzen des Römischen Reiches vom 1.–3. Jahrhundert,* in: *Tituli* 5, 1982, 603 ff.; W. M. RAMSAY, *Social basis of Roman power in Asia Minor* (1941; ND 1967); L. ROBERT, *Noms indigènes dans l'Asie Mineure grécoromaine* (1962); L. ZGUSTA, *Kleinasiatische Personennamen* (1964).
H. VON AULOCK, *Münzen und Städte Lykaoniens* (1976); DERS., *Münzen und Städte Pisidiens* I (1977); A. H. M. JONES, *The cities of the eastern Roman provinces* [3](1971); B. LEVICK, *Roman colonies in southern Asia Minor* (1967); K. LANCKORONSKY, *Städte Pamphyliens und Pisidiens,* 2 Bde. (1890/92; ND 1970); A. D. MACRO, *The cities of Asia Minor under the Roman Imperium,* in: *ANRW* II 7.2 (1980) 658 ff.; S. MITCHELL, *Population and the land in Roman Galatia,* ebd. 1053 ff.; E. WINTER, *Staatliche Baupolitik und Baufürsorge in den römischen Provinzen des kaiserzeitlichen Kleinasien* (1996).
H. VON AULOCK, *Die römische Kolonie Germa in Galatien und ihre Münzprägung,* in: *IM* 18, 1968, 221 ff.; D. DE BERNARDI FERRERO, *Teatri classici in Asia Minore,* 4 Bde. (1966–74); K. BITTEL, *Beobachtungen in Pessinus,* in: *AA* 82, 1967, 142 ff.; E. BOSCH, *Quellen zur Geschichte der Stadt Ankara im Altertum* (1967); W. M. CALDER, *Colonia Caesareia Antiocheia, JRS* 2, 1912, 79 ff.; J. DEVREKER/M. WAELKENS, *Les fouilles de la Rijksuniversiteit te Gent à Pessinonte* (1984); A. MAHATSCHEK/M. SCHWARZ, *Bauforschung in Selge* (1981); S. MITCHELL, *Iconium und Ninica: two double communities in Roman Asia Minor,* in: *Historia* 28, 1979, 409 ff.; W. M. RAMSAY, *Colonia Caesarea Antiochia in the augustan age,* in: *JRS* 6, 1916, 96 ff.; M. WAELKENS (ed.), *Sagalassos 1. First general report on the survey 1986–89 and excavations 1990–91* (1993); DERS./ J. POBLOMÉ (eds.), *Sagalassos 2. Report on the third campaign of 1992* (1993).
M. H. BALLANCE, *Roman roads in Lycaonia, AS* 8, 1958, 223 ff.; D. H. FRENCH, *The Roman road-system of Asia Minor,* in: *ANRW* II 7.2 (1980) 628 ff.; DERS., *Milestones of Pontus, Galatia, Phrygia and Lycia,* in: *ZPE* 43, 1981, 149 ff.; I. W. MACPHERSON, *Roman roads and milestones of Galatia,* in: *AS* 4, 1954, 111 ff.
T. R. S. BROUGHTON, *Roman Asia,* in: T. FRANK (ed.), *An economic survey of ancient Rome* 4 (1938; ND 1959) 591 ff.; D. M. ROBINSON, *A new latin economic edict from Pisidian Antioch,* in: *TAPA* 55, 1924, 5 ff.
E. AKURGAL, *Griechische und römische Kunst in der Türkei* (1987); H. HALFMANN, *Zur Datierung und Deutung der Priesterliste am Augustus-Roma-Tempel in Ankara,* in: *Chiron* 16, 1986, 35 ff.; M. HARDIE, *The shrine of Men Askaenos at Pisidian Antioch,* in: *JHS* 32, 1912, 111 ff.; D. KRENCKER/M. SCHEDE, *Der Tempel in Ankara* (1936); E. N. LANE, *Men. A neglected cult of Roman Asia Minor,* in: *ANRW* II 18.3 (1990) 2161 ff.; S. MITCHELL, *Anatolia 2. The rise of the church* (1993); K. TUCHELT, *Bemerkungen zum Tempelbezirk von Antiochia ad Pisidiam,* in: *Festschr. K. Bittel* (1983) 501 ff.

Abb. 170   Dalmatia Romana. Übersichtskarte der Provinz mit Städten, Siedlungen, Grenzen und den wichtigsten geographischen Angaben. Nach J. J. WILKES.

Dalmatia (nach 9 n. Chr.)

Inzwischen lud ihm (i.e. Tiberius) die Nachricht des Abfalls von Illyricum die Sorge eines neuen Krieges auf. Dieser war der schwerste aller auswärtigen Kriege seit dem Punischen Kriege ... Diese seine Beharrlichkeit wurde denn auch mit dem herrlichsten Erfolg belohnt, indem er zuletzt das ganze Illyricum in seiner gesamten Ausdehnung zwischen Italien, dem Königreich Norikum, Thrakien, Makedonien, dem Donaustrom und dem Adriatischen Meer vollständig bezwang und zur Unterwerfung brachte.

CAIUS SUETONIUS TRANQUILLUS (um 75 – 150)

Zu welchem genauen Zeitpunkt weite Gebiete des früheren Jugoslawien, das die Römer zunächst *Illyricum*, seit Beginn der Kaiserzeit dann *Dalmatia* nann-

ten, als römische Provinz eingerichtet wurde, ist mit Hilfe des überlieferten Quellenmaterials heute nicht mehr sicher zu bestimmen. Entsprechend weit gehen die Meinungen in dieser Frage auseinander. Soviel jedoch scheint sicher, daß Rom seit Beginn des 2. Jhs. v. Chr. mit den *Dalmatae* (auch *Delmatae*) und anderen illyrischen Völkerschaften in kriegerischen Kontakt kam und wiederholt den Versuch unternahm, die Italien zugewandte Adriaküste der eigenen Oberhoheit zu unterstellen. Soweit heute aus der mehr zufälligen historischen Überlieferung noch entnehmbar, scheint es den Römern jedoch in mehr als anderthalb Jahrhunderten nicht gelungen zu sein, das Land der Dalmater, Japoden, Liburner und anderer Stämme so nachhaltig in die

Hand zu bekommen, um zumindest den Küstenbereich mit seinen zahlreichen Häfen und vorgelagerten Inseln unter ständige Kontrolle zu nehmen, von wo aus die Küstenbewohner auf schnellen Schiffen das Adriatische Meer unsicher machten. Zwar gelang es Rom in den Jahren 165/155 v. Chr., 119/118 v. Chr. sowie in den Jahren gegen Ende des Bürgerkrieges, seinen Einfluß wenigstens für jeweils kurze Zeit geltend zu machen und die Stämme Dalmatiens unter seine Oberhoheit zu zwingen, doch kam es immer wieder zu neuen Aufständen der Bevölkerung, die das römische Joch schnell wieder abschüttelte und mehr als ein römisches Heer so vernichtend schlug, daß Jahrzehnte vergingen, bis Rom einen erneuten Anlauf unternahm.

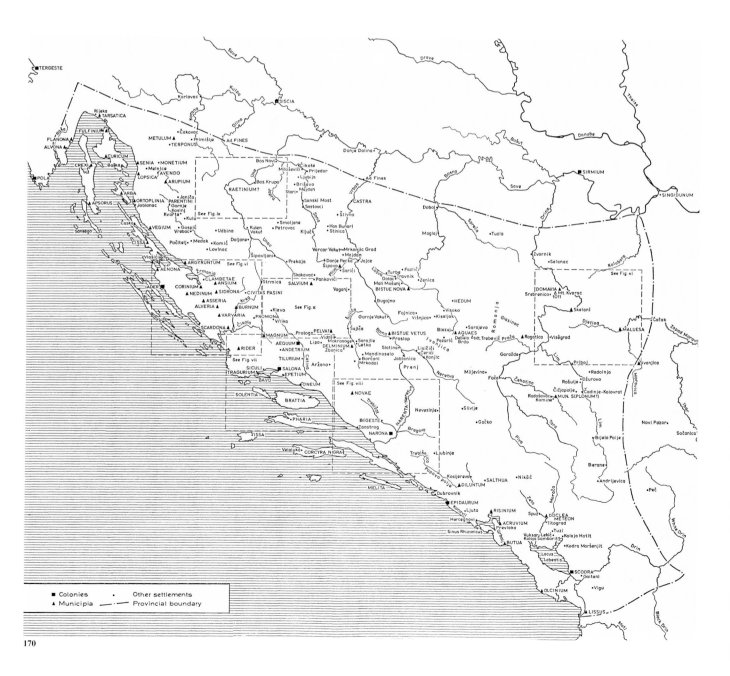

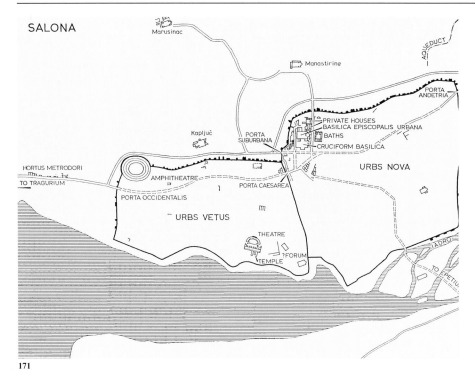

SALONA

171

Der erste (bisher bekannte) Senator, der 45/44 v. Chr. als Statthalter einer Provinz *Illyricum* fungierte, war P. Vatinius, ein Parteigänger Caesars. Etwa zur gleichen Zeit hatten die Stämme Dalmatiens Caesar ihre Unterwerfung angeboten, Geiseln gestellt und sich bereit erklärt, Steuern zu zahlen. Kurz zuvor hatte Pompeius in den Jahren 49–47 v. Chr. die Häfen Dalmatiens als Flotten- und Operationsbasis gegen Caesar genutzt, der 49 v. Chr. den *Rubicon* überschritten hatte und in Italien einmarschiert war. Andererseits wird überliefert, daß A. Gabinius noch im Winter 48/47 v. Chr. mit den Dalmatern in schwere Kämpfe verwickelt war und sich nur mit Mühe nach *Salona*/Solin (HR) durchschlagen und sein Heer in Sicherheit bringen konnte, was nicht dafür spricht, daß *Illyricum* damals schon als *provincia pacata* angesehen werden konnte. Überdies fühlten sich die Stämme Dalmatiens wenig später auch nicht mehr an die Vereinbarungen gebunden, die sie mit Caesar geschlossen hatten, sondern betrachteten diese mit seinem Tod (44 v. Chr.) gleichsam als gegenstandslos und widersetzten sich auch weiterhin der römischen Einflußnahme.

Erst mit den Feldzügen des Octavianus in den Jahren 35–33 v. Chr. scheint die endgültige ‹Befriedung› dieses Gebiets eingeleitet worden zu sein, als der spätere Kaiser von der Save aus den Nordwesten des heutigen Kroatien durchzog, die dort ansässigen Stämme unterwarf und sie zwang, Geiseln zu stellen und Tribute zu entrichten. Doch der Widerstand der illyrischen Stämme war damit längst noch nicht gebrochen. In den Jahren 11/10

v. Chr. war es Tiberius, den der Kaiser mit einem Heer gegen die Dalmater schickte, die sich erneut erhoben hatten. Den Schlußpunkt setzte schließlich der pannonisch-dalmatische Aufstand in den Jahren 6–9, als die illyrischen und keltischen Stämme zwischen Adriaküste und Donau ein letztes Mal den Versuch unternahmen, Rom zu trotzen und ihre Freiheit zu bewahren. Doch obwohl die Aufständischen ein gewaltiges Heer mobilisieren konnten, gelang es Tiberius, in diesem Krieg, über den Suetonius schrieb, er sei (*bellum*) *gravissimum omnium externorum bellorum post Punica* gewesen (*Tib.* 16), erst die Pannonier und dann die Dalmater niederzuringen.

Am ehesten wird man die Jahre nach 9 als ‹Geburtsstunde› einer eigenen Provinz *Dalmatia* bezeichnen können, als Illyrien nach der Niederschlagung des Aufstandes geteilt wurde und die beiden Provinzen *Dalmatia* und *Pannonia* entstanden. Folgerichtig wird C. Vibius Postumus, der erste Statthalter der neuen Provinz, von VELLEIUS PATERCULUS (II 116,2) nicht mehr als *praepositus Illyrico*, sondern *praepositus Delmatiae* bezeichnet. Mit ihm setzt eine planmäßige und intensive Romanisierung des Landes ein, die sich vor allem auf die Küstengebiete erstreckt, während das bergige Hinterland des heutigen Bosnien von dieser Entwicklung weitgehend ausgeschlossen bleibt. So führte die wichtigste Straßenroute der Provinz die Küste entlang von *Iadera*/Zadar-Zara (HR) über *Salona*/Solin (HR), *Narona*/Vid Metković (HR) nach *Scodra*/Shkoder-Skutari (AL). Dagegen wurde das Binnenland nur von wenigen

Straßen durchzogen, die den Flußtälern folgten und vor allem die Provinzhauptstadt *Salona* mit dem Donaugebiet verbanden. Ähnliches läßt sich auch an den Spuren ablesen, die die römische Landvermessung (*centuriatio*) hinterlassen hat, die im wesentlichen auf die Küstenregion beschränkt blieb.

Die neugeschaffene Provinz *Dalmatia* umfaßte einen Großteil des südlichen Kroatien, das gesamte Gebiet von Bosnien-Herzegowina und Montenegro, den Westteil von Serbien sowie ein Teilstück des nördlichen Albanien. Entlang der Adria bildete im Norden das Flüßchen *Arsia*/Rasa auf der istrischen Halbinsel die Grenze zu Italien, im Süden reichte die Provinz bis in die Gegend südlich von *Lissus*, das als syrakusanische Kolonie bereits Anfang des 4. Jhs. v. Chr. an der Mündung des Drin gegründet worden war (heute Lesh/AL). Dagegen ist der Verlauf der nördlichen und östlichen Provinzgrenze Dalmatiens weniger sicher. Die Nordgrenze folgte sehr wahrscheinlich den nördlichen Ausläufern des Bosnischen Berglandes. Durch Ptolemaios (II 16,1) ist bekannt, daß nicht der *Savus*/Save die Grenze zu *Pannonia* bildete, sondern diese etwa 20 römische Meilen (knapp 30 km) südlich des Flusses verlief. Südwestlich von *Singidunum*/Belgrad (YU) bog die Grenze nach Süden ab, überschritt erst den *Margus*/Morawa, dann den *Drinus*/Drin und erreichte südlich von *Lissus* die Adriaküste.

Die bedeutendste Stadt der Provinz war *Salona*/Solin (HR). Bereits Caesar hatte sie zwischen 47 und 44 v. Chr. in den Rang einer *colonia* erhoben und den später als *urbs vetus* bezeichneten, älteren Teil der Stadt mit einer Mauer umgeben. Um 33 v. Chr. hatte Octavianus die *urbs nova* hinzugefügt und ihr ebenfalls den Titel *colonia* verliehen. Die Stadt entwickelte sich neben *Aquileia* nicht nur zum wichtigsten Hafen an der Adria, sondern war als Sitz des Statthalters auch das wichtigste Verwaltungszentrum der Provinz. Der Statthalter war ein *legatus Augusti pro praetore* konsularischen Ranges, da ihm außer verschiedenen Auxiliarformationen zwei Legionen unterstanden, die ihre Standorte in *Burnum*/Suplja Crkva b. Kistanje (HR) und *Tilurium*/Gardun (HR) hatten. Dies wird der Grund dafür gewesen sein, daß Augustus die anfangs dem Senat zugeteilte Provinz zu einem nicht näher bekannten Zeitpunkt in kaiserliche Obhut nahm und sie einem von ihm ernannten Legaten unterstellte. Auch als spätestens 69 die letzte Legion die Provinz verließ und Dalmatien eine *provincia inermis* wurde, behielt der dortige Statthalter seinen hohen

Rang. Daneben war *Salona* aber auch der Sitz des ritterlichen Finanzprokurators sowie des *praepositus thesaurorum*, der die Oberaufsicht über die Bergwerke im Bosnischen Erzgebirge westlich des heutigen Sarajewo (BIH) zu führen hatte. Schließlich war die Stadt auch Sitz des *conventus Salonitanus*, einem der drei Gerichtsbezirke der Provinz, deren weitere Zentren die Städte *Scardona*/Skradin (HR) und *Narona*/ Vid Metković (HR) waren.

Die Bevölkerung Dalmatiens setzte sich ursprünglich aus zahlreichen Stämmen und Völkerschaften zusammen, von denen neben den Dalmatern die Japoden, Liburner, Mäzäer, Däsitiaten und Pirusten die größten und bekanntesten waren. Dort, wo es politisch nötig erschien, das alte Stammesgefüge aufzulösen und in neuer Form zu organisieren, wurden zentrale Ortschaften aus den Bergen in die Ebene verlegt und neue *civitates* (‹Stammesbezirke›) und *pagi* (‹Dorfgemeinschaften›) geschaffen. An ihrer Spitze standen Einheimische, bisweilen möglicherweise aber auch römische Bürger, die wie ein gewisser Marcellus, ein Offizier der 11. Legion (*CIL* IX 2564), im Lande ansässig geworden waren und in Inschriften als *praefectus*, *praepositus* oder *princeps* (*civitatis* o. ä.) bezeichnet werden. Im Laufe des 2. Jhs. schwand die Bedeutung der Civitas-Ordnung. Die *civitates* wurden aufgelöst und in Stadtgebiete umgewandelt.

Die Provinz *Dalmatia* gehörte neben den Provinzen *Baetica* und *Africa proconsularis* zu den Gebieten des Reiches, die am intensivsten urbanisiert worden sind. Bereits in spätrepublikanischer Zeit waren vor allem entlang der Adriaküste die ersten römischen Kolonien und Munizipien entstanden. Ihnen folgte unter den iulisch-claudischen Kaisern eine Vielzahl weiterer Stadtgründungen, die sich nicht allein auf die Küstenregion beschränkten, sondern als Veteranenstädte gezielt auch im Binnenland angelegt wurden, um dieses schwierige und unübersichtliche Ge-

biet endgültig zu ‹befrieden›. Zu den bekanntesten Gründungen gehörten neben der Provinzhauptstadt *Salona* die Städte *Iadera*/Zadar-Zara (HR), *Aequum*/Citluk b. Sinj (HR), *Narona*/Vid Metković (HR), *Epidaurum*/Cavtat (HR) und *Scodra*/Shkoder-Skutari (AL). Des weiteren gab es entlang der Küste eine größere Anzahl von Städten mit Munizipalcharakter. Stellvertretend genannt seien *Tarsatica*/Trsat b. Rijeka (HR), *Aenona*/ Nin (HR), *Asseria*/Podgradje b. Benkovac (HR), *Varvaria*/Bribir (HR), *Scardona*/Skradin (HR), *Doclea Meteon*/ Dukljia b. Titograd (YU), *Bistue Nova*/ Vitez (BIH), *Bistue Vetus*/Varvara b. Prozor (BIH), *Salvium*/Gradina b. Glamoc (BIH) und *Burnum*/Suplja Crkva b. Kistanje (HR), wo bis 69 die *legio XI Claudia* stationiert war, ehe sie den Befehl erhielt, das obere germanische Heer zu verstärken und das Lager von *Vindonissa*/Brugg-Windisch (CH) zu beziehen.

172

So heftig der Widerstand der Völker und Stämme Dalmatiens bis zum Jahre 9 auch gewesen war, so friedlich vollzog sich die weitere Entwicklung dieses Gebietes, das bis in die Zeit der Spätantike von keinerlei kriegerischen Ereignissen heimgesucht wurde. Hiervon profitierten nicht nur die Menschen dieser Region, sondern vor allem die Wirtschaft des Landes, die sich ohne wesentliche Einbrüche entwickeln konnte. Dabei spielten in den Küstenregionen Land- und Weidewirtschaft die Hauptrolle, während für das gebirgige Hinterland in erster Linie Bergbau und Holzhandel kennzeichnend waren. Vor allem Käse, aber auch Getreide, später auch Wein und Olivenöl, waren wichtige Exportartikel, dazu die Biersorte *sabaium*, die offenbar auch außerhalb Dalmatiens ihre Liebhaber hatte. Eine besondere Rolle spielte der Bergbau im

Herzen des heutigen Bosnien, wo damals vor allem Eisen gewonnen wurde, wahrscheinlich aber auch Kupfer, Blei und Silber, Metalle, die bis heute den Reichtum dieses erzhaltigen Gebiets ausmachen. Die Bedeutung des dalmatischen Bergbaus bzw. der Männer, die dort tätig waren, zeigte sich u. a. darin, daß es Ingenieure und Arbeiter aus diesen Gruben waren, die Traianus nach 107 in das eroberte Dakien schickte, um die dortigen Bodenschätze auszubeuten.

Kaum geringer dürfte in der ehedem sehr waldreichen Provinz die Bedeutung des Schiffsbaus gewesen sein. Schon früh hatten die Römer die wendigen Zweiruderer der Liburner kennen- und fürchten gelernt, gegen die sie mit ihren eigenen, wesentlich schwerfälligeren Großschiffen oft genug das Nachsehen hatten. Nach-

Abb. 171 Salona/Solin (HR). Plan der beiden Stadtgründungen. Nach J. J. WILKES.

Abb. 172 Venedig (I), San Marco. Sog. Tetrarchenrelief, das Diocletianus, Maximianus, Galerius und Constantius Chlorus zeigt. Aus dem Kaiserpalast in Konstantinopel. Porphyr. Höhe 1,3 m. Um 300/305.

Abb. 173 Narona/Vid Metković (HR). Statuen und Inschriftsockel am Forum der römischen Stadt. Ausgrabung 1995.

173

dem bereits Agrippa diesen Schiffstyp mit großem Erfolg in der Seeschlacht vor *Actium* (31 v. Chr.) eingesetzt hatte, wurde die *liburna* sowohl im Mittelmeer wie auf den Grenzflüssen schnell zum Standardtyp der römischen Flotten. Dieser Schiffstyp, der auf vielen Werften entlang der Küste Dalmatiens in großer Zahl gebaut worden sein dürfte, war schließlich so bekannt, daß man fortan jedes römische Kriegsschiff nur noch als *liburna* bezeichnete.

Seit der Reichsreform des Diocletianus, der aus Dalmatien stammte, waren es *praesides*, die die Provinz verwalteten. In deutlichem Gegensatz zu anderen großen Provinzen wurde *Dalmatia* damals nicht geteilt. Es gehörte fortan zur *dioecesis Pannoniorum* (später *Illyricum occidentale*) und unterstand dem *praefectus praetorio Italiae*. Lediglich ganz im Süden wurde ein kleiner Teil mit der Hauptstadt *Scodra*/Shkoder-Skutari (AL) abgetrennt, als *Praevalitana* (auch *Praevalis*) einem eigenen *praes* unterstellt und der *dioecesis Moesiarum* zugeschlagen. Bis zum Ende des 4. Jhs. blieb es in Dalmatien relativ ruhig. Im Jahre 395 drangen gotische Scharen erstmals bis *Salona* vor, ein Jahrhundert später war die ehemalige römische Provinz fest in ostgotischer Hand. Es folgte die Rückeroberung durch Byzanz, doch häuften sich in der Folgezeit die Einfälle der Slawen und Awaren, bis schließlich *Salona* zu Beginn des 7. Jhs. in die Hände der Slawen fällt. Die letzte datierte Inschrift ist die der Äbtissin Johanna, die nach dem Fall von *Sirmium*/Sremska Mitrovica (YU) 583 nach *Salona* flüchtet und dort am 12. Mai 612 stirbt.

Als Diocletianus im Jahre 305 abdankte, zog er sich in seine dalmatische Heimat zurück, wo er sich in *Spalatum* auf einer Landzunge unweit von *Salona* einen riesigen Palast bauen ließ, in den sich später die Altstadt von Split ‹einnistete›. Bis heute gehört die monumentale Anlage mit dem Mausoleum des Kaisers, dem heutigen Dom von Split, zu den großartigsten Hinterlassenschaften römischer Kaiserarchitektur. Daneben haben sich aber auch an Plätzen wie *Aenona*/Nin (HR), *Asseria*/Podgradje (HR), *Burnum*/Suplja Crkva (HR), *Doclea* Meteon/Dukljia b. Titograd (YU), *Iadera*/Zadar-Zara (HR), *Narona*/Vid Metković (HR), *Salona*/Solin (HR) oder *Varvaria*/Bribir (HR) z. T. überaus stattliche architektonische Überreste der römischen Epoche erhalten. Vor 1918 waren es in der Hauptsache österreichische Archäologen wie C. PATSCH, die im Anschluß an die österreichische Besetzung von Bosnien-Herzegowina (1908) von Sarajewo

aus zahlreiche Untersuchungen begannen, die später vom Museum in Sarajewo, insbesondere durch D. SERGEJEVSKI, fortgesetzt wurden. Weitere Untersuchungen, wenn auch in geringerem Umfang, galten den Ruinenstätten *Salona* und *Spalatum*, wo F. BULIC und M. ABRAMIC tätig waren, während sich E. DYGGVE und andere dänische Archäologen in der Hauptsache um Monumente der frühchristlichen Epoche kümmerten. Darüber hinaus gibt es eine Vielzahl von Einzeluntersuchungen topographischer, archäologischer und epigraphischer Natur, wenn auch insgesamt gesagt werden muß, daß die wenigen Institute und Museen im früheren Jugoslawien, die sich bislang um das römische Erbe Dalmatiens kümmerten, sich jeweils nur einzelnen Projekten widmen konnten. Ob die Archäologie in diesem von Haß und Mißtrauen zerrissenen Land je wieder eine Zukunft haben wird, müssen die kommenden Jahre zeigen.

Die römische Provinz *Dalmatia* gehört zu den wenigen Gebieten des Römischen Reiches, für die eine moderne Monographie vorliegt: J. J. WILKES, *Dalmatia* (1969) m. ausführl. Bibl. 509 ff. Das Werk des britischen Althistorikers und Archäologen basiert vor allem auf der Auswertung epigraphischer Quellen.
P. R. FRANKE, *Albanien im Altertum, Sondernr. Antike Welt* (1983); M. HOLLEAUX, *The Romans in Illyria*, in: *CAH* 7 (1928) 822 ff.; S. MLAKAR, *Die Römer in Istrien* (1974); C. PATSCH, *Archäologisch-epigraphische Untersuchungen zur Geschichte der römischen Provinz Dalmatia* I–VIII (ab III mit K. KOVACEVIC), in: *WMBH* 4–12 (1896–1912); DERS., *Bosnien und Hercegovina in römischer Zeit* (1911); DERS., *Historische Wanderungen im Karst und an der Adria. Die Hercegovina einst und jetzt* (1922); DERS., *Beiträge zur Völkerkunde von Südosteuropa* V.1. *Aus 500 Jahren vorrömischer und römischer Geschichte Südosteuropas* (1932); M. PAVAN, *Ricerche sulla provincia romana di Dalmazia* (1958); P. PETRU, *Die provinzialrömische Archäologie in Slowenien*, in: *ANRW* II 6 (1977) 500 ff.; C. PRASCHNIKER/A. SCHOBER, *Archäologische Forschungen in Albanien und Montenegro* (1919); S. RINALDI TUFI, *Dalmazia* (1989); B. SARIA, s. v. *Dalmatia*, in: *RE* Suppl. 8 (1956) 21 ff.; A. u. J. SASEL, *Inscriptiones Latinae quae in Iugoslavia inter annos* MCMXL *et* MCMLX *repertae et editae sunt, Situla* 5 (1963); DIESS., *Inscriptiones Latinae quae in Iugoslavia inter annos* MCMLX *et* MCMLXX *repertae et editae sunt*, ebd. 19 (1978).
R. CHEVALLIER, *La centuriazione romana dell' Istria e della Dalmazia*, in: *Atti e memorie della Società istriana di archeologia e storia patria*, N. S. 9 (1961); A. JAGENTEUFEL, *Die Statthalter der römischen Provinz Dalmatien von Augustus bis Diokletian* (1958); C. PATSCH, *Der illyrische Zoll und die Provinzialgrenzen*, in: *RM* 20, 1905, 223 ff.
G. ALFÖLDY, *Die Auxiliartruppen der römischen Provinz Dalmatien*, in: *Act. Arch. Acad. Scient. Hung.* 14, 1962, 259 ff.; A. BETZ, *Untersuchungen zur Militärgeschichte der römischen Provinz Dalmatien* (1938); E. REISCH, *Das Standlager von Burnum*, in: *JÖAI* 16, 1913 Beibl. 112 ff.; E. SWOBODA, *Octavian und Illyricum* (1932); S. ZABEHLICKY-SCHEFFENEGGER/ M. KANDLER, *Burnum* I (1979); M. ZANINOVIC, *Burnum-castellum, municipium*, in: *Diadora* 4, 1968, 119 ff.
G. ALFÖLDY, *Bevölkerung und Gesellschaft der römischen Provinz Dalmatien* (1965); DERS., *Die Personennamen im römischen Dalmatien* (1969); S. JIRECEK, *Die Romanen in den Städten Dalmatiens im Mittelalter* (1901–03); H. KRAHE, *Die Sprache*

der alten Illyrer, 2 Bde. (1955/58); A. MAYER, *Die Sprache der alten Illyrer*, 2 Bde. (1957/59); J. J. WILKES, *The population of Roman Dalmatia*, in: *ANRW* II 6 (1977) 732 ff.; DERS., *The Illyrians* (1992).
G. ALFÖLDY, *Caesarische und augusteische Kolonien in der Provinz Dalmatien*, in: *Act. Ant. Hung.* 10, 1962, 357 ff.; DERS., *Das Leben der dalmatinischen Städte in der Zeit des Prinzipates*, in: *Ziva antič ka* 12, 1963, 323 ff.; E. PASALIC, *Antička naselja i komunikacije u Bosni i Hercegovini* (1960); M. SUIC, *Limitation of Roman colonies on the eastern Adriatic coast*, in: *Zbornik instituta za historijske nauke u Zadru* (1955).
CH. W. CLAIRMONT u. a., *Excavations at Salona, Yugoslavia, 1969–72* (1975); E. DYGGVE u. a., *Recherches à Salona*, 2 Bde. (1928/33); A. P. MISURA, *Colonia romana Claudium Aequum* (1921); C. PATSCH, *Zur Geschichte und Topographie von Narona* (1904); P. STICOTTI (Hg.), *Die römische Stadt Doclea in Montenegro* (1913); M. SUIC, *O municipalitetu anticke Salone*, in: *VAHD* 60, 1958, 11 ff.; DERS., *Municipium Varvariae*, in: *Diadora* 2, 1960–61, 179 ff.
I. BOJANOVSKI, *Mogorjelo. Das römische Turres*, in: *WMBH* 2, 1972, 185 ff.; I. CREMOSNIK, *Rimska vila u Visicima*, in: *GZM* 20, 1965, 147 ff.; E. DYGGVE/ H. VETTERS, *Mogorjelo, ein spätantiker Herrensitz in Dalmatien* (1966); J.-T. MARASOVIC, *Der Diokletianspalast* (1968). Englische Neuauflage: S. MACNALLY/ J.-T. MARASOVIC, *Diocletian's palace*, 2 Bde. (1976); T. MARASOVIC, *Der Diokletianspalast – ein Weltkulturerbe* (1995); M. VASIC, *Römische Villen vom Typ der villa rustica auf jugoslawischem Boden*, in: *AI* 11, 1970, 45 ff.; J. J. WILKES, *Diocletian's palace*, Split ²(1993).
G. ALFÖLDY, *Eine Straßenbauinschrift*, in: *Act. Arch. Acad. Scient. Hung.* 16, 1964, 247 ff.; I. BOJANOVSKI, *Dolabelin sistem cesta u rimskoj provinciji Dalmatciji* (1974); B. ILAKOVIC, *Aquaeductus Aenonae*, in: *Radovi Instituta Jugoslavenske Akademije Znanosti i Umjetnosti u Zadru* 16–17, 1969, 265 ff.; E. PASALIC, *Römische Straßen in Bosnien und der Hercegovina*, in: *AI* 3, 1959, 61 ff.; C. TRUHELKA, *Die römische Drinathalstraße im Bez. Srebrnica*, in: *WMBH* 1, 1893, 308 ff.
I. BOJANOVSKI, *L'huilerie antique à Mogorjelo et la reconstruction de sa presse (torcular)*, in: *Nase starine* 12, 1969, 27 ff.; S. DUSANIC, *Aspects of Roman mining in Noricum, Pannonia, Dalmatia and Moesia Superior*, in: *ANRW* II 6 (1977) 52 ff.; K. KURZ, *Zu den sogenannten treibenden Kräften in der wirtschaftlichen Entwicklung des antiken Dalmatien*, in: *Ziva antič ka* 17, 1967, 185 ff.; DERS., *Zur Landwirtschaftsstruktur im römischen Dalmatien*, ebd. 18, 1968, 249 ff.; E. PASALIC, *Die Wirtschaftsbeziehungen zwischen dem Hinterland der Adria und dem römischen Limes an der Donau*, in: *Quintus Congressus Internationalis Limitis Romani Studiosorum* (1963) 167 ff.; DERS., *Production of Roman mines and iron-works in West Bosnia*, in: *AI* 6, 1965, 81 ff.; J. ŠAŠEL, *Dalmatien*, in: F. VITTINGHOFF (Hg.), *Europäische Wirtschafts- und Sozialgeschichte in der römischen Kaiserzeit* (1990) 572 ff.; M. ZANINOVIC, *The economy of Roman Dalmatia*, in: *ANRW* ebd. 767 ff.
N. CAMBI, *Atički Sarkofazi u Dalmaciji* (1989); DIES., *Die Kunst des römischen Dalmatien in der Prinzipatszeit*, in: *ANRW* II 12.4 (i. Vorb.); DIES./ M. KOLEGA, *Antički portret u Dalmaciji i Istri* (1990); SH. MACNALLY, *The architectural ornament of Diocletian's Palace at Split*, in: *BAR Int. Ser.* 639 (1996); S. H. MIDDLETON, *Engraved gems from Dalmatia* (1991); J. NIKOLAJEVIC-STOJKOVIC, *La décoration architecturale de l'époque bas-romaine en Macedonie, en Serbie et au Montenegro* (1957); A. STIPCEVIC, *Arte degli Illiri* (1963); E. WEIGAND, *Die Stellung Dalmatiens in der römischen Reichskunst*, in: *Strena Buliciana* (1924) 77 ff.
N. CAMBI, *Salona und seine Nekropolen*, in: H. HESBERG/P. ZANKER (Hg.), *Römische Gräberstraßen* (1987) 251 ff.; E. DYGGVE, *History of Salonitan christianity* (1951); P. SELEM, *Egipatski bogori u rimskom Iliriku*, in: *Gosdisnjak* 9, 1972, 5 ff.; L. VIDMAN, *Die ägyptischen Kulte in den Donauprovinzen*, in: *ANRW* II 18.2 (1989) 975 ff.; L. ZOTOVIC, *Die Ausbreitung des Mithraskultes in Südosteuropa*, ebd. 1014 ff.

Pannonia (nach 9 n. Chr.)

Die pannonischen Völkerschaften, die vor meiner Regierungszeit kein Heer des römischen Volkes angegriffen hat, habe ich durch Tiberius Nero, meinen damaligen Stiefsohn und beauftragten Oberkommandierenden, besiegen und der Herrschaft des römischen Volkes unterwerfen lassen, wodurch die Grenzen des römischen Illyricum bis an das Ufer der Donau vorgeschoben wurden.

CAIUS IULIUS OCTAVIANUS AUGUSTUS (63 v. Chr. – 14 n. Chr.)

Die Pannonier wohnen nahe Dalmatien am Ufer der Donau von Norikum bis Mösien und leben von allen Menschen am erbärmlichsten. Sowohl ihr Klima als auch ihr Boden sind arm; sie pflanzen keine Oliven an und produzieren keinen Wein bis auf sehr kleine Mengen von sehr schlechter Qualität ... Sie essen nicht nur Gerste und Hirse, sondern trinken auch Getränke, die daraus gemacht sind. Nichtsdestoweniger gelten sie als die tapfersten unter allen Männern. Denn da sie nichts haben, das eines zivilisierten Lebens wert ist, sind sie äußerst wild und blutdürstig ...

CASSIUS DIO COCCEIANUS (um 160 – nach 229)

Ebensowenig wie für Dalmatien kann auch für Pannonien, das nach der Teilung des großen Gebietes zwischen Adria und Donau zunächst offiziell *Illyricum inferius* hieß, ehe sich allgemein die Bezeichnung *Pannonia* durchsetzte, für die Einrichtung dieser Provinz ein exaktes Datum angegeben werden. Man wird am ehesten auch hier die Jahre nach 9 als den Zeitpunkt der Provinzgründung ansehen dürfen, nachdem die pannonischen Stämme ein Jahr zuvor die Waffen gestreckt hatten und es bis zum Sommer des Jahres 9 dauerte, bis auch die Dalmater endgültig besiegt waren. Zwar scheint man in Rom auf Grund der militärischen Erfolge des Tiberius schon während der Jahre 12–9 v. Chr. davon ausgegangen zu sein, «das ganze Illyrien» als *provincia pacata* betrachten zu können, doch ist mit der endgültigen Inbesitznahme des Gebietes wohl erst gegen Ende der Regierung des ersten Kaisers zu rechnen. Der

erste Statthalter der neuen Provinz könnte P. Cornelius Dolabella gewesen sein, der kurz nach dem Tod des Augustus (14) in *Epidaurum*/Cavtat (HR) als *leg(atus) ... provinciae Hillyrici* bezeugt ist (*CIL* III 1741).

Begonnen hatte diese Entwicklung, nachdem Octavianus 35 v. Chr. das Tal des *Savus*/Save erobert hatte und bis nach *Siscia*/Sisak (HR) vorgedrungen war, das bereits auf pannonischem Stammesgebiet lag. Allerdings war dieser Vorstoß weniger gegen die Pannonier als gegen dalmatische Stämme gerichtet. Soweit es die unsichere Quellenlage zuläßt, scheint es damals weder östlich noch nördlich von *Siscia* zu Kämpfen mit pannonischen Stämmen gekommen zu sein, wenn auch

CASSIUS DIO (50, 24. 4) berichtet, römische Soldaten hätten bei dieser Gelegenheit erstmals die Donau erreicht. Die eigentlichen Kämpfe um den Besitz des westlichen Karpatenbeckens begannen wahrscheinlich 16 v. Chr., als Pannonier und Noriker in Istrien einfielen. Ab 15 v. Chr. übernahm Tiberius den Oberbefehl. Er unterwarf erst die Skordisker in der Gegend von *Singidunum*/ Belgrad (YU), ehe er sich den weniger fügsamen Pannoniern im Savetal zuwandte, die erst 9 v. Chr. entscheidend besiegt werden konnten. Danach scheint relative Ruhe im Gebiet südlich und nördlich der Drau geherrscht zu haben, bis 6 n. Chr. – ausgelöst durch den Abzug verschiedener Truppenverbände, die gegen Maroboduus

Abb. 174   Ausgrabungen im Herzen einer Großstadt: Wien, Judenplatz 1996. Unter den Schutzdächern Überreste einer der bedeutendsten mittelalterlichen Synagogen Europas, darunter die Schichten des kaiserzeitlichen Legionslagers Vindobona.

174

175

(Marbod) eingesetzt wurden – der pannonisch-dalmatische Aufstand losbrach, der
erst vier Jahre später niedergeschlagen
war. Dabei scheinen sich die Haupt-
kämpfe auf das südliche Pannonien und
nördliche Dalmatien konzentriert zu haben, während sich die keltischen Stämme
Nordpannoniens allem Anschein nach
schon früh der römischen Überlegenheit
beugten und sich ohne größere kriegerische Auseinandersetzungen unterwarfen.
Dies scheint sich in der Behandlung der
nordpannonischen Stämme widerzuspie-
geln, die offenbar besser wegkamen als
die Pannonier des Savetals, deren wehr-
fähige Jugend – wie in einem *bellum ex-
ternum* üblich (SUETONIUS) – in die Sklaverei verkauft wurde.

Die Provinz *Pannonia* umfaßte die
westliche Hälfte des heutigen Ungarn bis
zur Donau, dazu im Westen das österreichische Burgenland, das Wiener Bek-
ken, einen Großteil von Slowenien sowie
die nördlichen Landesteile von Kroatien,
Bosnien und Serbien. Die Völkerschaften
und Stämme, die das Gebiet zwischen
Save und Donau bewohnten, waren teils
illyrischen, teils keltischen Ursprungs.
Während etwa die Boier, Eravisker, Latobiker, Varcianer, Hercuniaten und Skordisker keltisch sprachen, werden die eigentlichen Pannonier, zu denen u. a. die

Breuker, Andizeten, Amantiner, Azaler
und Iasier gehörten, zu den illyrisch sprechenden Stämmen gerechnet. Ein Großteil der Stämme Pannoniens scheint anfangs – ähnlich wie in Dalmatien – als
civitates peregrinae organisiert gewesen
zu sein, an deren Spitze römische Militärs
standen. Auch mit der Verleihung des römischen Bürgerrechts an Vertreter der
pannonischen Adelsschicht scheint man
unter Augustus noch sehr sparsam umgegangen zu sein. Zur Neuordnung dieses
Gebietes gehörte aber auch die Klärung
der Machtverhältnisse im Vorfeld Pannoniens, wo sich etwa seit 8 v. Chr. die germanischen Markomannen angesiedelt
hatten und unter der Führung ihres Königs Maroboduus (Marbod) versuchten,
friedlich mit Rom auszukommen. Ähnliches galt auch für die germanischen Quaden, die mit den Markomannen südost-
wärts gezogen waren und unter Tiberius
(14–37) den Status eines Klientelstaates
erhielten. Dagegen ist die Annahme, Tiberius habe mit der Ansiedlung der sarmatischen Jazygen in der Ungarischen
Tiefebene zwischen Donau und Theiss einen weiteren Pufferstaat schaffen wollen,
deutlich widersprochen worden.

Anders als Dalmatien war *Pannonia*
von Beginn an eine Provinz, deren Entwicklung auf Grund ihrer Grenzlage ent-

scheidend durch das römische Militär geprägt wurde. Seit der Teilung der Großprovinz *Illyricum* bildeten drei Legionen
die Besatzung Pannoniens. Zwei der Legionen lagen zunächst an der Drau in
Poetovio/Ptuj-Pettau (SLO) und an der
Save in *Siscia*/Sisak (HR) oder *Sirmium*/Sremska Mitrovica (YU), während
die dritte Legion schon sehr bald von
ihrem Standort *Emona*/Ljubljana (SLO)
aus möglicherweise zunächst nach *Savaria*/Szombathely (H) und dann nach
Carnuntum/Bad Deutsch-Altenburg (A)
vorgeschoben wurde, um den dortigen
Donauübergang der sog. Bernsteinstraße
und die germanischen Grenznachbarn direkter kontrollieren zu können. Zwar
wurde das pannonische Heer, zu dem eine
wachsende Anzahl von Auxiliareinheiten
gehörte, unter Claudius (41–54) vorübergehend um eine Legion verringert, doch
stieg ihre Zahl unter Domitianus (81–96)
auf insgesamt vier Legionen an, die spätestens seit dem Ende des 1. Jhs. in *Vindobona*/Wien (A), *Carnuntum*, *Brigetio*/
Szöny-Komáron (H) und *Aquincum*/Bu-
dapest (H) standen. Damit war das pannonische Heer um die Wende zum 2. Jh.
das stärkste des gesamten Reiches und
der konsularische Statthalter der Provinz
einer der mächtigsten Männer nach dem
Kaiser.

Dieser Zustand änderte sich unter Traianus, der im Anschluß an die Eroberung Dakiens (106/107) eine Teilung der Provinz vornahm. Es entstand *Pannonia superior*, das mit seinen nunmehr drei Legionen auch weiterhin einem konsularischen Statthalter unterstellt blieb, der in *Carnuntum* residierte, während die kleinere Provinz *Pannonia inferior* nur über eine Legion verfügte und deshalb von einem Statthalter prätorischen Ranges verwaltet wurde, dessen Amtssitz *Aquincum* war. Erst Caracalla beseitigte dieses ‹Ungleichgewicht›, indem er 214 das Legionslager *Brigetio* der Provinz *Pannonia inferior* zuschlug und damit beide pannonische Statthalterposten mit Konsularen besetzt werden konnten. Der Hauptgrund dieser Maßnahme bestand jedoch darin, die Drei-Legionen-Heere in Oberpannonien, Syrien und Britannien zu reduzieren, die 193 nicht nur seinen Vater Septimius Severus, sondern auch dessen Gegenspieler Pescennius Niger und Clodius Albinus zu Kaisern ausgerufen hatten. Eine abermalige Teilung erfuhren die beiden Pannonien schließlich unter Diocletianus (284–305) und Constantinus I. (306–337), womit es seit dieser Zeit vier Provinzen auf pannonischem Boden gab. So trennte die Drau seit etwa 298 die Provinzen *Pannonia prima* und *Savia* mit den Hauptstädten *Savaria*/Szombathely (H) und *Siscia*/Sisak (HR), während Niederpannonien wahrscheinlich um 317 in *Valeria* und *Pannonia secunda* geteilt wurde, deren neue Zentren *Sopianae*/Pécs-Fünfkirchen (H) und *Sirmium*/Sremska Mitrovica (YU) wurden, von denen letzteres in der Zeit der Tetrarchen – in gleicher Weise wie *Augusta Treverorum*/Trier (D), *Mediolanum*/Mailand (I) und *Nikomedia*/Izmit (TR) – zu einer der neuen Residenzen des Reiches aufstieg.

Die Romanisierung der neuen Provinz erfolgte zunächst nur schleppend. Römisches Leben breitete sich anfangs nur in den militärischen Zentren sowie in den wenigen Städten aus, die in *Emona* und *Savaria* als Veteranenkolonien von Tiberius (14–37) und Claudius (41–54) gegründet worden waren. Erst die flavischen Kaiser erkannten die Notwendigkeit, die Provinz stärker mit römischer Lebensart zu durchdringen. Sie gründeten Kolonien und Munizipien in *Neviodunum*/Drnovo (SLO), *Andautonia*/Ščitarjevo (HR), *Siscia*/Sirmium und *Scarbantia*/Sopron (H), während Traianus den ehemaligen Militärplatz *Poetovio*/Ptuj (SLO) zur *colonia Ulpia Traiana* machte. Es fällt auf, daß die neuen städtischen Zentren an den beiden Hauptachsen Pannoniens lagen, der sog. Bernsteinstraße, die das oberitalische *Aquileia* mit *Carnuntum* und dem vorgelagerten *Barbaricum* verband, und der Savestraße, die von *Aquileia* über *Siscia* und *Sirmium* an die untere Donau führte. Während Hadrianus (117–138) die Stadt *Mursa*/Osijek (HR) zur Kolonie, *Carnuntum* und *Aquincum* zu Munizipien machte und bemüht war, auch den administrativen Zentren der einheimischen Bevölkerung das Munizipalrecht einzuräumen, erreichte die Urbanisierung Pannoniens ihren eigentlichen Höhepunkt in severischer Zeit, in der – insbesondere nach Aussage der Archäologie – viele der genannten Plätze erst wirklich zu Städten wurden und sich dort erkennbarer Luxus ausbreitete. Allerdings betraf diese Entwicklung in erster Linie die Städte an der Donau, von denen die beiden Statthaltersitze *Carnuntum* und *Aquincum* gegen Ende des 2. Jhs. in den Rang von *coloniae* erhoben wurden.

Auch die Zusammensetzung der Bevölkerung veränderte sich. Die ethnischen Grenzen zwischen den Stämmen Pannoniens verwischten sich in dem Maße, wie römische Lebensweise auch ländliche Gegenden erreichte, die Menschen sich auch in nichtstädtischen Ansiedlungen Wohnhäuser aus Stein errichteten und neben italischen Kolonisten während des 2. und zu Beginn des 3. Jhs. zunehmend Menschen aus den Rheinprovinzen sowie

Abb. 175   Pannonia Romana. Übersichtskarte des Donauraums mit den wichtigsten Städten, Grenzziehungen und geographischen Gegebenheiten.

Abb. 176   Aquincum/Budapest (H). Unten das Südtor des Legionslagers, im Hintergrund Donau und Margareteninsel, wo der pannonische Statthalter residierte. Blick von Westen. Luftaufnahme des Jahres 1993.

177

aus dem Osten, insbesondere aus Syrien, nach Pannonien einwanderten und dort mit der einheimischen Bevölkerung verschmolzen. Kulturell war Pannonien mehr nach Italien als nach Osten ausgerichtet, was insbesondere in den fast ausnahmslos lateinischen Inschriften zum Ausdruck kommt. Manche von ihnen zeigen jedoch auch mit ihrem fehlerhaften Latein, daß die Übernahme römischer Lebensweise mancherorts nicht viel mehr war als eine oberflächliche Tünche. Wie sehr die keltisch-illyrische Urbevölkerung trotz aller Anpassung an die römische Zivilisation an traditionellen Sitten und Gebräuchen festhielt, zeigt sich insbesondere in der Namensgebung, der Beibehaltung althergebrachter Bestattungsriten sowie dem langen Festhalten an einheimischen Bekleidungssitten, vor allem der Frauen.

Wirtschaftlich war *Pannonia* nur von geringer Bedeutung. Andererseits bildete das pannonische Heer einen Absatzmarkt, der hohe Profite versprach, weswegen sich im 1. Jh. vor allem die führenden Handelshäuser in *Aquileia* um die Versorgung des Heeres mit ‹industriellen› Gütern kümmerten. Es sieht jedoch so aus, als hätten die Aquileienser Kaufleute diesen lohnenden Markt bald verloren, weil ihre Waren auf der Straße transportiert werden mußten, die Handelswege damit zu lang und die Importprodukte zu teuer waren, so daß die Konkurrenz aus dem Westen leichtes Spiel hatte. Diese nutzte den deutlich preisgünstigeren Wasserweg auf der Donau und riß den Pannonienhandel an sich, der seit flavischer Zeit vor allem in den Händen gallischer und germa-

nischer Händler und Produzenten lag. Möglicherweise hat diese Form des ‹West-Ost-Handels› nicht nur für Pannonien, sondern auch für die beiden mösischen Provinzen eine wichtige Rolle gespielt.

Die Sicherheit der pannonischen Provinzen war in großem Maße vom Funktionieren jenes Vertragssystems abhängig, das die Völkerschaften im Vorfeld des Donaulimes an Rom band. Doch dieses feingesponnene Netz von Abhängigkeiten bewährte sich nur so lange, wie es nördlich des Flusses keine Völkerverschiebungen gab und niemand ein Interesse verspürte, den relativ labilen *status quo* zu seinen Gunsten zu verändern. Als erste größere Belastungsprobe erwies sich unter Domitianus (81–96) der swebisch-sarmatische Krieg, den erst Traianus (98–117) unmittelbar zu Beginn seiner Regierung beenden konnte, indem er mit den Germanenstämmen nördlich der Donau neue Klientelverträge abschloß, ihnen neue Könige gab und sie vor allem mit der Gewährung von Geld- und Sachleistungen zufriedenstellen konnte. Es kommt nicht von ungefähr, daß sich archäologisch gerade für diese Zeit an verschiedenen Plätzen Niederösterreichs, Mährens und der Slowakei germanische Herrensitze nachweisen lassen, die mit römischem Komfort ausgestattet waren.

Bis in die sechziger Jahre des 2. Jhs. blieb das komplizierte Vertragssystem intakt. Inzwischen waren jedoch von Norden her andere germanische Stämme in das Karpatenbecken vorgedrungen. Sie bedrängten die Völkerschaften an der Donau, die vergeblich darum baten, in das

Reich aufgenommen zu werden. So brach 167 der Markomannenkrieg aus, als germanische Scharen die Donau überschritten, die Julischen Alpen überwanden, in Italien einfielen, *Opitergium*/Oderzo eroberten und plünderten und sogar *Aquileia* belagerten. Erst ab 172 gelang es M. Aurelius, der als Kaiser mehr in Pannonien als in Rom weilte, die Stämme im Vorfeld des Donaulimes wieder in den Griff zu bekommen. Am Ende des Jahres 179 war man sogar soweit, ernsthaft daran zu denken, mit *Marcomannia* und *Sarmatia* zwei neue Provinzen einzurichten, um Pannonien in Zukunft besser schützen zu können, dessen Bevölkerung und Infrastruktur durch Kriegseinwirkungen, Zerstörungen und eingeschleppte Seuchen schweren Schaden genommen hatte. Commodus (180–192) allerdings verzichtete auf weitere Eroberungen und sicherte nach bisherigem Muster den *status quo*, der die Severerzeit über im wesentlichen Bestand hatte.

Wirklich kritisch wurde die Lage erst um die Mitte des 3. Jhs., als mit den Goten ein neuer Feind im Donauraum erschien und Pannonien kurz vor 260 einen oder gleich mehrere Einbrüche katastrophalen Ausmaßes erleben mußte. Es war charakteristisch für diese Zeit, daß sich die Donautruppen, um sich in diesen Notzeiten wirkungsvoller zu behaupten, ihre Kaiser oft selber ‹aussuchten› und Generäle wie Pacatianus (248–249), Traianus Decius (249–251), Aemilianus (253), Ingenuus (260) und Regalianus (260) als Kaiser bzw. Gegenkaiser auf den Schild hoben, um sicher zu sein, daß sich die jeweilige Reichsregierung in Sonderheit um den Schutz der Donaugrenze kümmerte. Daß es in dieser Zeit gerade im Donauraum eine größere Anzahl von Usurpationen gab, lag an der relativen Nähe Italiens, dem Sitz der Zentralmacht, von wo aus sich die verfügbaren Kräfte am besten für bedrohte Reichsteile mobilisieren ließen.

Die in der Kaiserzeit offenbar sprichwörtliche Rolle Pannoniens als ‹Mutter der Völker› bezieht sich in der Hauptsache auf das 3.–4. Jh., als – beginnend mit Claudius Gothicus (268–270) – Männer aus Illyrien und Pannonien den römischen Thron innehatten. Insbesondere die Tetrarchen taten viel, um den Menschen in Pannonien wieder mehr Sicherheit zu geben und das wirtschaftliche Leben der Provinz in Gang zu halten. Aurelianus (270–275) tat gut daran, Dakien aufzugeben und es Gepiden, Goten und anderen Völkerschaften als Zankapfel zu überlassen (S. 203 ff.). Galerius (305–311), der *Sirmium*/Sremska Mitrovica (YU) zu einer seiner Residenzen machte, sicherte den Frieden in Pannonien. Unter Constantinus I. (306–337) verlagerte sich das Schwergewicht kaiserlicher Politik stärker auf den Osten des Reiches. Dennoch verliefen die Jahrzehnte bis zum Ende der Regierung des Valentinianus I. (364–375) verhältnismäßig friedlich. Gerade dieser Kaiser hat mit einem umfangreichen Festungsbauprogramm nochmals große Anstrengungen unternommen, die Grenzen an Donau und Rhein wieder sicherer zu machen und den *status quo* zu gewährleisten.

Nach seinem Tode – 375 in *Brigetio* – überstürzten sich die Ereignisse. Die Hunnen beginnen ihren Zug nach Westen. Quaden, Sarmaten und Goten spüren den Druck im Rücken und fordern feste Wohnsitze auf dem Boden des Reiches. Trotz der katastrophalen Niederlage gegen die Goten bei *Hadrianopolis*/Adrianopel-Edirne (TR) im Jahre 378 kommt Rom dieser Forderung nur zögernd nach. Kurz darauf werden Goten, Alanen und Hunnen in Pannonien angesiedelt. Diese setzen jedoch bald ihre Raubzüge fort und drangsalieren die ortsansässige Bevölkerung, die in die pannonischen Städte flieht oder sich gleich an die dalmatische Küste in Sicherheit bringt. Im Jahre 401 durchqueren die Westgoten unter Alarich Pannonien, 405 erfolgt ein weiterer Durchzug germanischer Scharen auf dem Weg nach Westen. Nach 388 wird in der Münzstätte von *Siscia* kein Geld mehr geprägt, entsprechend macht die Archäologie deutlich, daß es in Pannonien im letzten Viertel des 4. Jhs. kaum noch einen nennenswerten Münzumlauf gibt. Mit der Ausbreitung der Hunnen in der ersten Hälfte des 5. Jhs. erstirbt römisches Leben weitgehendst, 433 muß Rom sogar vertraglich auf wesentliche Teile Pannoniens verzichten. Spätestens 456 ist das Land fest in gotischer Hand, nachdem die Hunnen 455 entscheidend besiegt worden sind. Lediglich die Stadt *Sirmium* und mit ihr das untere Savetal verbleiben noch eine Zeitlang im Einflußbereich des west- bzw. oströmischen Reiches, bis

diese Region Ende des 6. Jhs. in die Hand der Awaren fällt.

Der Ertrag der Archäologie, die zwischen Save und Donau bereits eine verhältnismäßig alte Tradition aufweist, spiegelt die reiche und wechselvolle Geschichte des römischen Pannonien wider. Sowohl auf ungarischem wie auf österreichischem Boden hat man sich schon seit der Renaissance dem Sammeln antiker Denkmäler gewidmet. Der Gedanke an Ausgrabungen tauchte dagegen in Ungarn erst gegen Ende des 18. Jhs. auf, als man sich in ganz Westeuropa – ausgelöst durch die Ideen von J. J. WINCKELMANN und die ersten Ausgrabungen in den Vesuvstädten – der Freilegung römischer Ruinenplätze zuwandte, an denen zu dieser Zeit noch bedeutende Architekturüberreste aufrecht standen. Hätte man nicht schon damals trotz unzureichender Methodik und zahlreichen Fehlinterpretationen mit archäologischen Forschungen und dem Sichern von Ruinen begonnen, es wäre im nachfolgenden Zeitalter der Industrialisierung und dem Anwachsen städtischer Zentren weit mehr noch von der römischen Hinterlassenschaft Pannoniens verlorengegangen.

Den Anfang machte JANOS SZILY, der 1777 Bischof von Szombathely, dem alten *Savaria*, wurde und in seinem Palais das erste römische Lapidarium auf ungarischem Boden einrichtete. Kurze Zeit darauf erfolgte mit der Freilegung der *thermae maiores* der *leg(io) II Adi(utrix)* in Obuda durch STEFAN SCHÖNWIESNER die erste Unterschutzstellung einer römischen Ruine, persönlich verfügt durch die Kaiserin Maria Theresia. Im Jahre 1871 wurde in Ungarn das ‹Landeskomitee für Kunstdenkmäler› gegründet, dessen Mitglieder sich in der Folgezeit erfolgreich bemühten, die damals noch sichtbaren römischen Baudenkmäler unter bleibenden Schutz zu stellen. Eine der bedeutendsten Persönlichkeiten jener Zeit war FLORIS RÓMER, der sich vor allem um die Denkmäler und Überreste des alten *Aquincum* kümmerte und sicher mit Recht als ‹Vater der ungarischen Archäologie› angesehen werden darf.

Dagegen setzte eine intensive wissenschaftliche Beschäftigung mit den Überresten der römischen Zeit in Ungarn erst in den 1950er Jahren ein, nachdem Forscher wie I. PAULOVICS in Szombathely, A. MAROSI im Ruinengebiet von *Gorsium* und B. KUZSINSKY und L. NAGY in *Aquincum* bereits zwischen den beiden Weltkriegen bedeutende Ausgrabungen durchgeführt hatten. Seitdem ist in Ungarn an allen wichtigen Plätzen des alten Pannonien unter der Führung der Ungarischen Akademie der Wissenschaften, verschie-

178

179

denen Universitätsinstituten sowie den Museen in Budapest, Székesfehérvár, Pécs, Dunaújváros und Szombathely intensiv und umfassend geforscht worden. Das wissenschaftliche Ergebnis bietet eine Fülle von Einzelberichten und zusammenfassenden Darstellungen zur römischen Geschichte und Archäologie Pannoniens, wie sie in ihrer Dichte und Intensität als nahezu einzigartig für ein Land angesehen werden kann, das noch bis vor einem Jahrzehnt zum Ostblock gezählt werden mußte.

In Österreich, dessen Ostteil mit dem Wiener Becken und der Provinzhauptstadt *Carnuntum* zu *Pannonia superior* gehörte, hat man sich seit Beginn des Humanismus für die Ruinen und Überbleibsel der römischen Zeit interessiert. So umgab sich Kaiser Maximilian (1493–1519) mit einer Gruppe von Gelehrten, die Inschriften und Antiken sammelten und darüber schrieben. Unter diesen seien J. CUSPINIAN (1473–1529), der *Carnuntum* identifizierte, und W. LAZIUS (1514–65) besonders genannt, der in jener Zeit nicht nur das bedeutendste Lapidarium besaß, sondern als erster auch die Ruinen von *Carnuntum* beschrieben hat (1546). Erste Ausgrabungen fanden dort bereits Ende des 16. Jhs. statt, doch dienten

Abb. 177 Gorsium/Tác (H). Villenartige Gebäude des 4. Jhs. und spätrömische Festungsmauer, im Hintergrund das sog. templum provinciae. Luftbild des Jahres 1993.

Abb. 178 Mušov-Burgstall, Flur ‹Neurissen› (SK). Römische Befestigung mit Apsidenbau in Fachwerktechnik aus der Zeit des Augustus. Ausgrabung 1993–94.

Abb. 179 Rácalmás (H). Spätrömischer Wachtturm und Limesstraße, die rechts als kiesiger Streifen erkennbar ist. Luftaufnahme von Süden.

sie hauptsächlich der Suche nach Antiquitäten. Dagegen setzte die systematische Erforschung des Platzes erst gegen Ende des 19. Jhs. ein (1877). Als besonders ‹förderlich› erwies sich hier die Gründung des ‹Vereins Carnuntum› (1885), der in Zusammenarbeit mit anderen Instituten wie dem 1898 gegründeten Österreichischen Archäologischen Institut in Wien die kontinuierliche Fortführung der Grabungen und Wiederherstellungsarbeiten bis heute garantiert. Demgegenüber hat die Erforschung des Legionslagers von *Vindobona* erst relativ spät eingesetzt. Trotz seiner heutigen Lage im dichtbebauten Wiener Stadtzentrum sind hier vor allem in neuerer Zeit wichtige Einblicke möglich geworden. Im heutigen Slowenien, soweit es zum ‹oberen Pannonien› gehörte, sind in erster Linie Ausgrabungsplätze wie *Emona*/ Ljubljana und *Poetovio*/Ptuj zu nennen, die als relativ gut erforscht gelten können, während die Kenntnis der ländlichen Verhältnisse noch recht gering ist. Aufsehenerregende Entdeckungen und Funde gibt es schließlich seit jüngster Zeit auch vom Boden der südlichen Slowakei, wo dank gezielter Flugprospektion und archäologischer Untersuchungen insbesondere im südmährischen Mušov die Spuren zahlreicher römischer Militärlager gefunden wurden (Abb. 8 u. 178), sowohl aus der Zeit des Augustus wie vor allem der Markomannenkriege unter Marcus Aurelius (161–180).

Die beiden pannonischen Provinzen gehören zu den besterforschten Gebieten des römischen Reiches. Entsprechend groß ist die Zahl der Gesamtdarstellungen, Überblicke und Einzeluntersuchungen.
AAVV., *Hunnen und Awaren. Reitervölker aus dem Osten, Ausstellung Schloß Halbtum 1996* (1996); AAVV., *Itinerarium Hungaricum* 1: *Pannonia Hungarica Antiqua* (1995); AAVV., *Die Römer an der Donau. Noricum und Pannonien* (1973); A. ALFÖLDI, *Der Untergang der Römerherrschaft in Pannonien* (1924/26); H. FRIESINGER/A. STUPPNER/J. TEJRAL (Hg.), *Markomannenkriege. Ursachen und Wirkungen, Symposium Wien 1993* (1994); G. HAJNÓCZI (ed.), *La Pannonia e l'Impero Romano. Atti del convegno internazionale Roma 1994* (1995); A. GRAF, *Übersicht der antiken Geographie von Pannonien* (1936); A. LENGYEL/G. T. B. RADAN (eds.), *The archaeology of Roman Pannonia* (1980); A. MÓCSY, s. v. Pannonia, in: *RE Suppl.* 9 (1962) 516 ff.; DERS., *Pannonia and Upper Moesia. A history of the middle Danubian provinces of the Roman Empire* (1974); DERS./J. FITZ (Hg.), *Archäologisches Handbuch von Pannonien* (1989, ung.); P. OLIVA, *Pannonia and the onset of crisis in the Roman Empire* (1962); M. PAVAN, *La provinzia romana della Pannonia superiore, Mem. Accad. Lincei* (1955); P. PETRU, *Die provinzialrömische Archäologie in Slowenien*, in: *ANRW* II 6 (1977) 500 ff.; *RIU* = *Die römischen Inschriften Ungarns* 1–5 (1972–91). Dazu: *Registerband zu RIU* 1–4 (1991); L. VARADY, *Das letzte Jahrhundert Pannoniens* (1970).
A. DOBÓ, *Die Verwaltung der römischen Provinz Pannonien von Augustus bis Diocletianus* (1968); J. FITZ, *Legati Augusti pro praetore Pannoniae Inferioris*, in: *Act. Ant. Hung.* 11, 1963, 245 ff.; DERS., *Die Verwaltung Pannoniens in der Römerzeit*, 4

Bde. (1993–95); G. GOTTLIEB (Hg.), *Raumordnung im Römischen Reich. Zur regionalen Gliederung in den gallischen Provinzen, in Rätien und Pannonien* (1989); W. REIDINGER, *Die Statthalter des ungeteilten Pannonien und Oberpannonien* (1956); J. SZILÁGY, *Der Statthalterpalast von Aquincum*, in: *Bud. Rég.* 14, 1945, 31 ff. u. ebd. 18, 1958, 53 ff. J. FITZ, *A military history of Pannonia from the Marcomann wars to the death of Alexander Severus*, in: *Act. Arch. Acad. Scient. Hung.* 14, 1962, 25 ff.; DERS., *Die Eroberung Pannoniens*, in: *ANRW* II 6 (1977) 543 ff.; H. FRIESINGER/ F. KRINZINGER (Hg.), *Der römische Limes in Österreich* (1997); K. GENSER, *Der österreichische Donaulimes in der Römerzeit* (1986); C.-M. HÜSSEN/J. RAJTAR, *Zur Frage archäologischer Zeugnisse der Markomannenkriege in der Slowakei*, in: AAVV., *Markomannenkriege. Ursachen und Wirkungen* (1994) 217 ff.; M. KANDLER/H. VETTERS (Hg.), *Der römische Limes in Österreich* (1986); B. LŐRINCZ, *Die Hilfstruppen der Provinz Pannonien* (1995); A. MÓCSY, *Pannonien und die Soldatenkaiser*, in: *ANRW* ebd. 557 ff.; DERS. (Hg.), *Die spätrömische Festung und das Gräberfeld von Tokod* (1981); DERS., *Pannonien und das römische Heer. Ausgewählte Aufsätze* (1992); M. PICHLEROVA, *Antická Gerulata* (1984/85), *RLIÖ = Der römische Limes in Österreich* 1 ff. (1900 ff.); J. SASEL/ P. PETRU, *Claustra Alpium Iuliarum* I (1971); S. SOPRONI, *Der römische Limes zwischen Esztergom und Szentendre* (1978); DERS., *Die letzten Jahrzehnte des pannonischen Limes* (1985); TH. ULBERT (Hg.), *Ad Pirum (Hrusica). Spätrömische Paßbefestigung in den Julischen Alpen* (1981); Z. VISY, *Der pannonische Limes in Ungarn* (1988); W. WAGNER, *Die Dislokation der römischen Auxiliarformationen in den Provinzen Noricum, Pannonien, Moesien und Dacien von Augustus bis Gallienus* (1938).
G. ALFÖLDY, *Die Romanisierung in den Donauprovinzen Roms*, in: P. KNEISSL/ V. LOSEMANN (Hg.), *Alte Geschichte und Wissenschaftsgeschichte. Festschr. K. Christ* (1988) 1 ff.; L. BARKÓCZI, *The population of Pannonia from Marcus Aurelius to Diocletian*, in: *Act. Arch. Hung.* 16, 1964, 257 ff.; E. BÓNIS, *Die spätkeltische Siedlung Gellérthegy-Tabán in Budapest* (1969); J. GARBSCH, *Die norisch-pannonische Frauentracht im 1. und 2. Jahrhundert* (1965); H. HARDING/ G. JACOBSEN, *Die Bedeutung der zivilen Zuwanderung aus Norditalien für die Entwicklung der Städte in Noricum und Pannonien*, in: *Classica et Mediaevalia* 39, 1988, 117 ff.; O. HARL, *Die Stellung der Frau bei den einheimischen Stämmen Nordpannoniens*, in: *Bud. Rég.* 30, 1993, 7 ff.; A. MÓCSY, *Die Bevölkerung von Pannonien bis zu den Markomannenkriegen* (1959); P. PETRU, *Die ostalpinen Taurisker und Latobiker*, in: *ANRW* ebd. 473 ff.
K. PÓCZY, *Städte in Pannonien* (1976); DIES., *Kommunalwerke der Römerzeit in Ungarn* (1980, ung. m. dtsch. Zsfg.); E. B. THOMAS, *Römische Villen in Pannonien* (1964).
T. P. BUÓCZ, *Savaria topográfiája* (1968); I. M. CURK, *Poetovio* I (1976); J. FITZ, *Gorsium-Herculia-Tác* [4](1976); F. FÜLEP, *Sopianae* (1984); O. HARL, *Vindobona. Das römische Wien* (1979); J. HORVAT, *Nauportus/Vrhnika* (1990); W. JOBST, *Provinzhauptstadt Carnuntum. Österreichs größte archäologische Landschaft* (1983); DERS. (Hg.), *Carnuntum. Das Erbe Roms an der Donau* (1992); M. KABA, *Thermae maiores legionis II Adiutricis* (1991); A. NEUMANN, *Vindobona. Die römische Vergangenheit Wiens* [2](1980); K. PÓCZY, *Aquincum* [2](1974); DIES., *Scarbantia. A római Kori Sopron* [2](1977); H. POLENZ (Hg.), *Das römische Budapest* (1986); M. KANDLER/ W. JOBST, *Carnuntum*, in: *ANRW* ebd. 583 ff.; E. SWOBODA, *Carnuntum. Seine Geschichte und Denkmäler* [4](1964); J. SZILÁGY, *Aquincum* (1956); E. VORBECK, *Militärinschriften aus Carnuntum* [2](1980); DERS., *Zivilinschriften aus Carnuntum* (1980); DERS./ L. BECKEL, *Carnuntum. Rom an der Donau* (1973).
M. BIRÓ, *Roman villas in Pannonia*, in: *Act. Arch. Hung.* 26, 1974, 23 ff.; S. PALÁGYI, *Vorbericht über die Erforschung und Wiederherstellung der römischen Villa von Baláca*, in: *Carnuntum-Jhb.* 1991, 89 ff.; G. PASCHER, *Der römische Gutshof von Winden am See* (1951).
T. BEZECZKY, *Roman amphorae from the Amber

Route in western Pannonia*, in: *BAR Int. Ser.* 386 (1987); DERS., *Amphorenfunde vom Magdalensberg und aus Pannonien – ein Vergleich* (1994); S. DUSANIC, *Aspects of Roman mining in Noricum, Pannonia, Dalmatia and Moesia Superior*, in: *ANRW* ebd. 52 ff.; J. ŠAŠEL, *Pannonien*, in: F. VITTINGHOFF (Hg.), *Europäische Wirtschafts- und Sozialgeschichte in der römischen Kaiserzeit* (1990) 581 ff.; Z. VISY, *Die Wagendarstellungen der pannonischen Grabsteine* (1997).
L. BARKÓCZI, *Pannonische Glasfunde in Ungarn* (1988); E. DIEZ, *Studien zum provinzialrömischen Kunstschaffen: Grabplastik in Noricum und Pannonien*, in: *ANRW* II 12.4 (i. Vorb.); A. KISS, *Roman mosaics in Hungary* (1973); DERS., *Pannonische Architekturelemente und Ornamente in Ungarn* (1987).
L. BALLA/T. O. BUÓCZ/Z. KADAR/A. MÓCSY/T. SZENTLELEKY, *Die römischen Steindenkmäler von Savaria* (1971); A. SZ. BURGER, *Die Skulpturen des Stadtgebietes von Sopianae und des Gebietes zwischen der Drau und der Limesstrecke Lussonium-Altinum*, in: *CSIR Ungarn* VII (1991); CH. ERTEL, *Römische Architektur in Carnuntum* (1991); M.-L. KRÜGER, *Die Reliefs des Stadtgebietes von Carnuntum*, in: *CSIR Österreich* I 3 u. 4, 2 Bde. (1970/72); A. NEUMANN, *Die Skulpturen des Stadtgebietes von Vindobona*, in: *CSIR Österreich* I 1 (1967).
M. KABA, *Die Mosaikfußböden des Statthalterpalastes von Aquincum*, in: *Bud. Rég.* 18, 1958, 79 ff.; S. PALÁGYI, *Die neuen Wandgemälde von Baláca/ Pannonien*, in: *KJb.* 24, 1991, 199 ff.; K. PÓCZY, *Wandmalereien des Statthalterpalastes von Aquincum*, in: *Bud. Rég.* ebd. 103 ff.; I. WELLNER, *The Hercules-Villa in Aquincum*, in: *Act. Arch. Acad. Scient. Hung.* 21, 1969, 235 ff.
R. KOSCEVIC, *Antič ke fibule s Podrucja Siska* (1980); I. KÓVRIG, *Die Haupttypen der kaiserzeitlichen Fibeln in Pannonien* (1937); M. LAMIOVASCHMIEDLOVA, *Die Fibeln der Kaiserzeit in der Slowakei* (1961); E. VON PATEK, *Verbreitung und Herkunft der römischen Fibeltypen von Pannonien* (1942); I. PESKAR, *Fibeln aus der römischen Kaiserzeit in Mähren* (1972).
G. ALFÖLDY, *Die Großen Götter von Gorsium* (1995); G. GABRIELI, *Fertővakos, Mithraeum* (1993); Z. KADAR, *Der Kult der Heilgötter in Pannonien und den übrigen Donauprovinzen*, in: *ANRW* II 18.2 (1989) 1038 ff.; H. KENNER, *Die Götterwelt der Austria Romana*, ebd. 875 ff.; D. TUDOR, *Corpus monumentorum religionis equitum Danuviorum* II (1969); L. VIDMAN, *Die ägyptischen Kulte in den Donauprovinzen*, in: *ANRW* ebd. 975 ff.; L. ZOTOVIC, *Die Ausbreitung des Mithraskultes in Südosteuropa*, ebd. 1014 ff.
M. AMAND, *Les tumulus d'époque romaine dans le Norique et en Pannonie*, in: *Coll. Latomus* 24, 1965, 614 ff.; H. KERCHLER, *Die römerzeitlichen Brandbestattungen unter Hügeln in Niederösterreich* (1967); S. PETRU, *Emonske Nekropole* (1972); K. SÁGI, *Das römische Gräberfeld von Készthely-Dobogó* (1981); J. TOPAL, *The southern cemetery of Matrica/Szazhalombatta-Dunaüred* (1981); E. VAGO/I. BÓNA, *Die Gräberfelder von Intercisa* 1. *Der spätrömische Südostfriedhof* (1976).

Abb. 180   Augusta Emerita/Mérida (E). Kosmologisches Mosaik aus der Casa Mitreo mit der Personifikation des Flusses EVPHRATES (Ausschnitt). 4. Jh.

Abb. 181   Cappadocia Romana. Übersichtskarte der Provinz mit den wichtigsten Städten, Landschaftsnamen und geographischen Gegebenheiten. Nach R. TEJA.

Cappadocia (17 n. Chr.)

König Archelaos herrschte seit fünfzig Jahren über Cappadocia. Tiberius mochte ihn nicht … Vielleicht tötete er sich selber, vielleicht starb er eines natürlichen Todes. Sein Königreich wurde zur römischen Provinz gemacht. Der Kaiser erklärte, durch die Einkünfte daraus werde es möglich, die einprozentige (Sklaven-)Steuer herabzusetzen, und er ermäßigte sie von jetzt ab auf die Hälfte.

PUBLIUS CORNELIUS TACITUS (etwa 55–120)

Es hat relativ lange gedauert, bis die Römer das alte Kernland der Hethiter im Osten Kleinasiens, das schon als persische Satrapie den Namen ‹Kappadokia› führte, zu Beginn der Regierung des Tiberius (14–37) zur Provinz erklärten und ihre Herrschaft damit erstmals bis zum oberen Euphrat ausdehnten. Bis dahin war das Gebiet zwischen Galatien, Pontus, Armenien und Kilikien zunächst persisch und später seleukidisch gewesen. Als gegen Ende des 3. Jhs. v. Chr. der seleukidische Einfluß schwächer wurde, hatten sich die Kappadoker erhoben und unter Ariarathes III. (ca. 255–220 v. Chr.), der als erster den Königstitel führte und Münzen prägte, eine weitgehende Autonomie erlangt. Dabei war aus römischer Sicht ausschlaggebend, daß sich Ariarathes und seine gleichnamigen Nachfolger als treue Parteigänger Roms erwiesen. Empfindlich gestört wurde das politische Gleichgewicht erst, als Kappadokien unter pontische Herrschaft geriet und dem Reich Mithradates' VI. angegliedert wurde, der Ariarathes VI., der immerhin ein Sohn seiner Schwester Laodike war, im Jahre 111 v. Chr. ermorden ließ. Dies wiederum ließ den römischen Senat nicht ruhen, der den Pontier zwang, seine Ansprüche auf Kappadokien aufzugeben, und auf den Rat kappadokischer Adliger hin einen Mann namens Ariobarzanos als Klientelkönig einsetzte. Im Jahre 77 v. Chr. fiel das Land vorübergehend an Armenien, das Tigranes I. allerdings wenige Jahre später nach seiner Niederlage gegen L. Licinius Lucullus wieder herausgeben mußte (71 v. Chr.). Den letzten kappadokischen Klientelkönig Archelaos Philopatris Ktistes setzte 36 v. Chr. M. Antonius ein. Dieser regierte länger als ein halbes Jahrhundert, bis ihn Tiberius im Jahre 17 aus Altersgründen absetzen ließ, nachdem ihm bereits Jahre zuvor ein römischer *procurator* an die Seite gestellt worden war.

Die Grenzen der Provinz *Cappadocia* waren im wesentlichen von geographischen Gesichtspunkten bestimmt. Im Westen grenzte die Provinz an *Galatia*, wo der *Tatta lacus*/Tuz Gölü einen natürlichen Abschluß bildete. Im Norden durchlief die Provinzgrenze das ostanatolische Hochland und schloß den Unterlauf des *Halys*/Kizilirmak ein, über den die Provinz mit dem *pontus Euxinus*, dem Schwarzen Meer, verbunden war und der westlich von *Amisos*/Samsun (TR) das Meer erreicht. Im Osten grenzte die Provinz zwischen *Satala*/Sadagh (TR) und *Melitene*/Malatya (TR) direkt an den Euphrat, an dessen Ostufer das armenische und parthische Einflußgebiet begann. Im Süden schließlich riegelte der *Taurus* das Provinzterritorium gegenüber *Cilicia* ab, das – abgesehen von Bergpfaden – über die πύλαι κιλικαι/Gülek Bogazi, einen Paßübergang in 1050 m Höhe, zugänglich war. Im Altertum unterschied man zudem zwischen einem nördlichen und einem südlichen Landesteil, die man Καππαδόκια πρὸς τῷ Εὐξείνῳ und πρός τῷ ταύρῳ nannte, d. h. «das zum gastlichen (Meer)» bzw. «zum Taurus hin gelegene Kappadokien»; letzteres hieß auch ἡ μεγάλη Καππαδόκια («Groß-Kappado-

180

kien»). Des weiteren trennte man das Kernland der Provinz von alters her in ein Καππαδόκια ἐντὸς Ἅλυος bzw. ὑπὲρ τὸν Ἅλυον, d. h. jeweils ein Kappadokien «diesseits und jenseits des Halys».

Die Umstände, unter denen der letzte

181

kappadokische König um sein Reich gebracht wurde, waren Ausdruck der seit Augustus betriebenen Politik, deren Ziel es war, das Reichsgebiet zu arrondieren und seine Grenzen zu sichern. Anders jedoch als der erste Kaiser, der das benachbarte Galatien erst zur Provinz machte, nachdem sein letzter König gestorben war, verhielt sich Tiberius weniger pietätvoll und wartete nicht erst auf das Ableben des Archelaos. Ob es zu dieser Maßnahme einen aktuellen Anlaß gab, entzieht sich weitgehend unserer Kenntnis. Gewissen Andeutungen zufolge, die sich bei CASSIUS DIO (57. 17. 3) und PHILOSTRATOS (*Vit. Apoll.* I 12. 2) finden, könnte in Rom der Eindruck entstanden sein, der greise König betreibe eine gegen Roms Interessen gerichtete Politik. Dazu war allerdings der Grenzabschnitt am oberen Euphrat zu sensibel, zum einen aus strategischen Gründen, die die eigentliche Grenzsicherung gegenüber Armenien und Parthien betrafen, zum anderen in verkehrspolitischer Hinsicht, weil dieses Gebiet von zwei wichtigen Straßenrouten durchquert wurde, die an den Euphrat und nach Syrien führten.

Die Provinz *Cappadocia*, zu der zeitweise auch das nordöstlich angrenzende Gebiet von *Armenia minor* gehörte, wurde zunächst von einem ritterlichen *procurator* verwaltet. Er hatte seinen Sitz in der alten Königsstadt *Mazaka*, die – dem ersten Kaiser zu Ehren – in *Caesarea* umbenannt wurde (heute Kayseri/TR). Doch diese Struktur erwies sich angesichts der ungelösten Grenzbezie-

hungen zu den östlichen Nachbarn als wenig tragfähig, so daß schon Nero (54–68) mehrere Versuche unternahm, die Grenzsicherung vor allem in Armenien neu zu organisieren. Den entscheidenden Schritt tat erst Vespasianus (69–79), der *Armenia minor* endgültig annektieren ließ und *Cappadocia* hinzufügte (71/72), während das gleichzeitig besetzte Gebiet von *Kommagene* der Provinz *Syria* zugeschlagen wurde. Kurz darauf wurden *Cappadocia*, *Galatia* und *Pontus* zu einer Provinz vereinigt, deren Ostgrenze von *Trapezus*/Trabzon (TR) am Schwarzen Meer den Euphrat entlang bis nach Nordsyrien reichte. Da seit dieser Zeit außer zahlreichen Hilfstruppen in eigenen Lagern zwei Legionen die Ostgrenze sicherten, deren Standorte *Satala* und *Melitene* waren, wurde die neue Großprovinz einem konsularischen Statthalter unterstellt. Diese Regelung blieb auch bestehen, als Traianus (98–117) *Cappadocia* gegen Ende seiner Regierung wieder von *Galatia* trennte. Dagegen blieb das pontische Küstengebiet zwischen *Trapezus* und *Sebastopolis*/Suchumi (GE) ein Teil der Provinz, der von der *classis Pontica* kontrolliert wurde. Ihre Basis war das heutige Trabzon, dessen mittelalterliche Bauten die Überreste der griechisch-römischen Stadt überdecken.

Trotz seiner Grenzlage erlebte das römische Kappadokien bis in das 3. Jh. hinein eine Zeit relativ friedlicher Entwicklung. Dies änderte sich mit der Übernahme des parthischen Thrones

durch die Sassaniden, deren erste Herrscher Ardašir und Šapur I. wiederholt in Kappadokien einfielen. Brisant wurde die Situation, als um die Mitte des 3. Jhs. auch die Goten begannen, sowohl über Mösien und Thrakien wie auch über die Kolchis und Kleinarmenien in das Innere Griechenlands und Kleinasiens vorzudringen. Die Folgen dieser Invasionen waren Zerstörung, Versklavung und Tod. Städte wie *Tyana*/Kilise Hisar (TR), *Kybistra*/Eregli (TR) und selbst *Caesarea*/Kayseri (TR) wurden eingenommen und zerstört. Zurück blieb eine Restbevölkerung, deren Vertrauen in die römische Militärverwaltung tief erschüttert war und die deshalb offenbar mehr als einmal mit den gotischen Eindringlingen gemeinsame Sache machte. Not und Elend dieser Zeit haben bewirkt, daß sich die Menschen in Kappadokien früh dem Christentum zuwandten. Bezeichnenderweise waren unter den vielen Gefangenen, die die Goten wegführten, auch zahlreiche kappadokische Christen, darunter auch die Großeltern des Ulfilas (oder Wulfila), der – als Gote um 310 an der unteren Donau geboren – sein Volk zum arianischen Christentum führte.

Die kappadokischen Könige hatten ihr Land vortrefflich organisiert, um seine natürlichen Ressourcen nutzen zu können. Der Reichtum der neuen Provinz kann auch der kaiserlichen Administration nicht verborgen gewesen sein, um so weniger, als Tiberius mit der Eingliederung Kappadokiens die unbeliebte *centesima rerum venalium*, eine von Augustus

183

eingeführte Auktionssteuer für Sklaven in Höhe von 1% auf die Hälfte reduzierte (TACITUS, *ann.* II 42). Der kaiserliche Zugriff auf die Erträge der neuen Provinz war möglich, weil sich Tiberius rechtlich als Nachfolger der kappadokischen Könige sah und das Land durch einen *procurator* verwalten ließ, der ihm direkt unterstellt war. So gesehen ähnelte die Verwaltung Kappadokiens in römischer Zeit dem Status der Provinz *Aegyptus*, die – verwaltet von einem ritterlichen *praefectus* – Eigentum des Kaisers war.

Ackerbau und Viehzucht bestimmten das Bild der reich gegliederten Landschaft Kappadokiens, deren Zentrum mit einer durchschnittlichen Höhe von 1000 m das ostanatolische Hochland bildete. STRABON zufolge war Weizen das Hauptanbauprodukt auf den ehemals königlichen Ländereien (*Geogr.* XII 2.10). Von Archelaos ist überliefert, daß er eine Abhandlung über die Landwirtschaft schrieb, die PLINIUS als eine seiner Quellen anführt (*NH* I 18 u. XVIII 30.73). Einen ausgezeichneten Ruf in weiten Teilen des Reiches hatten Brotsorten aus Kappadokien, darunter eine Spezialität, die un-

Abb. 182   Der Euphrat bei Zeugma/Belkis (SYR) mit Blick von Südwesten auf die Stätte von Apameia am Euphrat.

Abb. 183   Samosata/Samsat (TR). Siedlungshügel am rechten Euphratufer. Blick von Nordwesten.

ter Zusatz von Milch, Öl und viel Salz hergestellt wurde. Auch die Lagerung von Getreide in unterirdischen Speichern galt als vorbildlich über die Provinzgrenzen hinaus. Dagegen blieben andere landwirtschaftliche Produkte wie Obst, Wein oder Olivenöl auf wenige Landstriche beschränkt, die hierfür geeignet waren.

Auch die Viehzucht Kappadokiens, das nur wenige Wälder, aber ausgedehnte Weideflächen besaß, war bedeutend. Insbesondere die Pferdezucht blickte auf eine lange Tradition zurück. Sie war im Gebiet der alten Hauptstadt *Mazaka*, nördlich des *Argaeus mons*, konzentriert, wo – laut STRABON (*Geogr.* XII 2. 9 u. 7) – die Qualität der Weiden am besten war. Der entscheidende Vorzug der kappadokischen Pferde lag dabei immer schon in ihrer militärischen Tauglichkeit, weswegen die persische Kavallerie sich ihrer ebenso bediente wie der kappadokische Adel. Begehrt waren kappadokische Pferde aber auch für Wagenrennen, in denen sie ähnlich gefeiert wurden wie die Siegerpferde aus Hispanien, Lusitanien oder Sizilien. Eine größere wirtschaftliche Rolle scheint daneben aber auch die Zucht von Eseln und Maultieren gespielt zu haben, vor allem aber von Schafen, die überall im Hochland von Anatolien in großen Herden gehalten wurden. Eine Vorstellung hiervon gibt der Hinweis STRABONS, wonach Amyntas, der letzte galatische König, allein dreihundert Herden besaß (*Geogr.* XII 6.1).

Eine dritte Quelle des kappadokischen

Reichtums war schließlich der Bergbau, der – als ehemals königlicher Besitz – fortan ebenfalls zum *patrimonium (Caesaris)* gehörte. Das Sortiment, das die Minen hergaben, war sehr reichhaltig. Nach STRABON und PLINIUS gehörten Edelsteine wie Onyx und Bergkristall ebenso dazu wie der *lapis specularis*, eine Glimmerart, ein elfenbeinähnliches Gestein, das sich für Dolch- und Schwertknäufe eignete, ein weiteres Gestein von weißer Farbe, *catoptritis* genannt, in dem man sich spiegeln konnte, sowie eine Art Brillantstein, den römische Architekten etwa beim Bau der *domus aurea* in Rom verwendeten und womit der argwöhnische Domitianus (81–96) die Wände von Säulengängen schmücken ließ, um jederzeit erkennen zu können, was hinter seinem Rücken geschah. Weitere Bergbauprodukte waren Steinsalz und Rötel, der sehr eisenhaltig war, als ausgezeichnetes Färbemittel und Medikament galt und *sinopis* hieß, weil die Stadt gleichen Namens an der Südküste des Schwarzen Meeres längere Zeit der Hauptausfuhrhafen dieses Produktes war.

Während man über den von PLINIUS erwähnten kappadokischen Stahl nur unzureichend informiert ist, spielen die Silbervorkommen von Bulgar Maden (TR) im äußersten Süden der ehemaligen Provinz noch heute eine Rolle. Auch sie waren königlicher Besitz und gehörten seit der Eingliederung des Landes zum kaiserlichen Vermögen. Schon Tiberius (14–37) richtete in *Mazaka-Caesarea* eine kaiserliche Münze ein, die in Silber und Kupfer prägte, mit ihren Emissionen das Euphratheer ebenso versorgte wie sie den Orienthandel belebte und die praktisch ununterbrochen bis in die Regierungszeit Gordianus' III. (238–244) tätig war. Da das in *Caesarea Cappadociae* geprägte Silbergeld auf der Gleichsetzung von Drachme und Denar beruhte, findet man es im Osten des Reiches ebenso wie vereinzelt auch im Westen und im Donauraum. Daneben besaß auch *Tyana*/Kilise Hisar (TR) eine Prägestätte, die jedoch nur zeitweise in Betrieb war. Der kontinuierliche Ausstoß von Silbergeld, das hohe Akzeptanz besaß, dürfte vor allem dem kappadokischen Außenhandel zugute gekommen sein, wie verschiedene Händlerinschriften aus dem Donauraum, in Obergermanien und selbst in *Osilipo*/Lissabon (P) zu belegen scheinen.

Kappadokien war sicher kein Land vieler und großer Städte. Dies lag vor allem daran, daß hier – anders als in anderen Teilen des ehemaligen Alexanderreiches – die Hellenisierung des Landes und seiner Bevölkerung erst sehr spät einsetzte und bei der Eingliederung in das römische Reich nicht viel mehr war als ein dünner Anstrich. STRABON spricht nur von zwei Städten, *Mazaka* und *Tyana*, die nach griechischem Muster organisiert waren, während das Land in elf στρατηγ αι gegliedert war, die Namen wie Μελιτήνη, Καταων α oder Γυαν της trugen. Aus *Mazaka* wurde schon um 10 v. Chr. *Caesarea*, während *Tyana* seinen Namen behielt und später durch Caracalla (211–217) als κολων α Τυάνων 'Αντωνινιακή (oder Αὐρηλ α) zur römischen Kolonie erhoben wurde. Offenbar charakterisiert STRABON jedoch einen älteren Zustand vor der Umwandlung Kappadokiens in eine römische Provinz. Er selbst nennt mit *Kybistra*/Eregli eine weitere Stadt. Später kommen mit *Arca*/Arga, *Archelais*/Ak Serai, *Ariaratheia*/ – ? –, *Diocaisarea*/ – ? –, *Faustinopolis*/Basmakşi (benannt nach dem Sterbeort der Faustina, der Frau des Marcus Aurelius), *Komana*/Sar, *Melitene*/Malatya, *Nazianzus*/Nenizi, *Nyssa*/ – ? – und *Parnassos*/ – ? – weitere Stadtanlagen hinzu, allerdings erreichte keine von ihnen die Größe und Bedeutung von *Caesarea* und *Tyana*.

Trotz mancher Bemühungen, die Urbanisierung in der Provinz fortzuführen und den Prozeß der Romanisierung zu fördern, war das Ergebnis eher bescheiden. Dies lag in der Hauptsache darin begründet, daß die alte soziale Gliederung der Bevölkerung auch in römischer Zeit weiterbestand und sich die nutzbaren Flächen des Landes, soweit sie nicht vom Kaiser beansprucht wurden, auch weiterhin in

den Händen des kappadokischen Adels und einiger Tempelfürstentümer befanden, deren ausgedehnte Besitzungen von einer Vielzahl von Tempelsklaven bearbeitet wurden. Abgesehen von einer nur dünnen Mittelschicht in den Städten, stand dieser Herrenschicht eine große Masse von Besitzlosen gegenüber. Bestenfalls waren sie Kleinbauern ohne eigenes Land und abhängig von ihren Grundherren, oft genug aber Menschen – und dafür war *Cappadocia* in der Kaiserzeit mit seinen vielen Sklaven geradezu sprichwörtlich –, die der Halbfreiheit oder gänzlich dem Sklavenstatus unterworfen waren. Die Worte *servus* und *Cappadox* galten dabei fast als Synonyme. Immerhin schätzten auch römische Kaiser Sklaven von dort wegen ihrer körperlichen Robustheit, aber sie galten auch als roh, plump, rückständig und geistig etwas beschränkt, weswegen man seine Witze über die Kappadoker machte und mit *Lukianos* frozzelte, es sei leichter, einen weißen Hirsch oder eine geflügelte Schildkröte aufzuspüren als etwa einen kappadokischen Redner von einigem Rang.

Über das Schicksal der Provinz in der Spätantike ist nur wenig bekannt. Das meiste erfährt man noch aus den Schriften früher kappadokischer Kirchenväter wie Basileios, Gregorios von *Nazianzus* und Gregorios von *Nyssa*, deren Texte ein bezeichnendes Licht auf die sozialen Zustände des 4. Jhs. werfen. Das Christentum, das auf kappadokischem Boden eine ausgeprägte Verbindung mit heidnischen Vorstellungen einging und deshalb im Volk rasche Aufnahme fand, verbreitete sich derart schnell, daß Kappadokien bereits in der zweiten Hälfte des 3. Jhs. als weitgehend christliches Land gelten konnte. Politisch gehörte *Cappadocia* seit der Reichsreform des Diocletianus (284–305) zur *dioecesis Pontica* und blieb in seinem Kern zunächst ungeteilt, während *Armenia minor* mit der Hauptstadt *Nicopolis* (beim heutigen Pjurk in der Nähe von Enderes/TR) einen eigenen Provinzstatus erhielt. Eine Teilung erfolgte erst unter Valens (364–378), der die Provinzen *Cappadocia prima* und *secunda* schuf, deren Hauptstädte *Caesarea* und *Tyana* waren. Mit der Reichsteilung (395) wurde das Land ein Teil des Oströmischen und Byzantinischen Reiches und blieb dies bis weit in das 11. Jh., als es in die Hände der späteren Rum-Seldschuken fiel, die *Caesarea*, das heutige Kayseri, zu einem ihrer wichtigsten Stützpunkte machten.

Die römische Provinz *Cappadocia* ist bisher nur in sehr geringem Maße wissenschaftlich erforscht worden. Besonders gravierend ist das fast völlige

Fehlen archäologischer Untersuchungen sowie die geringe Zahl von Inschriften aus jüngerer Zeit. Am besten ist noch die Limeszone am Euphrat bekannt. Die neueste Einführung bietet: R. TEJA, *Die römische Provinz Kappadokien in der Prinzipatszeit*, in: *ANRW* II 7.2 (1980) 1083 ff.

E. AKURGAL, *Ancient civilizations and ruins of Turkey* [6](1985); F. CUMONT, *The frontier provinces of the east. Cappadocia, Lesser Armenia, Commagene*, in: *CAH* 11 (1936) 606 ff.; L. FRANCK, *Sources classiques concernant la Cappadoce*, in: *Rev. Hitt. et Asian.* 24, 1966, 9 ff.; P. R. FRANKE, *Kleinasien zur Römerzeit* (1968); W. E. GWATKIN, *Cappadocia as a Roman procuratorial province* (1930); P. HEATHER, *Goths and Romans A.D. 332–489* (1991); E. KIRSTEN, *s. v. Cappadocia*, in: *RAC* 2 (1954) 861 ff.; K. KRAFT, *Das System der kaiserzeitlichen Münzprägung in Kleinasien* (1972); LE GUEN-POLLET/O. PÉLON (eds.), *La Cappadoce méridionale jusqu'à la fin de l'époque romaine*, Coll. d'Istanbul 1987 (1991); D. MAGIE, *Roman rule in Asia Minor to the end of the third century A. D.*, 2 Bde. (1950); M. SALAMON, *The chronology of Gothic incursions into Asia minor in the third century A. D.*, in: *Eos* 59, 1971, 109 ff.; B. SCARDIGLI, *Die gotisch-römischen Beziehungen im dritten und vierten Jahrhundert n. Chr.*, in: *ANRW* II 5.1 (1976) 200 ff.; R. TEJA, *Organización económica y social de Capadocia en el siglo IV según los Padres Capadocios* (1974); K. H. ZIEGLER, *Die Beziehungen zwischen Rom und dem Partherreich* (1964).

M. M. GRIFFIN, *The administration of the Roman province of Cappadocia*, Diss. Chapel Hill, N. C. 1929; H. HALFMANN, *Die Senatoren aus den kleinasiatischen Provinzen des Römischen Reiches vom 1.–3.Jahrhundert*, in: *Tituli* 5, 1982, 603 ff.; R. P. HARPER, *Roman senators in Cappadocia*, in: *AS* 14, 1964, 163 ff.; TH. LIEBMAN-FRANKFORT, *Les étapes de l'intégration de la Cappadoce dans l'Empire Romain*, in: *Hommages à C. Préaux* (1975) 416 ff.; B. RÉMY, *Les fastes sénatoriaux des provinces romaines d'Anatolie au Haut-Empire 31 av. J.-C. – 284 ap. J.-C.* (1988); DERS., *Les carrières sénatoriales dans les provinces romaines d'Anatolie au Haut-Empire 31 av. J.-C.284 – ap. J.-C.* (1989).

J. G. CROW/D. H. FRENCH, *New research on the Euphrates frontier in Turkey*, in: AAVV., *Roman Frontier Studies* 1979 (1980) 903 ff.; E. DABROWA, *Le limes anatolien et la frontière caucasienne aux temps des Flaviens*, in: *Klio* 62, 1980, 379 ff.; D. KENNEDY (ed), *The Roman army in the east* (1996); S. MITCHELL (ed.), *Armies and frontiers in Roman and Byzantine Anatolia*, in: *BAR S* 156 (1983); T. B. MITFORD, *Some inscriptions from the Cappadocian Limes*, in: *JRS* 64, 1974, 160 ff.; DERS., *The limes in the Kurdish Taurus*, in: *Roman Frontier Studies* 1979 (1980) 913 ff.; DERS., *Cappadocia and Armenia minor: Historical setting of the limes*, in: *ANRW* II 7.2 (1980) 1169 ff.; J. WAGNER, *Die Römer an Euphrat und Tigris*, in: *Sondernr. Antike Welt* (1985).

R. P. HARPER, *Tituli Comanorum Cappadociae*, in: *AS* 18, 1968, 93 ff.; A. H. M. JONES, *The Greek city from Alexander to Justinian* (1940; ND 1967); DERS., *The cities of the eastern Roman provinces* [2](1971); G. NEUMANN, *Untersuchungen zum Weiterleben hethitischen und luwischen Sprachgutes in hellenistischer und römischer Zeit* (1961); L. ROBERT, *Noms indigènes dans l'Asie Mineure gréco-romaine* (1963); R. TEJA, *El deporte en la Capadocia romana*, in: *Zephyros* 25, 1974, 479 ff. T. R. S. BROUGHTON, *Roman Asia minor*, in: T. FRANK (ed.), *An economic survey of ancient Rome* 4 (1938; ND 1959) 907 ff.; W. H. C. FREND, *The Roman road system of Asia minor*, in: *ANRW* ebd. 628 ff.; S. F. STARR, *Mapping ancient roads in Anatolia*, in: *Archaeology* 16, 1963, 162 ff.; E. A. SYDENHAM, *The coinage of Caesarea of Cappadocia* (1935).

Raetia (unter Tiberius oder Caligula)

Dem Imperator Caesar Augustus, Sohn des göttlichen (Caesar) ... (widmen) Senat und römisches Volk (dieses Ehrenmal), weil unter seiner Führung und seinen Auspizien alle Stämme der Alpen, die sich vom Oberen (d. h. Adriatischen) bis an das Untere Meer (d. h. Tyrrhenische) ausbreiteten, unter die Herrschaft des römischen Volkes gebracht worden sind. Die besiegten Alpenstämme (sind): ... vier Stämme der Vindeliker, (und zwar) Cosuanaten, Runicaten, Licaten (und) Cattenaten ...

TROPAEUM ALPIUM in La Turbie (*CIL* V 7817)

Den ungezügelten Streifereien aller (Räter und Vindeliker) machten Tiberius und sein Bruder Drusus in einem einzigen Sommer ein Ende, so daß es jetzt schon das 33. Jahr ist, seit sie ruhig und regelmäßig Steuern zahlen.

STRABON (um 64/63 v. Chr. – um 25 n. Chr.)

Obwohl es gerade für die Frühzeit Rätiens einige bemerkenswerte Schriftzeugnisse gibt, läßt sich bislang der genaue Zeitpunkt nicht sicher bestimmen, zu dem die Gebiete der Süd- und Ostschweiz und Nordtirols sowie das südliche Bayern als römische Provinz eingerichtet worden sind. Die Eroberung dieser Gebiete war Teil einer großangelegten militärischen Initiative zum Schutz Oberitaliens, die 25 v. Chr. mit der Unterwerfung der Salasser im Aostatal begann, womit Rom die Kontrolle über die Alpenpässe des Großen und Kleinen St. Bernhard gewann, und die mit dem Alpenfeldzug der kaiserlichen Stiefsöhne Tiberius und Drusus zehn Jahre später erfolgreich abgeschlossen werden konnte (15 v. Chr.). Das 7/6 v. Chr. im heutigen La Turbie oberhalb von Monaco (MC) errichtete *tropaeum Alpium* feiert in einer monumentalen Inschrift die Unterwerfung des Alpenraumes und nennt die Namen von 46 Alpenvölkern, die *ductu auspiciisque* des Augustus unter die Herrschaft des römischen Volkes gelangten. Unter ihnen sind auch vier Stämme der *Vindelici*, die im wesentlichen im Alpenvorland siedelten, während die Stämme der *Raeti* ihre Wohnsitze weiter südlich hatten.

Die älteste Inschrift, die Bezug auf Rätiens Frühzeit nimmt, nennt C. Vibius Pansa, der als *legatus Augusti pro [praet(ore) i]n Vindol(icis)* bezeichnet wird und einer der ersten Befehlshaber gewesen sein dürfte, dem römische Okkupationstruppen unterstanden (*CIL* V 4910). Außer einer weitgehend unbekannten Anzahl von Auxilien waren dies zumindest Teile einer Legion, deren Hauptstützpunkt sich offenbar – nach zahlreichen Militärfunden in einem ehemaligen Flußbett der Wertach – auf dem Gebiet des heutigen Augsburg befand. In ähnlicher Funktion wird gegen Ende der Regierung des Augustus auch C. Octavius Sagitta als *procurat(or) Caesaris Aug(usti) in Vinda[licis] et Raetis et in valle Poenina* vier Jahre lang die römischen Truppen in Rätien und Vindelikien befehligt haben, zu dessen Amtsbereich damals auch das Wallis gehörte (*ILS* 9007). Als dritter Militär ist Sex. Pedius Hirrutus zu nennen, dessen Amtsbezeichnung *pra[ef(ectus) Raetis Vindolicis valli[s P]oeninae et levis armatur(ae)* lautete und der zugleich *primuspilus* der 21. Legion war, die in frühtiberischer Zeit – so die Datierung der Inschrift *CIL* IX 3044 – in *Vetera/Xanten-Birten* (D) stand. Die unterschiedliche Bezeichnung wahrscheinlich ein und desselben Kommandos mag teils auf den Übergangsstatus des neu eroberten Gebietes, teils auf das noch nicht voll ausgereifte Beförderungsschema jener Zeit zurückzuführen sein. In keiner der drei Inschriften werden Rätien und Vindelikien als *provincia* bezeichnet. Statt dessen spricht manches dafür, daß die genannten Befehlshaber und ihre Truppen bis zur Abberufung des Germanicus (16/17) dem Rheinkommando zugeordnet waren. Vergleichbar wäre ihre Stellung mit der des Pontius Pilatus, der zwar als *praefectus Iudaeae* eine gewisse Handlungsfreiheit besaß, letztlich jedoch in allem, was er tat oder unterließ, dem syrischen Statthalter verantwortlich war.

Solange eindeutige Zeugnisse fehlen, muß die Frage unbeantwortet bleiben, ob Rätien schon unter Tiberius (14–37) als eigenständige Provinz eingerichtet wurde. Archäologische Zeugnisse wie die Anlage des Donaukastells Aislingen scheinen immerhin anzudeuten, daß Rom nach einer längeren Phase militärischer Zurückhaltung, in der man sich an strategisch wichtigen Plätzen mit kleineren Militärposten begnügte, im Verlauf der dreißiger Jahre daranging, die Donau zur Nordgrenze Rätiens und Vindelikiens zu machen. Der systematische Ausbau dieser neuen Grenzlinie zwischen Hüfingen und Oberstimm erfolgte unter Claudius (41–54), auf dessen Initiative auch der Ausbau der wichtigsten Verkehrswege

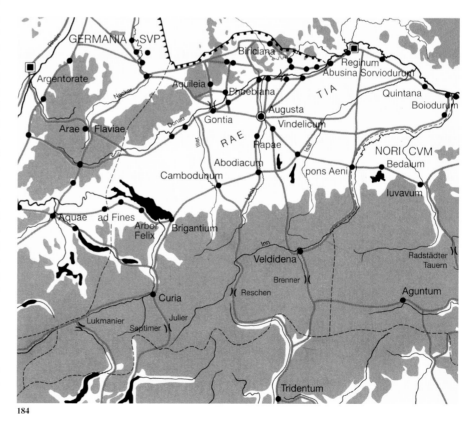

Abb. 184 Raetia Romana. Übersichtskarte der Provinz mit Städten, Kastellen, Siedlungen und Verkehrswegen. Nach W. CZYSZ.

185

entlang der Flußgrenze sowie in Nord-Süd-Richtung zurückgeht, von denen die *via Claudia Augusta*, die *a flumine Pado ad flumen Danuvium* führte und damit Rätien mit Oberitalien verband, die wichtigste Fernverbindung war (*CIL* VI 8003). Aus frühclaudischer Zeit stammt auch die erste Inschrift, die einen *pro-*

cur(ator) Augustor(um) et pro leg(ato) provinciai Raitiai et Vindelic(iai) et vallis Poenin(ai) nennt (*CIL* V 3936)*. Zur endgültigen Einrichtung der Provinz *Raetia* – der Zusatz *et Vindelicia* entfällt seitdem in den meisten Fällen – gehörte schließlich auch die Abtrennung des Wallis, das seit claudischer Zeit mit der

Alpenregion nördlich und südlich des Kleinen St. Bernhard die Provinz *Alpes Graiae et Poeninae* bildete (S. 187 ff.).

Früher glaubte man, *Augusta Vindelicum*/Augsburg (D) sei von Beginn an die Hauptstadt der Provinz gewesen. Inzwischen haben sich die archäologischen Hinweise verdichtet, daß *Cambodunum*/Kempten (D) der erste Sitz der rätischen Statthalter gewesen ist und Tacitus diese Stadt, die in ihrem Zentrum mit Forum, Basilika, Thermen und Statthalterpalast großzügig ausgebaut war, gemeint hat, als er von *splendissima Raetiae provinciae colonia* sprach (*Germ.* 41). Demgegenüber war in der späteren Hauptstadt *Augusta Vindelicum*, die als *municipium Aelium Augustum Vindelicum* erst unter Hadrianus (117–138) Stadtcharakter annahm, zunächst nur das militärische Potential der Provinz konzentriert. Wie die Ausgrabungen in Kempten gezeigt haben, vollzog sich der Wechsel um die Wende zum 2. Jh. Seitdem residierten ritterliche *procuratores Augusti* im heutigen Augsburg. Da *Raetia* Grenzprovinz war und die kaiserlichen Sachwalter nicht nur zivile Aufgaben hatten, sondern auch ein Heer von ca. 8000 Auxiliarsoldaten befehligten, nahmen die rätischen Statthalter als *ducenarii* in der kaiserlichen Beamtenhierarchie einen relativ hohen Rang ein. Welche Funktion in der Frühzeit der Provinz dagegen die offensichtlich von römischen Militärhandwerkern erbaute und befestigte Siedlung auf dem Auerberg oberhalb von Bernbeuren gehabt hat, die möglicherweise mit dem von Strabon überlieferten *Damasia* identisch ist und neuesten Grabungsergebnissen zufolge um das Jahr 40 planmäßig verlassen wurde, ist nach wie vor ungewiß. Möglicherweise spiegelt sich hier ein ähnlicher Vorgang wie im benachbarten *Noricum*, wo zur gleichen Zeit die Siedlung auf dem Magdalensberg aufgegeben und auf dem sog. Zollfeld bei Klagenfurt die neue Provinzhauptstadt *Virunum* angelegt wird (S. 181 f.). Es ist deshalb durchaus möglich, daß gerade dieser Zeitpunkt mit der endgültigen Umwandlung Rätiens und Vindelikiens in eine römische Provinz identisch ist.

Die Provinz *Raetia* reichte im Osten bis an den *Aenus*/Inn, der die Grenze zu *Noricum* bildete, und schloß weiter südlich das Gebiet zwischen dem Reschen-Scheideck-Paß und dem Brenner ein. Die Südgrenze der Provinz verlief etwa auf der

186

* Diese Schreibweise geht auf Claudius' eigene philologische Studien zurück, der vergeblich versuchte, die alte Schreibweise *-ai* (statt *-ae*) wieder einzuführen.

Linie der Alpenpässe Stilfser Joch, Maloja, Septimer und Splügen und schloß weiter südwestlich das Tessin und nördliche Piemont ein. Dagegen läßt sich die rätische Westgrenze weniger sicher festlegen. Sie folgte wohl der Linie der Pässe Simplon, Furka und Oberalp, führte dann wahrscheinlich durch das Tal der Reuss am Vierwaldstätter See vorbei, kreuzte den Rhein bei Stein a. Rh. (CH) westlich des *Venetus lacus*/Bodensee und erreichte die Donau etwa beim heutigen Tuttlingen (D). Die Nordgrenze Rätiens bildete in claudischer Zeit zunächst die Donau, ehe vor allem Domitianus (81–96) über den Fluß hinausgriff und zwischen Gomadingen und Pfünz unter Einschluß der Schwäbischen Alb und dem Nördlinger Ries eine neue Demarkationslinie schuf, die Anschluß an den Neckarlimes bekam. Ihren Abschluß fand diese Entwicklung mit einer weiteren Vorverlegung der Grenzbefestigungen auf die Linie zwischen den Kastellen Schirenhof bei Schwäbisch Gmünd und Pförring an der Donau westlich von Regensburg (D), die ihr endgültiges Aussehen wohl unter Antoninus Pius (138–161) erhielt und mit dem Ausbau zum *limes Raeticus*, der aus einer durchgehenden Bruchsteinmauer bestand, gegen Ende des 2. Jhs. gleichsam ‹zementiert› wurde.

Bis zu diesem Zeitpunkt war *Raetia* eine Grenzprovinz, die sich – unterbrochen nur durch die Unruhen nach dem Tode Neros (68) und einen Aufstand der Helvetier (69), der jedoch schnell wieder niedergeschlagen wurde – einer langen Friedenszeit erfreute. Damit konnte sich schon früh nicht nur im Umfeld der Provinzhauptstadt, die wahrscheinlich 120/121 zum *municipium Aelium Augustum* erhoben wurde, ein reiches wirtschaftliches Leben entfalten, das inzwischen dank intensiver archäologischer Forschungen in vielen wichtigen Details bes-

187

188

Abb. 185 Augsburg (D). Ausgrabung Äußeres Pfaffengäßchen 1995. Holzbefunde des frührömischen Kastells claudischer Zeit in situ. Blick von Süden.

Abb. 186 Die dammartige Trasse der Via Claudia Augusta. Links bei Untermeitingen, als Bewuchsmerkmal sichtbar (Juli 1981), rechts bei Lechbruck am Forggensee, als Schneemerkmal erkennbar (März 1988).

Abb. 187 Cambodunum/Kempten (D). Luftbild der Basilika zwischen Statthalterpalast und Forum. Zustand Oktober 1994.

Abb. 188 Castra Regina/Regensburg (D). Ansicht der porta praetoria des Legionslagers. Blick von Norden. Ende des 2. Jhs.

ser bekannt geworden ist. Die Basis der wirtschaftlichen Entwicklung bildeten seit spätflavischer Zeit zahlreiche *villae rusticae*, die vor allem das Siedlungsbild nördlich der Donau geprägt haben, während die ländliche Besiedlung des Voralpengebietes im wesentlichen auf die Flußtäler beschränkt war. Von hier aus wurden nicht nur die Militärgarnisonen in der Grenzregion versorgt, sondern auch die Städte und stadtähnlichen Siedlungen in der Provinz, die an wichtigen Straßenkreuzungen oder Flußübergängen lagen. Hierzu gehörten u. a. *Brigantium*/Bregenz (A), *Cambodunum*/Kempten (D) und *Curia*/Chur (CH), aber auch Siedlungen wie *Abodiacum*/Epfach, *Caelius mons*/ Kellmünz, *Foetes*/Füssen, *Guntia*/Günzburg, *Pons Aeni*/Pfaffenhofen (alle D) oder *Veldidena*/Innsbruck-Wilten

(A). Vor allem *Brigantium* und *Curia* scheinen sich im Laufe des 2. Jhs. zu respektablen Stadtsiedlungen entwickelt zu haben. Dennoch sind sie – rechtlich gesehen – *vici* geblieben.

Einen ersten tiefen Einschnitt in der Geschichte Rätiens bildete die Zeit der Markomannenkriege (165–175 und 177–182). Zunächst blieb das Provinzgebiet von kriegerischen Übergriffen verschont, deren erste Stoßrichtung auf den norisch-pannonischen Donauabschnitt zielte. Doch ist für die Jahre 171/172 ein Sonderkommando des P. Helvius Pertinax bezeugt, der die Provinzen *Raetia* und *Noricum* von eingedrungenen Feinden säuberte (*SHA Pert.* 2, 8). Wenig später ist von einem weiteren Sonderkommando die Rede, das die Verteidigung des Voralpengebietes betraf und wohl von Cae-

189

rellius Priscus geleitet wurde. Die unmittelbare Folge war die erstmalige Stationierung einer Legion auf rätischem
Boden, wo die erst kurz zuvor aufge-
stellte *legio III Italica concors* ein erstes
vorläufiges Lager in Eining-Unterfeld errichtete, ehe sie wohl frühestens 175 –
nach dem ersten Friedensschluß mit den
Markomannen und ihren Verbündeten –
gegenüber der Mündung des Regen stationiert wurde, um das kurz zuvor nieder-
gebrannte Kohortenkastell Kumpfmühl
dauerhaft zu ersetzen (Abb.188). Wie die
zur Hälfte erhaltene Bauinschrift vom
Osttor des neuen Legionslagers *Reginum*
– später meist *Castra Regina* – ausführlich belegt, waren *vallum cum portis et
turribus* bereits 179 fertiggestellt (*CIL* III
11965). Gleichzeitig dürfte die Neuorganisation der Provinz erfolgt sein, deren
Statthalter nunmehr Senatoren prätorischen Ranges waren und sich *legati Augusti pro praetore provinciae Raetiae*
nannten. *Augusta Vindelicum* blieb zwar
Hauptstadt der Provinz, doch dürfte allein
schon aus praktischen Gründen ein bestimmter Teil der Amtsaufgaben des
Statthalters, der gleichzeitig auch die Legion befehligte, nach *Reginum* verlagert
worden sein. Vorauszusetzen ist für
Rätien in dieser Zeit auch eine vom Statthalter unabhängige Finanzprokuratur,
doch fehlen hierfür bis heute die Belege.

Die Stationierung einer ganzen Legion
brachte der Provinz nach den Schrecken
der Markomannenkriege erneut eine Zeit
wirtschaftlicher Blüte, die sich archäologisch besonders augenfällig an der Vielzahl neu entstandener *villae rusticae* im
Raum südlich und südöstlich von Regensburg nachweisen läßt. Doch schon in
severischer Zeit war Rätien wieder von

Unruhen betroffen, ausgelöst durch die
Alamanni, einem Volksverband, der im
Vorfeld des obergermanisch-rätischen Limes aus dem Zusammenschluß germanischer Stammeseinheiten entstanden war.
Eine erste Kraftprobe scheint Caracalla
(211–217) noch bestanden zu haben, als
er nach ersten Übergriffen erfolgreich in
das Gebiet der Alamannen eindrang
(213). Das teilweise wiederaufgebaute
Limestor von Dalkingen erinnert mit der
Fassadenarchitektur seines letzten Bau-
zustandes sehr wahrscheinlich an diesen
Sieg, der immerhin so durchschlagend
war, daß die Alamannen den rätischen Limes erst wieder zwei Jahrzehnte später
überschritten und raubend und mordend
in die Provinz einfielen, aus der zu diesem Zeitpunkt die besten Truppen abgezogen waren, um im Osten gegen die sassanidischen Parther zu kämpfen.

Vom Jahre 233 an häuften sich die
Überfälle und Plünderungen durch ala-
mannische Scharen, die zahlreiche Kastelle, Gutshöfe und Siedlungen zerstörten und die Römer zwangen, die rätische
Nordgrenze in den Jahren nach 260 auf
die Donau-Iller-Rhein-Linie zurückzu-
nehmen. Archäologisch ist diese Kata-
strophenzeit neuerdings durch einen Weihestein aus Augsburg belegt, der über
eine siegreiche Schlacht gegen die Juthungen berichtet (260?). Vor allem aber
ist diese Zeit der Schrecken an zahlreichen Zerstörungshorizonten ablesbar wie
auch an der großen Zahl vergrabener
Münzhorte und Schatzfunde, die von
ihren einstigen Besitzern in der vagen
Hoffnung vergraben wurden, sie vor
ihren Feinden verstecken und eines Tages
wieder ausgraben zu können. Wie sehr
vor allem die rätische Zivilbevölkerung

in dieser Zeit gelitten haben muß, belegen
erstmals auf dramatische Weise die ma-
kabren Skelettfunde aus Regensburg-
Harting, wo die zerstückelten Knochen
von Männern, Frauen und Kindern auf
ebenso grausame wie zweifelsfreie Weise
darauf hindeuteten, daß diese Menschen
– allesamt Bewohner eines Gutshofes – in
der Zeit der Alamannenstürme auf mar-
tialische Weise einer rituellen Hinrich-
tung und Verstümmelung zum Opfer fielen, die möglicherweise auch Formen von
‹Kannibalismus› einschloß.

Bereits Gallienus (253–268) hatte aus
dem militärischen Desaster der Zeit nach
233 die richtigen Schlüsse gezogen und
den *limitanei*, dem eigentlichen Grenzheer, die *comitatenses* an die Seite gestellt, die als mobile Einsatzreserve
schnell an jeden gefährdeten Grenzabschnitt geworfen werden konnten, ohne
wie früher die Grenztruppen ‹ausdünnen›
zu müssen. Diese Reform fand ihre konsequente Fortführung in der Reichsreform des Diocletianus (284–305), der die
militärische Amtsgewalt in den Provinzen strikt von der zivilen trennte. Fortan
residierte in *Augusta Vindelicum* ein ritterlicher *praeses*, während die *legio III
Italica*, die inzwischen auf fünf Garni-
sonsorte verteilt worden war, jetzt von einem *praefectus* befehligt wurde. Dieser
war gleichfalls ritterlicher Abstammung
und unterstand dem *dux Raetiae*, der seinen Sitz ebenfalls in *Augusta Vindelicum*
hatte. Dagegen ist die Teilung der Provinz
offenbar erst nach der Abdankung Diokletians (305) erfolgt, als der gebirgige
Süden mit der neuen Hauptstadt *Curia/
Chur* (CH) als *Raetia I* von der nördlichen *Raetia II* abgetrennt wurde, deren
Hauptstadt auch weiterhin das heutige
Augsburg blieb. Beide Provinzen, die der
dioecesis Italiae zugeordnet wurden,
blieben jedoch militärisch in der Hand
eines Mannes vereinigt, dessen Titel *dux
Raetiae primae et secundae* war.

Was das Ende des römischen Rätien
betrifft, ging man bis in jüngster Zeit davon aus, daß bereits Stilicho in Vertretung
des noch unmündigen Honorius
(395–423) das Voralpengebiet im Jahre
401 preisgegeben und alle verfügbaren
rätischen Truppen abgezogen habe, um
sie in Italien gegen die Westgoten Alarichs einzusetzen. Inzwischen gibt es jedoch sowohl schriftliche wie archäologische Zeugnisse, die in ihrer Gesamtheit
deutlich belegen, daß es in Rätien bis
zum endgültigen Zusammenbruch des
Weströmischen Reiches (476) nach wie
vor ein römisches Grenzheer gegeben
hat, wenn es auch inzwischen, wie die
Funde lehren, vornehmlich aus eingewanderten Germanen bestand, die all-

mählich mit der einheimisch-romanischen Bevölkerung verschmolzen, nachdem ein anderer Teil geflohen war, um sich und seine Habe in Sicherheit zu bringen. Andererseits sprechen eindeutige Belege dafür, daß die Landnahme der Alamannen in Rätien kurz nach der Mitte des 5. Jhs. abgeschlossen war, nachdem ihnen und anderen Völkerschaften der römische Feldherr Aëtius bis zu seiner Ermordung (454) wiederholt erfolgreich Paroli geboten hatte. Ähnliches berichtet auch die *vita Severini* des Abts EUGIPPIUS vom Anfang des 6. Jhs., in der aber auch davon die Rede ist, daß Teile der romanischen Bevölkerung gegen Ende des 5. Jhs. das unsicher gewordene Voralpengebiet verließen und mit Eugippius nach Italien zogen.

Die ehemalige Provinz *Raetia* gehört zu den besterforschten Gebieten des Römischen Reiches. Sowohl auf Schweizer wie auf österreichischem, vor allem aber auf deutschem Boden hat man sich früh für das römische Erbe interessiert und seit dem 19. Jh. an zahlreichen Plätzen Ausgrabungen durchgeführt. Dabei ist kennzeichnend, daß es lange Zeit vor allem interessierte Laien und Vertreter historischer Vereine waren, die Ausgrabungen unternahmen, Funde sammelten und einem interessierten Publikum an geeigneter Stelle präsentierten, ehe sich der Staat – in Bayern geschah dies erst 1908 – der ‹vaterländischen Altheiten› annahm und die ersten Planstellen für archäologische Denkmalpfleger schuf. In der Schweiz war es neben den ‹dilettanti› (in des Wortes bester Bedeutung) vor allem die Kantonsarchäologie von Graubünden, die wichtige Baubefunde im heutigen Chur sicherte und die Bergrouten erforschte, die etwa über den Julierpaß oder den Septimer nach Italien führten. Österreichische Untersuchungen beschränkten sich dagegen – entsprechend dem geringen Provinzanteil – im wesentlichen auf *Brigantium*/Bregenz sowie die spätrömische Festung von *Veldidena*/Innsbruck-Wilten.

Die reichsten Funde sind jedoch im nördlichen Teil Rätiens gemacht worden, wo sich die Untersuchungen im Rahmen der Arbeiten der Reichslimeskommission seit 1892 vor allem auf die Limeskastelle

zwischen Schirenhof bei Schwäbisch Gmünd und Pförring konzentrierten. Die intensive Erforschung der rätischen Kastelle, auch der älteren Anlagen am Oberlauf der Donau sowie östlich von *Abusina*/Eining bis nach *Batavae*/Passau haben bis heute eine Fülle von Ergebnissen gebracht, die inzwischen ein sehr differenziertes Bild der Militärgeschichte Rätiens ergeben. Ein zusätzliches Ergebnis dieser Forschungen sind eindrucksvolle Teilrekonstruktionen an Kastellplätzen wie Eining, Ellingen, Theilenhofen oder Weißenburg. Als vorbildhaft darf in dieser Hinsicht das Freilichtmuseum am rätischen Limes im Ostalbkreis gelten, wo im Umkreis des Kastells von Rainau-Buch verschiedene Teilrekonstruktionen – darunter das Limestor von Dalkingen – zu einem gelungenen Ensemble zusammengefaßt wurden.

Weitere Forschungsschwerpunkte bilden bis heute die einstigen Zentren der Provinz. Hierzu gehören mit Augsburg und Regensburg zwei Städte, in denen es die örtliche Bodendenkmalpflege besonders schwer hat, wo aber auch gerade die letzten Jahrzehnte gezeigt haben, zu welchen detaillierten Ergebnissen man bei intensiver Forschung selbst in dichtbesiedelten Stadtzentren gelangen kann. Eingehende Untersuchungen haben schon vor dem zweiten Weltkrieg sowie zu Beginn der 1950er Jahre auf dem Boden des ehemaligen *Cambodunum*/Kempten stattgefunden. Sie sind 1982 wieder aufgenommen worden und dauern nach der Wiederfreilegung und Teilwiederherstellung des gallo-römischen Tempelbezirks auf dem östlichen Hochufer der Iller mit weiteren Untersuchungen und Freilegungen bis heute an (Abb. 68).

Von besonderem Rang ist auch die Ausgrabung und gelungene ‹Wieder-Sichtbarmachung› des Apollo-Grannus-Tempels am Rande der ‹Kurstadt› *Phoebiana(e)*/Lauingen-Faimingen, wo sich 212/213 wahrscheinlich auch Caracalla aufhielt, um an den heilbringenden Quellen des Ortes eine nicht näher bezeichnete Krankheit auszukurieren. Ähnliches gilt auch für siedlungs- und wirtschaftsgeschichtliche Untersuchungen im Umkreis von Augsburg, südlich der Donau im Umfeld von Regensburg oder im Nördlinger Ries, wo durch Befliegungen, systematische Begehungen und gezielte Ausgrabungen ganze Siedlungsräume erschlossen werden konnten. Nicht weniger bedeutungsvoll war die Freilegung und Aufarbeitung ausgedehnter Gräberfelder, von denen die Grabungen von Heimstetten bei München, Günzburg, Kempten-Keckwiese, Regensburg und Wehringen, Ldkrs. Augsburg, zu den wichtigsten

190

zählen. Aus spätantiker Zeit sind schließlich die Ausgrabungen in *Caelius mons*/Kellmünz, *Vemania*/Isny, auf dem Goldberg bei Türkheim, dem Moosberg bei Murnau und dem Lorenzberg bei Epfach zu nennen, dazu bedeutsame Funde auch in Augsburg und Regensburg, während etwa frühchristliches Fundmaterial – von wenigen Plätzen wie Augsburg abgesehen – bislang eher selten zutage getreten ist.

Auf Grund langjähriger, intensiver Forschungstätigkeit ist das wissenschaftliche Schrifttum zur Provinz *Raetia* überaus vielfältig. Als einziger Nachteil ist hierbei lediglich die Tatsache zu bewerten, daß zusammenfassende Darstellungen und Überblicke, die das gesamte Provinzgebiet berücksichtigen, immer noch weitgehend fehlen. Es überwiegen vielmehr die Veröffentlichungen bei weitem, die sich an modernen Grenzen orientieren. AAVV., *Beiträge zur Raetia Romana. Voraussetzungen und Folgen der Eingliederung Rätiens ins römische Reich* (1987); AAVV., *Die Alamannen* (1997); AAVV., *Die Ausgrabungen in Manching I* ff. (1970 ff.); AAVV., *Die Römer in Schwaben* ²(1985); AAVV., *Ur- und frühgeschichtliche Archäologie der Schweiz* 5 (1975); J. BELLOT/ W. CZYSZ/G. KRAHE (Hg.), *Forschungen zur provinzialrömischen Archäologie in Bayerisch-Schwaben* (1985); H. BÖGLI, *Die Schweiz zur Römerzeit* (1976); O. BRAASCH, *Luftbildarchäologie in Süddeutschland*, in: *Limesmuseum Aalen* 30 (1983); R. CHRISTLEIN, *Die Alamannen. Archäologie eines lebendigen Volkes* ²(1979); DERS./O. BRAASCH (Hg.), *Das unterirdische Bayern* (1982); W. CZYSZ/K. DIETZ/TH. FISCHER/H.-J. KELLNER, *Die Römer in Bayern* (1995); R. FELLMANN, *La Suisse galloromaine. Cinq siècles d'histoire* (1992); PH. FILTZINGER/D. PLANCK/ B. CÄMMERER, *Die Römer in Baden-Württemberg* ³(1986); TH. FISCHER, *Römer und Bajuwaren an der Donau* (1988); J. GARBSCH/B. OBERBECK (Hg.), *Spätantike zwischen Heidentum und Christentum* (1989); R. HEUBERGER, *Rätien im Altertum und Frühmittelalter* (1932; ND 1981); P. W. HAIDER, *Von der Antike ins frühe Mit-*

Abb. 189   Phoebiana(e)/Lauingen-Faimingen (D). Teilrekonstruierter Tempelbezirk des Heilgottes Apollo Grannus. Zustand zu Beginn der 1990er Jahre.

Abb. 190   Augusta Vindelicum/Augsburg (D). Weihestein für Victoria aus Anlaß eines Sieges über die Juthungen im April 260 (?). Augsburg, Römisches Museum.

telalter, in: J. Fontana (Hg.), *Geschichte des Landes Tirol* I: *Von den Anfängen bis 1490* (1985) 127 ff.; H.-J. Kellner, *Die Römer in Bayern* [4](1978); B. Overbeck, *Geschichte des Alpenrheintals in römischer Zeit auf Grund der archäologischen Zeugnisse*, 2 Bde. (1972/73); Ders., *Raetien zur Prinzipatszeit*, in: *ANRW* II 5.1 (1976) 658 ff.; L. Pauli, *Die Alpen in Frühzeit und Mittelalter* (1980); D. Planck (Hg.), *Archäologie in Württemberg* (1988); Ders./ O. Braasch/ J. Oexle (Hg.), *Das unterirdische Baden-Württemberg* (1994); F. Stähelin, *Die Schweiz in römischer Zeit* [3](1948); J. G. Wais, *Die Alamannen und ihre Auseinandersetzungen mit der römischen Welt* (1940).

D. van Berchem, *La conquête de la Rhétie*, in: *MH* 25, 1968, 1 ff.; K. Dietz, *Zur Verwaltungsgeschichte Obergermaniens und Rätiens unter Mark Aurel*, in: *Chiron* 19, 1989, 407 ff.; R. Frei-Stolba, *Die Schweiz in römischer Zeit. Ausgewählte staats- und verwaltungsrechtliche Probleme im Frühprinzipat*, in: *ANRW* II 5.1 (1976) 288 ff.; G. Gottlieb, *Die regionale Gliederung in der Provinz Raetien*, in: Ders. (Hg.), *Raumordnung im Römischen Reich* (1989) 75 ff.; E. Keller, *Germanenpolitik Roms im bayerischen Teil der Raetia secunda während des 4. und 5. Jahrhunderts*, in: *Jhb. RGZM* 33, 1986, 575 ff.; H.-J. Kellner, *Zur römischen Verwaltung der Zentralalpen*, in: *BVBl.* 39, 1974, 92 ff.; U. Laffi, *Zur Geschichte Vindeliciens nach der römischen Eroberung*, ebd. 43, 1978, 19 ff.; F. Schön, *Der Beginn der römischen Herrschaft in Rätien* (1986); E. Stein, *Die kaiserlichen Beamten und Truppenkörper im römischen Deutschland unter dem Prinzipat* (1932); G. Winkler, *Die Statthalter der römischen Provinz Raetien unter dem Prinzipat*, in: *BVBl.* 36, 1971, 50 ff. u. 38, 1973, 111 ff.; H. Wolff, *Einige Probleme der Raumordnung im Imperium Romanum, dargestellt an den Provinzen Obergermanien, Raetien und Noricum*, in: *Ostbair. Grenzm.* 28, 1986, 152 ff.; Ders., *Die verspätete Erschließung Ostraetiens und der Nordgrenze von Noricum. Ein Forschungsproblem*, ebd. 30, 1988, 9 ff.; Ders., *Zu den Anfängen des römischen Raetien*, in: *Journ. Rom. Arch.* 3, 1990, 407 ff.

AAVV., *Der römische Limes in Deutschland, Sonderheft «Archäologie in Deutschland»* (1992); R. Asskamp, *Das südliche Oberrheingebiet in frührömischer Zeit* (1989); D. Baatz, *Der römische Limes* [3](1993); L. Bakker, *Raetien unter Postumus. Das Siegesdenkmal einer Juthungenschlacht im Jahre 260 n. Chr. aus Augsburg*, in: *Germania* 71, 1993, 369 ff.; R. Braun, *Die Anfänge der Erforschung des rätischen Limes* (1984); H. Castritius, *Die Grenzverteidigung in Rätien und Noricum im 5. Jahrh. n. Chr. Ein Beitrag zum Ende der Antike*, in: H. Wolfram/ A. Schwarz, *Die Bayern und ihre Nachbarn* 1 (1985) 17 ff.; N. Christie, *The Alps as a frontier (A.D. 168–774)*, in: *Journ. Rom. Arch.* 3, 1990, 410 ff.; J. Garbsch u. a., *Der römische Limes in Bayern. 100 Jahre Limesforschung* (1992); Ders., *Der spätrömische Donau-Iller-Rhein-Limes*, in: *Limesmuseum Aalen* 6 (1970); J. Heiligmann, *Der «Alb-Limes» Ein Beitrag zur römischen Besetzungsgeschichte Südwestdeutschlands* (1990); E. Keller, *Germanische Truppenstationen an der Nordgrenze des spätrömischen Rätien*, in: *AK* 7, 1977, 63 ff.; H.-J. Kellner, *EXERCITVS RAETICVS. Truppenteile und Standorte im 1.–3. Jahrhundert n. Chr.*, in: *BVBl.* 36, 1971, 207 ff.; H.-P. Kuhnen, *Gestürmt – Geräumt – Vergessen? Der Limesfall und das Ende der Römerherrschaft in Südwestdeutschland* (1992); H. U. Nuber, *Das Ende des Obergermanisch-Raetischen Limes – eine Forschungsaufgabe*, in: H. U. Nuber/K. Schmid/H. Steuer/Th. Zotz (Hg.), *Archäologie und Geschichte des ersten Jahrtausends in Südwestdeutschland* (1990) 51 ff.; D. Planck/W. Beck, *Der Limes in Südwestdeutschland* [2](1987); S. von Schnurbein, *Die Funde von Augsburg-Oberhausen und die Besetzung des Alpenvorlandes durch die Römer*, in: J. Bellot u. a. (Hg.), *Forschungen zur Provinzialrömischen Archäologie in Bayerisch-Schwaben* (1985) 15 ff.; H. Schönberger, *Die römischen Truppenlager der frühen und mittleren Kaiserzeit zwischen Nordsee und Inn*, in: *Ber. RGK* 66, 1985, 321 ff.; G. Ulbert/Th. Fischer, *Der Limes in Bayern* (1983).

H. Bender/Th. Fischer/J. Michalek, *Passau. Batavis-Boiodurum/Boiotro. Archäologischer Plan von Passau in römischer Zeit* (1991); K. Dietz/Th. Fischer, *Die Römer in Regensburg* (1996); Th. Fischer/S. Rieckhoff-Pauli, *Von den Römern zu den Bajuwaren. Stadtarchäologie in Regensburg* (1982); J. Garbsch/P. Kos, *Das spätrömische Kastell Vemania bei Isny* I (1988); M. Mackensen, *Frühkaiserzeitliche Kleinkastelle bei Nersingen und Burlafingen an der oberen Donau* (1987); Ders., *Das spätrömische Kastell Caelius Mons/ Kellmünz* (1995); H. Schönberger, *Kastell Künzing-Quintana* (1975); Ders., *Kastell Oberstimm* (1978); G. Ulbert, *Der Lorenzberg bei Epfach. Die frührömische Militärstation* (1965); Ders., *Der Auerberg* I: *Topographie, Forschungsgeschichte und Wallgrabungen* (1994); W. Zanier/A. van den Driesch/C. Liesau u. a., *Das römische Kastell Ellingen* (1992).

A. Böhme, *Schmuck der römischen Frau*, in: *Limesmuseum Aalen* 11 (1974); H. Dannheimer/ R. Gebhardt (Hg.), *Das keltische Jahrtausend* (1993); K. Dietz/G. Weber, *Fremde in Rätien*, in: *Chiron* 12, 1982, 409 ff.; B. Frei u. a., *Das Räterproblem in geschichtlicher, sprachlicher und archäologischer Sicht* (1984); J. Garbsch, *Die norisch-pannonische Frauentracht im 1. und 2. Jahrhundert* (1965); Ders., *Römischer Alltag in Bayern. Das Leben vor 2000 Jahren* (1994); J. R. Metzger/P. Gleirscher (Hg.), *Die Räter. I Reti* (1992); K. Strobel, *Militär und Bevölkerungsstruktur in den nordwestlichen Provinzen*, in: W. Eck/H. Galsterer (Hg.), *Die Stadt in Oberitalien und in den nordwestlichen Provinzen des Römischen Reiches* (1991) 287 ff.

AAVV., *Germania Romana* I. *Römerstädte in Deutschland* (1960); R. Christlein, *Die raetischen Städte Severins*, in: *Ausstellungskat. Enns* (1982) 21 ff.; W. Schleiermacher, *Zur Entwicklung der rätischen Städte vor 250 n. Chr.*, in: *Carnuntina* (1956) 171 ff.; H. Wolff, *Die Kontinuität städtischen Lebens in den nördlichen Grenzprovinzen des römischen Reiches und das Ende der Antike*, in: W. Eck/H. Galsterer (Hg.), *Die Stadt in Oberitalien* (1991) 287 ff.

AAVV., *Das römische Brigantium. Ausstellungskat. Bregenz* (1985); V. Dotterweich u. a. (Hg.), *Geschichte der Stadt Kempten* (1989); G. Gottlieb (Hg.), *Geschichte der Stadt Augsburg von der Römerzeit bis zur Gegenwart* (1984); A. Hochuli-Gysel/A. Siegfried-Weiss/E. Ruoff/E.-V. Schaltenbrand (Hg.), *Chur in römischer Zeit*, 2 Bde. (1986/91); H.-J. Kellner, *Augsburg. Provinzhauptstadt Raetiens*, in: *ANRW* II 5.1 (1976) 690 ff.; W. Schleiermacher, *Cambodunum-Kempten. Eine Römerstadt im Allgäu* (1972); J. Werner (Hg.), *Studien zu Abodiacum-Epfach* (1964).

W. Czysz, *Der römische Gutshof von Denning und die römerzeitliche Besiedlung der Münchner Schotterebene* (1974); Ders., *Situationstypen römischer Gutshöfe im Nördlinger Ries*, in: *Ztschr. Hist. Ver. Schwaben* 72, 1978, 70 ff.; Th. Fischer, *Das Umland des römischen Regensburg*, 2 Bde. (1990); K. Heiligmann-Batsch, *Der römische Gutshof bei Büßlingen, Kr. Konstanz* (1997); C.-M. Hüssen, *Römische Okkupation und Besiedlung des mittelraetischen Limesgebietes*, in: *Ber. RGK* 71, 1990, 5 ff.; R. Schmidt, *Die Villa rustica und der Romanisierungsprozeß im Dekumatenland und in der Provinz Raetien*, in: *Wiss. Ztschr. Humboldt-Univ. Berlin, Ges.-Sprachw. Reihe* 25, 1976, 527 ff.; C. S. Sommer, *Kastellvicus und Kastell. Untersuchungen zum Zugmantel im Taunus und zu den Kastellvici in Obergermanien und Rätien*, in: *Fundber. BW* 13, 1988, 457 ff.; G. Sorge, *Die römische Besiedlung im Umland der Provinzhauptstadt Augusta Vindelicum-Augsburg*, in: AAVV., *Bauern in Bayern. Von den Anfängen bis zur Römerzeit, Ausstellungskat. Straubing* (1992) 57 ff.; M. Struck, *Römische Siedlungen und Bestattungsplätze im unteren Isartal*, in: *AK* 22, 1992, 243 ff.

H. Bender, *Verkehrs- und Transportwesen in der römischen Kaiserzeit*, in: AAVV., *Untersuchungen zu Handel und Verkehr der vor- und frühgeschichtlichen Zeit in Mittel- und Nordeuropa* 5 (1989) 108 ff.; J. Garbsch, *Mann und Roß und Wagen. Transport und Verkehr im antiken Bayern* (1986); F. E. König, *Der Julierpaß in römischer Zeit*, in: *Jhb. SGUF* 62, 1979, 77 ff.; A. Planta, *Alte Wege durch die Rofla und die Viamala* (1980); Ders., *Verkehrswege im alten Rätien*, 2 Bde. (1985/86); G. Walser, *Die römischen Straßen und Meilensteine in Raetien*, in: *Limesmuseum Aalen* 29 (1983).

W. Czysz, *Der Sigillata-Geschirrfund von Cambodunum-Kempten. Ein Beitrag zur Technologie und Handelskunde mittelkaiserzeitlicher Keramik*, in: *Ber. RGK* 63, 1982, 281 ff.; Ders./W. Endres, *Archäologie und Geschichte der Keramik in Schwaben*, in: *Neusäßer Schriften* 6 (1988); Th. Fischer, *Römische Landwirtschaft in Bayern*, in: AAVV., *Bauern in Bayern, Ausstellungskat. Straubing* (1992) 229 ff.; Ders., *Römische Landwirtschaft in Bayern*, in: H. Bender/H. Wolff (Hg.), *Ländliche Besiedlung und Landwirtschaft in den Rhein-Donau-Provinzen des Römischen Reiches* (1994) 267 ff.; W. Gaitzsch, *Römische Werkzeuge*, in: *Limesmuseum Aalen* 19 (1978); H.-J. Kellner, *Die Sigillatatöpfereien von Westerndorf und Pfaffenhofen*, ebd. 9 (1973); W. Kuhoff, *Der Handel im römischen Süddeutschland*, in: *Beiträge zur antiken Handelsgeschichte* 3.1 (1984) 77 ff.; Ch. Peschek, *Die germanischen Bodenfunde der römischen Kaiserzeit in Mainfranken* (1978); R. Pleiner, *Zur Schmiedetechnik im römerzeitlichen Bayern*, in: *BVBl.* 35, 1970, 113 ff.; J. Sasel, *Rätien*, in: F. Vittinghoff (Hg.), *Europäische Wirtschafts- und Sozialgeschichte in der römischen Kaiserzeit* (1990) 556 ff.; G. Spitzlberger, *Die römischen Ziegelstempel im nördlichen Teil der Provinz Raetien*, in: *SJ* 25, 1968, 65 ff.

W. Czysz, *Modeltöpfer in der römischen Ziegelei von Westheim bei Augsburg*, in: Bellot u. a. (Hg.), *Forschungen zur Provinzialrömischen Archäologie in Schwaben* (1985) 147 ff.; H.-J. Kellner/G. Zahlhaas, *Der römische Tempelschatz von Weißenburg i. B.* (1993); K. Parlasca, *Römische Wandmalereien in Augsburg* (1956); G. Zahlhaas, *Kunst und Kunstgewerbe der Römerzeit in Bayern*, in: AAVV., *Archäologie in Bayern* (1982) 194 ff.

E. Boshof/H. Wolff (Hg.), *Das Christentum im bairischen Raum* (1994); R. Frei-Stolba, *Götterkulte in der Schweiz*, in: AAVV., *La religion romaine en milieu provincial, Bulletin des Antiquités Luxembourgeoises* 15, 1984, 75 ff.; J. Eingartner/P. Eschbaumer/G. Weber, *Der römische Tempelbezirk in Faimingen-Phoebiana* (1993); R. A. Maier, *Ein römerzeitlicher Brandopferplatz bei Schwangau und andere Zeugnisse einheimischer Religion in der Provinz Raetien, Bulletin des Antiquités Luxembourgeoises* ebd. 231 ff.; J.-P. Niemeier, *Römische Religion im ländlichen Bayern*, in: AAVV., *Bauern in Bayern, Ausstellungskat. Straubing* (1992) 417 ff.; J. Oldenstein, *Opferplätze auf provinzialrömischem Gebiet*, in: *Frühmittelalterliche Studien* 18, 1984, 173 ff.; L. Pauli, *Einheimische Götter und Opferbräuche im Alpenraum*, in: *ANRW* II 18.1 (1986) 816 ff.; M. Trunk, *Römische Tempel in den Rhein- und westlichen Donauprovinzen* (1991); G. Weber, *Jupitersäulen in Rätien*, in: J. Bellot u. a. (Hg.), *Forschungen zur Provinzialrömischen Archäologie* (1985) 268 ff.

P. Fasold, *Römischer Grabbrauch in Süddeutschland*, in: *Limesmuseum Aalen* 46 (1992); W. Gauer, *Die rätischen Pfeilergrabmäler und ihre moselländischen Vorbilder*, in: *BVBl.* 43, 1978, 57 ff.; H. Gabelmann, *Römische Grabbauten in Italien und den Nordprovinzen*, in: *Festschrift F. Brommer* (1977) 101 ff.; E. Keller, *Die spätrömischen Grabfunde in Südbayern* (1971); Ders., *Die frühkaiserzeitlichen Körpergräber von Heimstetten bei München und die verwandten Funde aus Südbayern* (1984); M. Mackensen, *Das römische Gräberfeld auf der Keckwiese in Kempten* 1 (1978); S. von Schnurbein, *Das römische Gräberfeld von Regensburg* (1977).

Abb 191 Bocchus vor Sulla, dahinter der gefesselte Jugurtha. Rückseite eines Denars des Münzmeisters Faustus Cornelius Sulla, geprägt ca. 58 v. Chr. in Rom (Sydenham 879).

Abb. 192 Mauretania Caesariensis. Straßenkarte mit den wichtigsten Städten und Kastellen. Nach P. Salama.

Mauretania (40/42)

Begeben wir uns von hier aus (gemeint ist der Atlantische Ozean) in das mare nostrum, dann liegt links Hispania, rechts Mauretania … Das Ende von dessen Küste bildet der Muluccha, … die Grenzmarke zwischen Stämmen, einst auch zwischen Königreichen, nämlich denen des Bocchus und des Iugurtha … sodann Iol am Meer, einst unbekannt, heute berühmt, weil es Königssitz des Iuba war und jetzt Caesarea heißt.

POMPONIUS MELA (1. Jahrhundert)

Im Jahre 105 v. Chr. lieferte Bocchus, der König der Mauren, seinen Schwiegersohn Jugurtha an die Römer aus und erhielt dafür von C. Marius den westlichen Teil Numidiens zugesprochen, der im Osten bis zur Mündung des *Ampsaga*/Oued-el-Kebir reichte und im Süden die Hodna-Berge einschloß (Abb.107). Bocchus, der sich C. Marius und L. Cornelius Sulla tief verpflichtet fühlte, war zeitlebens ein treuer Vasall Roms. So berichten die Quellen nicht nur davon, daß er die Römer mit eigenen Truppen unterstützte oder Löwen für die Circus-Spiele nach Rom lieferte, sondern auch aus Anlaß des römischen Sieges über Jugurtha auf dem Kapitol ein Siegesdenkmal errichten ließ, von dem sich 1937 bei Ausgrabungen am Südhang des Kapitolshügels mehrere Reliefblöcke gefunden haben. Auf dasselbe Ereignis bezogen sich auch Münzbilder, die Sullas Sohn Faustus 56 v. Chr. als Münzmeister prägen ließ und die den vor Sulla knienden Bocchus zeigen, während Jugurtha gefesselt hinter dem erhöht sitzenden Sulla kauert.

Es spricht manches dafür, daß das mauretanische Königreich nach dem Tod des Bocchus (spätestens 81 v. Chr.) zwischen seinen Söhnen Bogud und Iphthas bzw. dessen Sohn Askalis geteilt worden ist und die Grenzen der beiden Teilreiche bereits im wesentlichen die der späteren Provinzen *Mauretania Caesariensis* und *Tingitana* waren. Später – in der Zwischenzeit schweigen die Quellen – scheint zumindest der Westteil Mauretaniens von einem König namens Sosus regiert worden zu sein, dessen Söhne und Nachfolger Bocchus II. und Bogud II. sich in der letzten Phase des römischen Bürgerkrieges gemeinsam auf die Seite Caesars schlugen (nach 49 v. Chr.). Zu ihnen gesellte sich der Catilinarier P. Sittius, der nach Mauretanien geflohen war und sich mit seinen Leuten ebenfalls zu Caesar bekannte. Mit derartiger Rücken-

deckung gelang diesem 46 v. Chr. bei *Thapsus* ein überzeugender Sieg über die Pompejaner. Diese hatten sich mit Juba I., dem König von Numidien, verbündet, der seinem Leben wenig später in ausweigloser Situation selbst ein Ende setzte. Soweit sein Reich nicht der Provinz *Africa nova* zugeschlagen wurde, fiel es an Bocchus II., während Bogud II., der Caesar auch bei *Munda* (45 v.Chr.) tatkräftig unterstützte, reich beschenkt wurde. P. Sittius schließlich erhielt die Region um die alte Numiderhauptstadt *Cirta*/Constantine (DZ) zuerkannt, die als latinische Kolonie auch später noch neben ihrem offiziellen Namen als *colonia Sittianorum* bezeichnet wurde (PLINIUS).

Mit der Ermordung Caesars (44 v.Chr.) endete das Einvernehmen der königlichen Brüder in Mauretanien. Während sich Bogud II. M. Antonius anschloß und mehrere Versuche unternahm, Octavians Machtbasis in Hispanien zu schwächen, ergriff Bocchus II. Partei für den Großneffen Caesars. Als sich 38 v. Chr. die Bewohner der Stadt *Tingis*/Tanger (MA) gegen ihren Herrscher erhoben, floh Bogud nach Osten zu M. Antonius, um an seiner Seite weiterzukämpfen. Sieben Jahre später nahm ihn M. Agrippa bei Methone (GR) im Süden der Peloponnes gefangen und ließ ihn töten (31 v. Chr.). Zwei Jahre zuvor war Bocchus II. gestorben, ohne einen Erben zu hinterlassen. Dennoch verzichtete Octavianus darauf, das Land zur Provinz zu machen und gründete statt dessen auf seinem Boden eine Reihe römischer Kolonien, von denen die Küstenstädte *Igilgili*/Djidjelli (DZ), *Saldae*/Bougie (DZ), *Cartennae*/Ténès (DZ), *Zulil*/Asilah (MA) sowie das unweit der Atlantikküste gelegene *Ba-*

191

nasa/Sidi-Ali-Bou Djenoun (MA) die bedeutendsten waren. Es ist möglich, jedoch nicht belegbar, daß Bocchus II., der seit 38 v. Chr. Herrscher von ganz Mauretanien war, sein Land testamentarisch den Römern vermachte.

Die Zeit des ‹Interregnums› endete 25 v. Chr., als Augustus den Sohn des letzten Numiderkönigs als Juba II. zum Klientelkönig von Mauretanien machte. Juba war als Kind nach Rom gekommen, dort als Römer erzogen worden und hatte vom Kaiser das römische Bürgerrecht erhalten. Er gehörte zum engeren Kreis des Prinzeps, hatte u. a. an der Schlacht vor *Actium* teilgenommen (31 v. Chr.) und war später mit Kleopatra Selene, einer Tochter aus der Verbindung des M. Antonius mit Kleopatra VII., verheiratet worden. Beide entfalteten in ihren Residenzen *Iol Caesarea*/Cherchel (DZ) und *Volubilis*, nahe Moulay Idriss (MA), ein reges kulturelles und geistiges Leben, das in Anbetracht der Interessen beider sowohl von griechischen wie von ägypti-

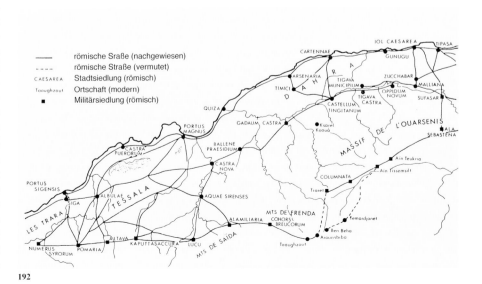

römische Sraße (nachgewiesen)
römische Straße (vermutet)
CAESAREA Stadtsiedlung (römisch)
Taoughzout Ortschaft (modern)
■ Militärsiedlung (römisch)

192

schen Traditionen geprägt war. Da die Außenpolitik Mauretaniens eine Sache der kaiserlichen Exekutive blieb, konnte sich Juba II. während seiner langen Regierungszeit vor allem seinen Neigungen als Bauherr, Kunstmäzen und Schriftsteller widmen, der insbesondere seine neue Hauptstadt *Iol*, die er Augustus zu Ehren in *Caesarea* umbenannte, mit prachtvollen Neubauten schmückte. Nach übereinstimmenden Zeugnissen galt Juba II. im Urteil späterer Generationen als «einer der gelehrtesten Historiker griechischer Zunge» (PLUTARCHOS) und «erinnerungswürdiger durch die Berühmtheit seiner wissenschaftlichen Studien als durch seine Herrschaft» (PLINIUS).

Jubas Nachfolger war Ptolemaios, der seinem Vater im Jahre 23 auf den Thron folgte. Dies geschah in der Endphase eines langjährigen Aufstandes, den der Numider Tacfarinas im Jahre 17 begonnen hatte, der zuvor – ähnlich wie Arminius – römischer Auxiliarsoldat gewesen war und sich an die Spitze der Musulamier

und anderer numidischer und maurischer Stämme gestellt hatte. Als die Unruhen, die zunächst auf *Africa nova* beschränkt blieben, auch auf mauretanisches Gebiet übergriffen, gelang es Ptolemaios gleich zu Beginn seiner Regierung, gemeinsam mit P. Cornelius Dolabella, dem *proconsul Africae*, das Heer der Aufständischen entscheidend zu besiegen, wofür ihm Tiberius die *ornamenta triumphalia* verlieh und der mauretanische König auch offiziell als *socius atque amicus populi Romani* anerkannt wurde. Seine Treue gegenüber Rom ist ihm allerdings später durch Caligula (37–41) schlecht gelohnt worden. Dieser ließ ihn im Jahre 40 ohne ersichtlichen Grund bei einem Rombesuch gefangensetzen und umbringen, einzig allein deshalb (wie SUETONIUS vermerkt), weil Ptolemaios bei seinem Erscheinen im Amphitheater, bekleidet mit einem prachtvollen Purpurmantel, alle Blicke auf sich gezogen habe. Caligula mag dieses Aufsehen zum Anlaß seines Vorgehens genommen haben. Sicher standen

dahinter vor allem machtpolitische Ambitionen und die Gier nach den Reichtümern des mauretanischen Königshauses.

Die mauretanische Provinzialära begann später offiziell mit dem Jahr 40. Doch erst zwei Jahre später entstanden die beiden Provinzen *Mauretania Caesariensis* und *Mauretania Tingitana*. So lange wehrten sich die Mauretanier gegen den römischen Zugriff, bis Claudius 41 auf den Thron gehoben wurde und C. Suetonius Paulinus den militärischen Oberbefehl in Mauretanien übernahm. Trotz des auch weiter anhaltenden Widerstandes nahmen die Römer das Land in Besitz. Es wurde seit 42 von zwei *procuratores Augusti* regiert, deren Amtssitze *Iol Caesarea*/Cherchel (DZ) und *Tingis*/Tanger (MA) waren, das bereits 38 v. Chr. von Octavianus, nachdem seine Bewohner Bogud II. verjagt hatten, zur *colonia Iulia* erklärt worden war. Die *concilia provinciarum* (‹Provinziallandtage›), die nach dem Muster der griechischen κοινά organisiert waren und denen in erster Linie der Kaiserkult sowie die jährliche Abhaltung von Spielen oblag, hatten ihren Sitz in den alten Residenzen *Iol Caesarea* und *Volubilis*.

Die Ostgrenze von *Mauretania Caesariensis* begann an der Mündung des *Ampsaga*/Oued-el-Kebir östlich von *Igilgili*/Djidjelli (DZ) und schloß in ihrem weiteren Verlauf das Gebiet um die Stadt *Sitifis*/Sétif (DZ) und das Hodna-Massiv ein (Abb. 107). Die Grenze zu *Mauretania Tingitana* bildete der Fluß *Muluccha*/Muluya, der im Hohen Atlas entspringt und östlich von *Rusaddir*/Melilla (E) das Mittelmeer erreicht. Die Westgrenze war mit der Atlantikküste identisch. Grenzstadt war *Sala*/Slá`-Sale (MA), dessen Bewohner den Quellen nach in steter Furcht vor Raubzügen und Überfällen der Baquaten, Gätuler und anderer Stämme des angrenzenden Hochlandes lebten, die ihre Felder verwüsteten, Menschen verschleppten oder die Nutzung grenznaher Wälder verhinderten. Ähnliche Verhältnisse herrschten offenbar an der gesamten mauretanischen Südgrenze, wo die Übergänge ‹fließend› waren. Grundsätzlich verfolgte man in Rom die Absicht, nur seßhaft gewordenen Stammesgruppen die Ansiedlung auf Reichsboden zu gestatten und nur Gebiete zu besetzen, die sich kultivieren ließen. In diesem Sinne hatten römische Landvermesser in den beiden Mauretanien ein Gebiet von durchschnittlich 150 km Tiefe mit ihrem typischen Katastersystem überzogen und dabei lediglich solche *subseciva* (‹Neben-[flächen]›) ausgespart, die für die Landwirtschaft ungeeignet waren oder deren berberisch-maurische Bevölkerung sich

der Romanisierung widersetzte oder entzog. Um die seßhafte Bevölkerung in der Grenzzone wenigstens einigermaßen wirkungsvoll schützen zu können, waren entlang der Gebirgs- und Wüstenränder zahlreiche Auxiliareinheiten stationiert, die vor allem die Aufgabe hatten, Nomaden von bebauten Gegenden fernzuhalten und die Routen des Saharahandels zu kontrollieren. Wie sehr selbst ummauerte Küstenstädte wie *Tipasa* und *Iol Caesarea* gefährdet sein konnten, zeigen die Nachrichten über langanhaltende Kämpfe gegen die Mauren in der Zeit des Antoninus Pius (138–161), als beide Städte zusätzlich militärisch gesichert werden mußten und es nur unter Einsatz eines Expeditionsheeres mit Truppen vor allem aus Pannonien gelang, die aufständischen Berber niederzuringen. Offensichtlich beziehen sich die Mosaikbilder gefangener Berber und ihrer Familien aus der Basilika in *Tipasa* unmittelbar auf diese Ereignisse.

Die häufigen Unruhen, die nach G. Ch. Picard einem «permanenten Belagerungszustand» glichen, dürften zumindest zu einem großen Teil ihren Grund darin gehabt haben, daß beide Provinzen über weite Gebiete fruchtbaren und kultivierten Landes verfügten, das reiche Ernten an Getreide, Gemüse, Wein und Oliven erbrachte, auch wenn C. Sallustius – offenbar aus eigener Erinnerung – vermerkt, es herrsche oft Not an Wasser. Als besonders ertragreich galten die Ebenen von *Sala* und *Volubilis*, wo der Weizen besonders gut gedieh und nicht nur für den Eigenbedarf, sondern auch für den Export nach Rom produziert wurde. Überliefert ist auch die Ausfuhr wertvoller Tischmöbel aus Zitrusholz sowie einer Heilpflanze, deren Wirkungskraft ein Arzt Jubas II. entdeckt hatte und die nach ihm als *herba Euphorbea* bezeichnet wurde. Bedeutsam war insbesondere der Handel mit Tieren, vor allem mit Elefanten und Löwen aus dem Atlasgebirge, aber auch von Rehen, Gazellen, Wieseln, Panthern, Affen und auch Schlangen ist in den Quellen die Rede. Seit den Zeiten Hannibals waren die kleinen und wendigen Pferde der Mauren und Numider be-

kannt und gefürchtet. Neben der Pferdezucht spielte die Haltung von Rindern und Schafen eine wichtige Rolle, deren Wolle u. a. in *Volubilis* verarbeitet wurde. Erwähnt wird der Fischreichtum der mauretanischen Flüsse sowie der Thunfischfang an der Atlantikküste vor *Lixus*. Ob die von Juba II. auf den *Purpurariae insulae* eingerichteten Purpurfärbereien auch in römischer Zeit ihre Bedeutung behielten, ist anzunehmen, jedoch nicht ausdrücklich überliefert (gemeint sind Lanzarote und Fuerteventura, die heute noch als ‹Purpurarien› bezeichnet werden). Wichtig waren schließlich in den grenznahen Bergen auch einige Bodenschätze wie Kupfer, Marmor und Edelsteine, deren Abbau kaiserliches Monopol war. Generell scheinen beide mauretanischen Provinzen, solange der Schutz der Bevölkerung gewährleistet war, *regiones sibi sufficientes* gewesen zu sein, die mit ihren Erzeugnissen die eigenen Märkte zufriedenstellend bedienen konnten. Dagegen dürfte die Ausfuhr – vom Tierexport und wenigen Luxusgütern abgesehen – nur eine verhältnismäßig geringe Rolle gespielt haben, zumal die nordafrikanischen Küstengewässer als *mare saevum* (‹bösartiges Meer›) galten und die Küste über weite Strecken als *importuosum* (‹hafenlos›), ein Zustand, der erst mit der Anlage künstlicher Häfen in *Tipasa* und *Iol Caesarea* verbessert werden konnte.

Im weiteren Verlauf der Geschichte Mauretaniens reduzierte sich das römische Provinz- und Einflußgebiet zusehends. Bereits zu Beginn des 3. Jhs. klaffte eine deutliche Lücke zwischen beiden Provinzen, da das Gebiet zu beiden Seiten des *Muluccha* bereits zu dieser Zeit in den Händen der Baquaten und Gätuler war und *Mauretania Tingitana* nur

194

noch aus dem atlantiknahen Gebietsstreifen zwischen *Tingis* und *Volubilis* bestand. Dies war auch der Grund, warum die Restprovinz unter Diocletianus (284–305) ein Teil der *dioecesis Hispaniae* wurde, während *Mauretania Caesariensis*, deren östliche Hälfte zu diesem Zeitpunkt als *Mauretania Sitifensis* mit der Hauptstadt *Sitifis*/Sétif (DZ) konstituiert wurde, fortan zur *dioecesis Africae* gehörte. Dagegen scheint die südliche Grenzzone im mittleren und östlichen Mauretanien, die möglicherweise ähnlich wie das *fossatum Africae* angelegt war und in severischer Zeit etwa auf der Linie zwischen *Auzia*/Aumale (DZ) und *Numerus Syrorum*/Lalla Marnia (MA) verlief, dem Zeugnis der *notitia dignitatum* nach auch noch in spätrömischer Zeit als *limes Maur(etaniae)* bestanden zu haben. Noch spätere Nachrichten zeigen, daß sich maurische Fürsten mit den Vandalen gegen Ostrom verbündeten und es erst Solomon 541 gelang, zumindest den Ostteil Mauretaniens – jetzt *Mauretania II* – für das Reich Justinians zurückzuerobern.

195

Abb. 193 Tipasa (DZ). Sog. Villa des fresques. Blick von Osten. 3. Jh.

Abb. 194 Tipasa (DZ). Gefangene Berber auf einem Bodenmosaik aus der Basilika der Stadt. 3. Jh. Museum Tipasa.

Abb. 195 Volubilis bei Meknes (MA). Römisches Wohnhaus mit Blick von Südosten auf die fruchtbare Umgebung der Stadt.

Gegen Ende des 6. Jhs. gehörten zum oströmischen Einflußbereich nur noch das Gebiet von *Mauretania Sitifensis* sowie einige wenige Städte im Küstenbereich der ehemaligen Provinz *Mauretania Caesariensis*, während von der früheren *Mauretania Tingitana* – jetzt *Mauretania I* – lediglich eine Küstenfestung beim heutigen Ceuta (E) übriggeblieben war. Spätestens zu Beginn des 8. Jhs. endet die Geschichte des römischen Mauretanien, dessen weitere Entwicklung vom Islam bestimmt wird.

Seit der Besetzung des Maghreb durch die Franzosen im 19. Jh. (Algerien) sowie kurz nach 1900 (Marokko) hat auf dem Boden des römischen Mauretanien eine rege Ausgrabungs- und Forschungstätigkeit stattgefunden, die in beiden Ländern auch über das Ende der Protektorats- und Besatzungszeit hinaus fortgesetzt wurde. Dabei ist bezeichnend, daß die ersten Untersuchungen römischer Ruinenplätze durch französische Archäologen und Bauhistoriker nicht auf dem Boden Frankreichs, sondern Nordafrikas durchgeführt worden sind (S. 128). Des weiteren ist festzuhalten, daß das Gros der archäologischen Fundstücke, insbesondere die große Zahl der Mosaiken, nicht nach Frankreich gelangte, sondern im Lande dokumentiert und ausgewertet wurde und sich heute in algerischen und marokkanischen Museen befindet. Als vorbildlich können in dieser Hinsicht die Gesamtpublikation ‹Musées et collections archéologiques de l'Algérie et de la Tunisie› (ab 1890) und das ‹Inventaire des Mosaïques de la Gaule et de l'Afrique› gelten, dessen dritter Band 1911 die Mosaiken Algeriens vorstellte. Leider ist es auf dem Boden Marokkos, wo die französischen Forschungen in größerem Stil erst nach dem ersten Weltkrieg einsetzten, nicht zu ähnlichen Sammelpublikationen gekommen. Dennoch kann auch hier der archäologische und historische Ertrag französischer, aber auch spanischer Forscher als bemerkenswert und relativ umfassend bezeichnet werden.

Neben eingehenden Forschungen zum römischen Straßensystem, zur Landvermessung und zu wirtschaftlichen oder religiösen Fragen bildet die Freilegung und Untersuchung früherer Stadtanlagen z. T. bis heute einen wesentlichen Schwerpunkt der Archäologie vor Ort. Dabei hat es die arabische Besiedlung des alten Mauretanien, die nur an wenigen Plätzen an die römische Zeit anknüpfte, wie auch in anderen Teilen Nordafrikas mit sich gebracht, daß viele dieser Städte verlassen und nur zu einem geringen Teil als Steinbruch genutzt wurden. So gibt es einerseits Plätze, die wie das heutige Tanger

(MA) dem Zugriff der Archäologen infolge moderner Überbauung weitestgehend entzogen sind, während an anderen Plätzen – in *Volubilis*, *Banasa*, *Tipasa* oder *Iol Caesarea* – noch bedeutende Architekturüberreste der römischen Zeit vorhanden sind oder durch Ausgrabungen und Teilrekonstruktionen wieder sichtbar gemacht wurden. Besonderes Interesse haben darüber hinaus in den letzten Jahrzehnten auch Untersuchungen zur Erforschung der südlichen Grenzzone Mauretaniens gefunden, die ebenfalls von französischen Archäologen durchgeführt werden. Sie sind Teil der ‹Roman Frontier Studies›, die auf eine britische Initiative zurückgehen und seit 1949 auf internationaler Ebene betrieben werden (S. 41 f.).

Eine eigene Darstellung zum römischen Mauretanien gibt es bisher nicht, doch wird dieses Gebiet in verschiedenen Gesamt- und Teildarstellungen des römischen Nordafrika hinreichend berücksichtigt.
AAVV., *Kat. Die Numider. Reiter und Könige nördlich der Sahara* (1979); E. ALBERTINI, *L'Afrique romaine* [6] (1955); A. BERTHIER, *L'Algérie et son passé* (1951); DERS., *La Numidie et le Maghreb* (1981); J. CARCOPINO, *Le Maroc antique* [2] (1950); L. CHATELAIN, *Inscriptions latines du Maroc* (1942); DERS., *Le Maroc des Romains* (1944). Tafelbd. (1949); J. DESPOIS, *L'Afrique du Nord* (1949); CH.-A. JULIEN, *Histoire de l'Afrique du Nord* [2] (1951); A. KING/M. HENIG (eds.), *The Roman west in the 3rd century*, in: *BAR Int. Ser.* 109 (1981); R. I. LAWLESS, *Mauretania Caesariensis – an archaeological and geographical survey*, Diss. Durham 1969; L. LESCHI, *L'Algérie antique* (1952); S. RAVEN, *Rome in Africa* [3] (1993); P. ROMANELLI, *Storia delle province romane dell'Africa* (1959); DERS., *Topografia e archeologia dell'Africa romana* (1970); R. E. M. WHEELER, *Römisches Afrika* (1968).
D. FISHWICK, *The annexation of Mauretania*, in: *Historia* 20, 1971, 467 ff.; A. C. PALLU DE LESSERT, *Fastes des provinces africaines sous la domination romaine*, 2 Bde. (1896–1901; ND 1969); P. SALAMA, *Occupation de la Maurétanie Césarienne occidentale sous le Bas-Empire romain*, in: R. CHEVALLIER (ed.), *Mél. à A. Piganiol* (1966) 1291 ff.; B. E. THOMASSON, *Die Statthalter der römischen Provinzen Nordafrikas von Augustus bis Diocletian II* (1960) 239 ff. (*Mauretania Caesariensis*). 289 ff. (*Mauretania Tingitana*); DERS., *Zur Verwaltungsgeschichte der römischen Provinzen Nordafrikas*, in: *ANRW* II 10.2 (1982) 3 ff.; G. WALDHERR, *Kaiserliche Baupolitik in Nordafrika* (1989).
J. BARADEZ, *Les nouvelles fouilles de Tipasa et les opérations d'Antonin le Pieux en Maurétanie*, in: *Libyca* 2, 1954, 89 ff.; K. BENSEDDIK, *Les troupes auxiliaires de l'armée romaine en Maurétanie Césarienne sous le Haut Empire* (1979); M. EUZENNAT, *Le Limes de Volubilis*, in: AAVV., *Roman Frontier Studies* 6 (1967) 194 ff.; DERS., *Le Limes de Tingitane. La frontière méridionale* (1989); G. HALLIER, *La fortification des villes de Tingitane au second siècle*, in: AAVV., *Studien zu den Militärgrenzen Roms* III (1986) 605 ff.; Y. LE BOHEC, *La IIIe Légion Auguste* (1989); M. LENOIR, *Recherches sur les établissements militaires romains d'Afrique* (1980, dact.); H. NESSELHAUF, *Zur Militärgeschichte der Provinz Mauretania Tingitana*, in: *Epigraphica* 12, 1950, 34 ff.; R. RÉBUFFAT u. a., *Thamusida* I–III (1965–77); DERS., *Au-delà des camps romains d'Afrique mineure: renseignement, contrôle, pénétration*, in: *ANRW* ebd. 474 ff.; M. P. SPEIDEL, *Legionary cohorts in Mauretania: The role of legionary cohorts in the structure of expeditionary armies*, ebd. 850 ff.; M. ROXAN, *The auxilia of Mauretania Tingitana*, in: *Latomus* 32, 1973, 838 ff.

M. BÉNABOU, *La résistance africaine à la romanisation* (1976); J. BURIAN, *Die einheimische Bevölkerung Nordafrikas von den punischen Kriegen bis zum Ausgang des Prinzipats*, in: F. ALTHEIM/R. STIEHL, *Die Araber in der Alten Welt* Bd. 1 (1964) 420 ff.; DERS., *Die einheimische Bevölkerung Nordafrikas in der Spätantike bis zur Einwanderung der Wandalen* ebd. Bd. 5.1 (1968) 170 ff.; E. FRÉZOULS, *Les Baquates et la province romaine de Tingitane*, in: *Bull. Arch. Maroc.* 2, 1957, 65 ff.; J. M. LASSÈRE, *Ubique populus. Peuplement et mouvements de population dans l'Afrique romaine de la chute de Carthage à la fin de la dynastie des Sévères* (1977); DERS., *L'organisation des contacts de population dans l'Afrique romaine sous la République et au Haut-Empire*, in: *ANRW* ebd. 397 ff.; TH. PRÉCHEUR-CANONGE, *La vie rurale en Afrique romaine d'après les mosaïques* (1962); M. RACHET, *Rome et les Berbères* (1970); M. C. SIGMAN, *The role of the indigenous tribes in the Roman occupation of Mauretania Tingitana*, Diss. New York 1976.
L. CHATELAIN, *Les centres romains du Maroc* (1938); P. FÉVRIER/PH. LEVEAU (eds), *Villes et campagnes* (1982); CL. LEPELLEY, *Les cités d'Afrique romaine au Bas-Empire*, 2 Bde. (1979/81); N. MACKIE, *Augustan colonies in Mauretania*, in: *Historia* 32, 1983, 332 ff.; L. TEUTSCH, *Das römische Städtewesen in Nordafrika* (1962).
AAVV., *Lixus. Actes du colloque de Laranche*, in: *Coll. de l'École Franç. de Rome* 166 (1992); P. AUPERT, *Le nymphée de Tipasa et les nymphées et «septizonia» nord-africains* (1974); J. BARADEZ, *Tipasa, ville antique de Maurétanie* (1952); P.-M. DUVAL, *Cherchel et Tipasa* (1946); S. GSELL, *Cherchel, antique Iol Caesarea* [2] (1952); A. JODIN, *Volubilis Regia Iubae* (1987); S. LANCEL, *Tipasa de Maurétanie* (1966); DERS., *Tipasa de Maurétanie: Histoire et archéologie*, in: *ANRW* ebd. 739 ff.; L. LESCHI, *Tipasa de Maurétanie* (1950); P. LEVEAU, *Caesarea de Maurétanie*, in: *ANRW* ebd. 683 ff.; DERS., *Caesarea de Maurétanie, une ville romaine et ses campagnes* (1984); M. PONSICH, *Volubilis* (1970); DERS., *Recherches archéologiques dans Tanger et sa région* (1970); DERS., *Tanger antique*, in: *ANRW* ebd. 787 ff.; P. SALAMA, *La colonie de Rusguniae d'après les inscriptions*, in: *Rev. Afric.* 99, 1955, 5 ff.; R. THOUVENOT, *Une colonie romaine de Maurétanie Tingitana: Valentia Banasa* (1941); DERS., *Volubilis. Le monde romain* (1949); DERS., *Iulia Valentia Banasa* (1954).
M. EUZENNAT, *Les voies romaines du Maroc dans l'Itinéraire Antonin*, in: *Hommages à A. Grenier* (1962) 595 ff.; P. LEVEAU/J. L. PAILLET, *L'alimentation en eau de Césarea de Maurétanie et l'aqueduc de Cherchel* (1976); P. SALAMA, *Les voies romaines de l'Afrique du Nord* (1951).
G. CAMPS-FABRER, *L'olivier et l'huile dans l'Afrique romaine* (1953); G. GAMER, *Antike Anlagen zur Fischverarbeitung in Hispanien und Mauretanien*, in: *AW* 18.2., 1987, 19 ff.; R. M. HAYWOOD, *Roman Africa*, in: T. FRANK (ed.), *An economic survey of ancient Rome* 4 (1938; ND 1959) 1 ff.; M. PONSICH/M. TARRADELL, *Garum et industries antiques de salaison dans la Méditerranée occidentale* (1965); M. PONSICH, *Aceite de oliva y salazones de pescado* (1988); J. L. RAMÍREZ SADABA, *Gastos suntuarios y recursos económicos de los grupos sociales del Africa romana* (1981); CH. R. WHITTAKER, *Land and labour in North Africa*, in: *Klio* 60, 1978, 331 ff.
C. BOUBE-PICCOT, *Les bronzes antiques du Maroc*, 3 Bde. (1961–80); DIES., *La terra sigillata hispanique en Maurétanie Tingitane* (1965); M. DURRY, *Musée de Cherchel*, *Suppl.* (1924); P. A. FÉVRIER, *La sculpture des provinces africaines*, in: *ANRW* II 12.4 (i. Vorb.); L. FOUCHER, *La mosaïque en Afrique du Nord*, ebd. (i. Vorb.); P. GAUCKLER, *Musée de Cherchel* (1895); CH. LANDWEHR, *Die römischen Skulpturen von Caesarea Mauretaniae* 1 (1993); M. PONSICH, *Les lampes romaines en terre cuite de la Maurétanie Tingitana* (1961).
I. M. BARTON, *Capitoline temples in Italy and the provinces (especially Africa)*, in: *ANRW* II 12.1 (1982) 259 ff.; M. S. BASSIGNANO, *Il flaminato nelle province romane dell'Africa* (1974); G. CH.-PICARD, *Les religions d'Afrique antique* (1954); J. TOUTAIN, *Les cultes païens dans l'Empire romain*, 3 Bde. (1905–18; ND 1967).

Britannia (43)

Dem Tiberius Claudius ... (haben) Senat und Volk von Rom (dieses Monument gesetzt), weil er elf Könige Britanniens ohne eigene Verluste völlig besiegt, ihre Unterwerfung entgegengenommen und als erster die barbarischen Stämme jenseits des Ozeans unter die Gewalt des römischen Volkes gebracht hat.

Ehreninschrift für CLAUDIUS (*CIL* VI 920)

Uns, die äußersten auf dem Erdkreis und die letzten der Freiheit, hat bis zum heutigen Tage die bloße Zurückgezogenheit und der Ruhm verteidigt: jetzt liegt der Grenzstein Britanniens offen da ... Stehlen, Morden, Rauben nennen sie (die ‹Plünderer des Erdballs›) mit falschem Namen Herrschaft und Frieden, wo sie eine Wüste schaffen ...

CALGACUS am *Graupius Mons* (83/84)

Um die verstreuten, rohen und darum leicht zum Krieg geneigten Menschen durch Annehmlichkeiten an Ruhe und Muße zu gewöhnen, ermunterte er (d. h. Agricola) sie persönlich ..., Tempel, Märkte und Häuser zu errichten ... Dann ließ er die Söhne der Fürsten in den freien Künsten ausbilden und stellte die Begabung der Britannier über den Lerneifer der Gallier, so daß die, welche eben noch die römische Sprache abwiesen, jetzt Beredsamkeit begehrten ...

PUBLIUS CORNELIUS TACITUS (etwa 55–120)

Außer den Fahrten wagemutiger Zinnhändler und gelegentlichen ‹Forschungsreisen› wie der des Massalioten Pytheas gegen Ende des 4. Jhs. v. Chr. war bis zu den britannischen Unternehmungen Caesars in den Jahren 55 und 54 v. Chr. nur sehr wenig über Πρεττανική oder *Albion* bekannt. Um so sicherer war sich Caesar, sein Ansehen in Rom seinem politischen Konkurrenten Pompeius gegenüber steigern zu können, wenn er Britannien erobern würde, dessen wirtschaftliche Ressourcen in der Hauptstadt als überaus günstig eingeschätzt wurden. Caesar untertreibt bewußt, wenn er schreibt, er habe es lediglich für zweckmäßig gehalten, auf der Insel zu landen, um den Menschenschlag kennenzulernen und die Örtlichkeiten, Häfen und Landungsplätze zu untersuchen (*B. G.* IV 21.1). Ähnlich wie

auch bei anderen Anlässen kaschierte er damit mehr oder weniger geschickt den nicht sehr erfolgreichen Ausgang seiner ersten Britannienexpedition. Sie scheint vor allem wirtschaftlich unbefriedigend verlaufen zu sein, brachte Caesar aber zumindest den gewünschten Propagandaerfolg. Ganz Ähnliches gilt auch für die Unternehmungen des folgenden Jahres, die zwar früher begannen und besser koordiniert waren, aber dennoch keine Entscheidung brachten, weil die Britannier unter Cassivelaunus, dem König der Catuvellauner, der direkten Konfrontation

auswichen und Caesar schließlich die Kampfhandlungen abbrechen mußte, um sich im eigenen Interesse der politischen Entwicklung in der Hauptstadt zu widmen. Seine Gegner machten es ihm leicht, als sie ihm einen Waffenstillstand anboten, der Caesar die Möglichkeit gab, Britannien als ‹Sieger› zu verlassen.

Nominell galt seitdem der Süden Britanniens als römisches Einflußgebiet, zumal sich Stämme wie die Trinovanten an der Ostküste der Insel unter den Schutz Roms stellten. Andererseits gingen die Feindseligkeiten unter den britannischen

Abb. 196   Britannia Romana. Übersichtskarte der Gesamtprovinz mit den wichtigsten Städten, Stämmen, Grenzziehungen und geographischen Angaben.

197

Aulus Plautius, einer der Legionskommandeure T. Flavius Vespasianus, der spätere Kaiser. Die Römer begnügten sich zunächst mit der Unterwerfung der Belger, deren Stammesmittelpunkt *Venta Belgarum*/Winchester war. Die Nachbarstämme erhielten den Status von Klientelstaaten und durften ihre Könige behalten. Der bekannteste unter ihnen war Cogidubnus, König der Regner (oder Regnenser), der als Freund Roms mit vollem Namen Tiberius Claudius Cogidubnus hieß und für seine Treue und Verdienste den Ehrentitel *rex magnus Britanniae* führte (*CIL* VII 11). Seine Hauptstadt wird *Noviomagus Regnensium*/Chichester gewesen sein, in dessen Nähe B. W. CUNLIFFE in den Jahren 1961– 69 den Palast von Fishbourne ausgrub, der Cogidubnus und seinen Nachfolgern als Residenz gedient haben dürfte.

Die römische Eroberung Britanniens erfolgte schrittweise. Verlief der Beginn der Operationen noch relativ unblutig, so wuchs der britannische Widerstand, je tiefer die römischen Truppen ins Land vorstießen. Dabei wußten die Römer die Rivalitäten unter den Stämmen geschickt auszunutzen. Nur selten fanden sich zwei oder mehr Stämme zusammen, um den Eroberern gemeinsam entgegenzutreten. Ihre Uneinigkeit machte es den Römern dagegen leicht, einen Stamm nach dem anderen zu unterwerfen und ihre Stammesgebiete der neuen Provinz *Britannia* einzuverleiben. Nach und nach wurden so große Teile Süd- und Mittelenglands,

dazu das heutige Wales, zu römischem Provinzgebiet. Die militärische Sicherung erfolgte durch die Anlage zahlreicher Kastelle und Legionslager, von denen *Isca Dumnoniorum*/Exeter, *Viroconium*/Wroxeter, *Glevum*/Gloucester und *Lindum*/Lincoln die größten und bekanntesten waren.

Ein Ereignis von einschneidender Wirkung war der Aufstand der icenischen Königswitwe Boudicca. Hier war Prasutagus, der König der Icener, im Jahre 59 gestorben und hatte sein Reich als Zeichen seiner Unterwürfigkeit zu gleichen Teilen seinen beiden Töchtern und dem römischen Kaiser vermacht (*Ann*. XIV 31). C. Suetonius Paulinus, der zuständige Statthalter, ignorierte jedoch das Testament und erklärte das Königtum bei den Icenern für abgeschafft. Der Aufruhr, der kurz darauf losbrach, erfaßte den gesamten Südosten Britanniens. Die gerade erst gegründeten Städte *Camulodunum*/Colchester, *Verulamium*/St. Albans und *Londinium*/ London wurden zerstört und die Römer zu Tausenden niedergemetzelt. Der römische Gegenschlag verlief nicht weniger brutal. TACITUS beschreibt die entscheidende Schlacht, in der die aufständischen Britannier vernichtend geschlagen wurden (*Ann*. 14, 31 ff.). Die Folge war eine ganze Serie grausamster Repressalien und blutigster Vergeltungsmaßnahmen. Sie endeten erst, als mit P. Petronius Turpilianus und M. Trebellius Maximus gemäßigtere Statthalter nach Britannien kamen.

Stämmen weiter, ohne daß Rom eingriff. Augustus scheint die Eroberung Britanniens geplant zu haben, ließ die Idee jedoch wohl angesichts seiner Mißerfolge in Germanien fallen. Dann versuchte Caligula (37–41), es seinem Vater Germanicus gleichzutun. Er veranstaltete eine der größten Theaterpossen, die die Weltgeschichte je erlebte und zog mit einer Armee von vier Legionen an den Strand des Ärmelkanals, wo er seine Soldaten Muscheln sammeln ließ, um sie als ‹Kriegsbeute› und Beweis seiner ‹Heldentaten› nach Rom zu schicken. Das reichlich düpierte Heer blieb auch nach dem gewaltsamen Tod des Kaisers beisammen und wurde zwei Jahre später – gleichsam als ‹Wiedergutmachung› – von Claudius mit der Aufgabe betraut, die Eroberung Britanniens in Angriff zu nehmen.

Der Führer des Expeditionsheeres war

198

Erst unter Domitianus (81–96) fand die Eroberung der Insel ihren Abschluß, als C. Iulius Agricola das nordbritannische Heer im Jahre 83 oder 84 am *Graupius mons* besiegte und die Linie zwischen dem Firth of Clyde und dem Firth of Forth zur Nordgrenze der Provinz erklärt wurde. Dieser *status quo* hatte bis in die ersten Regierungsjahre Hadrians Bestand, als sich 118 im Herzen der Provinz die *Brigantes* erhoben und ihr Aufstand erst im folgenden Jahr niedergeschlagen werden konnte. Die massive Antwort Roms war die Errichtung der Hadriansmauer auf der Linie der heutigen Städte Newcastle upon Tyne und Carlisle am Solway, die bei einer Gesamtlänge von 130 km mit siebzehn Kastellen besetzt und im Jahre 127 fertiggestellt war (Abb. 201). Damit war die Provinz *Britannia* sowohl nach innen wie nach außen gesichert, zumal das nördliche Vorfeld des *vallum Hadriani* zusätzlich durch Kastelle und Besatzungen kontrolliert wurde. Dagegen blieb der bis zur Clyde-Forth-Linie vorgeschobene Antoninuswall, der 142/43 unter dem Statthalter Q. Lollius Urbicus errichtet wurde, eher eine Episode, denn der mit viel Aufwand erbaute Grassodenwall mit seinen zwanzig eng gesetzten Kastellen mußte bereits vier Jahrzehnte später wieder aufgegeben und die Nordgrenze der Provinz wieder auf die Hadriansmauer zurückgenommen werden. Septimius Severus (193–211), der sich mehrere Jahre in Britannien aufhielt, um die Stämme des Nordens zu ‹befrieden›, und in *Eboracum/* York starb, zog hieraus die notwendige Konsequenz und ließ die Hadriansmauer sowie ihr Vorfeld neu befestigen und systematisch ausbauen.

Britannia war eine konsularische Pro-

199

vinz und wurde von einem *legatus Augusti pro praetore* geführt, der mit zunächst vier, seit spätflavischer Zeit dann mit drei Legionen sowie zahlreichen *auxilia*, die über das ganze Land verteilt waren, eines der stärksten Provinzheere unter sich hatte. Zu Beginn des 2. Jhs. standen die Legionen in *Isca Silurum/*Caerleon, *Deva/*Chester und *Eboracum/*York, während der Statthalter offenbar anfangs in *Camulodunum/*Colchester residierte, das bereits 49 gegen den Widerstand der einheimischen Bevölkerung zur *colonia* erhoben wurde und sich mit dem Bau eines Claudiustempels zum Zentrum des Kaiserkults entwickelte. Es spricht jedoch viel dafür, daß man die Residenz des Statthalters bereits im 1. Jh. nach *Londinium/*London verlegte, das auf Grund seiner günstigen geographischen

Lage schon sehr bald zur bedeutendsten Stadt der Provinz wurde. In ihrer Amtsführung wurden die Statthalter Britanniens, die als gewesene Konsuln in aller Regel Männer mit viel Erfahrung und Durchsetzungsvermögen waren, von einem *legatus Augusti iuridicus* und einem *procurator* unterstützt, die einerseits für rechtliche Angelegenheiten, andererseits für Fragen der Steuererhebung zuständig waren und ihren Sitz wohl ebenfalls in *Londinium* hatten.

Die Zivilisation, auf die die Römer vor allem im südlichen und mittleren Britannien trafen, war in starkem Maße keltisch geprägt und glich derjenigen, die sie aus Gallien kannten. Von dort aus waren Stämme wie die Belger, Atrebaten und Icener um 500 v. Chr. eingewandert und hatten die eisenzeitliche ‹La-Tène-Kul-

Abb. 197 DE BRITANN(is). Ansicht des Triumphbogens, der 44 aus Anlaß der Eroberung Britanniens errichtet wurde. Rückseite eines Aureus des Claudius, geprägt 47 in Rom (RIC 9).

Abb. 198 Calleva Atrebatum/Silchester (GB). Das ehemalige Stadtgebiet mit deutlichen Bewuchsmerkmalen, die das römerzeitliche Straßensystem der Stadt sichtbar werden lassen. Blick von Westen.

Abb. 199 Rutupiae/Richborough (GB). Brückenkopf der Invasionsarmee des Jahres 43 und späteres Kastell am litus Saxonicum. Blick von Süden.

Abb. 200 Fishbourne bei Chichester (GB). Blick ins ‹Innere› des einstigen Palastes, dessen Mosaikböden und aufgehende Fundamente im ehemaligen Nordflügel heute von einem Museumsbau überdeckt sind.

200

201

tur› nach Britannien mitgebracht. Dieser mehr dörflich-bäuerlich orientierten Zivilisation versuchte Rom ähnlich wie in Gallien, die städtische Lebensform entgegenzusetzen. Dies gelang auch hier nur unvollkommen, wie sich an der geringen Zahl der *coloniae* ablesen läßt, von denen Britannien lange Zeit nur drei besaß (neben *Camulodunum* waren dies seit spätflavischer Zeit *Glevum*/Gloucester und *Lindum*/Lincoln), ehe in severischer Zeit mit *Eboracum*/York eine vierte hinzukam. Neben den drei Legionslagern waren es in erster Linie die wenigen Städte, in denen sich römische Sprache, Denk- und Lebensweise vor allem bei den Söhnen der Fürsten relativ rasch durchsetzte (TACITUS, *Agr.* 21). Römisches Aussehen erhielten in der Folgezeit auch die Hauptorte der britannischen Stämme, die zu *civitates* wurden, die Funktion zentraler Märkte innehatten und mit der Zeit den Charakter und Status von Munizipien annahmen, was allerdings ausdrücklich nur für *Verulamium*/St. Albans bezeugt ist. Doch täuscht dies insgesamt über die Tatsache hinweg, daß die Masse der britannischen Bevölkerung in herkömmlicher Weise das Leben auf dem Land oder in Dörfern vorzog, von denen die Archäologie im südlichen und östlichen England zahlreiche Spuren wiederentdeckt hat. Wie stark das keltische Element auch in der Kaiserzeit erhalten blieb, zeigt insbesondere das Festhalten an keltischen Religionsvorstellungen, die – zumal auf dem Lande – noch lebendig waren, als nach der Eroberung der Insel durch Sachsen und Angeln im 5. Jh. die Christianisierung auch der ländlichen Gebiete einsetzte.

Das wirtschaftliche Zentrum Britanni-

ens war *Londinium*/London, wo die wichtigsten Straßenverbindungen der Provinz zusammenliefen und sich an der *Thamesis*/ Themse der bedeutendste Hafen befand, über den ein wesentlicher Teil des Handels mit Gallien, Germanien und anderen Provinzen des Reiches abgewickelt wurde. Entsprechend der bäuerlichen Grundstruktur großer Teile der Provinz bildeten Landwirtschaft und Viehzucht die Grundlagen der wirtschaftlichen Entwicklung. Daneben spielten die Keramik- und Glasproduktion für die örtlichen Märkte eine Rolle, dazu die Salzgewinnung an den Küsten sowie der Kohleabbau im mittleren und westlichen Teil der Provinz. Für den Außenhandel waren in erster Linie verschiedene Mineralvorkommen von Bedeutung. Dazu zählte Gold, das ebenso wie Blei und Kupfer insbesondere im heutigen Wales gewonnen wurde, während die Eisenvorkommen und der Abbau von Marmor an der Südküste nur von untergeordnetem Rang waren. Am bedeutendsten jedoch waren die Zinnvorkommen auf der Halbinsel Cornwall. Mehrere Jahrhunderte lang hatten phönizische Kaufleute die Lage der κασσετερ δες (‹Zinninseln›) geheimhalten können, bis wohl P. Crassus, ein Legat Caesars, das heutige Cornwall aufsuchte, das man lange für eine Insel hielt, und den Export dieses wichtigen Minerals in neue wirtschaftliche Bahnen lenkte.

Seit der Regierungszeit des Septimius Severus (193–211) unterschied man zwischen *Britannia superior* und *Britannia inferior*, allerdings ist es auch möglich, daß die Teilung der Provinz erst unter Caracalla (211–217) erfolgt ist. Soweit man heute weiß, umfaßte *Britannia inferior*

den gesamten Süden und Osten der Insel. Da dieses Gebiet als ruhig galt und wohl auch am intensivsten romanisiert worden war, wurde hier ein Statthalter prätorischen Ranges eingesetzt. Dieser befehligte lediglich eine der drei britannischen Legionen und residierte nicht mehr in *Londinium*, sondern in *Eboracum*, das – wahrscheinlich aus diesem Anlaß – zur *colonia* erhoben wurde. Dagegen blieb *Britannia superior*, das den Westen sowie den stets gefährdeten Norden der Provinz umfaßte, auch weiterhin einem konsularischen Statthalter vorbehalten, dem die beiden anderen Legionen unterstanden. Diese Ordnung blieb auch erhalten, als Britannien ab 259 vorübergehend ein Teil des Gallischen Sonderreiches unter Postumus wurde und sich zwischen 286 und 297 unter den Usurpatoren Carausius und Allectus ein britannisches Sonderreich bildete, das erst Constantius Chlorus zurückerobern konnte.

Bei der Neuordnung der Provinzen unter Diocletianus (284–305) wurden die beiden britannischen Provinzen aufs neue geteilt. Fortan unterschied man im Süden der Insel *Britannia prima*, das das heutige Wales einschloß und seine Hauptstadt in *Corinium*/Cirencester hatte, und *Maxima Caesariensis* mit *Londinium* als Residenz, das vorübergehend in *Caesarea* bzw. *Augusta* umbenannt wurde. Im Norden Britanniens entstand demgegenüber die Provinz *Britannia secunda*, deren Zentrum wahrscheinlich *Eboracum* war, während die Inselmitte den Namen *Flavia Caesariensis* erhielt und ihre Hauptstadt möglicherweise in *Lindum*/ Lincoln hatte. Alle vier Provinzen waren *praesides* unterstellt, die lediglich zivile Amtsgewalt besaßen. Gemeinsam unterstanden sie dem *vicarius* der *dioecesis Britanniae*, der seinerseits dem in Trier residierenden *praefectus praetorio* für Gallien, Hispanien und Britannien verantwortlich war. Im Jahre 369 wurde schließlich noch eine fünfte britannische Provinz eingerichtet. Sie hieß den regierenden Kaisern zu Ehren *Valentia*, lag offenbar im Norden des römischen Gebietes und wurde im Gegensatz zum übrigen Britannien von einem *consularis* geführt, dessen Sitz wahrscheinlich *Luguvallium*/ Carlisle war.

Die durchgreifenden Reformen der Tetrarchen, die neben dem zivilen auch den militärischen Bereich betrafen, der von der zivilen Administration getrennt war, schufen eine solide Grundlage dafür, daß man sich in den britannischen Provinzen zumindest für einige Zeit relativ sicher fühlen konnte. Dazu trug nicht nur der weitere Ausbau der Befestigungen im Lande bei, sondern vor allem auch die

Anlage eines sorgfältig geplanten Systems von Küstenfestungen wie der Linie des *litus Saxonicum* an der Süd- und Ostküste der Insel, der dazu dienen sollte, vor allem die flachen Küstenbereiche vor Überfällen der Sachsen und Franken von See her zu schützen. Bis in die sechziger Jahre des 4. Jhs. scheint das britannische Verteidigungssystem intakt geblieben zu sein, zumal man – um den Druck von außen abzuschwächen – immer wieder bereit war, germanische Gruppen als *foederati* zum Schutz des Landes und seiner Bevölkerung aufzunehmen und auf römischem Provinzboden anzusiedeln.

Das Ende der römischen Herrschaft in Britannien leitete 388 die Usurpation des Magnus Maximus ein, der, um seinen Machtanspruch gegenüber Theodosius I. zu vertreten, Britannien von einem Großteil seiner regulären Armee entblößte. Das Gleiche wiederholte sich noch einmal knapp zwanzig Jahre später (407), als der gebürtige Britannier Constantinus den Norden seiner Heimat den Skoten und Pikten überließ und mit allen verfügbaren Truppen den Ärmelkanal überquerte, um gegen Honorius, den Kaiser des Weströmischen Reiches, zu ziehen. Dieser war es auch, der den Britanniern auf ihre Bitte um Unterstützung hin im Jahre 410 die lapidare Antwort erteilte, daß aus Rom keinerlei Hilfe zu erwarten sei und sich die britannischen Städte selbst um ihren Schutz kümmern sollten. Den Schlußpunkt setzten schließlich Angeln und Sachsen, die bereits während der ersten Hälfte des 5. Jhs. weite Teile Britanniens in ihren Besitz brachten und die kelto-romanische Bevölkerung zurückdrängten, deren Kultur dennoch auf unterschiedliche Weise überdauerte und etwa in der englischen und walisischen Sprache bis heute faßbar ist.

Gemessen an dem, was an architektonischen Überresten der römischen Zivilisation in anderen Gebieten des ehemaligen Weltreiches heute noch aufrecht steht, ist die römische Hinterlassenschaft auf dem Boden des heutigen Großbritannien – von wenigen Baudenkmälern wie der Hadriansmauer und dem Antoninuswall abgesehen – eher als bescheiden einzustu-

Abb. 201   Die Hadriansmauer in der Nähe von Cawfields (GB) mit den Überresten des Meilenkastells Nr. 42, erbaut um 122/123 von der legio II Augusta. Blick von Süden.

Abb. 202   BRITANNIA. Rückseite eines Sesterz des Antoninus Pius (138–161). Britannia sitzend mit Panzer, Hose, Umhang und Schild, in der Rechten eine Standarte. Geprägt um 143/144 in Rom (RIC 742).

fen. Andererseits ist die Art und Weise, wie man dort schon seit langem mit dem römischen Erbe umgeht, als besonders vorbildlich zu bezeichnen. In keinem anderen Land – eine ‹Society of Dilettanti› gibt es dort seit 1732! – hat es jemals eine derart große Anzahl römischer Ausgrabungen gegeben, haben staatliches und vor allem privates Engagement dafür gesorgt, historische Stätten der Römerzeit vor drohender Überbauung zu schützen, nach strengsten methodischen Kriterien auszugraben und zu dokumentieren und, wenn möglich, wesentliche Teile davon zu rekonstruieren und der Öffentlichkeit zugänglich zu machen. Wahrscheinlich ist es die ungebrochene Beziehung zur eigenen Geschichte, die für viele Briten nach wie vor selbstverständlich ist und in deren zeitlichen Ablauf die römische Vergangenheit des Landes einen besonderen Platz einnimmt.

Die große Anzahl archäologisch untersuchter Plätze sowohl militärischer wie ziviler Herkunft in Großbritannien kann hier nur angedeutet werden. Seit vielen Jahrzehnten wird mit großem Erfolg in den alten Zentren des römischen Britannien gegraben – in York und Chester ebenso wie in Gloucester, Colchester, St. Albans oder London, wo die Untersuchungsbedingungen inmitten einer modernen Weltstadt besonders schwierig sind. Auf der anderen Seite ist man in Großbritannien in der glücklichen Lage, daß viele der römischen Militär- und Siedlungsplätze weitgehend frei in der Landschaft liegen, archäologisch in Ruhe untersucht werden können, was der Qualität der wissenschaftlichen Ergebnisse zugute kommt, um im Anschluß an die Ausgrabung als archäologische Denkmäler konserviert zu werden. Dies ist einer der Hauptgründe, warum Großbritannien bis hinauf zum Antoninuswall von einer Vielzahl archäologischer Stätten aus römischer Zeit geradezu übersät ist.

Besonders augenfällig wird dies an der Hadriansmauer mit ihren Auxiliarlagern und Kleinkastellen, von denen die meisten freigelegt und zumindest in ihren Grundmauern konserviert wurden. Ähnliches gilt auch für andere ehemals militärische Plätze wie *Rutupiae*/Richborough (Abb. 199), Hod Hill oder das ausgezeichnet erhaltene Portchester, ein Kastell des spätrömischen *litus Saxonicum*, nahe dem heutigen Portsmouth. Ein lebendiges Bild der römischen Zeit in Britannien vermitteln aber auch verschiedene zivile Plätze, unter denen das Heilbad in Bath und die Palastanlage in Fishbourne, unweit von Chichester, zu den eindrucksvollsten Beispielen zählen (Abb. 200). Großen Anteil an der Erfor-

202

schung des römischen Britannien hat nicht zuletzt die Luftbildarchäologie, die als Prospektionsmethode bisher nirgendwo so flächendeckend eingesetzt wurde wie in Großbritannien und dort durch systematische Erkundung aus der Luft zu einer Fülle von Entdeckungen geführt hat. Schließlich war es der Brite O. G. S. CRAWFORD, der als erster ‹cropmarks› und ‹shadow-marks› unterschied und die großen Möglichkeiten erkannte, die sich aus der Sicht von oben für die Archäologie ergaben (Abb. 198).

Der reiche archäologische Ertrag unzähliger Einzeluntersuchungen findet seinen Niederschlag in einer fast schon unüberblickbaren Fülle von Veröffentlichungen. Dabei fällt insbesondere auf, daß es für keine andere römische Provinz so viele Gesamtdarstellungen und regionale Übersichten gibt wie für das römische Britannien.
AAVV., *Ordnance Survey: Map of Roman Britain* ⁴(1979); D. BREEZE, *Roman Scotland* (1996); P. J. CASEY (ed.), *The end of Roman Britain*, in: *BAR* 71 (1979); E. CHRYSOS, *Die Römerherrschaft in Britannien und ihr Ende*, in: *BJ* 191, 1991, 247 ff.; R. G. COLLINGWOOD, *Roman Britain* ⁴(1934); DERS./ I. A. RICHMOND, *The archeology of Roman Britain* (1969); K. R. DARK, *The landscape of Roman Britain* (1997); S. S. FRERE, *Britannia* ³(1987); N. HIGHAM, *Rome, Britain and the Anglo-Saxons* (1992); S. JOHNSON, *Later Roman Britain* (1980); B. JONES/ D. MATTINGLY, *An atlas of Roman Britain* (1990); M. E. JONES, *The end of Roman Britain* (1996); A. C. KING (ed.), *British and Irish archeology. A bibliographical guide* (1994) 127 ff.; J. LIVERSIDGE, *Britain in the Roman Empire* (1968); T. W. POTTER, *Roman Britain* (1983; ND 1993); DERS./C. JOHNS, *Roman Britain* (1992); *RIB* = R. G. COLLINGWOOD/R. P. WRIGHT, *The Roman inscriptions of Britain* I (1965); DIESS. (ed. S. S. FRERE), *The Roman inscriptions of Britain* II (1990); R. REECE, *My Roman Britain* (1988); I. A. RICHMOND, *Roman Britain* ²(1963); A. L. F. RIVET/C. SMITH, *The place-names of Roman Britain* (1979); P. SALWAY, *Roman Britain* (1982); H. H. SCULLARD, *Roman Britain* (1979); M. TODD, *Roman Britain* (1981); DERS. (ed.), *Research on Roman Britain 1960–89* (1989); J. WACHER, *Roman Britain* (1978); DERS., *The coming of Rome* (1981); R. J. A. WILSON, *A guide to the Roman remains in Britain* ²(1980).
B. C. BURNHAM/H. B. JOHNSON (eds.), *Invasion and Reponse* (1979); A. R. BIRLEY, *The Fasti of Roman Britain* (1981); E. BIRLRY, *Roman Britain and the Roman army* (1953); A. R. BURN, *Agricola and Roman Britain* (1953); W. S. HANSON, *Agricola* (1987); F. HAVERFIELD/G. MACDONALD, *The Roman occupation of Britain* (1924); P. A. HOLDER, *The Roman army in Britain* (1982); J. C. MANN (ed.), *The northern frontier in Britain from Hadrian to*

Honorius (1971); G. WEBSTER, Boudicca (1978); DERS., The Roman invasion of Britain (1980); DERS., Rome against Caratacus (1981); DERS., The Roman imperial army [3](1985).

D. BREEZE, The northern frontiers of Rome (1982); DERS., Roman forts in Britain (1983); DERS./B. DOBSON, Hadrian's Wall [3](1987); C. BURGESS/R. MIKET (eds.), Between and beyond the Walls (1984); J. COLLINGWOOD BRUCE (rev. ed. CH. DANIELS), Handbook to the Roman Wall [13](1978); W. HANSON/G. MAXWELL, Rome's north west frontier: The Antonine Wall (1983); A. JOHNSON, Römische Kastelle des 1. und 2. Jahrhunderts in Britannien und in den germanischen Provinzen des Römerreiches [3](1990); S. JOHNSON, The Roman forts of Saxon Shore (1976); DERS., Late Roman fortifications (1983); DERS., Hadrian's Wall (1989); L. KEPPIE, Scotland's Roman remains (1986); G. MACDONALD, The Roman Wall in Scotland (1934); V. E. NASH-WILLIAMS (rev. ed. M. G. JARRETT), The Roman frontier in Wales (1969); A. S. ROBERTSON, The Antonine Wall [3](1979).

P. T. BIDWELL, Roman Exeter: Fortress and town (1980); DERS., The Roman fort of Vindolanda (1986); E. BIRLEY, Housesteads Roman fort (1973); R. R. BIRLEY, Vindolanda. Eine römische Grenzfestung am Hadrianswall (1978); M. W. BISHOP/J. N. DORE, Excavations at Roman Corbridge (1988); G. C. BOON, Isca. The Roman legionary fortress at Caerleon [3](1972); B. CUNLIFFE (ed.), Fifth report of the excavations of the Roman fort at Richborough, Kent (1968); DERS./A. GRANT, Excavations at Portchester Castle I: Roman (1975); J. CURLE, A Roman frontier post and its people: The fort of Newstead in the Parish of Melrose (1911); J. N. DORE/J. P. GILLAM, The Roman fort at South Shields (1979); S. S. FRERE/J. J. WILKES, Strageath (1989); W. S. HANSON/ P. A. YEOMAN, Elginaugh. A Roman fort and its environs (1988); M. G. JARRETT, Maryport, Cumbria (1976); W. A. MANNING, Report on the excavations at Usk II. The fortress excavations 1968–71 (1981); B. J. PHILP, The excavation of the Roman forts of the classis Britannica at Dover 1970–77 (1981); L. F. PITTS/J. K. S. ST. JOSEPH, Inchtuthill: The Roman legionary fortress (1985); I. A. RICHMOND, Hod Hill II (1968); A. S. ROBERTSON, Birrens-Blatobulgium (1975); DIES./M. SCOTT/L. KEPPIE, Bar Hill (1975); M. TODD, The Roman fort at Great Casterton, Rutland (1968); A. WILMOTT, Birdoswald. Excavations of a Roman Fort on Hadrian's Wall and its successor settlements 1987–92 (1996).

J. P. ALCOCK, Book of life in Roman Britain (1996); L. ALLASON-JONES, Women in Roman Britain (1989); A. R. BIRLEY, Life in Roman Britain [6](1981); DERS., The people of Roman Britain (1979); R. E. BIRLEY, Civilians on the Roman frontier (1973); E. W. BLACK, Villa-owners: Romano-British gentlemen and officers, in: Britannia 25, 1994, 99 ff.; A. K. BOWMAN, Life and letters on the Roman frontier. Vindolanda and its people (1994); DERS./J. D. THOMAS, Vindolanda: The latin writing-tablets, 2 Bde. (1983/94); M. HENIG/A. KING (eds.), Roman life and art in Britain, in: BAR 41 (1977); J. LIVERSIDGE, Furniture in Roman Britain (1955); M. MILLETT, The Romanization of Britain (1990); I. A. RICHMOND (ed.), Roman and native in North Britain (1958); P. SALWAY, The frontier people of Roman Britain [2](1967); J. T. SMITH, Villas as a key to social structure, in: M. TODD (ed.), Studies in the Romano-British villa (1978) 149 ff.; P. R. WILSON/R. F. J. JONES/D. M. EVANS (eds.), Settlement and society in the Roman north (1984).

N. CHADWICK, The Celts (1970); B. CUNLIFFE, The Regni (1973); B. R. HARTLEY/L. FITTS, The Brigantes (1988); N. HIGHAM/G. D. B. JONES, The Carvetii (1985); T. G. POWELL, The Celts [2](1980); H. RAMM, The Parisii (1978); M. TODD, The Coritani (1991); G. WEBSTER, The Cornovii (1975).

S. S. FRERE, British urban defences in earthwork, in: Britannia 15, 1984, 64 ff.; F. O. GREW/B. HOBLEY (eds.), Roman urban topography in Britain and the western Empire, in: CBA Res. Rep. 59 (1985); J. MALONEY/B. HOBLEY (eds.), Roman urban defences in the west, ebd. 51 (1983); A. L. F. RIVET, Town and country in Roman Britain (1966); J. SCHOFIELD/R. LEEDS (eds.), Urban archaeology in Britain, in: CBA ebd. 61 (1987); J. S. WACHER (ed.),

The Civitas capitals of Roman Britain (1966); DERS., The towns of Roman Britain [2](1995); G. WEBSTER (ed.), Fortress into city (1988).

J. BIRD/H. CHAPMAN/J. CLARK (eds.), Collectanea Londoniensia (1978); G. C. BOON, Silchester. The Roman town of Calleva (1974); B. W. CUNLIFFE, Roman Bath (1969); P. DAVENPORT (ed.), Archaeology in Bath 1976–85 (1991); S. S. FRERE, Verulamium excavations 1–3 (1972–84); M. FULFORD, Silchester defences 1974--80 (1984); DERS., Guide to the Silchester Excavations: The Forum Basilica (1985); DERS., The Silchester amphitheatre: Excavations of 1979–85 (1989); J. HALL/R. MERRIFIELD, Roman London (1986); M. R. HULL, Colchester (1958); P. MARSDEN, Roman London (1980); R. MERRIFIELD, London: City of the Romans (1983); J. MORRIS (rev. S. MACREADY), Londinium. London in the Roman Empire (1982); P. OTTAWAY, Roman York (1993); D. PERRING, Roman London (1991); R. C. H. M., Eburacum. Roman York (1962); M. TODD, The Roman town of Ancaster (1981).

B. C. BURNHAM/ J. WACHER, The «small towns» of Roman Britain (1990); R. HINGLEY, Rural settlement in Roman Britain (1989); W. RODWELL/T. ROWLEY (eds.), The «small towns» of Roman Britain, in: BAR 15 (1975); S. SOMMER, The military vici of Roman Britain (1984); R. F. SMITH, Roadside settlements in lowland Roman Britain (1987); M. TODD, Rural settlement and society in Britannia, in: H. BENDER/ H. WOLFF (Hg.), Ländliche Besiedlung und Landwirtschaft in den Rhein-Donau-Provinzen des Römischen Reiches (1994) 101 ff.

C. R. PARTRIDGE, Skeleton Green: A late Iron Age and Romano-British site (1981); T. W./C. F. POTTER, A Romano-British village at Grandford March, Cambridgeshire (1982); I. M. STEAD/V. RIGBY, Baldock: The excavation of a Roman and Pre-Roman settlement 1968–72 (1986).

K. BRANIGAN, The Roman villa in South-West-England (1976); J. T. SMITH, Villa plans and social structure in Britain and Gaul, in: Caesarodunum 17, 1982, 321 ff.; J. PERCIVAL, The Roman villa (1976); A. L. F. RIVET (ed.), The Roman villa in Britain (1969); M. TODD (ed.), Studies in the Romano-British villa (1978).

K. BRANIGAN, Gatcombe Roman villa, in: BAR 44 (1977); G. CLARKE, The Roman villa at Woodchester, in: Britannia 13, 1982, 197 ff.; B. W. CUNLIFFE, The Roman palace at Fishbourne, 2 Bde. (1971); DERS., Fishbourne. Rom in Britannien (1971); M. G. JARRETT/S. WRATHMELL, Whitton, an Iron Age and Roman farmstead in South Glamorgan (1981); G. W. MEATS, The Roman villa at Lullingstone, Kent (1979); B. PHILP, The Roman villa site at Orpington, Kent (1996).

P. T. BIDWELL/N. HOLBROOK, The bridges of Hadrian's Wall (1989); I. D. MARGARY, Roman roads in Britain [3](1973); J. P. SEDGLEY, The Roman milestones of Britain, in: BAR 18 (1975).

S. APPLEBAUM, Roman Britain, in: H. P. R. FINBERG (ed.), The agrarian history of England and Wales I 2 (1972); A. R. BIRLEY, Britannien, in: F. VITTINGHOFF (Hg.), Europäische Wirtschafts- und Sozialgeschichte in der römischen Kaiserzeit (1990) 537 ff.; R. G. COLLINGWOOD, Roman Britain, in: T. FRANK (ed.), An economic survey of ancient Rome 3 (1937; ND 1959) 34 ff.; D. STRONG/D. BROWN (eds.), Roman crafts (1976).

T. DARVILL/A. MACWHIRR, Brick and tile production in Roman Britain: Models of economic organization, in: World Archaeology 15, 1984, 239 ff.; A. DETSICAS (ed.), Current research in Romano-British coarse pottery, in: CBA Res. Rep. 10 (1973); J. DORE/K. GREENE (eds.), Roman pottery studies in Britain and beyond, in: BAR 30 (1977); V. G. SWAN, The pottery kilns of Roman Britain (1984); P. TYERS, Roman pottery in Britain (1996); P. WEBSTER, Roman samian pottery in Britain (1996).

W. H. MANNING, The plough in Roman Britain, in: JRS 54, 1964, 54 ff.; P. MORRIS, Agricultural buildings in Roman Britain, in: BAR 70 (1979); S. REES, Agricultural implements in Prehistoric and Roman Britain, ebd. 69 (1979).

R. J. BREWER, in: CSIR Great Britain I 5. Wales (1986); N. DAVEY/R. LING, Wallpainting in Roman Britain (1982); M. HENIG, A corpus of Roman engraved gemstones from British sites (1974); P. JOHNSON, Romano-British mosaics (1982); N. B.

KAMPEN, The reliefs of the Antonine Wall in Scotland and military programs in Roman provincial art, in: ANRW II 12.4 (i. Vorb.); R. J. LING, Mosaics and wall-paintings in Roman Britain: Discoveries and research since 1945, ebd. (i. Vorb.); D. S. NEAL, Roman mosaics in Britain (1981); E. J. PHILLIPS, The study of Romano-British sculpture, in: ANRW ebd. (i. Vorb.); R. REECE, The badness of British art under the Romans, ebd. (i. Vorb.); J. M. C. TOYNBEE, Art in Roman Britain (1962); DIES., Art in Britain under the Romans (1964).

E. BIRLEY, The religion of the Roman army: 1895–1977, in: ANRW II 16.2 (1988) 1506 ff.; DERS., The deities of Roman Britain, ebd. 18.1 (1986) 3 ff.; D. FISHWICK, The imperial cult in Roman Britain, in: Phoenix 15, 1961, 159 ff. u. 213 ff.; M. J. GREEN, A corpus of religious materials from the civilian areas of Roman Britain, in: BAR 24 (1976); DIES., The gods of Roman Britain (1983); DIES., The wheel as a cult-symbol in the Romano-Celtic world (1984); DIES., The gods of the Celts (1986); E. J. R. HARRIS, The oriental cults in Roman Britain (1965); M. HENIG, Religion in Roman Britain (1984); S. PIGGOTT, The Druids (1974); C. THOMAS, Christianity in Roman Britain (1981).

B. W. CUNLIFFE/P. DAVENPORT, The temple of Sulis Minerva at Bath (1985); CH. DANIELS, Mithras and his temples on the Wall (1967); D. FISHWICK, Templum Divo Claudio Constitutum, in: Britannia 3, 1972, 164 ff.; M. J. T. LEWIS, Temples in Roman Britain (1966); W. RODWELL (ed.), Temples, churches and religion in Roman Britain (1980); W. J. WEDLAKE, The excavation of the shrine of Apollo at Nettleton, Wiltshire 1956–71 (1982).

R. JESSUP, Barrows and walled cemeteries in Roman Britain, in: Journ. Brit. Arch. Ass. 22, 1959, 1 ff.; R. F. J. JONES, Cremation and inhumation – change in the third century, in: A. KING/M. HENIG (eds.), The Roman west in the third century, BAR S 109 (1981) 15 ff.; DERS., Cemeteries and burial practice in the western provinces of the Roman Empire, Diss. London 1982.

G. CLARKE, The Roman cemetery at Lankhills (1979); R. F. J. JONES, The Romano-British farmstead and its cemetery at Lynch Farm near Peterborough, in: Northampton Archaeology 10, 1975, 94 ff.; DERS., The cemeteries of Roman York, in: P. V. ADDYMAN/V. BLACK (eds.), Archaeological Papers from York for M. W. Barley (1984) 34 ff.; A. MACWHIRR/L. VINER/C. WELLS, Romano-British cemeteries at Cirencester (1982); L. P. WENHAM u. a., The Romano-British cemetery at Trentholme Drive (1968).

Abb. 203   *Lycia et Pamphylia Romana.* *Übersichtskarte der Provinz mit den wichtigsten Städten, Verkehrswegen und geographischen Angaben. Nach S. JAMESON.*

Lycia et Pamphylia (43)

In Pamphylia liegen der schiffbare Fluß Melas (Manavgat), die Stadt Sida (Side) und ... der Eurymedon (Köprü Çayi). An ihm fand die große Seeschlacht Kimons gegen Phönizier und Perser statt. Auf das Meer schaut von einem ziemlich hohen Hügel die Stadt Aspendos herab ... Danach folgen zwei weitere Flüsse: Kestros (Aksu Çayi) und Katarhaktes (Düden) ... Zwischen ihnen liegt die Stadt Perga (Perge) und ein Tempel der Artemis ... Gleich darauf folgt Lycia ... Es umschließt mit dem Hafen von Sida und dem Vorgebirge des Taurus einen großen Golf ... Auf sein Kap (Gelidonya) folgt der Fluß Limyra sowie eine Gemeinde gleichen Namens, sodann zwar viele, aber mit Ausnahme von Patara unbedeutende Städte. Jenes macht sein Heiligtum des Apollon berühmt, einst an Reichtum und Zuverlässigkeit seines Orakels dem delphischen ähnlich ...

POMPONIUS MELA (1. Jh.)

Mit *Lycia* und *Pamphylia* hat die kaiserliche Administration im Jahre 43 zwei Gebiete Kleinasiens zu einer Provinz vereinigt, die weder von ihrer Geschichte noch von ihrer Geographie her zueinander paßten. Während die ausgedehnte Küstenebene Pamphyliens von alters her als griechischer Siedlungsboden galt, war Lykien ein schwer zugängliches Bergland mit schneebedeckten Gipfeln und fruchtbaren Flußtälern, das von einer sehr freiheitlich gesinnten Bevölkerung bewohnt wurde, die ihren Ursprung auf kretische Einwanderer zurückführte und sich lange erfolgreich gegen den Zugriff fremder Mächte wehren konnte. Anders als in Pamphylien, das trotz seiner mächtigen Städte politisch wie kulturell nie zu einer Einheit fand, führte die landschaftliche Abgeschlossenheit Lykiens zur Ausprägung einer sehr eigenständigen Kultur, die ihren sichtbaren Ausdruck nicht nur in einer eigenen Schrift und Sprache fand, sondern ebenso in einer eigenwilligen Sakralarchitektur (Abb. 204) wie vor allem in der schon in der Antike bewunderten Repräsentativverfassung, die sich die lykischen Städte gegeben hatten.

Beide Regionen gehörten bis zur Schlacht bei *Magnesia* (190 v. Chr.) zum seleukidischen Reich. Mit dem Diktatfrieden von *Apameia* (188 v. Chr.) gerieten sie in den Einflußbereich der siegreichen Römer, die Pamphylien den Pergamenern und Lykien den Rhodiern überließen. Dagegen allerdings wehrten sich die Städte in beiden Gebieten vehe-

ment. So mußte Pergamon mehrmals Truppen aufbieten, um seine Ansprüche zumindest im Westteil Pamphyliens durchzusetzen, was erst mit der Gründung der Hafenstadt *Attaleia*/Antalya (TR) 159/158 v. Chr. gelang, während Städte wie *Aspendos* und *Side* ihre Selbständigkeit weitgehend behaupten konnten. Als 129 v. Chr. die Provinz *Asia* eingerichtet wurde, blieben Lykien und Pamphylien davon unberührt. Fortan galten die pamphylischen Städte als *civitates liberae* und genossen den besonderen Schutz Roms. Diesen Status hatte der lykische Städtebund bereits 168/167 v. Chr. erhalten, als Rom seinen bisherigen Vasallen Rhodos wegen dessen unentschiedener Haltung im Dritten Makedonischen Krieg (171–168 v. Chr.) fallenließ, die Lykier für frei erklärte und *Delos* zum ägäischen Freihafen machte.

Während die gut funktionierende Organisation der lykischen Städte den Römern keinen Anlaß zum Eingreifen gab, entwickelte sich Pamphylien mit dem benachbarten Kilikien, wo die Römer 102/101 v. Chr. vergeblich versucht hatten, Einfluß zu gewinnen (S. 99), zu einem Zentrum der Piraterie, wodurch der Handel und Verkehr im östlichen Mittelmeer empfindlich gestört wurden und zeitweise völlig zum Erliegen kamen. Erst 67 v. Chr. gelang es Pompeius, die Seeräuber vor *Korakesion*/Alanya (TR) entscheidend zu besiegen und binnen weniger Wochen in ihren Schlupfwinkeln

aufzuspüren. Für mehrere Jahrzehnte bildete Pamphylien dann einen Teil der Provinz *Cilicia*, bis M. Antonius das Gebiet 37/36 v. Chr. dem galatischen König Amyntas überließ, der einer seiner treuesten Bundesgenossen war. Als dieser 25 v. Chr. starb und sein Reich zur Provinz *Galatia* erklärt wurde (S. 135), scheint Pamphylien zunächst zu dieser Provinz gehört zu haben. Es ist allerdings auch möglich, daß Augustus die Maßnahme seines einstigen Gegners für ungültig erklärte und die fruchtbare Küstenebene wieder mit Kilikien vereinigte.

Trotz der ‹Einschließung› durch römisches Provinzgebiet vermochten die Lykier auch zu Beginn der Kaiserzeit ihre Selbständigkeit weitgehend zu bewahren. Sicher kam ihnen dabei zustatten, daß sich 42 v. Chr. vor allem die Bewohner von *Xanthos*, der Hauptstadt des lykischen Städtebundes, bis zur Selbstaufgabe dem Heer des Brutus entgegengestellt hatten, der Truppen und Geld von ihnen verlangt hatte, aber von den Xanthiern zurückgewiesen worden war, die in auswegloser Lage schließlich keine andere Möglichkeit mehr sahen, als ihre Stadt in Brand zu setzen und Massenselbstmord zu begehen. Als 17 n. Chr. auch *Cappadocia* römische Provinz wurde (S. 147 f.), war Lykien in Kleinasien die letzte Region, die sich weitgehend selbst verwaltete. Dieser ‹Anachronismus› – zumindest in römischen Augen – führte dann 43 dazu, daß Lykien ohne

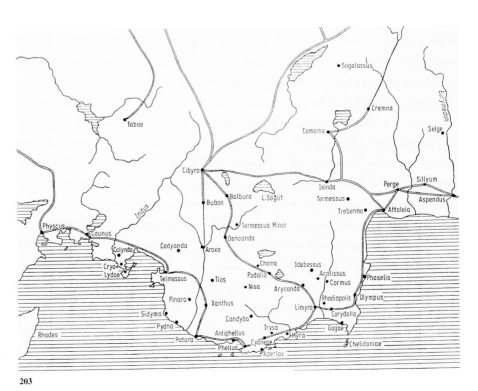

204

erkennbaren Anlaß römisches Provinzge-
biet wurde und mit dem benachbarten
Pamphylien fortan die Provinz *Lycia et
Pamphylia* bildete.

Das politische Schwergewicht dieser
beiden so ungleichen Landesteile lag eindeutig auf lykischer Seite. Dies kam allein schon darin zum Ausdruck, daß nicht
eine der pamphylischen Städte, sondern
Patara, der neben *Myra-Andriake* bedeutendste Hafen an der lykischen Küste, zur
Residenz des zunächst kaiserlichen *legatus Augusti pro praetore* gemacht wurde,
während *Xanthos* trotz seines Wiederaufbaus viel von seiner einstigen Bedeutung
verlor. Das national-religiöse Heiligtum
der Lykier im benachbarten *Letoon*, wo
die Repräsentanten der 36 lykischen
Städte (so PLINIUS, im Gegensatz zu
STRABON, der von 23 Städten spricht) unter dem Vorsitz des jeweiligen Lykiarchen zusammenkamen, um ihre inneren
Angelegenheiten auf demokratischem
Wege zu regeln, behielt dagegen auch in
der Kaiserzeit seinen alten Rang, wenn
sich auch die Beschlüsse dieses Gremi-
ums nun nicht mehr gegen äußere und
innere Feinde der Städtegemeinschaft
richteten, sondern in der Hauptsache re-
präsentativer Natur waren, wobei die
Pflege des Kaiserkults und die Verehrung
der Staatsgottheiten Leto, Apollon und
Artemis die wichtigste Rolle spielten. In
welchem Maße in der Folgezeit vor allem
römische Architekturvorstellungen in Lykien heimisch wurden, das sich in den

205

206

207

Jahrhunderten zuvor lange erfolgreich gegen ‹fremdländische› Kultureinflüsse gewehrt hatte, belegen bis zum heutigen Tag zahlreiche gut erhaltene oder wieder freigelegte Baudenkmäler der römischen Zeit, und zwar nicht nur in den damaligen ‹Großstädten› *Patara, Xanthos, Myra, Tlos, Pinara* oder *Limyra*, sondern gerade auch in kleineren Städten wie *Arykanda, Kyaneai, Olympos* oder *Rhodiapolis*, dessen bekanntester Einwohner der Mäzen Opramoas war, der unter Antoninus Pius (138–161) das Amt des Lykiarchen innehatte und nicht nur seine Vaterstadt, sondern auch andere Städte Lykiens mit großzügigen Baustiftungen bedachte.

Ähnlicher Freigebigkeit verdankten auch die pamphylischen Städte ihren weiteren systematischen Ausbau. Gut belegt ist dies vor allem für die Stadt *Perge*, östlich des heutigen Antalya, in der eine Frau namens Plancia Magna durch zahlreiche Stiftungen zu hohen Ehren gelangte. Auf gleiche Weise dürfte auch die

Abb. 204 *Xanthos/Kinik (TR). Römisches Theater auf der lykischen Akropolis der Stadt mit wiederaufgestellten lykischen Grabmonumenten. Blick von Süden.*

Abb. 205 *Perge bei Akşu (TR). Blick von Südwesten über Theater und Stadion auf die ummauerte Stadt der Kaiserzeit und den Akropolishügel.*

Abb. 206 *Aspendos bei Belkis (TR). Wasserturm des Aquädukts, der die Stadt mit Quellwasser versorgte. Blick von Süden.*

Abb. 207 *Limyra bei Finike (TR). Blick vom Toçak-Dagi auf das römische Theater und das einstige Stadtgebiet mit dem Kenotaph des C(aius) Caesar (rechts im Bild). Blick von Südwesten.*

Stadt *Side*/Selimiye (TR) in römischer Zeit einen Großteil ihrer öffentlichen Bauten ‹finanziert› haben. Beide Städte lagen in hartem Wettstreit miteinander und beanspruchten den Rang, «die erste (Stadt) in Pamphylien» zu sein. Kaum geringer dürften Reichtum und Bedeutung der Städte *Aspendos* und *Sillyon* gewesen sein, die landeinwärts, auf natürlichen Anhöhen gelegen, ein reiches Umland besaßen. *Aspendos* war zudem – ähnlich wie *Perge* über den *Kestros*/Aksu Çayi – durch den *Eurymedon*/Köprü Çayi mit dem Meer verbunden. Die weite Küstenebene bis zum *Tauros* im Norden, die das Um- und Hinterland dieser Städte bildete, galt in der Kaiserzeit als *regio optima et sibi sufficiens* (CICERO). Hauptexportartikel war neben Getreide und Wein vor allem Olivenöl. Daneben spielte Salz eine gewisse Rolle als Handelsware, besonders aber das Harz des Styraxbaumes, das als wohlriechende Droge in Rom hoch geschätzt war und dessen Verkauf bedeutende Gewinne abwarf, weil es als Räucherwerk bei kultischen Anlässen ebenso Verwendung fand wie bei der Bekämpfung von Ungeziefer, der Herstellung bestimmter Parfümarten oder auch als medizinisches Mittel, als das es von Galenos und anderen Ärzten seiner Zeit empfohlen wurde. Einen ausgezeichneten Namen genoß auch die Pferdezucht der Aspendier, die schon zu Zeiten Alexanders d. Gr. so bedeutend war, daß dieser sich einen Teil des Tributs, den er der Stadt auferlegte, in Pferden ‹auszahlen› ließ.

Die Provinz *Lycia et Pamphylia*, die nach 164 – im Austausch gegen die bislang kaiserliche Provinz *Pontus et Bithynia* – dem Senat unterstellt wurde, blieb mit Sicherheit bis zum Ende des 3. Jhs. bestehen. Ob schon Diocletianus (284–

305) im Rahmen seiner Reichsreform das Provinzgebiet in *Lycia* und *Pamphylia* teilte, ist nicht sicher zu beantworten, weil die Quellen dieser Zeit nur *Pamphylia* kennen, das zur *dioecesis Asiana* gehörte. Wahrscheinlich ist jedoch die fehlende Nennung einer selbständigen Provinz *Lycia* auf eine Überlieferungslücke zurückzuführen. Ausdrücklich bezeugt ist die spätrömische Provinz *Lycia* dann in der *notitia dignitatum*, die in ihren wesentlichen Teilen wohl schon aus der Zeit kurz vor 400 stammt. Beide Gebiete waren auch noch in den folgenden gut zwei Jahrhunderten Teile des Oströmischen Reiches, bis im 7. Jh. mit dem Siegeszug der Araber die meisten Städte an und nahe der lykisch-pamphylischen Küste aufgegeben werden mußten und sich die Bewohner in das bergige Hinterland zurückzogen, das ihnen mehr Sicherheit versprach.

Die in der landesüblichen Schreibweise als ‹Likya› und ‹Pampilya› bezeichneten Gebiete gehören zu den Regionen der heutigen Türkei, in denen die archäologische Erforschung der römischen Zeit schon relativ weit fortgeschritten ist. Dabei ist kennzeichnend, daß die archäologischen Aktivitäten in diesen Gebieten bereits seit dem Ende der 1940er Jahre keineswegs auf ausländische Missionen beschränkt geblieben sind. Es war vor allem der Istanbuler Archäologe A. M. MANSEL, der nach 1945 sowohl in *Side* (ab 1946) wie in *Perge* (seit 1953) umfangreiche Ausgrabungen und Wiederherstellungsarbeiten durchführte, die nach 1975 von J. INAN erfolgreich fortgesetzt wurden. Türkische Ausgrabungen haben des weiteren seit 1982 auch in *Phaselis* stattgefunden, für die Archäologenteams der Universität Ankara unter C.

208

BAYBURTLUOGLU ebenso verantwortlich zeichnen wie für die Freilegungsarbeiten und Untersuchungen in der Hangstadt *Arykanda*, deren Ruinen anschaulich wiedergeben, wie eine kleinere lykische Stadt in der Kaiserzeit aussah. Daneben graben seit dem Anfang der 1950er Jahre französische Archäologen in *Xanthos* und im benachbarten *Letoon*, wo die Untersuchungsbedingungen wegen des hohen Grundwasserspiegels besonders schwierig sind (P. DEMARGNE, H. METZGER u. a.), während sich die Untersuchungen deutscher Forscher insbesondere auf die Hafenanlagen von *Phaselis* (1968–70 H. SCHLÄGER/J. SCHÄFER), die antike Stadt und die Nikolauskirche in *Myra* (J. BORCHHARDT, U. PESCHLOW, O. FELD u. a.) sowie auf das monumentale Kenotaph des Kaiserenkels C. Caesar in *Limyra* konzentriert haben, der hier 4 n. Chr. im Alter von 24 Jahren an einer Verwundung starb, die er auf einem Feldzug in Armenien kurz zuvor erlitten hatte (Abb. 207). Als richtungweisend ist das *Kyaneai*-Projekt der Universität Tübingen unter dem Althistoriker F. KOLB zu werten, das sich nicht nur zum Ziel gesetzt hat, die eindrucksvollen Überreste der Stadt *Kyaneai* und ihr Siedlungsumfeld zu untersuchen, sondern darüber hinaus Anstöße zu geben, auch an anderen Plätzen Lykiens moderne Feldforschungen zu betreiben, um den heute noch vorhandenen Bestand an architektonischen Überresten zu dokumentieren und zu sichern.

* Nach dem britischen Kapitän F. R. BEAUFORT wird heute nicht nur die Heftigkeit von Stürmen gemessen, sondern er war auch der erste, der z. B. einen brauchbaren Übersichtsplan von *Phaselis* veröffentlichte (1817).

Im Zusammenhang ist die römische Provinz *Lycia et Pamphylia* bisher nicht behandelt worden. Eine erste Einführung gibt: S. A. JAMESON, *Lycia and Pamphylia, a historical review*, in: A. C. CAMPBELL (ed.), *History of Turkey* (1971) 11 ff.
E. AKURGAL, *Ancient civilizations and ruins of Turkey* ⁶(1985); C. BAYBURTLUOGLU, *Lykien* (1981); DERS./J. BORCHHARDT (Hg.), *Götter, Heroen, Herrscher in Lykien. Ausstellung Wien* (1990); G. E. BEAN, *Inscriptions in the Antalya Museum*, in: *Belleten* 22, 1958, 21 ff.; DERS., *Kleinasien 2. Die türkische Südküste von Antalya bis Alanya* ⁴(1986); DERS., *Kleinasien 4. Lykien* ²(1986); F. R. BEAUFORT*, *Karamania or a brief description of the south coast of Asia Minor* (1817); O. BENNDORF/G. NIEMANN, *Reisen im südwestlichen Kleinasien I: Reisen in Lykien und Karien* (1884); E. BOSCH, *Studien zur Geschichte Pamphyliens I/II* (1957); P. R. FRANKE, *Kleinasien zur Römerzeit* (1968); S. HAYNES, *Zwischen Mäander und Taurus* (1977); S. JAMESON, s. v. Lykia, in: *RE Suppl.* 13 (1973) 265 ff.; J. KEIL, *The Greek provinces: Lycia and Pamphylia*, in: *CAH* 11 (1936) 590 ff.; F. KOLB/B. KUPKE, *Lykien*, in: *Sondernr. Antike Welt* (1989); K. KRAFT, *Das System der kaiserzeitlichen Münzprägung in Kleinasien* (1972); D. MAGIE, *Roman rule in Asia Minor to the end of the third century A. D.*, 2 Bde. (1950); T. PÉKARY, *Kleinasien unter römischer Herrschaft*, in: *ANRW* II 7.2 (1980) 633 ff. u. 648 ff.; E. PETERSEN/F. VON LUSCHAN, *Reisen im südwestlichen Kleinasien II: Reisen in Lykien, Milyas und Kibyratis* (1889); X. DE PLANHOL, *De la plaine pamphylienne aux lacs pisidiens* (1958); O. TREUBER, *Geschichte der Lykier* (1887); J. WAGNER, *Türkei. Die Südküste von Kaunos bis Issos* ²(1991); M. ZIMMERMANN, *Untersuchungen zur historischen Landeskunde Zentrallykiens* (1992).
W. ECK, *Die Legaten von Lykien und Pamphylien unter Vespasian*, in: *ZPE* 6, 1970, 65 ff.; S. JAMESON, *The Lycian league: Some problems in its administration*, in: *ANRW* ebd. 832 ff.; B. RÉMY, *Les fastes sénatoriaux des provinces romaines d'Anatolie au Haut-Empire 31 av. J.-C. – 284 ap. J.-C.* (1988); DERS., *Les carrières sénatoriales dans les provinces romaines d'Anatolie au Haut-Empire 31 av. J.-C. – 284 ap. J.-C.* (1989); S. SAHIN, *Statthalter der Provinzen Pamphylia-Lycia und Bithynia-Pontus in der Zeit der Statusänderung beider Provinzen unter Mark Aurel und Lucius Verus*, in: *EA* 20, 1992, 77 ff.; R. SYME, *Pamphylia from Augustus to Vespasian*, in: *Klio* 30, 1937, 227 ff.; E. WINTER, *Staatliche Baupolitik und Baufürsorge in den römischen Provinzen des kaiserzeitlichen Kleinasien* (1996); M. WÖRRLE, *Zwei neue griechische Inschriften aus Myra zur Verwaltung Lykiens in der Kaiserzeit*, in: J. BORCHHARDT (Hg.), *Myra* (1975) 254 ff.
H. BRANDT, *Gesellschaft und Wirtschaft Pamphyliens und Pisidiens im Altertum* (1992); H. HALF-

MANN, *Die Senatoren aus den kleinasiatischen Provinzen des Römischen Reiches vom 1.–3. Jahrhundert*, in: *Tituli* 5, 1982, 603 ff.; R. HEBERDEY, *Opramoas. Inschriften vom Heroon zu Rhodiapolis* (1897); S. JAMESON, *Two Lycian families*, in: *AS* 16, 1966, 125 ff.; J. WAGNER, *Pamphylien. Antikes Leben an der Türkischen Riviera* (1992); M. WÖRRLE, *Stadt und Fest im kaiserzeitlichen Kleinasien* (1988).
D. DE BERNARDI FERRERO, *Teatri classici in Asia Minore*, 4 Bde. (1966–75); A. FARRINGTON *The Roman baths of Lycia* (1995); A. H. M. JONES, *Cities of the eastern Roman provinces* ²(1971); K. LANCKORONSKY u. a., *Städte Pamphyliens und Pisidiens*, 2 Bde. (1890/92; ND 1970); B. LEVICK, *Roman colonies in southern Asia Minor* (1967); A. M. MANSEL, *Bericht über Ausgrabungen und Untersuchungen in Pamphylien in den Jahren 1946–55*, in: *AA* 71, 1956, 34 ff.; DERS., *Bericht über Ausgrabungen und Untersuchungen in Pamphylien in den Jahren 1957–72*, in: *AA* 90, 1975, 49 ff.; M. MILLER, *Die Besiedlung des Umlandes von Kyaneai* (1991); L. ROBERT, *Villes d'Asie Mineure* ²(1962); DERS., *Documents de l'Asie Mineure méridionale* (1966); W. W. WURSTER, *Antike Siedlungen in Lykien*, in: *AA* 91, 1976, 23 ff.
G. E. BEAN, *The inscriptions of Side* (1965); J. BORCHHARDT, *Myra. Eine lykische Metropole in antiker und byzantinischer Zeit* (1975); P. DEMARGNE/H. METZGER, *Guide de Xanthos* (1966); P. R. FRANKE (Hg.), *Side. Münzprägung, Inschriften und Geschichte einer antiken Stadt in der Türkei* (1988); I. KAYGUSUZ, *Perge unter Kaiser Tacitus – Mittelpunkt der Welt*, in: *EA* 4, 1984, 1 ff.; A. M. MANSEL/A. AKARÇA, *Excavations and researches at Perge* (1949); A. M. MANSEL, *Die Ruinen von Side* (1963); DERS., s. v. Side, *RE Suppl.* 10 (1965) 879 ff.; J. NOLLÉ, *Side im Altertum* (1993); A. PEKMAN, *History of Perge* (1973); J. SCHÄFER (Hg.), *Phaselis. Beiträge zur Topographie und Geschichte der Stadt und ihrer Häfen* (1981); H. SCHLÄGER/J. SCHÄFER, *Phaselis. Zur Topographie der Stadt und des Hafengebietes. Vorläufiger Bericht*, in: *AA* 86, 1971, 542 ff.; W. W. WURSTER/M. WÖRRLE, *Die Stadt Pinara*, ebd. 93, 1978, 74 ff.
T. R. S. BROUGHTON, *Roman Asia*, in: T. FRANK (ed.), *An economic survey of ancient Rome* 4 (1938; ND 1959) 499 ff.; D. H. FRENCH, *The Roman road-system of Asia Minor*, in: *ANRW* ebd. 628 ff.; DERS., *Milestones of Pontus, Galatia, Phrygia and Lycia*, in: *ZPE* 43, 1981, 149 ff.; G. GARBRECHT/K. GREWE u. a., *Die Wasserversorgung antiker Städte*, 3 Bde. (1987–88).
E. AKURGAL, *Griechische und römische Kunst in der Türkei* (1987); J. INAN, *Römische Portraits aus dem Gebiet von Antalya* (1965); DIES., *Three statues from Side*, in: *Antike Kunst* 13, 1970, 17 ff.; DIES., *Roman sculpture in Side* (1975); J. KRAMER, *Zu einigen Architekturteilen des Grabtempels westlich von Side*, in: *BJ* 183, 1983, 145 ff.; M. E. ÖZGÜR, *Skulpturen des Museums von Antalya* I (1987). A. BALLAND, *Fouilles de Xanthos VII. Inscriptions d'époque impériale du Létôon* (1981); P. FREI, *Die Götterkulte Lykiens in der Kaiserzeit*, in: *ANRW* II 18.3 (1990) 1729 ff.; J. GANZERT, *Das Kenotaph für Caius Lucius in Limyra* (1984); R. M. HARRISON, *Churches and chapels of central Lycia*, in: *AS* 13, 1963, 117 ff.; E. N. LANE, *Men. A neglected cult of Roman Asia Minor*, in: *ANRW* ebd. 2161 ff.; T. S. MACKAY, *The major sanctuaries of Pamphylia and Cilicia*, ebd. 2045 ff.; A. M. MANSEL, *Die Grabbauten von Side*, in: *AA* 74, 1959, 364 ff.; H. METZGER, *Catalogue des monuments votifs du Musée d'Adalia* (1952); J. NOLLÉ, *Götter und Kulte der pamphylischen Städte*, in: *ANRW* II 18.6 (i. Vorb.); U. PESCHLOW, *Die Kirche des hl. Nikolaus in Myra*, *AW* 6.4, 1975, 15 ff.; L. ROBERT, *Les douze dieux en Lycie*, in: *BCH* 107, 1983, 587 ff.

Abb. 208 Arykanda bei Aykirçay (TR). Römische Hangstadt nördlich von Finike. Blick von Westen über das Forum.

Abb. 209 Oescus/Gigen (BG). Architekturfragmente im Bereich des Fortunatempels der römischen Stadt. Blick von Osten.

Moesia (44/45)

An Pannonien schließt sich die Provinz an, die Moesia genannt wird und mit der die Donau das Schwarze Meer erreicht ...

Caius Plinius Secundus (23–79)

Kaiser Nerva Traianus Augustus Germanicus, Sohn des göttlichen Nerva, Pontifex maximus, Volkstribun im vierten Jahr, Vater des Vaterlandes, Konsul im dritten Jahr, erneuerte den (Schiffahrts-)Weg, nachdem Berge abgetragen und Schutt hinweggeführt wurde.

Sog. Tabula Traiana im Eisernen Tor (100)

Wahrscheinlich ist das Land an der unteren Donau zwischen der Savemündung und dem *Almus*/Lom endgültig erst im Jahre 15 – so vor allem die bulgarische Forschung – als römisches Interessengebiet besetzt und zur Provinz *Moesia* erklärt worden. Es grenzte im Westen an die gerade erst ‹befriedeten› Provinzen *Dalmatia* und *Pannonia* und entsprach in seinen Abmessungen im wesentlichen der späteren Provinz *Moesia superior* (Abb. 175). Dagegen bildete die spätere *Moesia inferior* als *ripa Thraciae* einen Teil des damals noch weitgehend freien Thrakien, dessen Herrscher in Abstimmung mit Rom die Sicherung der Donaugrenze selbst besorgten. Die Römer, die nachweislich bis in claudische Zeit keinerlei eigene Truppen auf thrakischem Gebiet stehen hatten, griffen von Westen her nur dann ein, wenn die Thraker selbst nicht in der Lage waren, Angriffe der Skythen, Bastarner oder Roxolanen aus eigener Kraft zurückzuweisen.

Bis zum Jahre 44 war *Moesia* allerdings keine eigenständige Provinz, sondern bildete gemeinsam mit *Macedonia* und *Achaea* eine kaiserliche Großprovinz (S. 75 f.). Diese wurde von einem konsularischen Statthalter verwaltet, der seinen Sitz in *Tessalonica*/Thessaloniki (GR) hatte und gleichzeitig Oberkommandierender der römischen Truppen war, die am mösischen Donauabschnitt stationiert waren. Wohl im Zuge der Umwandlung Thrakiens in eine römische Provinz (45) wurde *Moesia* selbständig und einem eigenen konsularischen Statthalter unterstellt, der vielleicht damals schon in *Viminacium*/Kostolac (YU) residierte. Gleichzeitig wurde die bisherige *ripa Thraciae* der neuen Provinz zugeschlagen und damit eine territoriale Verbindung zu den alten Griechenstädten an der Westküste des Schwarzen Meeres geschaffen, die seit 71 v. Chr. als *civitates foederatae* unter rö-

mischem Schutz standen. Zu ihnen zählte neben *Callatis*/Mangalia (RO) und *Istrus*/Histria (RO) auch *Tomis*/Constanza (RO), das für P. Ovidius Naso seit dem Jahre 8 zum unfreiwilligen Verbannungs- und Sterbeort wurde (gestorben 17/18).

Der Volksname *Moesi* war in römischer Zeit eine Sammelbezeichnung, die für alle einheimischen Bevölkerungsgruppen galt, die auf mösischem Provinzialboden ansässig waren. Ursprünglich war es der Name eines wohl illyrischen Stammes oder Stammesverbandes, dessen engere Heimat nach dem Zeugnis von Plinius und Strabon etwa im Zentrum der späteren Provinz *Moesia superior* lag. Von dorther ging dieser Stammesname schon früh auch auf thrakische, später auch getische Stämme über. Andererseits bezeugen einige zeitgenössische Autoren auch,

die zuweilen den Begriff *Moesicae gentes* verwenden, daß der offizielle Sprachgebrauch nicht der ethnischen Wirklichkeit entsprach.

Bis zur Eroberung Dakiens (106/107) bildete die Donau zwischen der Savemündung und dem Delta des Flusses die natürliche Nordgrenze der Provinz. Obwohl es seit claudischer Zeit nahezu tausend Flußkilometer waren, die es auf dieser langen Strecke zu überwachen galt, funktionierte das römische Grenzsicherungssystem, weil sich die von Rom eingesetzten Klientelfürsten auf dem nördlichen Donauufer behaupten konnten und sich lange Zeit loyal verhielten. Wo es nötig war oder der römische Herrschaftsanspruch in Frage gestellt schien, wurde im 1. Jh. auch jenseits des Flusses Krieg geführt. So drang der mösische

210

Statthalter Ti. Plautius Silvanus Aelianus in neronischer Zeit bis in das Mündungsgebiet des *Tyras*/Dnjestr vor und brachte dort die gleichnamige griechische Stadt unter römische Kontrolle. Er besiegte die Sarmaten, verdrängte die Skythen von der Krim und siedelte (wie es heißt) 100 000 *transdanubii* – in der Hauptsache wohl sarmatische Jazygen und Roxolanen – mit ihren Stammesfürsten auf mösischem Boden an. Er war auch der erste Statthalter dieser Region, der Getreide nach Rom schickte, das auf Feldern nördlich der Donau geerntet worden war. Gleichzeitig unterstrich Rom damit nachhaltig seinen Anspruch auf die Kontrolle der Schwarzmeerküste bis hinauf zur Krim, die auch späterhin eine Aufgabe der mösischen Statthalter blieb und im wesentlichen von der *classis Moesica* wahrgenommen wurde.

Wann die ersten Legionen an die Donau vorgeschoben wurden, ist vorerst ungewiß. Sicher waren sie zunächst an strategischen Punkten im Hinterland stationiert. Erst unter Claudius (41–54)

scheint die mösische Donaustrecke durch drei Legionen gesichert worden zu sein, die erste Lager in *Viminacium*/Kostolac (YU), *Oescus*/ Gigen (BG) und *Novae*/ Staklen (BG) errichteten. Mit dem Erstarken des dakischen Königreiches unter Decebalus, der 85 die Donau überschritt und die Römer in einer Schlacht besiegte, in der auch der Statthalter fiel, wurde *Moesia* für mehrere Jahre zum wichtigsten Kriegsschauplatz des Reiches. Um die mösische Reichsgrenze wirkungsvoller kontrollieren und sichern zu können, wurde die Provinz geteilt (86). Es entstanden zwei kaiserliche Provinzen, denen jeweils zwei Legionen zugeteilt wurden, die konsularischen Legaten unterstanden. Die Daker konnten 88 in der Schlacht von *Tapae* auf eigenem Terrain entscheidend besiegt werden, doch zogen sich die Kämpfe gegen die benachbarten Sweben und sarmatischen Jazygen noch einige Jahre hin, bis spätestens seit den Jahren 92/93 wieder Ruhe an der unteren Donau herrschte.

Seit dieser Zeit residierten römische

Statthalter sowohl in *Viminacium*/Kostolac (YU) wie in *Novae*/Staklen bei Swistow (BG). *Moesia superior* besaß gemeinsame Grenzen im Westen mit den Provinzen *Pannonia inferior* und *Dalmatia*, im Süden mit *Macedonia* und im Osten mit *Thracia*, während zur Donau hin wohl der *Almus*/Lom die Grenze bildete. Die beiden Legionen standen in *Singidunum*/Belgrad (YU) und *Viminacium*, städtische Zentren waren *Drobeta*/Turnu Severin (RO), *Ratiaria*/ Arčar (BG), *Naissus*/ Niš (YU) und *Scupi*/Skopje (MK). Die Südgrenze von *Moesia inferior* folgte im wesentlichen dem Kamm des *Haimos*/ Balkan. Zeitweise verfügte diese Provinz über drei Legionen, ehe ihre Zahl unter M. Aurelius (161–180) wieder auf zwei verringert wurde. Ihre Standorte waren *Novae*, *Durostorum*/Silistra (RO) und *Oescus*/Gigen (BG), dessen Legion allerdings schon unter Traianus (98–117) nach *Troësmis*/Iglita (RO) verlegt wurde, von wo aus sie später nach Dakien ging. Zur Provinz *Moesia inferior* gehörten zeitweise auch die Städte *Nico-*

polis ad Istrum beim heutigen Nikup (BG) und *Marcianopolis/* Reká Dévnja (BG) sowie von Beginn an die alten milesischen Kolonien *Callatis/* Mangalia (RO), *Tomis/*Constanza (RO) und *Istrus/*Histria (RO), die über eigene Territorien und verbriefte Eigenrechte verfügten.

Früher glaubte man, die Romanisierung der Bevölkerung in den beiden mösischen Provinzen habe sich ähnlich wie im benachbarten Thrakien – von wenigen Ausnahmen abgesehen – im wesentlichen auf die militärischen und zivilen Zentren an der Donau beschränkt. Von diesen erhielten neben der Veteranenkolonie *Scupi* nahe der Grenze zu *Macedonia* unter Traianus lediglich *Ratiaria* und *Oescus* den begehrten Colonia-Titel, der *Singidunum*, *Viminacium* und *Drobeta* offenbar erst im 3. Jh. zuerkannt wurde, während *Durostorum* und *Troësmis* immer *municipia* blieben und die Zivilstadt beim Legionslager in *Novae* – den bisherigen Quellen nach – nicht einmal diesen Status erlangt hat. Dazwischen lagen kleinere Militärsiedlungen, die wie *Drobeta*, *Bononia/*Vidin (BG), *Sexaginta Prisca/*Ruse (BG), *Transmarisca/*Tutrakan (BG) oder *Dinogetia/*Garvan (RO) Standorte von Auxilien waren und in deren unmittelbarer Nachbarschaft z. T. größere Zivilsiedlungen entstanden, die durch die Anwesenheit des Militärs eine starke römische Prägung erfuhren.

Neuere Untersuchungen auf dem Gebiet der Siedlungsforschung haben demgegenüber die bisherigen Vorstellungen korrigiert. Danach ergibt sich vor allem für *Moesia inferior* ein Siedlungsbild, das in seinem Grundcharakter nicht so sehr von städtischen und militärischen Zentren, als vielmehr von zahlreichen ländlichen Niederlassungen geprägt war, die die Basis für die agrarische Nutzung des fruchtbaren Ackerlandes in den Gebieten südlich der Donau bildeten. Daneben entwickelten sich im Innern von *Moesia inferior* an wichtigen Punkten der Provinz auch Zentralorte wie *Storgosia* und *Melta*, die Civitas-Charakter besaßen, oder Orte wie *Montana*, das in einem Bergbaudistrikt lag und auf Grund seiner wirtschaftlichen Bedeutung zum *munici-*

pium Montanensium aufstieg. Eine gewisse Sonderstellung nahm als Stadtgründung *Tropaeum Traiani/*Adamklissi (RO) ein, dessen Gründung auf den siegreichen Abschluß des ersten Dakerkrieges zurückging (102). In gleicher Weise wie *Nicopolis ad Istrum* sollten Stadt und Denkmal in der südlichen Dobrudscha an die großen Siege Roms über die Daker erinnern. Weithin sichtbar beherrscht der wiederhergestellte steinerne Rundbau wie in römischer Zeit die Landschaft unweit der bulgarischen Grenze, der einst das eigentliche *tropaeum* trug.

Eine der wichtigsten Voraussetzungen zur Erschließung der wirtschaftlichen Ressourcen der beiden mösischen Provinzen bildete der Ausbau der Verkehrswege zu Lande und zu Wasser. Die wichtigste Querverbindung war die Donautalstraße, die bis in das Deltagebiet des Flusses führte und Abzweigungen nach *Istrus* und *Tomis* besaß. Eine zweite Hauptroute begann in *Singidunum* bzw. *Viminacium*, passierte *Horreum Margi/* Cuprija (YU) und *Naissus/*Niš (YU), *Serdica/*Sofia (BG), *Philippopolis/*Plovdiv (BG) und *Hadrianopolis/*Edirne (TR) und erreichte schließlich bei *Perinthus/* Marmara Ereglisi (TR) die *via Egnatia* nach *Byzantium*. Wichtige Nord-Süd-Routen verbanden etwa *Ratiaria/*Arčar (BG) mit Dalmatien, *Oescus/*Gigen (BG) und *Novae/*Staklen (BG) über *Serdica* und *Philippopolis* mit Makedonien oder *Durostorum/* Silistra (RO) bzw. *Tropaeum Traiani/*Adamklissi (RO) mit der westlichen Schwarzmeerküste, an der eine weitere Durchgangsstraße entlangführte. Von besonderer Bedeutung waren seit trajanischer Zeit auch die drei Hauptrouten, die über die Donau in das Innere Dakiens führten, von denen die mittlere, die *Ad Pontes/* Kostol (YU) und *Drobeta/*Turnu Severin (RO) mit *Sarmizegetusa/*Várhely (RO) die wichtigste war, weil nur hier seit 105 eine Brücke den Fluß überquerte.

Viel Mühe verwendete man auch auf die Schiffbarmachung des *Danuvius/*Donau, der hier bis in das 1. Jh. v. Chr. hinein noch den älteren Namen *Istros* oder *Hister* trug. Seine wachsende Bedeutung als Transportweg für das Militär wie für den Fernhandel machte schon früh den systematischen Ausbau dieser Schiffahrtsstraße notwendig. Zweifellos wäre es für die römischen Straßenbauer einfacher gewesen, den engsten Teil des Donaudurchbruchs zwischen *Taliata/*Donji Milanovac (YU) und *Egeta/*Brza Palanka (YU) auf direktem Wege zu umgehen. Daß man dennoch schon unter Tiberius (14–37) im sog. Eisernen Tor – dem linken Flußufer folgend – unter schwierig-

211

sten technischen Bedingungen einen hölzernen Treidelpfad baute, der mit Querbalken in der Felswand verankert war, ist nur mit den besonderen Erfordernissen der Schiffahrt auf dem Fluß zu erklären. Verschiedene Felsinschriften römischer Kaiser von Tiberius bis Traianus, angebracht an Stellen, die per Schiff besonders schwierig zu passieren waren, belegen die intensiven Bemühungen der kaiserlichen Administration, die Donau durchgängig als Schiffahrtsweg zu nutzen. Dabei war es unter Traianus (98–117) technisch wie organisatorisch offenbar kein Problem, den durch Eisgang ramponierten Treidelsteg völlig neu zu errichten, indem man eine bis zu 3 m breite Trasse in den Felsen schlug, um der eingesetzten Stegkonstruktion mehr Halt zu geben, oder aber den Fluß an einer besonders schwierigen Passage *ob periculum cataractorum* durch den Bau eines fast drei Kilometer langen Seitenkanals schiffbar zu machen.

In wirtschaftlicher Hinsicht bestanden deutliche Unterschiede zwischen den beiden Mösien. Während die weiten Ebenen an der unteren Donau bestes Getreideland waren und dieses Gebiet noch in der Spätzeit als ein *horreum Cereris* galt, beschränkte sich die Landwirtschaft in *Moesia superior* im wesentlichen auf wenige donaunahe Flächen wie etwa zwischen *Ratiaria* und *Bononia/*Vidin (BG) oder die Mündungsebene des *Margus/*Morawa zwischen *Aureus mons/*Seona (YU), *Viminacium* und *Cuppae/*Golubac (YU). Dagegen spielte die Viehzucht im hügeligen und bergigen Hinterland eine wesentlich größere Rolle, wohin sich mit

Abb. 210 Iatrus/Krivina (BG). Blick von Süden über das Grabungsgelände des spätrömischen Kastells. Luftaufnahme des Jahres 1995. Im Hintergrund die Donau.

Abb. 211 Sog. Eisernes Tor bei Orşova (RO). Rekonstruktion des römischen Treidelpfades frühtrajanischer Zeit auf der linken Seite der Donau. Nach P. CONNOLLY.

212

der römischen Eroberung große Teile der noch verbliebenen einheimischen Bevölkerung zurückgezogen hatten. Eine besondere Bedeutung besaß vor allem der Bergbau in Dardanien, dem südlichen Teil des oberen Mösien, dessen Bewohner trotz Reduzierung, Umsiedlung oder Rekrutierung von den Römern nie ganz botmäßig gemacht werden konnten. Eines der wichtigsten Bergbauzentren war neben *Argentares*/Rgotina (YU) und der Gegend um das *MVN(icipium) D(ar)D(anorum)* beim heutigen Sočanica (YU) die Stadt *Ulpianum* (oder *Ulpiana*) südlich von Pristina im heutigen Kosovo, wo in den umliegenden Bergwerken vor allem Gold, Silber und Blei abgebaut wurden.

Das archäologische Fundgut aus einheimischen Siedlungen, vor allem aus dem Innern des oberen Mösien, verdeutlicht, daß die Romanisierung hier im wesentlichen auf die Militärzone entlang der Donau sowie auf wenige Punkte im Landesinnern beschränkt blieb, die aus strategischen oder wirtschaftlichen Gründen wichtig waren. Dagegen behielten Möser, Tricornenser und vor allem Dardaner abseits städtischer Siedlungen ihre gewohnte Lebensweise bei, zu der offensichtlich auch das inschriftlich auffallend häufig belegte Räuberunwesen gehörte. So waren die Römer z. B. gezwungen, zur Sicherung der Durchgangsstraße und der dort liegenden Bergwerke entlang des *Timacus*/Timok zwischen dem Donauhafen *Aquae*/Prahovo (YU) und *Naissus*/Niš (YU) eine Reihe von Kastellen anzulegen und mit Truppen zu besetzen.

Mit dem Beginn des 3. Jhs. verstärkte sich nicht nur diese innere Gefahr zuse-

hends, sondern es wuchs vor allem auch der Druck auf die niedermösische Donaugrenze zwischen *Oescus*/Gigen (BG) und *Salsovia*/Mahmoudia (RO) im Donaudelta. Hier hatten zwar die langjährigen Auseinandersetzungen unter M. Aurelius (161–180) mit den Jazygen in der westlichen Walachei zu einer längerfristigen Beruhigung geführt, doch waren weiter östlich in der Zwischenzeit – ähnlich wie im Westen des Reiches – größere Stammesverbände entstanden, wobei von den Alanen und Goten, die andere Stämme wie die Roxolanen in ihrer Mehrheit an sich zogen, in der Folgezeit die größte Gefahr ausging. Dagegen blieben die Jazygen als eigenständiger Stamm bestehen, der den Römern vor allem an der niederpannonischen Front auch weiterhin schwer zu schaffen machte. Mehrere Einbrüche und Überfälle auch anderer Stämme wie der dakischen Karpen (238), in erster Linie aber der Goten mit ihren Verbündeten, brachten nicht nur der grenznahen Bevölkerung eine Zeit voller Unruhe und Zerstörung, sondern ebenso auch dem Hinterland, zumal sich die Eingedrungenen stark genug fühlten, selbst befestigte Städte wie *Istrus, Marcianopolis* oder auch das thrakische *Philippopolis* zu belagern, und einmal sogar bis *Tessalonica* vordrangen. Erst Claudius II. (268–270), der hierfür den Beinamen *Gothicus maximus* erhielt, gelang es, die Goten bei *Naissus* vernichtend zu schlagen und einen Teil von ihnen auf römischem Boden anzusiedeln und zu römischen Soldaten zu machen. Da die Übergriffe und Kämpfe jedoch auch danach nicht aufhörten, sah sich sein Nachfolger Aurelianus (270–275) gezwungen, die Provinz *Dacia* aufzugeben und sie den immer zahlreicher werdenden Feinden Roms zu überlassen (S. 205).

Die Aufgabe Dakiens im Jahre 271 und die Umsiedlung großer Teile der romanisierten dakischen Bevölkerung auf mösischen und thrakischen Boden führte bereits unter Aurelianus zur Bildung der neuen Provinzen *Dacia ripensis* und *Dacia mediterranea*. Die dadurch ohnehin schon reduzierte Provinz *Moesia superior* wurde dann unter Diocletianus (284–305) nochmals in *Moesia I* mit dem alten Provinzzentrum *Viminacium*/Kostolac (YU) und *Dardania* mit der neuen Provinzhauptstadt *Naissus*/Niš (YU) unterteilt, während zur gleichen Zeit aus *Moesia inferior* die neuen Grenzprovinzen *Moesia II* mit *Novae*/Staklen (BG) und *Scythia* mit *Durostorum*/Silistra (RO) als Hauptorten entstanden. Später bildete das ehemalige Mösien mit dem benachbarten Thrakien eines der Kernstücke des Oströmischen und Byzantini-

schen Reiches. Vor allem Iustinianus I. (527–565) setzte nochmals alles daran, die Donaugrenze mit dem Bau neuer Festungen zu sichern. Doch schon seine Nachfolger mußten einsehen, daß diese Linie nicht dauerhaft zu halten war. Erst Basilios II. (976–1025) vermochte nochmals die Donaugrenze zurückzuerobern, ehe diese schließlich unter der Wucht des osmanischen Ansturms im 14. Jh. endgültig zusammenbrach.

Sowohl der westliche wie der östliche Teil des ehemaligen Mösien kann in archäologischer wie historischer Sicht als relativ gut erforscht gelten. Hierfür sorgen bis heute sowohl serbische, bulgarische wie rumänische Forscher, zu denen sich vereinzelt auch polnische, deutsche und britische Archäologen und Althistoriker gesellt haben. Einen besonderen Schwerpunkt hat in den letzten Jahrzehnten die Limesforschung eingenommen, die zwar als Heimat- und Lokalforschung begann, heute jedoch, und zwar schon einige Zeit, bevor sich die Grenzen zwischen Ost und West öffneten, intensiv auf internationaler Ebene betrieben wird. Grundlage sind vor allem eingehende topographische und historische Studien zur Identifizierung und Lage der Kastelle und Legionslager zwischen *Singidunum*/Belgrad (YU) und dem Donaudelta. Hier sind aus neuerer Zeit vor allem die systematische Erforschung des serbischen Teils des römischen Donaulimes sowie die langjährigen Grabungen einer bulgarisch-deutschen Forschergruppe im spätantiken Donaukastell *Iatrus*/Krivina (BG) (Abb. 210), die bis heute andauernde bulgarisch-polnische Großgrabung im ehemaligen Legionslager von *Novae* und die bulgarischen Untersuchungen in *Abritus*/ Razgrad (BG) besonders hervorzuheben. Zu einem weiteren Forschungsschwerpunkt ist auch *Durostorum*/Silistra an der bulgarisch-rumänischen Grenze geworden, wo es inzwischen gelungen ist, auf Grund älterer Erkenntnisse und neuerer Grabungen Militär- und Zivilgebiet topographisch zu trennen und festzulegen. Zu erwähnen sind schließlich die Arbeiten der rumänischen Limesforschung in der Dobrudscha, die sich in letzter Zeit vor allem auf die ehemaligen Kastelle *Sacidava* und *Halmyris*/Independenta konzentriert haben, während etwa das Gebiet des ehemaligen Legionslagers *Troësmis*/Iglita (RO) bis heute auf seine Freilegung wartet.

Abb. 212 Oescus/Gigen (BG). Säulen und Architekturüberreste entlang des decumanus maximus vor dem Fortunatempel der römischen Stadt. Blick von Westen.

Besonderes Gewicht hat daneben aber auch die Erforschung städtischer Anlagen in der Limeszone sowie im Hinterland. Als beispielhaft können hier die langjährigen Grabungen in *Oescus*/Gigen (BG) und *Nicopolis ad Istrum* angesehen werden, wo schon seit einigen Jahren eine bulgarisch-britische Gruppe tätig ist. Ein besonderes Anliegen der einheimischen Forschung ist insbesondere die Klärung ethnischer Fragen, die zum einen das Mit- und Gegeneinander der Bevölkerung diesseits und jenseits der Donau zum Inhalt haben, zum anderen das Verhältnis der autochthonen Bevölkerung zu den römischen Eroberern sowie die Auswirkungen des Angleichungs- und Romanisierungsprozesses. Da über diese Vorgänge so gut wie keine schriftlichen Zeugnisse existieren, kommt – von wenigen aussagekräftigen Inschriften abgesehen – der Archäologie bei der Lösung dieser und ähnlicher Fragen eine besondere Rolle zu. Ohne Zweifel ist das besondere Interesse für gesellschaftliche Fragen auch auf die Tatsache zurückzuführen, daß die althistorische und archäologische Forschung in Ländern wie Rumänien, Bulgarien oder auch im serbischen Teil des ehemaligen Jugoslawien in starkem Maße vom marxistischen Geschichtsverständnis geprägt ist.

Eine zusammenfassende Darstellung, die auch die Rolle der Archäologie als Hilfswissenschaft der Altertumskunde in angemessener Form berücksichtigt, gibt es bisher nur für *Moesia superior*, wobei der Autor die mittleren Donauprovinzen zu einem Komplex zusammengefaßt hat: A. Mócsy, *Pannonia and Upper Moesia. A history of the middle Danube provinces of the Roman Empire* (1974).

V. Beschevliev/J. Irmscher, *Antike und Mittelalter in Bulgarien* (1960); Ch. M. Danov, s. v. Moesia, in: *RE Suppl.* 9 (1962) 1011 ff.; D. Detschew, *Antike Denkmäler aus Bulgarien*, in: *JÖAI* 31, 1939 Beibl. 127 ff.; M. Fluss, s. v. Moesia, in: *RE* 15.2 (1932) 2350 ff.; B. Gerov, *Beiträge zur Geschichte der römischen Provinzen Mösien und Thrakien. Gesammelte Aufsätze* (1980); Ders., *Inscriptiones latinae in Bulgaria repertae* (1989); R. F. Hoddinott, *Bulgaria in antiquity* (1975); *IMS* = *Inscriptions de la Mésie Superieure* I (1976). II (1986). IV (1979). VI (1982); *ISM* = *Inscriptiones Scythiae Minoris* I–V (1983 ff.); A. Mócsy, *Untersuchungen zur Geschichte der römischen Provinz Moesia Superior*, in: *Act. Arch. Acad. Scient. Hung.* 11, 1959, 283 ff.; Ders., *Die Vorgeschichte Obermösiens im hellenistisch-römischen Zeitalter*, in: *Act. Ant. Acad. Hung.* 14.1–2, 1966; C. Patsch, *Aus 500 Jahren vorrömischer und römischer Geschichte Südosteuropas* (1932); Ders., *Der Kampf um den Donauraum unter Domitian und Trajan* (1937); A. G. Poulter (ed.), *Ancient Bulgaria. Symposium Nottingham 1981*, 2 Bde. (1983); K. Strobel, *Die Donaukriege Domitians* (1989); A. Suceveanu/A. Barnea, *La Dobroudja Romaine* (1991); M. Taceva/D. Bojadziev (eds.), *Studia in honorem Boris Gerov* (1990); V. Velkov, *Thrace and Lower Moesia during the Roman and late Roman epoch*, in: *Klio* 63, 1981, 473 ff.; Ders., *Geschichte und Kultur Thrakiens und Mösiens. Gesammelte Aufsätze* (1988); Ders./V. Najdenova/P. Petrov (eds.), *Acta Associationis Internationalis Terra Antiqua Balcanica* V (1990); H. Vetters, *Dacia Ripensis* (1951); R. Vulpe, *Histoire ancienne de la Dobroudja* (1938).

J. Fitz, *Die Laufbahn der Statthalter in der römischen Provinz Moesia Inferior* (1966); L. Mrozewicz, *Die Entwicklung der Munizipalverfassung und Fortschritte in der Romanisierung in Moesia Inferior* (1989); A. von Premerstein, *Die Anfänge der Provinz Moesien*, in: *JÖAI* 1, 1898, 146 ff.; A. Stein, *Die Legaten von Moesien* (1940).

A. Aricescu, *The army in Roman Dobrudja*, in: *BAR Int. Ser.* 86 (1980); J. Beneš, *Auxilia romana in Moesia atque Dacia. Zu den Fragen des römischen Verteidigungssystems im unteren Donauraum und den angrenzenden Gebieten* (1978); D. Benea, *Din istoria militară a Moesiei Superioare şi a Daciei. Legiunes a VII-a Claudia şi a IIII-a Flavia Felix* (1983); M. Biernecka-Lubanska, *The Roman and early Byzantine fortifications of Lower Moesia and northern Thrace* (1982); O. Bounegru/M. Zahariade, *Les forces navales du Bas Danube et la Mer Noire aux Ier–VIe siècles* (1996); E. Condurachi, *Classis Flavia Moesica au Ier siècle de n. e.*, in: D. M. Pippidi (ed.), *Actes du IXème Congrès international d'études sur les frontières romaines* (1974) 83 ff.; B. Filow, *Die Legionen der Provinz Moesia von Augustus bis auf Diokletian* (1906); H. Gajewska, *Topographie des fortifications romaines en Dobroudja* (1974); N. Gudea, *Der Limes Dakiens und die Verteidigung der obermösischen Donaulinie von Trajan bis Aurelian*, in: *ANRW* II 6 (1977) 849 ff.; P. Petrovic (ed.), *Roman Limes on the Middle and Lower Danube* (1996); A. Poulter, *The lower Danubian limes from Augustus to Aurelian*, in: D. J. Breeze (ed.), *The frontiers of the Roman Empire* (1986); A. Suceveanu, *Die römischen Verteidigungsanlagen an der Küste der Dobrudscha*, in: *BJ* 192, 1992, 195 ff.; E. Swoboda, *Forschungen am Obermoesischen Limes* (1939); R. Syme, *Rhine and Danube legions under Domitian*, in: *JRS* 18, 1928, 41 ff.; W. Wagner, *Die Dislokation der römischen Auxiliarformationen in den Provinzen Noricum, Pannonien, Moesien und Dacien von Augustus bis Gallienus* (1938); M. Zahariade/N. Gudea, *The fortifications of Lower Moesia* (1997).

AAVV., *Iatrus-Krivina. Spätantike Befestigung und frühmittelalterliche Siedlung an der unteren Donau* I–IV (1979-91). Dazu: G. von Bülow, *Das spätantike Kastell Iatrus am Unterdonau-Limes in Bulgarien*, in: *Ber. RGK* 75, 1994, 5 ff.; A. Dimitrova-Milceva, *Zum Problem der Datierung der frühesten Perioden des Militärlagers Novae*, in: AAVV., *Roman Frontier Studies 1989*, 271 ff.; P. Donevski, *Durostorum. Municipium Aurelium und das Lager der legio XI Claudia*, ebd. 277 ff.; Ders., *Zur Topographie von Durostorum*, in: *Germania* 68, 1990, 236 ff.; M. Fluss, s. v. Singidunum, in: *RE* III A 1 (1927) 245 ff.; T. Ivanov, *Abritus. A Roman castle and early Byzantine town in Moesia Inferior* (1980) m. engl. Res. 234 ff.; G. Kabakçieva, *Frührömische Militärlager in Oescus (Nordbulgarien)*, in: *Germania* 74, 1996, 95 ff.; P. Petrovic, *Ein Donauhafen von Trajan bei dem Kastell Aquae (Moesia Superior)*, in: AAVV., *Roman Frontier Studies 1989*, 295 ff.; B. Saria, s. v. Viminacium, in: *RE* VIII A 2 (1958) 2171 ff.

M. Mirkovic, *Einheimische Bevölkerung und römische Städte in der Provinz Obermösien*, in: *ANRW* ebd. 811 ff.; A. Mócsy, *Gesellschaft und Romanisation in der römischen Provinz Moesia Superior* (1970).

M. Mirkovic, *Urbanisierung und Romanisierung Obermösiens*, in: *Ziva antićka* 19, 1969, 239 ff.; Dies., *Rimski gradori u Gornjoj Mezii* (1970); D. M. Pippidi, *Les premiers rapports de Rome et des cités grecques de l'Euxin*, in: *Rivista storica dell'Antichità* 2, 1972, 17 ff.; A. G. Poulter, *Town and country in Moesia Inferior*, in: *Ancient Bulgaria* (1983) 74 ff.; A. Suceveanu, *Römische Städte im Donauraum*, in: AAVV., *Die römische Stadt im 2. Jahrhundert* (1992) 63 ff.; V. Velkov, *Roman cities in Bulgaria. Collected studies* (1980).

P. Alexandrescu/W. Schuller (Hg.), *Histria. Eine Griechenstadt an der rumänischen Schwarzmeerküste* (1990); I. Barnea u. a. (eds.), *Tropaeum Traiani* I. *Cetatea* (1979); E. Cerskov, *Municipium DD* (1970); M. Fluss, s. v. Naissus, in: *RE* XVI 2 (1935) 1589 ff.; G. Kabakcieva, *On the stratigraphy of Ulpia Oescus*, in: *Annuaire du Musée National Archéologique Bulgare* 9, 1993, 85 ff.; Dies.,

Archäologische Angaben über die frührömische Geschichte von Ulpia Oescus, in: AAVV., *Settlement life in ancient Thrace. Third International Symposium «Cabyle»* (1994) 148 ff.; D. M. Pippidi, *Epigraphische Beiträge zur Geschichte Histrias in hellenistischer und römischer Zeit* (1962); A. G. Poulter, *Nicopolis ad Istrum: A Roman, late Roman and early byzantine city* (1995); V. Velkov, *Ratiaria, eine römische Stadt in Bulgarien*, in: *Eirene* 5, 1966, 155 ff.

V. H. Baumann, *Ferma romana din Dobrogea* (1983); H. Bender, *Die ländliche Besiedlung und Landwirtschaft in Obermoesien während der Kaiserzeit (bis zum 5. Jahrhundert einschließlich)*, in: Ders./H. Wolff (Hg.), *Ländliche Besiedlung und Landwirtschaft in den Rhein-Donau-Provinzen des Römischen Reiches* (1994) 451 ff.; C. Dremsizova-Nelcinova, *La villa romaine en Bulgarie*, in: AAVV., *Congr. Int. Étud. Balk. et Sud-Est Europ. Sofia 1966* (1969) 503 ff.; J. Henning, *Die ländliche Besiedlung im Umland von Sadovec, Nordbulgarien (Vit-Tal), und die römischen Agrarstrukturen im europäischen Vorland von Byzanz*, in: H. Bender/H. Wolff (Hg.), ebd. 463 ff.; D. Nikolov, *Einige Bemerkungen zu den ländlichen Siedlungen der Spätantike in Thrakien und Niedermösien*, ebd. 505 ff.; Ders., *The Roman villa at Chatalka*, in: *BAR Int. Ser.* 17 (1976); A. G. Poulter, *Rural communities (vici and komai) and their role in the organisation of the limes of Moesia Inferior*, in: AAVV., *Roman Frontier Studies* 1979, 1980, 729 ff.

AAVV., *Die Schiffahrt auf der Donau und ihren Nebenflüssen durch die Jahrhunderte* (1983, serb.); J. Šašel, *Trajan's canal at the Iron Gate*, in: *JRS* 63, 1973, 80 ff.

L. Bjelajac, *Terra sigillata u Gornjoj Meziji. Import i radionice Viminacium-Margum* (1990); E. Gren, *Kleinasien und der Ostbalkan in der wirtschaftlichen Entwicklung der römischen Kaiserzeit* (1941); A. Milosevic, *The bricks from Sirmium* (1971); A. Mócsy, *Moesia Superior*, in: F. Vittinghoff (Hg.), *Europäische Wirtschafts- und Sozialgeschichte in der römischen Kaiserzeit* (1990) 595 ff.; B. Soultov, *Ancient pottery centres in Moesia Inferior* (1976); A. Suceveanu, *Viata economică in Dobrogea romană* (1977); H. Wolff (mit V. Velkov), *Moesia Inferior und Thrakien*, in: F. Vittinghoff ebd. 600 ff.; Ders., *Grundzüge einer Wirtschafts- und Sozialgeschichte der römischen Karpaten-Balkan-Provinzen* (1990).

I. Barnea u. a., *Tropaeum Traiani* II. *Monumentele romane* (1984); Ch. M. Danov/T. Ivanov, *Antike Grabmäler in Bulgarien* (1980); F. B. Florescu, *Das Siegesdenkmal von Adamklissi. Tropaeum Traiani* (1965); A. Frova, *La pittura romana in Bulgaria* (1943); T. Sarnowski, *Zur Statuenausstattung römischer Stabsgebäude. Neue Funde aus den Principia des Legionslagers Novae*, in: *BJ* 189, 1989, 97 ff.; G. G. Tocilescu (Hg.), *Das Monument von Adamklissi* (1895).

H. Delehaye, *Saints de Thrace et de Mésie*, in: *AB* 31, 1912, 161 ff.; A. Jovanovic, *Rimske nekropole na teritoriji Yugoslavije. Forms of burial in the territory of Yugoslavia in the time of the Roman Empire* (1984); Z. Kadar, *Der Kult der Heilgötter in Pannonien und den übrigen Donauprovinzen*, in: *ANRW* II 18.2 (1989) 1038 ff.; V. Najdenova, *The cult of Jupiter Dolichenus in Lower Moesia and Thrace*, ebd. 1362 ff.; Dies., *Mithraism in Lower Moesia and Thrace*, ebd. 1397 ff.; S. Sanie, *Kulte und Glauben im römischen Süden der Moldau (Ostrumänien)*, ebd. 1272 ff.; M. Taceva-Hitova, *Eastern cults in Moesia Inferior and Thracia* (1983); D. Tudor, *Corpus monumentorum religionis equitum Danuviorum* II (1969); V. Velkov/V. Gerassimova-Tomova, *Kulte und Religionen in Thrakien und Niedermösien*, in: *ANRW* ebd. 1317 ff.; L. Vidman, *Die ägyptischen Kulte in den Donauprovinzen*, ebd. 975 ff.; J. Zeiller, *Les origines chrétiennes dans les provinces danubiennes de l'Empire romain*, in: *Bibl. École Franç. Ath. Rome* 112 (1918); L. Zotovic, *Die Ausbreitung des Mithraskultes in Südosteuropa*, in: *ANRW* ebd. 1014 ff.; Ders./C. Jordovic, *Viminacium. Nekropola «Vise Grobalja»* (1990).

213

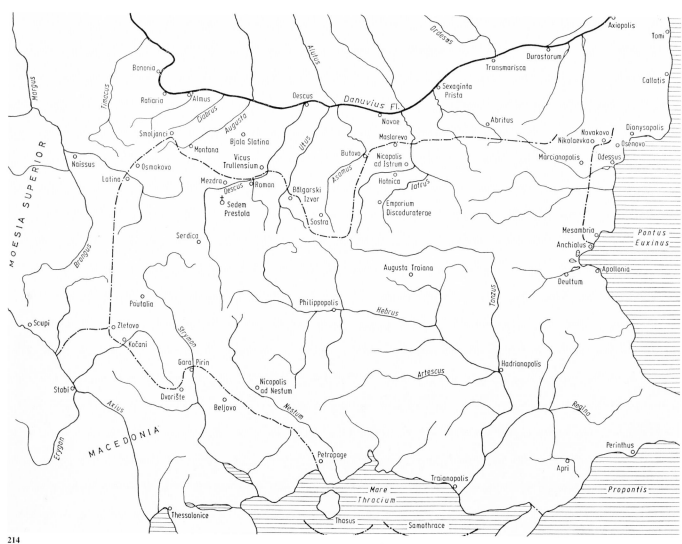

214

Thracia (45)

(Thracia) ... erstreckt sich von der Außenseite der Pontischen Küste bis tief in das Gebiet der Illyrer hinein; seine beiden Längsseiten umschließen der Ister (Donau) und das Meer. Die Gegend ist weder vom Klima noch vom Boden her erfreulich, und sofern sie nicht nahe am Meer liegt, ist sie unfruchtbar, kalt und nur in geringem Maße für Aussaat geeignet. Großzügiger ernährt die Gegend ihre Männer, nicht jedoch wegen ihrer äußeren Erscheinung, denn auch sie haben ein rauhes, häßliches Aussehen; vielmehr ist das Land besonders ergiebig für deren wilden Mut und große Zahl, denn es sind viele und rauhe Kerle.

POMPONIUS MELA (1. Jh.)

Mit der makedonischen Niederlage bei *Pydna* (168 v. Chr.), an der auf seiten des Perseus auch zahlreiche thrakische Einheiten beteiligt waren, und der endgültigen Umwandlung Makedoniens in eine römische Provinz (148 v. Chr.) wurden die Stämme Thrakiens unmittelbare Nachbarn Roms. Warum sich der Senat zu diesem Zeitpunkt damit begnügte, das zuvor zumindest in großen Teilen makedonisch kontrollierte Land nicht ebenfalls dem römischen Machtbereich einzugliedern, wird wohl hauptsächlich in der Unübersichtlichkeit der Berglandschaften der *Rhodope* und des *Haimos/*Balkan begründet gewesen sein sowie in der Wehrhaftigkeit der mehr als 20 Stämme Thrakiens (so STRABON), von denen schon HERODOTOS meinte, sie seien zahlreicher als die Inder, während THUKYDIDES die Skythen für noch zahlreicher hielt. Sicher spielte hierbei eine entscheidende Rolle, daß Roms militärische Kräfte zur gleichen Zeit vor allem in Hispanien und Nordafrika gebunden waren und eine Ausweitung der militärischen Unternehmungen auf das thrakische Bergland das Leistungsvermögen der jungen Großmacht wohl überfordert hätte. Allerdings wurden der Provinz *Macedonia* zwischen den Flüssen *Nestos/*Mesta und *Hebros/*Maritza auch Gebiete einverleibt, die – von griechischen Kolonien wie *Abdera, Amphipolis*

Abb. 213 Philippopolis/Plovdiv (BG). Das Theater der römischen Stadt vor der Wiederherstellung. 2.–3. Jh. Blick von Südwesten.

Abb. 214 Thracia Romana. Übersichtskarte der Provinz mit Städten, Siedlungen, Grenzen und geographischen Angaben. Nach B. GEROV.

oder *Philippi* abgesehen – ausschließlich thrakisch besiedelt waren. Dabei ging es der römischen Führung vor allem darum, mit dem Ausbau der *via Egnatia*, der alten Heerstraße am *Thracium mare*, eine durchgehende Straßenverbindung zwischen dem *Adriaticum mare* und dem *Bosporus* zu schaffen. Zur Sicherung dieser West-Ost-Verbindung – von CICERO sicher zu Recht als *via militaris* bezeichnet – wurde *Macedonia* 129 v. Chr. der Thrakische *Chersonnesos*, die heutige Gallipoli-Halbinsel, und das östlich anschließende Küstengebiet der *Propontis* mit der späteren Provinzhauptstadt *Perinthos/*Marmara Ereglisi (TR) hinzugefügt, Gebiete, die bis dahin unter pergamenischem Einfluß gestanden hatten.

Zu dieser Zeit glaubte man noch in Rom, das thrakische Kernland von Süden und Westen her wirkungsvoll kontrollieren zu können, ohne es zur Provinz machen zu müssen. Es kam zwar in der Folgezeit vor allem an der makedonischen Nordgrenze immer wieder zu Auseinandersetzungen mit den hier ansässigen thrakischen Stämmen, doch genügte meist ein energischer römischer Vorstoß in das Innere Thrakiens, um Stämme wie die Mäder, Dentheleten oder Besser für einige Zeit von weiteren Übergriffen abzuhalten. Dabei kam den Römern zu Hilfe, daß sich die wichtigsten und größten Stämme Thrakiens zu keiner Zeit zu einem gemeinsamen Vorgehen zusammenfanden und es römischen Feldherren und Verhandlungsführern damit leichtgemacht wurde, einen Stamm gegen den anderen auszuspielen. Gefährlich wurde es für Rom erst, als sich an der thrakischen Pontusküste Mithradates VI. seit 88 v. Chr. in den dortigen Griechenstädten und den angrenzenden thrakischen Stammesgebieten eine feste Basis für seine weitläufigen Unternehmungen schuf. Entsprechend energisch und brutal waren die römischen Gegenmaßnahmen, in deren Verlauf sich Feldherren wie C. Cornelius Sulla (85 v. Chr.) und M. Terentius Varro Lucullus (72/71 v. Chr.) auszeichneten, andere jedoch wie C. Antonius Hybrida (61 v. Chr.) oder L. Calpurnius Piso Caesoninus (57/56 v. Chr.) empfindliche Niederlagen einstecken mußten. Diese hatten zur Folge, daß *Macedonia* wiederholt von thrakischen Stammesverbänden verheert und ausgeplündert wurde und man sich zeitweise selbst in der Provinzhauptstadt *Tessalonica* derart bedroht fühlte, daß die Zitadelle der Stadt erneuert und in Vertei-

digungsbereitschaft versetzt werden mußte. Es wirkte sich hierbei besonders nachteilig aus, daß Rom in dieser Zeit mit großen innenpolitischen Problemen zu kämpfen hatte und seine militärischen Kräfte nach der Niederringung Mithradates' VI. erst wieder neu formieren mußte.

Während Rom mit dem nur kurze Zeit bestehenden Reich des Burebistas im nördlichen Thrakien keinerlei Berührung hatte, wurden vor allem die Stämme des südlichen Thrakien nach 44 v. Chr. direkt in die Auseinandersetzungen der ausgehenden Republik hineingezogen. In *Macedonia* übernahm M. Iunius Brutus 43 v. Chr. auf Beschluß des Senats die Führung der Provinz, zu deren Einflußsphäre auch das benachbarte Thrakien gehörte, dessen mächtigste Fürsten auf verschiedenen Seiten standen. So konnte es geschehen, daß der Thraker Rhaskuporis bei *Philippi* (42 v. Chr.) zunächst auf seiten des Brutus kämpfte, während sich sein Bruder Rhaskos zu M. Antonius und C. Octavianus bekannte und seinen Bruder gerade noch rechtzeitig vor dem entscheidenden zweiten Treffen auf die Seite der späteren Sieger herüberziehen konnte. Ähnlich verhielten sich thrakische Fürsten auch im Zusammenhang mit der entscheidenden Schlacht vor *Actium* (31 v. Chr.), in der Rhoimetalkes, ein Enkel des Rhaskuporis, rechtzeitig die Seite wechselte und kurz darauf der Astäer Kotys seiner romtreuen Haltung wegen im nördlichen Thrakien als Vasallenfürst eingesetzt wurde, um im Gebiet südlich der Donau im Namen Roms für Ruhe und Ordnung zu sorgen.

Daß dies in der Folgezeit nur unvollkommen gelang, zeigen zahlreiche Nachrichten von Einfällen dakisch-getischer Stämme im nördlichen Thrakien sowie kriegerische Aktionen und Aufstände derjenigen thrakischen Stämme, die wie die Serden, Dentheleten, Mäder oder Besser den Römern nach wie vor feindlich gesinnt blieben. Große Anstrengungen mußten auf römischer Seite unternommen werden, um vor allem eine Gefährdung des Friedens in Makedonien abzuwenden und die feindlichen Thraker in Schach zu halten. Dies gelang in der folgenden Zeit besser, weil die Römer seit etwa 22 v. Chr. mit dem Sapäer Rhoimetalkes (I.), der Kotys als Vasallenfürst gefolgt war und seit dem Tode seines Neffen Rhaskuporis allein regierte, einen starken Partner in Thrakien besaßen. Als dieser noch vor dem Jahre 14 starb, wurde das Gebiet südlich des

Haimos/Balkan seinem Sohn Kotys zu-gewiesen, während man seinem Bruder Rhaskuporis den Schutz der *ripa Thraciae* übertrug, ein Grenzgebiet, das zwischen dakisch-getischen und nordthrakischen Stämmen heiß umkämpft war und später ein Teil der Provinz *Moesia* wurde.

Doch die ‹romgewollte› Ordnung hielt nicht. Rhaskuporis, der den kleineren und ärmeren Teil des Landes erhalten hatte, ließ seinen Bruder aus dem Weg räumen und versuchte Tiberius (14–37) weiszumachen, er sei nur einem Komplott gegen sich selbst zuvorgekommen. Daß dieser, dem die ‹Version› des Thrakers wenig glaubhaft erschien, zunächst nichts gegen Rhaskuporis unternahm, hatte seinen Hauptgrund darin, daß der *ripa Thraciae* im Verteidigungssystem des Reiches eine wichtige Funktion zukam, dieser Grenzbereich jedoch lediglich durch zwei in Mösien stehende Legionen geschützt war und Rhaskuporis demgegenüber im Ernstfall auf eine wesentlich stärkere Streitmacht zählen konnte. Allerdings gelang es den Römern wenig später auf diplomatischem Wege, den unbequemen Vasallen unter falschen Versprechungen nach Makedonien zu locken, ihn gefangenzusetzen und nach Rom zu bringen, wo er verurteilt wurde, um ihn anschließend nach Ägypten zu verbannen, wo er – wie es hieß – bei einem Fluchtversuch ums Leben kam.

Ihn beerbte im Jahre 18 sein Sohn C. Iulius Rhoimetalkes (II.), der bereits zu Lebzeiten seines Vaters seine Romtreue hinreichend unter Beweis gestellt hatte und zu dessen Herrschaftsgebiet der Kaiser südlich des *Haimos* zwischen *Philippopolis*/Plovdiv (BG) und dem Golf von Burgas eine breite Zone fruchtbaren Ackerlandes hinzufügte. Andererseits wurde der verkleinerte südliche Landesteil Thrakiens dem Prätorier T. Trebellenus Rufus unterstellt, der als Vormund für die noch unmündigen Kinder des Kotys agierte und gemeinsam mit Rhoimetalkes gegen den Willen der Mehrzahl der thrakischen Stämme die römischen Interessen im Land vertrat. Der Unwille der Thraker entlud sich nochmals in zwei heftigen Aufständen (21 und 26), vor allem als die Römer in größerem Stil damit begannen, Truppenaushebungen vorzunehmen und die neugebildeten Kontingente außerhalb Thrakiens einzusetzen. Nur mit Mühe und List gelang es einem starken römischen Heer, den Widerstand der thrakischen Bergstämme zu brechen. Doch noch immer zögerte Rom, das Land endgültig zur Provinz zu machen. Vielmehr überließ Caligula (37–41) die Herrschaft über ganz Thrakien seinem

Freund Rhoimetalkes, mit dem er gemeinsam in Rom erzogen worden war. Erst als dieser schließlich im Jahre 44 einem Komplott zum Opfer fiel, dessen Anstifterin seine eigene Gattin war, sah man in Rom die Zeit gekommen, die ‹Eigenständigkeit› Thrakiens zu beenden und das Land zur Provinz zu machen (45).

Der Grenzziehung der Provinz *Thracia* ist unschwer anzusehen, daß die Römer eine reine Binnenprovinz schaffen wollten, die ohne militärische Struktur auskommen sollte. Zu diesem Zweck wurde das Gebiet der *ripa Thraciae* abgetrennt und der Provinz *Moesia* zugeschlagen; dennoch hielt sich der alte Name bis weit in das 2. Jh. hinein. Das thrakische Kernland wurde in zahlreiche Verwaltungsdistrikte – sog. Strategien – unterteilt, die von Vertretern des thrakischen Stammesadels geführt wurden. Wie sehr sich gerade diese Gesellschaftsschicht mit den römischen Machthabern ‹einließ›, um ihre eigene Herrschaftsbasis zu erhalten, zeigt eine claudische Inschrift vom Ostufer des *Nestos*/Mesta mit den Namen von 33 thrakischen ‹Strategen› jener Zeit, unter denen diejenigen besonders auffallen, die außer ihren thrakischen Namen das kaiserliche Pränomen und Gentiliz *Tiberius Claudius* angenommen hatten (vgl. D. LAZARIDES, *Arch. Eph.* 1953–54, 233 ff.). Verwaltet wurde *Thracia* zunächst von einem kaiserlichen *procurator*, ehe wahrscheinlich Traianus die Provinz einem prätorischen *legatus Augusti pro praetore* unterstellte. Dieser hatte seinen Amtssitz nicht im Zentrum der Provinz – etwa in *Bizye*/Vizeh (TR), dem alten Stammesmittelpunkt der Astäer –, sondern in *Perinthos*/Marmara Ereglisi (TR), einer alten samischen Kolonie an der *Propontis*, dem heutigen Marmarameer, die nach dem Tode des Aurelianus (275) den Namen *Herakleia* erhielt. Zu einem weiteren Zentrum der Provinz wurde *Philippopolis*/Plovdiv (BG), wo seit dem 2. Jh. der thrakische ‹Landtag› – das κοινὸν Θρᾳκῶν– seinen Sitz hatte.

Mit der Einrichtung der neuen Provinz schlossen die Römer die problematische Lücke zwischen den Provinzen *Macedonia* und *Moesia*. Obwohl PTOLEMAIOS die Mündung des *Nestos* und damit den Lauf dieses Flusses als thrakisch-makedonische Westgrenze nennt, sprechen andere gewichtige Zeugnisse dafür, daß die Grenze westlich des Flusses verlief und wahrscheinlich am Scheitelpunkt des Golfs von Kavalla begann. Sie überschritt bei dem Dorf Pirin (BG) den *Strymon*/Struma, beschrieb einen kleinen Bogen nach Südwesten und kreuzte in der Gegend der Stadt Kozani (GR) die

Bregalnica, einen Nebenfluß des *Axios*/Vardar. Von dort aus verlief die Grenze in nördlicher Richtung, erreichte bei der Straßenstation *Latina*/Glago, Bez. Bela Palanka (YU), den *Margus*/Morawa, überschritt den Gebirgskamm des *Haimos* (lat. *Haemus*) und erreichte beim heutigen Dorf Smoljanci im Quellgebiet des *Ciabrus*/Cibrica den Punkt, an dem nach PTOLEMAIOS die Grenzen Thrakiens, des oberen und des unteren Mösien zusammentrafen. Von hier aus bildete im wesentlichen der mächtige Gebirgszug des Balkan die Nordgrenze der Provinz, die sich vom *Timacus*/Timok bis zum *Pontus Euxinus*, dem Schwarzen Meer, erstreckte. Dabei ist sicher, daß etwa die trajanischen Stadtgründungen *Nicopolis ad Istrum* nahe Nikup (BG) und *Marcianopolis*/Reká Dévnja (BG) ursprünglich zu Thrakien gehörten, ehe die Provinzgrenze spätestens unter Septimius Severus (193–211) weiter nach Süden verlegt wurde und die beiden Städte zu *Moesia inferior* kamen.

Ein eigenes Territorium bildeten offenbar die westpontischen Griechenstädte zwischen *Mesambria*/Nessebar (BG) und *Dionysopolis*/Balcik (BG), die schon früh den Status von *civitates foederatae* besaßen und den besonderen Schutz Roms genossen. Südwärts des Golfs von Burgas war die thrakische Ostgrenze mit der Schwarzmeerküste identisch. Allerdings verfügte die Stadt *Byzantium*/Istanbul (TR) auf beiden Seiten des *Bosporus* über ein nicht unbeträchtliches Territorium. Ursprünglich gehörte sie bis weit in das 2. Jh. hinein zu *Pontus et Bithynia*, ehe sie Septimius Severus auf Grund ihrer Parteinahme für Pescennius Niger zu einer thrakischen Dorfgemeinde degradierte und sie mit ihrem Territorium der Provinzhauptstadt *Perinthos* zuschlug. Auch im Süden Thrakiens folgte die Provinzgrenze im wesentlichen den dortigen Küstenlinien der *Propontis* und des Ägäischen Meeres, dessen nördlichster Abschnitt noch heute als Θρακικὸν πέλαγος bezeichnet wird (lat. *Thracium mare*). Ausgespart war nur der Thrakische Chersones, die heutige Halbinsel von Gallipoli, die als kaiserliche Domäne von einem *procurator* verwaltet wurde. Dagegen gehörten zur Provinz nicht nur die Insel *Prokonnesos*/Marmara Adasi in der *Propontis*, sondern auch die nordägäischen Inseln *Thasos* und *Samothrake*, wahrscheinlich für eine bestimmte Zeit auch die Insel *Imbros* gegenüber der strategisch so wichtigen Einfahrt in die Dardanellen.

Die Erschließung Thrakiens in seinem Innern hatte bereits unter makedonischem Einfluß begonnen, als dort die ersten Siedlungen nach griechischem Vorbild entstanden und sich Plätze wie *Philippopolis*/Plovdiv (BG), *Kabyle*/Kabile (BG), *Masteira* beim heutigen Mladinovo (BG) oder *Drongilon*, nahe Byzantium – alle im Stromgebiet von *Hebros*/Maritza und *Tonzos*/Tundza gelegen –, zu respektablen Städten entwickelten. Vorherrschend blieb jedoch auch in römischer Zeit die Siedlungsform der κῶμαι oder *vici*, die allerdings unter besonderen Bedingungen als Stammes- und Verkehrszentren zu wichtigen Marktflecken und Handelsplätzen werden konnten. Demgegenüber scheinen die Römer zunächst nicht an einer weiteren Erschließung des Innern ihrer neuen Provinz und der Ausbeutung ihrer natürlichen Reichtümer interessiert gewesen zu sein. Wie frühe Inschriften lehren, ging es ihnen in erster Linie um die Sicherung der Haupthandelswege zwischen West und Ost sowie den Schutz der Donaugrenze zwischen *Ratiaria*/Arčar (BG) und dem Donaudelta, dem Landstreifen, der als *ripa Thraciae* seit 45 verwaltungsmäßig zu *Moesia* gehörte.

Eine erste Militärkolonie entstand mit *Apri* bereits unter Claudius (41–54) an der *via Egnatia* im Süden der Provinz. Unter Nero (54–68) ist von Bauarbeiten an zwei Hauptrouten der Provinz die Rede, während Vespasianus (69–79), der seine Laufbahn als Militärtribun in Thrakien begann und das Land aus eigener Anschauung kannte, unweit der Bucht von Burgas die strategisch wichtige Veteranenkolonie *Deultum*/Debelt (BG) anlegen ließ. Daneben wurden offenbar gezielt römische Bürger und Veteranen auch in den größeren städtischen Zentren entlang der Hauptverkehrsstraßen im Innern Thrakiens angesiedelt, die römische Produktionsformen einführten, die heimische Agrar- und Viehwirtschaft belebten und damit günstige Voraussetzungen für die weitere Entwicklung schufen.

Ihren Höhepunkt erreichte die Kolonisierung und Urbanisierung des Landes unter Traianus (98–117). Grundvoraussetzung für diese Entwicklung war die Eroberung Dakiens bis zum Karpatenbogen, wodurch die Grenze an der unteren Donau entlastet und die Sicherheit für *Thracia* erhöht wurde. Daneben hat jedoch sicher auch der große Reichtum Dakiens an Edelmetallen, Kupfer, Eisen, Salz und wertvollen Hölzern die Römer zur Eroberung dieses Landes bewogen. Dieser Reichtum kam nun auch Thrakien

215

Abb. 215 Perinthos/Marmara Ereglisi (TR). Grabmonument des Legionstribunen T(itus) Flavius Mikkalus. Ende des 1. Jhs. Istanbul, Archäologisches Museum.

zugute, wo Traianus eine rege Bautätigkeit entfaltete, neue Städte wie *Augusta Traiana*/Stara Zagora (BG) und *Marcianopolis*/Reká Dévnja (BG) gründete und bestehende wie *Serdica*/Sofia (BG), *Pautalia*/Kijustendil (BG) und *Nicopolis ad Istrum* bei Nikup (BG) weiter ausbauen ließ. Unter Hadrianus (117–138) nahmen derartige Aktivitäten zwar wieder ab, doch entstand unter ihm mit *Hadrianopolis*/Edirne (TR) ein neues städtisches Zentrum am Zusammenfluß von *Hebros* und *Tonzos*, das an der wichtigsten West-Ost-Route Thrakiens zwischen *Singidunum*/Belgrad (YU) und *Byzantium*/Istanbul (TR) lag.

Die wirtschaftlichen Grundlagen Thrakiens bildeten Ackerbau und Viehzucht, vor allem in den fruchtbaren Ebenen und Hügellandschaften des *Hebros-Tonzos*-Gebietes sowie östlich des *Hebros* zwischen dem Marmara- und dem Schwarzen Meer. Daneben spielte offenbar der Abbau von Bodenschätzen eine gewisse Rolle wie etwa in der Gegend von *Pautalia*/Kijustendil (BG), wo bereits die Führer der Dentheleten, deren Zentrum die Stadt am *Strymon*/Struma war, in den reichen Erzgängen der Umgebung Gold, Silber, Blei, Kupfer und Eisen hatten abbauen lassen. Entsprechend spielte die Metallgewinnung und -verarbeitung für die weitere Entwicklung gerade dieser Gegend eine besondere Rolle, zumal mit der Land- und Holzwirtschaft wichtige Erwerbszweige hinzukamen. Zwar setzte sich das Lateinische als Amts- und Umgangssprache gegenüber den zahlreichen thrakischen Dialekten allmählich durch, doch kann man auch für das 2. Jh. noch nicht von einer durchdringenden Romanisierung des Landes sprechen. Dieses galt vielmehr in römischen Augen in vielem als rückständig, was allerdings auch zeigt, daß am Alten festgehalten wurde und sich thrakische Lebensweise und Religionsvorstellungen z. T. bis in die Spätantike bewahrt haben. Wichtig war Thra-

kien allerdings für die Reichsregierung zu allen Zeiten als Rekrutierungsgebiet für zahlreiche Hilfstruppen an den römischen Grenzen – seit dem 3. Jh. auch für die Legionen. Besondere Achtung genossen die thrakischen Reiter, deren Heros, der sog. thrakische Reitergott, im Reich weite Verbreitung fand.

Bereits unter Antoninus Pius (138–161) begann auch für *Thracia* eine Zeit der Unruhe und Angst, was schon damals etwa in der Gegend von *Serdica*/Sofia (BG) zur Anlage zahlreicher Kleinkastelle (*praesidia, burgi*) und Fluchttürme (*fruri*, griech. φρούρια) führte. Dennoch wurde die Provinz von einer ganzen Serie feindlicher Einfälle heimgesucht, die sich über drei Jahrzehnte hinzogen, ehe unter Septimius Severus (193–211) wieder eine Periode relativer Ruhe einsetzte, die bis Ende der dreißiger Jahre des 3. Jhs. anhielt. Besonders tatkräftig war hier das Wirken des Kaisers Maximinus (235–238), der selbst Thraker war und sich in seiner zwar kurzen, aber erfolgreichen Regierungszeit vor allem auf Truppen thrakischer Herkunft stützen konnte, die treu zu ihm standen.

In der Folgezeit führten jedoch die Überbeanspruchung der militärischen Kräfte des Reiches durch den fortwährenden Zweifrontenkrieg gegen die Germanen im Westen und die Parther im Osten sowie die Rivalitäten immer zahlreicher auftretender Thronprätendenten zu immer wieder neuen Unruhen und Einbrüchen, denen die Truppen am niedermösischen Donaulimes nicht gewachsen waren. Vor allem die Goten und mit ihnen Karpen und Burgunder fielen immer wieder in Thrakien ein, überschwemmten mit ihren Scharen das Innere der Provinz und drangen zeitweise bis nach *Tessalonica*/Thessaloniki (GR) vor. Sie eroberten Städte wie *Philippopolis*/Plovdiv (BG) und ließen sich auch nicht durch das kaiserliche Heer unter Traianus Decius (249–251) aufhalten, der in der Schlacht bei *Abrit(t)us*/Razgrad (BG) sein Leben verlor. Erst Claudius II. verdiente sich den Beinamen *Gothicus maximus* zu Recht, als er die Goten und ihre zahlreichen Verbündeten 269 bei *Naissus*/Niš (YU) entscheidend schlug und viele von ihnen als *coloni* auf mösischem und thrakischem Boden ansiedelte.

Mit der Aufgabe Dakiens durch Aurelianus (270–275) und die Umsiedlung großer Teile der romano-dakischen Bevölkerung in die Gebiete südlich der unteren Donau beginnt der letzte Abschnitt des römischen Thrakien. Damals entstanden im Westen Thrakiens unter Hinzunahme mösischen Provinzbodens mit *Dacia ripensis* und der Hauptstadt *Ratiaria*/Arčar (BG) und *Dacia mediterranea* und der Hauptstadt *Serdica*/Sofia (BG) zwei neue Provinzen, die unter Diocletianus (284–305) der neueingerichteten *dioecesis Moesiarum* zugeordnet wurden. Zu diesem Zeitpunkt wurde auch das übrige Thrakien geteilt, das seitdem zur *dioecesis Thraciae* gehörte und aus vier Provinzen bestand. *Thracia* hieß nun nur noch das westliche Kernland der alten Provinz mit der Hauptstadt *Philippopolis*, während der östliche Teil mit der Hauptstadt *Hadrianopolis*/Edirne (TR) den Namen *Haemimontus* erhielt. Auch der Süden des Landes wurde geteilt. Im Westen gab das *Rhodope*-Gebirge den Namen für eine neue Provinz, deren Hauptstadt vielleicht *Aenus*/Enez (TR) war, während die bisherige thrakische Provinzhauptstadt *Perinthos*/Marmara Ereglisi, die jetzt *Herakleia* hieß, zum Zentrum der neuen Provinz *Europa* unweit des *Bosporus* wurde, wo nach althergebrachter Tradition Ost und West, Asien und Europa, aufeinanderstießen. Mit der Reichsteilung durch Theodosius I. (379–395) wurde Thrakien ein Teil Ostroms und bildete später eines der Herzstücke des byzantinischen Reiches, das zwischen Byzantinern und Slawen, Awaren, vor allem aber Bulgaren jahrhundertelang heiß umkämpft war, bis dieses Gebiet schließlich im 14. Jh. in die Hand der Osmanen fiel.

In Thrakien, dessen ‹Rückständigkeit› in römischen Augen offenbar sprichwörtlich war, hat sich nur dort, wo Städte oder stadtähnliche Ansiedlungen entstanden, römische Zivilisation ausbreiten können. Entsprechend gering ist deshalb auch der archäologische Niederschlag dieser Zeit auf thrakischem Boden. Es kommt freilich hinzu, daß die wissenschaftliche Erforschung römischer Hinterlassenschaften auf dem Boden des heutigen Bulgarien eigentlich erst seit den 1950er Jahren in ein ernsthafteres Stadium getreten ist. Dabei hat sich das Hauptau-

genmerk bulgarischer Althistoriker vor allem auf die Erforschung des überlieferten Inschriften- und Münzmaterials konzentriert, das noch am ehesten Rückschlüsse auf das Leben in diesem entfernten Winkel des Römischen Reiches zuließ, während sich andere Quellen hierüber fast völlig ausschweigen. Dagegen bilden Ausgrabungen größeren Stils bis heute eher die Ausnahme, zumal einstige Zentren der römischen Provinz wie *Philippopolis*, *Serdica* oder *Odessos*/ Varna (BG) heutzutage von modernen Großstädten überbaut sind und sich römische Architekturüberreste im wesentlichen auf die heute noch existierenden Befestigungsmauern beschränken, von denen im Einzelfall nicht einmal sicher ist, ob ihre Entstehung bis in die mittlere Kaiserzeit zurückgeht.

Noch schlechter ist es ohne Zweifel um die Erforschung des südöstlichen Teils des alten Thrakien bestellt, der heute auf türkischem Boden liegt. Stellvertretend für andere Plätze sei hier auf die Stätte der alten samischen Kolonie und späteren römischen Provinzhauptstadt *Perinthos* am nördlichen Ufer des Marmara-Meeres verwiesen, die bis in jüngste Zeit militärisches Sperrgebiet war. Systematische Untersuchungen haben hier bis heute nicht stattgefunden. Nur gelegentlich war von bedeutenden Zufallsfunden die Rede wie z. B. 1964, als im heutigen Marmara Ereglisi beim Bau einer Feriensiedlung mehrere Reliefblöcke eines römischen Grabmonuments des 1. Jhs. zutage traten, auf denen der Reiteroffizier T. Flavius Mikkalus im Kreise seiner Kameraden abgebildet ist (Abb. 215; heute im Archäologischen Museum Instanbul).

Eine zusammenfassende Darstellung zur römischen Provinz *Thracia* gibt es bislang nicht. Den besten Zugang bilden zwei neuere Überblicke: CH. M. DANOV, *Die Thraker auf dem Ostbalkan von der hellenistischen Zeit bis zur Gründung Konstantinopels*, in: *ANRW* II 7 (1980) bes. 106 ff.; B. GEROV, *Die Grenzen der römischen Provinz Thracia bis zur Gründung des aurelianischen Dakien*, ebd. 212 ff. AAVV., *Pulpudeva. Semaines philippopolitaines de l'histoire et de la culture Thrace* 1–6 (1976–93); CH. M. DANOV, *Altthrakien. Untersuchungen über die Geschichte der bulgarischen Länder, der Norddobrudscha, des Ägäischen Meeres und Südostthrakiens vom Ende des 4. Jhs. v. Chr. bis zum Ende des 5. Jhs. n. Chr.* (1976); A. FOL/I. MARAZOV, *Thrace and the Thracians* (1977); B. GEROV, *Beiträge zur Geschichte der römischen Provinzen Moesien und Thrakien. Gesammelte Aufsätze* (1980); DERS., *Inscriptiones latinae in Bulgaria repertae* (1989); R. F. HODDINOTT, *Bulgaria in antiquity. An archaeological introduction* (1975); DERS., *The Thracians* (1981); J. JURUKOVA, *Coins of the ancient Thrace*, in: *BAR* S 4 (1976); A. G. POULTER (ed.), *Ancient Bulgaria, Symposium Nottingham 1981*, 2 Bde. (1983); D. K. SAMSARIS, *Forschungen zur Geschichte, Topographie und Religion der römischen Provinzen Makedonien und Thrakien* (1984, griech. m. frz. Res.); M. TACEVA/D. BOJEDZIEV (eds.), *Studia in honorem Boris Gerov* (1990); V. VELKOV, *Thrace and Lower Moe-*

sia during the Roman and late Roman epoch, in: *Klio* 63, 1981, 473 ff.; DERS., *Geschichte und Kultur Thrakiens und Mösiens. Gesammelte Aufsätze* (1988); DERS./V. NAJDENOVA/P. PETROV (eds.), *Acta Associationis Internationalis Terra Antiqua Balcanica* V (1990); J. WIESNER, *Die Thraker* (1968).
M. BIERNECKA-LUBANSKA, *The Roman and early Byzantine fortifications of Lower Moesia and northern Thrace* (1982); CH. M. DANOV, Zur Geschichte des westpontischen κοιvóv, in: *Klio* 31, 1938, 436 ff.; A. STEIN, *Römische Reichsbeamte der Provinz Thrakien* (1920); V. VELKOV, *Nouvelles données concernant le territoire de Nicopolis ad Istrum et la frontière nord de la province de Thrace pendant le IIe siècle*, in: *Archeologija* 28.2, 1986, 24 ff.
D. DETSCHEW, *Die thrakischen Sprachreste* ²(1977); S. KRAMER, *Das Grabmonument des T. Flavius Mikkalus aus Perinth*, in: *KJb.* 27, 1994, 99 ff.; D. K. SAMSARIS, *Die Hellenisierung Thrakiens während des griechisch-römischen Altertums* (1980, griech. m. frz. Res.).
A. H. M. JONES, *The cities of the eastern Roman provinces* ²(1971); D. M. PIPPIDI, *Les premiers rapports de Rome et des cités grecques de l'Euxin*, in: *Rivista storica dell'Antichità* 2, 1972, 17 ff.; V. VELKOV, *Cities in Thrace and Dacia in late antiquity* (1977); DERS., *Roman cities in Bulgaria. Collected studies* (1980).
L. BOTOUCHAROVA/E. KESJAKOVA, *Sur la topographie de la ville de Philippopolis dans la provincia Tracia*, in: AAVV., *Pulpudeva* 3 (1978); CH. M. DANOV, s. v. Pautalia, in: *RE Suppl.* 9 (1962) 800 ff.; DERS., *Philippopolis, Serdica, Odessos. Zur Geschichte und Kultur der bedeutendsten Städte Thrakiens von Alexander d. Gr. bis Justinian*, in: *ANRW* ebd. 241 ff.; W. ECK, *Die claudische Kolonie Apri in Thrakien*, in: *ZPE* 16, 1975, 295 ff.; M. F. MAY, *Ainos. Its history and coinage* (1950); W. MÜLLER-WIENER, *Bildlexikon zur Topographie Istanbuls* (1977); M. OPPERMANN, *Plovdiv – antike Dreihügelstadt* (1984); A. G. POULTER, *Nicopolis ad Istrum: A Roman, late Roman and early Byzantine city* (1995); E. SCHÖNERT, *Zur Geschichte der Stadt Perinthos*, in: *Das Altertum* 8, 1962, 73 ff.
AAVV., *Settlement life in ancient Thrace. Third International Symposium «Cabyle»* (1994); J. HENNING, *Die ländliche Besiedlung im Umland von Sadovec, Nordbulgarien (Vit-Tal), und die römischen Agrarstrukturen im europäischen Vorland von Byzanz*, in: H. BENDER/H. WOLFF (Hg.), *Ländliche Besiedlung und Landwirtschaft in den Rhein-Donau-Provinzen des Römischen Reiches* (1994) 463 ff.; D. NIKOLOV, *Einige Bemerkungen zu den ländlichen Siedlungen der Spätantike in Thrakien und Niedermösien*, ebd. 505 ff.
E. GREN, *Kleinasien und der Ostbalkan in der wirtschaftlichen Entwicklung der römischen Kaiserzeit* (1941); U. KAHRSTEDT, *Beiträge zur Geschichte der thrakischen Chersones* (1954); H. WOLFF, *Moesia Inferior und Thrakien*, in: F. VITTINGHOFF (Hg.), *Europäische Wirtschafts- und Sozialgeschichte in der römischen Kaiserzeit* (1990) 600 ff.; DERS., *Grundzüge einer Wirtschafts- und Sozialgeschichte der römischen Karpaten-Balkan-Provinzen* (1990). CH. M. DANOV/T. IVANOV, *Antike Grabmäler in Bulgarien* (1980); A. FROVA, *La pittura romana in Bulgaria* (1943); S. LEHMANN, *Ein spätantikes Relief mit Zirkusspielen aus Serdica in Thrakien*, in: *BJ* 190, 1990, 139 ff.; D. TSONTCHEV, *Monuments de la sculpture romaine en Bulgarie méridionale* (1959).
H. DELEHAYE, *Saints de Thrace et de Mésie*, in: *AB* 31, 1912, 161 ff.; S. DÜLL, *Die Götterkulte Nordmakedoniens in römischer Zeit* (1977); V. NAJDENOVA, *The cult of Jupiter Dolichenus in Lower Moesia and Thrace*, in: *ANRW* II 18.2 (1989) 1362 ff.; DIES., *Mithraism in Lower Moesia and Thrace*, ebd. 1397 ff.; M. TACEVA-HITOVA, *Eastern cults in Moesia Inferior and Thracia* (1983); D. TUDOR, *Corpus monumentorum religionis equitum Danuviorum* II (1969); V. VELKOV/V. GERASSIMOVA-TOMOVA, *Kulte und Religionen in Thrakien und Niedermösien*, in: *ANRW* ebd. 1317 ff.; J. ZEILLER, *Les origines chrétiennes dans les provinces danubiennes de l'Empire romain*, in: *Bibl. École Franç. Ath. Rome* 112 (1918).

Noricum (unter Claudius)

Im römischen Herrschaftsbereich gibt es an einigen Orten Lagerstätten (Gold, Erze) dieser Qualität – so in Noricum.

CAIUS PLINIUS SECUNDUS (23–79 n. Chr.)

Die Römer haben in Teutscher Nation vil gewohnen vnd besessen/darvnder auch Cärndten/weilen solches vnder andern Teutschen Ländern ihnen am nechsten gelegen/welches sie auch so lieb vnd genemb gehabt/daß sie es mit Stätt vnd Schlössern trefflich geziehret.

J. D. PRUNNER (1691)

Die Beziehungen Roms zum späteren *regnum Noricum* gehen bis in das beginnende 2. Jh. v. Chr. zurück. Sie waren vor allem wirtschaftlicher Natur, wobei das römische Interesse besonders auf das Gold der Tauern und das hochwertige *fer-*

Abb. 216 Noricum Romanum. Übersichtskarte der Provinz mit Städten, Siedlungen, Militärplätzen, Bergwerken, Straßen, Stammesnamen und Grenzen. Nach G. WINKLER.

rum Noricum gerichtet war. Sehr wahrscheinlich ist aus diesem Grund mit den von LIVIUS erwähnten *Galli transalpini* schon damals ein *hospitium publicum* abgeschlossen worden, das beiden Partnern das gegenseitige Gast- und Niederlassungsrecht zusicherte. Dies galt in der Folgezeit insbesondere für die führenden Handelsfamilien im aufstrebenden *Aquileia*, das 181 v. Chr. als latinische Kolonie gegründet worden war und rasch zum wichtigsten Handelszentrum im östlichen Voralpengebiet aufstieg. So gesehen ging es bei dem römischen Eingreifen 113 v. Chr., als Kimbern und Teutonen das norische Königreich heimsuchten, nicht nur um Waffenhilfe, sondern wohl in erster Linie um die Sicherung römischer Handelsinteressen. Unterstrichen wird dies u. a. durch die Nachricht von STRABON, gerade in der Umgebung von *Noreia*, wo die Schlacht stattfand, habe es Gold- und Eisengruben gegeben.

Namen wie *Noricum* und *Noreia* lassen erkennen, daß die Bevölkerung im Ostalpenraum ursprünglich wohl in der

Hauptsache illyrisch war, ehe sie im Laufe des 3. Jhs. v. Chr. keltisch unterwandert bzw. überprägt wurde. Keltischer Tradition entsprach deshalb auch der Stammesverband, der sich im 2. Jh. v. Chr. unter der Führung der *Norici* zwischen dem Inn und dem Ostrand der Alpen herausbildete und aus den Quellen als *regnum Noricum* bekannt ist. Zentrum dieser keltischen Föderation, zu der sich schriftlichen Nachrichten zufolge mindestens acht Stämme zusammengeschlossen hatten, war das *oppidum* auf dem Gipfel des Magdalensberges in Kärnten, das eine Fläche von ca. 3500 qm einnahm. Ob dieser Fürstensitz *Noreia* oder – wie die später unweit davon auf dem sog. Zollfeld errichtete Provinzhauptstadt – *Virunum* hieß, ist bis heute ungeklärt. Daß dieser Platz, an dessen Südhang seit dem 1. Jh. v. Chr. eine bedeutende römische Siedlung entstand, die man neben anderen Plätzen als eine der wichtigsten Niederlassungen römischer Kaufleute im Königreich Norikum bezeichnen kann, von besonderer Bedeutung war, haben die

217

Ausgrabungen des Landesmuseums für Kärnten sowie des Österreichischen Archäologischen Instituts seit 1948 zur Genüge deutlich machen können.

Auch wenn Inschriften zu Ehren des Augustus und seiner Familie sowie erste offizielle Bauten, die in der frühen Kaiserzeit am Südhang des Magdalensberges errichtet wurden, nahelegen könnten, das *regnum Noricum* sei bereits unter Augustus dem römischen Machtbereich eingegliedert worden, so stehen dem andererseits gewichtige Gründe entgegen, die dafür sprechen, daß das ca. 170 v. Chr. geschlossene *hospitium publicum*, das den römischen Unternehmern im Land alle Rechte gab, ihre Handelsgeschäfte ohne wesentliche Einschränkungen abzuwickeln, auch noch zu Beginn der Kaiserzeit Bestand hatte und Norikum bis in claudische Zeit zumindest *de iure* noch selbständig war. Dafür sprechen u. a. das weitgehende Fehlen von Garnisonen – nicht nur auf dem Magdalensberg – sowie die Tatsache, daß gerade die Gebäude, die von den Ausgräbern als römische Verwaltungs- und Sakralbauten interpretiert wurden, dem Grabungsbefund nach erst aus frühclaudischer Zeit stammen, als das *regnum Noricum* gerade Provinz geworden war. Mit Recht wird in diesem Zusammenhang auf ähnliche Anlagen wie die Agora der Italiker auf *Delos* verwie-

sen, die einzig dem Zweck als Handelsniederlassung dienten. Auf diesem Hintergrund wird erkennbar, daß die Entwicklung in Norikum in der frühen Kaiserzeit offenbar anders verlaufen ist als in Rätien oder Pannonien und dieses römische Einflußgebiet als Klientelstaat ähnlich wie Thrakien behandelt worden ist, das ebenfalls erst unter Claudius (41–54) Provinz wurde.

Um die Mitte des 1. Jhs. wird die römische Handelsniederlassung auf dem Magdalensberg planmäßig verlassen. Ihre Bewohner gehören zu den ersten Kolonisten der neuen Stadt *Virunum*, die in der Ebene des sog. Zollfeldes bei Klagenfurt entsteht und zum Sitz des norischen Statthalters wird. Dieser kommt aus dem Ritterstand, nennt sich in Inschriften *procurator Augusti provinciae Noricae* und gehört zur Rangklasse der *ducenarii*. Gleichzeitig mit der Neugründung erhalten *Aguntum*/Dölsach b. Lienz (A), *Celeia*/Celje (SLO), *Iuvavum*/Salzburg (A) und *Teurnia*/St. Peter in Holz (A) als Hauptorte ihrer Region römisches Munizipalrecht. *Virunum* – am Knotenpunkt wichtiger Straßenrouten nach Rätien, Pannonien und Italien gelegen – wächst schnell und erhält mit Forum, Basilika, Kapitol und weiteren Tempeln, Theater und einem Bäderbezirk das typische Aussehen einer planmäßig errichteten römi-

218

schen Provinzhauptstadt. Im ausgehenden 2. Jh. bezieht auch der kaiserliche Finanzprokurator, der zur Klasse der *sexa-
genarii* zählt, sein Amtslokal in der
Provinzhauptstadt, desgleichen der norische *praefectus* der kaiserlichen Postver-
waltung.

Das *regnum Noricum* hatte nördlich der
Donau auch Teile des sog. Mühl-, Wald-
und Weinviertels umfaßt. Hier nun bildete fortan der Fluß mit seinen Nebenläufen und Auelandschaften die Grenze, die
erst seit flavischer Zeit als Fortifikations-
linie ausgebaut wurde. Bis dahin hatte
sich Roms Diplomatie damit begnügt,
nördlich der Donau einen ‹Kordon› von
Klientelstaaten zu schaffen, deren Herrscher ihre Macht aus römischer Hand erhielten. Im Mühl-, Wald- und Weinviertel
waren dies Hermunduren, Naristen, Markomannen und Quaden, die sich untereinander nicht verbünden durften und zur
Waffenhilfe gegenüber Rom verpflichtet
waren. Mehr als einmal ist belegt, daß der
politische Einfluß der römischen Staats-
macht so umfassend war, daß fast nach
Belieben ehemalige Germanenfürsten
wie Maroboduus (Marbod), Chattaualda
oder Vannius, die sich nicht an die Ver-
träge gehalten hatten oder von ihren
Stammesgenossen vertrieben wurden, ins
römische Exil geschickt und den Stämmen auf dem nördlichen Donauufer neue
Herrscher ‹gegeben› wurden.

Die römische Grenzziehung an der Donau bedeutete für die Folgezeit eine deutliche Trennung zwischen romanisierter
und germanischer Bevölkerung, die es
zuvor nicht gegeben hatte. Auch im Osten
entsprach die Grenze der neuen Provinz
nicht der des alten *regnum Noricum*, dessen
Einflußbereich ursprünglich bis zum
Plattensee gereicht hatte. Wahrscheinlich
folgte die Ostgrenze von *Noricum* dem
Kamm des Wiener Waldes nach Süden
bis etwa zur Mündung der Lafnitz in die
Raab. Sie überschritt die Mur und die
Drau, umschloß das Gebiet von *Celeia*/

219

*Abb. 217   Magdalensberg/Kärnten   (A).
Iphigenie von Tauris. Ausschnitt eines Fres-
kenkomplexes des sog. zweiten pompeja-
nischen Stils. Gefunden 1964. Um 20-15
v. Chr.*

*Abb. 218   Blick von Süden auf den Mag-
dalensberg am Ostrand des sog. Zollfeldes
bei Klagenfurt (A). Unterhalb des Gipfels
(1058 m) Ausgrabungsgelände und ‹Archäologischer Park Magdalensberg›.*

*Abb. 219   Ioviacum/Schlögen (A). Blick
von Südosten auf die wiederaufgemauerten
Überreste des Westtores des Kleinkastells. Im
Hintergrund die Donau.*

Celje im heutigen Slowenien und folgte
im Süden sehr wahrscheinlich dem Zug
der Karnischen Alpen mit dem Loibl-,
Plöcken- und Kreuzbergpaß. Die Westgrenze gegenüber Rätien verlief wahrscheinlich östlich der Brennerstraße. Sie
erreichte beim heutigen Kufstein den *Aenus*/Inn und folgte ihm unter Einschluß
des Chiemgaus und des Innviertels bis
nach Passau, wo sich in der Kaiserzeit
zwei Kastelle gegenüber lagen, das rätische *Batavae* und das norische *Boi-
odurum*/ Passau-Innstadt (D).

Erst mit der flavischen Zeit erfolgte der
allmähliche Ausbau des norischen Donaulimes, dessen Besatzungen in Lagern
wie *Favianae*/Mautern (A), *Augustia-
nae*/Traismauer (A) oder *Commagenae*/
Tulln (A) stationiert waren. Das letzte norische Kastell an der Limesstraße nach
Pannonien war ein Kohortenlager in Zeiselmauer (A), das wahrscheinlich *Canna-
biaca* hieß, während das Kastell in
Klosterneuburg, das im Mittelalter vom
dortigen Augustinerstift überbaut wurde,
bereits auf pannonischem Boden lag.
Dazu kam im Laufe des 2. Jhs. eine Reihe
von Kleinfestungen und Wachttürmen,
die den norischen Limesabschnitt verstärkten, der allerdings bis in die Zeit des
M. Aurelius (161–180) keinerlei Belastungsprobe ausgesetzt war.

Ging die Romanisierung in der Grenzzone während des 2. Jhs. von den Militärsiedlungen aus, so entstanden im Innern
der Provinz neben der Hauptstadt *Virunum* weitere Stätten der Urbanisierung
und Romanisation. Unter diesen waren
Aguntum, *Celeia*, *Iuvavum* und *Teurnia*
bereits unter Claudius (41–54) *municipia*
geworden. Unter den flavischen Kaisern
kam *Flavia Solva*/Leibnitz (A) hinzu,

während *Ovilava*/Wels (A) und *Cetium*/
St. Pölten (A) in diesen Rang erst durch
Hadrianus (117–138) erhoben wurden.
Größere Siedlungen bestanden auch in
Bedaium/Seebruck (D) und *Santicum*/
Villach (A), die jedoch immer *vici* blie-
ben, während etwa die Bedeutung von
Immurium/Moosham, *Ad Pontem*/ Lind
(A) oder *Iuenna*/Globasnitz-Hemmaberg
(A), die an wichtigen Straßenkreuzungen
lagen, hauptsächlich darin bestand, daß
der Reisende hier Unterkunft und Ver-
pflegung fand.

Die wichtigsten Nord-Süd-Routen der
Provinz verbanden *Noricum* vor allem
mit *Aquileia*, von wo viele Gebrauchswa-
ren, wie Gläser, Bronzegefäße, Tonlampen sowie zu Beginn der Kaiserzeit pada-
nische Sigillaten, dazu verschiedene
Nahrungsmittel in Amphoren, eingeführt
wurden. Zu den Gütern, die auf denselben
Straßen den Weg nach Oberitalien fanden, gehörten in erster Linie Wollstoffe
und Lederwaren, dazu in besonderem
Maße die Erträge aus den Goldbergwer-
ken sowie das begehrte *ferrum Noricum*,
das PLINIUS ausdrücklich erwähnt (*N. H.*
34.41) und das nach dem, was er darüber
schreibt und moderne Schmelzversuche
in Rennöfen norischer Bauart auf dem
Magdalensberg ergeben haben, nach dem
Urteil von Fachleuten zu einem guten
Teil aus Stahl bestand (*Plinius* sprach von
acies).

Die hierzu verwendeten Erze sind an
verschiedenen Plätzen der Provinz abgebaut worden. Eines der Bergbauzentren,
die wohl größtenteils kaiserlicher, zu einem kleineren Teil aber auch privater Besitz waren, lag im Gebiet des heutigen
Hüttenberg im nördlichen Kärnten, andere – wie auch heute noch – in den

220

Eisenerzer Alpen im Zentrum der Steiermark. Es scheint sich bei den Produkten, wie die Funde aus tiefen Schichten des Magdalensberges gezeigt haben, sowohl um Fertigfabrikate wie um Halbzeug gehandelt zu haben, dessen Weiterverarbeitung in *Aquileia* erfolgte, wo die norischen *conductores* zumindest in der Frühzeit ihren Sitz hatten, während sie später wohl in *Virunum* saßen. Inschriftlich bezeugt sind darüber hinaus seit flavischer Zeit *procuratores ferrariorum*, die der Rangklasse der *centenarii* angehörten und seit der Zeit des M. Aurelius (161–180), als die norischen Bergwerke vollständig in kaiserlichen Besitz übergegangen waren, die Oberaufsicht führten. Dagegen scheint der Abbau anderer Mineralien wie Kupfer oder Blei oder aber die Gewinnung von Salz, die noch während der Zeit des *regnum Noricum* große Bedeutung besaßen, in der Kaiserzeit nur noch für den norischen Binnenmarkt eine Rolle gespielt zu haben. Ähnlich dürfte es im größtenteils bergigen *Noricum* – im Gegensatz wohl zur Viehzucht und Holzwirtschaft – mit dem Ackerbau gewesen sein, über den es in einem spätantiken Text heißt, der norische Boden sei *frigidus et parcius fructuosus* gewesen (ISIDOROS, *Etymologiae* 14.4,5). Wenig schmeichelhaft fällt das spätantike Urteil auch über die norischen Pferde aus, die gemessen an den Züchtungen der Alamannen, offenbar nur als

Arbeitstiere verwendbar waren (CASSIODOROS, *Variae* 3.50).

Die Bevölkerung im Vorfeld des norischen Limes verhielt sich bis zur Mitte des 2. Jhs. ruhig. Erste Gefahrenzeichen wurden unter Antoninus Pius (138–161) deutlich, als sich der Bevölkerungsdruck auf die Donaugrenze verstärkte und die einstigen Vasallen, die ins Reich drängten, von den Römern abgewiesen wurden. Als sich diese wenig später zu größeren Verbänden zusammenschlossen, die römischen Truppen zudem durch die aus dem Osten eingeschleppte Pest entscheidend dezimiert worden waren, erfolgte 167 ein erster gemeinsamer Ansturm von Markomannen, Naristen und Quaden, die den norisch-pannonischen Donaulimes durchbrachen, die Alpen überschritten und bis nach *Aquileia* vordrangen, das sie allerdings vergeblich belagerten. Die römische Antwort war ein Jahr später die Schaffung der *praetentura Italiae et Alpium*, eines Sonderkommandos, das insbesondere der künftigen Sicherung Oberitaliens dienen sollte. Bereits 166 waren in Italien zwei neue Legionen ausgehoben worden, von denen die *legio II Italica* nach *Noricum* verlegt wurde. Sie baute 170/171 ihr erstes Lager in Ločica-Lotschitz bei *Celeia*/Celje (SLO), rückte wenig später an die Donau vor und baute ein zweites Lager in Albing (A), das jedoch wegen seiner hochwassergefährdeten Lage noch unter M. Aurelius (161–180)

in das benachbarte *Lauriacum*/Enns-Lorch (A) verlegt wurde, wo die Legion laut Bauinschrift ihr neues Lager wohl spätestens im Jahre 205 fertigstellte (AÉ 1908, 248 = 1912, 293).

Die Verlegung einer ganzen Legion nach *Noricum* veränderte das Verwaltungsgefüge der Provinz, die jetzt von einem senatorischen *legatus Augusti pro praetore* geführt wurde. Die neue Hauptstadt der Provinz wurde *Ovilava*/Wels (A), das unter Caracalla (211–217) zur *colonia Aurelia Antoniniana* erhoben wurde, während in *Virunum* fortan nur noch der Finanzprokurator residierte. Daneben erlangte *Lauriacum* als Standort der Legion und Residenz des Legaten eine besondere Bedeutung, vergleichbar mit *Castra Regina*/Regensburg im benachbarten Rätien, das zur selben Zeit eine Legion erhielt (S. 153 f.). Der Aufstieg von *Lauriacum* ist vor allem daran ablesbar, daß die dortige Zivilsiedlung bereits unter Caracalla den Munizipalstatus bekam. Der Statthalter, der gleichzeitig die Legion kommandierte, dürfte zwischen den beiden Hauptorten *Ovilava* und *Lauriacum* gependelt sein, die nicht mehr als eine Tagesreise voneinander entfernt lagen.

Das 3. Jh. brachte auch für *Noricum* schwere Zeiten. Es waren vor allem Alamannen, Juthungen und Markomannen, die die Provinz bedrohten und Angst und Schrecken verbreiteten. Eine deutliche Sprache sprechen die Zerstörungsspuren in der Zivilstadt von *Lauriacum*, die in dieser Zeit mehr als einmal heimgesucht wurde, während man sich offenbar im benachbarten Legionslager behaupten konnte. Als in *Raetia* der Limes aufgegeben und die Nordgrenze auf die Donau zurückgenommen werden mußte (259/260), war auch *Noricum* betroffen. Spürbare Entlastung brachten auch hier erst die erfolgreichen Unternehmungen unter Gallienus (253–268), Claudius Gothicus (268–270), Aurelianus (270–275) und Probus (276–282), die an der norischen Front wieder eine gewisse Ruhe einkehren ließen.

Unter Diocletianus (284–305) wurde *Noricum* neu organisiert. Es entstanden die beiden Provinzen *Noricum ripense* und *Noricum mediterraneum*, deren Hauptstädte *Ovilava* und *Virunum* waren; auch die Gegend um *Poetovio*/ Pettau-Ptuj (SLO) gehörte damals zu *Noricum*. Entsprechend der nun geltenden strikten Trennung von Zivil- und Militärgewalt wurden beide Provinzen seitdem von zivilen *praesides* aus dem Ritterstand verwaltet, während das norische Militär zunächst wohl einem *dux Norici* unterstand, an dessen Stelle im späten 4. Jh.

der *dux Pannoniae primae et Norici ripensis* trat. Im Gegensatz zu den beiden rätischen Provinzen, die zur *dioecesis Italiae* gehörten, waren die beiden norischen Provinzen fortan Teil der *dioecesis Pannoniorum*. Zur Verstärkung erhielt ‹Ufernorikum› eine weitere Legion, die sowohl in *Favianae*/Mautern (A) wie in *Ad Iuvense*/Ybbs? (A) stationiert war. Allerdings muß hierbei berücksichtigt werden, daß mit der diokletianischen Reichs- und Militärreform der Sollbestand einer Legion deutlich verringert wurde, um die zur Verfügung stehenden Truppen einerseits auf mehrere Garnisonen zu verteilen, andererseits um Kräfte zur Verfügung zu haben, die – wahrscheinlich seit konstantinischer Zeit – als *comitatenses* den jeweiligen Kaiser auf seinen Feldzügen begleiteten, ohne die Grenzen militärisch zusätzlich zu ‹entblößen›.

Während die archäologischen Befunde aus den städtischen Zentren beider norischen Provinzen zumindest für die Zeit nach der Mitte des 4. Jhs. eine gewisse Beruhigung und bescheidene Prosperität im Lande erkennen lassen und Kaiser wie Valentinianus I. (364–375) und sein Bruder Valens (364–378) auch am norischen Donauabschnitt eine rege Festungsbautätigkeit entfalten, kommt es 378 bei *Hadrianopolis*/Edirne (TR) zu einer verheerenden Niederlage gegen die Goten und ihre Verbündeten. In der Folgezeit werden immer mehr germanische *foederati* in geschlossenen Volksgruppen auf römischem Boden angesiedelt und treten dort als *limitanei* in zunehmendem Maße an die Stelle römischer Einheiten. Aber auch ihnen gelingt es nicht, ihre Stammes- und Volksgenossen an der Donau aufzuhalten.

Im Jahre 395 überqueren Markomannen in großer Zahl die Donau und werden unter ihrem Anführer, der in der *notitia dignitatum* als *tribunus gentis Marcomannorum* bezeichnet wird, möglicherweise auf norischem Boden angesiedelt. Sechs Jahre später durchziehen die Vandalen *Noricum ripense* (401), wenig später sind es die Ost- und dann die Westgoten, die einen Teil Norikums besetzen und größere Zerstörungen anrichten, die sich archäologisch u. a. in *Iuvavum* nachweisen lassen. Nach zwei Jahrzehnten relativer Ruhe erschüttert 430/31 ein Aufstand

die norischen Provinzen, der sich gegen den enormen Steuerdruck des Staates richtet, aber von Aëtius, dem neuen *magister utriusque militiae* niedergeschlagen wird. Wenig später bannt dieser die Hunnengefahr für die norischen Gebiete, indem er Attila Teile Pannoniens als Föderatenland überläßt, aber auch er kann nicht verhindern, daß die Hunnen 451 durch ‹Ufernorikum› westwärts ziehen und zwei Jahre später – nach der verlorenen Schlacht auf den Katalaunischen Feldern – zurückfluten und auf ihrem Rückzug norische Städte verwüsten.

Über das Ende von *Noricum ripense* verfügt man mit der *vita Severini* des Mönchs EUGIPPIUS über eine einzigartige Quelle, die anschaulich über die turbulenten Zustände in der Provinz nach dem Tode Attilas (453) berichtet. Dabei erwirbt sich der Mönch Severinus sehr schnell nicht nur den Ruf eines mit seherischen Gaben ausgestatteten Nothelfers und Ratgebers, sondern auch den eines geschickten Verhandlungsführers, der es über zwei Jahrzehnte versteht, seinen Einfluß zugunsten der römischen Bevölkerung gegenüber den Rugiern, die als eine Art Schutzmacht agieren, sowohl in ‹Ufernorikum› wie im benachbarten Rätien geltend zu machen. Doch auch er kann nichts dagegen tun, daß erst *Quintanae*/Künzing (D) und dann *Batavae*/Passau (D) geräumt werden müssen. Die meisten Menschen folgen Severinus nach *Lauriacum* und *Favianae*, wo sie unter dem besonderen Schutz des rugischen Königs stehen, der in dieser chaotischen Zeit die einzige ‹staatliche› Autorität darstellt. Bevor Severinus 482 stirbt, prophezeit er den Menschen, für die er

die einzige Hoffnung darstellt, die baldige Abwanderung nach Italien. Sechs Jahre später wird *Noricum ripense* tatsächlich geräumt, als Odoakar den Befehl zur Umsiedlung nach Italien gibt (488). Dagegen hält sich der römische Einfluß in ‹Binnennorikum› – ablesbar u. a. an Ausgrabungen in *Aguntum*/Dölsach b. Lienz (A), *Iuenna*/Globasnitz-Hemmaberg (A) *Teurnia*/St. Peter im Holz (A) – noch bis weit in das 6. Jh. hinein und endet dort eigentlich erst mit dem großen Einfall von Awaren und Slawen gegen Ende des Jahrhunderts.

Für die wissenschaftliche Erforschung des römischen *Noricum* hat sich mit Sicherheit positiv ausgewirkt, daß fast das gesamte ehemalige Provinzgebiet auf österreichischem Boden liegt – von der Gegend um *Celeia*/Celje (SLO) einmal abgesehen. Aber auch dieses Gebiet gehörte lange zu Österreich, so daß es nicht verwundern muß, wenn die bisher einzigen Grabungen im Legionslager von Ločica-Lotschitz, 14 km westlich des heutigen Celje, 1916/17 im Auftrag des Österreichischen Archäologischen Instituts durchgeführt wurden. Ähnlich wie auf deutschem Boden setzte das historische Interesse an den römischen Altertümern Österreichs in der Zeit des Humanismus ein, als namhafte Gelehrte wie K. CELTIS (1459–1508), K. PEUTINGER (1465–1547) und W. LAZIUS (1514–65) große Sammlungen, vor allem von Inschriften, anlegten, veröffentlichten und damit der noch jungen Altertumswissenschaft erste wichtige Impulse gaben.

Doch erst zu Beginn des 19. Jhs. entstand im Zeichen der Romantik und der damit verbundenen Rückbesinnung auf

Abb. 220 Ovilava/Wels (A). ‹Grabmedaillon› eines römischen Ehepaares mit deutlichen Farbspuren, eingemauert in der Fassade des Hauses Stadtplatz 18 (CSIR 68).

Abb. 221 Lauriacum/Enns (A). Legionslager im Stadtteil Lorch. Bodenspuren eines Kasernenbaus. Ausgrabung 1996.

221

die eigene Geschichte und das, was von ihr geblieben war, ein neues Verständnis archäologischer Denkmäler, die nun zunehmend als historische Quellen und Besitz der Allgemeinheit begriffen und gewertet wurden. Wie in Deutschland kam es auf diesem geistigen Hintergrund auch in Österreich zur Gründung zahlreicher Geschichtsvereine und der Einrichtung der ersten örtlichen Museen, unter denen das heutige Oberösterreichische Landesmuseum in Linz das älteste ist (1833). Bemerkenswert ist in diesem Zusammenhang die Rolle des Dichters Adalbert Stifter, der seit 1853 verantwortlicher Denkmalpfleger in Oberösterreich war und sich zuvor bereits als kritischer und kompetenter Beobachter der damaligen Ausgrabungen in *Lauriacum* erwiesen hatte.

Heute sind es neben den Landesmuseen in Graz, Klagenfurt und Linz vor allem die Österreichische Akademie der Wissenschaften (1847), die Kommission zur Erforschung des römischen Limes in Ober- und Niederösterreich (1897), das Österreichische Archäologische Institut (1898) und das Bundesdenkmalamt in Wien (1923), die sich der archäologischen Hinterlassenschaft der ‹Austria Romana› verpflichtet fühlen. Dabei haben sich die Untersuchungen auf einzelne Militärplätze in der Limeszone ebenso konzentriert wie auf die ehemaligen städtischen Zentren im Innern des Landes, wo die eingehendsten Forschungen bislang vor allem in *Aguntum, Flavia Solva, Ovilava* und *Virunum* stattgefunden haben. Eine Sonderstellung nimmt ohne Zweifel die Erforschung der ‹Stadt auf dem Magdalensberg› in Kärnten ein, wo die jährlichen Ausgrabungen seit 1948 bis zum heutigen Tage andauern.

Das römische *Noricum* hat in der nicht weitergeführten Reihe ‹The provinces of the Roman Empire› eine erste Gesamtdarstellung in englischer Sprache erhalten: G. ALFÖLDY, *Noricum* (1974). Einen guten Einstieg vermittelt auch: G. WINKLER, *Noricum und Rom*, in: *ANRW* II 6 (1977) 183 ff. m. ausführl. Bibl. 235 ff.
AAVV., *Die Römer an der Donau. Noricum und Pannonien* (1973); AAVV., *Hunnen und Awaren. Reitervölker aus dem Osten, Ausstellung Schloß Halbtum 1996* (1996); A. BETZ/E. WEBER, *Aus Österreichs römischer Vergangenheit* ²(1990); H. FRIESINGER/A. STUPPNER/J. TEJRAL (Hg.), *Markomannenkriege. Ursachen und Wirkungen, Symposium Wien 1993* (1994); P. PETRU, *Die provinzialrömische Archäologie in Slowenien*, in: *ANRW* ebd. 500 ff.; G. PICCOTINI, *Die Römer in Kärnten* (1989); A. SCHOBER, *Die Römerzeit in Österreich* (1935); T. SCHREIBER, *Die Römer in Österreich* (1974); G. WINKLER, *Die Römer in Oberösterreich* (1975). G. GOTTLIEB (Hg.), *Raumordnung im Römischen Reich. Zur regionalen Gliederung in den gallischen Provinzen, in Rätien, Noricum und Pannonien* (1989); J. HABERL/C. HAWKES, *The last of Roman Noricum*, in: C.-S. HAWKES (eds.), *Greeks, Celts and Romans. Studies in venture and resistance* (1973) 97 ff.; M. HAINZMANN, *Ovilava – Lauriacum – Virunum. Zur Problematik der Statthalterresidenzen und Verwaltungszentren Norikums ab 170*

n. Chr., in: *Tyche* 6, 1991, 61 ff.; P. KNEISSL, *Zur Entstehung der Provinz Noricum*, in: *Chiron* 9, 1979, 261 ff.; G. WINKLER, *Die Reichsbeamten von Noricum und ihr Personal bis zum Ende der römischen Herrschaft* (1969); H. WOLFF, *Einige Probleme der Raumordnung im Imperium Romanum, dargestellt an den Provinzen Obergermanien, Raetien und Noricum*, in: *Ostbair. Grenzm.* 28, 1986, 152 ff.; DERS., *Die verspätete Erschließung Ostraetiens und der Nordgrenze von Noricum – Ein Forschungsproblem*, ebd. 30, 1988, 9 ff.
H. CASTRITIUS, *Die Grenzverteidigung in Rätien und Noricum im 5. Jh. n. Chr. Ein Beitrag zum Ende der Antike*, in: H. WOLFRAM/A. SCHWARZ, *Die Bayern und ihre Nachbarn* 1 (1985) 17 ff.; H. FRIESINGER/F. KRINZINGER (Hg.), *Der römische Limes in Österreich* (1997); K. GENSER, *Der österreichische Donaulimes in der Römerzeit* (1986); DERS., *Der Donaulimes in Österreich*, in: *Limesmuseum Aalen* 44 (1990); M. KANDLER/H. VETTERS (Hg.), *Der römische Limes in Österreich* (1986); *RLÖ* = AAVV., *Der römische Limes in Österreich* 1 ff. (1900 ff.); W. WAGNER, *Die Dislokation der römischen Auxiliarformationen in den Provinzen Noricum, Pannonien, Moesien und Dacien von Augustus bis Gallienus* (1938).
L. ECKHART, *Das römische Donaukastell Schlögen in Oberösterreich* (1969); F. LORGER, *Vorläufiger Bericht über Ausgrabungen nächst Lotschitz bei Cilli*, in: *JÖAI* 19/20, 1919 Beibl. 107 ff.; E. M. RUPRECHTSBERGER, *Römerzeit in Linz* (1982); H. STIGLITZ, *Das römische Donaukastell Zwentendorf in Niederösterreich* (1975).
G. ALFÖLDY, *Die Personennamen auf den Bleietiketten von Karlsdorf (Steiermark) in Norikum*, in: J. UNTERMANN (Hg.), *Sprachen und Schriften des antiken Mittelmeerraums* (1993) 1 ff.; J. GARBSCH, *Die norisch-pannonische Frauentracht des 1. und 2. Jahrhunderts* (1965); H. HARDING/G. JACOBSEN, *Die Bedeutung der zivilen Zuwanderung aus Norditalien für die Entwicklung der Städte in Noricum und Pannonien*, in: *Classica et Mediaevalia* 39, 1988, 117 ff.; F. LOCHNER VON HÜTTENBACH, *Die römerzeitlichen Personennamen der Steiermark – Herkunft und Auswertung* (1989); E. RÖMER-MARTIJNSE, *Römerzeitliche Bleietiketten aus Karlsdorf, Steiermark* (1990).
R. CHRISTLEIN, *Die raetischen Städte Severins*, in: AAVV., *Severin zwischen Römerzeit und Völkerwanderung. Ausstellungskat. Enns* (1982) 21 ff.; G. PASCHER, *Römische Siedlungen und Straßen im Limesgebiet zwischen Enns und Leitha* (1949); R. NOLL, *Römische Siedlungen und Straßen im Limesgebiet zwischen Inn und Enns* (1998); H. WINDL, *Niederösterreich nördlich der Donau in der römischen Periode* (1981).
W. ALZINGER, *Aguntum und Lavant* (1974); DERS., *Das Municipium Claudium Aguntum. Vom keltischen Oppidum zum frühchristlichen Bischofssitz*, in: *ANRW* ebd. 380 ff.; H. BENDER/TH. FISCHER/J. MICHALEK, *Passau. Batavis – Boiodurum/Boiotro. Archäologischer Plan von Passau in römischer Zeit* (1991); R. EGGER, *Die Stadt auf dem Magdalensberg: ein Großhandelsplatz* (1961); DERS./F. GLASER, *Teurnia. Die römischen und frühchristlichen Altertümer Oberkärntens* (1979); A. GAHEIS, *Lauriacum. Führer durch die Altertümer von Enns* (1937); N. HEGER, *Salzburg zu römischer Zeit* (1974); E. HUDECZEK, *Flavia Solva*, in: *ANRW* ebd. 414 ff.; TH. LORENZ, *Der römische Vicus von Gleisdorf* (1995); W. MODRIJAN (Hg.), *1900 Jahre Flavia Solva* (1971); G. PICCOTINI, *Die Stadt auf dem Magdalensberg – ein spätkeltisches und frührömisches Zentrum im nördlichen Noricum*, in: *ANRW* ebd. 263 ff.; DERS., *Bauen und Wohnen in der Stadt auf dem Magdalensberg* (1989); DERS./H. VETTERS, *Führer durch die Ausgrabungen auf dem Magdalensberg* ⁴(1990); P. SCHERRER (Hg.), *Landeshauptstadt St. Pölten. Archäologische Bausteine* I (1991). II (1994); H. VETTERS, *Virunum*, in: *ANRW* ebd. 302 ff.; DERS., *Lauriacum*, ebd. 355 ff.
H. JANDAUREK, *Die Straßen der Römer. Oberösterreichische Altstraßen* (1951); E. WALDE-PSENNER, *Das Wagenrelief von Maria Saal. Ein Denkmal munizipaler Repräsentation*, in: *2. Internationales Kolloquium über Probleme der provinzialrömischen Kunstschaffens, Veszprém 1991*, 135 ff.; G. WINKLER, *Die römischen Straßen und Meilensteine in No-*

ricum – Österreich, in: *Limesmuseum Aalen* 35 (1985).
T. BEZECZKY, *Amphorenfunde vom Magdalensberg und aus Pannonien – ein Vergleich* (1994); K. GENSER, *Die ländliche Besiedlung und Landwirtschaft in Noricum während der Kaiserzeit (bis einschließlich 5. Jahrhundert)*, in: H. BENDER/H. WOLFF (Hg.), *Ländliche Besiedlung und Landwirtschaft in den Rhein-Donau-Provinzen des Römischen Reiches* (1994) 331 ff.; K. GSCHWANTLER/H. WINTER, *Bronzewerkstätten in der Austria Romana. Ein Forschungsprojekt*, in: *Röm. Österreich* 17–18, 1991, 107 ff.; V. MAIER-MAIDL, *Stempel und Inschriften auf Amphoren vom Magdalensberg. Wirtschaftliche Aspekte* (1992); PH. M. PRÖTTEL, *Mediterrane Feinkeramikimporte des 2. bis 7. Jahrhunderts im oberen Adriaraum und Slowenien* (1996); J. ŠAŠEL, *Noricum*, in: F. VITTINGHOFF (Hg.), *Europäische Wirtschafts- und Sozialgeschichte in der römischen Kaiserzeit* (1990) 563 ff.; H. STRAUBE, *Ferrum Noricum und die Stadt auf dem Magdalensberg* (1996); H. VETTERS, *Ferrum Noricum* (1966).
E. DIEZ, *Studien zum provinzialrömischen Kunstschaffen: Grabplastik in Noricum und Pannonien*, in: *ANRW* II 12.4 (i. Vorb.); O. HARL, *Zu den Voraussetzungen für das Entstehen einer römischen Steinskulptur im Ostalpenraum*, in: *Mitt. Arch. Ges. Graz* 3–4, 1989–90, 3 ff.; H. KENNER, *Zur Kultur und Kunst der Kelten*, in: *Carinthia* 141, 1951, 566 ff.; R. NOLL, *Kunst der Römerzeit in Österreich* (1949); A. SCHOBER, *Die römischen Grabsteine von Noricum und Pannonien* (1923); DERS., *Zur Entstehung und Bedeutung der provinzialrömischen Kunst*, in: *ÖJh.* 26, 1930, 9 ff.; E. WALDE, *Malerei und Mosaik in der römischen Provinz Noricum*, in: *ANRW* ebd. (i. Vorb.).
B. CZURDA-RUTH, *Die römischen Gläser vom Magdalensberg* (1979); L. ECKHART, *Die Skulpturen des Stadtgebietes von Lauriacum*, in: *CSIR Österreich* III 2 (1976); DERS., *Die Skulpturen des Stadtgebietes von Ovilava*, ebd. III 3 (1981); CH. FARKA, *Die römischen Lampen vom Magdalensberg* (1977); N. HEGER, *Die Skulpturen des Stadtgebietes von Iuvavum*, in: *CSIR Österreich* III 1 (1975); DERS., *Die Skulpturen des Stadtgebietes von Aguntum und Brigantium*, ebd. III 4 (1987); W. JOBST, *Römische Mosaiken in Salzburg* (1982); H. KENNER, *Römische Fresken vom Magdalensberg*, in: *AW* 1, 1970, 42 ff.; P. KRANZ, *Die Grabmonumente von Šempeter. Beobachtungen zur Entwicklung der Bildhauerkunst in Noricum während der mittleren und späten römischen Kaiserzeit*, in: *BJ* 186, 1986, 193 ff.; G. PICCOTINI, *Die kultischen und mythologischen Reliefs des Stadtgebietes von Virunum*, in: *CSIR* ebd. II 4 (1984); E. M. RUPRECHTSBERGER, *Ein Beitrag zu den römischen Kastellen von Lentia. Die Terra Sigillata* (1980); M. SCHINDLER/S. SCHEFFENEGGER, *Die glatte rote Terra Sigillata vom Magdalensberg*, Text- u. Tafelband (1977); H. UBL, *Die Skulpturen des Stadtgebietes von Aelium Cetium*, in: *CSIR* I 6 Österreich (1979).
H. KENNER, *Die Götterwelt der Austria Romana*, in: *ANRW* II 18.2 (1989) 875 ff.; R. NOLL, *Frühes Christentum in Österreich* (1954); DERS., *Das Inventar des Dolichenusheiligtums von Mauer an der Url* (1980); G. PICCOTINI, *Mithrastempel in Virunum* (1994).
M. AMAND, *Les tumulus d'époque romaine dans le Norique et en Pannonie*, in: *Coll. Latomus* 24, 1965, 614 ff.; Ä. KLOIBER, *Die Gräberfelder von Lauriacum* (1962); V. KOLSEK, *Die Gräberfelder von Šempeter*, in: *Mitt. Arch. Ges. Graz* 3–4, 1989–90, 137 ff.; R. NOLL, *Das römerzeitliche Gräberfeld von Salurn* (1963); E. M. RUPRECHTSBERGER, *Ausgrabungen im antiken Lentia: Die Funde aus Linz, Tiefer Graben/Flügelhofgasse* (1992); K. WILTSCHKE-SCHROTTA/M. TESCHLER-NICOLA/E. M. RUPRECHTSBERGER, *Das spätantike Gräberfeld von Lentia/Linz, Tiefer Graben/Flügelhofgasse. Anthropologische Auswertung* (1991).

Abb. 222 Alpes Romanae. Übersichtskarte der römischen Alpenprovinzen im 1. Jh. mit den wichtigsten Städten, Verkehrswegen, Grenzziehungen und geographischen Angaben. Nach J. PRIEUR.

Alpes Graiae et Poeninae, Cottiae, Maritimae (unter Claudius und Nero)

Von den Übergängen aus Italien in das jenseitige nördliche Gallien führt der eine durch das Land der Salasser nach Lugudunum (Lyon). Er teilt sich aber: Der eine (über den Kleinen St. Bernhard) kann mit Wagen befahren werden, ist länger und führt durch das Land der Keutronen, der andere ist steil und schmal, doch kürzer und führt über den Poeninus (Großer St. Bernhard) ...

STRABON (um 63 v. Chr. – etwa 25 n. Chr.)

Solange Rom im Gebiet nördlich der Alpen keinerlei politische Interessen verfolgte, bildeten diese gleichsam einen natürlichen Schutzwall für Italien. Die wichtigsten Paßübergänge befanden sich im Besitz einheimischer Gebirgsstämme, die von den durchziehenden Kaufleuten oder Truppen hohe Zölle forderten und ihr Wegerecht notfalls mit der Waffe in der Hand verteidigten, selbst wenn der Gegner C. Iulius Caesar hieß. Wichtig war den Römern in dieser Zeit vor allem der Weg *per Alpes Cottias*, der über den Mt. Genèvre (1854 m) führte und in spätrepublikanischer Zeit neben der Küstenstraße die einzige Landverbindung nach Südgallien und weiter nach Hispanien war. Doch auch dieser Paßweg, den sehr wahrscheinlich schon Hannibal nahm (218 v. Chr.), mußte mitunter gewaltsam geöffnet werden. Andererseits wird man davon ausgehen können, daß es vertragliche Abmachungen mit den Bewohnern der *Alpes Cottiae* gab, die den Römern unter bestimmten Bedingungen nicht nur den freien Durchzug gewährten, sondern sie auch nach besten Kräften unterstützten, indem sie Bergführer stellten und, falls gewünscht, Nahrungs- oder auch Transportmittel lieferten.

Nachdem sich Augustus in den Jahren 27–25 v. Chr. persönlich ein Bild vom inneren Zustand Galliens gemacht hatte und mit seinen Beratern zu dem Schluß gekommen war, die Gebiete diesseits und jenseits der Alpen fester aneinander zu binden, begann die konsequente Eroberung des Alpenraums. Bereits 25 v. Chr. besiegte der kaiserliche Legat A. Terentius Varro Murena die Salasser entscheidend. Er öffnete damit die Paßroute *per Alpes Graias*, die über den Kleinen St. Bernhard (2188 m) führte und durch die gleichzeitige Gründung der Stadt *Augusta Praetoria*/Aosta (I) an der Stelle von Murenas Lager besonders gesichert wurde. Obwohl es hierüber keine Nachrichten gibt, ist anzunehmen, daß damals auch

die *Ceutrones*, die bisherigen Herren des *Alpis-Graia*-Passes, ihre Eigenständigkeit verloren und sich dem römischen Willen beugen mußten. Soweit es sich aus den Funden von der Paßhöhe des *Poeninus* erschließen läßt, ist dagegen der Weg über den Großen St. Bernhard (2473 m) damals offenbar noch nicht von den Römern besetzt worden.

Diese Maßnahme ist erst im Zusammenhang mit den Alpenfeldzügen der Jahre 15–12 v. Chr. erfolgt, als der gesamte Alpenraum römisches Einflußgebiet wurde, die Römer sämtliche Paßübergänge in ihren Besitz nahmen und auch die *vallis Poenina*/Wallis (CH) eroberten. Es gibt jedoch – ähnlich wie auch zur gleichen Zeit in Norikum – keinerlei Anzeichen dafür, daß das eroberte Alpengebiet bereits unter Augustus zu römischem Provinzialland erklärt worden ist. Vielmehr belegen schriftliche Quellen, daß die Gebiete der Alpenpässe zwischen den *Alpes Maritimae* im Süden und den *Alpes Poeninae* im Norden unter römischer Militärverwaltung standen und von Männern wie Sex. Pedius Lusianus Hirrutus verwaltet wurden, die ritter-

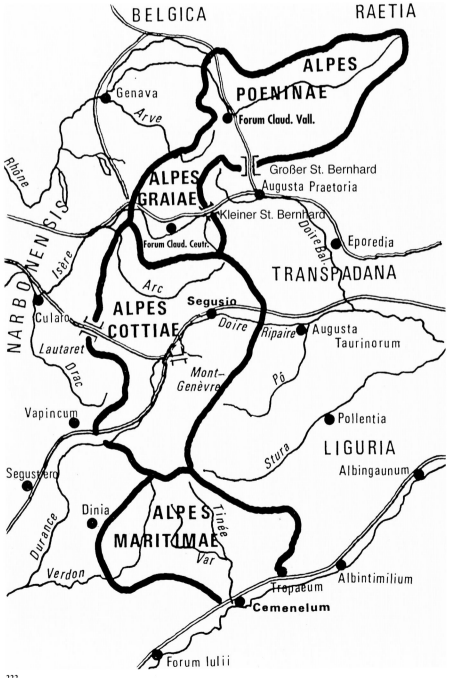

223

liche Präfekten waren (*CIL* IX 3044 = *ILS* 2689). Im besonderen Falle konnte diese Funktion auch von einem örtlichen Stammesfürsten wie M. Iulius Cottius ausgeübt werden, der Augustus 9/8 v. Chr. in seiner Hauptstadt *Segusio*/Susa (I) einen Ehrenbogen errichten ließ (*CIL* V 7231 = *ILS* 94: *M(arcus) Iulius regis Donna filius Cottius praefectus civitatium*).

Der ‹halbprovinzielle› Charakter des westlichen Alpengebietes wurde erst seit Claudius (41–54) allmählich verändert, als man begann, hier neue Verwaltungseinheiten zu schaffen. Zunächst faßte man im Wallis, das bis dahin noch zu *Raetia* gehörte, die vier dort ansässigen und ursprünglich weitgehend selbständigen Stämme zur *civitas Vallensium* zusammen und verlieh ihr das *ius Latinum*. Zum zentralen Markt- und Versammlungsort wurde das neugegründete *Octodurus*/Martigny (CH) bestimmt, dessen amtlicher Name *Forum Claudii Vallensium* war und das an die Stelle von *Tarnaiae*/Massongex (CH) trat, wo sich die wallisischen Stämme zu ihren religiösen ‹Bundesfeiern› trafen. Die Wahl fiel vor allem deshalb auf *Octodurus*, weil die Paßroute über den *summus Poeninus*/Großer St. Bernhard, deren Ausbau als verbreiterter Saumweg den Inschriften nach im Jahre 47 fertiggestellt war, hier das Tal der Rhône erreichte. Gleichzeitig dürfte auch das Gebiet um die *Alpis Graia*/Kleiner St. Bernhard, deren Ausbau als Fahrstraße schon zu Beginn der Regierungszeit des Tiberius (14–37) erfolgte, Provinzstatus erhalten haben. Beide

Gebiete wurden noch in claudischer Zeit zur Provinz *Alpes Graiae et Poeninae* vereinigt.

Ob der ritterliche *procurator* der neuen Provinz seit dieser Zeit in *Octodurus* oder aber weiter südlich in *Axima*/Aîme-en-Tarantaise (F) residierte, ist aus den Quellen nicht zweifelsfrei ersichtlich. Sicher ist dagegen, daß *Axima* in gleicher Weise wie der Hauptort der *Vallenses* zum Hauptort der Keutronen ernannt wurde und den Namen *Forum Claudii Ceutronum* erhielt (PLINIUS). Möglicherweise ist der Statthalter seinen Amtspflichten in beiden Zentralorten nachgekommen, was jedesmal eine Reise über beide St. Bernhardpässe notwendig machte. Eine administrative Besonderheit stellte die Aufsichtsfunktion des obergermanischen Statthalters dar, die sich in erster Linie auf die Sicherung der wichtigen Paßrouten durch Militärposten bezog, deren Besatzungen aus Soldaten der Mainzer Legionen bestanden. In diese Richtung weist auch die Inschrift des Cn. Pinarius Clemens, der unter Vespasianus (69–79) als *legatus propr(aetore) exercitus Germanici superioris* im Gebiet zwischen *Vi[enn]enses et Ceutrones* die Grenze zwischen den *Alpes Graiae* und der *Gallia Narbonensis* neu festlegte (*CIL* XII 113 = *ILS* 5957).

Zur Zeit, als weiter nördlich die Provinz *Alpes Graiae et Poeninae* konstituiert wurde, blieb das Gebiet der Cottischen Alpen unangetastet. Die Beziehungen zwischen Rom und dem dortigen Stammesfürsten, der nach wie vor als *praefectus civitatium* fungierte, war so vertrauensvoll, daß dieser sogar ab 44 wieder offiziell den Königstitel tragen durfte. Erst der Tod des letzten Cottius unter Nero (54–68) machte das Gebiet westlich von *Augusta Taurinorum*/Turin (I) um das Jahr 63 zur römischen Provinz *Alpes Cottiae*, deren Hauptstadt *Segusio* wurde. Leider schweigen sich die Quellen darüber aus, wann das Gebiet der Seealpen, das bis dahin ebenfalls von militärischen *praefecti* verwaltet wurde, endgültig römisches Provinzland geworden ist (*CIL* V 1838 f.: *C(aius) Baebius Atticus praefectus civitatium in Alpis Maritimas*). Wahrscheinlich geschah dies unter Claudius (41–54), nachdem hier bereits Augustus im Jahre 7/6 v. Chr. hoch über dem heutigen Monaco sein fernhin sichtbares *tropaeum Alpium* hatte errichten lassen und einige Jahre zuvor zwischen *Nicaea*/Nizza (F) und *Forum Iulii*/Fréjus (F) *per Alpes Maritimas* ein wichtiger Straßenabschnitt fertiggestellt wurde, der lange Zeit umkämpft gewesen war. Hauptstadt der Provinz *Alpes Maritimae* wurde das 13 v. Chr. gegründete *Ce-*

menelum/Nizza-Cimiez (F), das 63 latinisches Recht erhielt und wo sich – im Gegensatz zur heute überbauten griechischen Nachbargründung *Nikaia* – bis heute bedeutende römische Architekturüberreste erhalten haben.

Keine der drei römischen Alpenprovinzen besaß gegenüber den anderen ein besonderes Eigengewicht. Alle drei wurden von ritterlichen Prokuratoren verwaltet, die der Rangklasse der *centenarii* zugeordnet waren, was zum Vergleich der Bedeutung der Statthalterposten in *Iudaea* oder *Epirus* entsprach. Problematisch ist, daß es den z. T. sehr fragmentarischen Inschriften zufolge offenbar sowohl Prokuratoren gegeben hat, die die Provinz *Alpes Graiae et Poeninae* als Ganzes verwaltet haben, wie auch solche, die *procurator Alpium Graiarum* oder *Poeninarum* waren. Zusätzliche Schwierigkeiten ergeben sich für die Gebietsgliederung dieser Region auf Grund einiger Inschriften des 2. Jhs., in denen der Amtsbereich einzelner Prokuratoren mit *Alpes Atrectianae* oder *Alpes Atrectianae et Poeninae* angegeben wird. Hierbei ist bis heute ungeklärt, ob es sich bei den *Alpes Atrectianae* um ein Synonym für *Alpes Graiae* handelt, das nur in Inschriften des 1. Jhs. erscheint, oder aber um einen ansonsten unbekannten Alpendistrikt, der zur unmittelbaren Nachbarschaft der *Alpes Poeninae* gehörte.

Trotz ihrer besonderen strategischen Bedeutung waren alle drei Alpensprengel *provinciae inermes*. Dies bedeutete jedoch nicht, daß in den Alpenprovinzen überhaupt keine Truppen stationiert waren. So sind z. B. Angehörige von Auxiliareinheiten sowohl in den *Alpes Maritimae* wie in den *Alpes Graiae* bezeugt, wobei die von TACITUS für *Cemenelum* genannten Auxiliartruppen wohl insbesondere dem Schutz Italiens und der *via Iulia Augusta* dienten, die von hier auf direktem Wege in die Po-Ebene führte. Im wesentlichen jedoch waren die Aufgaben der Prokuratoren in den Alpenprovinzen ziviler Natur. Neben ihren beiden wichtigsten Funktionen – der Wahrnehmung der Rechtsprechung und der Erhebung von Steuern und Zöllen – dürfte die bauliche Instandhaltung der Paßrouten zwischen Italien, Gallien und Rätien besondere Bedeutung besessen haben. Daß in schwerwiegenden Fällen, wenn der Paßweg von reißenden Gebirgsflüssen weggerissen oder durch Erdrutsche verschüttet wurde, nicht die Anrainergemeinden allein für den entstandenen Schaden aufzukommen hatten, wie es wohl grundsätzlich der Fall war, zeigt eine Bauinschrift aus der Gegend von *B*ergintrum/Bourg-St. Maurice (F), wo die Isère im Jahre 163 über die Ufer ge-

224

225

treten war, *vias per finem Ceutronum* zerstört hatte und sicher nur mit hohem finanziellem wie personellem Einsatz in ihr *alveum naturale* zurückgeführt werden konnte. Wie die Inschrift berichtet, übernahmen M. Aurelius und L. Verus *sua pecunia* die Beseitigung und Reparatur der nicht unbeträchtlichen Schäden (*CIL* XII 107 = *ILS* 5868).

Anders als in verkehrspolitischer Hinsicht besaßen die Alpenprovinzen wirtschaftlich für Rom nur geringe Bedeutung. Immerhin nennt PLINIUS (*N. H.* 34.2) speziell für die Graiischen Alpen eine besondere Käsesorte *vatusicum*

Abb. 223 Sog. Tropaeum Alpium. Siegesdenkmal des Augustus in La Turbie oberhalb von Monte Carlo. Errichtet 7/6 v. Chr. aus Anlaß der Unterwerfung aller Alpenstämme zwischen dem Tyrrhenischen und Adriatischen Meer. Einstige Gesamthöhe 49,5 m.

Abb. 224 Cemenelum/Nizza-Cimiez (F). Sog. Nordthermen der Hauptstadt von Alpes Maritimae mit Blick von Süden in das frigidarium (‹Kaltwasserbad›).

Abb. 225 Segusio/Susa (I). Ehrenbogen des Stammesfürsten M(arcus) Iulius Cottius für Augustus. Errichtet 9/8 v. Chr.

(auch *caseus vatusicus*), wahrscheinlich benannt nach einer heute nicht mehr bekannten Örtlichkeit der *Alpes Graiae*. Offenbar war dieser Alpenkäse, den auch der Arzt GALENOS empfahl (*De alimentorum facultatibus* III 16.3), eine hochgeschätzte Delikatesse, die selbst an der kaiserlichen Tafel in Rom nicht fehlen durfte, wie ihre Erwähnung in der Geschichte des Antoninus Pius (138–161) zeigt, der daran sogar gestorben sein soll (*SHA Ant. Pius* 12.4). Vor allem aber erwähnt PLINIUS die Kupfervorkommen in der Tarantaise, deren Besitzer oder Pächter C. Sallustius Crispus war, ein naher Freund des Augustus und Adoptivsohn des Historikers gleichen Namens, dem sein kaiserlicher Gönner zuvor auch schon die Ausbeutung der Erzvorkommen im Aostatal überlassen hatte.

Lediglich zwei Inschriften aus *Sedunum*/Sitten (CH), das in der Spätantike als Bischofssitz an die Stelle von *Octodurus*/Martigny (CH) trat, nennen die Namen zweier *praesides* der Provinz *Alpes Graiae et Poeninae*, die ungeschmälert die Provinzteilungen unter Diocletianus (284–305) überstand. Dagegen wurde offenbar die Provinz *Alpes Cottiae* zu dieser Zeit aufgelöst, ein Teil davon zu Italien ge-

schlagen, während der Rest mit den *Alpes maritimae* vereinigt wurde. Weitere Einzelnachrichten aus dieser Region sind für diese Zeit spärlich. Im Jahre 312 zog Constantinus I. mit seiner Hauptmacht wahrscheinlich über den Mt. Genèvre nach Oberitalien, während einige Meilensteine aus dem unteren Wallis sowie von der Strecke zwischen *Augusta Praetoria*/Aosta (I) und dem Kleinen St. Bernhard, die vor der Schlacht an der Milvischen Brücke (312) gesetzt wurden, unzweideutig zu erkennen geben, daß damals auch die Pässe *in summo Poenino* und *in Alpe Graia* fest in der Hand des jungen Kaisers waren. Die letzte gewichtige Nachricht aus spätrömischer Zeit betrifft den Tempel des *Iuppiter Poeninus* auf der Paßhöhe des Großen St. Bernhard, der – wie AUGUSTINUS berichtet (*De civitate dei* 5.26) – auf Geheiß des Kaisers Theodosius I. zerstört wurde (394). Offenbar war dieses Heiligtum von so überragender Bedeutung für die Bergbewohner wie vor allem für die Durchreisenden, die hier Rast machten und ihre Weiterreise unter den Schutz des allmächtigen Wetter- und Gebirgsgottes stellten, daß selbst ein heidnischer Tempel in derart entfernter Lage für das junge

Christentum eine Herausforderung darstellte.

Die wissenschaftliche Erforschung des Westalpengebietes ist in der Vergangenheit – bedingt durch die moderne Grenzziehung zwischen Frankreich, Italien und der Schweiz – nicht gerade gefördert worden. So sind Archäologie und Geschichte der *Alpes maritimae* in der Hauptsache eine Domäne französischer Forscher, die sich seit jeher wissenschaftlich auch um den westlichen Teil der *Alpes Cottiae* gekümmert haben, während das alte *Segusio*/Susa bereits auf italienischem Boden liegt. Die Schweizer Archäologie schließlich ist von Beginn an für die Erforschung der *vallis Poenina* zuständig gewesen, wobei die Untersuchungen der Gebirgswege und Paßrouten naturgemäß bis heute in der Schweizer Römerforschung eine besondere Rolle spielen.

Was insbesondere die architektonische Hinterlassenschaft aus römischer Zeit in den ehemaligen Alpenprovinzen betrifft, ist ihre Freilegung und Untersuchung bislang auf wenige Hauptplätze beschränkt geblieben. In den *Alpes maritimae* sind dies neben dem Siegesdenkmal von La Turbie oberhalb von Monte Carlo (MC) vor allem die bedeutenden Überreste der Provinzhauptstadt *Cemenelum*/Nizza-Cimiez (F) mit einem Amphitheater, zwei Thermenbauten und einem großartigen Nymphäum (Abb. 244). Auch im heutigen Susa, der alten Hauptstadt der *Alpes Cottiae*, haben sich außer dem Augustusbogen von 9/8 v. Chr. (Abb. 225) die Überreste eines Aquäduktes und im sog. Castello Romano wahrscheinlich die Grundmauern der cottischen Königsresidenz erhalten. Hinzu kommt auch hier ein Amphitheater, das zwischen 1956 und 1961 freigelegt und anschließend zum Teil wiederhergestellt worden ist. Die ehemalige Bedeutung dieses Platzes wird durch die große Zahl von römischen Inschriften zusätzlich unterstrichen (125 gegenüber 186 aus dem übrigen Bereich der *Alpes Cottiae*).

Ähnliche Monumente oder Überreste römischer Zeit sind aus *Axima*/Aîme-en-Tarantaise (F) nicht bekannt, obwohl auch von dort eine größere Anzahl römischer Inschriftsteine stammt, die sich heute im Museum von Aîme befinden. Wesentlich besser dokumentiert sind dagegen die archäologischen Überreste von *Octodurus*, das als *Forum Claudii Vallensium* um das Jahr 47 planmäßig in der Ebene von Martigny (CH) angelegt wurde und wahrscheinlich 574 beim Durchzug der Langobarden über den Großen St. Bernhard nach Oberitalien zerstört worden ist. Hier haben die systematischen Schweizer Grabungen vor allem in den

letzten Jahrzehnten wesentliche Teile der Insula-Bebauung der römischen Stadt freilegen und in vorbildhafter Weise als Teilrekonstruktionen wieder sichtbar machen können. Hierzu gehört neben einem Amphitheater ein gallo-römischer Umgangstempel, der in einen modernen Museumsbau integriert wurde, sowie ein Thermenbau von beträchtlichen Ausmaßen, der heute ebenso in einem archäologischen Freizeitpark liegt wie die Überreste einer weiteren Therme, zu der auch eine Gemeinschaftslatrine gehörte. Dagegen ist das Forum der Stadt mit Basilika und Haupttempel vom Grundriß her zwar bekannt, jedoch heute nicht mehr sichtbar. Als bedeutsam können auch die archäologischen Überreste in *Tarnaiae*/Massongex (CH) angesprochen werden, dem alten Hauptort des wallisischen Stammes der Nantuaten an der Straße zwischen *Octodurus* und dem Genfer See, sowie das, was sich archäologisch in *Sedunum*/ Sitten (CH) gefunden hat, dem Hauptort der Seduner.

Einen besonderen Rang hat namentlich in der Schweiz immer schon die Straßenforschung eingenommen, insbesondere die Untersuchung der Paßrouten über den Großen und Kleinen St. Bernhard, der sich Forscher wie A. PLANTA und G. WALSER in besonderer Weise gewidmet haben, indem sie Haupt- und Nebenwege Stück für Stück abgingen und erkundeten. Hierzu gehörten neben der Feststellung der römischen Weg- und Straßentrassen insbesondere auch die Untersuchungen der *stationes* auf den Paßhöhen, an denen auch italienische Archäologen beteiligt waren. Als besonders bedeutsam sei hier nochmals auf den Tempel des *Iuppiter Poeninus* hingewiesen, dessen Freilegung zahlreiche Ex-Voto-Täfelchen ergab, mit denen die Reisenden den Gott der Berge gnädig zu stimmen suchten, von dem sich aber auch auf dem Kleinen St. Bernhard eine silberne Votivbüste gefunden hat, die sich heutzutage im Museum in Aosta befindet.

Ein zusammenfassender Überblick zur Archäologie und Geschichte der römischen Alpenprovinzen ist bisher nicht geschrieben worden. Den besten Einstieg bietet: J. PRIEUR, *L'histoire des regions alpestres (Alpes Maritimes, Cottiennes, Graies et Pennines) sous le Haut-Empire Romain (Ier–IIIe siècle après J.-C.)*, in: ANRW II 5.2 (1976) 630 ff. m. ausführl. Bibl. 633 ff.
E. BARATHIER/ G. DUBY/ E. HILDESHEIMER, *Atlas historique: Provence. Comtat. Orange. Nice. Monaco* (1969); D. VAN BERCHEM, *Conquête et organisation par Rome des districts alpins*, in: REL 40, 1962, 228 ff.; C. BOCCA, *Sulle tracce dei Salassi* (1995); R. FELLMANN, *La Suisse galloromaine. Cinq siècles d'histoire* (1992); R. HAENSCH, *Zum Problem der Alpes Atrectianae, Graiae et Poeninae* (i. Vorb.); H.-J. KELLNER, *Zur Geschichte der Alpes Graiae et Poeninae*, in: Atti CSDIR 7, 1975–76, 379 ff.; N. LAMBOGLIA, *Questioni di topografia antica nelle Alpi Marittime*, in: Rivista di Studi Liguri

8–10, 1942–44; E. MEYER, *Zur Geschichte des Wallis in römischer Zeit*, in: Basler Ztschr. f. Gesch. u. Altertumskde. 42, 1943, 59 ff.; L. PAULI, *Die Alpen in Frühzeit und Mittelalter* (1980); J. PRIEUR, *La province romaine des Alpes Cottiennes* (1968); A. L. F. RIVET, *Alpes Maritimae*, in: DERS., *Gallia Narbonensis* (1988) 335 ff.; G. WALSER, *Studien zur Alpengeschichte in antiker Zeit* (1994).
R. FREI-STOLBA, *Die Schweiz in römischer Zeit. Ausgewählte staats- und verwaltungsrechtliche Probleme im Frühprinzipat*, in: ANRW II 5.1 (1976) 288 ff.; H.-J. KELLNER, *Zur römischen Verwaltung der Zentralalpen*, in: BVBl. 39, 1974, 92 ff.; G. WALSER, *Zur römischen Verwaltung der Vallis Poenina*, in: Museum Helveticum 31.3, 1974, 169 ff.
F. BENOIT, *Cimiez. La ville antique* (1977); L. CLOSUIT u. a., *Octodurus/Forum Claudii Vallensium (Martigny)*, in: Helvetia Archaeologica 39/40, 1979, 95 ff.; J. DEBERGH, *Segusio I: Monuments et vestiges. II: Materiel archéologique. III: Inscriptions, Tagungsakten Brüssel 1969*; N. LAMBOGLIA, *Liguria Romana (1938)* cp. 1: *Nicaea et Cemenelum.*; D. MOUCHOT, *Données nouvelles sur la topographie de Cemenelum (Cimiez): Les Quartiers sud, Homm. à F. Benoit III* (1972) 189 ff.; DERS., *Cemenelum. Centre de la province romaine des Alpes Maritimes*, in: Archaeologia 72, 1974, 31 ff.; F. WIBLÉ, *Forum Claudii Vallensium*, in: FAS 17 (1981); DERS., *Forum Claudii Vallensium. Das römische Martigny*, in: AW 14.2, 1983, 2 ff.; DERS./A. LUGON/C. OLIVE, *L'amphithéâtre romain de Martigny* (1991).
P. BAROCELLI, *Le strade e le costruzioni romane della Alpis Graia*, in: Mem. Accad. Scienze Torino s II vol. 66.5 (1924) 1 ff.; DERS., *Forma Italiae, Regio IX. Transpadana vol. I: Augusta Praetoria* (1948); H. BENDER, *Drei römische Straßenstationen in der Schweiz: Großer St. Bernhard – Augst – Windisch*, in: Helvetia Archaeologica 37, 1979, 2 ff.; R. DEGEN, *Der Große St. Bernhard in alten Beschreibungen und Berichten*, ebd. 31 ff.; M. DE LAVIS-TRAFFORD, *Études sur les voies transalpines dans la région du Mont Cenis depuis l'antiquité classique jusqu'au début du XIIIe siècle*, in: Bulletin Philologique et Historique 1, 1960, 61 ff.; A. PLANTA, *Zum römischen Weg über den Großen St. Bernhard*, in: Helvetia Archaeologica ebd. 15 ff.; J. PRIEUR, *Le col du Mont Genèvre dans l'antiquité*, Actes du colloque sur les cols des Alpes (1969) 113 ff.; G. WALSER, *Summus Poeninus. Beiträge zur Geschichte des Großen St. Bernhard-Passes in römischer Zeit* (1984); DERS., *Via per Alpes Graias. Beiträge zur Geschichte des Kleinen St. Bernhard-Passes in römischer Zeit* (1986).
J. FORMIGÉ, *Le trophée des Alpes* (1949); N. LAMBOGLIA, *Le trophée d'Auguste à La Turbie* [3](1964); J. PRIEUR, *Les arcs monumentaux dans les Alpes occidentales: Aoste, Suse, Aix-les-Bains*, in: ANRW II 12.1 (1982) 442 ff.
R. DEGEN, *Antike Religionen – Frühes Christentum*, in: AAVV., *Ur- und frühgeschichtliche Archäologie der Schweiz 5: Die römische Epoche* (1975) 123 ff.; R. FREI-STOLBA, *Götterkulte in der Schweiz zur römischen Zeit*, in: AAVV., *La religion romaine en milieu provencial*, in: Bulletin des Antiquites Luxembourgeoises 15, 1984, 75 ff.; L. PAULI, *Einheimische Götter und Opferbräuche im Alpenraum*, in: ANRW II 18.1 (1986) 816 ff.

Abb. 226 DE GERMANIS. Ansicht des Triumphbogens, der Drusus zu Ehren auf dem Forum Romanum errichtet wurde. Rückseite eines Aureus des Claudius, geprägt 41/54 in Rom in Erinnerung an seinen Vater (RIC 76).

Germania (83/85)

Es wird in der neueren Forschung mit gewichtigen Gründen bezweifelt, ob es wirklich einen umfassenden Operationsplan gegeben hat, Germanien bis zur Elbe zu unterwerfen und zur römischen Provinz zu machen. Festzuhalten ist allerdings, daß es zumindest unter Drusus (12–9 v. Chr.), der seine Truppen sowohl von *Vetera Castra*/Xanten-Birten wie von *Mogontiacum*/Mainz aus in Germanien operieren ließ, hierzu gewisse Ansätze gab und AUGUSTUS in seinen *res gestae* auch noch nach der Varusniederlage (9 n. Chr.) an der Fiktion festhielt, Germanien *ad ostium Albis fluminis* befriedet zu haben (*Mon. Anc.* 26). Sehr wahrscheinlich dürfte CASSIUS DIO in der Rückschau recht haben, daß es nur einzelne strategische Punkte waren, kein zusammenhängendes Territorium, das die Römer in Germanien als unterworfen ansehen durften. Dennoch galt *Germania* seit den Feldzügen des Tiberius (4–6) als *regio pacata* und der Bruder des Drusus als derjenige, der – nach den Worten seines Reiterpräfekten und späteren Legionslegaten VELLEIUS PATERCULUS – dem schwierigen Land *formam paene stipendiariae provinciae* gegeben hatte, den Charakter einer «fast schon tributpflichtigen Provinz» (II 97.4). Entsprechend dieser Vorstellung handelte in den Jahren 7–9 auch P. Quinctilius Varus, dessen persönliches Scheitern als Ergebnis einer verfehlten Besatzungspolitik angesehen

werden muß, die im Desaster der *clades Variana* endete. Die in den Jahren 14–16 durchgeführten Feldzüge des Germanicus verfolgten demgegenüber fast nur noch den Zweck, wie TACITUS unverhohlen anmerkt (*Ann.* I 3), die Schande der Varusniederlage vergessen zu machen und mit der Rückgewinnung der verlorengegangenen Legionsadler zumindest die *dignitas nominis Romani* wiederherzustellen.

Man hat Tiberius Mißgunst unterstellt, als er seinen Adoptivsohn im Jahre 16 von der Rheinfront abberief, den Germanen gegenüber fortan eine im Kern defensive Politik verfolgte und damit die Flüsse Rhein und Donau zur Grenze machte. Diese Entscheidung war nicht Ausdruck römischer Schwäche, sondern beruhte auf der klaren Erkenntnis, daß Germanien weder in organisatorischer noch wirtschaftlicher Hinsicht nennenswerte Voraussetzungen bot, um als *provincia pacata* ein wichtiger und wertvoller Teil des Reiches zu werden. Als Ergebnis der gescheiterten Offensivpolitik gegenüber Germanien entstanden so zwei langgestreckte, rumpfartige Territorien entlang des Rheines, zwei «Provinzen im Okkupationsstadium» (H. VON PETRIKOVITS), deren ‹halbprovinzieller› Charakter allerdings fast bis zum Ende des 1. Jhs. andauerte. Zwar waren diese beiden Gebiete seit der Neuordnung Galliens (16–13 v. Chr.) als selbständige Militärgrenzbezirke organisiert worden, doch zögerte die römische Führung offenbar lange Zeit, die Operationsgebiete des *exercitus Germanicus inferior* bzw. *superior* in rechtsgültige Provinzen umzuwandeln. Entsprechend lauteten die Titel, die die kaiserlichen Amtsträger in *Agrippina*/Köln und *Mogontiacum*/Mainz lange Zeit innehatten, *legatus Augusti pro praetore exercitus Germanici inferioris* rsp. *superioris.*

Schriftlichen Quellen nach ist der Vorgang der Provinzumwandlung in den ersten Regierungsjahren des Domitianus (81– 96) vollzogen worden. Wahrscheinlich geschah dies im Zuge der Grenzverschiebungen in der Wetterau und im Taunus während des Chattenkrieges (83/85). So ist in einem Militärdiplom, dessen Präskript zwischen dem 13.9.82 und dem 12.9.83 abgefaßt wurde, der Entlassungsdistrikt noch mit *in Germania* angegeben (*CIL* XVI 28), während eine (allerdings stark fragmentierte) Prokuratoreninschrift aus *Sentinum* bei Sassoferrato (I) bereits für das Jahr 83 einen *[proc(urator) p]rov[inc(iae) Belg(icae) et duar(um)*

226

G]erma[niar(um) ...] erwähnt (*CIL* XI 5744). Dies bedeutet, daß der offizielle Gebrauch, von *duae Germaniae* zu sprechen, wohl schon auf die Jahre 83/84 zurückgeht und die beiden germanischen Militärdistrikte zu diesem Zeitpunkt ihre *lex provinciae* erhalten haben, die alle Fragen der Verwaltung, Gerichtsbarkeit und Steuergesetzgebung regelte. Folgerichtig lautete fortan die exakte Amtsbezeichnung der Statthalter in Nieder- und Obergermanien *legatus Augusti pro praetore Germaniae inferioris* rsp. *superioris.* Während diese in ihren Provinzen als oberste Zivilverwalter und Oberkommandierende relativ großer Truppenkontingente fungierten, oblagen dem in *Augusta Treverorum*/Trier residierenden *procurator provinciae Belgicae utriusque Germaniae* sämtliche Finanzangelegenheiten der *Belgica* und der ‹beiden Germanien›.

Die Grenze zwischen Nieder- und Obergermanien bildete der Vinxtbach südlich der Ahr, an dessen Mündung auf beiden Ufern militärische Straßenposten eingerichtet waren, deren Besatzungen den Statthaltern in Köln und Mainz unterstanden (*CIL* XIII 7731 f.). Landeinwärts dürfte das Brohltal mit seinen Tuffsteinbrüchen, die ausschließlich von niedergermanischen Truppeneinheiten ausgebeutet wurden, ein wichtiger Grenzpunkt gewesen sein. Wo die Grenze beider Provinzen in der Eifel verlief, läßt sich am ehesten an einigen Meilensteinen ablesen, die an der Straße von *Agrippina* nach *Augusta Treverorum* standen. Danach scheint die Grenze südlich von *Icorigium*/Jünkerath bei dem Örtchen Oos die Fernstraße gekreuzt zu haben, wo im frühen Mittelalter auch die Grenze zwischen den Erzbistümern Köln und Trier verlief. Weiter nördlich wurde das Hohe Venn ausgespart, das zu *Gallia Belgica*

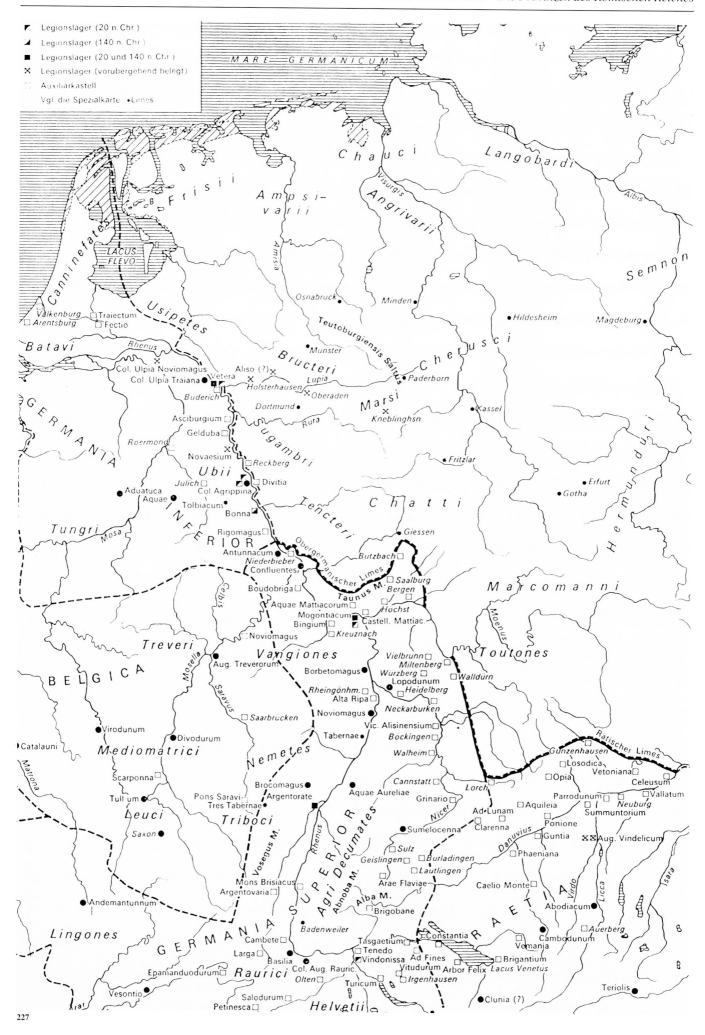

gehörte, ehe die Grenzlinie die Maas erreichte und südlich von *Traiectum ad Mosam*/Maastricht (NL) überschritt.

Es ist auf Grund der gegenwärtigen Quellenlage nicht sicher zu entscheiden, ob auch die *civitas Tungrorum* mit ihrem Hauptort *Aduatuca Tungrorum*/Tongeren (B) schon von Beginn an zur Provinz *Germania inferior* gehörte. Ein gewichtiges Argument für die Zugehörigkeit dürfte darin liegen, daß die Region der Tungrer in der Spätantike tatsächlich ein Teil der Provinz war. Will man nicht annehmen, *Germania II*, wie die Provinz seit dem Ende des 3. Jhs. hieß, sei mit der Verwaltungsreform unter Diocletianus (284–305) als einzige Provinz des Reiches nicht verkleinert, sondern vergrößert worden, ergibt sich allein hieraus der Schluß, daß das Gebiet westlich von Maastricht auch schon vor 293/294 zur Provinz *Germania inferior* gehört hat.

Den weiteren Verlauf der Westgrenze der Provinz bestimmte die *Mosa*/Maas. Die Grenzlinie verlief zunächst auf dem linken Flußufer, wo auch die Trasse der Fernstraße nach *Ulpia Noviomagus*/Nijmegen (NL) entlangführte, um dann in der näheren Umgebung von Roermond (NL) unter Einschluß der ‹Groote Peel›, eines ausgedehnten, schwer passierbaren Moorlandes, nach Westen abzubiegen und nach der Durchquerung der heutigen Provinz Noord-Brabant (NL) das Mündungsgebiet der *Scaldis*/Schelde zu erreichen. Eine nähere Festlegung der Grenzziehung in diesem Bereich ist heute noch nicht möglich. Einen wichtigen Hinweis gibt ein Altarstein aus der Gegend südlich von s’-Hertogenbosch (NL), den ein Mann namens *Fla(v)us Vihirmatis f(ilius)* als *summus magistratus civitatis Batavorum* dem germanischen Gott Hercules Magusanus setzte. Daraus geht mit Sicherheit hervor, daß die Grenze der *civitas Batavorum*, die ein Teil Niedergermaniens war, relativ weit über die Maas nach Süden reichte.

Seit der Abberufung des Germanicus (16/17) bildete der Rhein die Nord- und Ostgrenze der Provinz *Germania inferior*. Als *caput Germaniarum* wurde das Kastell *Lugudunum*/Katwijk-Brittenburg (NL) bezeichnet. Hier mündete laut PLINIUS (*N.H.* IV 101) der mittlere Mündungsarm des Rheines, der heute ‹Oude Rijn› und weiter östlich ‹Kromme Rijn› und ‹Neder Rijn› heißt und seit der Mitte

des 1. Jhs. die Nordgrenze der Provinz und des Reiches bildete. Zuvor hatten auch die *Frisii* nördlich der Grenze unter römischem Einfluß gestanden, doch hatte es Claudius (41–54) seinem Legaten Cn. Domitius Corbulo untersagt, gegen Friesen und Chauken zu Felde zu ziehen, und ihn angewiesen, sich mit seinen Truppen auf die Rheinlinie zurückzuziehen, die fortan bis zum Mittelrhein südlich von *Rigomagus*/Remagen einen ebenso natürlichen wie leicht zu sichernden *limes ad Germaniam inferiorem* bildete (*Panegyrici Latini* XII (IX) 21.5).

Zur Grenzzone gehörte jenseits des Flusses auch ein breiter Landstreifen, der den römischen Truppen am Rhein als Nutz- und Weideland (*prata*) diente und zumindest im 1. Jh., wenn nötig, wie etwa TACITUS berichtet (*Ann.* XIII 54 f.), auch mit Gewalt ‹siedlungsfrei› gehalten wurde. Rechtsrheinisch lagen u. a. auch verschiedene Steinvorkommen wie die Trachytbrüche am Drachenfels oder auch die bisher nicht identifizierten *tegularia transrhenana*. Wie tief diese *agri vacui et militum usui sepositi* in germanisches Territorium hineinreichen konnten, zeigt ein 1970 gefundener Prata-Stein der *legio I Minervia* aus *Bonna*/Bonn, der knapp 4 km vom Rhein entfernt am linken Ufer der Sieg entdeckt wurde.

Gegenüber Niedergermanien, das sich in seiner Grenzziehung stärker an geographischen Gegebenheiten orientierte, insgesamt leichter zu überblicken ist und in den wenigen strittigen Punkten weniger kontrovers diskutiert werden kann, bereitet die Festlegung der Grenzen der in mehrerlei Hinsicht sehr viel komplexeren Provinz *Germania superior* wesentlich größere Probleme. Sie betreffen insbesondere die Grenzziehung gegenüber den gallischen Provinzen *Belgica* und *Lugdunensis* und hierbei vor allem die Frage, ob die Gebiete der *Lingones*, *Sequani*, *Helvetii* und *Rauraci* zu *Gallia* oder *Germania* gehörten. Da die betreffenden Territorien heute auf französischem bzw. Schweizer Boden liegen, ergibt sich allein daraus die Konsequenz, daß die betreffende Frage im Einzelfall diesseits oder jenseits der heutigen Grenzen völlig anders gesehen und beurteilt wird.

Unstrittig ist der Verlauf des nördlichen Teils der obergermanischen Westgrenze, die zwischen Bad Bertrich und Cochem die Mosel überschritt, später die Fernstraße zwischen *Mogontiacum*/ Mainz und *Augusta Treverorum*/Trier kreuzte, dann den Pfälzer Wald durchquerte, um bis in das Quellgebiet der Mosel am Elsässer Belchen (1247 m) dem Zug des *Vosegus mons*/Vogesen zu folgen. Dort wandte sich die Grenze nach Westen, um-

schloß wahrscheinlich das Plateau von Langres mit *Andematunnum*/Langres (F) und *Dibio*/Dijon (F), den wichtigsten Städten der Lingonen, wandte sich dann wieder nach Süden und erreichte kurz vor *Genava*/Genf (CH) die Rhône und wenig später den *Lemannus lacus*/Genfer See. Die Grenze zu den Provinzen *Gallia Narbonensis* und *Alpes Graiae et Poeninae* scheint am Nordufer des Sees entlanggeführt zu haben. Später folgte sie – parallel zur Rhône – dem Kamm der Berner Alpen bis zum Grimselpaß (2165 m) und weiter durch das Reusstal bis zum Oberalppaß (2044 m). Von hier aus wandte sich die Grenzlinie wieder nach Norden, durchquerte das Gebiet der Glarner Alpen, kreuzte zwischen Zürichsee und Walensee die wichtige Straßenverbindung zwischen *Curia*/Chur (CH) und *Vindonissa*/Brugg-Windisch (CH) und erreichte schließlich bei *Tasgaetium*/ Eschenz (CH) wieder den Rhein.

Bis in augustisch-tiberische Zeit bildete der Fluß zwischen Bodensee und Vinxtbach die Ostgrenze des späteren Obergermanien. Bis in die Zeit des Claudius (41–54) hatte man diese Linie überschritten und begonnen, ein umfangreiches Vorfeld auf dem rechten Rheinufer zu schaffen, das nördlich von *Mogontiacum* bis zum heutigen Wiesbaden und Hofheim i. Ts. sowie am *Nicer*/Neckar bis zum heutigen Heidelberg reichte (Abb. 50). Bis in die Zeit des Vespasianus (69–79) verfestigte sich dieser Grenzzustand. Zu einer Erweiterung des römischen Einflußgebietes kam es bis dahin insbesondere in der Wetterau sowie in dem Winkel zwischen dem Oberrhein und dem Quellgebiet von Neckar und Donau, als der Kaiser durch seinen Legaten Cn. Pinarius Clemens von *Argentoratum*/Straßburg (F) aus eine Straße durch das Kinzigtal zur Donau bauen ließ (*CIL* XIII 9082).

Mit den Unternehmungen des Domitianus (81–96), die ein weiteres Vorschieben der Grenze zwischen Rhein und Donau zur Folge haben, beginnt der systematische Ausbau des sog. Obergermanisch-rätischen Limes, einer mit zahlreichen Kastellen und Wachttürmen gesicherten Grenzsperre auf dem Boden der Provinzen *Germania superior* und *Raetia*, die beim heutigen Rheinbrohl gegenüber der Mündung des Vinxtbaches ansetzte, die gesamte Wetterau umschloß, bei Seligenstadt den Main erreichte, den Odenwald durchlief und bei Bad Wimpfen auf den Neckar traf. Um das Jahr 157 wurde diese Linie nochmals nach Osten vorgeschoben. Die Grenzlinie – in Obergermanien als Wall-Graben-System mit davorgesetzter Palisadenmauer ausgeführt – verließ

228

nun den Main bei Miltenberg und führte südwärts in gerader Flucht bis nach Lorch, wo die Provinz *Raetia* begann, die Grenzbefestigung – nun als Mauer gebaut – um mehr als einen rechten Winkel nach Osten abknickte und schließlich nördlich von *Abusina*/Eining die Donau erreichte.

Eine vergleichbare Grenzbefestigung hat es am Nieder- und Mittelrhein nicht gegeben. Hier bildete der Fluß vor allem im Unterlauf mit seinen zahlreichen Nebenarmen und Auezonen ein breites Annäherungshindernis, dessen Existenz entscheidend dazu beitrug, daß *Germania inferior* – lediglich unterbrochen durch den Bataveraufstand (69/70) – eine fast

250jährige Friedenszeit erlebte. Die Ordnung, die hierzu die Grundlage bildete, ging auf Vespasianus (69–79) zurück, der an die Politik des Tiberius (14–37) anknüpfte, deren Grundsätze lauteten: Ruhe an der Grenze, Kontrolle des ‹Niemandslandes› jenseits des Stromes, Waffengewalt nur dann, wenn Diplomatie nicht mehr half. Eine solche Politik konnte allerdings bis weit in das 3. Jh. hinein nur Bestand haben, weil niemand auf der germanischen Seite stark genug war oder ein Interesse daran hatte, den von Rom an der Rheingrenze geschaffenen *status quo* zu verändern. So herrschte lange Zeit – abgesehen von gelegentlichen Beutezügen namentlich der *Chauci*, die auf ihren schnellen Schiffen das Küstengebiet offenbar wiederholt unsicher machten – tiefer Frieden in der Grenzprovinz *Germania inferior*, in der sich wirtschaftliches wie gesellschaftliches Leben ohne größere Einschränkungen frei und kontinuierlich entfalten konnte.

Soweit man heute weiß, hat sich der erste größere Einfall der Franken, eines Zusammenschlusses verschiedener rechtsrheinischer Germanenstämme, in den Jahren 256/257 abgespielt. Erst 1981 sind in *Gelduba*/Krefeld-Gellep Massengräber aufgedeckt worden, die auf makabre Weise das Unglück festhalten, das damals am Niederrhein über die Menschen hereinbrach. Natürlich hatte der Druck auf die Rheingrenze schon früher begonnen, doch war es Kaisern und Statthaltern bis dahin gelungen, fränkische Scharen auf ihrer Suche nach Beute oder Land zurückzudrängen, sie gar nicht erst römisches Reichsgebiet betreten zu lassen und ihnen den Sieg notfalls mit Gold oder Silber abzukaufen. Einigermaßen friedliche Verhältnisse herrschten immer dann, wenn sich der Kaiser mit einem starken Heer persönlich an den niedergermanischen Frontabschnitt begab, um die Franken entweder mit Mitteln der Abschreckung einzuschüchtern oder durch Geldzahlungen und vertragliche Abmachungen einige Zeit zum Stillhalten zu bewegen. In dieser Hinsicht kann die Zeit des Gallischen Sonderreiches unter Marcus Cassianus Latinius Postumus (259–268) und seinen Nachfolgern als relativ ruhiger Zeitabschnitt bezeichnet werden, ehe die abtrünnigen Gebiete Galliens und Germaniens unter Aurelianus (270–275) dem Reich wieder eingegliedert wurden.

Gemessen an der dramatischen Zuspitzung des politischen und wirtschaftlichen Geschehens jener Zeit, sind die archäologischen Zeugnisse und Überreste aus *Germania II*, wie die Provinz seit der Verwaltungsreform unter Diocletianus

229

(284–305) hieß, als nicht sehr ansehnlich zu bezeichnen. Wohl gab es sehr zurückgezogen eine schmale Oberschicht, die sich Luxuswaren leisten konnte, doch war es sicher für die meisten Menschen in der Provinz ein Kampf ums tägliche Dasein voller Not, Armut und Verzweiflung, die in aller Regel keine Spuren hinterlassen. Um der Bevölkerung ein Mindestmaß an Sicherheit zu geben, wurden die meisten städtischen Siedlungen, größtenteils auf reduziertem Areal wie in *Traiana*/Xanten, mit neuen Mauern und breiten Gräben umgeben (Abb. 11). Gleiches geschah an den Militärplätzen der Provinz, von denen die meisten Kastelle zwischen *Lugudunum*/Katwijk-Brittenburg (NL) und *Carvium*/Bijlandse Waard (NL) nach 276 aufgegeben wurden. Dagegen verstärkte man die verbliebene Grenzlinie unter Constantinus I. (313–337) und vor allem Valentinianus I. (364–375) u. a. durch den Bau neuer Festungen. Hierzu gehörten auch zahlreiche *burgi* sowohl an der Grenze wie im Binnenland, steinerne Türme, die nach dem Zeugnis des Ausonius offenbar sowohl als *horrea* wie als *castra* gedient haben (*Mosella* 456 f.). Verschiedenen Ausgrabungsbefunden nach handelte es sich dabei um Kornspeicher, in denen die *annona militaris* gesammelt wurde und die man unter den Erfordernissen einer unruhigen Zeit in Wehranlagen umgewandelt hatte.

Das Ende römischer Präsenz in der Provinz *Germania II* wurde lange mit dem Abzug der römischen Grenztruppen unter Stilicho (401/402) in Zusammenhang gebracht. Andererseits haben sich in letzter Zeit die Hinweise gemehrt, daß die wenig später erfolgte Besetzung linksrheinischer Gebiete durch germanische Stämme hauptsächlich die Provinz *Germania I* betraf, die damals ihr Ende fand, während *Germania II* zu diesem Zeitpunkt wohl noch weitgehend unbesetzt blieb. Genaugenommen kann für das Mittel- und Niederrheingebiet auch kein annähernd exaktes Datum für die endgül-

230

Abb. 228 Ulpia Noviomagus/Nijmegen (NL): Ausgrabung 1994 am Maasplein mit den Bodenspuren zweier gallorömischer Tempel. Blick von Südwesten.

Abb. 229 Colonia Agrippina/Köln (D). Ausgrabung Burgmauer 1a (1995). Blick von Osten auf die Nordwestecke einer Insula der römischen Stadt mit Portikusbebauung. 2. Jh.

Abb. 230 Colonia Augusta Raurica/Augst (CH). Blick von Südosten auf die Stützmauern der Basilikaterrasse mit teilrekonstruierter curia (‹Rathaus›).

tige fränkische Landnahme genannt werden. Vielmehr vollzog sich hier über zwei Jahrhunderte ein fortwährender Verschmelzungsprozeß, in dessen Verlauf Romanen germanisiert und Germanen romanisiert wurden, so daß sich die Grenzen zwischen Einheimischen und Eroberern allmählich verwischten. Am deutlichsten spiegeln diesen Prozeß die Gräberfelder von Krefeld-Gellep und Jülich wider, die kontinuierlich von der römischen bis in die fränkische Zeit belegt wurden. Sie lassen erkennen, daß sich die fränkische Landnahme im 5. Jh. offenbar nur zögernd vollzog und die Herausbildung neuer fränkischer Siedlungszentren wohl erst um die Mitte des 6. Jh. abgeschlossen war.

In *Germania superior* verlief die Entwicklung in der mittleren und späten Kaiserzeit durchaus ähnlich. Auch diese Provinz erlebte eine lange Friedenszeit, die – unterbrochen lediglich durch zwei Chatteneinfälle (162 bzw. um 170) sowie den sog. Maternusaufstand (185/186) – bis zum ersten feindlichen Auftreten der Alamannen zu Beginn der dreißiger Jahre des 3. Jhs. dauerte. Bereits 213 war dieser von der mittleren Elbe stammende Germanenverband im Vorfeld des Obergermanisch-rätischen Limes aufgetaucht, jedoch von Caracalla mit einem großen Truppenaufgebot in einer Schlacht nahe des Mains entscheidend besiegt worden (Aur. Victor, *Caes.* 21.2). Ihre sich seit 233 ständig häufenden Einfälle führten schließlich zur Aufgabe des Obergermanisch-rätischen Limes in den Jahren zwischen 254 und 259/60, als die letzten

noch besetzten Festungen wie das Kastell Niederbieber, nördlich von Neuwied, von den Eindringlingen erobert wurden, nachdem zuvor schon das Gros der Militärplätze am Limes mehr oder weniger planmäßig geräumt worden sein dürfte und die abziehenden Truppen ihre Wehrbauten und Kasernen selbst in Brand gesteckt hatten.

Mit der Rücknahme der Grenze auf die Flüsse Rhein und Donau und der Preisgabe der *Decumates agri* verringerte sich der ständige Druck auf die Limeszone. Andererseits setzte auch in *Germania I*, wie der nördliche Teil der Provinz seit der diokletianischen Verwaltungsreform hieß (im Gegensatz zum südlichen Teil, der den Namen *Maxima Sequanorum* erhielt), ein rasch fortschreitender Germanisierungsprozeß ein, hervorgerufen insbesondere durch die gezielte Ansiedlung germanischer Gruppen, die vielleicht schon unter Severus Alexander (222–235) begann, als offenbar die ersten landsuchenden Alamannen zu *limitanei* wurden. In der nachfolgenden Zeit verstärkte sich diese Entwicklung, ablesbar vor allem an der Germanisierung des Heeres bis hinauf in die Offiziersränge, so daß es nicht verwundern muß, daß am Ende der römischen Zeit in Germanien Männer wie der Franke Arbogast oder der Vandale Stilicho politisch das Sagen hatten. Als schließlich Ende des Jahres 406 Alanen, Sweben und Vandalen bei Mainz den Rhein überschritten und weite Gebiete Germaniens und Galliens überfluteten, bedeutete dies nicht das abrupte Ende der ehemaligen Provinz Obergermanien, sondern lediglich den Schlußpunkt einer Entwicklung, die als allmähliche Verschmelzung römischer, germanischer und christlicher Elemente lange zuvor eingesetzt hatte und damit wichtige Voraussetzungen für die nachfolgenden Jahrhunderte schuf.

Die Gebiete des ehemaligen Nieder- und Obergermanien gehören zu den besterforschten Gebieten des Römischen Reiches. Dies gilt für den niederländischen und belgischen Anteil der ehemaligen *Germania inferior*, den elsässischen wie Schweizer Anteil an der *Germania superior* ebenso wie für die römische Archäologie auf deutschem Boden in den Bundesländern Nordrhein-Westfalen, Rheinland-Pfalz, Saarland, Hessen und Baden-Württemberg. Lediglich die Forschung im Département Franche-Comté fällt demgegenüber etwas ab, obwohl es auch von dort, namentlich unter der Ägide des ‹Musée archéologique› in Dijon, wichtige Untersuchungsergebnisse gibt, die allerdings hierzulande viel zu wenig bekannt sind. Insgesamt läßt sich hinsichtlich der Forschungsschwerpunkte in den meisten der angesprochenen Regionen feststellen, daß militärhistorische Studien und solche, die mit ehemaligen römischen Militäranlagen in Zusammenhang stehen, ein deutliches Übergewicht besitzen, während – von längerfristigen Schwerpunktgrabungen wie in *Augusta Raurica*/Augst (CH), *Aventicum*/Avenches (CH) oder *Traiana*/Xanten (D) abgesehen – Untersuchungen ziviler Siedlungsplätze erst in jüngerer Zeit stärker in den Vordergrund getreten sind. Dies ist sicher kein Zufall, sondern Ausdruck der Erkenntnis einer gewissen Überbewertung der römischen Militärarchäologie und der Notwendigkeit, entsprechend der Gesamtgliederung und -struktur der Gebiete Nieder- und Obergermaniens neue Forschungsschwerpunkte zu setzen.

Angesichts des überreichen Literaturangebots zu den ‹beiden Germanien› kann die nachfolgende Bibliographie nur eine Auswahl darstellen. Eine möglichst vollständige Erfassung wird allerdings dort angestrebt, wo es um Gesamtdarstellungen und Überblicke geht, die weitergehende bibliographische Angaben enthalten und die Möglichkeit geben, sich Spezialliteratur zu einzelnen Aspekten und Fragestellungen zu erschließen.

AAVV., *Das neue Bild der alten Welt. Archäologische Bodendenkmalpflege und archäologische Ausgrabungen in der Bundesrepublik Deutschland von 1945–75* (1975); AAVV., *Die Alamannen* (1997); AAVV., *Die Franken. Wegbereiter Europas* (1996); AAVV., *Germania Romana. Ein Bilder-Atlas* ²(1924-30); AAVV., *Germania Romana* I-III (1960–70); R. ASSKAMP/S. BERKE (Red.), *Die römische Okkupation nördlich der Alpen zur Zeit des Augustus* (1991); W. CAPELLE, *Das alte Germanien. Die Nachrichten der griechischen und römischen Schriftsteller* ²(1937); R. CHEVALLIER, *Rome et la Germanie au premier siècle de notre ère* (1961); W. HILGERS, *Deutsche Frühzeit. Geschichte des römischen Germanien* (1976); R. KAISER, *Das römische*

Erbe und das Merowingerreich (1993); A. KING, *Roman Gaul and Germany* (1990); H. KLINGHOFFER, *Germania Latina. Sammlung literarischer, inschriftlicher und archäologischer Zeugnisse zur Geschichte und Kultur Westdeutschlands in der Römerzeit* (1955); P. MACKENDRICK, *Deutschlands römisches Erbe* (1972); A. RIESE, *Das rheinische Germanien in der antiken Literatur* (1892; ND 1968); DERS., *Das rheinische Germanien in den antiken Inschriften* (1914); W. SÖLTER (Hg.), *Das römische Germanien aus der Luft* (1981); CH.-M. TERNES, *Die Römer an Rhein und Mosel* ²(1976); DERS., *Römisches Deutschland* (1986); C. WELLS, *The German policy of Augustus* (1972); R. WIEGELS/W. WOESTER (Hg.), *Arminius und die Varusschlacht. Geschichte – Mythos – Literatur* (1995).

AAVV., *Römer am Rhein* ²(1967); T. BECHERT, *Römisches Germanien zwischen Rhein und Maas. Die Provinz Germania Inferior* (1982). Dazu die niederländische Fassung: DERS., *De Romeinen tussen Rijn en Maas* (1983); J. H. F. BLOEMERS/L. P. LOUWE KOOIJMANS/ H. SARFATIJ, *Verleden Land. Archeologische opgravingen in Nederland* (1981) bes. 75 ff.; S. G. VAN DOCKUM/ E. J. VAN GINKEL, *Romeins Nederland. Archeologie en schiedenis van een grensgebied* (1993); O. DOPPELFELD/H. HELD, *Der Rhein und die Römer* ²(1976); W. A. VAN ES, *De Romeinen in Nederland* ³(1981); DERS./H. SARFATIJ/ P. J. WOTERING, *Archeologie in Nederland* (1988); DERS./W. A. M. HESSING (eds.), *Romeinen, Friezen en Franken in het hart van Nederland* (1994); H. G. HORN (Hg.), *Die Römer in Nordrhein-Westfalen* (1987) m. ausführl. Bibl. 671 ff.; H. VON PETRIKOVITS, *Das rheinische Rheinland. Archäologische Forschungen seit 1945* (1960); DERS., *Beiträge zur römischen Geschichte und Archäologie 1931–74* (1976); DERS., s. v. Germania (Romana), in: *RAC* 10 (1978) 548 ff.; DERS., *Rheinische Geschichte* Bd. 1.1: *Altertum* (1978); H. POLENZ, *Römer und Germanen in Westfalen* (1985); M.-TH. RAEPSAET/G. RAEPSAET-CHARLIER, *Gallia Belgica et Germania Inferior. Vingt-cinq années de recherches historiques et archéologiques*, in: *ANRW* II 4 (1975) 3 ff.; B. TRIER (Hg.), *2000 Jahre Römer in Westfalen* (1989).

A. BECKER, *Rom und die Chatten* (1992); D. BAATZ/F.-R. HERRMANN, *Die Römer in Hessen* ²(1989); H. BÖGLI, *Die Schweiz zur Römerzeit* (1976); H. CÜPPERS (Hg.), *Die Römer in Rheinland-Pfalz* (1990); W. CZYSZ/K. DIETZ/TH. FISCHER/H.-J. KELLNER, *Die Römer in Bayern* (1995); R. FELLMANN, *La Suisse gallo-romaine. Cinq siècles d'histoire* (1992); PH. FILTZINGER/D. PLANCK/B. CÄMMERER, *Die Römer in Baden-Württemberg* ³(1986); A. FURGER (Hg.), *Die Schweiz zwischen Antike und Mittelalter. Archäologie und Geschichte des 4. bis 9. Jahrhunderts* (1996); M. HARTMANN/H. WEBER, *Die Römer im Aargau* (1985); J.-J. HATT, *L'Alsace romaine*, in: PH. DOLLINGER, *Histoire de l'Alsace* (1970) 27 ff.; D. PLANCK (Hg.), *Archäologie in Württemberg* (1988); DERS. u. a., *Das unterirdische Baden-Württemberg* (1994); R. ROEREN, *Zur Archäologie und Geschichte Südwestdeutschlands im 3. bis 5. Jahrhundert*, in: *Jhb. RGZM* 7, 1960, 214 ff.; F. STAAB (Hg.), *Zur Kontinuität zwischen Antike und Mittelalter am Oberrhein* (1994); CH.-M. TERNES, *Die Provincia Germania Superior im Bilde der jüngeren Forschung*, in: *ANRW* II 5.2 (1976) 721 ff.; H. WALTER, *La Franche-Comté romaine* (1979).

W. ECK, *Rom, sein Reich und seine Untertanen. Zur administrativen Umsetzung von Herrschaft in der hohen Kaiserzeit*, in: *Geschichte in Köln* 7, 1980, 5 ff.; DERS., *Die Statthalter der germanischen Provinzen vom 1.–3. Jahrhundert* (1985); G. GOTTLIEB (Hg.), *Raumordnung im Römischen Reich* (1989); E. RITTERLING, *Fasti des römischen Deutschland unter dem Prinzipat* (1932); H. WOLFF, *Die politisch-administrative Binnengliederung des gallisch-germanischen Raumes* (1989).

G. ALFÖLDY, *Die Legionslegaten der römischen Rheinarmeen* (1967); E. STEIN, *Die kaiserlichen Beamten und Truppenkörper im römischen Deutschland unter dem Prinzipat* (1932; ND 1965); H. SCHÖNBERGER, *Die römischen Truppenlager der frühen und mittleren Kaiserzeit zwischen Nordsee und Inn*, in: *Ber. RGK* 66, 1985, 321 ff.
W. ECK, *Niedergermanische Statthalter in Inschrif-*

ten aus Köln und Nettersheim, in: *BJ* 184, 1984, 97 ff.; G. PRECHT, *Baugeschichtliche Untersuchungen zum römischen Praetorium in Köln* (1973); C. B. RÜGER, *Germania Inferior. Untersuchungen zur Territorial- und Verwaltungsgeschichte Niedergermaniens in der Prinzipatszeit* (1968).

G. ALFÖLDY, *Die Hilfstruppen in der römischen Provinz Germania Inferior* (1968); T. BECHERT/ W. J. H. WILLEMS (Hg.), *Die römische Reichsgrenze von der Mosel bis zur Nordseeküste* (1995). Dazu: DIESS., *De Romeinse rijksgrens tussen Moezel en Nordzeekust* (1995); J. E. BOGAERS/C. B. RÜGER (Hg.), *Der Niedergermanische Limes. Materialien zu seiner Geschichte* (1974); M. GECHTER, *Die Anfänge des Niedergermanischen Limes*, in: *BJ* 179, 1979, 1 ff.; DERS., *Das römische Heer in der Provinz Niedergermanien*, in: H. G. HORN (Hg.), *Die Römer in Nordrhein-Westfalen* (1987) 110 ff.; J.-S. KÜHLBORN, *Germanam pacavi – Germanen habe ich befriedet. Archäologische Stätten augusteischer Okkupation* (1995); J. KUNOW, *Die Militärgeschichte Niedergermaniens*, in: H. G. HORN ebd. 27 ff.; H. VON PETRIKOVITS, *Die römischen Streitkräfte am Niederrhein* (1967); S. VON SCHNURBEIN, *Untersuchungen zur Geschichte der römischen Militärlager an der Lippe*, in: *Ber. RGK* 62, 1981, 5 ff.

T. BECHERT, *Die Römer in Asciburgium* (1989); M. CARROLL-SPILLECKE, *Das römische Militärlager Divitia in Köln-Deutz*, in: *KJb.* 26, 1993, 341 ff.; H. CHANTRAINE u. a., *Das römische Neuss* (1984); R. M. VAN DIERENDONCK/D. P. HALLEWAS/K. E. WAUGH (eds.), *The Valkenburg excavations 1985-88* (1993); H. VAN ENCKEVOORT/K. ZEE, *Het Kops Plateau, een Romeinse legerplaats in Nijmegen* (1996); M. GECHTER, *Castra Bonnensia. Das römische Bonn* (1989); W. GLASBERGEN, *De Romeinse castella te Valkenburg Z. H.* (1972); DERS./W. GROENMAN-VAN WAATERINGE, *The Pre-Flavian garrisons of Valkenburg Z. H.* (1974); J. K. HAALEBOS, *Zwammerdam–Nigrum Pullum. Ein Auxiliarkastell am Niedergermanischen Limes* (1977); DERS., u. a., *Castra und Canabae. Ausgrabungen auf dem Hunerberg in Nijmegen 1987–94* (1995); N. HANEL, *Vetera I. Die Funde aus den römischen Lagern auf dem Fürstenberg bei Xanten*, 2 Bde. (1995); A. V. M. HUBRECHT/A. M. GERHARTL-WITTEVEEN (eds.), *Op het spoor de Romeinen en Nijmegen* ³(1988); J.-S. KÜHLBORN u. a., *Oberaden III. Die Ausgrabungen im nordwestlichen Lagerbereich und weitere Baustellenuntersuchungen der Jahre 1962–88* (1992); M. J. G. TH. MONTFORS, *Romeins Utrecht* (1995); G. MÜLLER, *Ausgrabungen in Dormagen 1963–77* (1979); L. R. P. OZINGA u. a., *Het Romeinse castellum te Utrecht* (1989); R. PIRLING, *Römer und Franken in Krefeld-Gellep* (1986); W. SCHLÜTER (Hg.), *Kalkriese – Römer im Osnabrücker Land. Archäologische Forschungen zur Varusschlacht* ²(1993); S. VON SCHNURBEIN, *Die römischen Militäranlagen bei Haltern* (1974).

H. BRAUNERT, *Zum Chattenkrieg Domitians*, in: *BJ* 153, 1953, 97 ff.; G. WALSER, *Der Putsch des Saturninus gegen Domitian*, in: *Provincialia* (1968) 497 ff.; H. WOLFF, *Einige Probleme der Raumordnung im Imperium Romanum, dargestellt an den Provinzen Obergermanien, Raetien und Noricum*, in: *Ostbair. Grenzm.* 28, 1986, 152 ff.

AAVV., *Der römische Limes in Deutschland, Sonderheft «Archäologie in Deutschland»* (1992); G. ALFÖLDY, *Caius Popilius Carus Pedo und die Vorverlegung des obergermanischen Limes*, in: *Fundber. BW* 8, 1983, 55 ff.; R. ASSKAMP, *Das südliche Oberrheingebiet in frührömischer Zeit* (1989); D. BAATZ, *Der römische Limes* ³(1993); R. BRAUN, *Frühe Forschungen am obergermanischen Limes in Baden-Württemberg*, in: *Limesmuseum Aalen* 45 (1991); J. GARBSCH, *Der spätrömische Donau-Iller-Rhein-Limes*, ebd. 6 (1970); J. HEILIGMANN, *Der «Alb-Limes». Ein Beitrag zur römischen Besetzungsgeschichte Südwestdeutschlands* (1990); M. KLEE, *Der Limes zwischen Rhein und Main* (1989); H.-P. KUHNEN u. a., *Gestürmt – Geräumt – Vergessen? Der Limesfall und das Ende der Römerherrschaft in Südwestdeutschland* (1992); H. NEUMAIER, *Christian Ernst Hansselmann. Zu den Anfängen der Limesforschung in Südwestdeutschland* (1993); H. U. NUBER, *Limesforschung in Baden-Württemberg*, in: *Denkmalpfl. BW* 12, 1983, 109 ff.; DERS., *Das*

Ende des Obergermanisch-Rätischen Limes – eine Forschungsaufgabe, in: DERS./K. SCHMID/H. STEUER/TH. ZOTZ (Hg.), *Archäologie und Geschichte des ersten Jahrtausends in Südwestdeutschland* (1990) 51 ff.; D. PLANCK, *Der römische Limes als Aufgabe der Bodendenkmalpflege*, in: *Denkmalpfl. BW* 10, 1981, 1 ff.; DERS./W. BECK, *Der Limes in Südwestdeutschland* [2](1987); E. SCHALLMAYER, *Der Odenwaldlimes* (1984); W. SCHLEIERMACHER, *Der obergermanische Limes und spätrömische Wehranlagen am Rhein*, in: *Ber. RGK* 33, 1943–50, 133 ff.

D. BAATZ, *Kastell Hesselbach und andere Forschungen am Odenwaldlimes* (1973); E. DESCHLER-ERB/M. PETER/S. DESCHLER-ERB, *Das frühkaiserzeitliche Militärlager in der Kaiseraugster Unterstadt* (1991); PH. FILTZINGER, *Arae Flaviae. Das römische Rottweil* (1995); G. FINGERLIN, *Dangstetten, ein augusteisches Legionslager am Hochrhein*, in: *Ber. RGK* 51/52, 1970/71, 197 ff.; M. HARTMANN, *Vindonissa. Oppidum – Legionslager – Castrum* (1986); M. KLEE, *Die Saalburg* (1995); CH. MEYER-FREULER, *Das Praetorium und die Basilika von Vindonissa* (1989); D. PLANCK, *Arae Flaviae* I, 2 Bde. (1975); E. RITTERLING, *Das frührömische Lager bei Hofheim im Taunus*, in: *Nass. Ann.* 40, 1912; H. SCHÖNBERGER, *Das augusteische Römerlager Rödgen* (1976); DERS. u. a., *Das Kastell Okarben und die Besetzung der Wetterau seit Vespasian* (1980); DERS./H. G. SIMON, *Die Kastelle in Altenstadt* (1983).

H. GROPENGIESSER, *Spätrömischer Burgus bei Mannheim-Neckarau*, in: *Bad. Fundber.* 13, 1937, 117 f.; U. HEIMBERG, *Ein Burgus bei Zülpich*, in: *BJ* 177, 1977, 580 ff.; B. HEUKEMES, *Der spätrömische Burgus von Lopodunum-Ladenburg am Neckar*, in: *Fundber. BW* 6, 1981, 433 ff.; H. HINZ u. a., *Ausgrabung eines spätrömischen Burgus in Asperden*, *RA* 3 (1968) 167 ff.; W. JORNS, *Der spätantike Burgus mit Schiffslände und die karolingische Villa Zullestein*, in: *AK* 3, 1973, 75 ff.; G. KRAUSE, *Ein spätrömischer Burgus von Moers-Asberg am Niederrhein*, in: *Quellenschriften zur westdeutschen Vor- und Frühgeschichte* 9 (1974) 115 ff.; J. RÖDER, *Burgus Engers, Kr. Neuwied*, in: *Germania* 30, 1952, 115 f.

J. H. F. BLOEMERS, *Rijswijk (Z. H.), De Bult. Eine Siedlung der Cananefaten*, 3 Bde. (1978); B. KRÜGER u. a., *Die Germanen. Geschichte und Kultur der germanischen Stämme in Mitteleuropa* I [4](1983); J. KUNOW, *Der kaiserzeitliche Grabfund von Mehrum*, *BJ* 183, 1983, 449 ff.; A. A. LUND, *Zum Germanenbild der Römer* (1990); G. MILDENBERGER, *Sozial- und Kulturgeschichte der Germanen* (1970); G. NEUMANN, *Die Sprachverhältnisse in den germanischen Provinzen des römischen Reiches*, in: *ANRW* II 29.2 (1983) 1061 ff.; M. TODD, *The Northern Barbarians* (1975); L. WEISGERBER, *Das römerzeitliche Namensgut des Xantener Siedlungsraumes*, in: *BJ* 154, 1954, 94 ff.; DERS., *Die Namen der Ubier* (1968); DERS., *Rhenania Germano-Celtica* (1969); W. J. H. WILLEMS, *Romans and Batavians. A regional study in the Dutch eastern river area* (1985).

D. BAATZ/ H. RIEDIGER, *Römer und Germanen am Limes* [2](1967); A. FURGER-GUNTI, *Die Helvetier* (1984); H. NESSELHAUF, *Die Besiedlung der Oberrheinlande in römischer Zeit*, in: *Bad. Forsch.* 19, 1951, 71 ff.; R. NIERHAUS, *Zur Bevölkerungsgeschichte der Oberrheinlande unter der römischen Herrschaft*, in: *Bad. Fundber.* 15, 1939, 91 ff.; DERS., *Das swebische Gräberfeld von Diersheim* (1966); M. P. SPEIDEL/B. SCARDIGLI, *Neckarschwaben (Suebi Nicrenses)*, in: *AK* 20, 1990, 201 ff.; J. WAHL, *Der römische Militärstützpunkt auf dem Frankfurter Domhügel* (1982).

J. E. BOGAERS, *Civitates und Civitas-Hauptorte in der nördlichen Germania Inferior*, in: *BJ* 172, 1972, 312 ff.; J. KUNOW, *Zentrale Orte in der Germania Inferior*, in: *AK* 18, 1988, 55 f.; DERS., *Zentralität und Urbanität in der Germania Inferior des 2. Jahrhunderts n. Chr.*, in: AAVV., *Die römische Stadt im 2. Jhdt. n. Chr.* (1992) 143 ff.

H. CÜPPERS (Hg.), *Aquae Granni. Beiträge zur Archäologie von Aachen* (1982); M. P. M. DANIELS, *Noviomagus. Romeins Nijmegen* (1955); U. HEIMBERG/A. RIECHE, *Colonia Ulpia Traiana. Die römische Stadt* (1986); H. HELLENKEMPER, *Architektur als Beitrag zur Geschichte der Colonia Claudia Ara Agrippinensium*, in: *ANRW* II 4 (1975) 783 ff.; H. HINZ, *Colonia Ulpia Traiana. Die Entwicklung eines römischen Zentralortes am Niederrhein* I. *Prinzipat*, ebd. 825 ff.; J. T. J. JAMAR, *Coriovallum* (1977); T. A. S. M. PANHUYSEN, *Maastricht staat op zijn verleden* (1984); G. PRECHT/H. J. SCHALLES, *Spurenlese. Beiträge zur Geschichte des Xantener Raumes* (1989) m. ausf. Bibl. 307 ff.; W. VANVINCKENROYE, *Tongeren. Romeinse stad* (1975); W. J. H. WILLEMS, *Romeins Nijmegen* (1990).

AAVV., *Villa Rustica. Römische Gutshöfe im Rhein-Maas-Gebiet* (1988); J. H. F. BLOEMERS, *Die sozial-ökonomischen Aspekte der ländlichen Besiedlung an Niederrhein und Niedermaas in Germania Inferior und das Limesvorfeld von Christi Geburt bis zum 5. Jahrhundert*, in: H. BENDER/H. WOLFF (Hg.), *Ländliche Besiedlung und Landwirtschaft in den Rhein-Donau-Provinzen des Römischen Reiches* (1994) 123 ff.; W. C. BRAAT, *Die Besiedlung des römischen Reichsgebietes in den heutigen Niederlanden*, in: AAVV., *Germania Romana* III (1970) 43 ff.; R. BRULET, *Die römische Periode. Urbanisierung und Erschließung des Landes*, in: AAVV., *Spurensicherung. Archäologische Denkmalpflege in der Euregio Maas-Rhein* (1992) 99 ff.; H. CÜPPERS/ C. B. RÜGER, *Römische Siedlungen und Kulturlandschaften*, in: *Geschichtlicher Atlas der Rheinlande*, in: *Beih.* III 1–2 (1985); G. DITMAR-TRAUTH, *Das gallorömische Haus* (1995); W. GAITZSCH, *Grundformen römischer Landsiedlungen im Westen der CCAA*, in: *BJ* 186, 1986, 397 ff.; M. GECHTER/J. KUNOW, *Zur ländlichen Besiedlung des Rheinlandes in römischer Zeit*, ebd. 377 ff.; H. HINZ, *Zur Bauweise der Villa Rustica*, in: AAVV., *Germania Romana* ebd. 15 ff.; DERS., *Zur römischen Besiedlung der Kölner Bucht*, ebd. 62 ff.; J. KUNOW, *Das Limesvorland der südlichen Germania Inferior*, in: *BJ* 187, 1987, 63 ff.; DERS., *Die ländliche Besiedlung im südlichen Teil von Niedergermanien*, in: H. BENDER/H. WOLFF (Hg.), *Ländliche Besiedlung ...*, 141 ff.; F. OELMANN, *Gallo-Römische Straßensiedlungen und Kleinhausbauten*, in: *BJ* 128, 1923, 77 ff.; DERS., *Römische Villen im Rheinland*, in: *JÖAI* 24, 1928 *Beibl.* 1, 228 ff.; H. VON PETRIKOVITS, *Kleinstädte und nichtstädtische Siedlungen im Nordwesten des römischen Reiches*, in: AAVV., *Das Dorf der Eisenzeit und des frühen Mittelalters* (1977) 86 ff.

AAVV., *Römische Städte und Siedlungen in Baden-Württemberg*, in: *Archäologische Informationen aus Baden-Württemberg* 8 (1988); E. FRÉZOULS (éd.), *Les villes antiques de la France* II: *Germanie Supérieure* (1988); M. MANGIN/R. JACQUET/J. P. JACOB, *Les agglomérations secondaires en Franche-Comté* (1987); C. S. SOMMER, *Die römischen Zivilsiedlungen in Südwestdeutschland*, in: D. PLANCK (Hg.), *Archäologie in Württemberg* (1988) 281 ff.

H. BÖGLI, *Aventicum. La ville romaine et la musée*, in: *GAS* 19 [2](1989); J. BÜRGI/R. HOPPE, *Schleitheim-Iuliomagus, die römischen Thermen* (1985); W. CZYSZ, *Wiesbaden in der Römerzeit* (1995); R. FELLMANN, *Das römische Basel* (1981); W. U. GUYAN, *Iuliomagus, das antike Schleitheim*, in: *Festschr. O. Coninx* (1985) 135 ff.; J. J. HATT, *Argentorate-Strasbourg* (1993); K. HEILIGMANN, *Sumelocenna – Römisches Stadtmuseum Rottenburg* (1992); I. HULD-ZETSCHE, *Nida – eine römische Stadt in Frankfurt*, in: *Limesmuseum Aalen* 48 (1994); H. KAISER/C. S. SOMMER, *Lopodunum* I (1995); M. KLEE, *Arae Flaviae III. Der Nordvicus* (1986); R. LAUR-BELART (hg. L. BERGER), *Führer durch Augusta Raurica* [5](1988); L. LERAT, *Vesontio*, in: *AAVV., Histoire de Besançon* (1964) 27 ff.; F. PETRY, *La ville romaine: Argentoratum*, in: G. LIVET/ F. RAPP (eds.), *Histoire de Strasbourg* (1987); A. RÜSCH, *Das römische Rottweil* (1981); E. SCHALLMEYER, *Aquae – das römische Baden-Baden* (1989); C. SCHUCANY, *Aquae Helveticae* (1996); A. ZÜRCHER, *Vitudurum*, in: *Festschr. O. Coninx* (1985) 169 ff.

D. BAATZ, *Die ländliche Besiedlung im römischen Reichsgebiet östlich des Ober- und Mittelrheins*, in: AAVV., *Germania Romana* III (1970) 92 ff.; C.-M. HÜSSEN, *Die ländliche Besiedlung und Landwirtschaft Obergermaniens zwischen Limes, unterem Neckar, Rhein und Donau während der Kaiserzeit*, in: H. BENDER/H. WOLFF (Hg.), *Ländliche Besiedlung und Landwirtschaft* ... (1994) 255 ff.; M. KLEE, *Die ländliche Besiedlung und Landwirtschaft des linksrheinischen Obergermaniens*, ebd. 199 ff.; M. MÜLLER-WILLE/J. OLDENSTEIN, *Die ländliche Besiedlung von Mainz in spätrömischer und frühmittelalterlicher Zeit*, in: *Ber. RGK* 62, 1981, 261 ff.; V. RUPP, *Die ländliche Besiedlung und Landwirtschaft in der Wetterau und im Odenwald während der Kaiserzeit (bis 3. Jahrhundert n. Chr. einschließlich)*, in: BENDER/WOLFF ebd. 237 ff.; G. TH. SCHWARZ, *Die Römer im Bergland der Schweiz*, in: AAVV., *Germania Romana* ebd. 110 ff.

G. A. AMTMANN/P. SCHEMAINDA, *Luftarchäologische Prospektionsergebnisse zur römischen Fernstraße Köln–Trier* (1994); H. AUBIN, *Die Rheinbrücken im Altertum und Mittelalter*, in: *RVBl.* 7, 1937, 111 ff.; K. GREWE, *Römerstraßen zwischen Köln und Trier*, in: AAVV., *Archäologie im Rheinland 1994* (1995) 74 ff.; J. HAGEN, *Römerstraßen der Rheinprovinz* [2](1931); H. M. VON KAENEL, *Verkehr und Münzwesen*, in: AAVV., *Vor- und frühgeschichtliche Archäologie der Schweiz* 5 (1975) 107 ff.; G. WALSER, *Die römischen Straßen in der Schweiz* 1: *Die Meilensteine* (1976).

T. BECHERT, *Zu den Anfängen der Rheinschiffahrt*, in: AAVV., *Duisburg und der Rhein* (1992) 23 ff.; D. ELLMERS, *Rheinschiffe der Römerzeit*, in: *Beiträge zur Rheinkunde* 25, 1973, 25 ff.; DERS., *Vor- und frühgeschichtliche Schiffahrt am Nordrand der Alpen*, in: *HA* 19/20, 1974, 94 ff.; DERS., *Shipping on the Rhine during the Roman period: The pictorial evidence*, in: *CBA Res. Rep.* 24 (1978) 1 ff.; O. HÖCKMANN, *Römische Schiffsverbände auf dem Ober- und Mittelrhein und die Verteidigung der Rheingrenze in der Spätantike*, in: *Jhb. RGZM* 33, 1986, 369 ff.; J. LEDROIT, *Die römische Schiffahrt im Stromgebiet des Rheins* (1930); B. PFERDEHIRT, *Das Museum für Antike Schiffahrt* 1 (1995); J. DU PLAT TAYLOR/H. CLEERE (eds.), *Roman shipping and trade: Britain and the Rhine provinces*, in: *CBA Res. Rep.* 24 (1978).

K. GREWE, *Atlas der römischen Wasserleitungen nach Köln* (1986); DERS., *Neue Befunde zu den römischen Wasserleitungen nach Köln*, in: *BJ* 191, 1991, 385 ff.; W. HABEREY, *Die römischen Wasserleitungen nach Köln* [2](1972); H. JACOBI, *Die Be- und Entwässerung unserer Limeskastelle*, in: *SJ* 8, 1934, 32 ff.; F. KRETSCHMER, *Römische Wasserhähne*, in: *Jhb. SGUF* 48, 1960/61, 50 ff.; E. SAMESREUTHER, *Römische Wasserleitungen in den Rheinlanden*, in: *Ber. RGK* 26, 1936, 24 ff.; H. H. WEGNER/U. HEIMBERG, *Wasser für die CVT*, in: AAVV., *Colonia Ulpia Traiana, 1. u. 2. Arbeitsbericht* (o. J.) 36 ff.

D. BAATZ, *Heizversuch an einer rekonstruierten Kanalheizung in der Saalburg*, in: *SJ* 36, 1979, 31 ff.; H. HÜSER, *Wärmetechnische Messungen an einer Hypokaustenheizung in der Saalburg*, ebd. 12 ff.; A. MUTZ, *Römische Fenstergitter*, in: *Jhb. SGUF* 48, 1960/ 61, 107 ff.; F. KRETSCHMER, *Hypokausten*, in: *SJ* 12, 1953, 7 ff.; DERS., *Der Betriebsversuch an einem Hypokaustum der Saalburg*, in: *Germania* 31, 1953, 64 ff.; DERS., *Die Heizung der Aula Palatina*, ebd. 33, 1955, 200 ff.

A. AUBIN, *Die Römerzeit in Deutschland und ihr Fortwirken*, in: AAVV., *Handbuch der deutschen Wirtschafts- und Sozialgeschichte* 1 (1971) 39 ff.; H. BENDER/H. WOLFF (Hg.), *Ländliche Besiedlung und Landwirtschaft in den Rhein-Donau-Provinzen des Römischen Reiches* (1994); E. FRÉZOULS, *Gallien und römisches Germanien*, in: F. VITTINGHOFF (Hg,), *Europäische Wirtschafts- und Sozialgeschichte in der römischen Kaiserzeit* (1990) 429 ff.; W. GROENMAN-VAN WAATERINGE, *Die verhängnisvolle Auswirkung der römischen Herrschaft auf die Wirtschaft an den Grenzen des Reiches*, in: *Festschr. H. Hinz* (1981) 366 ff.; R. GÜNTHER/H. KÖPSTEIN (Hg.), *Die Römer an Rhein und Donau. Zur politischen, wirtschaftlichen und sozialen Entwicklung in den römischen Provinzen an Rhein, Mosel und oberer Donau im 3. und 4. Jahrhundert* (1975).

A. VON BERG, *Antike Steinbrüche in der Vordereifel* (1995); O. GÖDEL, *Über einige Steinbrüche*, in: *Pfälzer Heimat* 21, 1970, 2 ff.; H. VON PETRIKOVITS, *Bergbau und Hüttenwesen in der römischen Rheinzone*, in: DERS., *Beiträge zur Geschichte und Archäologie 1931–74* (1976) 216 ff.; J. RÖDER, *Antike Steinbrüche in der Vordereifel*, in: AAVV., *Neue Ausgrabungen in Deutschland* (1958) 268 ff.; DERS., *Die mineralischen Baustoffe der römischen*

Zeit im Rheinland, in: *Bonner Universitätsbl. Jg.* 1970, 7 ff.

W. GAITZSCH, *Römische Werkzeuge*, in: *Limesmuseum Aalen* 19 (1978); A. MUTZ, *Römisches Schmiedehandwerk* (1976); H. J. SCHALLES/CH. SCHREITER (Hg.), *Geschichte aus dem Kies. Neue Funde aus dem alten Rhein bei Xanten* (1993).

O. DOPPELFELD, *Die Blütezeit der Kölner Glasmacherkunst*, in: *Limesmuseum Aalen* 2 (1966); DERS., *Römisches und fränkisches Glas in Köln* (1966); C. ISINGS, *Roman glass from dated finds* (1957); DIES., *Roman glass in Limburg* (1971).

W. GAITZSCH, *Antike Korb- und Seilerwaren*, in: *Limesmuseum Aalen* 38 (1987); M. HOPF, *Einige Bemerkungen zu römerzeitlichen Fässern*, in: *Jhb. RGZM* 14, 1967, 212 ff.; J. P. WILD, *Clothing in the north-west provinces of the Roman Empire*, in: *BJ* 168, 1968, 166 ff.; DERS., *Die Frauentracht der Ubier*, *Germania* 46, 1968, 67 ff.

A. GANSSER-BURCKHARDT, *Das Leder und seine Verarbeitung im römischen Legionslager Vindonissa* (1942); W. GROENMANN-VAN WAATERINGE, *Romeins lederwerk uit Valkenburg Z. H.* (1967); K. H. MARSCHALLEK. *Römisches Schuhwerk an Rhein- und Scheldemündung mit einer Zusammenstellung provinzialrömischer Schuh- und Lederfunde*, in: *Ber. ROB* 9, 1959, 68 ff.

F. BASSERMANN-JORDAN, *Der Weinbau der Pfalz im Altertum* [2] (1947); H. CÜPPERS, *Wein und Weinbau zur Römerzeit im Rheinland*, in: AAVV., *Germania Romana* III (1970) 138 ff.; A. FIETZ, *Römische Getreidereste aus dem nördlichen Baden*, in: AAVV., *Beiträge zu naturkundlichen Forschungen in Südwestdeutschland* 13 (1954) 99 ff.; M. HOPF, *Verbreitung von Kulturpflanzen im Rhein-Main-Gebiet*, in: *AK* 2, 1972, 355 ff.; K. H. KNÖRZER, *Untersuchungen subfossiler pflanzlicher Großreste im Rheinland* (1967); DERS., *Römerzeitliche Getreide-Unkräuter von kalkreichen Böden*, in: *RA* 10 (1971) 467 ff.; U. KÖRBER-GROHNE, *Stand der botanischen Untersuchungen für die Archäologie in Süddeutschland und ihre derzeitigen Möglichkeiten*, in: *AK* 3, 1973, 381 ff.; DIES., *Nutzpflanzen und Umwelt im römischen Germanien*, in: *Limesmuseum Aalen* 21 (1979); DIES., *Nutzpflanzen in Deutschland. Kulturgeschichte und Biologie* (1994); S. LOESCHCKE, *Denkmäler vom Weinbau aus der Römerzeit an Mosel, Saar und Ruwer* (1933); J. RÖDER, *Bodenspuren alten Weinbaues am nördlichen Mittelrhein*, in: *RVBl.* 18, 1953, 170 ff.; J. STEINHAUSEN, *Die Waldbienenwirtschaft der Rheinlande in ihrer historischen Entwicklung*, in: *RVBl.* 15/16, 1950/51, 226 ff.

A. T. CLASON, *Animal and man in Holland's past* (1967); A. R. FURGER u. a., *Der «römische» Haustierpark in Augusta Raurica* (1992); R. LAUR-BELART, *Gallische Schinken und Würste*, in: *Ur-Schweiz* 17, 1953, 33 ff.; J. SCHIBLER/E. SCHMID, *Tierknochenfunde als Schlüssel zur Geschichte der Wirtschaft, der Ernährung, des Handwerks und des sozialen Lebens in Augusta Raurica* (1989); H.-P. UERPMANN, *Tierknochenfunde und Wirtschaftsarchäologie. Eine kritische Studie der Methoden der Osteoarchäologie*, in: *Arch. Inf.* 1, 1972, 9 ff.

A. AUBIN, *Der Rheinhandel in römischer Zeit*, in: *BJ* 130, 1925, 1 f.; J. E. BOGAERS u. a., *Deae Nehalenniae* (1971); H. VON PETRIKOVITS, *Römischer Handel am Rhein und an der oberen und mittleren Donau*, in: AAVV., *Untersuchungen zu Handel und Verkehr der vor- und frühgeschichtlichen Zeit in Mittel- und Nordeuropa* 1 (1985) 299 ff.; J. DU PLAT TAYLOR/H. CLEERE (eds.), *Roman shipping and trade: Britain and the Rhine provinces*, in: *CBA Res. Rep.* 24 (1978); J. REMESAL-RODRÍGUEZ, *Heeresversorgung und die wirtschaftlichen Beziehungen zwischen der Baetica und Germanien* (1997); J. RÖDER, *Vorkommen und Verarbeitung von polierfähigen Steinmaterialien in römischer Zeit. Mediterrane Marmora in der Germania Romana*, in: AAVV., *Ausgrabungen in Deutschland* 3 (1975) 345 f.

K. CHRIST, *Antike Münzfunde Südwestdeutschlands. Münzfunde, Geldwirtschaft und Geschichte im Raume Baden-Württembergs*, 2 Bde. (1960); W. HAGEN, *Münzprägung und Geldumlauf im Rheinland* (1968); R. ZIEGLER, *Der Münzschatzfund von Brauweiler. Untersuchungen zur Münzprägung und zum Geldumlauf im gallischen Sonderreich* (1982).

AAVV., *Germania Romana* II. *Kunst und Kunstgewerbe im römischen Deutschland* (1965); J. BRACKER, *Zu den Grundlagen römischer Kunst in den Rheinlanden*, in: AAVV., *Römer am Rhein* (1967) 44 ff.; G. HELLENKEMPER-SALIES, *Hofkunst in der Provinz? Zur Denkmälerüberlieferung in der Zeit des gallischen Sonderreiches*, in: *BJ* 184, 1984, 67 ff.; H. G. HORN, *Kunst und Kunstgewerbe*, in: DERS. (Hg.), *Die Römer in Nordrhein-Westfalen* (1987) 244 ff.; P. LA BAUME, *Römisches Kunsthandwerk in den Rheinlanden*, in: AAVV., *Römer am Rhein* (1967) 49 ff.; DERS., *Römisches Kunsthandwerk in Köln*, in: *Atti dei Convegni Lincei* 23 (1976) 175 ff.; A. LEIBUNDGUT, *Kunst und Kunsthandwerk*, in: AAVV., *Ur- und frühgeschichtliche Archäologie der Schweiz* 5 (1975) 73 ff.; H. VON PETRIKOVITS, *Römische Kunst im Rheinland*, in: *Auswahlkat. Rheinisches Landesmuseum Bonn* (1960) 25 ff.; DERS., *Die Originalität der römischen Kunst am Rhein*, in: DERS., *Beiträge zur römischen Geschichte und Archäologie 1931–74* (1976) 410 ff.; H. SCHOPPA, *Die Kunst der Römerzeit in Gallien, Germanien und Britannien* (1957).

H. KÄHLER, *Die römischen Kapitelle des Rheingebietes* (1939); H. G. NIEMEYER, *Zur römischen Architektur der Rheinlande*, in: AAVV., *Römer am Rhein* (1967) 35 ff.

G. BAUCHHENSS, *Die Skulptur in den germanischen Provinzen*, in: *ANRW* II 12.4 (i. Vorb.); F. BROMMER, *Der Gott Vulkan auf provinzialrömischen Reliefs* (1973); E. ÉSPERANDIEU, *Récueil général des bas-reliefs, statues et bustes de la Germanie romaine* (1931); E. W. GERSTER, *Mittelrheinische Bildhauerwerkstätten im 1. Jahrh. n. Chr.* (1938); L. HAHL, *Zur Stilentwicklung der provinzialrömischen Plastik in Germanien und Gallien* (1937); H. SCHOPPA, *Keltische Einflüsse in der römischen Plastik in Gallien und Germanien*, in: *Celticum* 12, 1965, 267 ff.; DERS., *Zur römischen Plastik am Mittelrhein in augusteischer und claudischer Zeit*, in: AAVV., *Forschungen zur Kunstgeschichte und christlichen Archäologie* 6 (1966) 1 ff.

V. VON GONZENBACH, *Die römischen Mosaiken der Schweiz* (1961); K. PARLASCA, *Die römischen Mosaiken in Deutschland* [2] (1971).

W. DRACK, *Die römische Wandmalerei der Schweiz* (1950); DERS., *Römische Wandmalerei aus der Schweiz* (1986); A. LINFERT, *Römische Wandmalerei der nordwestlichen Provinzen* (1975).

A. KAUFMANN-HEINIMANN, *Die römischen Bronzen der Schweiz* I. *Augst und das Gebiet der Colonia Augusta Raurica* (1977); DIES., *Die römischen Bronzen der Schweiz* V. *Neufunde und Nachträge* (1994); A. LEIBUNDGUT, *Die römischen Bronzen der Schweiz* II. *Avenches* (1976); DIES., *Die römischen Bronzen der Schweiz* III. *Westschweiz, Bern, Wallis* (1980); DIES., *Die römischen Bronzen der Schweiz* IV. *Ostschweiz* (i. Vorb.); H. MENZEL, *Die römischen Bronzen aus Deutschland* Bd. 1: *Speyer, Mainz* (1960). Bd. 2: *Trier* (1966). Bd. 3: *Bonn* (1986); DERS., *Römische Bronzen. Eine Auswahl* (1969); DERS., *Römische Bronzestatuetten und verwandte Geräte. Ein Beitrag zum Stand der Forschung*, in: *ANRW* II 12.3 (1985) 127 ff.; H. U. NUBER, *Antike Bronzen aus Baden-Württemberg*, in: *Limesmuseum Aalen* 40 (1988); A. N. ZADOKS-JOSEPHUSJITTA/ W. J. T. PETERS/W. A. VAN ES, *Roman bronze statuettes from the Netherlands*, 2 Bde. (1967/69).

F. BARATTE, *Römisches Silbergeschirr in den gallischen und germanischen Provinzen*, *Limesmuseum Aalen* 32 (1984); A. BÖHME, *Schmuck der römischen Frau*, ebd. 11 (1974); B. DEPPERT-LIPPITZ, *Römischer Goldschmuck – Stand der Forschung*, in: *ANRW* ebd. 117 ff.; F. HENKEL, *Die römischen Fingerringe der Rheinlande und der benachbarten Gebiete*, 2 Bde. (1913).

G. SCHAUERTE, *Terrakotten mütterlicher Gottheiten. Formen und Werkstätten rheinischer und gallischer Tonstatuetten der römischen Kaiserzeit* (1985).

R. DEGEN, *Antike Religionen; frühes Christentum*, in: AAVV., *Ur- und frühgeschichtliche Archäologie der Schweiz* 5 (1975) 123 ff.; F. DREXEL, *Die Götterverehrung im römischen Germanien*, in: *Ber. RGK* 14, 1922/23, 1 ff.; R. FREI-STOLBA, *Götterkulte in der Schweiz zur Römerzeit*, in: AAVV., *La religion romaine en milieu provincial* (1984) 75

ff.; H. VON PETRIKOVITS, *Das römische Rheinland* (1960) 125 ff.; DERS., *Die Rheinlande in römischer Zeit* (1980) 147 ff.; G. RISTOW, *Römischer Götterhimmel und frühes Christentum* (1980); W. SCHLEIERMACHER, *Studien an Göttertypen der römischen Rheinprovinzen*, in: *Ber. RGK* 23, 1933, 109 ff.; B. H. STOLTE, *Die religiösen Verhältnisse in Niedergermanien*, in: *ANRW* 18.1 (1986) 591 ff.

G. BAUCHHENSS, *Jupitergigantensäulen*, in: *Limesmuseum Aalen* 14 (1976); DERS./P. NOELKE, *Die Jupitergigantensäulen in den germanischen Provinzen* (1981); C. BÉMONT, *Rosmerta*, in: *Étud. celt.* 9, 1960, 29 ff.; P. GOESSLER, *Wochengötterdenkmäler aus Cannstadt*, in: *Germania* 16, 1932, 203 ff.; R. MAGNEN, *Epona, déesse gauloise des chevaux protectrice des cavaliers* (1953); P. STUART, *De godin Nehalennia en haar cultus*, in: J. E. BOGAERS u. a., *Deae Nehalenniae* (1971) 23 ff.

Y. CABUY, *Les temples gallo-romaines des cités de Tongres et de Trévires* (1991); A.-B. FOLLMANN-SCHULZ, *Die römischen Tempelanlagen in der Provinz Germania Inferior*, in: *ANRW* II 18.1 (1986) 672 ff.; M. TRUNK, *Römische Tempel in den Rhein- und westlichen Provinzen* (1991).

G. GRIMM, *Die Zeugnisse ägyptischer Religion und Kunstelemente im römischen Deutschland* (1969); H. LEHNER, *Orientalische Mysterienkulte im römischen Deutschland*, in: *BJ* 129, 1924, 36 ff.; E. SCHWERTHEIM, *Die Denkmäler orientalischer Gottheiten im römischen Deutschland* (1973); DERS., *Die orientalischen Religionen im römischen Deutschland. Verbreitung und synkretistische Phänomene*, in: *ANRW* ebd. 794 ff.; M. J. VERMASEREN, *Der Kult des Mithras im römischen Germanien*, in: *Limesmuseum Aalen* 10 (1974); DERS., *Der Kult der Kybele und des Attis im römischen Germanien*, ebd. 23 (1979).

W. NEUSS, *Die Anfänge des Christentums im Rheinland* (1933); TH. KEMPF/W. REUSCH, *Frühchristliche Zeugnisse im Einzugsgebiet von Rhein und Mosel* (1965).

J.-N. ANDRIKOPOULOU-STRACK, *Grabbauten des 1. Jahrhunderts n. Chr. im Rheingebiet* (1986); H. GABELMANN, *Die Typen der römischen Grabstelen am Rhein*, in: *BJ* 172, 1972, 65 ff.; DERS., *Römische Grabmonumente mit Reiterkampfszenen im Rheingebiet*, ebd. 173, 1973, 132 ff.; P. NOELKE, *Zur Grabplastik im römischen Köln*, in: *FVFD* 37.1 (1980) 124 ff.; R. WEYNAND, *Form und Dekoration der römischen Grabsteine der Rheinlande im 1. Jahrhundert*, in: *BJ* 108/109, 1902, 185 ff.

L. BERGER/S. MARTIN-KILCHER, *Gräber und Bestattungssitten*, in: AAVV., *Ur- und frühgeschichtliche Archäologie der Schweiz* 5 (1975) 147 ff.; A. BÖHME, *Tracht- und Bestattungssitten in den germanischen Provinzen und in der Belgica*, in: *ANRW* ebd. 423 ff.; A. VAN DOORSELAER, *Provinzialrömische Gräber mit Waffenbeigaben aus dem Rheinland und Nordfrankreich*, in: *SJ* 21, 1963/64, 26 ff.; P. FASOLD, *Römischer Grabbrauch in Süddeutschland*, in: *Limesmuseum Aalen* 46 (1992); H. ROOSENS, *Bestattungsritual und Grabinhalt einiger Tumuli im Limburger Haspengouw*, in: *Archaeologia Belgica* 191 (1976).

Abb. 231 Petra (HKJ). Sog. Ḫazne al-Fir'ūn (‹Schatzhaus des Pharao›). Fassade eines Tempelgrabes am Eingang der Nabatäerstadt (1. Jh. v. n. Chr.). Nach einer Lithographie von D. ROBERTS (1849).

Arabia (22. März 106)

Die Nabatäer sind ein kluges Volk und so sehr auf Besitztum aus, daß sie jeden, der seine Güter verringert hat, öffentlich bestrafen und ebenso jenen Ehre erweisen, die sie vermehrt haben ...

STRABON (um 63 v. Chr. – um 25 n. Chr.)

Imp(erator) Caesar divi Nervae f(ilius) Nerva Traianus Aug(ustus) Germ(anicus) Dacicus pont(ifex) max(imus) trib(unicia) pot(estate) XV imp(erator) co(n)s(ul) V p(ater) p(atriae) redacta in formam provinciae Arabia viam novam a finibus Syriae usque ad mare rubrum aperuit et stravit per Claudium Severum leg(atum) Aug(usti) pr(o) pr(aetore)

Meilensteininschrift an der *via nova Traiana*

In dieser Zeit unterwarf Palma, der Statthalter von Syrien, den um Petra gelegenen Teil Arabiens und unterstellte ihn den Römern.

CASSIUS DIO COCCEIANUS (um 150 – nach 229)

Pompeius hatte sich 64 v. Chr., als er Syrien zur Provinz machte, noch damit begnügt, mit dem Nabatäerkönig Arethas III. einen Freundschaftsvertrag abzuschließen und ihm das zwei Jahrzehnte zuvor eroberte *Damaskus* wieder abzunehmen (S. 112). Da sich auch seine Nachfolger als treue Vasallen Roms erwiesen, die – wie etwa Malichus II. im Jahre 66 – Titus gegen die Juden mit mehreren tausend Mann zu Hilfe kamen, bestand auf römischer Seite weder die Veranlassung noch das Bestreben, das Reich der Nabatäer, das insbesondere unter der langjährigen Regierung von Arethas IV. (9 v. Chr. – 40 n. Chr.) eine Zeit der Blüte erlebte, dem eigenen Herrschaftsbereich einzugliedern. Zumindest mitentscheidend war dabei sicherlich und durchaus im römischen Sinne, daß nabatäische Kaufleute den Karawanenhandel zwischen dem Roten Meer und Syrien kontrollierten und die Sicherheit der Handelsrouten garantierten, auf denen Luxusgüter wie Weihrauch, Myrrhe und seltene Gewürze aus Arabien und Indien, möglicherweise auch Seide aus China, den Weg zum Mittelmeer fanden. Besonders wichtig war der sog. Königsweg, den schon das Alte Testament kannte und der *Aila*/Aqaba (HKJ) mit *Bostra*/Bosra esch-Scham (SYR) verband.

Lange Zeit war die Stadt *Petra*, angelegt in einem weiten Talkessel, der nach außen durch ein zerklüftetes Bergmassiv abgeschirmt und damit praktisch unangreifbar war, das königliche Zentrum dieses Karawanenstaates. Als man jedoch während des 1. Jhs. gelernt hatte, die Gunst der Monsunwinde zu nutzen, und die Schiffe mit den begehrten Luxuswaren nunmehr ostägyptische Häfen wie *Leukos Limin*/Qosseir oder *Berenike* anliefen, um diese von dort auf kürzeren Karawanenrouten an den Nil und zu Schiff nach *Alexandria* zu bringen, verlor die einstige Nabatäerresidenz ihre bis dahin beherrschende Bedeutung. Von da an war es eine Frage der Zeit, bis Rom sein Herrschaftsgebiet ‹arrondieren› und die Lücke zwischen den Provinzen *Aegyptus* und *Iudaea* schließen würde.

Ein günstiger Zeitpunkt ergab sich, als Rabel II. im Jahre 106 gestorben war. Bereits vorher – im Winter 105/106 – hatte Traianus den syrischen Statthalter A. Cornelius Palma Frontonianus angewiesen, mit einem Heer in *Nabataea* einzumarschieren und das Gebiet zu annektieren. *Arabia adquisita* lautete die Aufschrift verschiedener Münzserien nach 106 (Abb. 5h), wobei die Wahl des Wortes *ad-quirere* (nicht *capere*!) anzudeuten scheint, daß der nabatäische Widerstand angesichts zweier Heere, die aus Syrien und Ägypten heranrückten, nicht sehr groß gewesen sein kann. So erhielt zwar Cornelius Palma die *ornamenta triumphalia* sowie ein Standbild auf dem Augustusforum zugesprochen, andererseits verzichtete der Kaiser darauf, sich den Beinamen *Arabicus* zuzulegen. Spätestens im Frühjahr 106 war *Arabia* römische Provinz, in der – zahlreichen Inschriften zufolge – am 22. März dieses Jahres eine neue Zeitrechnung begann.

Die Grenzen der neuen Provinz lassen sich nicht in allen Teilen exakt festlegen. Eine wertvolle Hilfe bieten die Fundorte von Inschriften, die nach der neuen Provinzialära datiert sind. Danach ist sicher, daß z. B. *Beersheba* im nördlichen Negev (IL) zu *Iudaea* gehörte und die nordwestliche Grenze der Provinz etwa der Linie zwischen *Clysma*/Suez (ET), *Elusa*/Haluza (IL) und dem Südende des Toten Meeres folgte. Im Süden umfaßte die

231

232

233

Provinz fast die gesamte Sinaihalbinsel sowie den größten Teil des Negev. Im Norden wurden der neuen Provinz die Territorien der Städte *Adraa*/Der'a (HKJ), *Gerasa*/ Djerash (HKJ) und *Philadelphia*/Amman (HKJ) zugeschlagen, die bis dahin zur *Dekapolis* gehört hatten. Den nördlichsten Punkt bildete die fruchtbare Hochebene um die Stadt *Bostra*/Bosra esch-Scham (SYR), die nicht nur Standquartier einer Legion, sondern auch Hauptstadt der Provinz wurde, während sich die alte Königsresidenz *Petra* mit dem Ehrennamen μητρόπολις τῆς Ἀραβίας zufriedengeben mußte. Nach Osten hin bildete der sog. Königsweg die Grenze zur offenen Wüste. Schon C. Claudius Severus, der erste Statthalter der Provinz, ließ diese Route – den Inschriften zahlreicher Meilensteine

nach – zwischen 111 und 114 als *via nova Traiana* ausbauen. Die Anlage zahlreicher Kastelle an dieser etwa 360 km langen Grenzlinie zwischen *Aila*/Aqaba (HKJ) und *Bostra* zeigt vor allem auch die sicherheitspolitische Bedeutung dieser Demarkationslinie, die in Anlehnung an einen Begriff der Spätantike sicher zutreffend als *limes Arabicus* bezeichnet wird. Dabei muß man sich allerdings vergegenwärtigen, daß diese Limesstrecke kein lineares Grenzsystem darstellte, sondern seinem strategischen Konzept nach «a frontier in depth» war, d. h., die Truppeneinheiten, die einen gegnerischen Einfall abzuwehren hatten, standen nicht nur an der Grenzstraße, sondern waren im Vorfeld stationiert.

Daß *Nova Traiana Bostra* zur Hauptstadt von *Arabia* gemacht wurde, entsprach der Bedeutung dieser Stadt gegen Ende der Nabatäerzeit als Wirtschafts- und Handelszentrum, nachdem *Petra* seine führende Rolle eingebüßt hatte. Anders als am Platz der alten Königsresidenz, die nicht einmal direkt an der *via nova Traiana* lag, kreuzten sich in *Bostra* die wichtigsten Handelsrouten aus südlichen und östlichen Richtungen. Hinzu kamen der Getreidereichtum der südlichen *Auranitis*/Hauran (SYR) mit ihren fruchtbaren vulkanischen Böden sowie die reichen Wasservorkommen des heutigen Djebel Drus nordöstlich der Stadt. Ihre schnell wachsende Bedeutung fand Ausdruck in der Erhebung zur *colonia* unter Alexander Severus (222–235) und zur μητρόπολις durch Philippus Arabs (244–249), der aus dieser Gegend stammte. Bis heute belegen bedeutende monumentale Architekturüberreste die Blüte dieser Stadt während der römischen Kaiserzeit. Darunter befindet sich eines der besterhaltenen Theater des Reiches, das im 13. Jh. zu einer Zitadelle der Ajjubiden-Herrscher umgebaut wurde und auf diese Weise zum größten Teil erhalten blieb.

Arabia war eine senatorische Provinz und wurde von einem Prätorier verwaltet, der wie seine Kollegen in *Raetia* oder *Numidia* Statthalter und Legionskommandeur in einer Person war. Die Legion, die er befehligte, war von Beginn an die *legio III Cyrenaica*, die zuvor in Ägypten stationiert war und dort durch die neugebildete *legio II Traiana* ersetzt wurde. Dazu ist inschriftlich eine größere Anzahl von Auxiliareinheiten bekannt, insgesamt ca. 6000 Mann, die zuvor in Syrien oder Ägypten standen und auf die Kastelle und Wachttürme entlang der *via nova Traiana*, seit severischer Zeit auch in der offenen Wüste im Vorfeld der Limesstraße, verteilt waren. Es entsprach römischer

Praxis, eine neugeschaffene Provinz ausschließlich mit ‹landesfremden› Truppen zu belegen, während einheimische Einheiten, die man – wie die inschriftlich bezeugten sechs *cohortes Ulpiae Petraeorum* – unter den Nabatäern ausgehoben hatte, in anderen Provinzen der östlichen Reichshälfte zum Einsatz kamen.

Auch wenn im 1. Jh. zumindest ein Teil des Indiengeschäfts über ostägyptische Häfen abgewickelt wurde, bildete der Handel mit Gewürzen und seltenen Duftstoffen vor allem aus dem Innern der Arabischen Halbinsel auch weiterhin das wirtschaftliche Rückgrat der Provinz. Um diesen Handel zusätzlich zu fördern, stationierte Traianus im Roten Meer ein Flottenkontingent, dessen Heimathafen wahrscheinlich *Aila* war. Diese Maßnahme gab den Römern die Möglichkeit, den Parthern handelspolitisch Konkurrenz zu machen und dem römischen Ostgeschäft neue Märkte zu erschließen. Dieser Handel kam allen Städten und größeren Ansiedlungen der Provinz zugute, die an den Haupthandelsrouten lagen und ihrerseits über das nötige Umland verfügten, um ihre Bevölkerung zu ernähren. Dies galt nicht nur für Städte wie *Bostra, Gerasa, Philadelphia* oder *Petra*, die an der *via nova Traiana* lagen oder durch wichtige Nebenstraßen mit ihr verbunden waren, sondern auch für die alten Nabatäerstädte *Elusa*/Haluza, *Sobota*/Shivta, *Oboda*/Avdat (Abb. 236), *Mampsis*/ Kurnub oder *Nessana* in der israelischen Negevwüste, die heute verlassen sind, jedoch seit Rabel II. (70–106) bis weit in die römische Zeit hinein auf der Basis künstlicher Bewässerung von blühenden Landschaften umgeben waren.

Bis zum Beginn der sechziger Jahre des 3. Jhs. sind für die Grenzprovinz *Arabia* senatorische *legati Augusti pro praetore* bezeugt, die seit dieser Zeit von ritterlichen *praesides* abgelöst werden. Mit der Reichsreform unter Diocletianus (284–305) wird auch Arabien geteilt. Unter Hinzufügung syrischen Grenzlandes entsteht um die alte Hauptstadt *Bostra* die neue Provinz *Arabia*, während der südliche Teil mit dem Negev, dem Sinai und

der Hauptstadt *Petra* den Namen *Palaestina salutaris* erhält. Die gleichzeitige Verstärkung der Befestigungen am *limes Arabicus* bringt eine neue Blüte der städtischen Ansiedlungen in diesem Grenzgebiet, die sich auf heute jordanischem und israelischem Boden an zahlreichen monumentalen Überresten gerade der spätantiken Zeit ablesen läßt. Geprägt wird diese Zeit jedoch vor allem durch das sich rasch ausbreitende Christentum, dessen straffe Organisationsstruktur sich unter der Führung starker Bischöfe nicht nur in den Städten, sondern auch auf dem Lande durchsetzt. Diese geradezu ‹flächendeckende› Entwicklung ist offenbar für dieses Grenzland im 5. Jh. so augenfällig gewesen, daß sie der Kirchenhistoriker SOZOMENOS aus eigener Anschauung als eine «Besonderheit Arabiens» herausstellte.

Architektonischer Ausdruck dieser Entwicklung sind die zahlreichen Kirchenbauten, die man nicht nur in den Städten entlang der *via nova Traiana*, sondern auch in den Negevstädten ausgegraben hat. Von dorther stammen auch die eindeutigsten Zeugnisse vom Ende dieser letzten antiken Blütezeit, die in *Mampsis* und *Oboda* bereits mit Zerstörungen durch arabische Überfälle kurz vor 500 endet, während die übrigen Städte des zentralen Negev noch bis etwa 700 bewohnt bleiben, ehe sich die letzten Bewohner in sicherere Regionen zurückziehen. Eine ähnliche Entwicklung dürfte sich auch in *Gerasa* vollzogen haben, wo die letzte Kirche zu Beginn des 7. Jhs. geweiht wurde, und in *Petra* vollzogen haben, das wohl schon vor der islamischen Eroberung (638) zur Ruinenstadt wurde.

Erst mit der Bildung moderner Staaten auf dem Gebiet der ehemaligen Provinz *Arabia* hat auch eine Zeit systematischer archäologischer Forschung begonnen. Zuvor hatten allerdings Historiker und Archäologen wie R. E. BRÜNNOW, A. VON DOMASZEWSKI, A. MUSIL und H. C. BUTLER mit ihren Erkundungsfahrten und Veröffentlichungen zum römischen Arabien wichtige Grundlagen für spätere Forschungen geschaffen. Jenseits des Jordans war das Department of Antiquities des Haschemitischen Königreichs seit 1923 um die Bewahrung des archäologischen Erbes auf jordanischem Boden bemüht. Dabei wurde das Institut von europäischen Forschergruppen unterstützt, die seit Ende der 1920er Jahre umfassende Grabungen u. a. in Amman und *Petra* durchführten. Ein besonderes Beispiel internationaler Kooperation bilden seit 1981 die Untersuchungen in *Gerasa*, wo insgesamt fünf europäische Missionen bis heute gleichzeitig tätig sind. Demge-

234

genüber ist die Freilegung und Untersuchung der wichtigsten nabatäisch-römischen Siedlungsplätze im Negev vor allem auf die langjährige Forschungstätigkeit des israelischen Archäologen A. NEGEV zurückzuführen, der Städte wie *Oboda, Mampsis* und *Elusa* ausgrub und entscheidend dazu beitrug, die Zivilisation der Nabatäer im Zentralnegev aus der Vergessenheit zurückzuholen. Zu erwähnen sind schließlich die neueren archäologischen Untersuchungen zur Militärgeschichte Arabiens in römischer Zeit, insbesondere die systematischen Feldforschungen am *limes Arabicus* (S. TH. PARKER) sowie am sog. *limes Palaestinae* (M. GICHON).

Lange Zeit stand im Literaturangebot zur Provinz *Arabia* die Erforschung der nabatäischen Geschichte und Zivilisation im Vordergrund, doch hat sich dies in jüngster Zeit zugunsten der römischen Epoche geändert. Die beste Übersicht und Zusammenfassung bietet: G. W. BOWERSOCK, *Roman Arabia* (1983) m. ausführl. Bibl. 193 ff.
F. ALTHEIM/R. STIEHL, *Die Araber in der Alten Welt*, 6 Bde. (1964–69); R. E. BRÜNNOW/A. VON DOMASZEWSKI, *Die Provinz Arabia*, 3 Bde. (1904–09); J.-M. DENTZER (ed.), *Hauran* I: *Recherches archéologiques sur la Syrie du sud à l'époque hellenistique et romaine*, 2 Bde. (1985–86); M. EVENARI/L. SHANAN/N. TADMOR, *The Negev* ²(1982); B. M. FELLETI MAJ, *Siria, Palestina, Arabia settentrionale nel periodo romano* (1950); A. HADIDI (ed.), *Studies in the history and archaeology of Jordan*, 3 Bde. (1982–87); D. HOMES-FREDERICQ/J. B. HENNESSY (eds.), *Archaeology of Jordan*

Abb. 232 Nova Traiana Bostra/Bosra-esch-Scham (SYR). Inschriftstein der LEG(io) III CYR(enaica). Schwarzer Basalt.

Abb. 233 Nova Traiana Bostra/Bosra-esch-Scham (SYR). Blick von Südosten in das römische Theater, das bis 1947 Teil einer ajjubidischen Festungsanlage war.

Abb. 234 Petra (HKJ). Blick durch die schmale Öffnung des Sīq, durch den die Stadt von Osten her zugänglich war, auf die Fassade des sog. Ḫazne al-Fir'ūn (s. Abb. 231).

235

236

(1993); A. Janssen/R. Savignac, Mission archéologique en Arabie, 2 Bde. (1909–14); H. I. Mac-Adam, Studies in the history of the Roman province of Arabia: The northern sector, in: BAR Int. Ser. 295 (1986); F. Millar, The Roman Near East 31 B.C.–A.D. 337 (1994); A. Musil, Arabia Petraea, 3 Bde. (1907–08); A. Negev, The Nabataeans and the Provincia Arabia, in: ANRW II 8 (1977) 520 ff.; M. Sartre, Trois études sur l'Arabie romaine et byzantine, Coll. Latomus 178 (1982); Ders., L'orient Romain. Provinces et sociétés provinciales en Méditerranée orientale d'Auguste aux Sévères (1991); A. Spijkerman, The coinage of the Decapolis and the Provincia Arabia (1979).

AAVV., Die Nabatäer, Ausstellung Bonn 1980, in: BJ 180, 1980, 129 ff.; H.-J. Kellner (Hg.), Die Nabatäer. Ein vergessenes Volk am Toten Meer, Ausstellung München (1970); M. Lindner, Petra und das Königreich der Nabatäer, 2 Bde. ⁴(1983); A. Negev, Die Nabatäer, in: Sondernr. Antike Welt (1976); Ders., Nabataean archaeology today (1986); K. Schmitt-Korte, Die Nabatäer. Spuren einer arabischen Kultur der Antike (1976); R. Wenning, Die Nabatäer – Denkmäler und Geschichte (1987).

G. W. Bowersock, Roman senators from the Near East: Syria, Judaea, Arabia, Mesopotamia, in: Tituli 5, 1982, 651 ff.; D. H. French/C. S. Lightfoot (eds.), The eastern frontier of the Roman Empire, in: BAR Int. Ser. 553 (1989); M. H. Gracey, The Roman army in Syria, Judaea and Arabia, 2 Bde., Diss. Oxford 1981; B. Isaac, The limits of Empire. The Roman army in the east, rev. Aufl. (1993); D. L. Kennedy, Legio VI Ferrata: The annexation and early garrison of Arabia, in: HSCP 84, 1980, 283 ff.; H. G. Pflaum, Les gouverneurs d'Arabie de 193 à 305, in: Syria 34, 1957, 128 ff.; M. P. Speidel, The Roman army in Arabia, in: ANRW ebd. 687 ff.

G. W. Bowersock, Limes Arabicus, in: HSCP 80, 1976, 219 ff.; P. Freeman/D. Kennedy (eds.), The defence of the Roman and Byzantine East, 2 Bde., in: BAR Int. Ser. 297 (1986); M. Gichon, Research on the Limes Palaestinae: A stocktaking, in: AAVV., Roman Frontier Studies 1979, in: BAR Int. Ser. 71 (1980) 843 ff.; D. F. Graf, A preliminary report on a survey of Nabataean-Roman military sites in southern Jordan, in: ADAJ 23, 1979, 121 ff.; D. L. Kennedy, Archaeological explorations on the Roman frontier in north-east Jordan: The Roman and Byzantine military installations and road network on the ground and from the air, in: BAR Int. Ser. 134 (1982); Ders./D. N. Riley, Rome's desert frontier from the air (1990); S. Th. Parker, Towards a history of the Limes Arabicus, in: AAVV., Roman Frontier Studies 1979 (1980) 865 ff.; Ders. (ed.), The Roman frontier in central Jordan: Interim report on the Limes Arabicus Project 1980–85, 2 Bde., in: BAR Int. Ser. 340 (1987).

M. Gichon, Das Kastell En Boqeq, in: BJ 171, 1971, 386 ff.; Ders., Migdal Tsafit, a burgus in the Negev (Israel), in: SJ 31, 1974, 16 ff.; Ders., Excavations at Mezad Tamar, ebd. 33, 1976, 80 ff.; Ders., En Boqeq 1. Das spätrömisch-byzantinische Kastell (1993); S. Th. Parker/J. Lander, Legio IV Martia and the legionary camp at el-Lejjun, in: Byzantinische Forschungen 8, 1982, 185 ff.

I. Browning, Petra (1974); P. Coupel/E. Frézouls, Le théâtre de Philippopolis en Arabie (1956); J.-M. Dentzer, Sondages près de l'arc Nabatéen à Bosra, in: Berytus 32, 1984, 163 ff.; A. Kindler, The coinage of Bostra (1983); D. S. Miller, Bostra in Arabia: Nabataean and Roman city of the Near East, in: R. T. Marchese (ed.), Aspects of Graeco-Roman Urbanism, in: BAR Int. Ser. 188 (1983) 110 ff.; S. Mittmann, Beiträge zur Siedlungsgeschichte des nördlichen Ostjordanlandes (1970); S. Moughdad, Bosra. Aperçu sur l'urbanisation de la ville à l'époque romaine, in: Felix Ravenna 111–112, 1976, 65 ff.; A. Negev, Tempel, Kirchen und Zisternen. Ausgrabungen in der Wüste Negev (1983); M. Sartre, Bostra des origines à l'Islam (1985); A. Segal, Roman cities in the province of Arabia, in: Journ. Soc. Archit. Hist. 40, 1981, 108 ff.; Ders., The Byzantine city of Shivta (Esbeita), Negev Desert, Israel, in: BAR Int. Ser. 179 (1983); J. B. Segal, Edessa: «The blessed city» (1970); Th. Weber/ R. Wenning (Hg.), Petra. Antike Felsstadt in arabischer Tradition und griechischer Norm (1997).

AAVV., Der Königsweg. 9000 Jahre Kunst und Kultur in Jordanien und Palästina (1987) bes. 251 ff.; T. Bauzou, Les voies de communication dans le Hauran à l'époque romaine, in: J.-M. Dentzer (ed.), Hauran I (1985) 137 ff.; R. Cohen, New light on the Petra-Gaza Road, in: Biblical Archaeologist 45, 1982, 240 ff.; M. Dunand, La strata Diocletiana, in: RB 40, 1931, 227 ff.; B. Isaac, Trade routes to Arabia and the Roman army, in: AAVV., Roman Frontier Studies 1979 (1980) 889 ff.; J. I. Miller, The spice trade of the Roman Empire (1969); H. Stierlin, Städte in der Wüste. Petra, Palmyra und Hatra – Handelszentren am Karawanenweg (1994); P. Thomsen, Die römischen Meilensteine der Provinzen Syria, Arabia und Palaestina, in: ZDPV 40, 1917, 1 ff.

H. Buschhausen (Hg.), Byzantinische Mosaiken aus Jordanien (1986); M. Dunand, Mission archéologique au Djebel Druse: Le musée de Soueida. Inscriptions et monuments figurés (1934); G. Gualandi, La scultura nella provincia romana di Arabia, in: ANRW II 12.4 (i. Vorb.); G. Koch, Der Import kaiserzeitlicher Sarkophage in den römischen Provinzen Syria, Palaestina und Arabia, in: BJ 189, 1989, 161 ff.; J. McKenzie, The architecture of Petra (1990); A. Negev, The Nabataean potter's workshop at Oboda (1974); A. Schmidt-Colinet, Nabatäische Felsarchitektur. Bemerkungen zum gegenwärtigen Forschungsstand, in: BJ 180, 1980, 189 ff.

G. Amer/ M. Gawlikowski, Le sanctuaire impérial de Philippopolis, in: Damaszener Mitteilungen 2, 1985, 1 ff.; D. Sourdel, Les cultes du Hauran (1952).

Abb. 235   Philippopolis/Schachba (SYR). Korinthische Säulen eines römischen Podiiumtempels im Vorgarten eines modernen Hauses in der Geburtsstadt des Philippus Arabs (244–249).

Abb. 236   Oboda/Avdat (IL). Sog. Nordkirche auf der nabatäischen Akropolis. Dreischiffige Basilika an der Stelle älterer Tempel. 2. Hälfte des 4 Jhs. Blick von Westen.

Abb. 237   Dacia Romana. Übersichtskarte der dakischen Provinzen mit den wichtigsten Städten, Kastellen, Stammesnamen, Grenzziehungen und topographischen Angaben.

Dacia (106/107)

Die Daker ... sind der tapferste und gerechteste Stamm der Thraker.

HERODOTOS (etwa 484 – 425 v.Chr.)

Decebalus, dem nun der Thron und das ganze Land genommen wurde und der selbst in Gefahr war, Geisel zu werden, machte seinem Leben ein Ende, und sein Haupt wurde nach Rom gebracht ...

DIO CASSIUS COCCEIANUS (um 160 – nach 229)

Ti(berius) Claudiu(s) Maximus ... a quo (i. e. Traianus) fa(c)tus explorator in bello Dacico et ob virtute(m) bis donis donatus bello Dacico ... et ab eode(m) factu(s) decurio in ala eade(m) quod cepisset Decebalu(m) et capu(t) eius pertulisset ei Ranisstoro ...

Grabinschrift des T. Claudius Maximus (um 120)

Nach dem Sieg über Decebalus unterjochte Traianus Dakien ... ; diese Provinz mißt zehnmal 100 000 Doppelschritte im Umkreis ... Traianus hatte nach der Besiegung Dakiens ungeheure Menschenmassen aus dem gesamten römischen Weltreich dorthin bringen lassen, damit sie Äcker bebauten und Städte errichteten.

EUTROPIUS (4. Jh.)

Es hat länger als ein Jahrhundert gedauert, bis Rom das Kernland des um 60 v. Chr. von Burebistas gegründeten dakischen Staates seinem Herrschaftsbereich einverleiben konnte. Schon Caesar plante einen Feldzug gegen die Daker, die seinen Kontrahenten Pompeius unterstützt hatten. Zwar zerfiel das Reich des Burebistas nach dessen Ermordung (44/40 v. Chr.) in mehrere ‹Fürstentümer›, doch konnte sich der junge Dakerstaat um die Hauptstadt *Sarmizegetusa* im Kern behaupten, bis Decebalus den dakischen Thron bestieg und die Stämme des Landes erneut einte. Dieser fiel 85 in *Moesia* ein, besiegte die Römer in mehreren Schlachten und konnte erst 88 bei *Tapae* im Süden Dakiens zurückgedrängt und geschlagen werden. Dem Friedensvertrag nach galt Decebalus fortan als König eines Klientelstaates, der die römische Herrschaft anerkannte und zum Zeichen der gegenseitigen Übereinkunft vom römischen Kaiser finanzielle und technische Hilfe erhielt.

Doch Decebalus' Absichten waren nicht auf Koexistenz, sondern auf Konfrontation ausgerichtet. Er nutzte die römische Hilfe zum Aufbau eines schlagkräftigen Heeres wie zum Bau zahlreicher Befestigungen in den Transsilvanischen Alpen und entfaltete eine rege diplomatische Tätigkeit unter den Völkern und Stämmen in seiner Nachbarschaft, in der Hoffnung, sie für seine antirömischen Pläne als Bundesgenossen zu gewinnen. Seine umfangreichen Aktivitäten können der kaiserlichen Zentralgewalt unter Domitianus (81–96) und Nerva (96–98) nicht verborgen geblieben sein. Doch erst Traianus (98–117) machte ernst, unterwarf das Reich der Daker in zwei verlustreichen Kriegen (101/102 und 105/106) und machte das Land zur Provinz. Decebalus gelang die Flucht ins Gebirge, wo er, von römischer Reiterei gestellt, in auswegloser Situation Selbstmord beging. Sein Kopf wurde in Rom auf den *scalae Gemoniae*, die zum Kapitol hinaufführten, zum Zeichen des Sieges öffentlich zur Schau gestellt.

Der Kaiser ließ es sich nicht nehmen, die Einrichtung Dakiens als Provinz im Winter 106/107 persönlich vorzunehmen. Als ersten Statthalter setzte er Iulius Sabinus ein. Ihm folgte T. Terentius Scaurianus, der bis spätestens 112 im Lande blieb und Inschriften zufolge nicht nur mit dem Bau wichtiger Straßen und der Gründung der neuen Hauptstadt *Colonia Ulpia Traiana Augusta Dacica Sarmizegetusa* westlich der alten dakischen Königsstadt für geordnete Verhältnisse sorgte, sondern dem es auch innerhalb weniger Jahre gelang, den Prozeß einer ruhigen und stetigen Gesamtentwicklung einzuleiten. Eine relativ rasche Romanisierung bewirkte neben dem Militär, dessen Garnisonen über das ganze Land verteilt waren, der offenbar staatlich gelenkte Zustrom von Menschen *ex toto orbe Romano* (EUTROPIUS).

Die zahlreichen Neueinwanderer gaben diesem weit in das *Barbaricum* vorgeschobenen *propugnaculum imperii Romani* (CICERO) in der Folgezeit eine betont weströmische Prägung, die trotz späterer Überlagerung durch germanische und slawische Einflüsse im Namen ‹Romania› und der rumänischen Sprache bis heute erhalten blieb. Dabei ist nicht davon auszugehen, daß römische Soldaten und Kolonisten ein weitgehend menschenleeres Land vorfanden. Vielmehr ist offenbar nur ein geringerer Teil der dakischen Bevölkerung geflohen oder ausgewandert, während ein beträchtlicher Teil als Bauern, Hirten, Handwerker und Grubenarbeiter geblieben ist und – archäologischen Erkenntnissen nach – aus den Höhensiedlungen der südlichen Karpaten in die Donauebene umgesiedelt wurde, wo man allmählich mit den Neuankömmlingen verschmolz.

Rom begnügte sich bei der Einrichtung der neuen Provinz mit der Besetzung des dakischen Kernlandes. Dabei blieben der Ostteil der Kleinen Walachei (Oltenien),

238

die Große Walachei (Muntenien), das südöstliche Siebenbürgen sowie die südliche Moldau *de iure* zunächst frei, unterstanden aber der militärischen Kontrolle durch den Statthalter von *Moesia inferior*. Lediglich im Süden grenzte *Dacia* an römisches Reichsland. Ansonsten bildeten die Karpaten eine natürliche Grenzbarriere, die das Transsilvanische Hochland mit der Landschaft von Siebenbürgen umschlossen. Im Südwesten reichte die Provinz bis an die *Tisza*/Theiß, womit auch das Banat zur Provinz *Dacia* gehörte.

Die ersten dakischen Statthalter waren Konsulare. Sie befehligten ein Heer, das aus zwei Legionen und zahlreichen Auxilien bestand, und hatten ihren Sitz in der alten Königsresidenz *Sarmizegetusa*, die jetzt römische Kolonie war. Äußere Anlässe wie der für das Jahr 118 bezeugte Einfall von Jazygen und Roxolanen werden Hadrianus veranlaßt haben, das Provinzgebiet in drei Teile zu gliedern (vor 123). Die ranghöchste Provinz war seitdem *Dacia superior*, deren Gebiet das Banat, den Hauptteil von Siebenbürgen und den Westen der Kleinen Walachei umfaßte. Statthalter war ein Prätorier, der in *Sarmizegetusa* residierte und die zu diesem Zeitpunkt einzige Legion befehligte, die ihren Standort in *Apulum*/Alba Julia hatte. Dagegen wurden die beiden Provinzen *Dacia inferior* und *Dacia Porolissensis* seitdem von *procuratores* geführt. *Dacia inferior* bestand aus dem Ostteil der Kleinen Walachei sowie dem südöstlichen Siebenbürgen. Seine Hauptstadt wird in *Drobeta*/Turnu Severin oder *Romula*/ Reşca vermutet, das möglicherweise später *Malva* hieß. Die andere prokuratorische Provinz war *Dacia Porolissensis*, deren Gebiet nördlich des *Marisius*/Mureş lag und die ihr Zentrum entweder in *Porolissum*/Mojgrad oder *Napoca*/Cluj hatte, wo ein *procurator*

vice praesidis seinen Sitz hatte. Zu Beginn der Markomannenkriege (167/168) wurde diese Verwaltungspraxis nochmals geändert. Zwar blieb die Dreiteilung nominell erhalten, doch residierte in *Sarmizegetusa* (oder *Apulum?*) jetzt ein *consularis trium Daciarum*, dem die beiden Prokuratoren unterstellt waren und der seitdem neben der *legio XIII Gemina*, die vom Eroberungsheer der trajanischen Zeit übriggeblieben war, mit der *legio V Macedonica* eine zweite Legion befehligte, die ihr Lager weiter nördlich in *Potaissa*/Turda baute. Zur gleichen Zeit verschwanden auch die Bezeichnungen *superior* und *inferior*. Fortan hießen die beiden Provinzen *Dacia Apulensis* und *Dacia Malvensis*.

Mit Ausnahme des lößreichen Tieflandes der Kleinen Walachei und des Banats waren die dakischen Provinzen landschaftlich vor allem durch die Bergzüge der Karpaten und zahlreiche Flußtäler geprägt, die das bergige Land in viele kleine Siedlungskammern zerteilten. Die hieraus resultierende Unübersichtlichkeit weiter Landstriche dürfte einer der Hauptgründe gewesen sein, römische Truppeneinheiten nicht nur an den weit auseinandergezogenen Grenzen, sondern in großer Zahl auch im Innern zu stationieren. Die allgegenwärtige Präsenz römischen Militärs hatte zur Folge, daß die Romanisierung des Landes und seiner Bevölkerung in Dakien sehr viel schneller fortschritt als in den meisten anderen Provinzen, zumal das römische Militär neben der Erschließung des Landes, etwa durch den Bau von Straßen oder die Nutzbarmachung von Bergwerksbezirken, in Ermangelung einheimischer Verwaltungsstrukturen eine Vielzahl ziviler, vor allem administrativer Aufgaben zu erfüllen hatte. Insgesamt war die Zahl der in Dakien stationierten Truppen mit ca. 50 000 Mann deutlich höher als in anderen Grenzprovinzen. Für die rasche und intensive Romanisierung war mitentscheidend, daß offenbar viele Veteranen und Auxiliare nach Beendigung ihrer Dienstzeit in Dakien geblieben sind.

Ein wesentlicher Faktor des Romanisierungsprozesses war die Urbanisierung des Landes. Als ehemalige Königsresidenz und Sitz des römischen Statthalters war *Ulpia Traiana Augusta Dacica Sarmizegetusa* die bedeutendste Stadt Dakiens. Hier bestanden im 2. Jh. nebeneinander ein *municipium Aurelium*, das aus der ehemals dakischen Siedlung hervorgegangen war, und eine neugegründete *colonia,* die ihren Titel schon unter Traianus erhalten hat. An zweiter Stelle ist *Apulum*/Alba Julia zu nennen, auf dessen Boden gleich zwei *municipia* entstanden,

die später *coloniae* wurden, und das von seiner Lage und Verkehrsanbindung her als eigentliches wirtschaftliches und administratives Zentrum der Gesamtprovinz anzusehen ist, zumal keineswegs als gesichert gelten kann, ob nicht *Apulum* seit 167/168 Sitz des *legatus Augusti pro praetore trium Daciarum war.*

Den begehrten *colonia*-Titel erhielten in der Folgezeit auch Munizipien wie *Dierna*/Orşova, *Napoca*/Cluj, *Porolissum*/Mojgrad, *Drobeta*/Turnu Severin, *Potaissa*/Turda, *Romula* (= *Malva?*)/ Reşca und *Tibiscum*/Jupa, während die wichtige Bergwerkssiedlung *Ampelum*/ Zlatna zwar einen *ordo* besaß, jedoch immer *vicus* blieb. Darüber hinaus sind auf Inschriften zahlreiche *pagi* und *vici* bezeugt, zu denen auch die zahlreichen Kastelldörfer gehörten. Naturgemäß schritt in allen städtisch geprägten Zentren und deren Umland die Romanisierung besonders schnell voran, während dakische Traditionen partiell nur auf dem Lande lebendig blieben, wo – wie PTOLEMAIOS berichtet und Bodenfunde es belegen – Daker in größeren Gruppen angesiedelt waren, die zwar römische Einflüsse aufnahmen, sich jedoch einen guten Teil ihrer heimischen Tradition bewahren konnten. Daß einheimisch dakische Namen auf Inschriften weitgehend fehlen, mag seinen Hauptgrund darin haben, daß sich die Menschen dieser Bevölkerungsschicht des Lateinischen nur bei Bedarf bedienten und sich Inschriften auf Grab- oder Weihesteinen entweder nicht leisten konnten oder wollten.

Schon in römischer Zeit hat man keinen Hehl daraus gemacht, daß die Eroberung Dakiens vor allem auch wirtschaftliche Gründe hatte. Wenn man bedenkt, daß der Riesenkomplex des *forum Traiani* in Rom allein *ex manubiis,* d. h. aus dem Erlös der Dakerbeute, errichtet und finanziert worden ist, müssen die erbeuteten Schätze an Edelmetall alle Erwartungen der Eroberer übertroffen haben. Entsprechend besaß der dakische Bergbau auch in römischer Zeit eine besondere Bedeutung, insbesondere im Gebiet der *aurariae Dacicae* von *Ampelum*/Zlatna und *Alburnus maior*/Verespatak, die als ehemals dakischer Königsbesitz direkt an den Kaiser gefallen waren und von *Ampelum* aus als kaiserliche Domänen verwaltet und ausgebeutet wurden. Dazu wurden auf dakischem Provinzboden an verschiedenen Plätzen auch Silber-, Blei- und Eisenerze abgebaut und verhüttet.

Überaus wichtig – nicht nur für Dakien, sondern den gesamten Balkanraum – war die dakische Salzgewinnung. Dagegen besaßen zahlreiche Gewerbebetriebe, die sich archäologisch an vielen Plätzen Dakiens nachweisen ließen, in erster Linie regionale Bedeutung. Gleiches gilt für die verschiedenen Sparten der Landwirtschaft, die nur zum Teil auf der importierten Villenwirtschaft beruhte und offensichtlich die einheimische, in Dörfern konzentrierte bäuerliche Betriebsform nicht zu verdrängen vermochte. Für den Handel, in dem – Inschriften zufolge – viele Orientalen, vor allem Kleinasiaten tätig waren, war das Vorhandensein eines gut ausgebauten Straßensystems von großer Wichtigkeit. Hinzu kam die Möglichkeit, Flüsse wie den *Alutus*/Olt oder *Marisius*/Mureş befahren zu können, was sowohl dem Handel innerhalb der Gesamtprovinz wie mit dem benachbarten Mösien zugute kam. Nachweisbar ist in diesem Zusammenhang ein gut organisiertes Zollsystem, das Teil des *publicum portorium Illyrici* war, das von der «Quelle der Donau bis zum Pontischen Meer» reichte (APPIANOS) und auf dakischem Boden durch eine größere Anzahl von Zollstationen archäologisch und epigraphisch belegt ist.

Obwohl Kaiser wie Caracalla (211–217), Philippus Arabs (244–249) und Traianus Decius (249–251) große Anstrengungen unternahmen, die zahlreichen Gegner an den langen und weitgehend offenen Grenzen in Schach zu halten, und die Befestigungswerke immer wieder verstärkten, war *Dacia* auf Dauer nicht zu halten. Schon unter Gallienus (253–268) mußte – wohl als Folge des gotischen Drucks, der auf der Ostgrenze der Provinz lastete – der östliche Teil der *Dacia Malvensis* preisgegeben werden. Offiziell wurde die Aufgabe der *tria Daciae* jedoch erst unter Aurelianus (270–275) vollzogen, als Heer und Verwaltung das Provinzgebiet verließen. Gleichzeitig wurden zumindest Teile der dakischen Bevölkerung auf das rechte Donauufer umgesiedelt und für sie auf mösischem und thrakischem Boden mit *Dacia ripensis* und *Dacia mediterranea* zwei neue Provinzen eingerichtet, zu deren Hauptstädten *Ratiaria*/Arčar (BG) und *Serdica*/Sofia (BG) bestimmt wur-

den. Allerdings dürfte der größere Teil der alten Bevölkerung im Lande geblieben sein, wie sich archäologisch zumindest bis zum 6. Jh. nachweisen läßt. Bis in diese Zeit blieben auf dem ehemals dakischen Ufer auch Festungen wie *Dierna*/Orşova (RO), *Drobeta*/Turnu Severin (RO) und *Sucidava*/Celei (RO) bestehen, die unter Iustinianus I. (527–565) wiederbefestigt und wahrscheinlich erst zu Beginn des 7. Jhs. aufgegeben wurden, als Slawen und Awaren von Norden her eindrangen, Städte wie Thessaloniki und Konstantinopel (626) belagerten und die ehemals römischen Gebiete Dakiens und Obermösiens zeitweise in ihre Hände fielen.

Anders als bei Provinzen, deren einstige Gebiete heute von den Grenzen moderner Staaten durchschnitten werden, hat sich die territoriale Identität mit dem heutigen Rumänien auf die wissenschaftliche Erforschung des römischen Dakien als günstig und ergebnisreich erwiesen. Andererseits ist auch Rumänien ein noch recht junger Staat (gegründet 1859), in

welchem die grundlegenden Gesetze zur Aufdeckung und Erhaltung antiker Denkmäler erst gegen Ende des 19. Jhs. erlassen wurden. Zuvor schon hatten Fachforscher wie gebildete Laien – die sog. dilettanti – in den damaligen Fürstentümern Moldau, Walachei und Transsilvanien (Siebenbürgen), das bis 1918 unter ungarischer Herrschaft stand, mit ersten archäologischen Untersuchungen begonnen. Dabei ist für die Zeit wachsenden Nationalbewußtseins vor und nach 1920 kennzeichnend, daß man vor allem den Nachweis zu erbringen suchte, das rumänische Volk genealogisch auf die dakorömische Bevölkerung der Spätantike zurückzuführen, eine Theorie, der in der Vergangenheit zwar wiederholt widersprochen wurde, weil es hierfür keinerlei Analogie aus anderen Provinzen gibt, die jedoch heute nicht nur von rumänischen Gelehrten, sondern auch vielen ausländischen Archäologen, Historikern und Philologen geteilt und vertreten wird. Insgesamt haben sich die Forschungen zur dakischen und römischen Vergangenheit

Abb. 238   COL(onia) VLP(ia) TRAIA(na) AVG(usta) DAC(ica) SARM(izegetusa). Der Name der dakischen Königsresidenz und neuen römischen Provinzhauptstadt auf einer Inschrift zu Ehren des Sohnes des Statthalters C(aius) Arrius Antoninus. 2. Jh. Museum Sarmizegetusa.

Abb. 239   Porolissum/Mojgrad (RO). Freigelegte Pfeilergasse der Lagerbasilika. Ausgrabung 1943 (A. RADNÓTI). Blick von Südosten.

239

des Landes in etwa die Waage gehalten, wenn auch nicht zu verkennen ist, daß die wissenschaftlichen Beiträge zum vorrömischen Dakien in bestimmten Perioden der jüngeren rumänischen Geschichte eindeutig im Vordergrund standen.

Als Pioniere der rumänischen Archäologie können Männer wie A. ODOBESCU (1834–1895), G. TOCILESCU (1850–1909) und V. PÂRVAN (1882–1927) angesehen werden. Dabei war die Wirkung, die von der archäologischen Tätigkeit V. Parvans ausging, zweifellos am nachhaltigsten. Begleitet von einer umfangreichen Publikations- und Vortragstätigkeit wußte er seine Stellung als Direktor des Altertumsmuseums in Bukarest dahingehend zu nutzen, die wissenschaftliche Untersuchung der dakisch-römischen Epoche im Rahmen der ‹Kommission für Geschichtsdenkmäler› zu einem bedeutenden Forschungsschwerpunkt auszubauen, worin ihm jüngere rumänische Gelehrte begeistert folgten. Sichtbare Ergebnisse dieser Entwicklung waren zum einen die Einrichtung der überregionalen Zeitschrift ‹Dacia› (1926), zum anderen die Gründung des Rumänischen Archäologischen Instituts in Rom, aus dem 1928 die ‹Akademische Gesellschaft V. Parvan› hervorging.

In Transsilvanien, dem späteren Siebenbürgen, waren es vor 1918 Forscher wie M. ACKNER, G. FINALY, C. TORMA und G. TEGLAS, die wichtige archäologische Arbeiten durchführten und ihre Ergebnisse veröffentlichten. Nachdem das Land im Frieden von Trianon (1920) an Rumänien gefallen war, ging die Forschungsinitiative in dieser Region auf die Universität in Napoca-Cluj über. In der Folgezeit haben Forscher wie V. CHRISTESCU, C. DAICOVICIU, O. FLOCA, GR. FLORESCU, M. MACREA, I. I. RUSSU und D. TUDOR im ganzen Land eine große Anzahl von Ausgrabungen ziviler wie militärischer Siedlungen der dako-römischen Epoche eingeleitet und eine Vielzahl an Einzelforschungen angeregt, deren wissenschaftliche Basis seit den 1960er Jahren durch die heute in Rumänien tätige Archäologengeneration eine deutliche Verbreiterung und Spezialisierung erfahren hat. Dabei hat sich die ‹Popularisierung› der Archäologie in weiten Kreisen der rumänischen Bevölkerung als überaus wirkungsvoll erwiesen, was im Lande nicht zuletzt in der großen Anzahl historisch-archäologischer Museen zum Ausdruck kommt. Hervorzuheben sind schließlich auch die zahlreichen Denkmäler der römischen Zeit, deren Schutz, Pflege und Erschließung für die Öffentlichkeit als vorbildlich anzusehen ist (Abb. 66).

Trotz günstiger Voraussetzungen und grundlegender Arbeiten zu allen Bereichen der römischen Zivilisation und Geschichte der Provinz *Dacia* fehlt bis heute eine zusammenfassende Darstellung. Ein direkter Zugang zu den Ergebnissen der rumänischen Forschung wird zudem – ähnlich wie in anderen osteuropäischen Ländern – dadurch erschwert, daß viele Veröffentlichungen in der Landessprache abgefaßt sind. Gute Überblicke geben zwei Kölner Ausstellungskataloge: AAVV., *Römer in Rumänien* (1969) und AAVV., *Daker. Archäologie in Rumänien* (1980).

A. ALFÖLDI, *Zu den Schicksalen Siebenbürgens im Altertum* (1944); D. BENEA, *Dacia sud-vestica în secolele* III–IV (1996); I. H. CRISAN, *Burebista and his time* (1978); C. DAICOVICIU, *La Transsylvanie dans l'antiquité* ³(1945). Deutsche Ausgabe: DERS., *Siebenbürgen im Altertum* (1943); DERS., *Dacica* (1970); DERS., *Dacia de la Burebista la cucerirea Romana* (1972); DERS., *Dakien und Rom in der Prinzipatszeit*, in: *ANRW* II 6 (1977) 889 ff.; C. u. H. DAICOVICIU, *Rumänien in Frühzeit und Altertum* (1970); K. HOREDT, *Untersuchungen zur Frühgeschichte Siebenbürgens* (1958); DERS., *Siebenbürgen in spätrömischer Zeit* (1982); *IDR* = *Inscriptiones Daciae Romanae* I–III 4 (1975–88); P. MACKENDRICK, *The Dacian stones speak* (1975); C. PATSCH, *Der Kampf um den Donauraum unter Domitian und Trajan* (1937); C. C. PETOLESCU, *Scurta istorie a Daciei romane* (1995); L. ROSSI, *Trajan's column and the Dacian wars* (1971); W. SCHULLER, *Siebenbürgen zur Zeit der Römer und der Völkerwanderung* (1994); K. STROBEL, *Untersuchungen zu den Dakerkriegen Trajans* (1984); DERS., *Die Donaukriege Domitians* (1989); D. TUDOR, *Oltenia romana* ⁴(1978).

J. JUNG, *Fasten der Provinz Dacien* (1894); M. MACREA, *L'organisation de la province de Dacie*, in: *Dacia* 11, 1967, 121 ff.; I. PISO, *Fasti Provinciae Daciae* I. *Die senatorischen Amtsträger* (1993); A. STEIN, *Die Reichsbeamten von Dacien* (1944).

I. B. CATANICIU, *Evolution of the system of defence works in Roman Dacia* (1981); V. CHRISTESCU, *Istoria militara a Daciei romane* (1938); E. CHRYSOS, *Von der Räumung der Dacia Traiana zur Entstehung der Gothia*, in: *BJ* 192, 1992, 175 ff.; N. GUDEA, *Das Verteidigungssystem des römischen Dacien*, in: *SJ* 31, 1974, 41 ff.; DERS., *Der Limes Dakiens und die Verteidigung der obermösischen Donaulinie von Trajan bis Aurelian*, in: *ANRW* ebd. 849 ff.; DERS., *The defensive system of Roman Dacia*, in: *Britannia* 10, 1979, 63 ff.; DERS., *Der Dakische Limes. Materialien zu seiner Geschichte* (1997); E. SCHALLMEYER/G. PREUSS, *Von den Agri Decumates zum Limes Dacicus* (1995).

J. BENES, *Auxilia romana in Moesia atque Dacia. Zu den Fragen des römischen Verteidigungssystems im unteren Donauraum und den angrenzenden Gebieten* (1978); D. BENEA, *Dîn istoria militara a Moesiei Superioare ș i a Daciei. Legiunes a III-A Claudia ș i a IIII-a Flavia Felix* (1983); V. MOGA, *Dîn istoria militara a Daciei romane. Legiune a XIII-a Gemina* (1985); R. SYME, *The first garrisons of Trajan's Dacia*, in: *Laureae Aquincenses* I (1938) 267 ff.; W. WAGNER, *Die Dislokation der römischen Auxiliarformationen in den Provinzen Noricum, Pannonien, Moesien und Dacien von Augustus bis Gallienus* (1938).

M. BARBULESCU, *Das römische Legionslager Potaissa* (1993); D. BENEA/P. BONA, *Tibiscum* (1994); S. FERENCZI, *Die Erforschung des römischen Limes auf den Höhen des Meszesgebirges*, in: *Dacia* 11, 1967, 143 ff.; N. GUDEA, *Das Römerlager von Rîsnov-Rosenau/Cumidava* (1970); DERS. u. a., *Das Römerlager von Buciumi* (1972); DERS., *Porolissum. Der Schlußstein des Verteidigungssystems der Provinz Dacia Porolissensis* (1989); A. RADNOTI, *Der dakische Limes im Meszesgebirge*, in: *Arch. Ert.* 1944/45, 149 ff.; E. TOTH, *Porolissum. Das Castellum in Moigrad. Ausgrabungen von A. Radnóti* (1978); C. M. VLADESCU, *Fortificatiile romane dîn Dacia Inferior* (1986).

C. CICHORIUS, *Die Reliefs der Trajanssäule* (1900); F. B. FLORESCU, *Die Trajanssäule* (1969); W. GAUER, *Untersuchungen zur Trajanssäule* (1977); G. M. KOEPPEL, *Die historischen Reliefs der Kaiserzeit* VIII. *Der Fries der Trajanssäule in Rom Tl. 1: Der 1. Dakische Krieg*, in: *BJ* 191, 1991, 135 ff.;

DERS., *Die historischen Reliefs der Kaiserzeit* IX. *Der Fries der Trajanssäule in Rom Tl. 2: Der 2. Dakische Krieg*, ebd. 192, 1992, 61 ff.; K. LEHMANN-HARTLEBEN, *Die Trajanssäule* (1926); F. LEPPER/S. S. FRERE, *Trajan's column. A new edition of Cichorius' plates* (1988); S. SETTIS u. a., *La colonna Traiana* (1988); M. SPEIDEL, *The captor of Decebalus*, in: *JRS* 60, 1970, 142 ff. Dazu: D. J. BREEZE, ebd. 61, 1971, 130 ff. u. M. SPEIDEL, ebd. 63, 1973, 141 ff.; P. ZANKER, *Das Trajansforum in Rom*, in: *AA* 1970, 499 ff.

A. ALFÖLDI, *Daci e Romani in Transsilvania* (1940); E. CHIRILA/N. GUDEA, *Economie, societate ș i populatie în Dacia postaureliana (275–380 n. Chr.)*, in: *Act. Mus. Porolissensis* 6, 1982, 123 ff.; C. DAICOVICIU/E. PETROVICI/G. STEFAN, *Die Entstehung des rumänischen Volkes und der rumänischen Sprache*, in: *Bibliotheca Historica Romaniae* 1 (1964); C. DAICOVICIU, *Die Herkunft des rumänischen Volkes im Lichte der neuesten Forschungen und Ausgrabungen*, in: *Südosteuropa-Studien* 9 (1967); P. KERENYI, *Die Personennamen in Dacien* (1941); M. MACREA, *Viata în Dacia romana* (1969); D. PROTASE, *Problema continuiatii în Dacia în lumina arheologiei ș i numismaticii* (1966); DERS., *Der Forschungsstand zur Kontinuität der bodenständigen Bevölkerung im römischen Dakien (2.–3. Jh.)*, in: *ANRW* ebd. 990 ff.; DERS., *Autohtonii în Dacia* I: *Dacia romana* (1980); J. J. WILKES, *Romans, Dacians and Sarmatians*, in: B. HARTLEY/J. S. WACHER (eds.), *Rome and her northern provinces* (1983) 255 ff.

H. DAICOVICIU, *Napoca. Geschichte einer römischen Stadt in Dakien*, in: *ANRW* ebd. 919 ff.; DERS./D. ALICU, *Colonia Ulpia Traiana Augusta Dacica Sarmizegethusa* (1984); R. ETIENNE/I. PISO/A. DIACONESCU, *Les deux forums de la Colonia Ulpia Traiana Augusta Dacica Sarmizegethusa*, in: *REA* 92, 1990, 273 ff.; N. GUDEA (mit I. MOTU), *Die ländliche Besiedlung und Landwirtschaft im römischen Dakien*, in: H. BENDER/H. WOLFF (Hg.), *Ländliche Besiedlung und Landwirtschaft in den Rhein-Donau-Provinzen des Römischen Reiches* (1994) 511 ff.; D. TUDOR, *Les constructions publiques de la Dacie romaine d'après les inscriptions*, in: *Latomus* 23, 1964, 271 ff.; DERS., *Orase, tîrguri ș i sate în Dacia romana* (1968).

V. CHRISTESCU, *Viata economica a Daciei romane* (1929); I. GLODARIU, *Relatiile comerciale ale Daciei cu lumea elenistica ș i romana* (1974); DERS., *Die Landwirtschaft im römischen Dakien*, in: *ANRW* ebd. 950 ff.; S. MROZEK, *Die Goldbergwerke im römischen Dakien*, ebd. 95 ff.; G. N. NANDRIS, *Aspects of Dacian economy and highland zone exploitations*, in: *Dacia* 25, 1981, 248 ff.; H.-CH. NOESKE, *Studien zur Verwaltung und Bevölkerung der dakischen Goldbergwerke in römischer Zeit*, in: *BJ* 177, 1977, 271 ff.; H. WOLFF, *Dacien*, in: F. VITTINGHOFF (Hg.), *Europäische Wirtschafts- und Sozialgeschichte in der römischen Kaiserzeit* (1990) 616 ff.; DERS., *Grundzüge einer Wirtschafts- und Sozialgeschichte der römischen Karpaten-Balkan-Provinzen* (1990); V. WOLLMANN, *Mineritul metalifer extragerea sarii ș i carierele de piatra în Dacia romana* (1996).

G. BORDENACHE, *Römische Kunst und Kunstgewerbe im römischen Dakien*, in: AAVV., *Römer in Rumänien* (1969) 66 ff.; L. BIANCHI, *Le stele funerarie della Dacia* (1985).

A. BODOR, *Die griechisch-römischen Kulte in der Provinz Dacia und das Nachwirken der einheimischen Traditionen*, in: *ANRW* II 18.2 (1989) 1077 ff.; J. W. JONES, *The cults of Dacia* (1926); S. SANIE, *Cultele orientale în Dacia romana* I (1981); DERS., *Die syrischen und palmyrenischen Kulte im römischen Dakien*, in: *ANRW* ebd. 1165 ff.; D. TUDOR, *Corpus monumentorum religionis equitum Danuviorum* II (1969).

Armenia (114) – Mesopotamia (115) – Assyria (116)

Die Parther habe ich veranlaßt, mir die Beute und Feldzeichen dreier römischer Heere zurückzugeben und demütig die Freundschaft des römischen Volkes zu erbitten.

CAIUS IULIUS OCTAVIANUS AUGUSTUS
(63 v. Chr. – 14 n. Chr.)

Ex auctoritate imp(eratoris) Caes(aris) / L(uci) Septimi Severi Pii Per / tinacis Aug(usti) Arab(ici) Adiab(enici) / pontif(icis) max(imi) trib(unicia) pot(estate) III / imp(eratore) VII co(n)s(ule) II p(atre) p(atriae) C(aius) Iul(ius) / Pacatianus proc(urator) Aug(usti) inter / provinciam Osrhoenam et /regnum Abgari fines posuit

Meilensteininschrift des Jahres 195

Septimius Severus pflegte zu sagen, er habe (mit Mesopotamien) ein großes Gebiet erworben und es zu einem Schutzwall für Syrien gemacht. Im Gegenteil aber ist dieses Werk der Grund dafür, daß uns Kriege und hohe Kosten entstehen; es bringt wenig ein, verschlingt aber Unsummen, und da wir die Nachbarn der Meder und Perser einverleibt haben, kämpfen wir ständig – gewissermaßen an ihrer Stelle.

DIO CASSIUS COCCEIANUS (um 160 – nach 229)

Augustus hatte seinen Nachfolgern geraten, das Reich auf die bestehenden Grenzen zu beschränken; dies galt insbesondere auch für die Euphratlinie und das Verhältnis zu den Parthern. Vorausgegangen waren verschiedene Versuche, zum Schutz der Provinz *Syria* (63 v. Chr.) die römische Ostgrenze vorzuschieben und die Parther so entscheidend zu schwächen, daß sie für Rom keine Gefahr mehr darstellten. Doch L. Crassus bezahlte ein solches Unternehmen bei *Karrhai* (53 v. Chr.) mit dem Leben, zu Caesars großangelegten Partherkrieg kam es nicht, weil der Diktator kurz zuvor er-

mordet wurde (44 v. Chr.), und M. Antonius mußte seine Pläne auf Grund des starken parthischen Widerstandes aufgeben und sich mit seinem Heer zurückziehen (36 v. Chr.). Die Konsequenz hieraus war die Anerkennung des Partherreiches als Großmacht im Osten und die Bestätigung des Euphrats als Demarkationslinie der beiderseitigen Herrschaftsgebiete. Möglich wurde diese Übereinkunft allerdings nur, weil die Parther die bei *Karrhai*/Harran (TR) gemachten Gefangenen und erbeuteten Feldzeichen wieder herausgaben und – wenn auch zögernd und nur unter militärischem Druck – der Umwandlung der Gebiete von *Armenia maior* und *Media Atropatene* in römische Klientelstaaten zustimmten. Auf diesem Hintergrund war es möglich, daß Augustus Münzen mit den Aufschriften *sign(is) rece(ptis)* und *Armenia capta* prägen lassen konnte (Abb. 5b).

Augustus knüpfte bewußt an die Politik von Cn. Pompeius und M. Antonius an, die nicht darauf abzielte, jedes nur mögliche Territorium im Osten zur Provinz zu machen, sondern römisches Reichsland durch vorgelagerte Klientelstaaten zu sichern, die den Parthern gegenüber als Puffer dienen sollten. Dies gelang westlich des Euphrats in den Gebieten von *Kappadokia, Kommagene, Armenia minor* und *Pontos* ohne Schwierigkeiten, während die politischen Verhältnisse in *Armenia maior* instabil blieben. In diesem Fall sah sich Augustus gezwungen,

240

seinen Enkel und Adoptivsohn C. Caesar mit einem Heer nach Armenien zu schicken, wo dieser durch ein Attentat schwer verwundet wurde, so daß er auf dem Rückmarsch im lykischen *Limyra* starb (Abb. 207). Auch wenn der Kaiser in seinem Rechenschaftsbericht am Ende seiner Regierung den Eindruck zu erwecken suchte, er habe großmütig darauf verzichtet, Großarmenien zur Provinz zu machen, und dort – unbeschadet durch parthische Gegenmaßnahmen – nacheinander mehrere romfreundliche Regenten eingesetzt, so entsprach dieses Bild sicher nicht der Realität, die von Mal zu Mal deutlicher werden ließ, wie wenig ein ‹romorientiertes› Großarmenien im parthischen Interesse lag. Daß die Parther ih-

Abb. 240   ***SIGN(is) RECE(ptis). Kniender Parther, in der Rechten eine römische Standarte, als Symbol für die Rückgabe der Feldzeichen, die 53 v. Chr. in die Hände der Parther gefallen waren. Rückseite eines Denars des Augustus, geprägt ca. 18 v. Chr. in Rom (RIC 99).***

Abb. 241   ***Kiphas/Hasankeyf (IRQ). Spätantike Stadtfestung (rechts) mit den Überresten der römischen Brücke über den Tigris. Blick von Südwesten.***

241

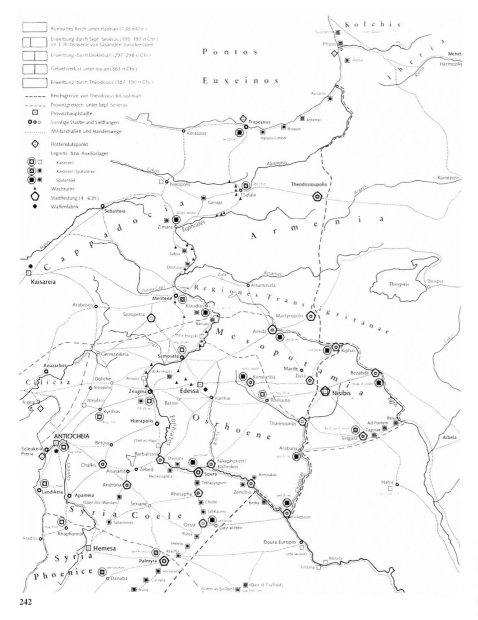

242

gende *Armenia minor* unter Vespasianus endgültig römisch und ein Teil der Provinz *Cappadocia* wurde, kam es um den Klientelstaat *Armenia maior* immer wieder zu Konflikten. Die längste und heftigste Auseinandersetzung spielt sich unter Nero (54–68) ab, als die Parther zu Beginn seiner Regierung das armenische Königreich besetzen und ein Bruder des parthischen Herrschers König von Großarmenien wird. Die römische Gegenoffensive unter der Führung von Cn. Domitius Corbulo ist zwar schnell erfolgreich, doch offenbart sich in der Folgezeit eine merkwürdige Ambivalenz in der römischen Armenienpolitik. Während der verantwortliche General vor Ort in kluger Einschätzung der militärischen Möglichkeiten auf eine Politik der Verständigung mit den Parthern setzt, drängen Kaiser und Senat auf die Annexion Großarmeniens und seine Umwandlung in eine römische Provinz. So kommt es 62 im Westen Armeniens zur Schlacht bei *Rhandeia*, in der L. Caesennius Paetus als Kommandeur des von Kappadokien aus operierenden Heeres von den Parthern zur Kapitulation gezwungen wird, während sich Corbulo zur gleichen Zeit als syrischer Statthalter im wesentlichen auf die Sicherung der Euphratlinie beschränkt. Das Ringen der beiden Großmächte endet erst im Jahre 66 mit der Bestätigung des *status quo*. Sie leitet in der Armenienfrage eine Phase der Beruhigung und Entlastung ein, die auch unter den flavischen Kaisern anhält. Diese beschränken sich im wesentlichen darauf, die Euphratlinie zu einer ‹sichtbaren› Grenze auszubauen, die sich an geographischen Gegebenheiten orientiert und versucht, mit gezielten Infrastrukturmaßnahmen – insbesondere auf den Gebieten des Straßen- und Städtebaues – die wirtschaftliche Entwicklung im Grenzbereich zu fördern.

Das Klientelkönigreich von Großarmenien rückt erst wieder in den Blickpunkt römischer Ostpolitik, als die römische Defensivhaltung aufgegeben wird und Traianus im Rahmen eines weiträumigen strategischen Konzepts den Entschluß faßt, nach dem Reich der Nabatäer (106) und der Daker (106/107) nun auch die letzte noch existierende Großmacht im Osten dem römischen Machtbereich einzuverleiben. Seine großangelegte Offensive führt bereits 114 zur Eroberung von Großarmenien, das noch im gleichen Jahr zur Provinz *Armenia* umgewandelt und – gemeinsam mit *Cappadocia* und *Armenia minor* – dem konsularischen Statthalter L. Catilius Severus unterstellt wird (*CIL* X 8291 = *ILS* 1041), unterstützt durch C. Haterius Nepos, der für

rerseits nicht auf den Gedanken kamen, in die Provinz *Syria* einzufallen, verhinderten die sechs Legionen, die in Nordsyrien und der seit 25 v. Chr. zum Reich gehörigen Provinz *Galatia* standen. Gemeinsam mit den beiden ägyptischen Legionen, die bei Bedarf rasch in Marsch gesetzt werden konnten, war an der Ostgrenze des Reiches ein Heer konzentriert, das zu dieser Zeit an Stärke nur mit der Rheinarmee vergleichbar war.

Die Versuche, *Armenia maior* über den Klientelstatus als römische Einflußsphäre zu sichern, wurde von den Nachfolgern des ersten Kaisers mit wechselndem Erfolg fortgesetzt. Zunächst ließ Tiberius im Jahre 17 Kappadokien annektieren und das Land des altersschwachen Klientelkönigs Archelaos in die Provinz *Cappadocia* umwandeln, die bis an den Euphrat reichte (S. 147 f.). Bei dieser Aktion wurde auch *Kommagene* besetzt und von Germanicus, den der neue Kaiser in den Orient entsandt hatte, der Provinz *Syria*

zugeschlagen, die damit zwischen dem heutigen Euphratstausee bei Dibsah, dem alten *Thapsacus*, im nördlichen Syrien und einem nicht näher bestimmbaren Punkt nördlich von *Samosata*/Samsat (TR) direkt an den parthischen Vasallenstaat *Osrhoëne* grenzte, womit alle wichtigen Euphratübergänge unter römischer Kontrolle standen. Die Schwäche dieser Konzeption bestand hauptsächlich darin, daß die römischen Legionstruppen nicht unmittelbar am Grenzfluß präsent waren, der Euphrat vielmehr eine der «unsichtbaren Grenzen» des Reiches blieb (E. KORNEMANN).

Erst Vespasianus (69–79) hat an diesem Grenzabschnitt für klare Verhältnisse gesorgt, als er *Kommagene*, das 38 unter Caligula wieder Klientelstaat geworden war, erneut annektieren ließ, in *Samosata* eine Legion stationierte und in *Satala*/Sadagh (TR) und *Melitene*/Malatya (TR) zwei weitere Legionslager einrichtete. Während das westlich des Euphrat lie-

das neueroberte Territorium als *procura-tor* bezeugt ist (*CIL* XI 5213 = *ILS* 1338). Kurz darauf – wahrscheinlich ebenfalls noch im Jahre 114 – gelingt den römischen Truppen die Einnahme der Stadt *Nisibis*/Nusaybin (TR) im Zentrum von Mesopotamien; als Folge davon bietet der parthische Klientelkönig von *Osrhoëne* dem römischen Kaiser die Unterwerfung an. Dieser dringt im Jahr darauf weiter nach Südosten vor, erobert die Stadt *Singara*/Sinjar (IRQ) und macht 115 auch *Mesopotamia* zur Provinz. Im Frühjahr 116 schließlich erfolgt der Einmarsch nach *Adiabene*, das zur Provinz *Assyria* erklärt wird, ehe der Kaiser nach *Ktesiphon*, der Winterresidenz der parthischen Könige, weiterzieht. Er nimmt die Stadt ein und rückt bis zur Grenze des parthischen Vasallenstaates *Mesene-Charakene* am Persischen Golf vor, wo er mit Attambelos, dem Klientelkönig aus *Spasinou Charax* beim heutigen Khorramschar (IR), zusammentrifft.

Doch das ehrgeizige Werk des Eroberers stürzte schnell in sich zusammen, als in den neueingerichteten Provinzen *Armenia* und *Assyria* Aufstände ausbrachen, sich die Juden in Babylonien, Judäa, Zypern, Ägypten und Kyrene erhoben und es großer militärischer Anstrengungen bedurfte, die Aufstände niederzuschlagen. Gleichzeitig erlitt Traianus vor der Wüstenstadt *Hatra* eine empfindliche Niederlage. Er verließ darauf das eroberte Gebiet, um nach Rom zurückzukehren und neu zu planen, starb jedoch unterwegs im kilikischen *Selinous*, wo dem toten Kaiser – ähnlich wie C. Caesar in *Limyra* – ein großartiges Kenotaph errichtet wurde. Nur wenig politisch Greifbares blieb aus den Jahren 114–117 im ‹Land zwischen den Strömen›. Lediglich ein römischer Meilenstein aus der Gegend nordwestlich von *Singara* nennt den Kaiser mit seinem Ehrennamen *Parthicus*, den ihm der Senat im Frühjahr 116 verlieh. Dieses offizielle Zeugnis von der Straße *Nisibis-Singara* belegt jedoch, daß mit der Erschließung der Provinz *Mesopotamia* zumindest begonnen worden ist.

Im Gegensatz zu seinem Adoptivvater kehrte Hadrianus (117–138) zur früheren

Partherpolitik zurück und gab die neugewonnenen Provinzen ersatzlos auf. Er machte Großarmenien wieder zum Klientelkönigreich und legte erneut den *Euphrates* als Grenze zwischen Römern und Parthern vertraglich fest. *Armenia maior* blieb jedoch als Pufferstaat ein ständiger Zankapfel. Offenbar war es schon unter Antoninus Pius (138–161) wieder notwendig, dort der Wahl eines von Rom gewünschten Regenten den nötigen Nachdruck zu geben, wie aus der Münzlegende *rex Armeniis datus* sichtbar wird. M. Aurelius und L. Verus hatten im Frühjahr 161 kaum den Thron bestiegen, als die Parther die offene Konfrontation suchten und in Armenien und dann in Syrien einmarschierten. Knapp zwei Jahre später erfolgte der Gegenschlag. Die Parther wurden zurückgedrängt, Armenien wiedererobert und dem Klientelkönig Sohaemus unterstellt, der Arsakide war, aber auch römischer Senator und Konsul, worauf die beiden Kaiser den Siegernamen *Armeniacus* annahmen. In den Jahren 164/65 wurde der Feldzug erfolgreich fortgesetzt und Städte wie *Dura Europos*, *Nisibis*, *Ktesiphon* und *Seleukia* am Tigris erobert. Leider sagen die Quellen nur sehr wenig über die politischen Konsequenzen dieses Krieges aus, der militärisch ein voller Erfolg war. So wird die Frage, ob es unter M. Aurelius und L. Verus eine Provinz *Mesopotamia* gab, in der Wissenschaft kontrovers diskutiert. Andererseits sprechen gewichtige Indizien dafür, daß damals zumindest die Landschaft *Osrhoëne* als römisches Terri-

Abb. 242   **Armenia, Mesopotamia und Osrhoëne. Die Ostgrenze des Römischen Reiches von Augustus († 14) bis Iustinianus (527–565). Nach J. WAGNER.**

Abb. 243   **Zenobia/Halabiya (SYR). Blick aus dem Prätorium über die Nordmauer der Stadt auf den Euphrat. Ansicht von Westen.**

243

torium angesehen wurde und Rom vorgeschobene Garnisonen in *Nisibis* und *Singara* unterhielt.

L. Septimius Severus (193–211) knüpft unmittelbar nach der Ausschaltung des C. Pescennius Niger an diese Politik an. Er nimmt die Unterstützung der Stadt *Hatra*/Hoeddur-el Hadr (IRQ) für seinen Thronkonkurrenten zum Anlaß, um in Mesopotamien einzumarschieren, wo sich Osrhoëner und Adiabener erhoben hatten, um sich von der römischen Herrschaft zu befreien. Ein erst 1980 an der Straße *Zeugma-Edessa* entdeckter Grenzstein belegt eindeutig schon für das Jahr 195 die Existenz der *provincia Osrhoe-–na*, in der lediglich die Gegend um *Edessa*/Urfa (TR) als kleines Klientelkönigtum ausgespart bleibt. Zur gleichen Zeit wird Mesopotamien von *Nisibis* aus erneut ‹befriedet› und ebenfalls in eine Provinz umgewandelt. Als Statthalter setzt der Kaiser einen ritterlichen *praefectus* ein, dem zwei neu rekrutierte Legionen – die *legiones I und III Parthicae* – unterstehen. Hauptstadt von *Mesopotamia* wird *Nisibis*/Nusaybin (TR), während die beiden Legionen in *Resaina*/Ras al-Ain (SYR) und *Singara*/Sinjar (IRQ) stehen. Ein parthischer Gegenschlag gefährdet zwar 197 vorübergehend die neugeschaffene Ordnung, doch gelingt es dem Kaiser bereits ein Jahr später, die Parther mit einem gezielten Vorstoß so weit zu schwächen, daß sie für die neuen Provinzen fürs erste keine Gefahr mehr darstellen.

Die römische Präsenz der severischen Zeit im äußersten Osten der Türkei und im heutigen Irak manifestiert sich in erster Linie in den Überresten von Straßen, Brücken und Kastellen. Zu den wenigen Militäranlagen, die bisher erforscht wurden, gehören das durch eine Bauinschrift in das Jahr 197 datierte Kastell von Eski Hisar (TR) im Nordwesten der Provinz *Osrhoëne*, das eine neue Straße zwischen *Zeugma*/Belkis (TR) und *Samosata*/Samsat (TR) sicherte, sowie das Lager von *Zagurae*/Ain Sinu (IRQ) östlich von *Singara*, das mit weiteren Kastellen zwischen *Chaboras*/Habur und *Tigris* die Grenze gegenüber der stark befestigten Oasenstadt *Hatra* schützte, die als wichtiger Knotenpunkt des Karawanenhandels große Bedeutung besaß. Einer intensiveren Romanisierung Mesopotamiens sollte auch die Verleihung des *colonia*-Titels dienen, von der Städte wie *Karrhai, Nisibis* und *Singara* profitierten. Demgegenüber ist *Edessa*, das nicht nur Residenz eines Klientelkleinstaates, sondern auch Hauptstadt von *Osrhoëne* war, wahrscheinlich erst unter Caracalla (211–217) in diesen Rang erhoben worden. Dieser

nutzt 216 eine Schwäche des Partherreiches, dringt über den *Tigris* bis nach *Arbela*/Arbil (IRQ) vor und läßt sich auf Münzen als *Parthicus* feiern. Die Parther holen zum Gegenschlag aus und treffen bei *Nisibis* mit dem Heer des M. Opellius Macrinus zusammen, der Caracalla als Prätorianerpräfekt kurz zuvor hat ermorden lassen (217). Die Schlacht endet ohne Sieger. Es kommt zum Vergleich, der die Römer eine ungeheure Summe Geld kostet, sie jedoch im Besitz von *Mesopotamia* und der Kontrolle über Großarmenien bestätigt.

Die politische Situation an der Ostgrenze des Reiches ändert sich dramatisch, als sich 227 mit den Sassaniden eine persische Dynastie in Parthien durchsetzt und unter Alexander Severus (222–235) eine Periode aggressiver Außenpolitik einleitet. Da die römische Zentralgewalt zu dieser Zeit durch fortwährende Thronstreitigkeiten und rasch wechselnde Regenten geschwächt ist, geht der römische Einfluß im Osten sichtbar zurück. Das einschneidendste Ereignis ist im Jahre 260 die ‹eigenhändige› Gefangennahme des Kaisers Valerianus durch den Sassaniden Shapur I., dargestellt auf einem Felsrelief in der Nähe von *Persepolis*. Eine Folge des schwindenden römischen Einflusses im Osten ist die Verselbständigung des Herrschaftsbereiches um die Karawanenstadt *Palmyra-Tadmor* (SYR), der sich zeitweise bis in das Innere Kleinasiens erstreckt, bis schließlich Aurelianus mit der Einnahme der Oasenstadt dieser Politik ein Ende macht (272).

Mit der Neukonstituierung des römischen Kaiserreiches und der Neuordnung der Provinzen unter Diocletianus (284–305) und Maximianus (286–305) begann wiederum eine Phase aktiver Orientpolitik. Zwar ging *Mesopotamia* vorübergehend verloren, als die Perser Großarmenien überrannten und der von Diocletianus eingesetzte Klientelkönig vertrieben wurde, doch mußte sich Narses I. dem kaiserlichen Heer kurz darauf geschlagen geben und Mesopotamien wieder den Römern überlassen, die zwischen *Euphrates* und *Tigris* neue Straßen, Militärlager und Stadtfestungen errichteten. Generell ging es den Tetrarchen und ihren Nachfolgern darum, die Euphratgrenze dauerhaft zu schützen und Einfälle in die Provinzen *Syria Coële, Cilicia* und *Cappadocia* zu unterbinden. Die sicherste Garantie hierzu lag in einem tief gestaffelten Vorfeld, das bis zum *Tigris* reichte und durch starke Truppenpräsenz den persischen Gegner in Schach hielt.

Auf Grund der diokletianischen Neuordnung waren westlich des Euphrats auf

kappadokischem Boden die Provinzen *Armenia I* und *Armenia II* abgetrennt worden. Unter Theodosius I. (379–395) kam der Westteil Großarmeniens hinzu, der – ebenfalls in zwei Provinzen gegliedert – noch in der Zeit des Iustinianus I. (527–565) als *Armenia III* und *Armenia IV* bezeugt ist. Zeitweise waren auch *regiones Transtigritanae*, ein schmales Gebiet zwischen *Arsanias*/Murat Çayi und *Tigris* in römischer Hand, doch ging diese Region unter Iovianus (361–363) ebenso wieder verloren wie die Osthälfte Mesopotamiens mit so bedeutenden Städten wie *Nisibis, Singara* und *Bezabde*, wo seit diokletianischer Zeit eine Legion stationiert war. Dagegen konnte neben der mesopotamischen Restprovinz das Gebiet der *Osrhoene* noch eine Zeitlang gehalten werden. Beide Provinzen werden noch in der *notitia dignitatum* genannt, deren Schlußredaktion wohl in den ersten beiden Jahrzehnten des 6. Jhs. erfolgte. Bedeutsame Festungs- und Kirchenbauten aus frühbyzantinischer Zeit belegen eindrucksvoll die strategische Wichtigkeit dieser Grenzregion auch für das Oströmische Reich, das diese Gebiete schließlich nicht an die Sassaniden, sondern erst an die Araber verliert, die bis 640 den gesamten Vorderen Orient in Besitz nehmen.

Gemessen daran, daß die römische Archäologie im Südosten der Türkei, im Osten Syriens und im Irak keinen besonderen Rang einnimmt und in der Vergangenheit lediglich punktuell betrieben werden konnte, ist der Kenntnisstand für die römische Zeit besser als erwartet.

N. ADONTZ, *Armenia in the period of Justinian* (1970); M. G. ANGELI BERTINELLI, *I Romani oltre l'Eufrate nel II secolo d. C. (le province di Assiria, di Mesopotamia e di Osroëne)*, in: *ANRW* II 9.1 (1976) 3 ff.; L. DE BLOIS, *Odaenathus and the Roman-Persian war of 252–264 A. D.*, in: *Talanta* 6, 1975, 7 ff.; M.-L. CHAUMONT, *L'Arménie entre Rome et l'Iran I. De l'avènement d'Auguste à l'avènement de Dioclétien*, in: *ANRW* ebd. 71 ff.; E. CHRYSOS, *Räumung und Aufgabe von Reichsterritorien. Der Vertrag von 363*, in: *BJ* 193, 1993, 165 ff.; K. DIJKSTRA, *Life and loyality. A study in the socio-religious culture of Syria and Mesopotamia in the Graeco-Roman period based on epigraphical evidence* (1995); R. GROUSSET, *Histoire de l'Arménie dès origines à 1071* (1947); K. GÜTERBOCK, *Römisches Armenien* (1900); J. GUEY, *Essai sur la guerre parthique de Trajan* (1937); E. KETTENHOFEN, *Die römisch-persischen Kriege des 3. Jahrhunderts n. Chr.* (1982); F. A. LEPPER, *Traian's Parthian war* (1948); D. MAGIE, *Roman rule in Asia Minor to the end of the third century A. D.*, 2 Bde. (1950) bes. 608 ff.; A. MARICQ, *La province d'«Assyrie» créé par Trajan. A propos de la guerre parthique de Trajan*, in: *Syria* 36, 1959, 254 ff.; A. MUSIL, *The middle Euphrates* (1927); D. OATES, *Studies in the ancient history of northern Iraq* (1968); F. STARK, *Rom am Euphrat* (1969); J. WAGNER, *Die Römer an Euphrat und Tigris*, in: *Sonderrn. Antike Welt* (1985); J. WOLSKI, *Iran und Rom. Versuch einer historischen Wertung der gegenseitigem Beziehungen*, in: *ANRW* ebd. 195 ff.; K. H. ZIEGLER, *Die Beziehungen zwischen Rom und dem Partherreich* (1964).

N. C. DEBEVOISE, *A political history of Parthia* ²(1969); R. N. FRYE, *Iran in parthischer und sassanidischer Zeit*, in: F. MILLAR (ed.), *The Roman Empire and its neighbours* ²(1981) 249 ff.; R. GHIRSMAN,

244

Iran. From the earliest times to the Islamic conquest (1954; dtsch. Ausg. 1962); DERS., *Iran. Parthians and Sassanians* (1962); G. WIDENGREN, *Iran, der große Gegner Roms: Königsgewalt, Feudalismus, Militärwesen*, in: *ANRW* II 9.1 (1976) 219 ff.
A. D. H. BIVAR, *Cavalry equipment and tactics on the Euphrates frontier*, in: *DOP* 26, 1972, 271 ff.;
V. CHAPOT, *La frontière de l'Euphrate de Pompée à la conquête arabe* (1907); J. G. CROW, *Dara, a late Roman fortress in Mesopotamia*, in: *Yayla* 4, 1981, 12 ff.; E. W. GREY, *The Roman eastern limes from Constantine to Justinian – Perspectives and problems*, in: *Proc. Afric. Class. Ass.* 12, 1973, 24 ff.; P. FREEMANN/D. KENNEDY (eds.), *The defence of the Roman and Byzantine east*, 2 Bde., in: *BAR Int. Ser.* 297 (1986); S. MITCHELL (ed.), *Armies and frontiers in Roman and Byzantine Anatolia*, in: *BAR S* 156

(1983); D. OATES, *The Roman frontier in northern Iraq*, in: *GJ* 122, 1956, 190 ff.; D. u. J. OATES, *Ain Sinu. A Roman frontier post in northern Iraq*, in: *Iraq* 21/22, 1959/60, 207 ff.; J. WAGNER, *Provincia Osrhoënae. New archaeological finds illustrating the military organization under the Severan dynasty*, in: S. MITCHELL (ed.), *Armies and frontiers …* 103 ff.; R. E. M. WHEELER, *The Roman frontier in Mesopotamia*, in: AAVV., *The Congress of Roman Frontier Studies* 1949 (1952) 112 ff.
G. W. BOWERSOCK, *Roman senators from the Near East: Syria, Judaea, Arabia, Mesopotamia*, in: *Tituli* 5, 1982, 651 ff.; J. NEUSNER, *The Jews east of the Euphrates and the Roman Empire* I. *1st – 3rd centuries A. D.*, in: *ANRW* ebd. 46 ff.
H. J. W. DRIJVERS, *Hatra, Palmyra und Edessa. Die Städte der syrisch-mesopotamischen Wüste in poli-*

tischer, kulturgeschichtlicher und religionsgeschichtlicher Bedeutung, in: *ANRW* II 8 (1978) 799 ff.; J. M. FIEY, *Nisibe, métropole syriaque orientale et ses suffragants des origines à nos jours* (1977); A. H. M. JONES, *Cities of the eastern Roman provinces* ²(1971); H. STIERLIN, *Städte in der Wüste. Petra, Palmyra und Hatra – Handelszentren am Karawanenweg* (1994); J. WAGNER, *Seleukia am Euphrat/ Zeugma* (1976).
J. M. FIEY, *A Roman milestone from Sinjar*, in: *Sumer* 8, 1959, 229; R. MOUTERDE/A. POIDEBARD, *La voie antique des caravanes entre Palmyre et Hit au IIe siècle ap. J.-C.*, in: *Syria* 12, 1931, 99 ff.; A. STEIN, *The ancient trade route past Hatra and the Roman posts*, in: *JRAS* 9, 1941, 299 ff.
J. M. C. TOYNBEE, *Some problems of Romano-Parthian sculpture at Hatra*, in: *JRS* 62, 1972, 106 ff.

Abb. 244   Naqsh-i-Rustam bei Persepolis (IR). Felsrelief des Sassanidenherrschers Shapur I. mit Philippus Arabs (244–249), der kniefällig um Frieden bittet, und dem stehenden Valerianus (253–260), den der parthische König ‹eigenhändig› gefangenhält.

ANHANG

Abbildungsnachweis

Abb. 1: H. U. Nuber
Abb. 2–4, 5c, 7, 21–23, 31, 32, 40, 45, 52, 66, 91, 93, 96, 100, 103, 104, 108–111, 114, 116, 118, 127, 132, 133, 142, 144, 147, 157, 172, 204–208, 232–236, Titelbild: T. Bechert
Abb. 5a, b, i, 90, 92, 95, 99, 115, 125, 131, 135, 138, 140, 151, 155, 191, 197, 226, 240: Hirmer Fotoarchiv, München
Abb. 5d, f, h, 73, 113, 159: G. Gröger
Abb. 5e, g, 202: C. H. V. Sutherland, Münzen der Römer (1974) Abb. 343, 355 u. 381
Abb. 6, 130, 139: Akademische Druck- und Verlagsanstalt, Graz
Abb. 8, 178: J. Rajtar
Abb. 9: Gemeente Maastricht (NL)
Abb. 10, 55 (beide O. Braasch), 67: Landesdenkmalamt Baden-Württemberg, Stuttgart
Abb. 11: Ch. B. Rüger, in: BJ 179, 1979, 501 Abb. 2.
Abb. 12 (H. Becker), 186a, b, 189 (alle O. Braasch): Bayrisches Landesamt für Denkmalpflege, Lufbildarchäologie
Abb. 14, 15: Westfälisches Museum für Archäologie/Amt für Bodendenkmalpflege, Münster
Abb. 16, 25, 188: Prähistorische Staatssammlung, München (Eberlein)
Abb. 17, 61g: Rijksdienst voor Bodemonderzoek, Amersfoort (NL)
Abb. 18: E.-G. Furthmann
Abb. 19: W. S. Hanson
Abb. 20, 41, 48: Kultur- und Stadthistorisches Museum, Duisburg (alle T. Bechert)
Abb. 24: M. Janon, in: Ant. Afr. 7, 1973
Abb. 26: J. H. F. Bloemers
Abb. 27, 98, 128, 129, 134, 145, 146, 148: D. Kretschmer
Abb. 28, 63, 75, 106, 112: R. Drees
Abb. 29, 42: Landesamt für Denkmalpflege/Archäologische Denkmalpflege, Mainz
Abb. 30, 36 (Dettloff, Archäologisches Institut, Köln), 47, 64 (Voigt, Essen): Landschaftsverband Rheinland/Archäologischer Park/Regionalmuseum Xanten
Abb. 33, 59, 61d: Rijksmuseum van Oudheden, Leiden (NL)
Abb. 34: Rheinisches Landesmuseum, Bonn
Abb. 35, 46 (S. Neu), 61h, 229 (S. Siegers): Römisch-Germanisches Museum, Köln
Abb. 38, 120, 121, 124, 158, 193, 223–225: I. Paar (†)
Abb. 39, 49: E. Schallmayer
Abb. 43, 65: Saalburg-Museum, Bad Homburg v. d. H.
Abb. 44: J. Mertens
Abb. 50: AAVV., Der römische Limes in Deutschland (1992), Abb. 23
Abb. 51: E. M. Ruprechtsberger
Abb. 53, 60: Rheinisches Bildarchiv, Köln
Abb. 54, 70: D. Paunier
Abb. 56, 57: Römisch-Germanisches Zentralmuseum, Mainz
Abb. 58: W. Sölter (†)
Abb. 61a–c, e: Hans-Jörg Kellner/Gisela Zahlhaas, Der Römische Tempelschatz von Weißenburg i. Bay. (1993) Nr. 1, 2, 7, 13
Abb. 61f, 122, 136, 137: R. Fellmann
Abb. 61i: Museum Burg Linn, Krefeld
Abb. 62, 119: Troia-Projekt, Tübingen
Abb. 68, 187: Stadtarchäologie Kempten
Abb. 71: Österreichisches Archäologisches Institut, Wien (A. Schiffleitner)
Abb. 72: Archäologischer Park Carnuntum
Abb. 74: J. Stuart/N. Revett, Les Antiquités d'Athènes (1808)
Abb. 76: R. J. A. Wilson, in: ANRW II 11.1 (1988) 209 Abb. 1
Abb. 77: R. J. A. Wilson
Abb. 78: P. Meloni, in ANRW II 11.1 (1988) Abb. bei S. 540
Abb. 79: H. G. Horn
Abb. 80: Javier Arce u. a. (Hrsg.), Hispania Romana. Da terra di conquista a provincia dell'imperio (1997) Fig. 4

Abb. 81: A. Giméno
Abb. 82, 162: Th. G. Schattner (Hg.), Archäologischer Wegweiser durch Portugal (1998) Abb. 2 u. 3
Abb. 83, 87: Seminario de Arqueologia, Córdoba
Abb. 84: J. Remesal
Abb. 85: W. Bechert
Abb. 86: A. Nünnerich-Asmus
Abb. 88, 94: Loyola University Chicago, Ill. (R. V. Schoder)
Abb. 90: F. Papazoglu, in : ANRW II 7.1 (1979) Abb. bei S. 304
Abb. 97: A. S. Robinson, Corinth. A brief history of the city and a guide to the excavations (1972) Abb. 8
Abb. 101: Seminar für Klassische Archäologie, Würzburg (U. Sinn)
Abb. 102: H. R. Goette
Abb. 105: H. G. Horn/Ch. B. Rüger (Hg.), Die Numider (1979) Abb. 123, 13 (Zeichnung G. Lemmen)
Abb. 107: C. Andresen u. a., Lexikon der Alten Welt (1965; ND 1994) Abb. 3
Abb. 117: Durgut Aerial & Touristical Photographers, Istanbul
Abb. 123: F. Fischer, in: BJ 185, 1985, 23 Abb. 2
Abb. 126: T. B. Mitford, in: ANRW II 7.2 (1980) Abb. 2 vor S. 1233
Abb. 141: A. Raban, in: Nautical Archaeology 21.2, 198, 122 Abb. 18
Abb. 143: L. Mildenberg
Abb. 149: T. B. Mitford, in: ANRW II 7.2 (1980) Abb. 1 bei S. 1288
Abb. 150: W. A. Daszewski
Abb. 152: J. Charbonneaux/R. Martin/F. Villard, Das hellenistische Griechenland (1971) Abb. 184 (Ausschnitt)
Abb. 153: A. Bernand, Alexandrie des Ptolémées (1995) Abb. 55
Abb. 154: Akademisches Landesmuseum, Trier
Abb. 156: C. Andresen u. a., Lexikon der Alten Welt (1965; ND 1994) Abb. 69
Abb. 160: Rheinisches Landesmuseum, Trier
Abb. 161: R. Agache, Dossiers de l'Archéologie, découvertes d'archéologie aériennes 43, 1980, Nr. 187
Abb. 163: Deutsches Archäologisches Institut, Lissabon
Abb. 164: W. Trillmich u. a. (Hrsg.), Hispania Antiqua. Denkmäler der Römerzeit (1993) Farbtafeln 12–13
Abb. 165: Th. Hauschild
Abb. 166: G. Wahl, in: Funde in Portugal (1993) Abb. 31
Abb. 167: Ab. Arbeiter
Abb. 168: H. Kähler, Rom und seine Welt, 2 Bde (1958–60)
Abb. 169: R. K. Sherk, in: ANRW II 7.2 (1980) Abb. bei S. 960
Abb. 170, 171: J. J. Wilkes, Dalmatia (1969) Abb. bei S. 573, Abb. 16
Abb. 173: Archäologisches Museum, Split/CRO (B. Pender)
Abb. 174, 220: O. Harl
Abb. 175, 237: C. Andresen u. a., Lexikon der Alten Welt (1965; ND 1994) Abb. 178
Abb. 176, 177, 179: Zs. Visy
Abb. 180: Deutsches Archäologisches Institut, Madrid
Abb. 181: R. Teja, in: ANRW II 7.2 (1980) Abb. bei S. 1120
Abb. 182, 183, 241, 243: J. Wagner
Abb. 184: W. Czysz u. a., Die Römer in Bayern (1995) Abb. 34
Abb. 185 (A. Schaub), 190: Stadtarchäologie Augsburg
Abb. 192: P. Salama, Réseau Routier de l'Afrique Romaine (1947)
Abb. 194: R. Bianchi-Bandinelli, Rom. Das Ende der Antike (1971) Abb. 219
Abb. 195: Ch. Rafflenbeul-Schaub
Abb. 196: C. Andresen u. a., Lexikon der Alten Welt (1965; ND 1994) Abb. 51
Abb. 198: S. S. Frere, Britannia (1967) Taf. 18
Abb. 199: English Heritage, London (GB)
Abb. 201: A. Wilmott
Abb. 203: S. Jameson, in: ANRW II 7.2 (1980) Abb. S. 834
Abb. 209, 212, 213: G. Kabakçieva
Abb. 210: S. Sommer von Bülow
Abb. 211: P. Connolly, Tiberius Claudius Maximus.

The Legionary (1988) Abb. S. 13 (Zeichnung G. Lemmen)
Abb. 214: B. Gerov, in ANRW II 7.1 (1979) Abb. bei S. 216
Abb. 215: Deutsches Archäologisches Institut, Istanbul
Abb. 216: G. Winkler, in: ANRW II 6 (1977) Abb. S. 184
Abb. 217 (U. P. Schwarz), 218 (S. Tichy): Landesmuseum für Kärnten, Klagenfurt (A)
Abb. 219, 221: H. Ubl
Abb. 222: J. Prieur, in: ANRW II 5.2 (1976) Abb. 1
Abb. 227: C. Andresen u. a., Lexikon der Alten Welt (1965, ND 1994) Abb. 70
Abb. 228: Gemeente Nijmegen (NL), Sectie Archeologie (B. van Haren)
Abb. 230: Römermuseum Augst (CH) (Humberg + Vogt)
Abb. 231: Thomas Weber/Robert Wenning (Hrsg.), Petra. Antike Felsstadt zwischen arabischer Tradition und griechischer Norm (1997) Abb. 2 (D. Roberts)
Abb. 238: C. u. H. Daicoviciu, Rumänien in Frühzeit und Altertum (1970) Abb. 93
Abb. 239: Magyar Nemzeti Múzeum, Budapest (H) (A. Radnóti)
Abb. 242: J. Wagner, Die Römer an Euphrat und Tigris (1986), Abb. 18
Abb. 244: Deutsches Archäologisches. Institut Eurasien-Abteilung

(Gallia) Belgica 9, 125 ff., 191, 193
Gallia Celtica s. *(Gallia) Ludunensis*
Gallia cis Alpis s. *Gallia cisalp(e)ina*
Gallia cisalp(e)ina 9, 63 f., 70, 125
Gallia comata s. *Gallia transalpina*
(Gallia) Lugdunensis 9, 125 ff., 193
(Gallia) Narbonensis 9, 23, 33, 70, 95 ff., 125 f., 128, 188, 193
Gallia togata s. *Gallia cisalp(e)ina*
Gallia transalpina 9, 125 ff.
Gallia/Gallien 9 f., 18, 21 f., 40, 95, 97, 109, 125, 128, 131, 135, 163 f., 187 f., 191, 194 f.
Gallipoli-Halbinsel s. Thrakische Chersonnes
Gallisches Sonderreich s. *imperium Galliarum*
Γαλλογαικα s. *Galatia*
Garumna/Garonne (F) 125 f.
Gazastreifen 112
Gela (I) 59
Gelduba/Krefeld-Gellep (D) 19, 194 f.,
Germania/Germanien 11, 22, 39, 127, 129, 162, 164, 191 ff.
Genava/Genf (CH) 98, 193
Genfer See s. *Lemannus lacus*
Genoa/Genua (I) 64
Gerasa/Djerash (HKJ) 23, 112, 116, 200 f.
Germania inferior/Niedergermanien 9, 35, 191 ff.
Germania prima (I) 195
Germania secunda (II) 193 ff.
Germania superior/Obergermanien 9, 40, 150, 191 ff.
Germanikopolis/Ermenek (TR) 100
Gießen (D) 40
Glanum/St. Rémy-la-Provence (F) 23, 33, 98, 128
Glarner Alpen (CH) 193
Glevum/Gloucester (GB) 162, 164 f.
Goldberg b. Türkheim (D) 155
Golf von Burgas (BG) 178 f.
Golf von Cagliari (I) 62
Golf von Kavalla (GR) 178
Golf von Oristano/Sardinien (I) 62
Gomadingen (D) 153
Gorsium/Tác (H) 54, 56, 145
Gortyn(a)/Gortis (GR) 103 f.
Grado (I) 64
Graecia/Griechenland 27, 58, 73 f., 77 ff., 89 ff., 148
Grand/Vogesen (F) 129
Graubünden (CH) 155
Graupius mons (GB) 161, 163
Graz (A) 7, 186
Grimselpaß (CH) 193
Groote Peel (NL) 193
Großarmenien s. *Armenia maior*
Großbritannien (GB) 19, 21, 165
Große Syrte (LAR) 85
Große Walachei s. Muntenien
Guadalquivir s. *Baetis*
Guntia/Günzburg (D) 153, 155
Gythion (GR) 79, 80

Habur s. *Chaboras*
Hadrianopolis (LAR) 105

Hadrianopolis/Adrianopel-Edirne (TR) 145, 173, 179 f., 185
Hadrianswall (-mauer) s. *vallum Hadriani*
Hadrumetum/Sousse (TN) 85
Haemimontus (BG) 180
Haïdra s. *Ammaedara*
Haimos-Haemus/Balkan (BG, YU) 172, 177 f.
Halaesa/Castell Tusa (I) 59
Halmyris/Independenta (RO) 175
Haltern (D) 16, 18, 21
Haluntium/S. Marco d'Aluncio (I) 59
Haluza s. *Elusa*
Halys/Kizilirmak (TR) 135 f., 147
Harran s. *Karrhai*
Haspengau (B) 34
Hatra/Hoeddur-el Hadr (IRQ) 109 f.
Hauran s. *Auranitis*
Hebros/Maritza (BG) 177, 179
Hechingen-Stein (D) 54
Heerlen s. *Coriovallum*
Heidelberg (D) 193
Heidenheim (D) 54
Heimstetten b. München (D) 155
Heliopolis s. *Baalbek*
Hellespontus/Dardanellen (TR) 92, 178
Helorus/Eloro (I) 59
Hemeroskopeion/Denia b. Valencia (E) 95
Hemesa/Homs (SYR) 112, 115
Hemmaberg s. *Iuenna*
Herakleia Lynkestis/Bitola (MK) 74
Herakleia Minoa (I) 59
Herakleia Pontike/Eregli (TR) 108
Herakleia s. *Perinthos*
Hermione (GR) 79
Hermopolis Magna/El Ashmunein (ET) 123
Herodion (IL) 113
Hesperides-Berenike/Benghasi (LAR) 103, 105 f.
Hessen (D) 39, 196
Hiberus/Ebro (E) 65
Hierapolis/Pamukkale (TR) 91 f.
Hierapytna/Hierapetra (GR) 104
Hierosolyma/Jerusalem (IL) 80, 105, 113 f., 116
Himera (I) 59
Hispalis/Sevilla (E) 6, 70, 131
(Hispania) Baetica 9, 22 f., 65 f., 70, 95, 131, 139
Hispania citerior s. *(Hispania) Tarraconensis*
(Hispania) Tarraconensis 9, 65 f., 69 f., 125, 131
Hispania ulterior s. *(Hispania) Baetica*
Hispania/Hispanien 9, 28, 65 ff., 86, 95 f., 127, 131 f., 149, 157, 164, 177, 187
Hister s. *Danuvius*
Histria s. *Istrus*
Hod Hill (GB) 165
Hodna (DZ) 157 f.
Hofheim i. Ts. (D) 18, 193
Hoher Atlas (MA) 158 f.
Hohes Venn (B, D) 191
Holheim b. Nördlingen (D) 54
Holland s. Niederlande
Homs s. *Hemesa*
Horreum Margi/Cuprija (YU) 173

Hüfingen s. *Brigobannis*
Hüttenberg/Kärnten (A) 183
Hypios/Melençay (TR) 107

Iadera/Zadar-Zara (HR) 138 ff.
Iasos (TR) 92
Iatrus/Krivina (BG) 174
Iberische Halbinsel (E, P) 9, 22, 65 f., 68 f., 128, 131
Iconium/Konya (TR) 136
Icorigium/Jünkerath (D) 191
Idumaea/Idumäa (IL) 113
Igel b. Trier (D) 33
Igilgili/Djidjilli (DZ) 157 f.
Iglisiente/Sardinien (I) 62
Iller (D) 155
Illyricum inferius s. *Illyricum*
Illyricum occidentale s. *dioecesis Pannoniorum*
Illyricum/Illyrien 75 f., 137 f., 141 f., 144
Ilya s. *Hierosolyma*
Imbros (TR) 178
Immurium/Moosham (A) 183
Imperium Galliarum 127, 164, 194
Inchtuthill s. *Pinnata castra*
Indien 112, 115, 122, 199
Inn s. *Aenus*
Innsbruck (A) 7
Innsbruck-Wilten s. *Veldidena*
Innviertel (A) 183
Iol Caesarea/Cherchel (DZ) 157 ff.
Ionia/Ionien (TR) 90
Ionische Inseln (GR) 78
Iotape (TR) 100
Irak (IRQ) 210
Irgenhausen (CH) 53
Isara/Isère (F) 96 f., 189
Isauria/Isaurien (TR) 100, 135
Isca Dumnoniorum/Exeter (GB) 162
Isca Silurum/Caerleon (GB) 163
Isny s. *Vemania*
Israel (IL) 41, 113, 116
Ister s. *Danuvius*
Isthmus v. Korinth (GR) 79 f.
Istrien (HR) 141
Istrische Halbinsel (HR) 138
Istrus/Histria (RO) 171, 173 f.
Italia/Italien (I) 9, 59 ff., 64, 75, 77, 79, 84, 87, 95 ff., 99, 125 f., 137 f., 144, 154 f., 182, 185, 187 ff.
Italica/Santiponce b. Sevilla (E) 6, 23, 42, 65, 70
Iudaea/Judäa 9, 111 ff., 120, 151, 188, 199, 209
Iuenna/Globasnitz-Hemmaberg (A) 183, 185
Iuliacum/Jülich (D) 195
Iuvavum/Salzburg (A) 182 f., 185
Iversheim s. Bad Münstereifel
Izmir s. *Smyrna*
Izmit Körfezi s. *Astakos*, Bucht von
Izmit s. *Nikomed(e)ia*
Iznik s. *Nikaia*

Jagst (D) 40
Jerusalem s. *Hierosolyma*
Jordan(-quellen) 114, 116

Abkürzungsverzeichnis

Allgemeine Abkürzungen

AAVV.	Auctores varii
AO.	Aufbewahrungsort
Bd., Bde.	Band, Bände
Coll.	Colloque
ders.	derselbe
dies.	dieselbe
diess.	dieselben
ed., eds.	editor(s)
Hg.	Herausgeber
Koll.	Kolloquium
z.T.	zum Teil

Literaturabkürzungen

AA	Archäologischer Anzeiger
ADAJ	Annual of the Department of Antiquities of Jordan
AE	L'Année Epigraphique
AEA	Archivo Español de Arqueologia
AI	Archaeologia Iugoslavica
AJA	American Journal of Archaeology
AJPh	American Journal of Philology
AK	Archäologisches Korrespondenzblatt
ANRW	Aufstieg und Niedergang der römischen Welt
Ant. Afr.	Antiquités Africaines
Arch.Eph.	Archaiologike Ephemeris
Arch. Ért.	Archaeologiai Értesito
AS	Anatolian Studies
ASA	Anzeiger für Schweizerische Alterumskunde
AW	Antike Welt
BAR Int. Ser.	British Archaeological Reports, International Series
BCH	Bulletin de Correspondance Hellénique
Ber. RGK	Bericht der Römisch-Germanischen Kommission
Ber. ROB	Berichten van de Rijksdienst voor het Bodemonderzoek
B. G.	*Commentarii de bello Gallico*
BJ	Bonner Jahrbücher
BS	Basler Stadtbücher
BSA	Annual of the British School at Athens
BSAA (= B Vallad)	Boletin del Seminario de Estudios de Arte y Arqueologia (Valladolid)
BSAC	Bulletin de la Societé Archéologique Champenoise
BSDS	Bericht der Staatlichen Denkmalpflege im Saarland
Bull. APA	Bulletin de l'Association Pro Aventico
BVBl.	Bayrische Vorgeschichtsblätter
CAAH	Cahiers Alsaciens d'Archéologie, d'Art et d'Histoire
CAH	The Cambridge Ancient History
CBA Res. Rep.	The Council of British Archaeology, Research Reports
CIL	*Corpus Inscriptionum Latinarum*
CJ	Classical Journal
CRAI	Comptes-Rendus des Séances de l'Académie des Inscriptions et Belles-Lettres
CSIR	*Corpus Signorum Imperii Romani*
Doss. Arch.	Dossiers d'Archéologie
DOP	Dumbarton Oaks Papers
EA	Epigraphica Anatolica
FAS	Archäologische Führer der Schweiz (s. auch GAS)
FH	Fundberichte aus Hessen
Fundber. BW	Fundberichte aus Baden-Württemberg
FVFD	Führer zu vor- und frühgeschichtlichen Denkmälern in Deutschland
GAS	Guides archéologiques de la Suisse (s. auch FAS)
GJ	Geographical Journal
GZM	Glasnik Zemaljskog Museja u Sarajevu. Nova serija, Arheologija
HA	Helvetia Archaeologica
HSCP	Harvard Studies in Classical Philology
IM	Istanbuler Mitteilungen
ILS	H. Dessau, *Inscriptiones Latinae Selectae*
Jber. PV	Jahresbericht der Gesellschaft Pro Vindonissa
JEA	Journal of Egyptian Archaeology
Jhb. RGZM	Jahrbuch des Römisch-Germanischen Zentralmuseums Mainz
Jhb. SGUF	Jahrbuch der Schweizerischen Gesellschaft für Ur- und Frühgeschichte
JHS	Journal of Hellenic Studies
JÖAI	Jahrbuch des Österreichischen Archäologischen Instituts
JRS	Journal of Roman Studies
JVT	Jaarverslag van de Vereniging voor Terpenonderzoek
KJb.	Kölner Jahrbuch für Vor- und Frühgeschichte
KM	Kairoer Mitteilungen
MdI	Mitteilungen des Deutschen Archäologischen Instituts
MH	Museum Helveticum.
MM	Madrider Mitteilungen
MZ	Mainzer Zeitschrift
Nass. Ann.	Nassauische Annalen
N. H.	*Naturalis Historia*
ÖJh.	Jahreshefte des Österreichischen Archäologischen Instituts
OMRL	Oudheidkundige Mededelingen uit het Rijksmuseum van Oudheden te Leiden
PBSR	Papers of the British School at Rome
PEQ	Palestine Exploration Quarterly
RA	Rheinische Ausgrabungen
RAC	Reallexikon für Antike und Christentum
RAN	Revue Archéologique de Narbonaise
RB	Revue Biblique
RE	Paulys Realencyclopädie der classischen Altertumswissenschaft
REA	Revue des Études Anciennes
REL	Revue des Études Ligures
RhM	Rheinisches Museum für Philologie
RHV	Revue historique Vaudoise
RIB	R. P. Wright (ed.), The Roman Inscriptions of Britain I/II (1980/88)
RIC	H. Mattingly/E. A. Sydenham, The Roman Imperial Coinage I ff. (1923 ff.)
RM	Römische Mitteilungen
RV	Rheinische Vierteljahresblätter
SHA	*Scriptores Historiae Augustae*
SJ	Saalburg-Jahrbuch
Sydenham	E. A. Sydenham, The Coinage of the Roman Republic (1952)
TAPA	Transactions and Proceedings of the American Philological Association
TZ	Trierer Zeitschrift
VAHD	Vjesnik Hrvatskoga Arheoloskoga Drustva (Zagreb)
WMBH	Wissenschaftliche Mitteilungen aus Bosnien und Hercegovina (Wien)
WZ	Westdeutsche Zeitschrift
YCS	Yale Classical Studies
ZAK	Zeitschrift für Schweizerische Archäologie und Kunstgeschichte
ZDPV	Zeitschrift des Deutschen Palästina-Vereins
ZPE	Zeitschrift für Papyrologie und Epigraphik

Adresse des Autors

Dr. Tilmann Bechert
Zimmerstraße 10
D - 47249 Duisburg

Orbis Provinciarum

hrsg. von
Tilmann Bechert, Rudolf Fellmann, Margot Klee, Michel Reddé und Michael A. Speidel

Zusammenfassende, allgemeinverständliche und aktuell illustrierte Einzeldarstellungen zu der Geschichte und Kultur der Provinzen des Römischen Reiches sind im deutschen Sprachraum seit langem ein Desiderat der archäologischen Forschung. Dies gilt nicht nur für den engeren Bereich der provinzialrömischen Forschung, die gut daran tut, von Zeit zu Zeit innezuhalten und die vielfältigen Detailergebnisse, die in mehr als zwanzig Ländern zu den verschiedensten Fragestellungen erarbeitet werden, zusammenzufassen und zu veröffentlichen. Aus diesen Überlegungen entstand die Idee zu der Schriftenreihe »Orbis Provinciarum«. Im Vordergrund steht das materielle Erbe aus römischer Zeit, das sich in den ehemaligen Provinzen des Reiches bis heute erhalten hat oder mit Hilfe der Archäologie wieder sichtbar gemacht wurde. Grundanliegen der Reihe ist es, die vielfältigen und oftmals weit verstreuten Daten und Erkenntnisse von Archäologen und Althistorikern, die sich in West- und Osteuropa, den USA, Kanada und anderen Ländern mit den archäologischen und historischen Hinterlassenschaften der römischen Zeit beschäftigten, thematisch zu ordnen, verständlich zu machen und – unterstützt durch eine reiche Bebilderung, die insbesondere aktuelle Befunde berücksichtigt – in eine anschauliche Form zu bringen.

Folgende Bände befinden sich in Vorbereitung:

Margot Klee
Germania superior
Eine römische Provinz im Wandel der Zeit

In diesem Band wird die Geschichte Obergermaniens nachgezeichnet, das schon früh zum römischen Einflußbereich gehörte und im Laufe des 2. Jhs. n. Chr. prosperierte, bis im 3. Jh. n. Chr. militärische Bedrohung zu einer teilweisen Aufgabe führte. Die Entwicklung der einheimischen Bevölkerung, die Rolle des Militärs, Fragen des technischen Fortschritts oder Beobachtungen zur Religionsausübung werden nach den unterschiedlichsten Quellen zusammengestellt und lassen die vielfältigen Einflüsse erkennen, die Rom in seinen Provinzen nahm.

Tilmann Bechert
Germania inferior
Römische Provinz zwischen Rhein und Maas

Die Grenzprovinz «Germania inferior» erlebte im Zeichen der «Pax Romana» bis weit in das 3. Jh. hinein eine Zeit wirtschaftlicher Blüte. Sie vor allem ist Gegenstand dieses Bandes. Im Mittelpunkt steht nicht der Ablauf politischen oder militärischen Geschehens, sondern das Leben der Menschen im römisch-germanischen Grenzgebiet, soweit es sich aus Fragmenten und Überresten rekonstruieren läßt. Betont wird deshalb vor allem die Schlüsselrolle der Archäologie, mit deren Hilfe Geschichte erst gegenständlich und erlebbar wird.

Günther Hölbl
Altägypten im Römischen Reich
Der römische Pharao und sein Tempel

Bis zur Einrichtung der römischen Provinz «Aegyptus» (30 v. Chr.) repräsentierte die altägyptische Tempelkultur mit dem Pharao als Zentralfigur der ägyptischen Religion das lebendige Erbe von drei Jahrtausenden. Es war sowohl zur Sicherung der römischen Herrschaft als auch für den Fortbestand der ägyptischen Welt unbedingte Voraussetzung, daß den römischen Kaisern im Tempelkult die ideologische und rituelle Funktion der alten «Könige von Ober- und Unterägypten» übertragen wurde. Im Zusammenhang mit einer historischen Einführung in den Entwicklungsgang der Provinz am Nil wird die Thematik «Pharao und Tempelbau im römischen Ägypten» möglichst umfassend durch farbiges, z.T. wenig bekanntes Bildmaterial und Pläne illustriert.

Rudolf Fellmann
Alpes Poeninae, Graiae et Cottiae

Florens Felten
Achaea

Günter Grimm
Aegyptus profana

Margot Klee
Syria

Zsolt Visy
Pannonia inferior

VERLAG PHILIPP VON ZABERN · GEGRÜNDET 1785 · MAINZ

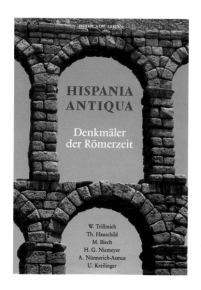
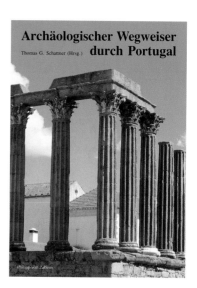

Britannia II

Flavia Caesariensis

Britannia I ⊙ Londinium
Maxima Caesariensis

Belgica II   Germania II
Lugdunensis II   Treveris ⊙ Belgica I   Germania I
                                            Rhenus

Aquitania   Sequania   Raetia II
I   II   Nor Rip
                    Raetia I   Nor
Lugdunum ⊙   ①   Medite
                    Mediolanum
Gallaecia   Viennensis Aemilia   Venetia et
                    ②   Ticinum   Histria
Novem-   ④ ③   Pagus   Aquileia
populania   Liguria
Narbonensis I   Arelas ⊙   Ravenna
                                          Flaminia
Lusitania   Tarraconensis   Tuscia et Picen
                                          Umbria
                    1. Alpes Graiae et Poeninae
Carthaginiensis   2. Alpes Cottiae   Roma ⊙
                    3. Alpes Maritimae   Samniu
                    4. Narbonensis II
                                          Campanium

Mauretania
Sitifensis

Mauretania Caesariensis   Karthago ⊙
                                 Proconsularis
Mauretania Tingitana   Numidia

                        Byzacena

                        Tripolitania

O c e a n u s   A t l a n t i c u s

Sequana
Liger
Rhodanus
Hiberus
Durius
Tagus
Anas

M   a   r   e